D1600903

THE OXFORD–DUDEN PICTORIAL DUTCH & ENGLISH DICTIONARY

THE OXFORD–DUDEN PICTORIAL DUTCH & ENGLISH DICTIONARY

CLARENDON PRESS · OXFORD
1986

Oxford University Press, Walton Street, Oxford OX2 6DP
Oxford New York Toronto
Delhi Bombay Calcutta Madras Karachi
Petaling Jaya Singapore Hong Kong Tokyo
Nairobi Dar es Salaam Cape Town
Melbourne Auckland
and associated companies in
Beirut Berlin Ibadan Nicosia

Oxford is a trade mark of Oxford University Press

Published in the United States
by Oxford University Press, New York

British Library Cataloguing in Publication Data
The Oxford–Duden pictorial Dutch & English dictionary
1. Dutch language—Dictionaries—English
2. English language—Dictionaries—Dutch
439.3'1321 PF460
ISBN 0–19–864159–1

Library of Congress Cataloging-in-Publication Data
The Oxford–Duden pictorial Dutch & English dictionary.
Includes index.
1. Picture dictionaries, Dutch. 2. Picture dictionaries, English.
3. Dutch language—Glossaries, vocabularies, etc. 4. English language—Glossaries, vocabularies, etc.
PF629.08 1986 439.3'1321 86–12412
ISBN 0–19–864159–1

Dutch translation by Bothof Translation Services of Nijmegen

English text edited by John Pheby, with the assistance of Roland Breitsprecher, Michael Clark, Judith Cunningham, Derek Jordan, and Werner Scholze-Stubenrecht
Illustrations by Jochen Schmidt, Mannheim

Printed in the Netherlands

Voorwoord

Wolters' Beeld-woordenboek Engels en Nederlands is tot stand gekomen in samenwerking met de woordenboekenredacties van Duden en Oxford University Press.

Duden heeft in de loop der jaren in de Duitssprekende gebieden een grote reputatie op het gebied van beeldwoordenboeken opgebouwd. De Wolters' Beeld-woordenboeken zijn dan ook gebaseerd op de door Duden uitgegeven Bildwörterbücher.

Beelden kunnen bepaalde informatie sneller en duidelijker overbrengen dan verklaringen en omschrijvingen. Een afbeelding stelt ons vaak beter in de gelegenheid een voorwerp te herkennen dan de meest treffende woorddefinitie.

Dit geldt zowel voor vakspecifieke termen als voor woorden die betrekking hebben op alledaagse voorwerpen die niet bekend zijn bij de algemene gebruiker van een woordenboek. Bovendien voegen beelden een dimensie toe aan een woordenboek, omdat zij naast de alfabetische volgorde een extra zoekmogelijkheid bieden.

Ook in het gebruik van de vreemde taal is de weergave in beeld een belangrijk hulpmiddel. Op de tekeningen in dit boek vindt men steeds de belangrijkste zaken op alle mogelijke gebieden thematisch gerangschikt. Elke pagina geeft door middel van een overzichtstekening de woordenschat bij een bepaald onderwerp weer, samen met de juiste benaming in het Nederlands en het Engels.

De manier waarop de tekst gerangschikt is en de alfabetische registers in het Nederlands en het Engels stellen de gebruiker in staat het beeldwoordenboek ook te hanteren als een Nederlands-Engels en een Engels-Nederlands woordenboek.

De thematische ordening voorkomt het moeizaam opzoeken van afzonderlijke woorden, omdat men zich, via inhoudsopgave en register, in één blik op een geheel woordgebied kan concentreren.

Vanwege deze opzet en vanwege de woordselectie die vooral ook betrekking heeft op meer specifieke vaktermen, is dit beeldwoordenboek een onontbeerlijke aanvulling op elk bestaand handwoordenboek.

Bij de samenstelling ervan is veel steun ondervonden van bedrijven, instellingen en deskundigen op allerlei gespecialiseerde gebieden. Een bijzonder woord van dank en waardering geldt Vertaalbureau Bothof in Nijmegen dat in korte tijd een zeer deskundige Nederlandse vertaling van de tekst wist te leveren.

Groningen 1986
Wolters' Woordenboeken

Foreword

This Dutch and English pictorial dictionary is based on the third, completely revised edition of the German Bildwörterbuch published as Volume 3 of the ten-volume Duden series of monolingual German dictionaries. The English text represents a direct translation of the German original and follows the original lay-out and style as closely as possible. It was produced by the Oxford University Press Dictionary Department with the assistance of numerous British companies, institutions, and technical experts.

There are certain kinds of information which can be conveyed more readily and clearly by pictures than by descriptions and explanations, and an illustration will support the simple translation by helping the reader to visualize the object denoted by a given word. This applies both to technical vocabulary sought by the layman and to everyday objects foreign to the general user.

Each double page contains a plate illustrating the vocabulary of a whole subject, together with the translation of the original German names into Dutch and English. The arrangement of the text and the presence of alphabetical indexes in Dutch and English allow the dictionary to be used either way: as a Dutch-English or an English-Dutch dictionary. This, together with the wide range of vocabulary, which includes a large proportion of specialized words and technical terms, makes this dictionary an indispensable supplement to any Dutch-English or English-Dutch dictionary.

A special word of thanks and appreciation is due to Bothof Translation Services of Nijmegen for supplying a highly expert Dutch translation of the German text in a short time.

Groningen 1986 — Wolters' Woordenboeken
Oxford 1986 — Oxford University Press

Afkortingen in de Nederlandse tekst

b.v.	bijvoorbeeld	*oorspr.*	oorspronkelijk
ca.	circa	*pop.*	populair
enkv.	enkelvoud	*prot.*	protestant
lett.	letterlijk	*R.-K.*	Rooms-Katholiek
max.	maximaal	*uitsl.*	uitsluitend
m.b.v.	met behulp van	*vergelijkb.*	vergelijkbaar
meerv.	meervoud	*vero.*	verouderd
o.a.	onder andere	*volkst.*	volkstaal
ongev.	ongeveer		

Abbreviations used in the English text

Am.	American usage	*m.*	male (animal)
c.	castrated (animal)	*poet.*	poetic
coll.	colloquial	*sg.*	singular
f.	female (animal)	*sim.*	similar
form.	formerly	*y.*	young (animal)
joc.	jocular		

Inhoud *Contents*

De arabische cijfers zijn de nummers van de illustraties
The arabic numerals are the numbers of the pictures

	Nijverheid en industrie		**Trades, Crafts and Industry**

117	Smalfilm	117	Cine Film
118	Bouwplaats I	118	Building Site (Construction Site) I
119	Bouwplaats II	119	Building Site (Construction Site) II
120	Timmerman	120	Carpenter
121	Dak-, houtverbindingen	121	Roof, Timber Joints
122	Dak en dakdekker	122	Roof and Roofer
123	Vloer, plafond, trapconstructie	123	Floor, Ceiling, Staircase Construction
124	Glasbewerker	124	Glazier
125	Loodgieter	125	Plumber
126	Gas- en waterfitter	126	Plumber, Gas Fitter, Heating Engineer
127	Elektricien	127	Electrician
128	Behanger	128	Paperhanger
129	Schilder	129	Painter
130	Kuiper en reservoirbouwer	130	Cooper and Tank Construction Engineer
131	Bontwerker	131	Furrier
132	Meubelmaker I	132	Joiner I
133	Meubelmaker II	133	Joiner II
134	Doe-het-zelf	134	Do-it-yourself
135	Draaier (ivoordraaier)	135	Turner (Ivory Carver)
136	Mandenmaker (mandewerker)	136	Basket Maker
137	Smid I	137	Blacksmith (Smith) I
138	Smid II	138	Blacksmith (Smith) II (Farm Vehicle Engineering)
139	Vrij- en matrijssmeden	139	Hammer Forging (Smith Forging) and Drop Forging
140	Bankwerker	140	Metalworker
141	Autogeenlasser	141	Gas Welder
142	Booglasser	142	Arc Welder
143	Profielen, schroeven en machine-onderdelen	143	Sections, Bolts, and Machine Parts
144	Steenkolenmijn	144	Coal Mine
145	Aardolie	145	Mineral Oil (Oil, Petroleum)
146	Off-shore boren	146	Offshore Drilling
147	Hoogovens	147	Iron and Steel Works
148	IJzergieterij en walserij	148	Iron Foundry and Rolling Mill
149	Gereedschapswerktuigen I	149	Machine Tools I
150	Gereedschapswerktuigen II	150	Machine Tools II
151	Constructiebureau	151	Drawing Office
152	Elektrische centrale I	152	Power Plant (Power Station) I
153	Elektrische centrale II	153	Power Plant (Power Station) II
154	Kernenergie	154	Nuclear Energy
155	Moderne energiebronnen	155	Modern Sources of Energy
156	Cokesfabriek	156	Coking Plant
157	Houtzagerij	157	Sawmill
158	Steengroeve	158	Quarry
159	Steenfabriek	159	Brickworks (Brickyard, Brickfield)
160	Cementfabriek	160	Cement Works (Cement Factory)
161	Porseleinvervaardiging	161	Porcelain and China Manufacture
162	Glasfabrikage	162	Glass Production
163	Katoenspinnerij I	163	Cotton Spinning I
164	Katoenspinnerij II	164	Cotton Spinning II
165	Weverij I	165	Weaving I
166	Weverij II	166	Weaving II
167	Tricotage	167	Knitting
168	Textielveredeling	168	Finishing of Textile Fabrics
169	Kunstvezels I	169	Synthetic (Man-made) Fibres (Am. Fibers) I
170	Kunstvezels II	170	Synthetic (Man-made) Fibres (Am. Fibers) II
171	Bindingswijzen van textiel	171	Weaves and Knits
172	Papiervervaardiging I	172	Papermaking I
173	Papiervervaardiging II	173	Papermaking II
	Grafische industrie		**Printing Industry**
174	Zetterij I	174	Composing Room (Case Room) I
175	Zetterij II	175	Composing Room (Case Room) II
176	Zetterij III (fotozetten)	176	Composing Room (Case Room) III (Phototypesetting, Photocomposition, Photosetting, Filmsetting)
177	Fotografische reproduktie	177	Photomechanical Reproduction
178	Galvano- en clichévervaardiging	178	Electrotyping and Block Making
179	Offsetkopie	179	Offset Platemaking

Verkeer, telecommunicatie en informatica

Transport, Communications and Information Technology

No.	Nederlands	No.	English
239	Omroep II	239	Broadcasting (Radio and Television) II
240	Omroep III (televisietechniek)	240	Broadcasting III (Television Engineering)
241	Geluidsapparatuur	241	Music Systems (Audio Systems)
242	Moderne leermiddelen	242	Teaching Equipment and Information Technology
243	Audiovisuele apparatuur	243	Audiovision (AV)
244	Rekencentrum	244	Computer Centre (Am. Center)
	Kantoor, bank, beurs		**Office, Bank, Stock Exchange**
245	Kantoor I	245	Office I
246	Kantoor II	246	Office II
247	Kantoor III	247	Office III
248	Kantoor VI	248	Office IV
249	Kantoor V	249	Office V
250	Bank	250	Bank
251	Beurs	251	Stock Exchange
	Staat en stad		**Community**
252	Geld	252	Money (Coins and Notes, Am. Coins and Bills)
253	Vlaggen, vaandels, wimpels	253	Flags
254	Heraldiek, kronen	254	Heraldry, Crowns and Coronets
255	Strijdkrachten I (leger)	255	Armed Forces I (Army)
256	Strijdkrachten II (luchtmacht I)	256	Armed Forces II (Air Force I)
257	Strijdkrachten III (luchtmacht II)	257	Armed Forces III (Air Force II)
258	Oorlogsschepen I	258	Warships I
259	Oorlogsschepen II	259	Warships II (Modern Fighting Ships)
260	School I (basisschool)	260	School I (Primary School)
261	School II (middelbare school)	261	School II (Secondary School, High School)
262	Universiteit	262	University
263	Verkiezingen	263	Election
264	Politie	264	Police
265	Café	265	Café
266	Restaurant	266	Restaurant
267	Hotel	267	Hotel
268	Stad (binnenstad)	268	Town (Town Centre, Am. Downtown)
269	Watervoorziening	269	Water Supply
270	Brandweer	270	Fire Service (Am. Fire Department)
271	Warenhuis	271	Department Store
272	Park	272	Park
	Vrije tijd, spel, sport		**Recreation, Games, Sport**
273	Speeltuin	273	Children's Playground
274	Kuuroord	274	Spa
275	Roulette	275	Roulette
276	Bord- en gezelschapsspelen	276	Board Games and Party Games
277	Biljarten	277	Billiards
278	Kamperen	278	Camping and Caravanning (Am. Trailering)
279	Surfen, duiken	279	Surf Riding (Surfing), Skin Diving
280	Strand	280	Bathing Beach
281	Zwembad	281	Swimming Bath (Leisure Centre, Am. Center)
282	Zwemsport	282	Swimming
283	Roeien en kanoën	283	Rowing and Canoeing
284	Zeilen I	284	Sailing (Yachting) I
285	Zeilen II	285	Sailing (Yachting) II
286	Motorboten, waterskiën	286	Motorboats (Powerboats), Water Skiing
287	Zweefvliegen	287	Gliding (Soaring)
288	Vliegsport	288	Aerial Sports (Airsports)
289	Paardesport	289	Horsemanship, Equestrian Sport
290	Wieler-, motor- en autosport	290	Cycle Racing and Motorsports
291	Balspelen I (voetbal)	291	Ball Games I (Football, Association Football, Soccer)
292	Balspelen II	292	Ball Games II
293	Balspelen III	293	Ball Games III

Dieren en planten

Animals and Plants

1-8 atoommodellen
- ***atom models***

1 het atoommodel van waterstof (H)
- *model of the hydrogen (H) atom*

2 de atoomkern (nucleus), een proton
- *atomic nucleus, a proton*

3 het elektron
- *electron*

4 de elektronenspin
- *electron spin*

5 het atoommodel van helium (He)
- *model of the helium (He) atom*

6 de elektronenschil
- *electron shell*

7 het Pauliprincipe
- *Pauli exclusion principle (exclusion principle, Pauli principle)*

8 de volle (afgesloten) elektronenschil van het Na-atoom (natriumatoom)
- *complete electron shell of the Na atom (sodium atom)*

9-14 molecuulstructuren (rasterstructuren)
- ***molecular structures***

9 het keukenzoutkristal
- *crystal of sodium chloride (of common salt)*

10 het chloorion
- *chlorine ion*

11 het natriumion
- *sodium ion*

12 het christobalietkristal
- *crystal of cristobalite*

13 het zuurstofatoom
- *oxygen atom*

14 het siliciumatoom
- *silicon atom*

15 **de „energieniveaus"** (mogelijke quantumsprongen) van het waterstofatoom
- ***energy levels*** *(possible quantum jumps) of the hydrogen atom*

16 de atoomkern (proton)
- *atomic nucleus (proton)*

17 het elektron
- *electron*

18 het niveau van de grondtoestand
- *ground state level*

19 de aangeslagen toestand
- *excited state*

20-25 de quantumsprongen
- ***quantum jumps*** *(quantum transitions)*

20 de Lymanserie
- *Lyman series*

21 de Balmerserie
- *Balmer series*

22 de Paschenserie
- *Paschen series*

23 de Bracketserie
- *Brackett series*

24 de Pfundserie
- *Pfund series*

25 het vrije elektron
- *free electron*

26 het model van het H-atoom volgens Bohr-Sommerfeld
- *Bohr-Sommerfeld model of the H atom*

27 de energieniveaus van het elektron
- *energy levels of the electron*

28 **het spontane verval** van een radioactief materiaal
- ***spontaneous decay*** *of radioactive material*

29 de atoomkern
- *atomic nucleus*

30-31 het alfadeeltje (α, de alfastraling, de atoomkern van helium)
- *alpha (α) particle (alpha ray, helium nucleus)*

30 het neutron
- *neutron*

31 het proton
- *proton*

32 het bètadeeltje (β, de bètastraling, het elektron)
- *beta (β) particle (beta ray, electron)*

33 de gammastraling (γ, een harde röntgenstraling)
- *gamma (γ) ray, a hard X-ray*

34 de kernsplijting (kernsplitsing)
- ***nuclear fission***

35 de zware atoomkern
- *heavy atomic nucleus*

36 het neutronenbombardement
- *neutron bombardment*

37-38 de kernstukken
- *fission fragments*

39 het vrijgekomen neutron
- *released neutron*

40 de gammastraling (γ)
- *gamma (γ) ray*

41 de kettingreactie
- ***chain reaction***

42 het kernsplijtende neutron
- *incident neutron*

43 de kern vóór de splijting
- *nucleus prior to fission*

44 het kernstuk
- *fission fragment*

45 het vrijgekomen neutron
- *released neutron*

46 de herhaalde kernsplijting
- *repeated fission*

47 het kernstuk
- *fission fragment*

48 de gecontroleerde kettingreactie in een kernreactor
- ***controlled chain reaction in a nuclear reactor***

49 de atoomkern van een splijtbaar element
- *atomic nucleus of a fissionable element*

50 het neutronenbombardement
- *neutron bombardment*

51 het kernstuk (de nieuwe atoomkern)
- *fission fragment, a new atomic nucleus*

52 het vrijgekomen neutron
- *released neutron*

53 de geabsorbeerde neutronen
- *absorbed neutrons*

54 de moderator, een remmende laag van grafiet
- *moderator, a retarding layer of graphite*

55 de warmteonttrekking (energiewinning)
- *extraction of heat (production of energy)*

56 de röntgenstraling
- *X-ray*

57 de beschermende mantel van beton en lood
- *concrete and lead shield*

58 **de bellenkamer** om de sporen van energierijke ioniserende deeltjes zichtbaar te maken
- ***bubble chamber*** *for showing the tracks of high-energy ionizing particles*

59 de lichtbron
- *light source*

60 de camera
- *camera*

61 de expansieleiding
- *expansion line*

62 de weg van de lichtstralen
- *path of light rays*

63 de magneet
- *magnet*

64 het ingangspunt van de stralen
- *beam entry point*

65 de spiegel (reflector)
- *reflector*

66 de kamer
- *chamber*

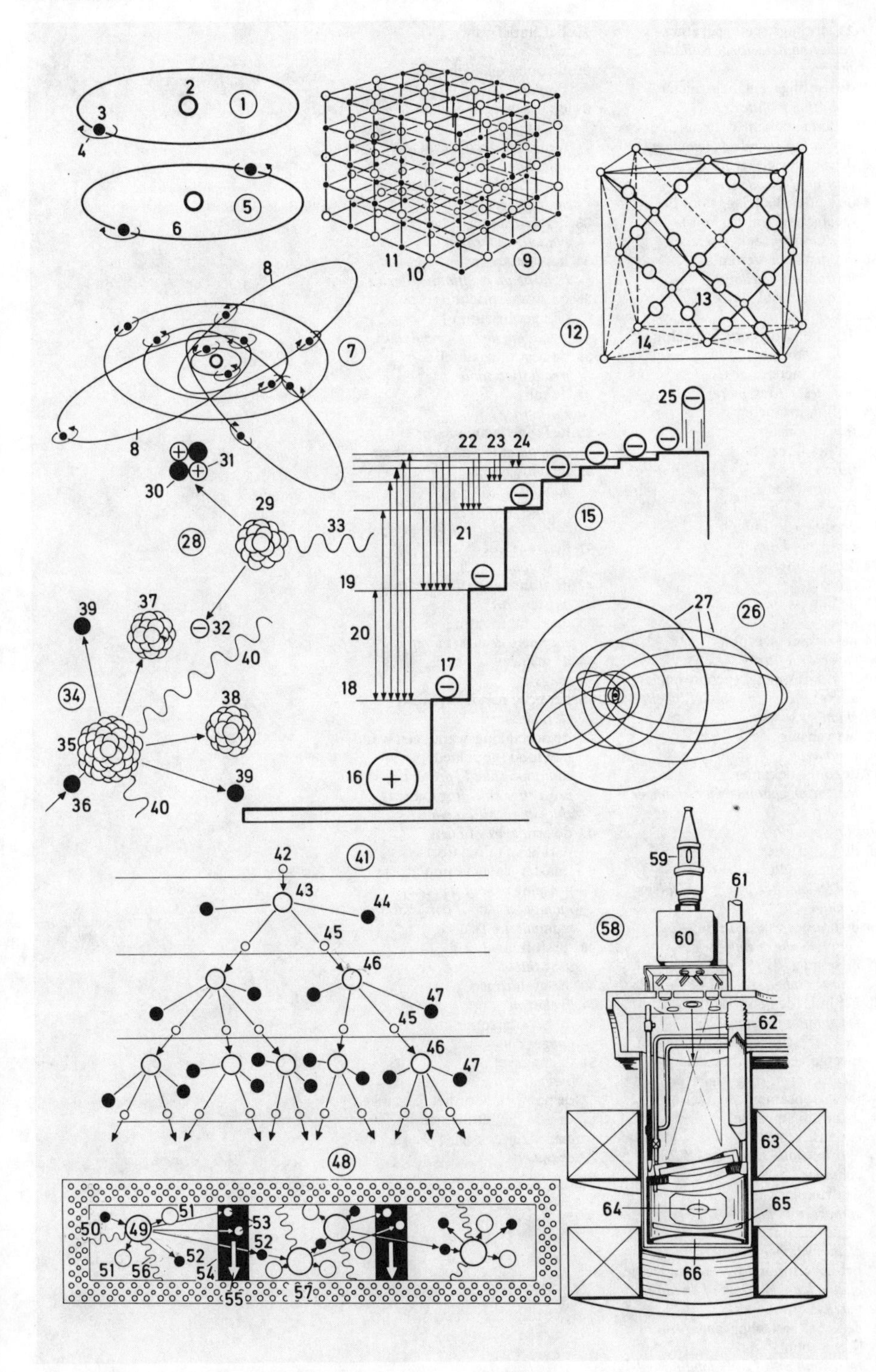

1
2
3
4
5
6
7
8
9
10
11
12
13
14
15
16
17
18
19
20
21
22
23
24
25
26
27
28
29
30
31
32
33
34
35
36
37
38
39
40
41
42
43
44
45
46
47
48
49
50
51
52
53
54
55
56
57
58
59
60
61
62
63
64
65
66

1-23 **stralingsmeetapparatuur**
- ***radiation detectors*** *(radiation meters)*

1 de stralingsveiligheidsmeter
- *radiation monitor*

2 de ionisatiekamer
- *ionization chamber (ion chamber)*

3 de centrale elektrode
- *central electrode*

4 de keuzeschakelaar voor het meetgebied (meetbereik)
- *measurement range selector*

5 het instrumentenhuis
- *instrument housing*

6 de meetschaal
- *meter*

7 de instelknop voor het nulpunt
- *zero adjustment*

8-23 dosimeters
- *dosimeter (dosemeter)*

8 de filmdosimeter
- *film dosimeter*

9 de, het filter
- *filter*

10 de film
- *film*

11 de vingerdosimeter
- *film-ring dosimeter*

12 de, het filter
- *filter*

13 de film
- *film*

14 het deksel met filter
- *cover with filter*

15 de zakdosimeter (pendosimeter)
- *pocket meter (pen meter, pocket chamber)*

16 het venster
- *window*

17 de ionisatiekamer
- *ionization chamber (ion chamber)*

18 de clip
- *clip (pen clip)*

19 de geigerteller (geiger-müller-teller)
- *Geiger counter (Geiger-Müller counter)*

20 de houder van de telbuis
- *counter tube casing*

21 de telbuis
- *counter tube*

22 het huis (de behuizing)
- *instrument housing*

23 de keuzeschakelaar voor het meetgebied (meetbereik)
- *measurement range selector*

24 de wilsoncamera (het wilsonvat, de nevelkamer, het expansienevelvat)
- *Wilson cloud chamber (Wilson chamber)*

25 de drukplaat
- *compression plate*

26 de nevelkamerfoto
- *cloud chamber photograph*

27 het nevelspoor van een alfadeeltje
- *cloud chamber track of an alpha particle*

28 **de kobaltbestralingsapparatuur** (kobaltbom)
- ***telecobalt unit*** *(*coll. *cobalt bomb)*

29 het statief
- *pillar stand*

30 de ophangkabels
- *support cables*

31 de beschermingsplaat tegen straling
- *radiation shield (radiation shielding)*

32 de verschuifbare afdekking
- *sliding shield*

33 het diafragma
- *bladed diaphragm*

34 het lichtvizier
- *light-beam positioning device*

35 de zwaai-inrichting (slingerinrichting)
- *pendulum device (pendulum)*

36 de bestralingstafel
- *irradiation table*

37 de rail
- *rail (track)*

38 **de (kogel)manipulator**
- ***manipulator with sphere unit***

39 de handgreep
- *handle*

40 de blokkeerval
- *safety catch (locking lever)*

41 het gewricht
- *wrist joint*

42 de stuurstang (masterarm)
- *master arm*

43 de kleminrichting
- *clamping device (clamp)*

44 de grijper
- *tongs*

45 het bord met inkepingen
- *slotted board*

46 de beveiligingswand, een wand met lood [doorsnede]
- *radiation shield (protective shield, protective shielding), a lead shielding wall [section]*

47 de grijparm van een parallelmanipulator (master-slavemanipulator)
- *grasping arm of a pair of manipulators (of a master/slave manipulator)*

48 de stofmanchet
- *dust shield*

49 **het cyclotron**
- ***cyclotron***

50 de gevarenzone
- *danger zone*

51 de magneet
- *magnet*

52 de pompen voor het leegzuigen van de vacuümkamer
- *pumps for emptying the vacuum chamber*

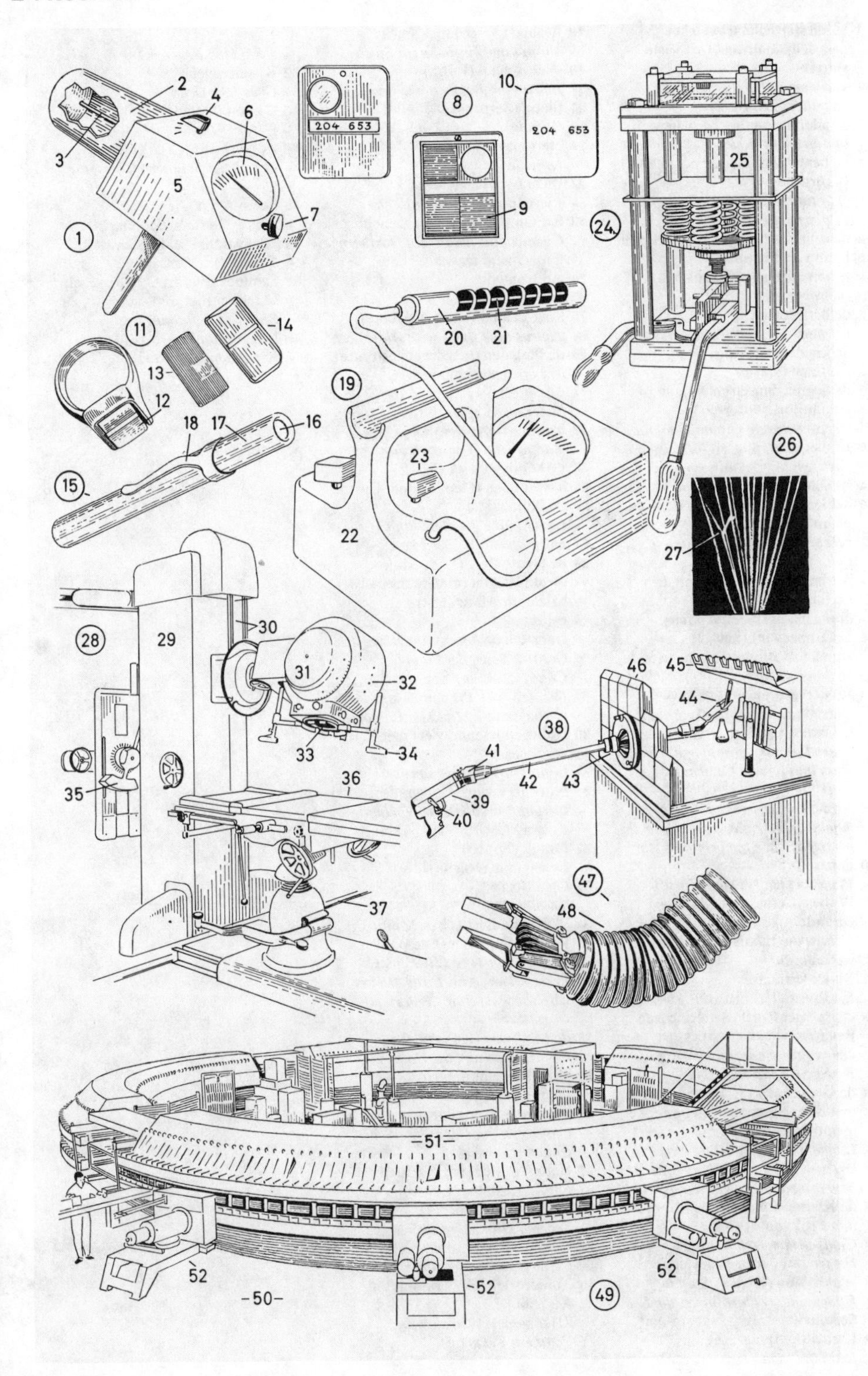

1
2
3
4
5
6
7
8
204 653
9
10
204 653
11
12
13
14
15
16
17
18
19
20
21
22
23
24
25
26
27
28
29
30
31
32
33
34
35
36
37
38
39
40
41
42
43
44
45
46
47
48
49
50
51
52

1-35 de sterrenkaart van het noordelijk halfrond met vaste sterren
- ***star map of the northern sky*** *(northern hemisphere)*

1-8 indeling van het hemelgewelf
- *divisions of the sky*

1 de hemelpool met de poolster (noordster)
- *celestial pole with the Pole Star (Polaris, the North Star)*

2 de ecliptica (schijnbare jaarlijkse baan van de zon)
- *ecliptic (apparent annual path of the sun)*

3 de hemelequator
- *celestial equator (equinoctial line)*

4 de kreeftskeerkring
- *tropic of Cancer*

5 de begrenzingscirkel van de circumpolaire sterren
- *circle enclosing circumpolar stars*

6-7 de equinoxpunten (de dag- en nachtevening, equinox)
- *equinoctial points (equinoxes)*

6 het lentepunt (punt van de Ram, begin van de lente)
- *vernal equinoctial point (first point of Aries)*

7 het herfstpunt (begin van de herfst)
- *autumnal equinoctial point*

8 het zomerpunt (het zomersolstitium, de zonnewende)
- *summer solstice*

9-48 sterrenbeelden (groep vaste sterren, die een figuur vormen) **en de namen van de sterren**
- ***constellations*** *(grouping of fixed stars into figures)* ***and names of stars***

9 Arend met hoofdster Altaïr
- *Aquila (the Eagle) with Altair the principal star (the brightest star)*

10 Pegasus
- *Pegasus (the Winged Horse)*

11 Walvis (Cetus) met Mira, een veranderlijke ster
- *Cetus (the Whale) with Mira, a variable star*

12 Rivier (Eridanus)
- *Eridamus (the Celestial River)*

13 Orion met Rigel, Betelgeuze en Bellatrix
- *Orion (the Hunter) with Rigel, Betelgeuse and Bellatrix*

14 de Grote Hond (Canis Major) met Sirius, een ster van de eerste grootte (magnitude, helderheid)
- *Canis Major (the Great Dog, the Greater Dog) with Sirius (the Dog Star), a star of the first magnitude*

15 de Kleine Hond (Canis Minor) met Prokyon
- *Canis Minor (the Little Dog, the Lesser Dog) with Procyon*

16 Waterslang (Hydra)
- *Hydra (the Water Snake, the Sea Serpent)*

17 Leeuw (Leo) met Regulus
- *Leo (the Lion)*

18 Maagd (Virgo) met Spica
- *Virgo (the Virgin) with Spica*

19 Weegschaal (Libra)
- *Libra (the Balance, the Scales)*

20 Slang (Serpens)
- *Serpens (the Serpent)*

21 Hercules
- *Hercules*

22 Lier (Lyra) met Wega
- *Lyra (the Lyre) with Vega*

23 Zwaan (Cygnus) met Deneb
- *Cygnus (the Swan, the Northern Cross) with Deneb*

24 Andromeda
- *Andromeda*

25 Stier (Taurus) met Aldebaran
- *Taurus (the Bull) with Aldebaran*

26 de Plejaden (het Zevengesternte), een open sterrenhoop
- *The Pleiades (Pleiads, the Seven Sisters), an open cluster of stars*

27 Voerman (Auriga) met Capella
- *Auriga (the Wagoner, the Charioteer) with Capella*

28 Tweelingen (Gemini) met Castor en Pollux
- *Gemini (the Twins) with Castor and Pollux*

29 de Grote Beer (Ursa Major, Grote Wagen) met de dubbelster Mizar en Alkor (paard en ruitertje)
- *Ursa Major (the Great Bear, the Greater Bear, the Plough, Charles's Wain,* Am. *the Big Dipper) with the double star (binary star) Mizar and Alcor*

30 Boötes (Ossenhoeder) met Arcturus
- *Boötes (the Herdsman)*

31 Noorderkroon (Corona Borealis)
- *Corona Borealis (the Northern Crown)*

32 Draak (Draco)
- *Draco (the Dragon)*

33 Cassiopeia
- *Cassiopeia*

34 de Kleine Beer (Ursa Minor, Kleine Wagen) met de poolster
- *Ursa Minor (the Little Bear, Lesser Bear,* Am. *Little Dipper) with the Pole Star (Polaris, the North Star)*

35 de Melkweg (Galactica)
- *the Milky Way (the Galaxy)*

36-48 de zuidelijke sterrenhemel
- ***the southern sky***

36 Steenbok (Capricornus)
- *Capricorn (the Goat, the Sea Goat)*

37 Boogschutter (Sagittarius)
- *Sagittarius (the Archer)*

38 Schorpioen (Scorpio)
- *Scorpio (the Scorpion)*

39 Centaur (Centaurus)
- *Centaurus (the Centaur)*

40 Zuiderdriehoek (Triangulum Australe)
- *Triangulum Australe (the Southern Triangle)*

41 Pauw
- *Pavo (the Peacock)*

42 Kraanvogel
- *Grus (the Crane)*

43 Oktant (Octans)
- *Octans (the Octant)*

44 Zuiderkruis (Crux)
- *Crux (the Southern Cross, the Cross)*

45 Schip Argo (Argo Navis)
- *Argo (the Celestial Ship)*

46 Kiel van het schip (Carina)
- *Carina (the Keel)*

47 Schilder (Pictor, Schildersezel, Machina Pictoris)
- *Pictor (the Painter)*

48 Net (Reticulum)
- *Reticulum (the Net)*

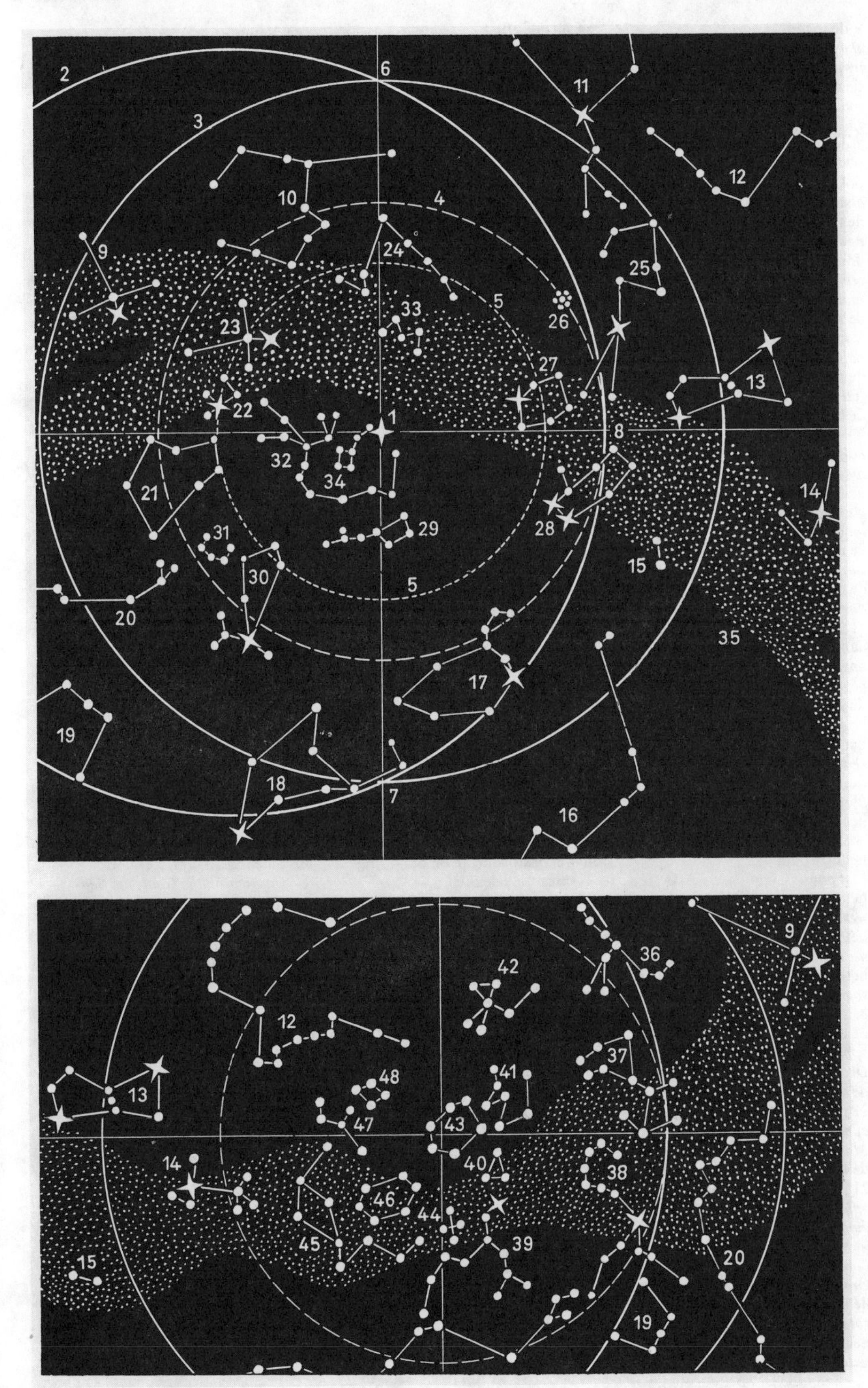
1
2
3
4
5
6
7
8
9
10
11
12
13
14
15
16
17
18
19
20
21
22
23
24
25
26
27
28
29
30
31
32
33
34
35
36
37
38
39
40
41
42
43
44
45
46
47
48

1-9 de maan
- *the moon*

1 de maanbaan (omloopbaan van de maan om de aarde)
- *moon's path (moon's orbit round the earth)*

2-7 de schijngestalten van de maan (maanfasen)
- *lunar phases (moon's phases)*; also: *lunation*

2 de nieuwe maan
- *new moon*

3 de maansikkel (wassende maan)
- *crescent (crescent moon, waxing moon)*

4 de halve maan (het eerste kwartier)
- *half-moon [first quarter]*

5 de volle maan
- *full moon*

6 de halve maan (het laatste kwartier)
- *half-moon [last quarter, third quarter]*

7 de maansikkel (afnemende maan)
- *crescent (crescent moon, waning moon)*

8 de aarde (aardbol)
- *the earth (terrestrial globe)*

9 de richting van de zonnestralen
- *direction of the sun's rays*

10-21 de schijnbare baan van de zon aan het begin van de jaargetijden
- *apparent path of the sun at the beginning of the seasons*

10 de hemelas
- *celestial axis*

11 het zenit
- *zenith*

12 het horizontale vlak
- *horizontal plane*

13 het nadir
- *nadir*

14 het oostpunt
- *east point*

15 het westpunt
- *west point*

16 het noordpunt
- *north point*

17 het zuidpunt
- *south point*

18 de schijnbare baan van de zon op 21 december
- *apparent path of the sun on 21 December*

19 de schijnbare baan van de zon op 21 maart en 23 september
- *apparent path of the sun on 21 March and 23 September*

20 de schijnbare baan van de zon op 21 juni
- *apparent path of the sun on 21 June*

21 de schemeringsgrens
- *border of the twilight area*

22-28 de roterende bewegingen van de aardas
- *rotary motions of the earth's axis*

22 de as van de ecliptica
- *axis of the ecliptic*

23 de hemelbol
- *celestial sphere*

24 de baan van de hemelpool (precessie en nutatie)
- *path of the celestial pole [precession and nutation]*

25 de instantane rotatieas
- *instantaneous axis of rotation*

26 de hemelpool
- *celestial pole*

27 de gemiddelde rotatieas
- *mean axis of rotation*

28 de poolhode
- *polhode*

29-35 de zons- en maansverduistering [niet op schaal]
- *solar and lunar eclipse [not to scale]*

29 de zon
- *the sun*

30 de aarde
- *the earth*

31 de maan
- *the moon*

32 de zonsverduistering
- *solar eclipse*

33 de totaliteitszone
- *area of the earth in which the eclipse appears total*

34-35 de maansverduistering
- *lunar eclipse*

34 de halfschaduw (bijschaduw)
- *penumbra (partial shadow)*

35 de kernschaduw
- *umbra (total shadow)*

36-41 de zon
- *the sun*

36 de zonneschijf
- *solar disc (disk) (solar globe, solar sphere)*

37 zonnevlekken
- *sunspots*

38 wervelstormen in de omgeving van zonnevlekken
- *cyclones in the area of sunspots*

39 de corona (rand van de zon die bij een totale zonsverduistering of met speciale instrumenten kan worden waargenomen)
- *corona (solar corona), observable during total solar eclipse or by means of special instruments*

40 protuberanties
- *prominences (solar prominences)*

41 de rand van de maan bij een totale zonsverduistering
- *moon's limb during a total solar eclipse*

42-52 de planeten (het planetenstelsel, zonnestelsel) [niet op schaal] en de planetensymbolen
- *planets (planetary system, solar system) [not to scale] and planet symbols*

42 de zon
- *the sun*

43 Mercurius
- *Mercury*

44 Venus
- *Venus*

45 de aarde met de maan, een satelliet
- *Earth, with the moon, a satellite*

46 Mars met twee manen
- *Mars, with two moons (satellites)*

47 de planetoïden (asteroïden)
- *asteroids (minor planets)*

48 Jupiter met 14 manen
- *Jupiter, with 14 moons (satellites)*

49 Saturnus met 10 manen
- *Saturn, with 10 moons (satellites)*

50 Uranus met vijf manen
- *Uranus, with five moons (satellites)*

51 Neptunus met twee manen
- *Neptune, with two moons (satellites)*

52 Pluto
- *Pluto*

53-64 de tekens van de dierenriem (zodiac)
- *signs of the zodiac (zodiacal signs)*

53 Ram (Aries)
- *Aries (the Ram)*

54 Stier (Taurus)
- *Taurus (the Bull)*

55 Tweelingen (Gemini)
- *Gemini (the Twins)*

56 Kreeft (Cancer)
- *Cancer (the Crab)*

57 Leeuw (Leo)
- *Leo (the Lion)*

58 Maagd (Virgo)
- *Virgo (the Virgin)*

59 Weegschaal (Libra)
- *Libra (the Balance, the Scales)*

60 Schorpioen (Scorpio)
- *Scorpio (the Scorpion)*

61 Boogschutter (Sagittarius)
- *Sagittarius (the Archer)*

62 Steenbok (Capricornus)
- *Capricorn (the Goat, the Sea Goat)*

63 Waterman (Aquarius)
- *Aquarius (the Water Carrier, the Water Bearer)*

64 Vissen (Pisces)
- *Pisces (the Fish)*

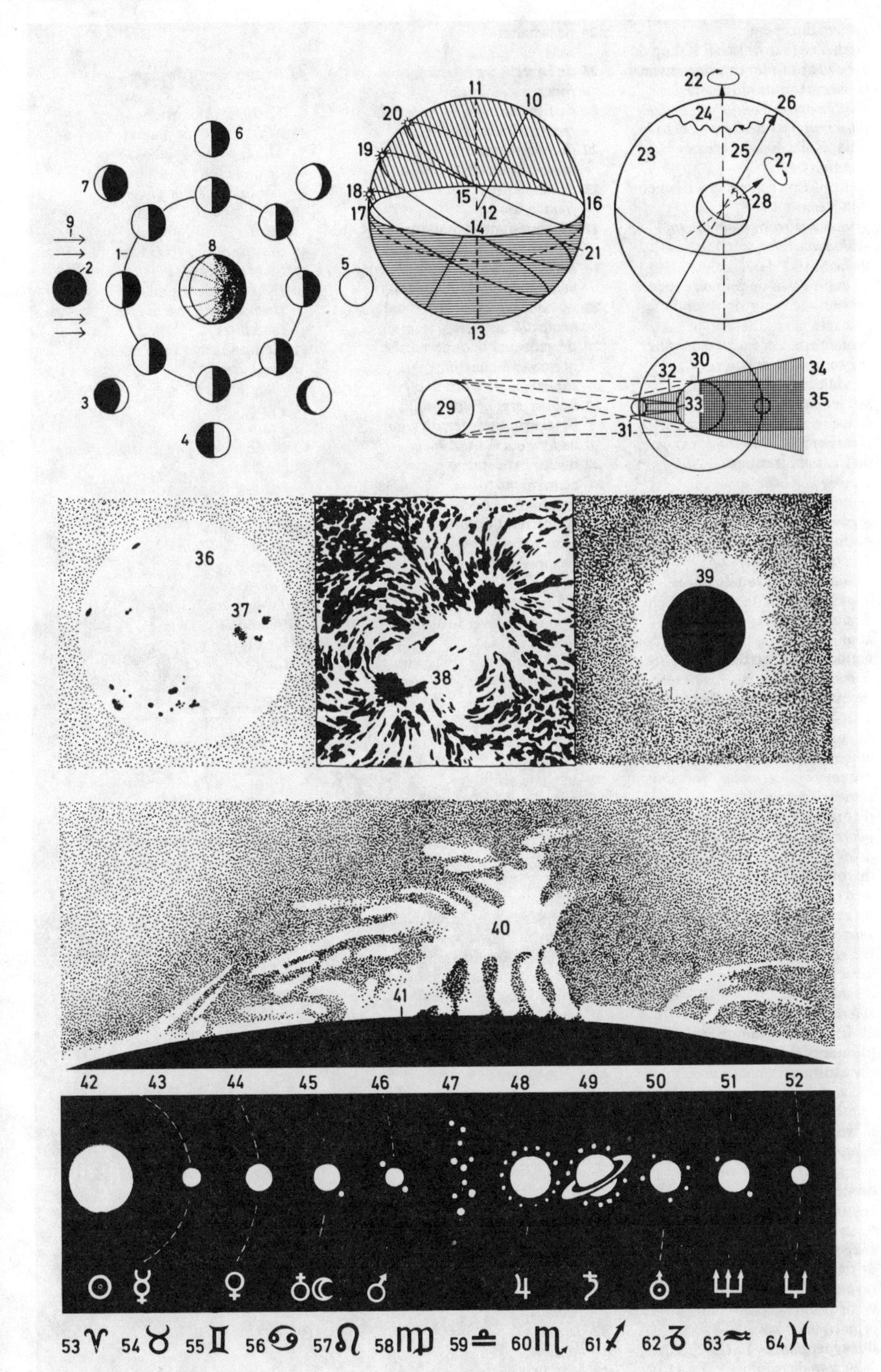
1
2
3
4
5
6
7
8
9
10
11
12
13
14
15
16
17
18
19
20
21
22
23
24
25
26
27
28
29
30
31
32
33
34
35
36
37
38
39
40
41
42
43
44
45
46
47
48
49
50
51
52
53
54
55
56
57
58
59
60
61
62
63
64

1-16 het Europese zuid-observatorium (ESO) op de *La Silla* in *Chili*, een sterrenwacht (observatorium) [doorsnede]
- *the European Southern Observatory (ESO) on* Cerro la Silla, Chile, *an observatory [section]*

1 de hoofdspiegel met een diameter van 3,6 m
- *primary mirror (main mirror) with a diameter of 3.6 m (144 inches)*

2 de cabine van de primaire focus met houder voor de secundaire spiegel
- *prime focus cage with mounting for secondary mirrors*

3 de vlakke spiegel voor de stralengang volgens het Coudérincipe (Coudéspiegel)
- *flat mirror for the coudé ray path*

4 de Cassegraincabine
- *Cassegrain cage*

5 de roosterspectrograaf
- *grating spectrograph*

6 de spectrografische camera
- *spectrographic camera*

7 de aandrijving van de uuras
- *hour axis drive*

8 de uuras
- *hour axis*

9 het hoefijzer van de bevestiging
- *horseshoe mounting*

10 de hydraulische lagering
- *hydrostatic bearing*

11 de inrichtingen voor de primaire en secundaire focus
- *primary and secondary focusing devices*

12 de draaikoepel (het koepeldak)
- *observatory dome, a revolving dome*

13 de (observatie)spleet
- *observation opening*

14 de verticaal beweegbare afsluiter
- *vertically movable dome shutter*

15 het windscherm
- *wind screen*

16 de siderostaat
- *siderostat*

17-28 het planetarium te Stuttgart [doorsnede]
- *the* Stuttgart *Planetarium [section]*

17 kantoor, werkplaatsen en magazijnen
- *administration, workshop, and store area*

18 de stalen pin
- *steel scaffold*

19 de piramide met glazen panelen
- *glass pyramid*

20 de draaibare gebogen ladder
- *revolving arched ladder*

21 de projectiekoepel
- *projection dome*

22 de lichtregeling
- *light stop*

23 de projector van het planetarium
- *planetarium projector*

24 de schacht
- *well*

25 de foyer
- *foyer*

26 de filmzaal
- *theatre (*Am. *theater)*

27 de projectiecabine
- *projection booth*

28 de funderingspaal
- *foundation pile*

29-33 het zonneobservatorium Kitt Peak bij Tucson, Arizona
- *the* Kitt Peak *solar observatory near* Tucson, Ariz. *[section]*

29 de zonnespiegel (heliostaat)
- *heliostat*

30 de gedeeltelijk onderaardse observatieschacht
- *sunken observation shaft*

31 het watergekoelde schild ter bescherming tegen de wind
- *water-cooled windshield*

32 de concave spiegel
- *concave mirror*

33 de observatie- en spectrografieruimte
- *observation room housing the spectrograph*

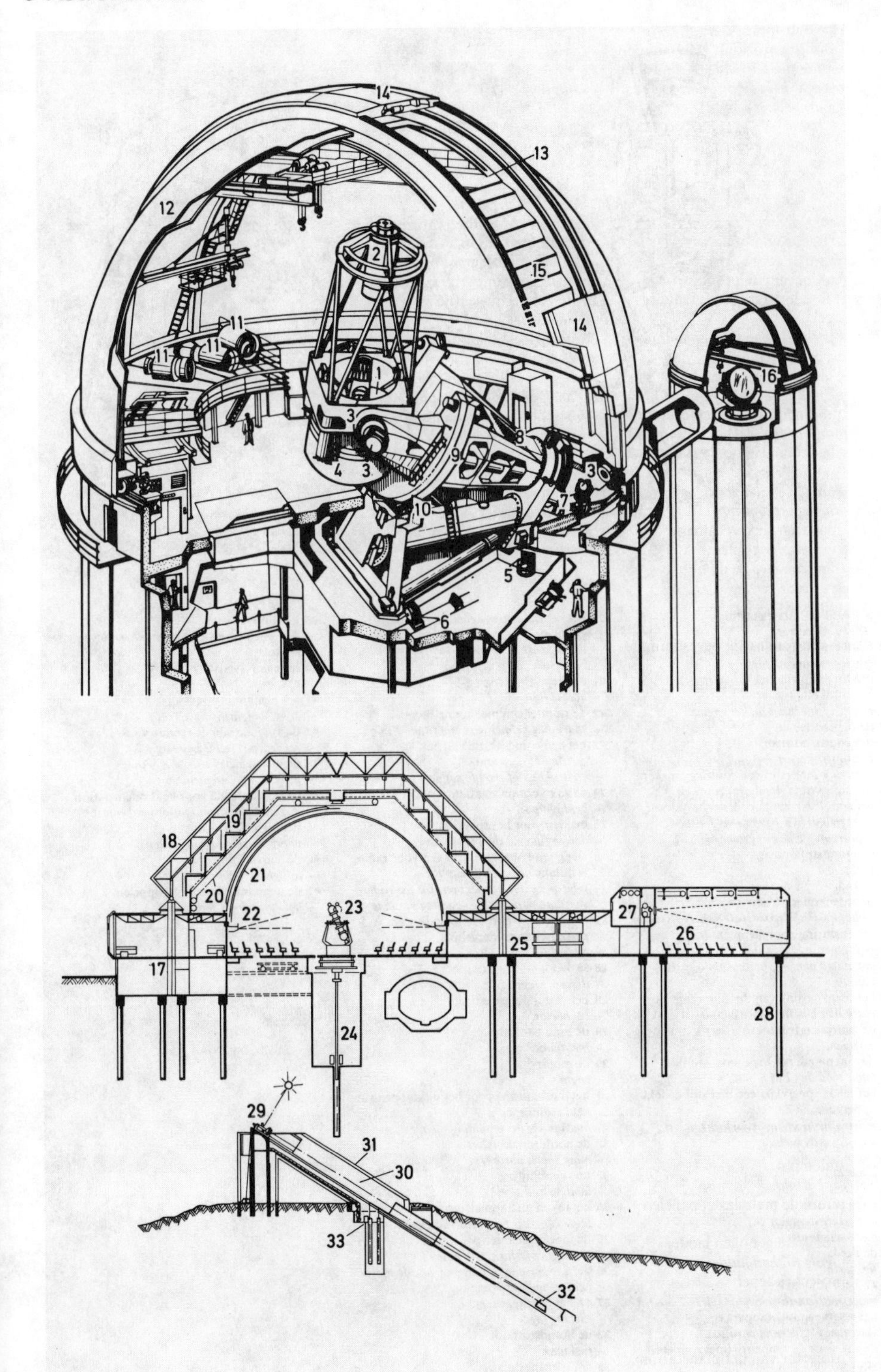
14
13
12
12
15
11
14
11
11
1
16
3
8
3
9
4
3
7
10
5
6
19
18
21
20
22
23
27
25
26
17
24
28
29
31
30
33
32

6 Maanlanding | *Moon Landing* 6

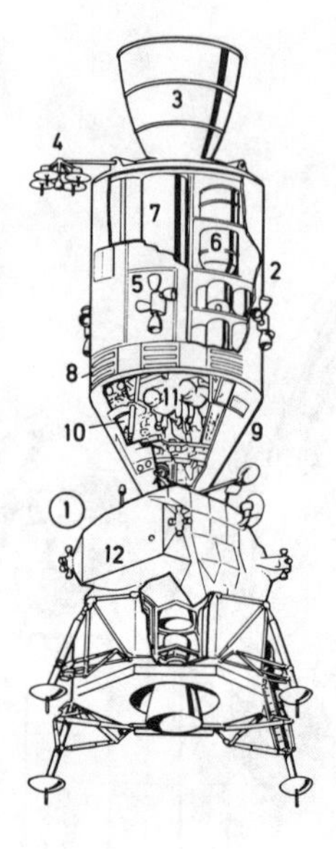

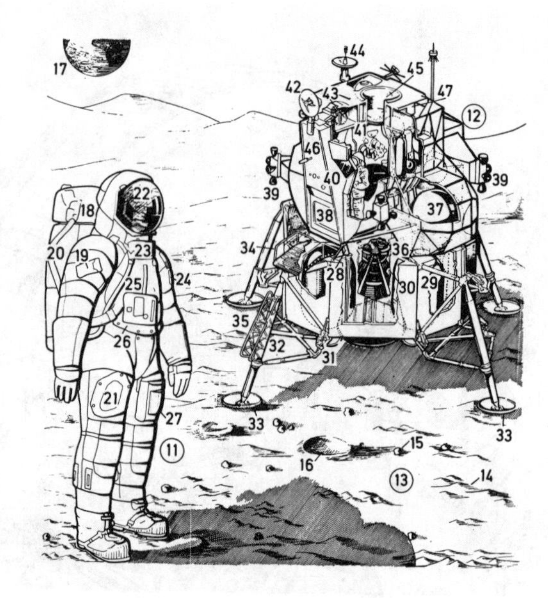

1 het Apollo-ruimtevaartuig
- *Apollo spacecraft*

2 het dienstcompartiment
- *service module (SM)*

3 de straalpijp van het hoofdrakettensysteem
- *nozzle of the main rocket engine*

4 de richtantenne
- *directional antenna*

5 de stuurraketten
- *manoeuvring (*Am. *maneuvering) rockets*

6 de tanks voor (vloeibare) zuur- en waterstof van het boordenergiesysteem
- *oxygen and hydrogen tanks for the spacecraft's energy system*

7 de brandstoftank
- *fuel tank*

8 de radiatoren van het boordenergiesysteem
- *radiators of the spacecraft's energy system*

9 het besturingscompartiment (de Apollo-ruimtecapsule)
- *command module;* here: *Apollo space capsule*

10 het toegangsluik van de ruimtecapsule
- *entry hatch of the space capsule*

11 de astronaut (ruimtevaarder)
- *astronaut*

12 de maanlander (LM, Lunar Module)
- *lunar module (LM)*

13 het maanoppervlak, een met stof bedekt oppervlak
- *moon's surface (lunar surface), a dust-covered surface*

14 het maanstof
- *lunar dust*

15 de steen
- *piece of rock*

16 de meteorietkrater
- *meteorite crater*

17 de aarde
- *the earth*

18-27 het ruimtepak
- *space suit (extra-vehicular suit)*

18 het reservezuurstofapparaat
- *emergency oxygen apparatus*

19 de zak voor de zonnebril [met zonnebril voor gebruik aan boord]
- *sunglass pocket [with sunglasses for use on board]*

20 het overlevingssysteem, op de rug gedragen
- *life support system (life support pack), a backpack unit*

21 de klep
- *access flap*

22 de ruimtehelm met zonnefilters
- *space suit helmet with sun filters*

23 het bedieningskastje van het overlevingssysteem
- *control box of the life support pack*

24 de zak voor de staaflamp
- *penlight pocket*

25 de klep voor het spoelventiel
- *access flap for the purge valve*

26 slang- en kabelaansluitingen voor radio, ventilatie en waterkoeling
- *tube and cable connections for the radio, ventilation, and water-cooling systems*

27 de zak voor schrijfbenodigdheden, gereedschap en dergelijke
- *pocket for pens, tools, etc.*

28-36 het landingsgedeelte
- *descent stage*

28 het verbindingselement
- *connector*

29 de brandstoftank
- *fuel tank*

30 de motor
- *engine*

31 het mechanisme voor het uitklappen van het landingsgestel
- *mechanism for unfolding the legs*

32 de hoofdschokbreker
- *main shock absorber*

33 de voetschijf
- *landing pad*

34 het in- en uitstapplatform
- *ingress/egress platform (hatch platform)*

35 de toegangsladder
- *ladder to platform and hatch*

36 de cardanische ophanging van de motor
- *cardan mount for engine*

37-47 het opstijggedeelte
- *ascent stage*

37 de brandstoftank
- *fuel tank*

38 het toegangsluik
- *ingress/egress hatch (entry/exit hatch)*

39 de stuurraketten
- *LM manoeuvring (*Am. *maneuvering) rockets*

40 het raam (venster)
- *window*

41 het bemanningsverblijf
- *crew compartment*

42 de antenne van de rendez-vousradar
- *rendezvous radar antenna*

43 de inertiemeter
- *inertial measurement unit*

44 de richtantenne voor het bodemstation
- *directional antenna for ground control*

45 het bovenluik (koppelluik)
- *upper hatch (docking hatch)*

46 de aanvliegantenne
- *inflight antenna*

47 de uitsparing voor het koppelen
- *docking target recess*

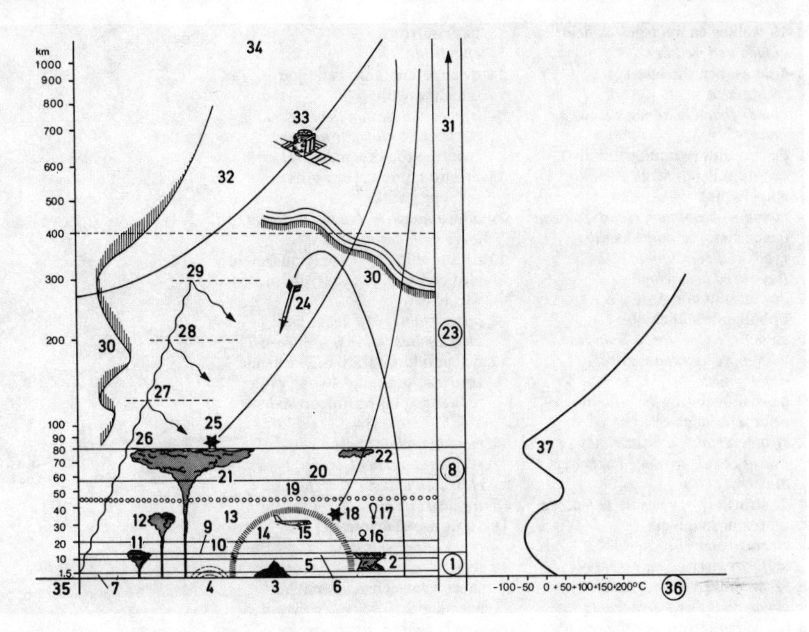

1 de troposfeer
- ***the troposphere***

2 onweerswolken
- *thunderclouds*

3 de hoogste berg, *Mount Everest* [8882 m]
- *the highest mountain,* Mount Everest *[8,882 m]*

4 de regenboog
- *rainbow*

5 de laag van de straalstromen
- *jet stream level*

6 de nullaag (omkering van de loodrechte luchtbewegingen)
- *zero level [inversion of vertical air movement]*

7 de grondlaag
- *ground layer (surface boundary layer)*

8 stratosfeer
- ***the stratosphere***

9 de tropopauze
- *tropopause*

10 de scheidingslaag (laag met zwakkere luchtbewegingen)
- *separating layer [layer of weaker air movement]*

11 de explosie van een atoombom
- *atomic explosion*

12 de explosie van een waterstofbom
- *hydrogen bomb explosion*

13 de ozonlaag
- *ozone layer*

14 de uitbreiding van geluidsgolven
- *range of sound wave propagation*

15 het stratosfeervliegtuig
- *stratosphere aircraft*

16 de bemande ballon
- *manned balloon*

17 de meetballon
- *sounding balloon*

18 de meteoor
- *meteor*

19 de bovengrens van de ozonlaag
- *upper limit of ozone layer*

20 de nullaag
- *zero level*

21 de uitbarsting van de Krakatau
- *eruption of Krakatoa*

22 lichtende nachtwolken
- *luminous clouds (noctilucent clouds)*

23 de ionosfeer
- ***the ionosphere***

24 de actieradius van de onderzoeksraket
- *range of research rockets*

25 de vallende ster
- *shooting star*

26 de korte golf (hoge frequentie)
- *short wave, a high frequency wave*

27 de E-laag (heavyside-laag)
- *E-layer (Heaviside-Kennelly Layer)*

28 de F_1-laag
- *F_1-layer*

29 de F_2-laag
- *F_2-layer*

30 het poollicht
- *aurora (polar light)*

31 de exosfeer
- ***the exosphere***

32 de atoomlaag
- *atom layer*

33 de actieradius van de meetsatellieten
- *range of satellite sounding*

34 de overgang naar de ruimte
- *fringe region*

35 de hoogteschaal
- *altitude scale*

36 de temperatuurschaal
- *temperature scale (thermometric scale)*

37 de temperatuurkromme
- *temperature graph*

1-19 wolken en weersgesteldheid
- ***clouds and weather***

1-4 de wolken van homogene luchtmassa's
- ***clouds found in homogeneous air masses***

1 de cumulus (cumulus humilis), een opbollende wolk (vlakke stapelwolk)
- *cumulus (woolpack cloud), a heap cloud;* here: *cumulus humilis (fair-weather cumulus), a flat-based heap cloud*

2 de cumulus congestus, een sterker opbollende stapelwolk
- *cumulus congestus, a heap cloud with more marked vertical development*

3 de stratocumulus (schollenwolk), een diepe laagwolk
- *stratocumulus, a layer cloud (sheet cloud) arranged in heavy masses*

4 de stratus (hoge nevel), een diepe uniforme laagwolk
- *stratus (high fog), a thick, uniform layer cloud (sheet cloud)*

5-12 de wolken aan warmtefronten
- ***clouds found at warm fronts***

5 het warmtefront
- *warm front*

6 de cirrus, een hoge tot zeer hoge wolk van ijskristallen, dun en in veel vormen voorkomend
- *cirrus, a high to very high ice-crystal cloud, thin and assuming a wide variety of forms*

7 de cirro-stratus, een sluierwolk van ijskristallen
- *cirrostratus, an ice-crystal cloud veil*

8 de alto-stratus, een middelhoge laagwolk
- *altostratus, a layer cloud (sheet cloud) of medium height*

9 de alto-stratus praecipitans, een laagwolk met neerslag (valstrepen) in de hoogte
- *altostratus praecipitans, a layer cloud (sheet cloud) with precipitation in its upper parts*

10 de nimbo-stratus, een regenwolk, een verticaal zeer sterke laagwolk, waaruit neerslag (regen of sneeuw) valt
- *nimbostratus, a rain cloud, a layer cloud (sheet cloud) of very large vertical extent which produces precipitation (rain or snow)*

11 de fracto-stratus, een wolkenflard, beneden de nimbo-stratus
- *fractostratus, a ragged cloud occurring beneath nimbostratus*

12 de fracto-cumulus, een wolkenflard als 11, echter met opbollende vormen
- *fractocumulus, a ragged cloud like 11 but with billowing shapes*

13-17 de wolken aan koufronten
- ***clouds at cold fronts***

13 het koufront
- *cold front*

14 de cirro-cumulus, een fijne schaapjeswolk
- *cirrocumulus, thin fleecy cloud in the form of globular masses;* covering the sky: *mackerel sky*

15 de alto-cumulus, een grove schaapjeswolk
- *altocumulus, a cloud in the form of large globular masses*

16 de alto-cumulus castellanus en de alto-cumulus floccus (subvormen van 15)
- *altocumulus castellanus and altocumulus floccus, species of 15*

17 de cumulo-nimbus, een verticale, zeer machtige stapelwolk, onder te brengen bij warmteonweders 1-4
- *cumulonimbus, a heap cloud of very large vertical extent, to be classified under 1-4 in the case of tropical storms*

18-19 de neerslagvormen
- ***types of precipitation***

18 de landregen of de uitgebreide sneeuwval, een gelijkmatige neerslag
- *steady rain or snow covering a large area, precipitation of uniform intensity*

19 de bui, een ongelijkmatige (hier en daar optredende) neerslag
- *shower, scattered precipitation*

zwarte pijlen = koude lucht
black arrows = cold air
witte pijlen = warme lucht
white arrows = warm air

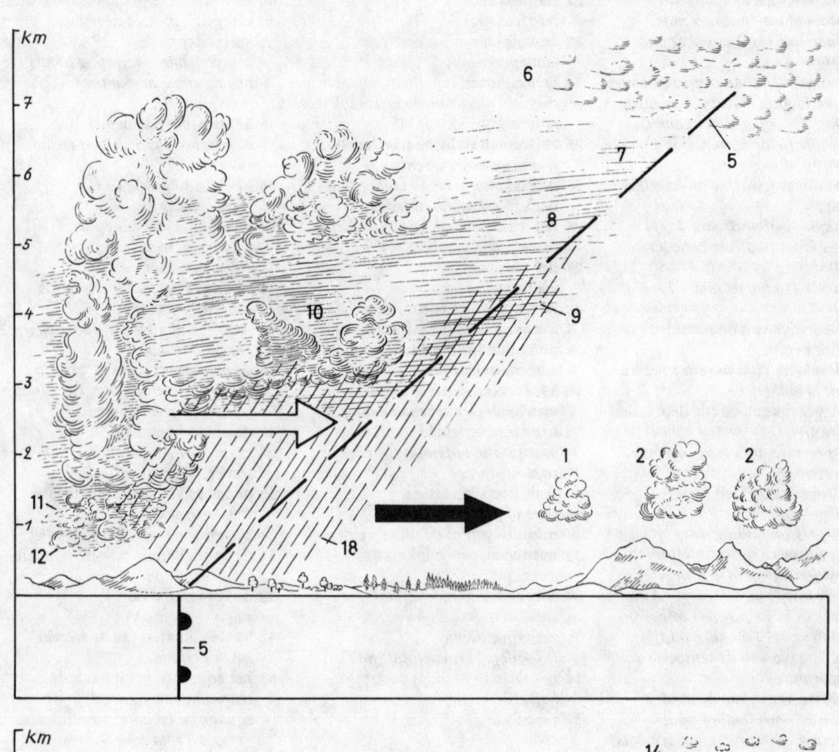
km
7
6
5
4
3
2
1
1
2
2
5
6
7
8
9
10
11
12
18
5

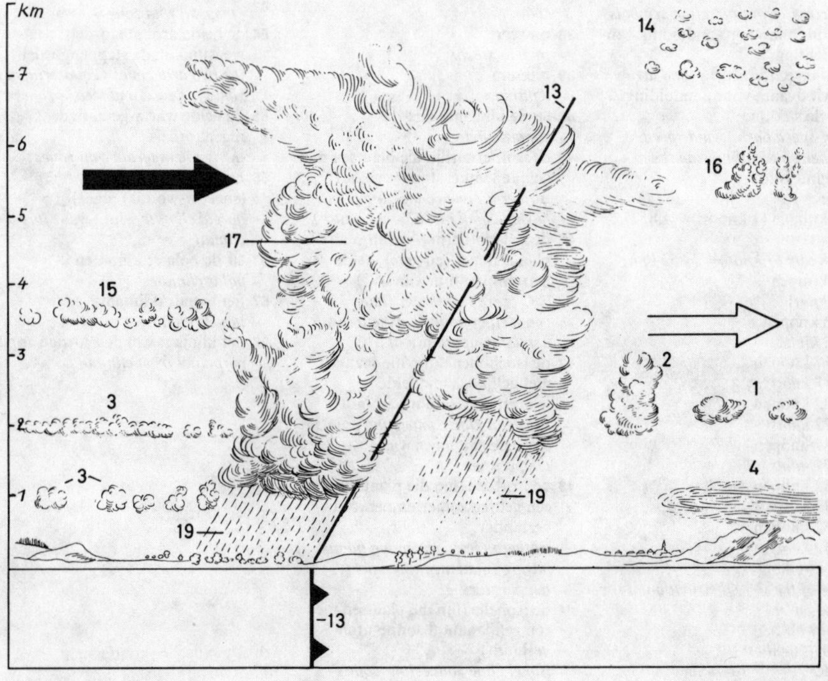
km
7
6
5
4
3
2
1
13
14
15
16
17
3
3
2
1
4
19
19
13

1-39 de weerkaart
- ***weather chart*** *(weather map, surface chart, surface synoptic chart)*

1 de isobaar (lijn langs plaatsen met gelijke luchtdruk op zeeniveau)
- *isobar (line of equal or constant atmospheric or barometric pressure at sea level)*

2 de pliobaar (isobaar boven 1000 mbar)
- *pleiobar (isobar of over 1,000 mb)*

3 de miobaar (isobaar beneden 1000 mbar)
- *meiobar (isobar of under 1,000 mb)*

4 de weergave van de luchtdruk in millibar (mbar)
- *atmospheric (barometric) pressure given in millibars*

5 het lagedrukgebied (de depressie, cycloon)
- *low-pressure area (low, cyclone, depression)*

6 het hogedrukgebied (de anticycloon)
- *high-pressure area (high, anticyclone)*

7 een weerstation of een weerschip
- *observatory (meteorological watch office, weather station) or ocean station vessel (weather ship)*

8 de weergave van de temperatuur
- *temperature*

9-19 de weergave van de wind
- ***means of representing wind direction*** *(wind-direction symbols)*

9 de windpijl, voor aanduiding van de richting
- *wind-direction shaft (wind arrow)*

10 de windvaan, voor aanduiding van de sterkte
- *wind-speed barb (wind-speed feather) indicating wind speed*

11 de windstilte
- *calm*

12 1-2 knopen (1 knoop = 1,852 km/u)
- *1-2 knots (1 knot = 1.852 kph)*

13 3-7 knopen
- *3-7 knots*

14 8-12 knopen
- *8-12 knots*

15 13-17 knopen
- *13-17 knots*

16 18-22 knopen
- *18-22 knots*

17 23-27 knopen
- *23-27 knots*

18 28-32 knopen
- *28-32 knots*

19 58-62 knopen
- *58-62 knots*

20-24 bewolking
- ***state of the sky*** *(distribution of the cloud cover)*

20 onbewolkt
- *clear (cloudless)*

21 helder
- *fair*

22 halfbewolkt
- *partly cloudy*

23 bewolkt
- *cloudy*

24 geheel bewolkt
- *overcast (sky mostly or completely covered)*

25-29 fronten en luchtstromingen
- ***fronts and air currents***

25 de occlusie
- *occlusion (occluded front)*

26 het warmtefront
- *warm front*

27 het koufront
- *cold front*

28 de warme luchtstroom
- *warm airstream (warm current)*

29 de koude luchtstroom
- *cold airstream (cold current)*

30-39 weersverschijnselen
- ***meteorological phenomena***

30 het neerslaggebied
- *precipitation area*

31 mist
- *fog*

32 regen
- *rain*

33 motregen
- *drizzle*

34 sneeuw
- *snow*

35 zeer fijne hagel
- *ice pellets (graupel, soft hail)*

36 hagel
- *hail*

37 regenbui
- *shower*

38 onweer
- *thunderstorm*

39 bliksem
- *lightning*

40-58 de klimaatkaart
- ***climatic map***

40 de isotherm (lijn die plaatsen met gelijke temperatuur verbindt)
- *isotherm (line connecting points having equal mean temperature)*

41 de nul-isotherm (lijn langs alle plaatsen met een gemiddelde jaartemperatuur van 0°C)
- *0°C (zero) isotherm (line connecting points having a mean annual temperature of 0°C)*

42 de isochimene (lijn die plaatsen met gelijke gemiddelde wintertemperatuur verbindt)
- *isocheim (line connecting points having equal mean winter temperature)*

43 de isothere (lijn die plaatsen met een gelijke zomertemperatuur verbindt)
- *isothere (line connecting points having equal mean summer temperature)*

44 de isohelie (lijn die plaatsen met een gelijk aantal zonne-uren verbindt)
- *isohel (line connecting points having equal duration of sunshine)*

45 de isohyete (lijn die plaatsen met een gelijke totale neerslag verbindt)
- *isohyet (line connecting points having equal amounts of precipitation)*

46-52 de windsystemen
- ***atmospheric circulation*** *(wind systems)*

46-47 de stiltegordels
- *calm belts*

46 de equatoriale stiltegordel
- *equatorial trough (equatorial calms, doldrums)*

47 de subtropische stiltegordels (paardebreedten)
- *subtropical high-pressure belts (horse latitudes)*

48 de noordoostpassaat
- *north-east trade winds (north-east trades, tropical easterlies)*

49 de zuidoostpassaat
- *south-east trade winds (south-east trades, tropical easterlies)*

50 de zones van de veranderlijke westenwinden
- *zones of the variable westerlies*

51 de zones van de polaire winden
- *polar wind zones*

52 de zomermoesson
- *summer monsoon*

53-58 de klimaten van de wereld
- ***earth's climates***

53 het equatoriale klimaat: de tropische regengordel
- *equatorial climate: tropical zone (tropical rain zone)*

54 de beide droogtegordels: de woestijn- en de steppengordel
- *the two arid zones (equatorial dry zones): desert and steppe zones*

55 de beide warm-gematigde regengordels
- *the two temperate rain zones*

56 het boreale klimaat (sneeuw-woudklimaat)
- *boreal climate;* sim.: *snow forest climate*

57-58 de polaire klimaten
- *polar climates*

57 het toendraklimaat
- *tundra climate*

58 het klimaat van de eeuwige vorst
- *perpetual frost climate*

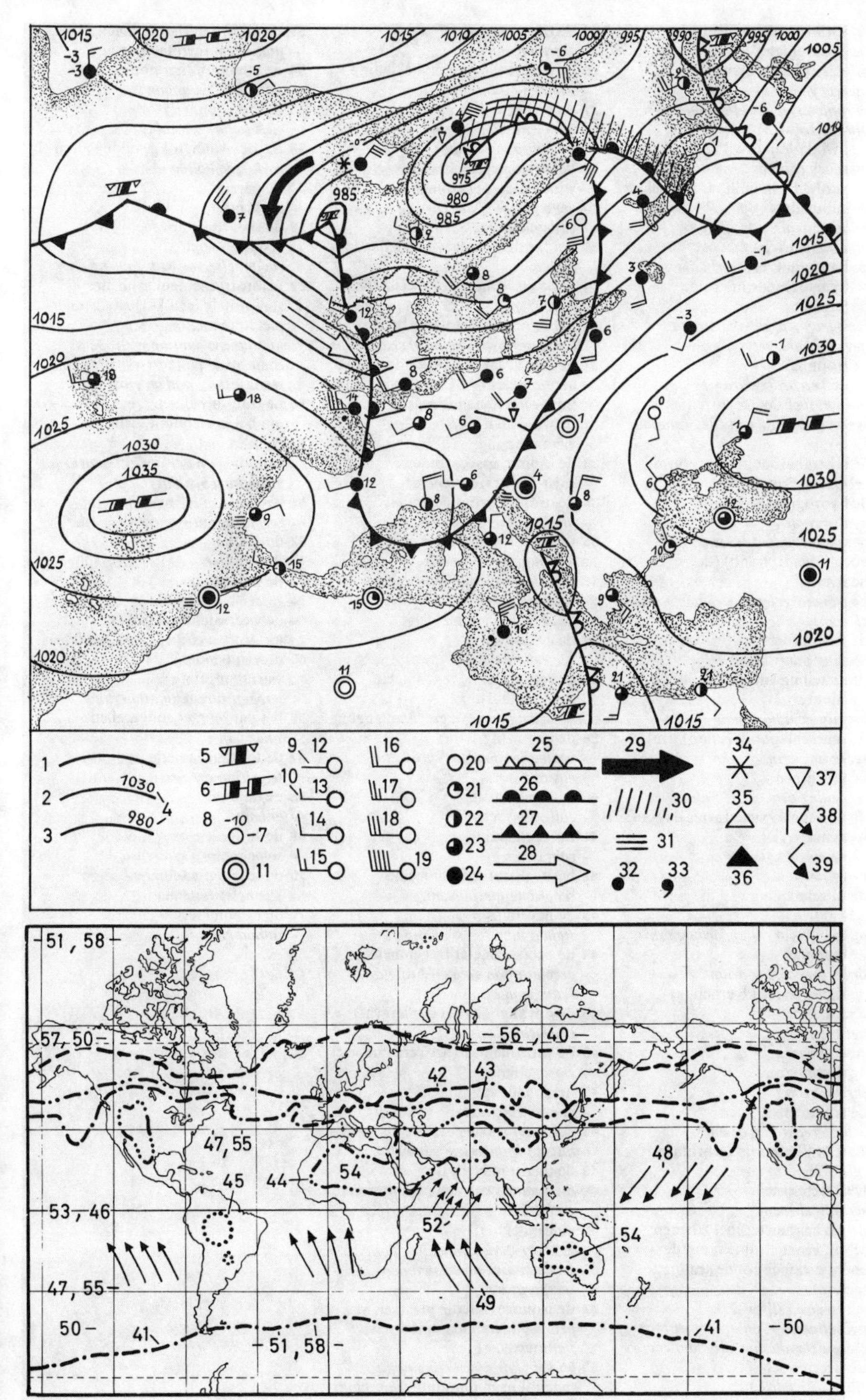
1015
1020
1015
1010
1005
1000
995
990
995
1000
1005
985
975
980
985
1010
1015
1020
1025
1030
1035
1030
1025
1020
1015
1025
1020
1015
1015
1020
1025
1030
1030
1025
1020
1015
1
2
1030
4
3
980
5
6
8
-10
-7
11
9
12
10
13
14
15
16
17
18
19
20
21
22
23
24
25
26
27
28
29
30
31
32
33
34
35
36
37
38
39
-51, 58-
57, 50-
-56, 40-
42
43
47, 55
48
44-
54
45
53, 46
52
54
47, 55-
49
50-
41
-51, 58-
41
-50

1 de kwikbarometer, een hevelbarometer (vloeistofbarometer)
- *mercury barometer, a siphon barometer, a liquid-column barometer*

2 de kwikkolom (kwikzuil)
- *mercury column*

3 de verdeling in millibar (verdeling in millimeter)
- *millibar scale, a millimetre (*Am. *millimeter) scale*

4 de barograaf, een zelfregistrerende aneroïde barometer
- *barograph, a self-registering aneroid barometer*

5 de trommel
- *drum (recording drum)*

6 het stel luchtledige dozen
- *bank of aneroid capsules (aneroid boxes)*

7 de schrijfhefboom (schrijfarm)
- *recording arm*

8 de hydrograaf
- *hygrograph*

9 het meetelement voor de vochtigheids(graad) (de haarharp)
- *hygrometer element (hair element)*

10 de stelschroef
- *reading adjustment*

11 de afstelling van de amplitude (uitslag)
- *amplitude adjustment*

12 de schrijfhefboom (schrijfarm)
- *recording arm*

13 de schrijfpen
- *recording pen*

14 de wisseltandwielen voor dag- of weekuurwerk
- *change gears for the clockwork drive*

15 de uitschakeling van de schrijfarm
- *off switch for the recording arm*

16 de trommel
- *drum (recording drum)*

17 de tijdschaal (tijdverdeling)
- *time scale*

18 het huis
- *case (housing)*

19 de thermograaf
- *thermograph*

20 de trommel
- *drum (recording drum)*

21 de schrijfhefboom (schrijfarm)
- *recording arm*

22 het meetelement
- *sensing element*

23 de pyrheliometer met zilveren schijf, een instrument om de energie van de zonnestraling te meten
- *silver-disc (silver-disk) pyrheliometer, an instrument for measuring the sun's radiant energy*

24 de zilveren schijf
- *silver disc (disk)*

25 de thermometer
- *thermometer*

26 de isolerende houten bekleding
- *wooden insulating casing*

27 de buis met diafragma
- *tube with diaphragm (diaphragmed tube)*

28 het windmeettoestel (de windmeter, anemometer)
- *wind gauge (*Am. *gage) (anemometer)*

29 het toestel om de windsnelheid te meten
- *wind-speed indicator (wind-speed meter)*

30 het molentje met halve bollen
- *cross arms with hemispherical cups*

31 het apparaat om de windrichting aan te geven
- *wind-direction indicator*

32 de windvaan
- *wind vane*

33 de aspiratiepsychrometer
- *aspiration psychrometer*

34 de droge thermometer
- *dry bulb thermometer*

35 de natte thermometer
- *wet bulb thermometer*

36 de beschermende buis tegen zonnestraling
- *solar radiation shielding*

37 de zuigbuis
- *suction tube*

38 de registrerende regenmeter (pluviograaf)
- *recording rain gauge (*Am. *gage)*

39 de behuizing
- *protective housing (protective casing)*

40 het opvangvat
- *collecting vessel*

41 het regendak
- *rain cover*

42 het registratiemechanisme
- *recording mechanism*

43 de hevelbuis
- *siphon tube*

44 de neerslagmeter (regenmeter)
- *precipitation gauge (*Am. *gage) (rain gauge)*

45 de opvangbak (het opvangvat)
- *collecting vessel*

46 de verzamelbak (het verzamelvat)
- *storage vessel*

47 het maatglas
- *measuring glass*

48 het sneeuwkruis
- *insert for measuring snowfall*

49 de thermometerhut
- *thermometer screen (thermometer shelter)*

50 de hygrograaf
- *hygrograph*

51 de thermograaf
- *thermograph*

52 de psychrometer
- *psychrometer (wet and dry bulb thermometer)*

53-54 de maximum-minimumthermometer
- *thermometers for measuring extremes of temperature*

53 de maximumthermometer
- *maximum thermometer*

54 de minimumthermometer
- *minimum thermometer*

55 de radiosonde
- *radiosonde assembly*

56 de met waterstof gevulde ballon
- *hydrogen balloon*

57 de parachute
- *parachute*

58 de radarreflector met afstandssnoer
- *radar reflector with spacing lines*

59 het instrumentenkastje met radiosonde (een kortegolfzender met antenne)
- *instrument housing with radiosonde [a short-wave transmitter] and antenna*

60 de transmissometer, een toestel om het horizontale zicht te bepalen
- *transmissometer, an instrument for measuring visibility*

61 het registratie-instrument
- *recording instrument (recorder)*

62 de zender
- *transmitter*

63 de ontvanger
- *receiver*

64 de weersatelliet (ITOS-satelliet)
- *weather satellite (ITOS satellite)*

65 de kleppen voor de warmteregeling
- *temperature regulation flaps*

66 het paneel met zonnecellen
- *solar panel*

67 de televisiecamera
- *television camera*

68 de antenne
- *antenna*

69 de zonnesensor
- *solar sensor (sun sensor)*

70 de telemetrieantenne
- *telemetry antenna*

71 de radiometer
- *radiometer*

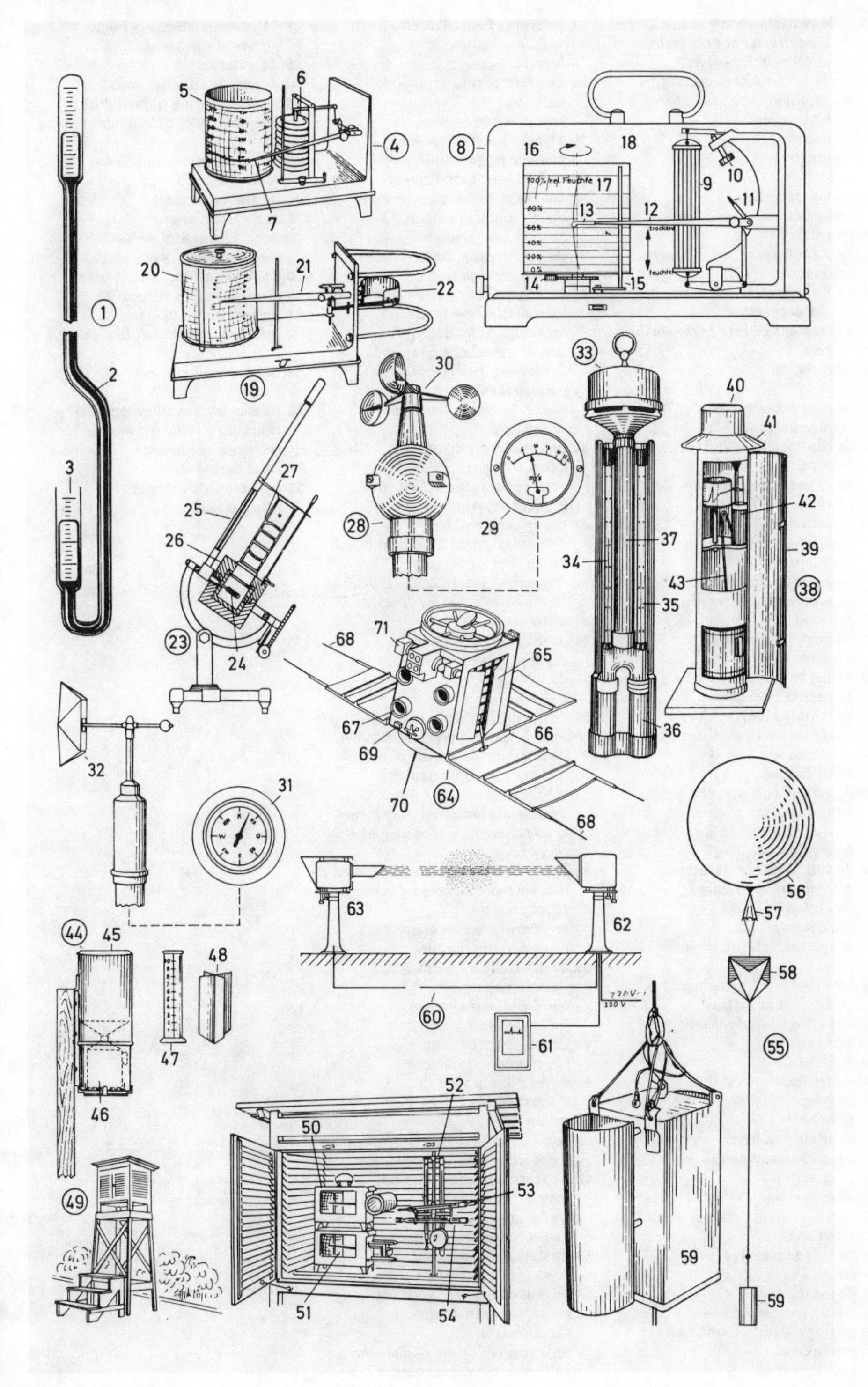
100% rel. Feuchte
80%
60%
40%
20%
0%
trocken
feucht
m/s
220 V

1-5 de (schaal)opbouw van de aarde
- ***layered structure of the earth***
1 de aardkorst (lithosfeer)
- *earth's crust (outer crust of the earth, lithosphere, oxysphere)*
2 de hydrosfeer
- *hydrosphere*
3 de mantel
- *mantle*
4 de buitenkern
- *sima (intermediate layer)*
5 de kern
- *core (earth core, centrosphere, barysphere)*
6-12 de hypsometrische curve van het aardoppervlak
- ***hypsographic curve of the earth's surface***
6 het gebergte
- *peak*
7 de continentale massa
- *continental mass*
8 de continentale schol (het continentale plat)
- *continental shelf (continental platform, shelf)*
9 de continentale helling
- *continental slope*
10 het diepzeevlak
- *deep-sea floor (abyssal plane)*
11 de zeespiegel
- *sea level*
12 de diepzeetrog (trog)
- *deep-sea trench*
13-28 het vulkanisme
- ***volcanism** (vulcanicity)*
13 de schildpadvulkaan (aspit)
- *shield volcano*
14 het lavadek
- *lava plateau*
15 de actieve vulkaan, een stratovulkaan
- *active volcano, a stratovolcano (composite volcano)*
16 de vulkaankrater (krater)
- *volcanic crater (crater)*
17 de kraterpijp
- *volcanic vent*
18 de (gestolde) lavastroom
- *lava stream*
19 het efflata (gefragmenteerd vulkanisch materiaal)
- *tuff (fragmented volcanic material)*
20 de lakkoliet
- *subterranean volcano*
21 de geiser
- *geyser*
22 de stoom- en heetwaterstraal
- *jet of hot water and steam*
23 de sinterterrassen
- *sinter terraces (siliceous sinter terraces, fiorite terraces, pearl sinter terraces)*
24 de vulkaankegel (kegel)
- *cone*
25 de maar
- *maar (extinct volcano)*
26 de ringwal (uit klasmatische produkten)
- *tuff deposit*
27 de eruptiefzuil (diatrema), een vulkanische breccië
- *breccia*
28 de kraterpijp van een dode vulkaan
- *vent of extinct volcano*
29-31 het dieptevulkanisme
- ***plutonic magmatism***
29 de batholiet (het dieptegesteente)
- *batholite (massive protrusion)*
30 de lakkoliet, een intrusie
- *lacolith, an intrusion*
31 de porfiergang, een (erts)ader
- *sill, an ore deposit*
32-38 de aardbeving (*soorten:* de tektonische beving, de vulkaanbeving, de instortingsaardbeving) **en de aardbevingsleer (seismologie)**
- ***earthquake** (*kinds: *tectonic quake, volcanic quake)* ***and seismology***
32 de aardbevingshaard (het hypocentrum)
- *earthquake focus (seismic focus, hypocentre,* Am. *hypocenter)*
33 het epicentrum (het oppervlaktepunt loodrecht boven de aardbevingshaard)
- *epicentre (*Am. *epicenter), point on the earth's surface directly above the focus*
34 de diepte van de haard
- *depth of focus*
35 de schokgolf
- *shock wave*
36 de oppervlaktegolven
- *seismic waves;* here: *surface waves*
37 de isoseïste (de lijn die punten met gelijke schokintensiteit verbindt)
- *isoseismal (line connecting points of equal intensity of earthquake shock)*
38 het epicentrale gebied (het gebied met voelbare macroseïstische schokgolven
- *epicentral area, an area of macroseismic vibration*
39 de (horizontale) seismograaf (seismometer)
- ***horizontal seismograph** (seismometer)*
40 de magnetische demping
- *electromagnetic damper*
41 de instelknop voor de slingerperiode van de stationaire massa
- *adjustment knob for the period of free oscillation of the pendulum*
42 de veerbevestiging voor de massaophanging
- *spring attachment for the suspension of the pendulum*
43 de stationaire massa
- *mass*
44 de inductiespoelen voor het registreren van de stroom van de galvanometer
- *induction coils for recording the voltage of the galvanometer*
45-54 macroseïstische gevolgen
- ***effects of earthquakes***
45 de waterval
- *waterfall (cataract, falls)*
46 de bergstorting (puinafglijding)
- *landslide (rockslide, landslip,* Am. *rock slip)*
47 de puinkegels (puinhelling)
- *talus (rubble, scree)*
48 de afschuivingsnis
- *scar (scaur, scaw)*
49 de instortingsdoline (doline)
- *sink (sinkhole, swallowhole)*
50 de verschuiving
- *dislocation (displacement)*
51 de aardverschuiving
- *solifluction lobe (solifluction tongue)*
52 de aardbevingsspleet
- *fissure*
53 de tsunami (aardbevingsgolf)
- *tsunami (seismic sea wave) produced by seaquake (submarine earthquake)*
54 het verhoogde strand
- *raised beach*

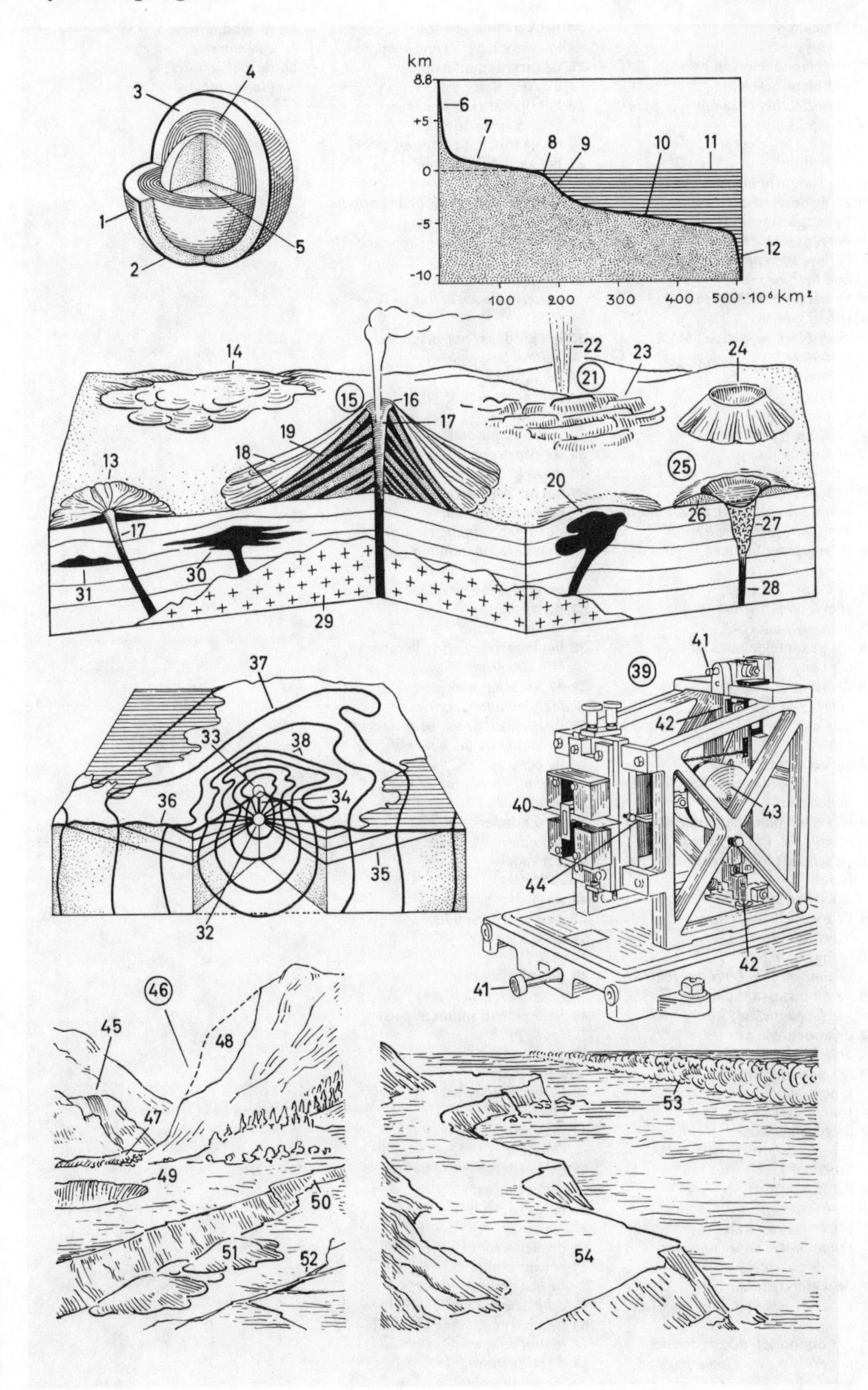
km
8.8
+5
0
-5
-10
100
200
300
400
500 · 10⁶ km²
1
2
3
4
5
6
7
8
9
10
11
12
13
14
15
16
17
18
19
20
21
22
23
24
25
26
27
28
29
30
31
32
33
34
35
36
37
38
39
40
41
42
43
44
45
46
47
48
49
50
51
52
53
54

1-33 geologie
- ***geology***

1 de gelaagdheid van het sedimentsgesteente
- *stratification of sedimentary rock*

2 de strekking
- *strike*

3 de helling
- *dip (angle of dip, true dip)*

4-20 de orogenese (gebergtevorming)
- ***orogeny*** *(orogenis, tectogenis, deformation of rocks by folding and faulting)*

4-11 het breuktektogeen (breukgebied)
- ***fault-block mountain*** *(block mountain)*

4 de breuk
- *fault*

5 de breuklijn
- *fault line (fault trace)*

6 de spronghoogte
- *fault throw*

7 de langsverschuiving
- *normal fault (gravity fault, normal slip fault, slump fault)*

8-11 complexe breuken
- *complex faults*

8 de stapelbreuk
- *step fault (distributive fault, multiple fault)*

9 het gekantelde pakket
- *tilt block*

10 de horst
- *horst*

11 de slenk
- *graben*

12-20 het plooigebergte
- ***range of fold mountains*** *(folded mountains)*

12 de rechte plooi (staande plooi)
- *symmetrical fold (normal fold)*

13 de scheve plooi (asymmetrische plooi)
- *asymmetrical fold*

14 de overhellende plooi
- *overfold*

15 de liggende plooi
- *recumbent fold (reclined fold)*

16 de plooirug (anticlinale)
- *saddle (anticline)*

17 de anticlinale as
- *anticlinal axis*

18 het plooidal (de trog, de synclinale)
- *trough (syncline)*

19 de synclinale as
- *trough surface (trough plane, synclinal axis)*

20 het breukgebergte
- *anticlinorium*

21 het artesische water
- ***groundwater under pressure*** *(artesian water)*

22 de watervoerende laag
- *water-bearing stratum (aquifer, aquafer)*

23 het ondoorlatende gesteente
- *impervious rock (impermeable rock)*

24 het verzamelgebied
- *drainage basin (catchment area)*

25 de (artesische) bron
- *artesian well*

26 het opgestuwde water, een artesische bron
- *rising water, an artesian spring*

27 het aardoliereservoir in een anticlinale
- ***petroleum reservoir*** *in an anticline*

28 de ondoorlatende laag
- *impervious stratum (impermeable stratum)*

29 het reservoirgesteente
- *porous stratum acting as reservoir rock*

30 het aardgas, een gaskoepel
- *natural gas, a gas cap*

31 de aardolie
- *petroleum (crude oil)*

32 het water
- *underlying water*

33 de boortoren
- *derrick*

34 het middelgebergte
- ***mountainous area***

35 de (afgeronde) heuveltop
- *rounded mountain top*

36 de bergrug (bergkam)
- *mountain ridge (ridge)*

37 de bergflank
- *mountain slope*

38 het bergriviertje (de bergbeek)
- *hillside spring*

39-47 het hooggebergte
- ***high-mountain region***

39 de bergketen, een bergmassief
- *mountain range, a massif*

40 de bergtop
- *summit (peak, top of the mountain)*

41 de schouder
- *shoulder*

42 het zadel
- *saddle*

43 de (steile) bergwand
- *rock face (steep face)*

44 de stortbeek
- *gully*

45 de puinwaaier
- *talus (scree, detritus)*

46 het bergpad (muilezelpad)
- *bridle path*

47 de (berg)pas
- *pass (col)*

48-56 het gletsjerijs
- ***glacial ice***

48 het firnbekken
- *firn field (firn basin, neve)*

49 de gletsjertong
- *valley glacier*

50 de gletsjerspleet
- *crevasse*

51 de gletsjerpoort
- *glacier snout*

52 de gletsjerbeek
- *subglacial stream*

53 de zijmorene (randmorene)
- *lateral moraine*

54 de middenmorene
- *medial moraine*

55 de eindmorene
- *end moraine*

56 de gletsjertafel
- *glacier table*

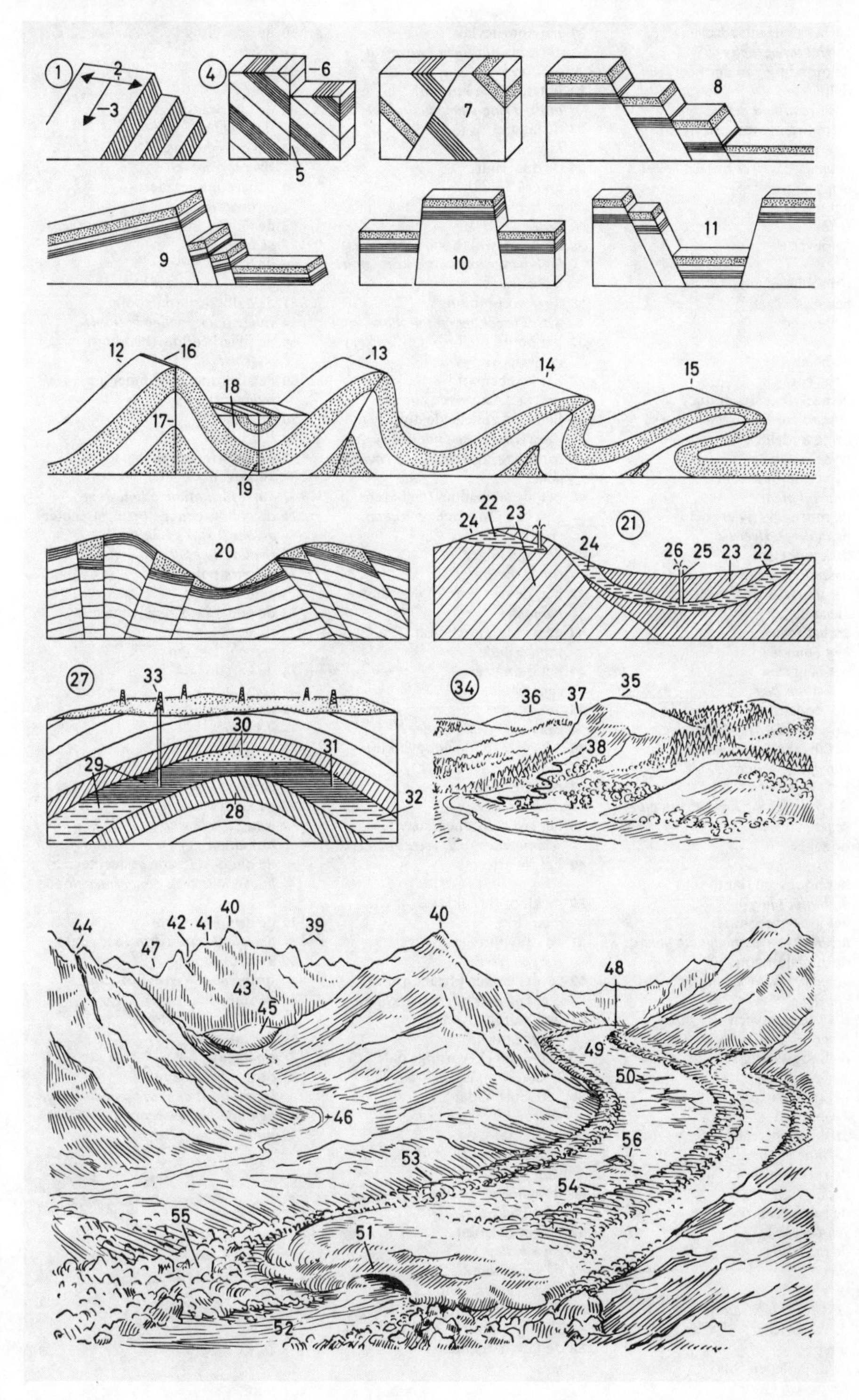
1
2
3
4
5
6
7
8
9
10
11
12
13
14
15
16
17
18
19
20
21
22
23
24
25
26
27
28
29
30
31
32
33
34
35
36
37
38
39
40
41
42
43
44
45
46
47
48
49
50
51
52
53
54
55
56

1-13 **het rivierenlandschap**
- ***fluvial topography***
1 de monding van de rivier, een delta
- *river mouth, a delta*
2 de mondingarm, een rivierarm
- *distributary (distributary channel), a river branch (river arm)*
3 het meer
- *lake*
4 de oever
- *bank*
5 het schiereiland
- *peninsula (spit)*
6 het eiland
- *island*
7 de baai
- *bay (cove)*
8 de beek (het stroompje)
- *stream (brook, rivulet, creek)*
9 de oeverdelta
- *levee*
10 de verlandingszone
- *alluvial plain*
11 de meander (rivierbocht)
- *meander, a river bend*
12 de kronkelberg
- *meander core (rock island)*
13 de uiterwaarde
- *meadow*
14-24 **het veen**
- ***bog*** *(marsh)*
14 het laagveen
- *low-moor bog*
15 het bodemveen
- *layers of decayed vegetable matter*
16 het ingekapselde water
- *entrapped water*
17 het rietveen
- *fen peat [consisting of rush and sedge]*
18 de zegge
- *alder-swamp peat*
19 het hoogveen (landveen)
- *high-moor bog*
20 het jonge veenmos
- *layer of recent sphagnum mosses*
21 de grenshorizon
- *boundary between layers (horizons)*
22 het veenmosveen
- *layer of older sphagnum mosses*
23 de hoogveenplas
- *bog pool*
24 het moeras
- *swamp*
25-31 **de abrasierotskust**
- ***cliffline*** *(cliffs)*
25 de rots (klip)
- *rock*
26 de zee (oceaan)
- *sea (ocean)*
27 de branding
- *surf*
28 de klif
- *cliff (cliff face, steep rock face)*
29 de rolstenen
- *scree*
30 de uitgeslepen rots
- *[wave-cut] notch*
31 het abrasievlak
- *abrasion platform (wave-cut platform)*
32 het atol, een koraalrif
- *atoll, a ring-shaped coral reef*
33 de lagune
- *lagoon*
34 de doorvaart
- *breach (hole)*
35-44 **het strand**
- ***beach***
35 de strandwal (hoogwatergrens)
- *high-water line (high-water mark, tidemark)*
36 de oeverbranding
- *waves breaking on the shore*
37 het hoofd (de krib, golfbreker)
- *groyne (*Am. *groin)*
38 het kribbehoofd
- *groyne (*Am. *groin) head*
39 het, de wandelende duin, een duin
- *wandering dune (migratory dune, travelling,* Am. *traveling, dune), a dune*
40 het, de sikkelduin (de barchaan)
- *barchan (barchane, barkhan, crescentic dune)*
41 de ribbelingen
- *ripple marks*
42 het, de (verweerde) voorduin
- *hummock*
43 de windscheve boom
- *wind cripple*
44 het duinmeer
- *coastal lake*
45 **de canyon**
- ***canyon*** *(cañon, coulee)*
46 het plateau (de hoogvlakte)
- *plateau (tableland)*
47 het rotsterras
- *rock terrace*
48 het sedimentatiegesteente
- *sedimentary rock (stratified rock)*
49 het rivierterras
- *river terrace (bed)*
50 de kloof (breuk)
- *joint*
51 de canyonrivier
- *canyon river*
52-56 **dalvormen** [dwarsprofiel]
- ***types of valley*** *[cross section]*
52 de kloof (canyon)
- *gorge (ravine)*
53 het V-dal (V-vormige dal)
- *V-shaped valley (V-valley)*
54 het wijde V-dal
- *widened V-shaped valley*
55 het U-dal
- *U-shaped valley (U-valley, trough valley)*
56 de synclinale vallei
- *synclinal valley*
57-70 **het rivierdal**
- ***river valley***
57 de steile wand
- *scarp (escarpment)*
58 de vlakke helling
- *slip-off slope*
59 de tafelberg (mesa)
- *mesa*
60 de heuvelrug
- *ridge*
61 de rivier
- *river*
62 de uiterwaarde
- *flood plain*
63 het erosieterras
- *river terrace*
64 het accumulatieterras
- *terracette*
65 de dalglooiing
- *pediment*
66 de heuvel
- *hill*
67 de dalbodem (dalzool)
- *valley floor (valley bottom)*
68 de rivierbedding (bedding)
- *riverbed*
69 de afzettingen (sedimenten)
- *sediment*
70 de rotsvoet
- *bedrock*
71-83 **karstverschijnselen** in kalksteen
- ***karst formation*** *in limestone*
71 de doline, een instortingstrechter
- *dolina, a sink (sinkhole, swallowhole)*
72 de karstpolje
- *polje*
73 de onderaards verdwijnende rivier
- *percolation of a river*
74 de karstbron
- *karst spring*
75 de droge vallei
- *dry valley*
76 het grottenstelsel
- *system of caverns (system of caves)*
77 de karstwaterspiegel
- *water level (water table) in a karst formation*
78 de ondoorlatende gesteentelaag
- *impervious rock (impermeable rock)*
79 de druipsteengrot
- *limestone cave (dripstone cave)*
80-81 druipstenen
- *speleothems (cave formations)*
80 de stalactiet
- *stalactite (dripstone)*
81 de stalagmiet
- *stalagmite*
82 de druipsteenzuil
- *linked-up stalagmite and stalactite*
83 de onderaardse rivier
- *subterranean river*

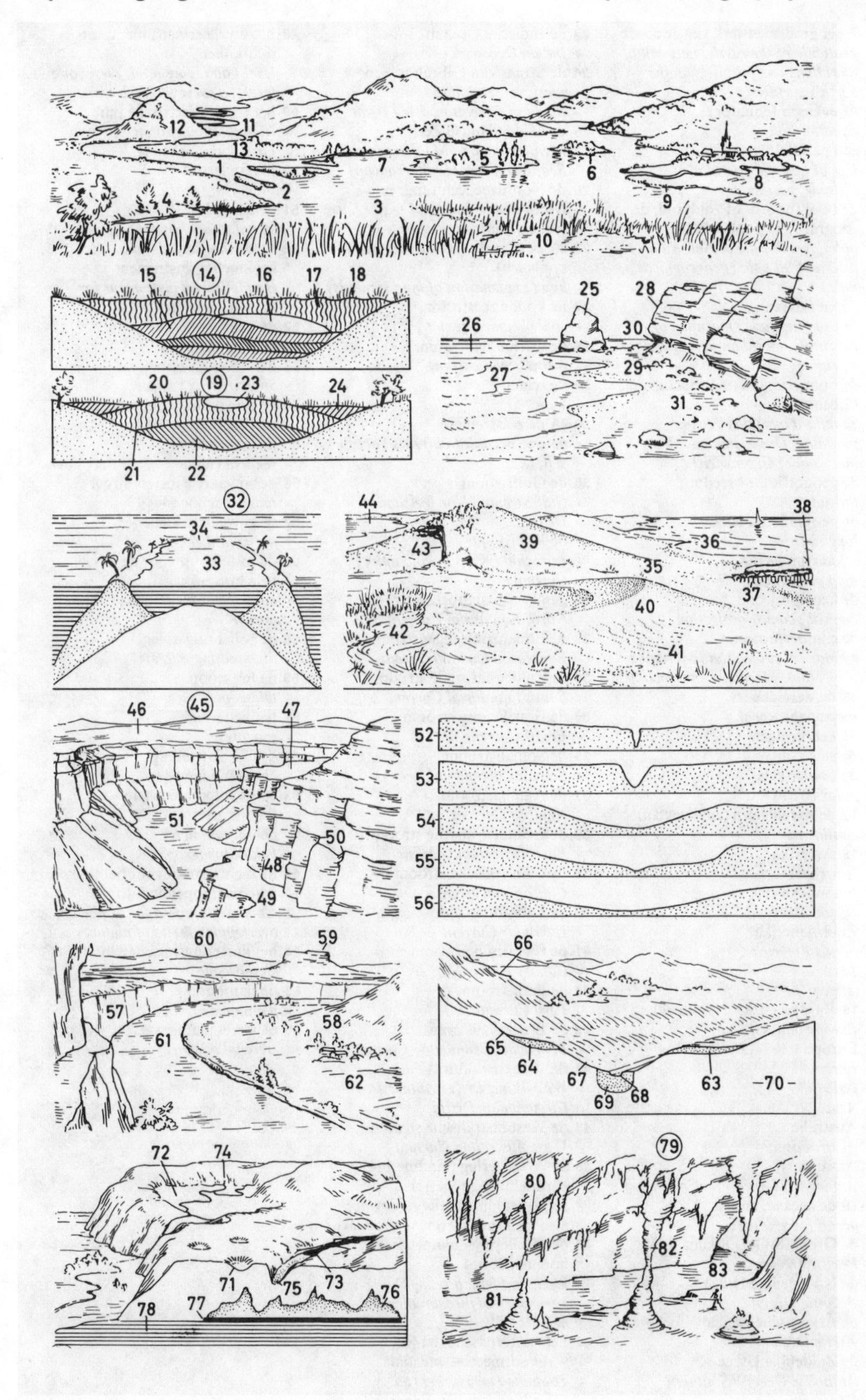

1
2
3
4
5
6
7
8
9
10
11
12
13
14
15
16
17
18
19
20
21
22
23
24
25
26
27
28
29
30
31
32
33
34
35
36
37
38
39
40
41
42
43
44
45
46
47
48
49
50
51
52
53
54
55
56
57
58
59
60
61
62
63
64
65
66
67
68
69
70
71
72
73
74
75
76
77
78
79
80
81
82
83

1-7 het gradennetwerk van de aarde
- ***graticule of the earth*** *(network of meridians and parallels on the earth's surface)*

1 de evenaar (equator)
- *equator*

2 een parallel
- *line of latitude (parallel of latitude, parallel)*

3 de pool (noord- of zuidpool, de geografische pool)
- *pole (North Pole or South Pole), a terrestrial pole (geographical pole)*

4 de meridiaan
- *line of longitude (meridian of longitude, meridian, terrestrial meridian)*

5 de nulmeridiaan (meridiaan van Greenwich)
- *Standard meridian (Prime meridian, Greenwich meridian, meridian of Greenwich)*

6 de geografische breedte
- *latitude*

7 de geografische lengte
- *longitude*

8-9 kaartprojecties
- ***map projections***

8 de kegelprojectie
- *conical (conic) projection*

9 de cilinderprojectie
- *cylindrical projection (Mercator projection, Mercator's projection)*

10-45 de wereldkaart
- ***map of the world***

10 de keerkringen
- *tropics*

11 de poolcirkels
- *polar circles*

12-18 de werelddelen (continenten)
- ***continents***

12-13 Amerika
- *America*

12 Noord-Amerika
- *North America*

13 Zuid-Amerika
- *South America*

14 Afrika
- *Africa*

15-16 Europa en Azië (Eurazië)
- *Europe and Asia*

15 Europa
- *Europe*

16 Azië
- *Asia*

17 Australië
- *Australia*

18 Antarctica
- *Antarctica (Antarctic Continent)*

19-26 de oceaan, de zee
- ***ocean*** *(sea)*

19 de Grote (Stille) Oceaan
- *Pacific Ocean*

20 de Noordelijke IJszee
- *Atlantic Ocean*

21 de Atlantische Oceaan
- *Arctic Ocean*

22 de Zuidelijke IJszee
- *Antarctic Ocean (Southern Ocean)*

23 de Indische Oceaan
- *Indian Ocean*

24 de Straat van Gibraltar, een zeestraat, zeeëngte
- *Strait of Gibraltar, a sea strait*

25 de Middellandse Zee
- *Mediterranean (Mediterranean Sea, European Mediterranean)*

26 de Noordzee, een randzee
- *North Sea, a marginal sea (epeiric sea, epicontinental sea)*

27-29 de legenda (verklaring van de symbolen)
- ***key (explanation of map symbols)***

27 de koude zeestroom
- *cold ocean current*

28 de warme zeestroom
- *warm ocean current*

29 de schaal
- *scale*

30-45 de zeestromen
- ***ocean (oceanic) currents*** *(ocean drifts)*

30 de Golfstroom
- *Gulf Stream (North Atlantic Drift)*

31 de Koero Sjio
- *Kuroshio (Kuro Siwo, Japan Current)*

32 de Noordequatoriale stroom
- *North Equatorial Current*

33 de Equatoriale tegenstroom
- *Equatorial Countercurrent*

34 de Zuidequatoriale stroom
- *South Equatorial Current*

35 de Braziliaanse stroom
- *Brazil Current*

36 de Somalistroom
- *Somali Current*

37 de Agulhastroom
- *Agulhas Current*

38 de Oostaustralische stroom
- *East Australian Current*

39 de Californische stroom
- *California Current*

40 de Labradorstroom
- *Labrador Current*

41 de Canarische stroom
- *Canary Current*

42 de Perustroom
- *Peru Current*

43 de Benguelastroom
- *Benguela (Benguella) Current*

44 de Westenwinddrift
- *West Wind Drift (Antarctic Circumpolar Drift)*

45 de Westaustralische stroom
- *West Australian Current*

46-62 de kartering (landmeting, aardmeting, geodesie)
- ***surveying;*** here: *land surveying;* also: *geodetic surveying (geodesy)*

46 de nivellering (geometrische hoogtemeting)
- *levelling (*Am. *leveling) (geometrical measurement of height)*

47 het (waterpas)baken (de waterpasmeetlat, meetlat)
- *graduated measuring rod (levelling,* Am. *leveling, staff)*

48 het nivelleerinstrument, een richtkijker
- *level (surveying level, surveyor's level), a surveyor's telescope*

49 het trigonometrische punt
- *triangulation station (triangulation point)*

50 het onderstel
- *supporting scaffold*

51 de signaalmast
- *signal tower (signal mast)*

52-62 de theodoliet, een hoekmetingsinstrument
- ***theodolite, an instrument for measuring angles***

52 de micrometerknop
- *micrometer head*

53 het microscoopoculair
- *micrometer eyepiece*

54 de hoogte-instelschroef
- *vertical tangent screw*

55 de hoogteklem
- *vertical clamp*

56 de zijwaartse instelschroef
- *tangent screw*

57 de zijwaartse klem
- *horizontal clamp*

58 de instelknop voor de belichtingsspiegel
- *adjustment for the illuminating mirror*

59 de belichtingsspiegel
- *illuminating mirror*

60 de telescoop
- *telescope*

61 het waterpas
- *spirit level*

62 de cirkelafstelling
- *circular adjustment*

63-66 de fotogrammetrie (luchtkartering)
- ***photogrammetry*** *(phototopography)*

63 de luchtcamera voor het maken van overlappende foto's
- *air survey camera for producing overlapping series of pictures*

64 het karteringsinstrument
- *stereoscope*

65 de pantograaf
- *pantograph*

66 de stereoplanigraaf
- *stereoplanigraph*

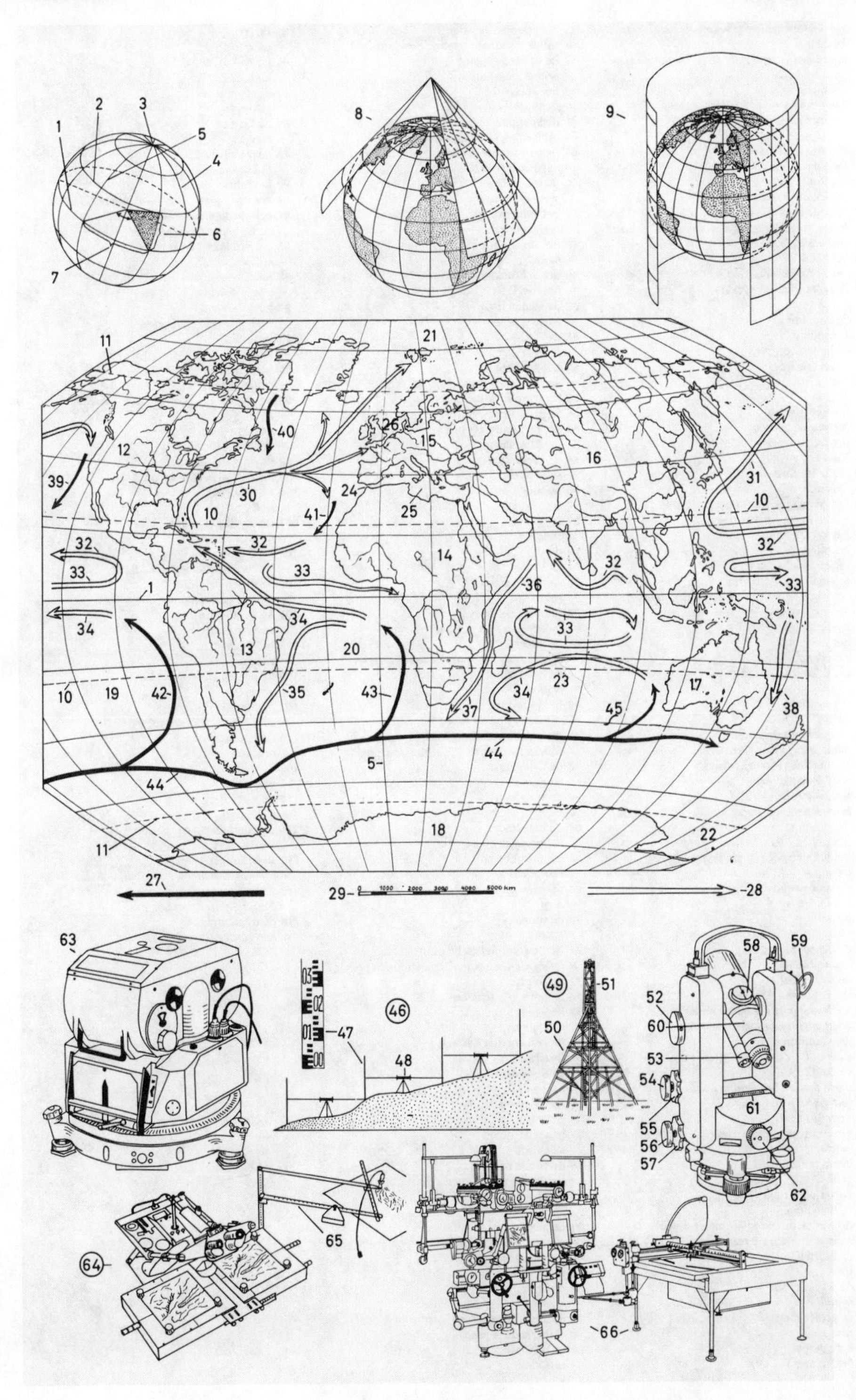
1
2
3
4
5
6
7
8
9
10
11
12
13
14
15
16
17
18
19
20
21
22
23
24
25
26
27
28
29
30
31
32
33
34
35
36
37
38
39
40
41
42
43
44
45
0 1000 2000 3000 4000 5000 km
46
47
48
49
50
51
52
53
54
55
56
57
58
59
60
61
62
63
64
65
66

1-114 de topografische tekens, schaal 1 : 25.000
– ***map signs*** *(map symbols, conventional signs) on a 1:25.000 map*
1 het naaldhout
– *coniferous wood (coniferous trees)*
2 de open plek
– *clearing*
3 de boswachterswoning
– *forestry office*
4 het loofhout
– *deciduous wood (non-coniferous trees)*
5 de hei(de)
– *heath, rough grassland, rough pasture, heath and moor, bracken*
6 het zand
– *sand or sand hills*
7 de helm (het helmgras)
– *beach grass*
8 de vuurtoren
– *lighthouse*
9 de laagwatergrens
– *mean low water*
10 het baken
– *beacon*
11 de dieptelijnen
– *submarine contours*
12 het treinenveer
– *train ferry*
13 het lichtschip
– *lightship*
14 het gemengde loof- en naaldhout
– *mixed wood (mixed trees)*
15 het kreupelhout
– *brushwood*
16 de autosnelweg met oprit
– *motorway with slip road (*Am. *freeway with on-ramp, freeway with acceleration lane)*
17 de hoofdweg
– *trunk road*
18 het grasland
– *grassland*
19 het drassige grasland
– *marshy grassland*
20 het drasland
– *marsh*
21 de hoofdspoorbaan
– *main line railway (*Am. *trunk line)*
22 de ongelijkvloerse kruising
– *road over railway*
23 het zijspoor
– *branch line*
24 de blokpost
– *signal box (*Am. *switch tower)*
25 het lokale spoor
– *local line*
26 de spoorwegovergang
– *level crossing*
27 de halte
– *halt*
28 de (losse) bebouwing
– *residential area*
29 de peilschaal
– *water gauge (*Am. *gage)*
30 de B-weg [minder dan 4 meter breed]
– *good, metalled road*
31 de windmolen
– *windmill*
32 de zoutkeet
– *thorn house (graduation house, salina, salt-works) [no symbol]*
33 de radiomast
– *broadcasting station (wireless or television mast)*
34 de mijn
– *mine*
35 de verlaten mijn
– *disused mine*
36 de (verharde) weg [4-7 meter breed]
– *secondary road (B road)*
37 de fabriek
– *works*
38 de schoorsteen
– *chimney*
39 de afrastering
– *wire fence*
40 het viaduct
– *bridge over railway*
41 het spoorwegstation
– *railway station (*Am. *railroad station)*
42 de onderdoorgang
– *bridge under railway*
43 het voetpad
– *footpath*
44 de voetgangerstunnel
– *bridge for footpath under railway*
45 de bevaarbare rivier
– *navigable river*
46 de schipbrug
– *pontoon bridge*
47 het wagenveer
– *vehicle ferry*
48 het stenen hoofd
– *mole*
49 het lichtbaken
– *beacon*
50 de stenen brug
– *stone bridge*
51 de stad
– *town or city*
52 het marktplein
– *market place (market square)*
53 de grote kerk met 2 torens
– *large church*
54 het openbare gebouw
– *public building*
55 de verkeersbrug
– *road bridge*
56 de stalen brug
– *iron bridge*
57 het kanaal
– *canal*
58 de sluis
– *lock*
59 de aanlegsteiger
– *jetty*
60 het voetgangersveer
– *foot ferry (foot passenger ferry)*
61 de kapel
– *chapel (church) without tower or spire*
62 de hoogtelijnen
– *contours*
63 het klooster
– *monastery or convent [named]*
64 de van ver zichtbare kerk
– *church landmark*
65 de wijngaard
– *vineyard*
66 de stuwdam
– *weir*
67 de kabelbaan
– *aerial ropeway*
68 de uitkijktoren
– *view point*
69 de stuw
– *dam*
70 de tunnel
– *tunnel*
71 het trigonometrische punt
– *triangulation station (triangulation point)*
72 de ruïne
– *remains of a building*
73 de windmotor
– *wind pump*
74 de vesting (het kasteel)
– *fortress*
75 de dode arm
– *ox-bow lake*
76 de rivier
– *river*
77 de watermolen
– *watermill*
78 de voetbrug
– *footbridge*
79 de plas (het meertje)
– *pond*
80 de beek
– *stream (brook, rivulet, creek)*
81 de watertoren
– *water tower*
82 de bron
– *spring*
83 de doorgaande weg [7 meter of breder]
– *main road (A road)*
84 de holle weg
– *cutting*
85 de grot
– *cave*
86 de kalkoven
– *lime kiln*
87 de steengroeve
– *quarry*
88 de kleiput
– *clay pit*
89 de steenfabriek
– *brickworks*
90 het fabrieksspoor
– *narrow-gauge (*Am. *narrow gage) railway*
91 het goederenemplacement
– *goods depot (freight depot)*
92 het gedenkteken
– *monument*
93 het slagveld
– *site of battle*
94 het landgoed
– *country estate, a demesne*
95 de muur
– *wall*
96 het landhuis
– *stately home*
97 het park
– *park*
98 de haag (heg)
– *hedge*
99 de onverharde weg
– *poor or unmetalled road*
100 de waterput
– *well*
101 de afgelegen boerderij
– *farm*
102 de veldweg
– *unfenced path (unfenced track)*
103 de provinciegrens
– *district boundary*
104 de verhoogde weg
– *embankment*
105 het dorp
– *village*
106 de begraafplaats (het kerkhof)
– *cemetery*
107 de dorpskerk
– *church or chapel with spire*
108 de boomgaard
– *orchard*
109 de mijlsteen
– *milestone*
110 de wegwijzer
– *guide post*
111 de boomkwekerij
– *tree nursery*
112 de brandgang
– *ride (aisle, lane, section line)*
113 de hoogspanningsleiding
– *electricity transmission line*
114 de hopaanplant
– *hop garden*

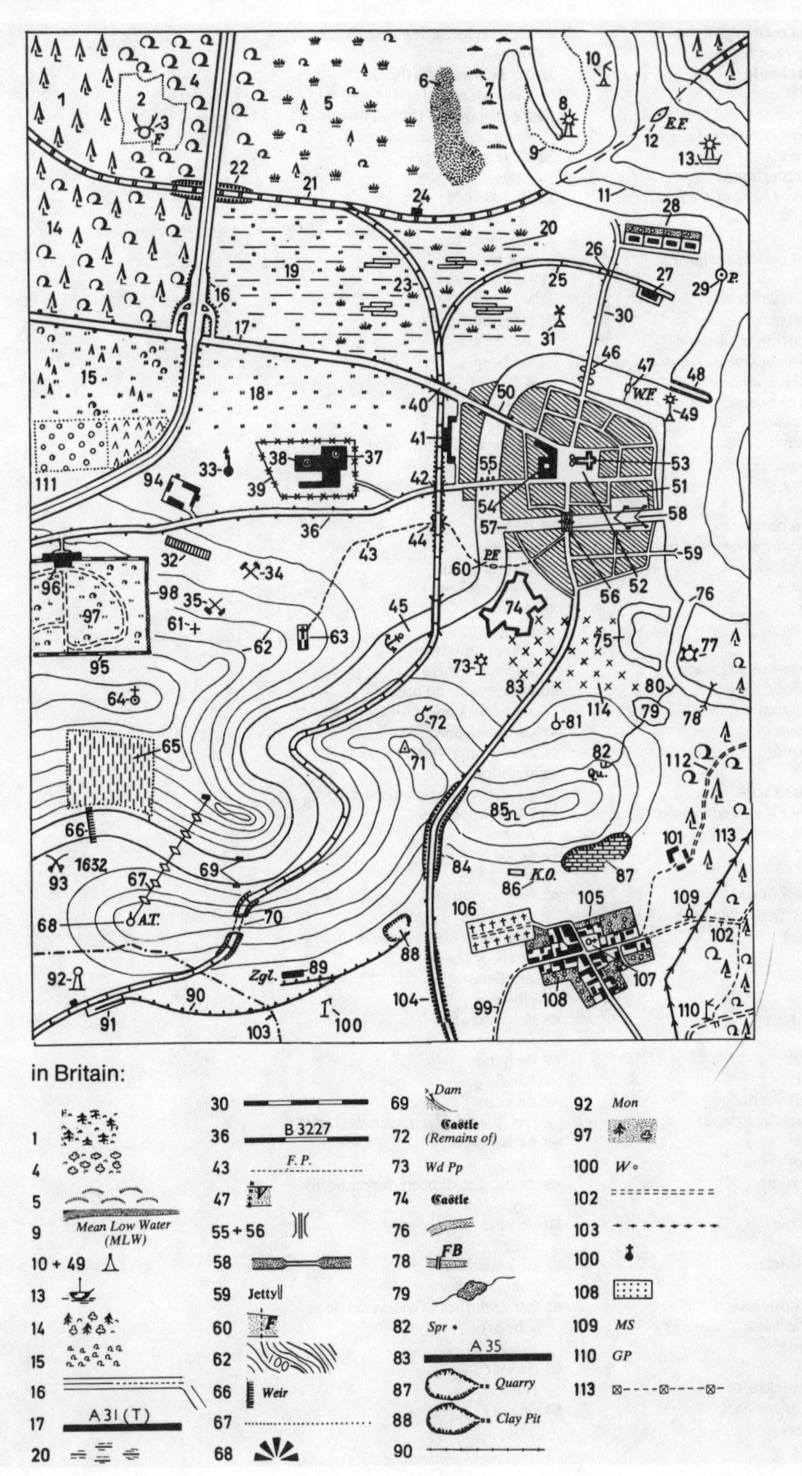
in Britain:
Mean Low Water (MLW)
A 31 (T)
B 3227
F. P.
Jetty
Weir
Dam
Castle (Remains of)
Wd Pp
Castle
FB
Spr
A 35
Quarry
Clay Pit
Mon
W
MS
GP

1-54 het menselijk lichaam
- ***the human body***
1-18 het hoofd
- ***head***
1 de kruin
- *vertex (crown of the head, top of the head)*
2 het achterhoofd
- *occiput (back of the head)*
3 het (hoofd)haar
- *hair*
4-17 het gezicht (gelaat)
- ***face***
4-5 het voorhoofd
- *forehead*
4 de voorhoofdsknobbel
- *frontal eminence (frontal protuberance)*
5 de wenkbrauwboog
- *superciliary arch*
6 de slaap
- *temple*
7 het oog
- *eye*
8 het jukbeen
- *zygomatic bone (malar bone, jugal bone, cheekbone)*
9 de wang
- *cheek*
10 de neus
- *nose*
11 de naso-labiale plooi
- *nasolabial fold*
12 het filtrum
- *philtrum*
13 de mond
- *mouth*
14 de mondhoek
- *angle of the mouth (labial commissure)*
15 de kin
- *chin*
16 het kinkuiltje
- *dimple (fossette) in the chin*
17 de kaak
- *jaw*
18 het oor
- *ear*
19-21 de hals
- ***neck***
19 de keel
- *throat*
20 het halskuiltje
- *hollow of the throat*
21 de nek
- *nape of the neck*
22-41 de romp
- ***trunk***
22-25 de rug
- ***back***
22 de schouder
- *shoulder*
23 het schouderblad
- *shoulderblade (scapula)*
24 de lende
- *loins*
25 het lendekruis
- *small of the back*
26 de oksel
- *armpit*
27 de okselbeharing (het okselhaar)
- *armpit hair*
28-30 de borstkas (thorax)
- ***thorax*** *(chest)*
28-29 de borsten (borst, buste)
- *breasts (breast, mamma)*
28 de tepel
- *nipple*
29 de tepelhof
- *areola*
30 de boezem
- *bosom*
31 de taille
- *waist*
32 de zij(de)
- *flank (side)*
33 de heup
- *hip*
34 de navel
- *navel*
35-37 de buik (abdomen)
- ***abdomen*** *(stomach)*
35 de bovenbuik (maagstreek)
- *upper abdomen*
36 de buik
- *abdomen*
37 de onderbuik
- *lower abdomen*
38 de lies
- *groin*
39 de schaamstreek
- *pudenda (vulva)*
40 het zitvlak (de billen)
- *seat (backside,* coll. *bottom)*
41 de anaalspleet
- *anal groove (anal cleft)*
42 de bilplooi
- *gluteal fold (gluteal furrow)*
43-54 de ledematen
- ***limbs***
43-48 de arm
- *arm*
43 de bovenarm
- *upper arm*
44 de binnenkant van de elleboog
- *crook of the arm*
45 de elleboog
- *elbow*
46 de onderarm
- *forearm*
47 de hand
- *hand*
48 de vuist
- *fist (clenched fist, clenched hand)*
49-54 het been
- ***leg***
49 de dij (het dijbeen, bovenbeen)
- *thigh*
50 de knie
- *knee*
51 de knieholte
- *popliteal space*
52 het onderbeen (*voorkant:* de scheen)
- *shank*
53 de kuit
- *calf*
54 de voet
- *foot*

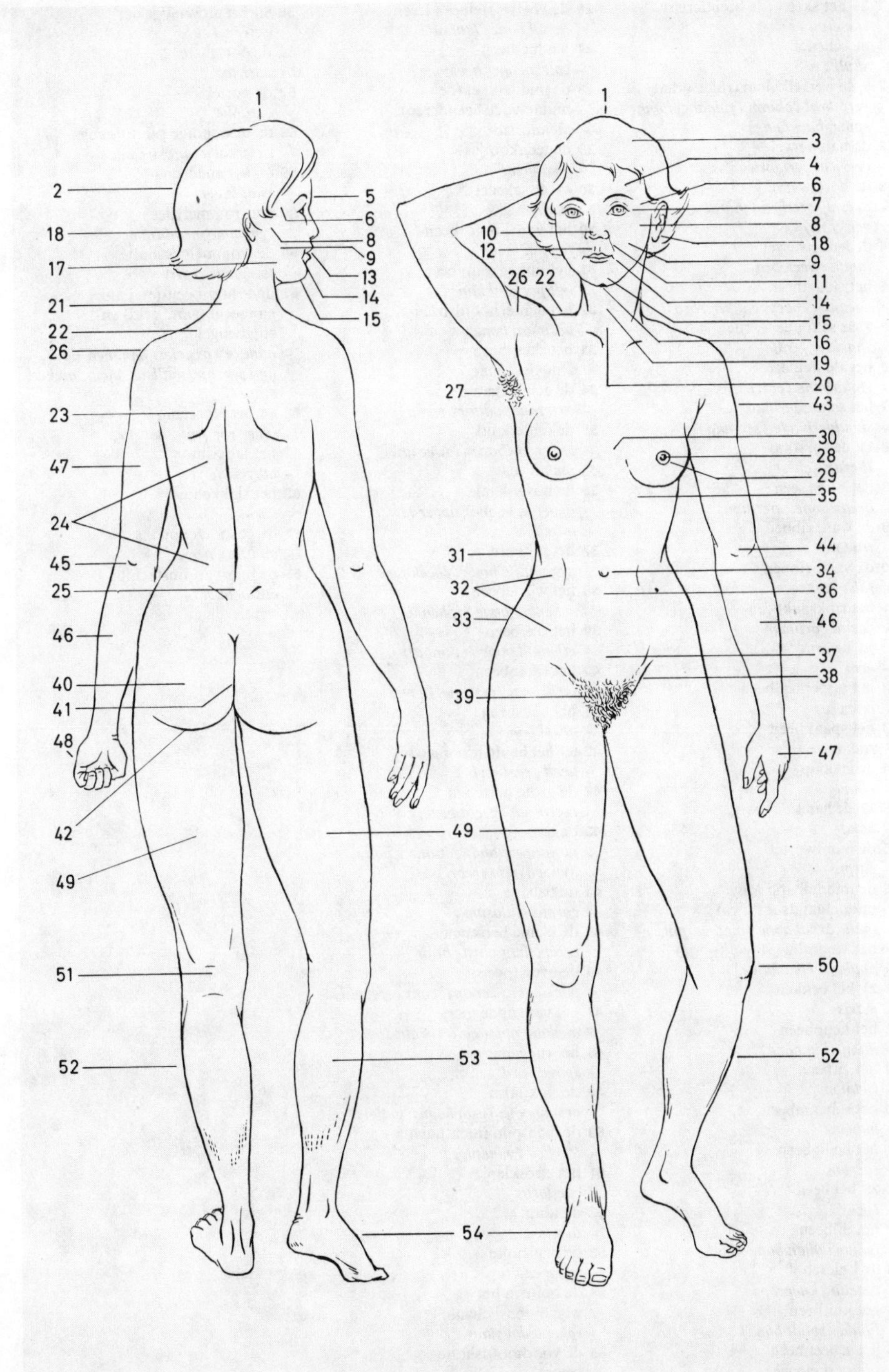
1
2
5
6
18
8
9
17
13
14
21
15
22
26
23
47
24
45
25
46
40
41
48
42
49
51
52
53
54
1
3
4
6
7
10
8
18
12
9
26 22
11
14
15
16
19
20
27
43
30
28
29
35
31
44
34
32
36
33
46
37
38
39
47
49
50
52
53
54

1-29 het skelet (de beenderen)
- ***skeleton*** *(bones)*
1 de schedel
- *skull*
2-5 de wervelkolom (ruggegraat)
- ***vertebral column*** *(spinal column, spine, backbone)*
2 de halswervel
- *cervical vertebra*
3 de borstwervel
- *dorsal vertebra (thoracic vertebra)*
4 de lendewervel
- *lumbar vertebra*
5 het staartbeen
- *coccyx (coccygeal vertebra)*
6-7 de schoudergordel
- *shoulder girdle*
6 het sleutelbeen
- *collarbone (clavicle)*
7 het schouderblad
- *shoulderblade (scapula)*
8-11 de borstkas
- ***thorax*** *(chest)*
8 het borstbeen
- *breastbone (sternum)*
9 de ware ribben
- *true ribs*
10 de valse ribben
- *false ribs*
11 het ribkraakbeen
- *costal cartilage*
12-14 de arm
- ***arm***
12 het opperarmbeen
- *humerus*
13 het spaakbeen
- *radius*
14 de ellepijp
- *ulna*
15-17 de hand
- ***hand***
15 de handwortel
- *carpus*
16 de middelhand (de middelhandsbeentjes)
- *metacarpal bone (metacarpal)*
17 het vingerlid (vingerkootje)
- *phalanx (phalange)*
18-21 het bekken
- ***pelvis***
18 het heupbeen
- *ilium (hip bone)*
19 het zitbeen
- *ischium*
20 het schaambeen
- *pubis*
21 het heiligbeen
- *sacrum*
22-25 het been
- ***leg***
22 het dijbeen
- *femur (thigh bone, thigh)*
23 de knieschijf
- *patella (kneecap)*
24 het kuitbeen
- *fibula (splint bone)*
25 het scheenbeen
- *tibia (shinbone)*
26-29 de voet
- ***foot***
26 de voetwortelbeenderen
- *tarsal bones (tarsus)*
27 het hielbeen
- *calcaneum (heelbone)*
28 de middelvoet (de middelvoetsbeenderen)
- *metatarsus*
29 de teenkootjes
- *phalanges*
30-41 de schedel
- ***skull***
30 het voorhoofdsbeen
- *frontal bone*
31 het linker wandbeen
- *left parietal bone*
32 het achterhoofdsbeen
- *occipital bone*
33 het slaapbeen
- *temporal bone*
34 de gehoorgang
- *external auditory canal*
35 de onderkaak
- *lower jawbone (lower jaw, mandible)*
36 de bovenkaak
- *upper jawbone (upper jaw, maxilla)*
37 het jukbeen
- *zygomatic bone (cheekbone)*
38 het wiggebeen
- *sphenoid bone (sphenoid)*
39 het zeefbeen
- *ethmoid bone (ethmoid)*
40 het traanbeen
- *lachrimal (lacrimal) bone*
41 het neusbeen
- *nasal bone*
42-55 het hoofd [doorsnede]
- ***head*** *[section]*
42 de grote hersenen
- *cerebrum (great brain)*
43 de hypofyse
- *pituitary gland (pituitary body, hypophysis cerebri)*
44 de balk
- *corpus callosum*
45 de kleine hersenen
- *cerebellum (little brain)*
46 de brug (pons)
- *pons (pons cerebri, pons cerebelli)*
47 het verlengde merg
- *medulla oblongata (brain-stem)*
48 het ruggemerg
- *spinal cord*
49 de slokdarm
- *oesophagus (esophagus, gullet)*
50 de luchtpijp (luchtbuis)
- *trachea (windpipe)*
51 het strotklepje
- *epiglottis*
52 de tong
- *tongue*
53 de neusholte
- *nasal cavity*
54 de holte in het wiggebeenslichaam
- *sphenoidal sinus*
55 de voorhoofdsholte
- *frontal sinus*
56-65 het gehoor- en evenwichtsorgaan
- ***organ of equilibrium and hearing***
56-58 het uitwendige oor
- ***external ear***
56 de oorschelp
- *auricle*
57 de oorlel
- *ear lobe*
58 de uitwendige gehoorgang
- *external auditory canal*
59-61 het middenoor
- ***middle ear***
59 het trommelvlies
- *tympanic membrane*
60 de trommelvliesholte
- *tympanic cavity*
61 de gehoorbeentjes: hamer, aanbeeld (aambeeld) en stijgbeugel
- *auditory ossicles: hammer, anvil, and stirrup (malleus, incus, and stapes)*
62-64 het binnenoor
- ***inner ear*** *(internal ear)*
62 het labyrint
- *labyrinth*
63 het slakkehuis
- *cochlea*
64 de gehoorzenuw
- *auditory nerve*
65 de buis van Eustachius
- *eustachian tube*

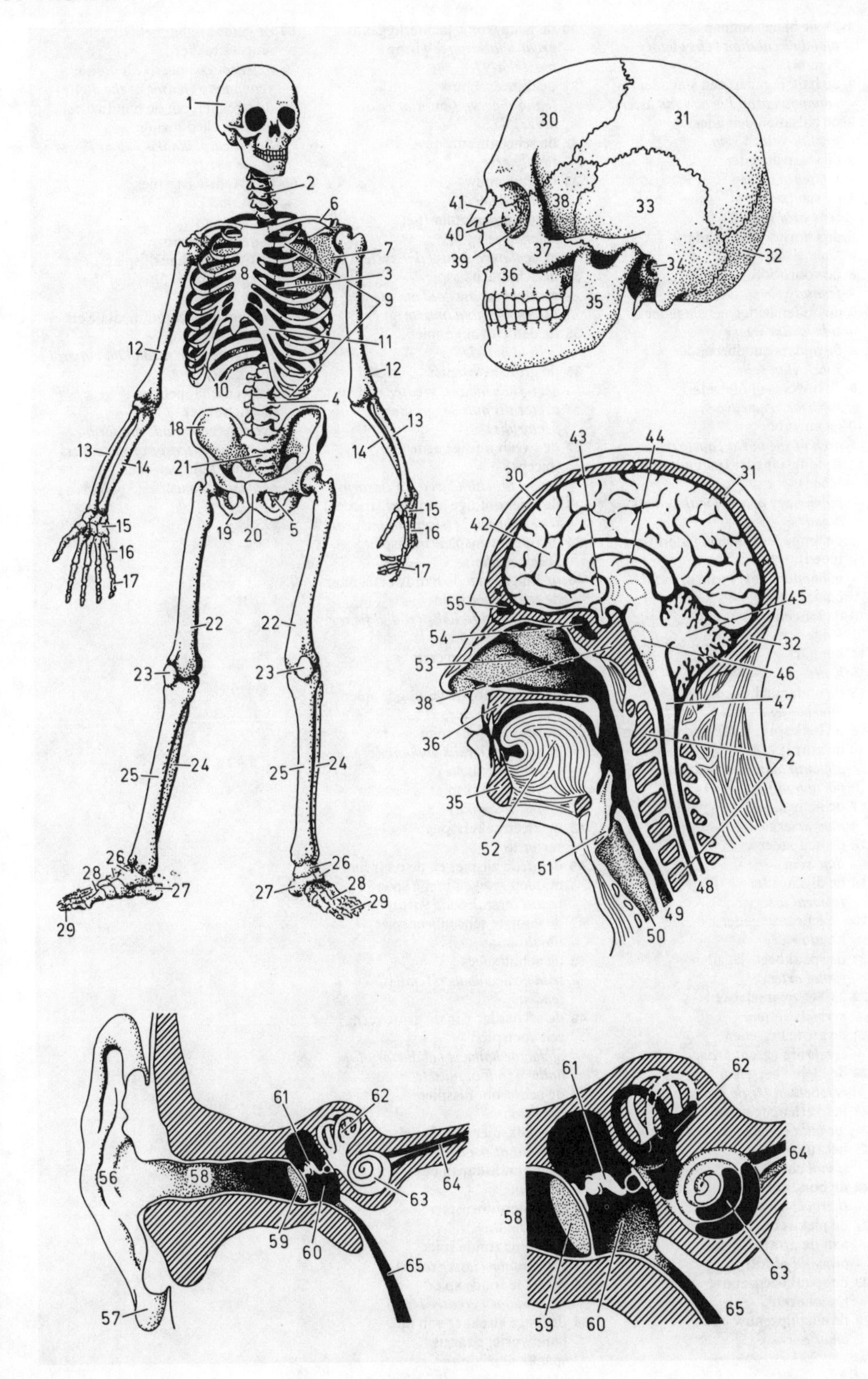
1
2
6
7
8
3
9
11
12
10
4
18
13
14
21
19
20
5
15
16
17
22
23
25
24
26
28
27
29
30
31
38
33
41
40
37
39
34
32
36
35
43
44
42
55
45
54
53
46
47
2
52
51
48
49
50
61
62
56
58
64
63
59
60
65
57

1-21 de bloedsomloop
- ***blood circulation (circulatory system)***
1 de halsslagader, een slagader
- *common carotid artery, an artery*
2 de halsader, een ader
- *jugular vein, a vein*
3 de slaapslagader
- *temporal artery*
4 de slaapader
- *temporal vein*
5 de voorhoofdsslagader
- *frontal artery*
6 de voorhoofdsader
- *frontal vein*
7 de ondersleutelbeenslagader
- *subclavian artery*
8 de ondersleutelbeenader
- *subclavian vein*
9 de bovenste holle ader
- *superior vena cava*
10 de aortaboog
- *arch of the aorta (aorta)*
11 de longslagader (met aderlijk bloed)
- *pulmonary artery [with venous blood]*
12 de longader (met slagaderlijk bloed)
- *pulmonary vein [with arterial blood]*
13 de longen
- *lungs*
14 het hart
- *heart*
15 de onderste holle ader
- *inferior vena cava*
16 de buikaorta (afdalend deel van de aorta)
- *abdominal aorta (descending portion of the aorta)*
17 de heupslagader
- *iliac artery*
18 de heupader
- *iliac vein*
19 de dijslagader
- *femoral artery*
20 de scheenslagader
- *tibial artery*
21 de spaakbeenslagader
- *radial artery*

22-33 het zenuwstelsel
- ***nervous system***
22 de grote hersenen
- *cerebrum (great brain)*
23 de kleine hersenen
- *cerebellum (little brain)*
24 het verlengde merg
- *medulla oblongata (brain-stem)*
25 het ruggemerg
- *spinal cord*
26 de borstkaszenuwen
- *thoracic nerves*
27 de plexus brachialis (zenuwvlecht aan de arm)
- *brachial plexus*
28 de spaakbeenzenuw
- *radial nerve*
29 de ellepijpzenuw
- *ulnar nerve*
30 de heupzenuw [achterliggend]
- *great sciatic nerve [lying posteriorly]*
31 de dijbeenzenuw
- *femoral nerve (anterior crural nerve)*
32 de scheenbeenzenuw
- *tibial nerve*
33 de kuitzenuw
- *peroneal nerve*

34-64 de musculatuur (het spierstelsel)
- ***musculature*** *(muscular system)*
34 de schuine halsspier
- *sternocleidomastoid muscle (sternomastoid muscle)*
35 de deltavormige spier
- *deltoid muscle*
36 de grote borstspier
- *pectoralis major (greater pectoralis muscle, greater pectoralis)*
37 de tweehoofdige armspier (biceps)
- *biceps brachii (biceps of the arm)*
38 de driehoofdige armspier (triceps)
- *triceps brachii (triceps of the arm)*
39 de opperarmspaakbeenspier
- *brachioradialis*
40 de buiger van de handwortel naar de spaakbeenzijde
- *flexor carpi radialis (radial flexor of the wrist)*
41 de korte duimspieren
- *thenar muscle*
42 de grote voorste gezaagde spier
- *serratus anterior*
43 de schuine buikspier
- *obliquus externus abdominis (external oblique)*
44 de rechte buikspier
- *rectus abdominis*
45 de kleermakersspier
- *sartorius*
46 de brede zijspier en de naar het midden gelegen brede spier
- *vastus lateralis and vastus medialis*
47 de voorste scheenbeenspier
- *tibialis anterior*
48 de achillespees
- *tendo calcanaeus (Achilles' tendon)*
49 de afvoerder van de grote teen, een voetspier
- *abductor hallucis (abductor of the hallux), a foot muscle*
50 de achterhoofdsspier
- *occipitalis*
51 de spalkspier van de nek
- *splenius of the neck*
52 de monnikskapspier
- *trapezius*
53 de onderdoornspier
- *infraspinatus*
54 de kleine ronde spier
- *teres minor (lesser teres)*
55 de grote ronde spier
- *teres major (greater teres)*
56 de lange strekker van de handwortel naar de spaakbeenzijde
- *extensor carpi radialis longus (long radial extensor of the wrist)*
57 de gemeenschappelijke vingerstrekker
- *extensor communis digitorum (common extensor of the digits)*
58 de strekker van de handwortel naar de ellepijpzijde
- *flexor carpi ulnaris (ulnar flexor of the wrist)*
59 de breedste rugspier
- *latissimus dorsi*
60 de bilspier
- *gluteus maximus*
61 de tweehoofdige dijspier
- *biceps femoris (biceps of the thigh)*
62 de kuitspier, caput mediale en caput laterale
- *gastrocnemius, medial and lateral heads*
63 gemeenschappelijke tenenstrekker
- *extensor communis digitorum (common extensor of the digits)*
64 de lange kuitbeenspier
- *peroneus longus (long peroneus)*

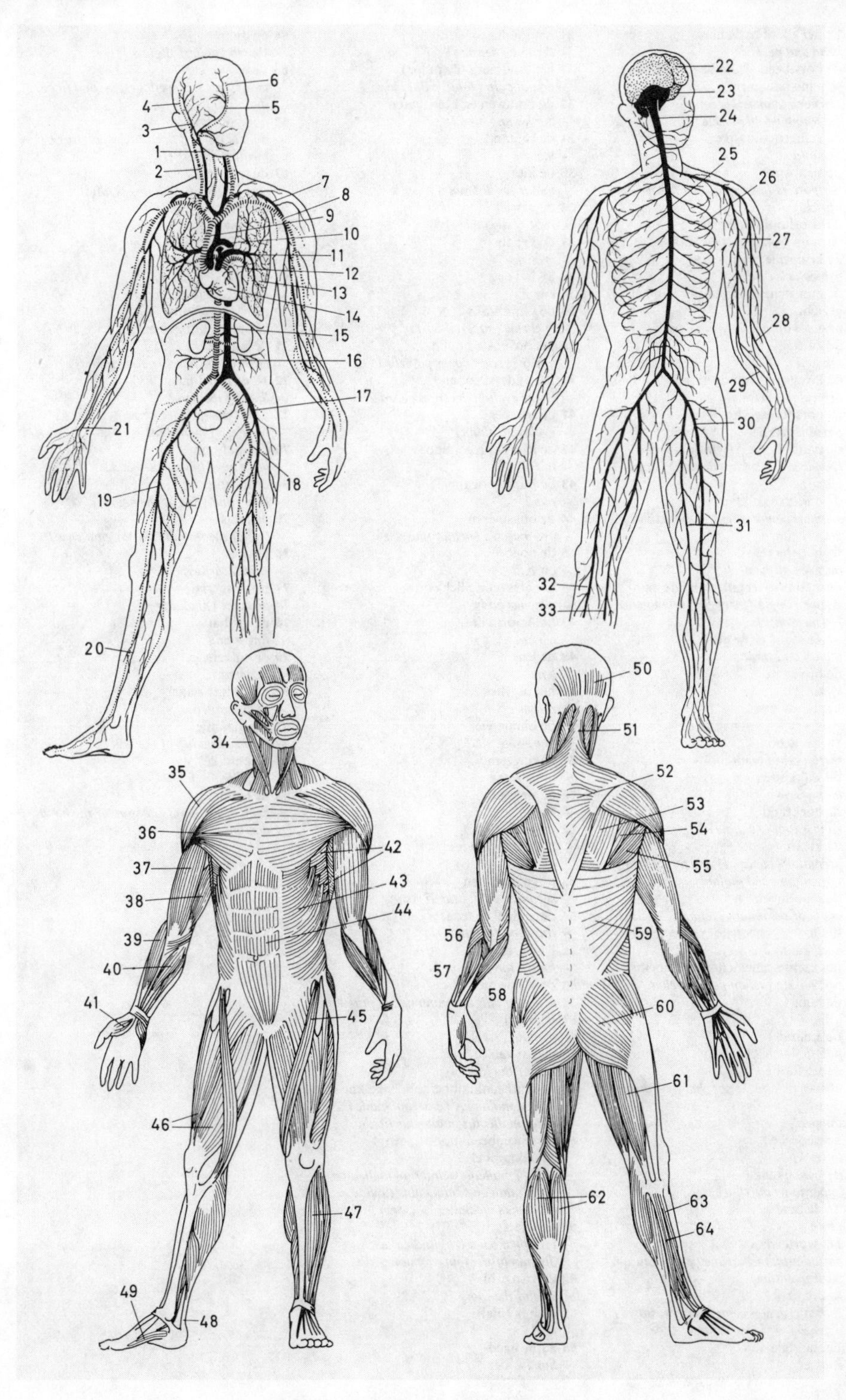
1
2
3
4
5
6
7
8
9
10
11
12
13
14
15
16
17
18
19
20
21
22
23
24
25
26
27
28
29
30
31
32
33
34
35
36
37
38
39
40
41
42
43
44
45
46
47
48
49
50
51
52
53
54
55
56
57
58
59
60
61
62
63
64

1-13 het hoofd en de hals
- ***head and neck***
1 de borstbeen-sleutelbeen-tepelspier; de schuine halsspier
- *sternocleidomastoid muscle (sternomastoid muscle)*
2 de achterhoofdsspier
- *occipitalis*
3 de slaapspier
- *temporalis (temporal, temporal muscle)*
4 de voorhoofdsspier
- *occipito frontalis (frontalis)*
5 de kringspier van het oog
- *orbicularis oculi*
6 de mimische musculatuur van het gezicht
- *muscles of facial expression*
7 de kauwspier
- *masseter*
8 de kringspier van de mond
- *orbicularis oris*
9 de oorspeekselklier
- *parotid gland*
10 de lymf(e)knoop (lymf(e)klier)
- *lymph node (submandibular lymph gland)*
11 de onderkaaksklier
- *submandibular gland (submaxillary gland)*
12 de halsspieren
- *muscles of the neck*
13 de adamsappel [alleen bij de man]
- *Adam's apple (laryngeal prominence) [in men only]*
14-37 de mond en de keel
- *mouth and throat*
14 de bovenlip
- *upper lip*
15 het tandvlees
- *gum*
16-18 het gebit
- ***teeth*** *(set of teeth)*
16 de snijtanden
- *incisors*
17 de hoektand
- *canine tooth (canine)*
18 de kiezen
- *premolar (bicuspid) and molar teeth (premolars and molars)*
19 de mondhoek
- *angle of the mouth (labial commissure)*
20 het harde gehemelte (verhemelte)
- *hard palate*
21 het zachte gehemelte (verhemelte)
- *soft palate (velum palati, velum)*
22 de huig
- *uvula*
23 de amandel
- *palatine tonsil (tonsil)*
24 de keelholte
- *pharyngeal opening (pharynx, throat)*
25 de tong
- *tongue*
26 de onderlip
- *lower lip*
27 de bovenkaak
- *upper jaw (maxilla)*
28-37 de tand
- ***tooth***
28 het wortelvlies
- *periodontal membrane (periodontium, pericementum)*
29 het cement
- *cement (dental cementum, crusta petrosa)*
30 het tandglazuur
- *enamel*
31 het tandbeen
- *dentine (dentin)*
32 het tandmerg (de pulpa)
- *dental pulp (tooth pulp, pulp)*
33 de zenuwen en bloedvaten
- *nerves and blood vessels*
34 de snijtand
- *incisor*
35 de kies
- *molar tooth (molar)*
36 de wortel
- *root (fang)*
37 de kroon
- *crown*
38-51 het oog
- ***eye***
38 de wenkbrauw
- *eyebrow (supercilium)*
39 het bovenste ooglid
- *upper eyelid (upper palpebra)*
40 het onderste ooglid
- *lower eyelid (lower palpebra)*
41 de wimper
- *eyelash (cilium)*
42 de iris (het regenboogvlies)
- *iris*
43 de pupil (oogappel)
- *pupil*
44 de oogspieren
- *eye muscles (ocular muscles)*
45 de oogbol
- *eyeball*
46 het glasachtig lichaam
- *vitreous body*
47 het hoornvlies
- *cornea*
48 de lens
- *lens*
49 het netvlies
- *retina*
50 de blinde vlek
- *blind spot*
51 de oogzenuw
- *optic nerve*
52-63 de voet
- ***foot***
52 de grote teen
- *big toe (great toe, first toe, hallux, digitus I)*
53 de tweede teen
- *second toe (digitus II)*
54 de middelste teen
- *third toe (digitus III)*
55 de vierde teen
- *fourth toe (digitus IV)*
56 de kleine teen
- *little toe (digitus minimus, digitus V)*
57 de nagel
- *toenail*
58 de bal van de voet
- *ball of the foot*
59 de kuitbeenknobbel, een enkelknobbel
- *lateral malleolus (external malleolus, outer malleolus, malleolus fibulae)*
60 de scheenbeenknobbel, een enkelknobbel
- *medial malleolus (internal malleolus, inner malleolus, malleolus tibulae, malleolus medialis)*
61 de wreef
- *instep (medial longitudinal arch, dorsum of the foot, dorsum pedis)*
62 de voetzool
- *sole of the foot*
63 de hak (hiel)
- *heel*
64-83 de hand
- ***hand***
64 de duim
- *thumb (pollex, digitus I)*
65 de wijsvinger
- *index finger (forefinger, second finger, digitus II)*
66 de middelvinger
- *middle finger (third finger, digitus medius, digitus III)*
67 de ringvinger
- *ring finger (fourth finger, digitus anularis, digitus IV)*
68 de pink
- *little finger (fifth finger, digitus minimus, digitus V)*
69 de spaakbeenzijde
- *radial side of the hand*
70 de ellepijpzijde
- *ulnar side of the hand*
71 de handpalm
- *palm of the hand (palma manus)*
72-74 de handlijnen
- ***lines of the hand***
72 de levenslijn
- *life line (line of life)*
73 de hoofdlijn
- *head line (line of the head)*
74 de hartlijn
- *heart line (line of the heart)*
75 de muis
- *ball of the thumb (thenar eminence)*
76 de pols
- *wrist (carpus)*
77 het vingerlid
- *phalanx (phalange)*
78 de tastbal
- *finger pad*
79 de vingertop
- *fingertip*
80 de (vinger)nagel
- *fingernail (nail)*
81 het maantje
- *lunule (lunula) of the nail*
82 de knokkel
- *knuckle*
83 de handrug
- *back of the hand (dorsum of the hand, dorsum manus)*

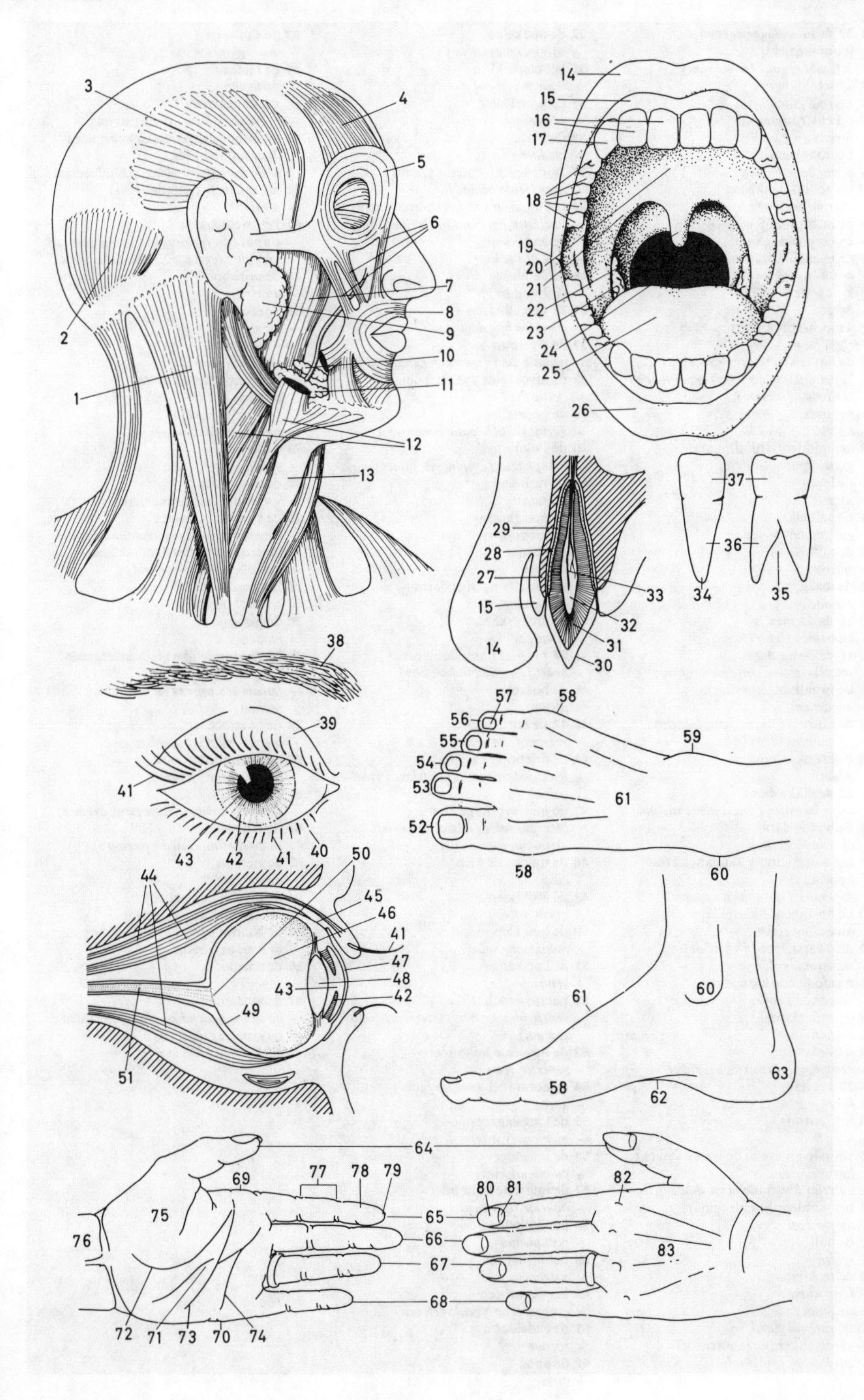
1
2
3
4
5
6
7
8
9
10
11
12
13
14
15
16
17
18
19
20
21
22
23
24
25
26
27
28
29
30
31
32
33
34
35
36
37
38
39
40
41
42
43
44
45
46
47
48
49
50
51
52
53
54
55
56
57
58
59
60
61
62
63
64
65
66
67
68
69
70
71
72
73
74
75
76
77
78
79
80
81
82
83

1-57 de inwendige organen [vooraanzicht]
- ***internal organs*** *[front view]*
1 de schildklier
- *thyroid gland*
2-3 het strottehoofd
- *larynx*
2 het tongbeen
- *hyoid bone (hyoid)*
3 het schildkraakbeen
- *thyroid cartilage*
4 de luchtpijp
- *trachea (windpipe)*
5 de bronchus (tak van de luchtpijp)
- *bronchus*
6-7 de long
- *lung*
6 de rechter longhelft
- *right lung*
7 de bovenkwab [doorsnede]
- *upper pulmonary lobe (upper lobe of the lung) [section]*
8 het hart
- *heart*
9 het middenrif (diafragma)
- *diaphragm*
10 de lever
- *liver*
11 de galblaas
- *gall bladder*
12 de milt
- *spleen*
13 de maag
- *stomach*
14-22 de darmen
- ***intestines*** *(bowel)*
14-16 de dunne darm
- ***small intestine*** *(intestinum tenue)*
14 de twaalfvingerige darm
- *duodenum*
15 de nuchtere darm (ledige darm)
- *jejunum*
16 de kronkeldarm
- *ileum*
17-22 de dikke darm
- ***large intestine*** *(intestinum crassum)*
17 de blinde darm
- *caecum (cecum)*
18 het wormvormig aanhangsel (de appendix)
- *appendix (vermiform appendix)*
19 de opstijgende karteldarm
- *ascending colon*
20 de dwarsliggende karteldarm
- *transverse colon*
21 de afdalende karteldarm
- *descending colon*
22 de endeldarm
- *rectum*
23 de slokdarm
- *oesophagus (esophagus, gullet)*
24-25 het hart
- *heart*
24 het hartoor
- *auricle*
25 voorste groeve in de lengte van het hart
- *anterior longitudinal cardiac sulcus*
26 het middenrif (diafragma)
- *diaphragm*
27 de milt
- *spleen*
28 de rechternier
- *right kidney*
29 de bijnier
- *suprarenal gland*
30-31 de linkernier [doorsnede]
- *left kidney [longitudinal section]*
30 de nierkelk
- *calyx (renal calyx)*
31 het nierbekken
- *renal pelvis*
32 de urineleider
- *ureter*
33 de blaas
- *bladder*
34-35 de lever [achteraanzicht]
- *liver [from behind]*
34 het ligamentum falciforme hepatis
- *falciform ligament of the liver*
35 de leverkwab
- *lobe of the liver*
36 de galblaas
- *gall bladder*
37-38 de galbuizen
- *common bile duct*
37 de leverbuis
- *hepatic duct (common hepatic duct)*
38 de afvoerbuis van de galblaas
- *cystic duct*
39 de poortader
- *portal vein (hepatic portal vein)*
40 de slokdarm
- *oesophagus (esophagus, gullet)*
41-42 de maag
- *stomach*
41 de maagingang
- *cardiac orifice*
42 de portier
- *pylorus*
43 de twaalfvingerige darm
- *duodenum*
44 de alvleesklier
- *pancreas*
45-57 het hart [langsdoorsnede]
- ***heart*** *[longitudinal section]*
45 de boezem
- *atrium*
46-47 de hartkleppen
- *valves of the heart*
46 de drietippige klep
- *tricuspid valve (right atrioventricular valve)*
47 de mijtervormige klep
- *bicuspid valve (mitral valve, left atrioventricular valve)*
48 de tip van de klep
- *cusp*
49 de aortaklep
- *aortic valve*
50 de longklep
- *pulmonary valve*
51 de hartkamer
- *ventricle*
52 het tussenschot
- *ventricular septum (interventricular septum)*
53 de bovenste holle ader
- *superior vena cava*
54 de aorta (lichaamsslagader)
- *aorta*
55 de longslagader
- *pulmonary artery*
56 de longader
- *pulmonary vein*
57 de onderste holle ader
- *inferior vena cava*
58 het buikvlies
- *peritoneum*
59 het heiligbeen
- *sacrum*
60 het staartbeen
- *coccyx (coccygeal vertebra)*
61 de endeldarm
- *rectum*
62 de anus
- *anus*
63 de sluitspier
- *anal sphincter*
64 de bilnaad
- *perineum*
65 de schaamvoeg
- *pubic symphisis (symphisis pubis)*
66-77 de mannelijke geslachtsorganen [langsdoorsnede]
- ***male sex organs*** *[longitudinal section]*
66 het mannelijk lid (de penis)
- *penis*
67 het zwellichaam
- *corpus cavernosum and spongiosum of the penis (erectile tissue of the penis)*
68 de urinebuis
- *urethra*
69 de eikel
- *glans penis*
70 de voorhuid
- *prepuce (foreskin)*
71 de balzak (het scrotum)
- *scrotum*
72 de rechter zaadbal
- *right testicle (testis)*
73 de bijbal
- *epididymis*
74 de zaadleider
- *spermatic duct (vas deferens)*
75 de klier van Cowper
- *Cowper's gland (bulbourethral gland)*
76 de prostaat (voorstanderklier)
- *prostate (prostate gland)*
77 het zaadblaasje
- *seminal vesicle*
78 de blaas
- *bladder*
79-88 de vrouwelijke geslachtsorganen [langsdoorsnede]
- ***female sex organs*** *[longitudinal section]*
79 de baarmoeder
- *uterus (matrix, womb)*
80 de baarmoederholte
- *cavity of the uterus*
81 de eileider
- *fallopian tube (uterine tube, oviduct)*
82 de fimbria
- *fimbria (fimbriated extremity)*
83 de eierstok
- *ovary*
84 de follikel met het eitje
- *follicle with ovum (egg)*
85 de baarmoedermond
- *os uteri externum*
86 de schede
- *vagina*
87 de schaamlip
- *lip of the pudendum (lip of the vulva)*
88 de kittelaar (clitoris)
- *clitoris*

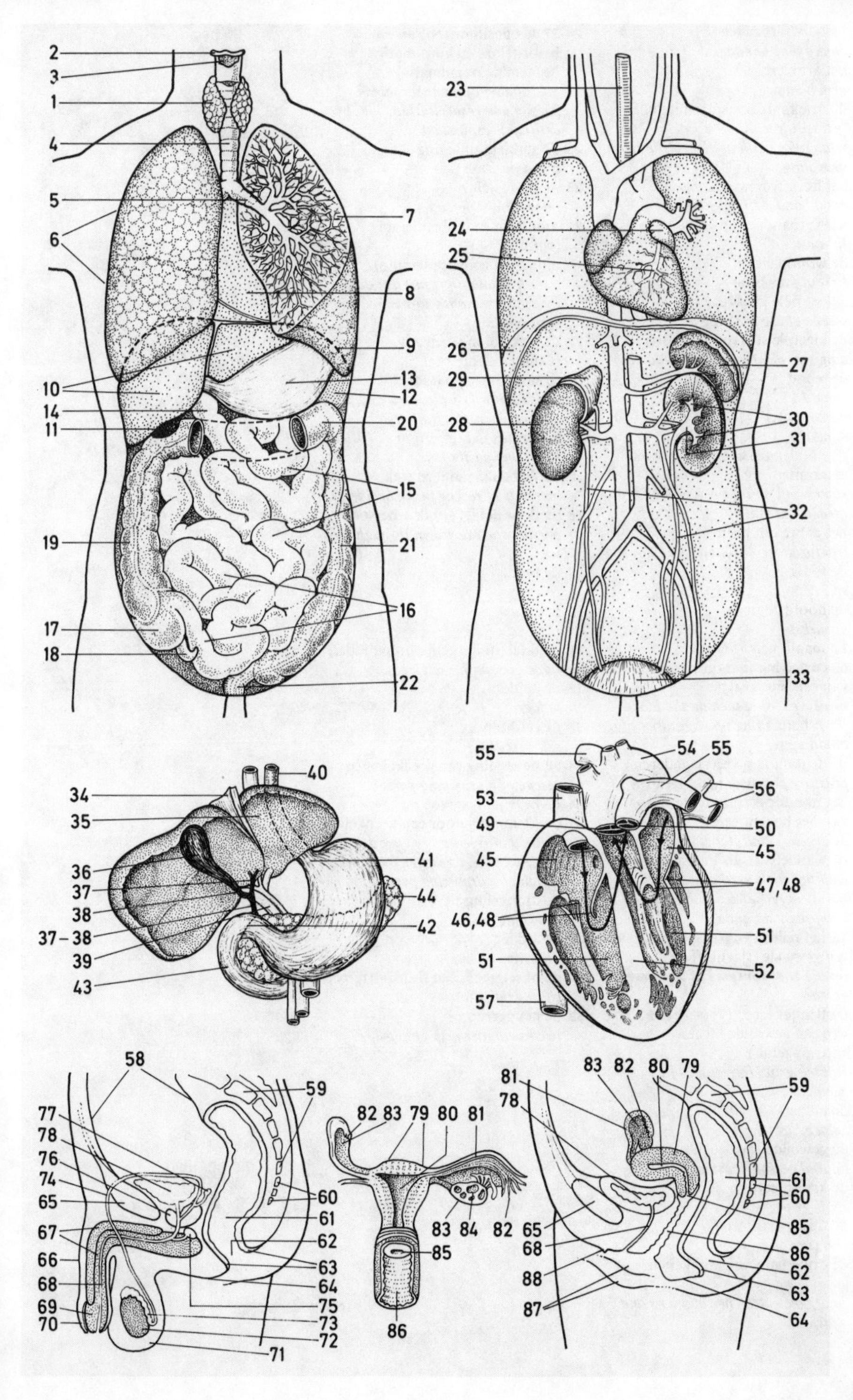
2
3
1
4
5
6
7
8
9
10
13
12
14
11
20
15
19
21
16
17
18
22
23
24
25
26
27
29
28
30
31
32
33
40
34
35
36
41
37
44
38
37–38
42
39
43
55
54 55
53
56
49
50
45
45
47,48
46,48
51
51
52
57
58
59
77
78
76
74
65
60
61
67
62
66
63
68
64
69
75
70
73
72
71
82 83 79 80 81
83 84 82
85
86
83 82 80 79
81
78
59
61
60
65
85
68
86
88
62
63
87
64

1-13 noodverbanden
- ***emergency bandages***

1 het armverband
- *arm bandage*

2 de driekante doek als mitella (armsling)
- *triangular cloth used as a sling (an arm sling)*

3 het hoofdverband
- *head bandage (capeline)*

4 het verbandpakje
- *first aid kit*

5 de wondpleister
- *first aid dressing*

6 het steriele gaasvulsel
- *sterile gauze dressing*

7 de kleefpleister (hechtpleister)
- *adhesive plaster (sticking plaster)*

8 de wond
- *wound*

9 de zwachtel
- *bandage*

10 de noodspalk voor een gebroken extremiteit
- *emergency splint for a broken limb (fractured limb)*

11 het gebroken been
- *fractured leg (broken leg)*

12 de spalk
- *splint*

13 de hoofdsteun
- *headrest*

14-17 maatregelen voor de bloedstelping (het onderbinden van een bloedvat)
- ***measures for stanching the blood flow;*** here: *tying up (ligature) of a blood vessel*

14 de drukpunten van slagaderen
- *pressure points of the arteries*

15 het nooddrukverband ter hoogte van het bovenbeen
- *emergency tourniquet on the thigh*

16 de wandelstok als knevel
- *walking stick used as a screw*

17 het drukverband
- *compression bandage*

18-23 het redden en transporteren van een gewonde (slachtoffer)
- ***rescue and transport of an injured person***

18 de Rautekgreep (voor het redden van een gewonde bij een auto-ongeluk)
- *Rautek grip [for rescue of a car accident victim]*

19 de helper
- *helper*

20 de gewonde (het slachtoffer)
- *injured person (casualty)*

21 de kruisgreep
- *chair grip*

22 de transportgreep
- *carrying grip*

23 de draagbaar van stokken en een jas
- *emergency stretcher of sticks and a jacket*

24-27 het positioneren van een bewusteloze en kunstmatige beademing (reanimatie)
- ***positioning of an unconscious person and resuscitation,*** *e. g. by artificial respiration*

24 de stabiele zijligging
- *coma position*

25 de bewusteloze
- *unconscious person*

26 mond-op-mondbeademing (*variatie:* mond-op-neusbeademing)
- *mouth-to-mouth resuscitation (*variation: *mouth-to-nose resuscitation)*

27 de elektrolong, een reanimatieapparaat (beademingsapparaat)
- *resuscitator (respiratory apparatus, resuscitation apparatus), a respirator (artificial breathing device)*

28-33 de redding uit een wak
- ***methods of rescue in ice accidents***

28 de door het ijs gezakte persoon
- *person who has fallen through the ice*

29 de redder
- *rescuer*

30 het touw
- *rope*

31 de tafel (of dergelijk hulpmiddel)
- *table (or similar device)*

32 de ladder
- *ladder*

33 de zelfhulp
- *self-rescue*

34-38 de redding van drenkelingen
- ***rescue of a drowning person***

34 de bevrijdingsgreep bij omklemming door een drenkeling
- *method of release (release grip, release) to free rescuer from the clutch of a drowning person*

35 de drenkeling
- *drowning person*

36 de redder
- *lifesaver*

37 de okselgreep, een transportgreep
- *chest grip, a towing grip*

38 de heupgreep
- *tired swimmer grip (hip grip)*

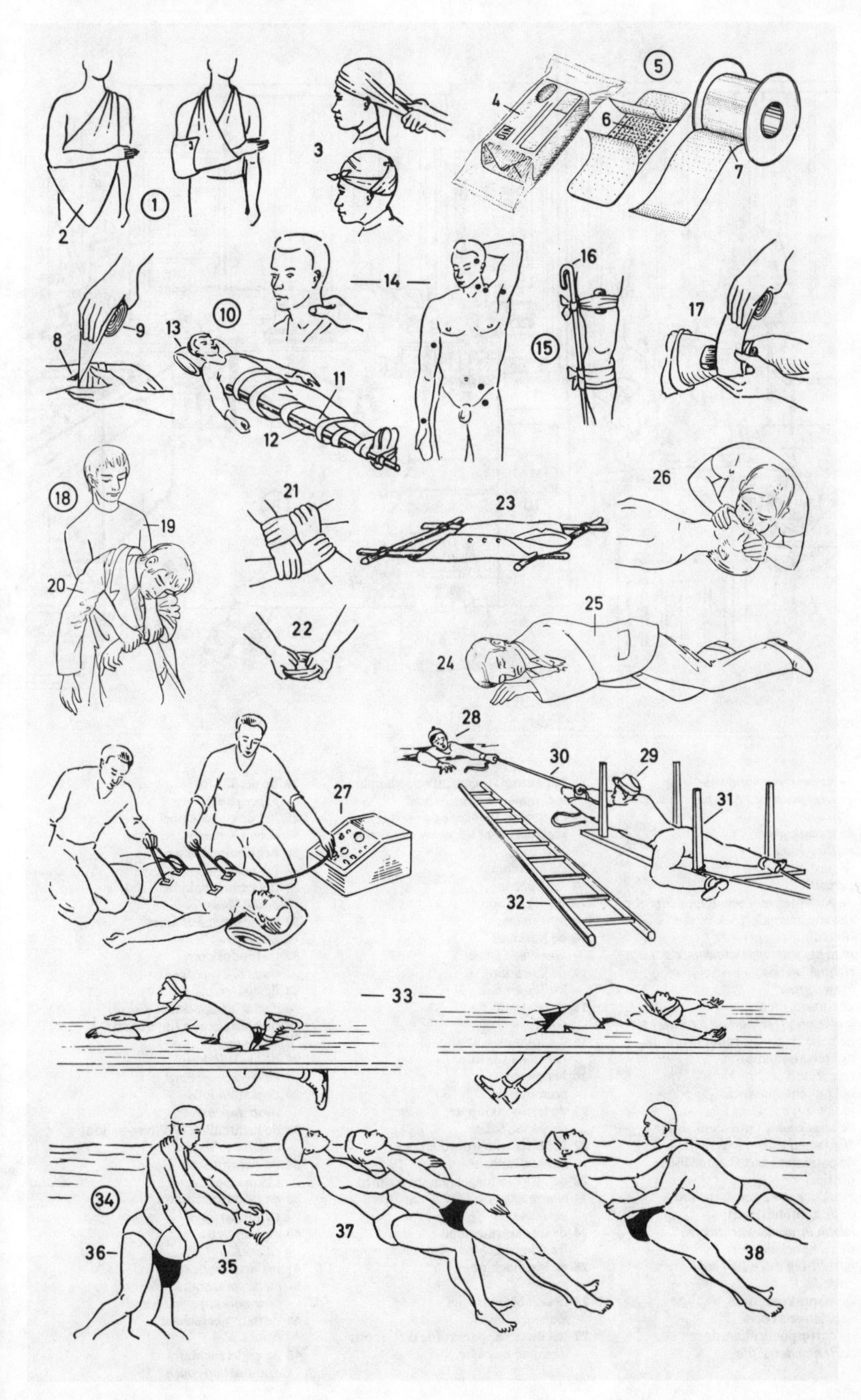
1
2
3
4
5
6
7
8
9
10
11
12
13
14
15
16
17
18
19
20
21
22
23
24
25
26
27
28
29
30
31
32
33
34
35
36
37
38

1-74 de huisartsenpraktijk
- ***general practice*** *(*Am. *physician's office)*

1 de wachtkamer
- ***waiting room***

2 de patiënt
- *patient*

3 de patiënten met een afspraak (voor een routineonderzoek of een herhalingsrecept)
- *patients with appointments, e.g. for a routine check-up or renewal of prescription*

4 de tijdschriften
- *magazines [for waiting patients]*

5 de balie (receptie, ruimte voor de doktersassistente)
- *reception*

6 het patiëntenarchief
- *patients file*

7 de uitgezochte patiëntenkaarten
- *eliminated index cards*

8 de patiëntenkaart (het medische dossier)
- *medical record (medical card)*

9 de ziekenfondskaart
- *health insurance certificate*

10 de reclamekalender
- *advertising calendar (publicity calendar)*

11 de afsprakenagenda
- *appointments book*

12 de correspondentieordner
- *correspondence file*

13 het automatische antwoordapparaat met opnamemogelijkheid
- *automatic telephone answering and recording set (telephone answering device)*

14 de intercom
- *radiophone*

15 de microfoon
- *microphone*

16 de leeskaart
- *illustrated chart*

17 de kalender
- *wall calendar*

18 de telefoon
- *telephone*

19 de doktersassistente
- *[doctor's] assistant*

20 het recept
- *prescription*

21 de telefoonklapper
- *telephone index*

22 het medische woordenboek
- *medical dictionary*

23 de lijst van toegelaten medicijnen
- *pharmacopoeia (list of registered medicines)*

24 de frankeermachine
- *franking machine (*Am. *postage meter)*

25 de nietmachine
- *stapler*

26 het diabetenarchief
- *diabetics file*

27 het dicteerapparaat (de dictafoon)
- *dictating machine*

28 de perforator
- *paper punch*

29 het doktersstempel
- *doctor's stamp*

30 het stempelkussen
- *ink pad*

31 het pennenbakje
- *pencil holder*

32-74 de behandelkamer
- ***surgery***

32 de funduskaart
- *chart of eyegrounds*

33 de dokterstas
- *doctor's bag (doctor's case)*

34 de huistelefoon (intercom)
- *intercom*

35 de medicijnkast
- *medicine cupboard*

36 de wattendoos
- *swab dispenser*

37 de luchtballon (Politzer-ballon)
- *inflator (Politzer bag)*

38 de elektrotoom
- *electrotome*

39 de stoomsterilisator
- *steam sterilizer*

40 de wandkast
- *cabinet*

41 het artsenmonster
- *medicine samples (from the pharmaceutical industry)*

42 de babyweegschaal
- *baby scales*

43 de onderzoektafel
- *examination couch*

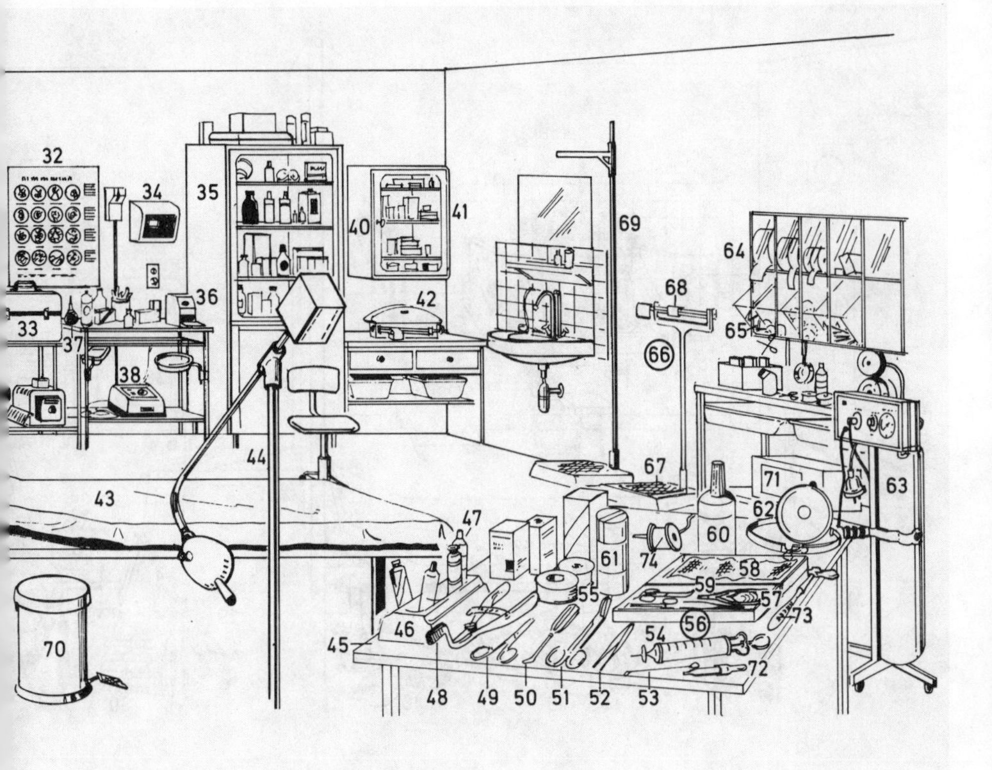

44 de operatielamp
- *directional lamp*

45 de instrumententafel
- *instrument table*

46 de tubenhouder
- *tube holder*

47 de tube zalf
- *tube of ointment*

48-50 het instrumentarium voor de kleine chirurgie
- ***instruments for minor surgery***

48 de mondspreider
- *mouth gag*

49 de Kocher-klem
- *Kocher's forceps*

50 de scherpe lepel (curette)
- *scoop (curette)*

51 de verbandschaar
- *angled scissors*

52 de, het pincet
- *forceps*

53 de knopsonde
- *olive-pointed (bulb-headed) probe*

54 de oorspuit (blaasspuit)
- *syringe for irrigations of the ear or bladder*

55 de kleefpleister
- *adhesive plaster (sticking plaster)*

56 het chirurgische hechtmateriaal
- *surgical suture material*

57 de gebogen chirurgische naald
- *curved surgical needle*

58 het steriele gaas
- *sterile gauze*

59 de naaldvoerder
- *needle holder*

60 de spuitbus voor huiddesinfectie
- *spray for disinfecting the skin*

61 de draadhouder
- *thread container*

62 de oogspiegel (oftalmoscoop)
- *ophthalmoscope*

63 het bevriezingsapparaat voor cryochirurgische ingrepen
- *freezer for cryosurgery*

64 de houder voor pleisters en kleine onderdelen
- *dispenser for plasters and small pieces of equipment*

65 de wegwerpinjectienaalden en -spuiten
- *disposable hypodermic needles and syringes*

66 de personenweegschaal, een balansweegschaal
- *scales, sliding-weight scales*

67 het weegplatform
- *weighing platform*

68 het glijgewicht
- *sliding weight (jockey)*

69 de meetlat
- *height gauge (*Am. *gage)*

70 de pedaalemmer (afvalemmer)
- *waste bin (*Am. *trash bin)*

71 de heteluchtsterilisator
- *hot-air sterilizer*

72 de pipet
- *pipette*

73 de reflexhamer
- *percussor*

74 de oorspiegel (otoscoop)
- *aural speculum (auriscope, aural syringe)*

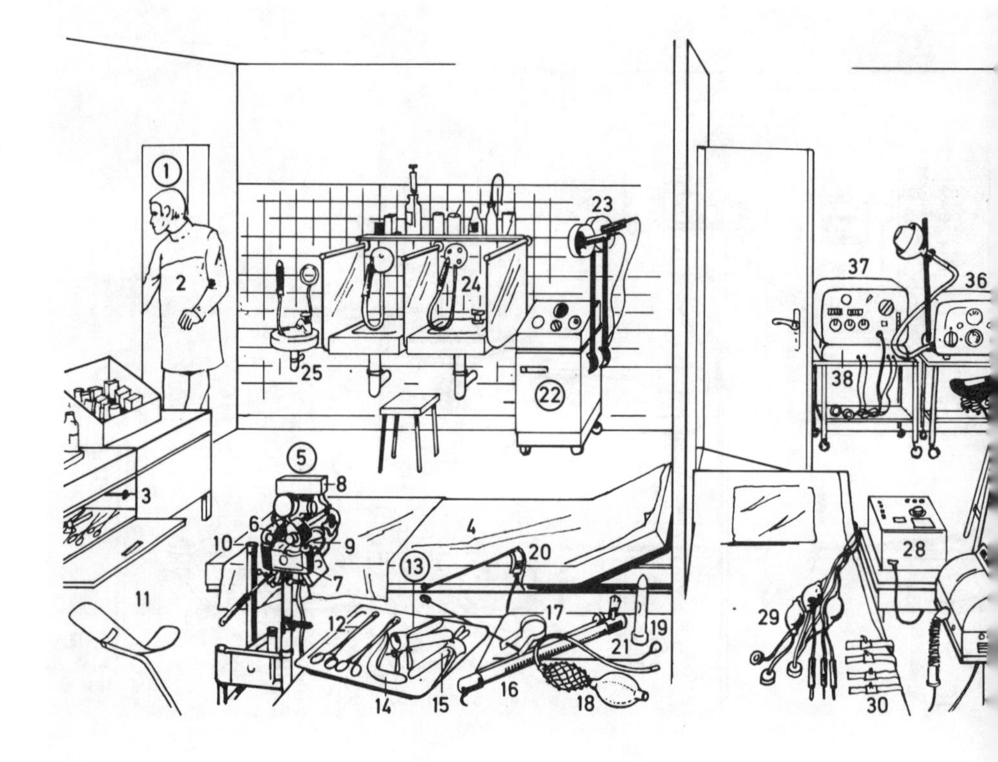

1 de spreekkamer
- *consulting room*
2 de huisarts
- *general practitioner*
3-21 gynaecologisch en proctologisch instrumentarium
- ***instruments for gynecological and proctological examinations***
3 het voorverwarmen van instrumenten op lichaamstemperatuur
- *warming the instruments up to body temperature*
4 de onderzoektafel
- *examination couch*
5 de colposcoop
- *colposcope*
6 het binoculair
- *binocular eyepiece*
7 de kleinbeeldcamera
- *miniature camera*
8 de koudlichtbron
- *cold light source*
9 de draadontspanner
- *cable release*
10 de arm van de beenhouder
- *bracket for the leg support*
11 de beenhouder (beensteun)
- *leg support (leg holder)*
12 de korentang
- *holding forceps (sponge holder)*
13 het speculum
- *vaginal speculum*
14 het onderblad van het speculum
- *lower blade of the vaginal speculum*
15 de platina-öse (voor uitstrijkjes)
- *platinum loop [for smears]*
16 de rectoscoop
- *rectoscope*
17 de biopsietang voor de rectoscopie
- *biopsy forceps used with the rectoscope (proctoscope)*
18 de luchtinsufflator voor de rectoscopie
- *insufflator for proctoscopy (rectoscopy)*
19 de proctoscoop
- *proctoscope (rectal speculum)*
20 de cystoscoop
- *urethroscope*
21 de geleider voor de proctoscoop
- *guide for inserting the proctoscope*
22 het diathermieapparaat (kortegolfapparaat)
- *diathermy unit (short-wave therapy apparatus)*
23 de warmtestraler
- *radiator*
24 het inhaleringsapparaat (de inhalator)
- *inhaling apparatus (inhalator)*
25 de spoelbak (voor sputum)
- *basin [for sputum]*
26-31 de ergometrie
- ***ergometry***
26 de fietsergometer
- *bicycle ergometer*
27 de monitor (het beeldscherm met daarop het ECG, de pols en de ademhalingsfrequentie tijdens de belasting)
- *monitor [for visual display of the ECG and of pulse and respiratory rates when performing work]*
28 het ECG-apparaat (de elektrocardiograaf)
- *ECG (electrocardiograph)*
29 de zuigelektroden
- *suction electrodes*
30 de bandelektroden (voor afleiding van de ledematen)
- *strap-on electrodes for the limbs*
31 de spirometer
- *spirometer [for measuring respiratory functions]*
32 de bloeddrukmeting
- *measuring the blood pressure*
33 de bloeddrukmeter
- *sphygmomanometer*
34 de opblaasbare manchet
- *inflatable cuff*
35 de stethoscoop
- *stethoscope*
36 het UKG-apparaat (Ultrakortegolfapparaat)
- *microwave treatment unit*
37 het faradiseerapparaat (voor bestraling met laagfrequente golven met verschillende pulsvormen)
- *faradization unit [for applying low-frequency currents with different pulse shapes]*
38 de automatische afstemmer
- *automatic tuner*
39 het kortegolfapparaat met monode
- *short-wave therapy apparatus*
40 de stopwatch
- *timer*

41-59 het laboratorium
- ***laboratory***

41 de medisch analiste
- *medical laboratory technician*

42 de capillairstandaard voor de bloedbezinking
- *capillary tube stand for blood sedimentation*

43 de maatcilinder
- *measuring cylinder*

44 de automatische pipet
- *automatic pipette*

45 het nierbekken
- *kidney dish*

46 het draagbare ECG-apparaat voor noodgevallen
- *portable ECG machine for emergency use*

47 het automatische pipeteerapparaat
- *automatic pipetting device*

48 het thermoconstante waterbad
- *constant temperature water bath*

49 de wateraansluiting met waterstraalpomp
- *tap with water jet pump*

50 de kleurschalen (voor de kleuring van bloeduitstrijkjes, sedimenten en andere uitstrijkjes)
- *staining dish [for staining blood smears, sediments, and other smears]*

51 de, het binoculaire onderzoekmicroscoop
- *binocular research microscope*

52 de pipetstandaard voor de fotometrie
- *pipette stand for photometry*

53 het reken- en analyseapparaat voor de fotometrie
- *computer and analyser for photometry*

54 de fotometer
- *photometer*

55 de potentiometerschrijver
- *potentiometric recorder*

56 de regeltransformator
- *transforming section*

57 de laboratoriumuitrusting
- *laboratory apparatus (laboratory equipment)*

58 de urinesedimentkaart
- *urine sediment chart*

59 de centrifuge
- *centrifuge*

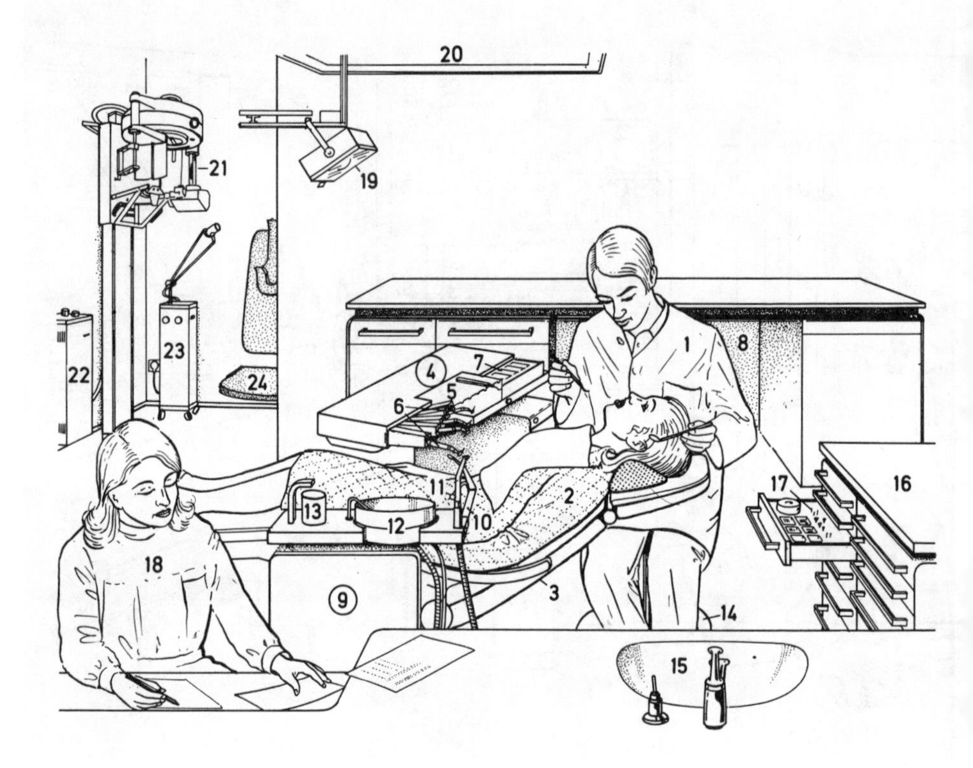

1 de tandarts
- *dentist (dental surgeon)*

2 de patiënt
- *patient*

3 de behandelstoel
- *dentist's chair*

4 het tandartsgereedschap
- *dental instruments*

5 de tray (het tablet)
- *instrument tray*

6 de boren met verschillende handstukken
- *drills with different handpieces*

7 de medicamentencassette
- *medicine case*

8 de nis voor de unit
- *storage unit [for dental instruments]*

9 het assistentegedeelte van de unit
- *assistant's unit*

10 het multifunctionele sproeiapparaat (voor koud en warm water, spray of lucht)
- *multi-purpose syringe [for cold and warm water, spray, or air]*

11 de speekselzuiger
- *suction apparatus*

12 het spoelbekken
- *basin*

13 het waterglas met automatisch vulsysteem
- *water glass, filled automatically*

14 het tandartsstoeltje (de kruk)
- *stool*

15 de wastafel
- *washbasin*

16 het instrumentenkastje
- *instrument cabinet*

17 het laatje met boortjes
- *drawer for drills*

18 de assistente
- *dentist's assistant*

19 de behandellamp
- *dentist's lamp*

20 de plafondverlichting
- *ceiling light*

21 het röntgenapparaat voor panoramaopnamen
- *X-ray apparatus for panoramic pictures*

22 de röntgengenerator
- *X-ray generator*

23 het microgolfapparaat, een bestralingsapparaat
- *microwave treatment unit, a radiation unit*

24 de zitplaats
- *seat*

25 het kunstgebit (de prothese)
- *denture (set of false teeth)*
26 de brug
- *bridge (dental bridge)*
27 de geprepareerde tandstomp
- *prepared stump of the tooth*
28 de kroon (*soorten:* gouden kroon, jacketkroon)
- *crown;* kinds: *gold crown, jacket crown*
29 de porseleinen tand
- *porcelain tooth (porcelain pontic)*
30 de vulling (tandvulling) *vero.: plombe*
- *filling*
31 de stifttand (de opbouwstifttand)
- *post crown*
32 de opbouw
- *facing*
33 het venster
- *diaphragm*
34 de stift
- *post*
35 de carborundschijf
- *carborundum disc (disk)*
36 de polijstschijf
- *grinding wheel*
37 de caviteitenboor
- *burs*
38 de fineerboor (vlamvormige boor)
- *flame-shaped finishing bur*
39 splijtboortjes (fissuurboortjes)
- *fissure burs*
40 de diamantboor (diamantslijper)
- *diamond point*
41 de mondspiegel
- *mouth mirror*
42 het mondlampje
- *mouth lamp*
43 het thermische uitbrandinstrument
- *cautery*
44 de platina-iridium-elektrode
- *platinum-iridium electrode*
45 tandreinigingsinstrumenten
- *tooth scalers*
46 de sonde
- *probe*
47 de extractietang
- *extraction forceps*
48 de worteltrekker (worteltang)
- *tooth-root elevator*
49 de knobbelbeitel
- *bone chisel*
50 de spatel
- *spatula*
51 het mixapparaat voor vullingen (mengapparaat)
- *mixer for filling material*
52 het tijdklokje
- *synchronous timer*
53 de injectiespuit voor anesthesie (zenuwverdoving, verdoving)
- *hypodermic syringe for injection of local anaesthetic*
54 de injectienaald
- *hypodermic needle*
55 de matrijzenhouder
- *matrix holder*
56 de afdruklepel
- *impression tray*
57 de spiritusbrander
- *spirit lamp*

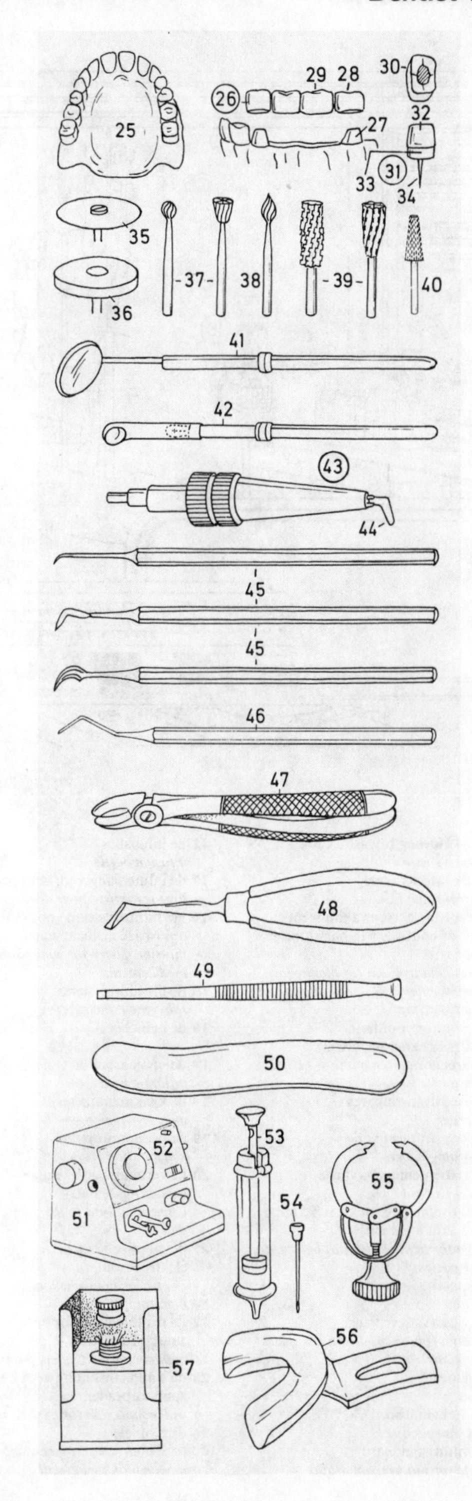

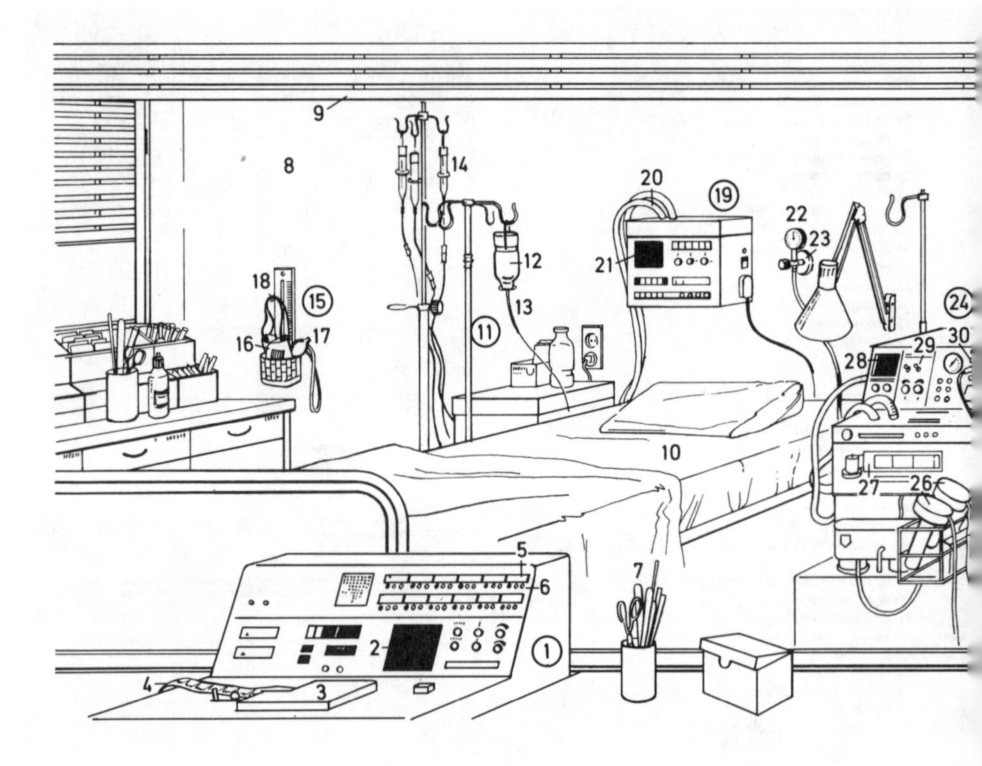

1-30 de afdeling Intensive Care
- ***intensive care unit***

1-9 de controleruimte
- ***control room***

1 de centrale hartbewakingseenheid voor de controle van hartritme en bloeddruk
- *central control unit for monitoring heart rhythm (cardiac rhythm) and blood pressure*

2 de monitor voor het elektrocardiogram (ECG)
- *electrocardiogram monitor (ECG monitor)*

3 het registratieapparaat
- *recorder*

4 het registratiepapier
- *recording paper*

5 het patiëntennaamkaartje
- *patient's card*

6 de alarmlampen (met keuzeknoppen voor iedere patiënt)
- *indicator lights [with call buttons for each patient]*

7 de spatel
- *spatula*

8 het observatievenster
- *window (observation window, glass partition)*

9 de jaloezie
- *blind*

10 het ziekenhuisbed
- *bed (hospital bed)*

11 de infuusstandaard
- *stand for infusion apparatus*

12 de infuusfles
- *infusion bottle*

13 de infuusslang voor druppelinfusie
- *tube for intravenous drips*

14 het infuussysteem voor in water oplosbare medicamenten
- *infusion device for water-soluble medicaments*

15 de bloeddrukmeter
- *sphygmomanometer*

16 de manchet
- *cuff*

17 de opblaasballon
- *inflating bulb*

18 de kwikmanometer
- *mercury manometer*

19 de bedmonitor
- *bed monitor*

20 de verbindingskabel naar de centrale bewakingseenheid
- *connecting lead to the central control unit*

21 de monitor voor het elektrocardiogram
- *electrocardiogram monitor (ECG monitor)*

22 de manometer voor de zuurstoftoevoer
- *manometer for the oxygen supply*

23 de wandaansluiting voor de zuurstofbeademing
- *wall connection for oxygen treatment*

24 de mobiele patiëntenbewakingseenheid
- *mobile monitoring unit*

25 de elektrodekabel voor een tijdelijke pacemaker
- *electrode lead to the short-term pacemaker*

26 de elektroden voor defibrileren (elektroshockbehandeling)
- *electrodes for shock treatment*

27 de ECG-registratie-eenheid
- *ECG recording unit*

28 de monitor voor bewaking van het ECG
- *electrocardiogram monitor (ECG monitor)*

29 de controleknoppen voor het afstellen van de monitor
- *control switches and knobs (controls) for adjusting the monitor*

30 de controleknoppen voor de pacemakereenheid
- *control buttons for the pacemaker unit*

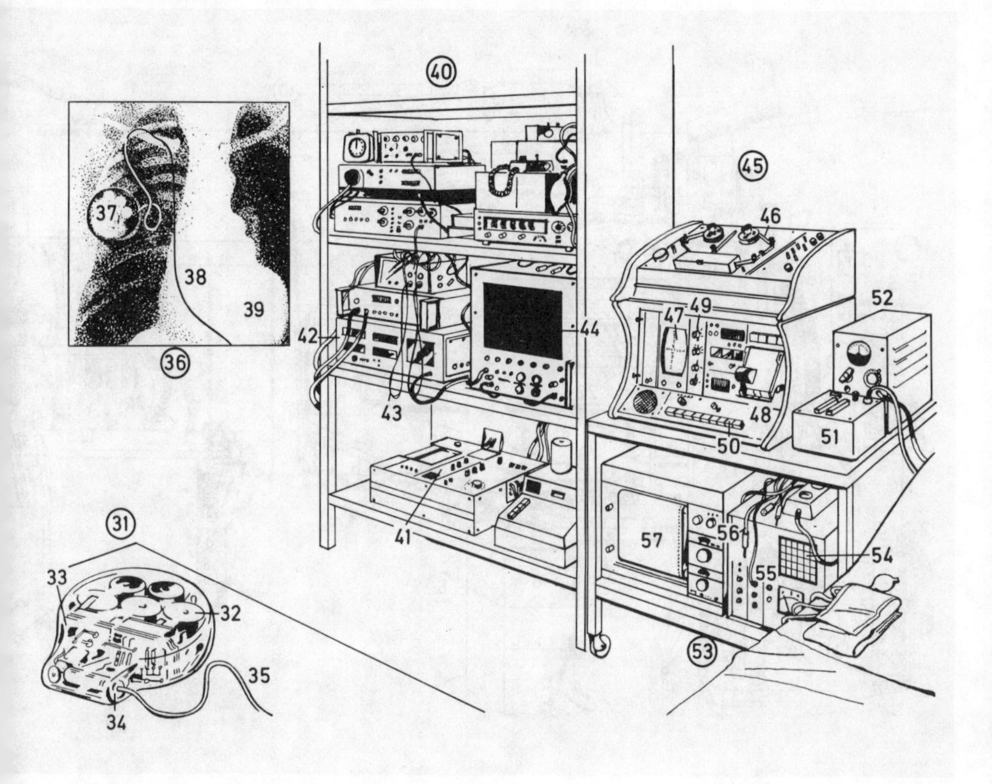

31 de pacemaker
- ***pacemaker*** *(cardiac pacemaker)*

32 de kwikbatterij
- *mercury battery*

33 de programmeerbare impulsgenerator
- *programmed impulse generator*

34 de elektrode-uitgang
- *electrode exit point*

35 de elektrode
- *electrode*

36 de pacemakerimplantatie
- *implantation of the pacemaker*

37 de inwendige pacemaker
- *internal cardiac pacemaker (internal pacemaker, pacemaker)*

38 de veneus opgevoerde elektrode
- *electrode inserted through the vein*

39 de röntgenafbeelding van het hartsilhouet
- *cardiac silhouette on the X-ray*

40 de controle-eenheid voor de pacemaker
- ***pacemaker control unit***

41 de elektrocardiograaf
- *electrocardiograph (ECG recorder)*

42 de automatische pulsmeter
- *automatic impulse meter*

43 de verbindingskabel (ECG-kabel) naar de patiënt
- *ECG lead to the patient*

44 de monitor voor optische controle van het pacemakerritme
- *monitor unit for visual monitoring of the pacemaker impulses*

45 de ECG-analysator voor lange perioden
- *long-term ECG analyser*

46 de magneetband voor de registratie van de ECG-impulsen tijdens analyse
- *magnetic tape for recording the ECG impulses during analysis*

47 de monitor voor ECG-controle
- *ECG monitor*

48 de automatische ECG-ritmeanalyse op papier
- *automatic analysis on paper of the ECG rhythm*

49 de controleknop voor het instellen van de ECG-amplitude
- *control knob for the ECG amplitude*

50 de programmaselectieknoppen voor de ECG-analyse
- *program selector switches for the ECG analysis*

51 het oplaadapparaat voor pacemakerbatterijen
- *charger for the pacemaker batteries*

52 het testapparaat voor batterijen
- *battery tester*

53 de drukmeter voor de catheter van de rechter harthelft
- *pressure gauge (Am. gage) for the right cardiac catheter*

54 de monitor voor curvencontrole
- *trace monitor*

55 de drukindicator
- *pressure indicator*

56 de verbindingskabel naar de papierschrijver
- *connecting lead to the paper recorder*

57 de papierschrijver voor de drukcurven
- *paper recorder for pressure traces*

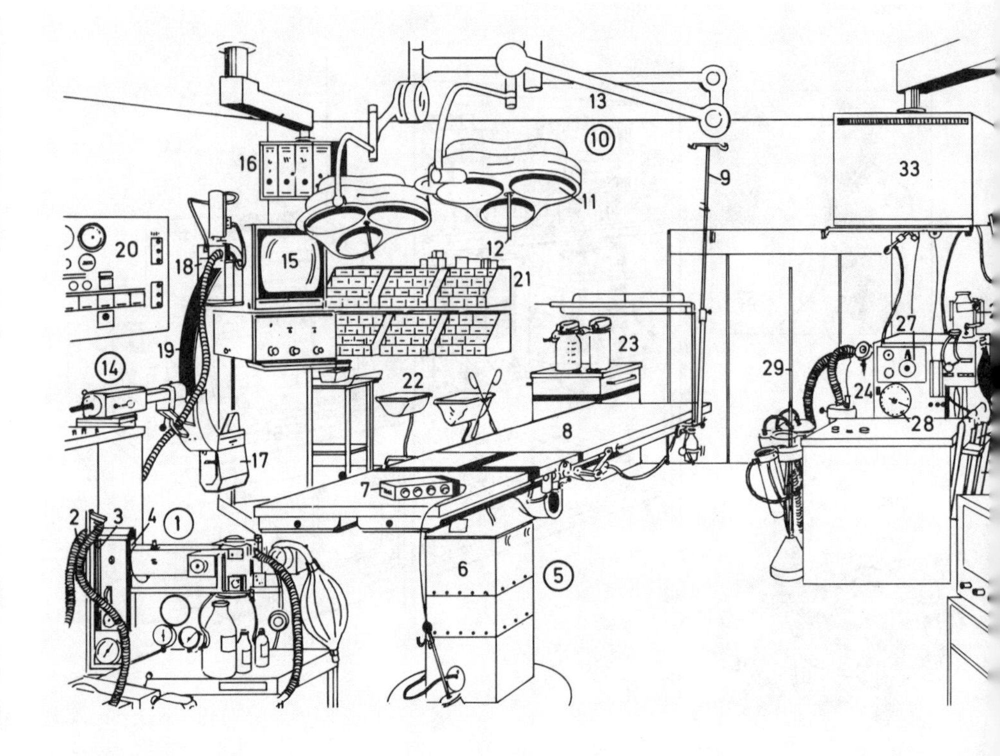

1-54 de chirurgische afdeling (chirurgische kliniek)
- ***surgical unit***

1-33 de operatiekamer (O.K.)
- ***operating theatre*** *(*Am. *theater)*

1 de narcose- en beademingsapparatuur
- *anaesthesia and breathing apparatus (respiratory machine)*

2 de beademingsslangen
- *inhalers (inhaling tubes)*

3 de flowmeter voor lachgas (stikstofoxyde)
- *flowmeter for nitrous oxide*

4 de flowmeter voor zuurstof
- *oxygen flow meter*

5 de operatietafel met zuilvoet
- *pedestal operating table*

6 de zuilvoet
- *table pedestal*

7 het bedieningsapparaat
- *control device (control unit)*

8 het verstelbare operatietafelblad
- *adjustable top of the operating table*

9 de infuusstandaard
- *stand for intravenous drips*

10 de verstelbare operatiekamerlamp (O.K.-lamp)
- *swivel-mounted shadow-free operating lamp*

11 het lichtelement
- *individual lamp*

12 de handgreep
- *handle*

13 de zwenkarm
- *swivel arm*

14 het mobiele röntgendoorlichtingsapparaat
- *mobile fluoroscope*

15 de beeldomkeringsmonitor
- *monitor of the image converter*

16 de monitor [achterzijde]
- *monitor [back]*

17 de röntgenbuis
- *tube*

18 de beeldomkeringseenheid
- *image converter*

19 de C-boog
- *C-shaped frame*

20 het controlepaneel voor de airconditioning
- *control panel for the air-conditioning*

21 het chirurgische hechtmateriaal
- *surgical suture material*

22 de mobiele afvalemmer
- *mobile waste tray*

23 de houder met niet-steriele compressen
- *containers for unsterile (unsterilized) pads*

24 de narcose- en beademingsapparatuur
- *anaesthesia and respiratory apparatus*

25 de respirator
- *respirator*

26 de fluothanehouder (halothan(e)houder)
- *fluothane container (halothane container)*

27 de ventilatiecontroleknop
- *ventilation control knob*

28 het registratiepaneel met wijzer voor het ademvolume
- *indicator with pointer for respiratory volume*

29 het statief met beademingsslangen en drukmeters
- *stand with inhalers (inhaling tubes) and pressure gauges (*Am. *gages)*

30 de catheterhouder
- *catheter holder*

31 de steriel verpakte catheter
- *catheter in sterile packing*

32 de polsschrijver (sfygmograaf)
- *sphygmograph*

33 de monitor
- *monitor*

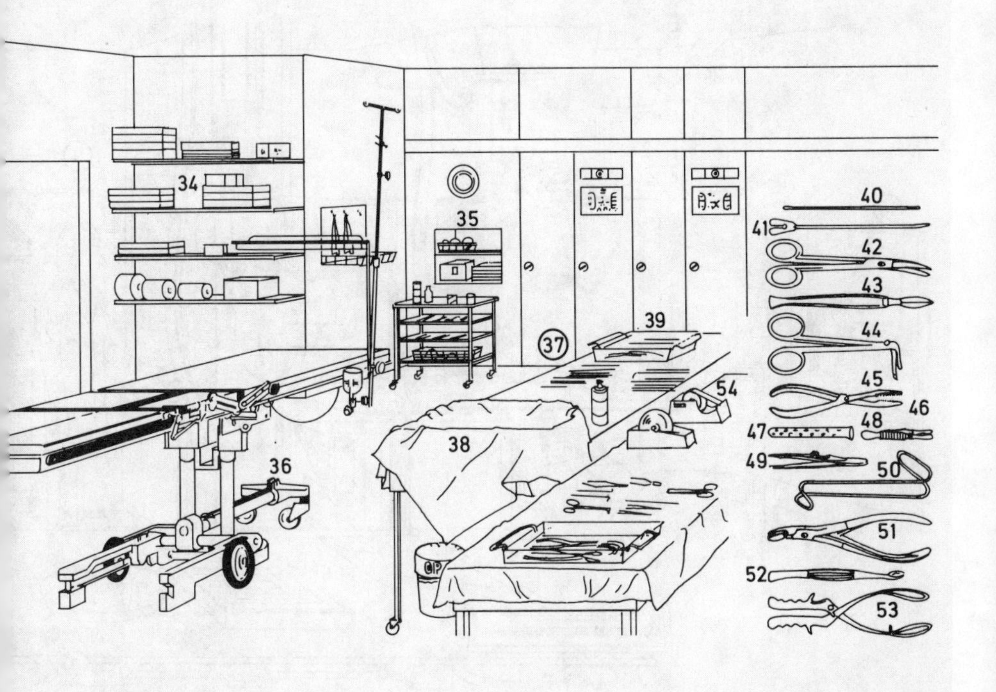

34-54 de voorbereidings- en sterilisatieruimte
- ***preparation and sterilization room***

34 het verbandmateriaal
- *dressing material*

35 de kleine sterilisator
- *small sterilizer*

36 het verrijdbare onderstel van de operatietafel
- *carriage of the operating table*

37 de mobiele instrumententafel
- *mobile instrument table*

38 de steriele doek
- *sterile cloth*

39 de instrumentenbak
- *instrument tray*

40-53 het chirurgische instrumentarium
- ***surgical instruments***

40 de knopsonde
- *olive-pointed (bulb-headed) probe*

41 de holle sonde
- *hollow probe*

42 de gebogen schaar
- *curved scissors*

43 de scalpel
- *scalpel (surgical knife)*

44 de ligatuurvoerder
- *ligature-holding forceps*

45 de sequestertang
- *sequestrum forceps*

46 de bek
- *jaw*

47 de drain
- *drainage tube*

48 de aderklem
- *surgeon's tourniquet*

49 de arteriepincet
- *artery forceps*

50 de wondhaak
- *blunt hook*

51 de knabbeltang
- *bone nippers (bone-cutting forceps)*

52 de scherpe lepel (curette)
- *scoop (curette) for erasion (curettage)*

53 de forceps
- *obstetrical forceps*

54 de rol kleefpleister
- *roll of plaster*

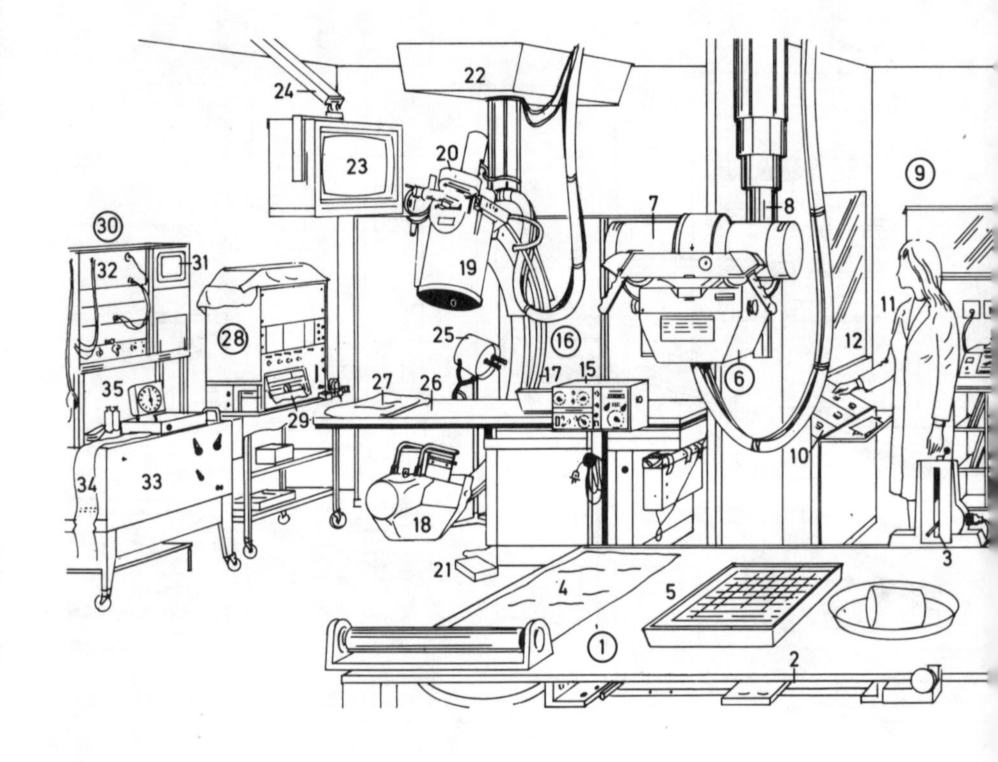

1-35 de röntgenafdeling
- ***X-ray unit***

1 de röntgentafel
- *X-ray examination table*

2 de röntgencassettehouder
- *support for X-ray cassettes*

3 de hoogteïnstelling voor de centrale stralen bij zijdelingse opnamen
- *height adjustment of the central beam for lateral views*

4 de compressen voor nier- en galblaasopnamen
- *compress for pyelography and cholecystography*

5 de instrumentenbak
- *instrument basin*

6 de röntgenapparatuur voor pyelogrammen
- *X-ray apparatus for pyelograms*

7 de röntgenbuis
- *X-ray tube*

8 het telescopische rötgenstatief
- *telescopic X-ray support*

9 de centrale röntgencontrole-eenheid
- *central X-ray control unit*

10 het controlepaneel
- *control panel (control desk)*

11 de röntgenlaborante
- *radiographer (X-ray technician)*

12 het venster naar de angiografiekamer (angiokamer)
- *window to the angiography room*

13 de oxymeter
- *oxymeter*

14 de cassettes voor pyelogrammen
- *pyelogram cassettes*

15 het hogedrukspuitapparaat voor contrastmiddelinjectie
- *contrast medium injector*

16 de röntgenbeeldversterker
- *X-ray image intensifier*

17 de C-boog
- *C-shaped frame*

18 de röntgenkop met röntgenbuis
- *X-ray head with X-ray tube*

19 de beeldconverter met beeldomkeringsbuis
- *image converter with converter tube*

20 de filmcamera
- *film camera*

21 de voetschakelaar
- *foot switch*

22 de mobiele ophanging
- *mobile mounting*

23 de monitor
- *monitor*

24 de zwenkbare monitorarm
- *swivel-mounted monitor support*

25 de operatiekamerlamp (O.K.-lamp)
- *operating lamp*

26 de angiografische onderzoektafel
- *angiographic examination table*

27 het hoofdkussen
- *pillow*

28 de achtkanaalsschrijver
- *eight-channel recorder*

29 het registratiepapier
- *recording paper*

30 het meetpaneel voor de hartcatheterisatie
- *catheter gauge (*Am. *gage) unit for catheterization of the heart*

31 de zeskanaalsmonitor voor drukcurven en ECG
- *six-channel monitor for pressure graphs and ECG*

32 de drukmetereenheid
- *slide-in units of the pressure transducer*

33 de papierregistratie-eenheid met ontwikkelaar voor de fotoregistratie
- *paper recorder unit with developer for photographic recording*

34 het registratiepapier
- *recording paper*

35 de stopwatch
- *timer*

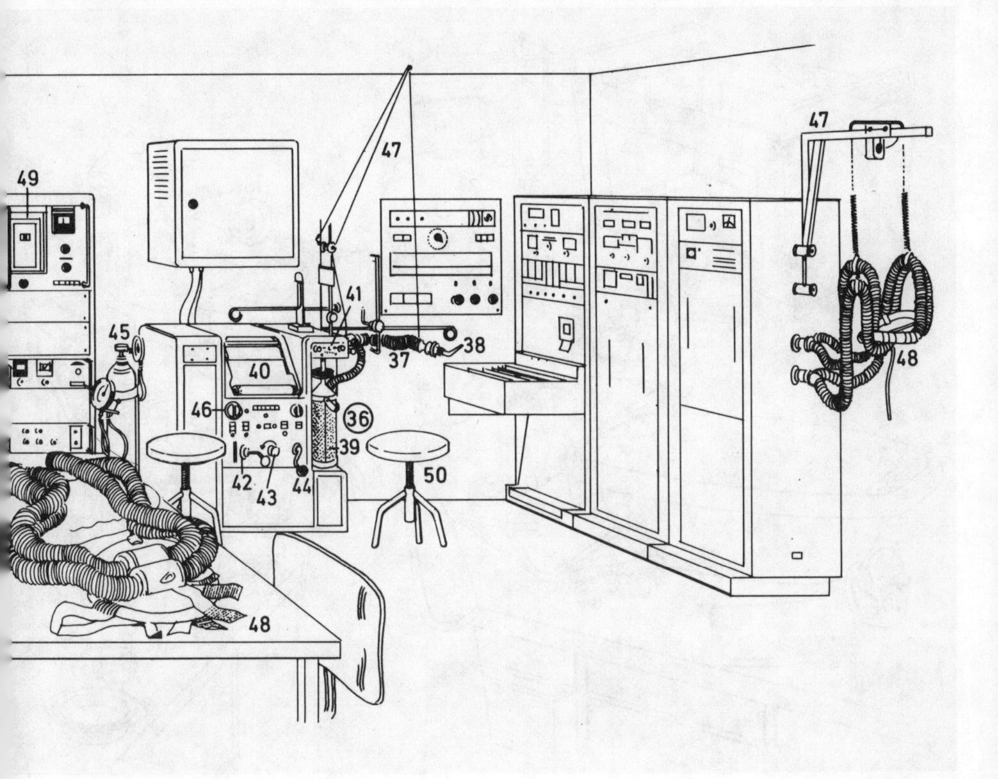

36-50 spirometrie
– ***spirometry***
36 de spirograaf voor longfunctieonderzoek
– *spirograph for pulmonary function tests*
37 de ademhalingsslang
– *breathing tube*
38 het mondstuk
– *mouthpiece*
39 de natronkalkabsorbeerder
– *soda-lime absorber*
40 het registratiepapier
– *recording paper*
41 de gastoevoerregulator
– *control knobs for gas supply*
42 de O_2-stabilisator
– *O_2-stabilizer*
43 de smoorklep
– *throttle valve*
44 de absorbeerderkoppeling
– *absorber attachment*
45 de zuurstoffles
– *oxygen cylinder*
46 de watertoevoer
– *water supply*
47 de slanghouder
– *tube support*
48 het gezichtsmasker
– *mask*
49 de CO_2-consumptiemeter
– *CO_2 consumption meter*
50 de patiëntenkruk
– *stool for the patient*

1 het kampeerbedje
- *collapsible cot*
2 het wipstoeltje
- *bouncing cradle*
3 het babybadje
- *baby bath*
4 het aankleedkussen
- *changing top*
5 de baby (zuigeling)
- *baby (new-born baby)*
6 de moeder
- *mother*
7 de borstel
- *hairbrush*
8 de kam
- *comb*
9 de handdoek
- *hand towel*
10 de speelgoedeend
- *toy duck*
11 de commode
- *changing unit*
12 de bijtring
- *teething ring*
13 de crèmedoos
- *cream jar*
14 de poederbus
- *box of baby powder*
15 de fopspeen
- *dummy*
16 de bal
- *ball*
17 de babyslaapzak
- *sleeping bag*
18 de babyverzorgingsdoos
- *layette box*
19 de zuigfles
- *feeding bottle*
20 de speen
- *teat*
21 de flessenwarmer
- *bottle warmer*
22 het plastic broekje
- *rubber baby pants for disposable nappies (*Am. *diapers)*
23 het kinderhemdje
- *vest*
24 de slobbroek
- *leggings*
25 het babyjasje
- *baby's jacket*
26 het mutsje
- *hood*
27 de kinderbeker
- *baby's cup*
28 het kinderbord, een warmwaterbord
- *baby's plate, a stay-warm plate*
29 de thermometer
- *thermometer*

30 de verrijdbare wieg, een rieten wieg
- *bassinet, a wicker pram*

31 het wiegedekje
- *set of bassinet covers*

32 het hemeltje
- *canopy*

33 de kinderstoel, een klapstoel
- *baby's high chair, a folding chair*

34 de panoramakinderwagen
- *pram (baby-carriage) [with windows]*

35 de opklapbare kinderwagenkap
- *folding hood*

36 het raampje
- *window*

37 de wandelwagen
- *pushchair (*Am. *stroller)*

38 de voetenzak
- *foot-muff (*Am. *foot-bag)*

39 de box
- *play pen*

40 de boxbodem
- *floor of the play pen*

41 de (speel)blokken
- *building blocks (building bricks)*

42 de peuter
- *small child*

43 het slabbetje (slab, slabbe)
- *bib*

44 de rammelaar
- *rattle (baby's rattle)*

45 de babyschoentjes
- *bootees*

46 de teddybeer
- *teddy bear*

47 de kinderpo
- *potty (baby's pot)*

48 de reiswieg
- *carrycot*

49 het raampje
- *window*

50 de hengsels
- *handles*

1-12 de babykleding
- ***baby clothes***
1 de warme kleding
- *pram suit*
2 het mutsje
- *hood*
3 het jasje
- *pram jacket (matinée coat)*
4 de pompon (het kwastje)
- *pompon (bobble)*
5 de babyschoentjes
- *bootees*
6 het hemdje
- *sleeveless vest*
7 het T-shirtje
- *envelope-neck vest*
8 het overslaghemdje
- *wrapover vest*
9 het babytruitje
- *baby's jacket*
10 het luierbroekje
- *rubber baby pants*
11 het kruippakje (boxpakje)
- *playsuit*
12 het tweedelige babypakje (speelpakje)
- *two-piece suit*
13-30 de kleuterkleding
- ***infants' wear***
13 het zomerjurkje, een zonnejurkje, overgooiertje
- *child's sundress, a pinafore dress*
14 het kapmouwtje
- *frilled shoulder strap*
15 het gesmokte bovenlijfje
- *shirred top*
16 het zonnehoedje
- *sun hat*
17 het speelpakje van tricot
- *one-piece jersey suit*
18 de ritssluiting aan de voorzijde
- *front zip*
19 de overall
- *catsuit (playsuit)*
20 de applicatie
- *motif (appliqúe)*
21 het speelbroekje
- *romper*
22 het speelpakje
- *playsuit (romper suit)*
23 de pyjama (het kruippak)
- *coverall (sleeper and strampler)*
24 de badjas
- *dressing gown (bath robe)*
25 de korte broek (het kindershortje)
- *children's shorts*
26 de bretels (galgjes)
- *braces (*Am. *suspenders)*
27 het T-shirt
- *children's T-shirt*
28 het tricotjurkje (gebreide jurkje)
- *jersey dress, a knitted dress*
29 het borduursel
- *embroidery*
30 de kindersokjes
- *children's ankle socks*
31-47 de kleding voor schoolgaande kinderen
- ***school children's wear***
31 de regenjas (loden jas)
- *raincoat*
32 de korte leren broek (lederhose)
- *leather shorts (lederhosen)*
33 de hertshoornen knoop
- *staghorn button*
34 de bretels
- *braces (*Am. *suspenders)*
35 de broekklep
- *flap*
36 het dirndljurkje
- *girl's dirndl*
37 het sierkoordje
- *cross lacing*
38 het skipak (gewatteerde pak)
- *snow suit, a quilted suit*
39 het stiksel
- *quilt stitching (quilting)*
40 de tuinbroek (salopette)
- *dungarees (bib and brace)*
41 de overgooier
- *bib skirt (bib top pinafore)*
42 de maillot
- *tights*
43 de sweater (badstof pullover)
- *sweater (jumper)*
44 het teddy jasje
- *pile jacket*
45 de slobbroek
- *leggings*
46 de rok
- *girl's skirt*
47 het kindertruitje
- *child's jumper*
48-68 de tienerkleding
- ***teenagers' clothes***
48 de tuniekblouse
- *girl's overblouse (overtop)*
49 de pantalon (lange broek)
- *slacks*
50 het mantelpakje
- *girl's skirt suit*
51 het jasje
- *jacket*
52 de rok
- *skirt*
53 de kniekousen
- *knee-length socks*
54 de meisjesjas (mantel)
- *girl's coat*
55 de ceintuur
- *tie belt*
56 de meisjestas
- *girl's bag*
57 de wollen muts
- *woollen (*Am. *woolen) hat*
58 de meisjesblouse
- *girl's blouse*
59 de broekrok
- *culottes*
60 de jongensbroek
- *boy's trousers*
61 het jongensshirt
- *boy's shirt*
62 het windjack
- *anorak*
63 de steekzak
- *inset pockets*
64 het capuchonkoord
- *hood drawstring (drawstring)*
65 de gebreide boord
- *knitted welt*
66 de parka
- *parka coat (parka)*
67 het tunnelkoord
- *drawstring (draw cord)*
68 de opgestikte zakken
- *patch pockets*

1
2
3
4
5
6
7
8
9
10
11
12
13
14
15
16
17
18
19
20
21
22
23
24
25
26
27
28
29
30
31
32
33
34
35
36
37
38
39
40
41
42
43
44
45
46
47
48
49
50
51
52
53
54
55
56
57
58
59
60
61
62
63
64
65
66
67
68

1 het nertsjasje
- *mink jacket*
2 de coltrui
- *cowl neck jumper*
3 de wijde col (rolkraag)
- *cowl collar*
4 het jak (de hes)
- *knitted overtop*
5 de liggende kraag
- *turndown collar*
6 de omgeslagen mouw
- *turn-up (turnover) sleeve*
7 de dunne trui
- *polo neck jumper*
8 de overgooier
- *pinafore dress*
9 de blouse met revers
- *blouse with revers collar*
10 de overhemdjurk (chemisier)
- *shirt-waister dress, a button-through dress*
11 de ceintuur
- *belt*
12 de winterjapon (winterjurk)
- *winter dress*
13 de bies
- *piping*
14 de manchet
- *cuff*
15 de lange mouw
- *long sleeve*
16 het gewatteerde vest
- *quilted waistcoat*
17 de stiksel
- *quilt stitching (quilting)*
18 de leren garnering (bies)
- *leather trimming*
19 de winterpantalon (winterbroek)
- *winter slacks*
20 de gestreepte pullover
- *striped polo jumper*
21 de tuinbroek (salopette)
- *boiler suit (dungarees, bib and brace)*
22 de opgestikte zak
- *patch pocket*
23 de borstzak
- *front pocket*
24 de broekklep
- *bib*
25 de wikkeljapon (wikkeljurk)
- *wrapover dress (wrap-around dress)*
26 de poloblouse
- *shirt*
27 de japon in folkloristische stijl
- *peasant-style dress*
28 de gebloemde rand
- *floral braid*
29 de tuniek
- *tunic (tunic top)*
30 het mouwboordje
- *ribbed cuff*
31 het opgestikte patroon
- *quilted design*
32 de plissérok
- *pleated skirt*
33 de deux-pièces van tricot
- *two-piece knitted dress*
34 de boothals, een halsuitsnijding
- *boat neck, a neckline*
35 de omslag
- *turn-up*
36 de aangeknipte mouw (kimonomouw)
- *kimono sleeve*
37 het ingebreide patroon
- *knitted design*
38 de blouson
- *lumber-jacket*
39 het kabelpatroon
- *cable pattern*
40 de overhemdblouse (hemdblouse, blouse)
- *shirt-blouse*
41 de lusjessluiting
- *loop fastening*
42 het borduursel
- *embroidery*
43 het opstaande boordje
- *stand-up collar*
44 de kozakkenbroek
- *cossack trousers*
45 de deux-pièces met tuniekblouse
- *two-piece combination (shirt top and long skirt)*
46 de strik
- *tie (bow)*
47 de bies
- *decorative facing*
48 het mouwsplit
- *cuff slit*
49 het zijsplit
- *side slit*
50 de open tuniek
- *tabard*
51 de rok met zijsplit
- *inverted pleat skirt*
52 de onderslag
- *godet*
53 de avondjapon (avondjurk)
- *evening gown*
54 de geplisseerde mouw
- *pleated bell sleeve*
55 de feestelijke blouse
- *party blouse*
56 de lange rok
- *party skirt*
57 het broekpak
- *trouser suit (slack suit)*
58 het suède jasje
- *suede jacket*
59 de bontgarnering
- *fur trimming*
60 de bontmantel (*soorten:* astrakan, breitschwanz, nerts, sabelbont)
- *fur coat* (kinds: *Persian lamb, broadtail, mink, sable)*
61 de wintermantel
- *winter coat, a cloth coat*
62 de bontmanchet
- *fur cuff (fur-trimmed cuff)*
63 de bontkraag
- *fur collar (fur-trimmed collar)*
64 de loden mantel
- *loden coat*
65 de pelerine (schoudermantel)
- *cape*
66 de houtje-touwtje-sluiting
- *toggle fastenings*
67 de loden rok
- *loden skirt*
68 de cape
- *poncho-style coat*
69 de capuchon
- *hood*

1
2
3
4
5
6
7
8
9
10
11
12
13
14
15
16
17
18
19
20
21
22
23
24
25
26
27
28
29
30
31
32
33
34
35
36
37
38
39
40
41
42
43
44
45
46
47
48
49
50
51
52
53
54
55
56
57
58
59
60
61
62
63
64
65
66
67
68
69

1 het mantelpak (mantelkostuum)
- *skirt suit*
2 het jasje
- *jacket*
3 de rok
- *skirt*
4 de ingezette zak (steekzak)
- *inset pocket*
5 de siernaad
- *decorative stitching*
6 de japon met jasje
- *dress and jacket combination*
7 de bies
- *piping*
8 de overgooier (zonnejurk)
- *pinafore dress*
9 de zomerjurk
- *summer dress*
10 de ceintuur
- *belt*
11 het deux-pièces
- *two-piece dress*
12 de gesp
- *belt buckle*
13 de wikkelrok
- *wrapover (wrap-around) skirt*
14 de kokerlijn
- *pencil silhouette*
15 de schouderknopen
- *shoulder buttons*
16 de vleermuismouwen
- *batwing sleeve*
17 de ongetailleerde japon
- *overdress*
18 de kimonopas
- *kimono yoke*
19 de bindceintuur
- *tie belt*
20 de zomermantel (zomerjas)
- *summer coat*
21 de afknoopbare capuchon
- *detachable hood*
22 de zomerblouse
- *summer blouse*
23 de revers
- *lapel*
24 de rok
- *skirt*
25 de stolpplooi
- *front pleat*
26 de dirndljurk
- *dirndl (dirndl dress)*
27 de pofmouw
- *puffed sleeve*
28 het dirndlhalssnoer
- *dirndl necklace*
29 de dirndlblouse
- *dirndl blouse*
30 het lijfje
- *bodice*
31 de, het dirndlschort
- *dirndl apron*
32 de kanten garnering, katoenen kant
- *lace trimming (lace), cotton lace*
33 de, het schort met ruches
- *frilled apron*
34 de ruche
- *frill*
35 de kazak
- *smock overall*
36 de huisjurk
- *house frock (house dress)*
37 het popeline jasje
- *poplin jacket*
38 het mouwloze T-shirt
- *T-shirt*
39 de damesshorts
- *ladies' shorts*
40 de omslag
- *trouser turn-up*
41 de tailleband
- *waistband*
42 de blouson
- *bomber jacket*
43 de gebreide boord
- *stretch welt*
44 de bermuda
- *Bermuda shorts*
45 het stiksel
- *saddle stitching*
46 de kraag met ruches
- *frill collar*
47 de knoop
- *knot*
48 de broekrok
- *culotte*
49 de twinset
- *twin set*
50 het vest
- *cardigan*
51 de trui
- *sweater*
52 de zomerpantalon
- *summer (lightweight) slacks*
53 de overall
- *jumpsuit*
54 de omslag
- *turn-up*
55 de ritssluiting
- *zip*
56 de opgestikte zak
- *patch pocket*
57 het sjaaltje (halsdoekje)
- *scarf (neckerchief)*
58 het jeanspak (spijkerpak)
- *denim suit*
59 het jeansjasje (spijkerjasje)
- *denim waistcoat*
60 de jeans (spijkerbroek)
- *jeans (denims)*
61 de poloblouse
- *overblouse*
62 de opgerolde mouw
- *turned-up sleeve*
63 de elastische ceintuur
- *stretch belt*
64 het haltertopje
- *halter top*
65 de tuniektrui
- *knitted overtop*
66 de tunnelceintuur
- *drawstring waist*
67 het zomertruitje
- *short-sleeved jumper*
68 de V-hals
- *V-neck (vee-neck)*
69 de liggende kraag
- *turndown collar*
70 het gebreide boordje
- *knitted welt*
71 de omslagdoek (stola)
- *shawl*

1
2
3
4
5
6
7
8
9
10
11
12
13
14
15
16
17
18
19
20
21
22
23
24
25
26
27
28
29
30
31
32
33
34
35
36
37
38
39
40
41
42
43
44
45
46
47
48
49
50
51
52
53
54
55
56
57
58
59
60
61
62
63
64
65
66
67
68
69
70
71

1-15 het damesondergoed (de lingerie)
- ***ladies' underwear*** *(ladies' underclothes, lingerie)*

1 de beha (bustehouder, b.h.)
- *brassìere (bra)*

2 de panty
- *pantie-girdle*

3 het corselet
- *pantie-corselette*

4 de longline beha (lange beha)
- *longline brassìere (longline bra)*

5 de step-in
- *stretch girdle*

6 de jarretel(le)
- *suspender*

7 het hemd (onderhemd)
- *vest*

8 de pantyslip (*ook:* tailleslip)
- *pantie briefs*

9 de dameskniekous
- *ladies' knee-high stocking*

10 de afkledende panty
- *long-legged (long leg) panties*

11 de lange onderbroek (*ook:* voetloze panty)
- *long pants*

12 de panty
- *tights (pantie-hose)*

13 de onderjurk
- *slip*

14 de onderrok (jupon)
- *waist slip*

15 de slip (het slipje)
- *bikini briefs*

16-21 het damesnachtgoed
- ***ladies' nightwear***

16 het nachthemd (de nachtjapon)
- *nightdress (nightgown, nightie)*

17 de pyjama
- *pyjamas (*Am. *pajamas)*

18 het pyjamashirt
- *pyjama top*

19 de pyjamabroek
- *pyjama trousers*

20 de kamerjas (ochtendjas, peignoir)
- *housecoat*

21 de strandpakje
- *vest and shorts set [for leisure wear and as nightwear]*

22-29 het herenondergoed
- ***men's underwear*** *(men's underclothes)*

22 het nethemd
- *string vest*

23 de netslip
- *string briefs*

24 de sluiting
- *front panel*

25 het hemd (de singlet)
- *sleeveless vest*

26 de slip
- *briefs*

27 de onderbroek
- *trunks*

28 het T-shirt
- *short-sleeved vest*

29 de lange onderbroek
- *long johns*

30 de bretels (galgen)
- *braces (*Am. *suspenders)*

31 de bretelclip
- *braces clip*

32-34 herensokken
- ***men's socks***

32 de kniekous
- *knee-length sock*

33 het elastische boordje
- *elasticated top*

34 de sok
- *long sock*

35-37 het herennachtgoed
- ***men's nightwear***

35 de ochtendjas
- *dressing gown*

36 de pyjama
- *pyjamas (*Am. *pajamas)*

37 het herennachthemd
- *nightshirt*

38-47 herenshirts (overhemden)
- ***men's shirts***

38 het vrijetijdsshirt (sporthemd)
- *casual shirt*

39 de (broek)riem
- *belt*

40 de sjaal
- *cravat*

41 de stropdas
- *tie*

42 de knoop (strop)
- *knot*

43 het smokinghemd
- *dress shirt*

44 de ruche
- *frill (frill front)*

45 de manchet
- *cuff*

46 de manchetknoop
- *cuff link*

47 de strikdas (vlinderstrik)
- *bow-tie*

1
2
3
4
5
6
7
8
9
10
11
12
13
14
15
16
17
18
19
20
21
22
23
24
25
26
27
28
29
30
31
32
33
34
35
36
37
38
39
40
41
42
43
44
45
46
47

1-67 **de herenmode**
- ***men's fashion***
1 het eenrijpak, een herenkostuum
- *single-breasted suit, a men's suit*
2 het colbert (colbertjasje, jasje)
- *jacket*
3 de pantalon
- *suit trousers*
4 het vest
- *waistcoat (vest)*
5 de revers
- *lapel*
6 de pijp met vouw
- *trouser leg with crease*
7 de smoking, een avondkostuum
- *dinner dress, an evening suit*
8 de zijden revers
- *silk lapel*
9 de borstzak
- *breast pocket*
10 de pochet (*pop.*: het lefdoekje)
- *dress handkerchief*
11 de vlinderdas (vlinderstrik)
- *bow-tie*
12 de zijzak
- *side pocket*
13 het rokkostuum (de rok), een avondkostuum
- *tailcoat (tails), evening dress*
14 het rokpand
- *coat-tail*
15 het witte rokvest
- *white waistcoat (vest)*
16 de witte vlinderdas (witte vlinderstrik)
- *white bow-tie*
17 de vrijetijdskleding
- *casual suit*
18 de zakklep (het patje)
- *pocket flap*
19 de voorpas
- *front yoke*
20 het jeanspak (spijkerpak)
- *denim suit*
21 het jeansjasje (spijkerjasje)
- *denim jacket*
22 de jeans (spijkerbroek)
- *jeans (denims)*
23 de broekband
- *waistband*
24 de strandkleding
- *beach suit*
25 de shorts (korte broek)
- *shorts*
26 het jasje met korte mouwen
- *short-sleeved jacket*
27 het trainingspak (joggingpak)
- *tracksuit*
28 het trainingsjack met ritssluiting
- *tracksuit top with zip*
29 de trainingsbroek
- *tracksuit bottoms*
30 het gebreide vest
- *cardigan*
31 de gebreide kraag
- *knitted collar*
32 de herenzomertrui met korte mouwen
- *men's short-sleeved pullover (men's short-sleeved sweater)*
33 het shirt met korte mouwen
- *short-sleeved shirt*
34 de knoop
- *shirt button*
35 de omslag
- *turn-up*
36 het tricotshirt
- *knitted shirt*
37 het vrijetijdsshirt (sporthemd)
- *casual shirt*
38 de opgestikte zak
- *patch pocket*
39 het jack
- *casual jacket*
40 de knickerbocker (kniebroek)
- *knee-breeches*
41 de knieband
- *knee strap*
42 de kniekous
- *knee-length sock*
43 het leren jack
- *leather jacket*
44 de werk-overall (Amerikaans model)
- *bib and brace overalls*
45 de verstelbare schouderband
- *adjustable braces (*Am. *suspenders)*
46 de borstzak
- *front pocket*
47 de broekzak
- *trouser pocket*
48 de gulp
- *fly*
49 de duimstokzak
- *rule pocket*
50 het geruite shirt
- *check shirt*
51 de herenpullover
- *men's pullover*
52 de ijstrui (skitrui)
- *heavy pullover*
53 het mouwloze vest
- *knitted waistcoat (vest)*
54 de blazer
- *blazer*
55 de knoop
- *jacket button*
56 de stofjas
- *overall*
57 de regenjas (trenchcoat)
- *trenchcoat*
58 de kraag
- *coat collar*
59 de ceintuur
- *coat belt*
60 de popeline regenjas
- *poplin coat*
61 de jaszak
- *coat pocket*
62 de blinde knoopsluiting
- *fly front*
63 de autocoat
- *car coat*
64 de knoop
- *coat button*
65 de sjaal
- *scarf*
66 de geklede jas
- *cloth coat*
67 de handschoen
- *glove*

1
2
3
4
5
6
7
8
9
10
11
12
13
14
15
16
17
18
19
20
21
22
23
24
25
26
27
28
29
30
31
32
33
34
35
36
37
38
39
40
41
42
43
44
45
46
47
48
49
50
51
52
53
54
55
56
57
58
59
60
61
62
63
64
65
66
67

1-25 baard- en haardrachten (kapsels) **van de man**
- ***men's beards and hairstyles (haircuts)***

1 het lange, loshangende haar
- *long hair worn loose*

2 de allongepruik (krulpruik); *korter en gladder:* de korte pruik, de toupet
- *allonge periwig (full-bottomed wig), a wig;* shorter and smoother: *bob wig, toupet*

3 de krullen
- *curls*

4 de Mozartpruik
- *bag wig (purse wig)*

5 de staartpruik
- *pigtail wig*

6 de staart
- *queue (pigtail)*

7 de strik
- *bow (ribbon)*

8 de knevel
- *handlebars (handlebar moustache,* Am. *mustache)*

9 de middenscheiding
- *centre (*Am. *center) parting*

10 de puntbaard
- *goatee (goatee beard), chintuft*

11 het stekelhaar
- *closely-cropped head of hair (crew cut)*

12 de bakkebaard
- *whiskers*

13 de puntbaard met snor
- *Vandyke beard (stiletto beard, bodkin beard), with waxed moustache (*Am. *mustache)*

14 de scheiding opzij
- *side parting*

15 de volle baard (brede baard)
- *full beard (circular beard, round beard)*

16 de brede, recht afgeknipte baard
- *tile beard*

17 het snorretje
- *shadow*

18 het krulhaar
- *head of curly hair*

19 de Engelse snor
- *military moustache (*Am. *mustache) (English-style moustache)*

20 de kale schedel
- *partly bald head*

21 de kale kruin
- *bald patch*

22 het kale hoofd
- *bald head*

23 de stoppelbaard
- *stubble beard (stubble, short beard bristles)*

24 de (bakkebaarden)
- *side-whiskers (sideboards, sideburns)*

25 het gladgeschoren gezicht
- *clean shave*

26 de afro-look (voor mannen en vrouwen)
- *Afro look [for men and women]*

27-38 haardrachten (kapsels) **van de vrouw** (vrouwenkapsels, dameskapsels en meisjeskapsels)
- ***ladies' hairstyles (coiffures, women's and girls' hairstyles)***

27 de paardestaart
- *ponytail*

28 het opgestoken haar
- *swept-back hair (swept-up hair, pinned-up hair)*

29 de knot (chignon)
- *bun (chignon)*

30 de vlechten
- *plaits (bunches)*

31 de om het hoofd gedragen vlechten
- *chaplet hairstyle (Gretchen style)*

32 de vlechtenkrans
- *chaplet (coiled plaits)*

33 het krulhaar
- *curled hair*

34 het kortgeknipte haar (jongenskop)
- *shingle (shingled hair, bobbed hair)*

35 het pagekopje
- *pageboy style*

36 de pony
- *fringe (*Am. *bangs)*

37 de slakkehuizen op de oren
- *earphones*

38 het slakkehuis
- *earphone (coiled plait)*

1
2
3
4
5
6
7
8
9
10
11
12
13
14
15
16
17
18
19
20
21
22
23
24
25
26
27
28
29
30
31
32
33
34
35
36
37
38

1-21 dameshoeden en -mutsen
- ***ladies' hats and caps***
1 de modiste bij het maken van een hoed
- *milliner making a hat*
2 de cloche
- *hood*
3 de houten vorm
- *block*
4 de garnering
- *decorative pieces*
5 de zonnehoed (sombrero)
- *sombrero*
6 de mohairhoed met veren
- *mohair hat with feathers*
7 de hoed met garnituur
- *model hat with fancy appliqúe*
8 de linnen pet
- *linen cap (jockey cap)*
9 de muts van dikke gevlochten wol
- *hat made of thick candlewick yarn*
10 de gebreide muts
- *woollen (*Am.* woolen) hat (knitted hat)*
11 de mohairmuts
- *mohair hat*
12 de klokhoed (clochehoed) met veren
- *cloche with feathers*
13 de grote herenhoed van sisal met ripslint
- *large men's hat made of sisal with corded ribbon*
14 de herenhoed met sierlint
- *trilby-style hat with fancy ribbon*
15 de slappe vilten hoed
- *soft felt hat*
16 de panamahoed
- *Panama hat with scarf*
17 de nertspet
- *peaked mink cap*
18 de nertshoed
- *mink hat*
19 de muts van vossebont met leren bol
- *fox hat with leather top*
20 de nertsmuts
- *mink cap*
21 de Florentiner
- *slouch hat trimmed with flowers*

22-40 herenhoeden, -petten en -mutsen
- ***men's hats and caps***

22 de vilthoed
- *trilby hat (trilby)*

23 de loden hoed
- *loden hat (Alpine hat)*

24 de vilthoed met kwastjes (Tiroler hoed)
- *felt hat with tassels (Tyrolean hat, Tyrolese hat)*

25 de ribfluwelen pet
- *corduroy cap*

26 de wollen muts
- *woollen (*Am. *woolen) hat*

27 de baret (alpino)
- *beret*

28 de schipperspet
- *German sailor's cap (Prinz Heinrich' cap)*

29 de zeilpet
- *peaked cap (yachting cap)*

30 de zuidwester
- *sou'wester (southwester)*

31 de muts van vossebont met oorkleppen
- *fox cap with earflaps*

32 de leren pet met oorkleppen
- *leather cap with fur flaps*

33 de muts van bisambont
- *musquash cap*

34 de astrakanmuts
- *astrakhan cap, a real or imitation astrakhan cap*

35 de strohoed
- *boater*

36 de (grijze of zwarte) hoge hoed van tafzijde, hoge zijden; *indien opvouwbaar:* de klakhoed (chapeau claque)
- *top hat made of silk taffeta;* collapsible: *crush hat (opera hat, claque)*

37 de stoffen zomerhoed met zakje
- *sun hat (lightweight hat) made of cloth with small patch pocket*

38 de hoed met brede rand
- *wide-brimmed hat*

39 de ijsmuts (skimuts, puntmuts)
- *toboggan cap (skiing cap, ski cap)*

40 de Duitse werkpet
- *workman's cap*

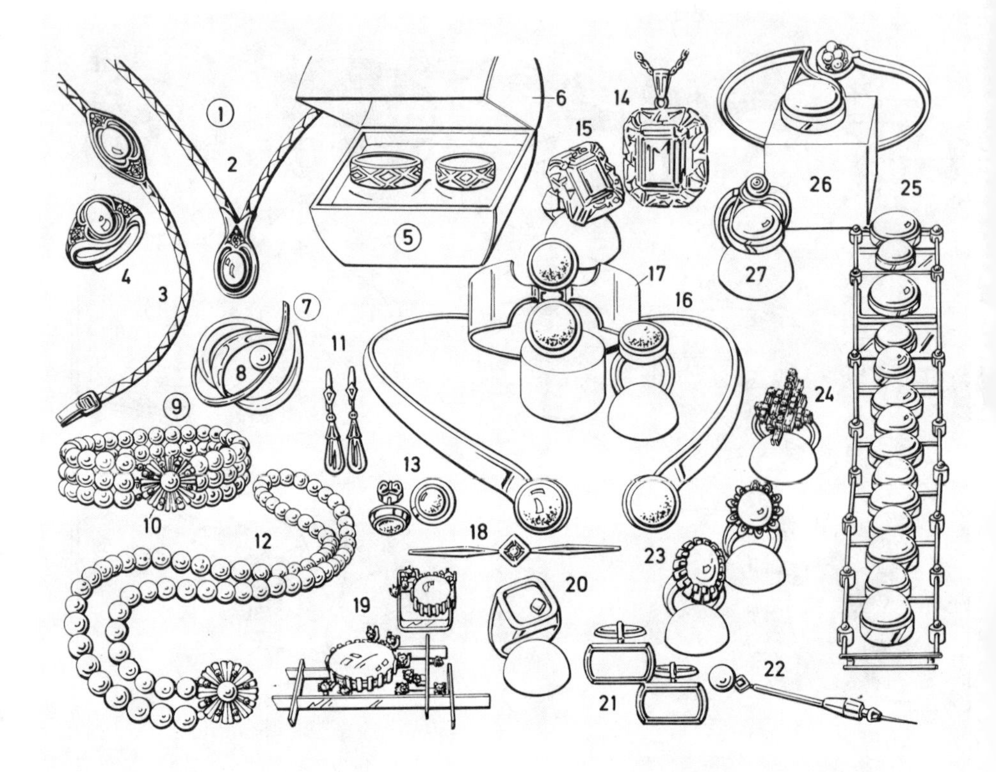

1 de set sieraden
- *set of jewellery* (Am. *jewelry*)

2 de halsketting
- *necklace*

3 de armband
- *bracelet*

4 de ring
- *ring*

5 de trouwringen
- *wedding rings*

6 het etui van de trouwringen
- *wedding ring box*

7 de broche, een broche met parel
- *brooch, a pearl brooch*

8 de parel
- *pearl*

9 de cultivé-parelarmband
- *cultured pearl bracelet*

10 het slotje, een witgouden slotje
- *clasp, a white gold clasp*

11 de oorhangers
- *pendant earrings (drop earrings)*

12 het cultivé-parelcollier
- *cultured pearl necklace*

13 de oorknoppen
- *earrings*

14 de eensteenshanger, de fantasiehanger met steen
- *gemstone pendant*

15 de eensteensring, de fantasiering met steen
- *gemstone ring*

16 de spang
- *choker (collar, neckband)*

17 de armband
- *bangle*

18 de staafbrochette met briljant
- *diamond pin*

19 moderne sieraden
- *modern-style brooches*

20 de herenring
- *man's ring*

21 de manchetknopen
- *cuff links*

22 de dasspeld
- *tiepin*

23 de parelring met briljant-entourage
- *diamond ring with pearl*

24 de moderne briljantring
- *modern-style diamond ring*

25 de schakelarmband met cabochonstenen
- *gemstone bracelet*

26 de asymmetrische armband
- *asymmetrical bangle*

27 de asymmetrische ring
- *asymmetrical ring*

28 het ivoren collier
- *ivory necklace*

29 de ivoren rooshanger
- *ivory rose*

30 de ivoren takbroche
- *ivory brooch*

31 het sieradendoosje (juwelenkistje)
- *jewel box (jewel case)*

32 het parelcollier
- *pearl necklace*

33 het damesarmbandhorloge
- *bracelet watch*

34 de koralenketting
- *coral necklace*

35 de bedeltjes (hangertjes, charivari's)
- *charms*

36 de muntarmband
- *coin bracelet*

37 de gouden munt
- *gold coin*

38 de muntrand
- *coin setting*

39 de schakel
- *link*

40 de zegelring
- *signet ring*

41 de gravure
- *engraving, a monogram*

42-86 slijpsels en slijpvormen
- *cuts and forms*

42-71 gefacetteerde stenen
- *faceted stones*

42-43 rond gefacetteerde stenen
- *standard round cut*

44 het briljantslijpsel
- *brilliant cut*

45 het roosslijpsel
- *rose cut*

46 de vlakke tafel
- *flat table*

47 de gewelfde tafel
- *table en cabochon*

48 het normaal gefacetteerde slijpsel (modern)
- *standard cut*

49 het normaal gefacetteerde slijpsel (antiek)
- *standard antique cut*

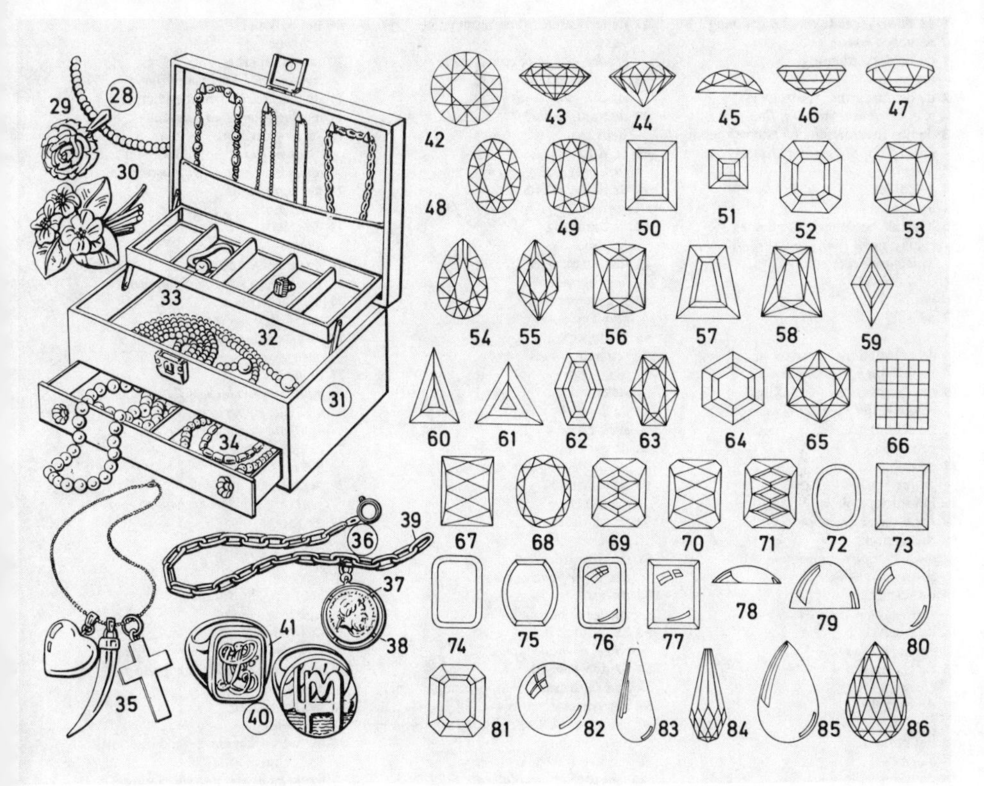

50 het rechthoekige-trappenslijpsel
- *rectangular step-cut*

51 het vierkante-trappenslijpsel
- *square step-cut*

52 het achthoekige-trappenslijpsel
- *octagonal step-cut*

53 het scharenslijpsel
- *octagonal cross-cut*

54 het pendeloqueslijpsel
- *standard pear-shape (pendeloque)*

55 het markiesslijpsel
- *marquise (navette)*

56 de normaal gefacetteerde kussenvorm
- *standard barrel-shape*

57 het trapeziumvormige-trappenslijpsel
- *trapezium step-cut*

58 het trapeziumvormige-scharenslijpsel
- *trapezium cross-cut*

59 het ruitslijpsel
- *rhombus step-cut*

60-61 het triangelvormige-trappenslijpsel
- *triangular step-cut*

62 het ovale zeshoekige-trappenslijpsel
- *hexagonal step-cut*

63 het ovale zeshoekige-scharenslijpsel
- *oval hexagonal cross-cut*

64 het ronde zeshoekige-trappenslijpsel
- *round hexagonal step-cut*

65 het ronde zeshoekige-scharenslijpsel
- *round hexagonal cross-cut*

66 het schaakbordslijpsel
- *chequer-board cut*

67 het triangelslijpsel
- *triangle cut*

68-71 fantasieslijpsels
- *fancy cuts*

72-77 zegelringstenen
- *ring gemstones*

72 de ovale vlakke tafel
- *oval flat table*

73 de rechthoekige vlakke tafel
- *rectangular flat table*

74 de achthoekige vlakke tafel
- *octagonal flat table*

75 de kussenvorm
- *barrel-shape*

76 de antieke gewelfde tafel
- *antique table en cabochon*

77 de rechthoekige gewelfde tafel
- *rectangular table en cabochon*

78-81 cabochonslijpsels
- *cabochons*

78 de ronde cabochon
- *round cabochon (simple cabochon)*

79 de ronde kegel
- *high dome (high cabochon)*

80 de ovale cabochon
- *oval cabochon*

81 het achthoekige-trappenslijpsel
- *octagonal cabochon*

82-86 kogelslijpsels en pampels
- *spheres and pear-shapes*

82 de gladde kogel
- *plain sphere*

83 de gladde pampel
- *plain pear-shape*

84 de gefacetteerde pampel
- *faceted pear-shape*

85 de gladde druppelvorm
- *plain drop*

86 de briolet
- *faceted briolette*

1-53 de vrijstaande eengezinswoning
- ***detached house***

1 de kelderverdieping
- *basement*

2 de begane grond (parterre)
- *ground floor (*Am. *first floor)*

3 de bovenverdieping (eerste verdieping)
- *upper floor (first floor,* Am. *second floor)*

4 de zolder
- *loft*

5 het dak, een ongelijk zadeldak
- *roof, a gable roof (saddle roof, saddleback roof)*

6 de dakrand
- *gutter*

7 de nok
- *ridge*

8 de dakrand met windveren
- *verge with bargeboards*

9 het dakoverstek (de daklijst)
- *eaves, rafter-supported eaves*

10 de schoorsteen
- *chimney*

11 de dakgoot
- *gutter*

12 het inloopstuk
- *swan's neck (swan-neck)*

13 de regenpijp
- *rainwater pipe (downpipe,* Am. *downspout, leader)*

14 de standpijp
- *vertical pipe, a cast-iron pipe*

15 de zijgevel
- *gable (gable end)*

16 de glazen wand
- *glass wall*

17 de sokkel
- *base course (plinth)*

18 het balkon
- *balcony*

19 de balustrade
- *parapet*

20 de bloembak
- *flower box*

21 de openslaande balkondeur
- *French window (French windows) opening on to the balcony*

22 het dubbele raam
- *double casement window*

23 het enkele raam
- *single casement window*

24 de borstwering met vensterbank
- *window breast with window sill*

25 de raamlatei (raambovendorpel)
- *lintel (window head)*

26 het raamkozijn
- *reveal*

27 het kelderraam
- *cellar window*

28 het rolluik
- *rolling shutter*

29 de uitzetter voor het rolluik
- *rolling shutter frame*

30 het vensterluik (blind)
- *window shutter (folding shutter)*

31 de wervel
- *shutter catch*

32 de garage met gereedschapsberging
- *garage with tool shed*

33 het latwerk
- *espalier*

34 de opgeklampte deur (plankendeur)
- *batten door (ledged door)*

35 het bovenlicht met kruisroede
- *fanlight with mullion and transom*

36 het terras
- *terrace*

37 de terrasmuur (keermuur) met dektegels
- *garden wall with coping stones*

38 de tuinlamp
- *garden light*

39 de tuintrap
- *steps*

40 de rotstuin
- *rockery (rock garden)*

41 de buitenkraan
- *outside tap (*Am. *faucet) for the hose*

42 de tuinslang
- *garden hose*

43 de tuinsproeier
- *lawn sprinkler*

44 het pierebadje
- *paddling pool*

45 het tegelpad
- *stepping stones*

46 het gazon
- *sunbathing area (lawn)*

47 de ligstoel
- *deck-chair*

48 de parasol
- *sunshade (garden parasol)*

49 de tuinstoel
- *garden chair*

50 de tuintafel
- *garden table*

51 de klopstok
- *frame for beating carpets*

52 de oprit
- *garage driveway*

53 het houten hek
- *fence, a wooden fence*

54-57 de woonwijk
- ***housing estate** (housing development)*

54 het vrijstaande huis
- *house on a housing estate (on a housing development)*

55 het lessenaardak
- *pent roof (penthouse roof)*

56 de dakkapel (koekoek)
- *dormer (dormer window)*

57 de tuin
- *garden*

58-63 de verspringende rijtjeshuizen
- ***terraced house** [one of a row of terraced houses], stepped*

58 de voortuin
- *front garden*

59 de heg
- *hedge*

60 het trottoir (de stoep)
- *pavement (*Am. *sidewalk, walkway)*

61 de straat
- *street (road)*

62 de lantaarnpaal
- *street lamp (street light)*

63 de afvalbak
- *litter bin (*Am. *litter basket)*

64-68 het dubbele woonhuis
- ***house divided into two flats (**Am. *house divided into two apartments, duplex house)*

64 het schilddak
- *hip (hipped) roof*

65 de voordeur
- *front door*

66 het bordes (de stoep)
- *front steps*

67 de luifel (het afdak)
- *canopy*

68 het grote raam
- *flower window (window for house plants)*

69-71 viergezinswoning
- ***pair of semi-detached houses divided into four flats** (*Am. *apartments)*

69 het balkon
- *balcony*

70 de glazen erker
- *sun lounge (*Am. *sun parlor)*

71 de markies (het zonnescherm)
- *awning (sun blind, sunshade)*

72-76 de galerijflat
- ***block of flats** (*Am. *apartment building, apartment house) with access balconies*

72 het trappehuis
- *staircase*

73 de galerij
- *balcony*

74 de atelierwoning
- *studio flat (*Am. *studio apartment)*

75 het dakterras
- *sun roof, a sun terrace*

76 de groenvoorziening
- *open space*

77-81 de flat
- ***multi-storey block of flats** (*Am. *multistory apartment building, multistory apartment house)*

77 het platte dak
- *flat roof*

78 het schuine dak
- *pent roof (shed roof, lean-to roof)*

79 de garage
- *garage*

80 de pergola
- *pergola*

81 het trappehuisraam
- *staircase window*

82 de torenflat
- *high-rise block of flats (*Am. *high-rise apartment building, high-rise apartment house)*

83 het penthouse
- *penthouse*

84-86 het weekendhuis (vakantiehuisje, buitenhuisje)
- ***weekend house, a timber house***

84 de horizontale beboording
- *horizontal boarding*

85 de stenen sokkel
- *natural stone base course (natural stone plinth)*

86 de bovenlichten
- *strip windows (ribbon windows)*

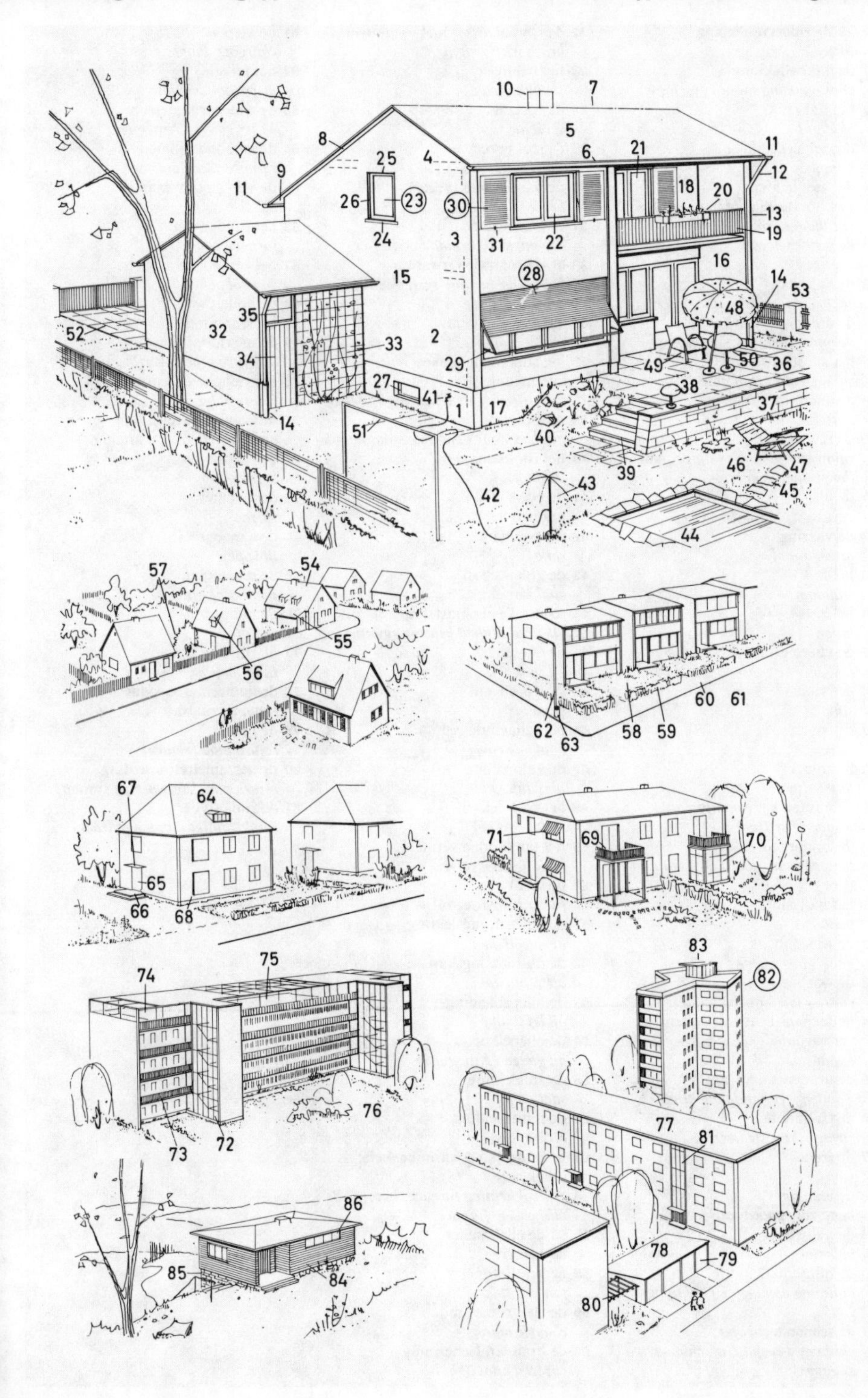
1
2
3
4
5
6
7
8
9
10
11
11
12
13
14
14
15
16
17
18
19
20
21
22
23
24
25
26
27
28
29
30
31
32
33
34
35
36
37
38
39
40
41
42
43
44
45
46
47
48
49
50
51
52
53
54
55
56
57
58
59
60
61
62
63
64
65
66
67
68
69
70
71
72
73
74
75
76
77
78
79
80
81
82
83
84
85
86

1-29 de zolderverdieping
- ***attic***
1 de dakbedekking
- *roof cladding (roof covering)*
2 het dakraam
- *skylight*
3 de steigerplank
- *gangway*
4 de steekladder (schoorsteenladder)
- *cat ladder (roof ladder)*
5 de schoorsteen
- *chimney*
6 de dakhaak
- *roof hook*
7 de dakkapel (koekoek)
- *dormer window (dormer)*
8 het sneeuwrooster
- *snow guard (roof guard)*
9 de dakgoot
- *gutter*
10 de regenpijp
rainwater pipe (downpipe, Am. *downspout, leader)*
11 de lijst
- *eaves*
12 de vliering
- *pitched roof*
13 het luik
- *trapdoor*
14 het zoldergat
- *hatch*
15 de vlieringtrap
- *ladder*
16 de boom
- *stile*
17 de sport
- *rung*
18 de zolder
- *loft (attic)*
19 de houten betimmering
- *wooden partition*
20 de zolderkamerdeur
- *lumber room door (boxroom door)*
21 het hangslot
- *padlock*
22 de waslijnhaak
- *hook [for washing line]*
23 de waslijn
- *clothes line (washing line)*
24 het expansievat van de centrale verwarming
- *expansion tank for boiler*
25 de houten zoldertrap
- *wooden steps and balustrade*
26 de trapboom
- *string (*Am. *stringer)*
27 de trede
- *step*
28 de leuning
- *handrail (guard rail)*
29 de baluster
- *baluster*
30 de bliksemafleider
- *lightning conductor (lightning rod)*
31 de schoorsteenveger
- ***chimney sweep*** *(*Am. *chimney sweeper)*
32 de spiraalwisser met veegkogel
- *brush with weight*
33 het haalijzer
- *shoulder iron*
34 de roetzak
- *sack for soot*
35 de stokbezem
- *flue brush*
36 de handbezem (veger)
- *broom (besom)*
37 de bezemsteel
- *broomstick (broom handle)*
38-81 de centrale verwarming
- ***hot-water heating system, full central heating***
38-43 de stookruimte
- ***boiler room***
38 het stoken met cokes; *ook:* kolenstook
- *coke-fired central heating system*
39 de asdeur
- *ash box door (*Am. *cleanout door)*
40 het rookkanaal
- *flueblock*
41 de pook
- *poker*
42 de ovenhark
- *rake*
43 de kolenschop
- *coal shovel*
44-60 de oliestookinstallatie
- ***oil-fired central heating system***
44 de olietank
- *oil tank*
45 de vulschacht
- *manhole*
46 het schachtdeksel
- *manhole cover*
47 de vulopening
- *tank inlet*
48 het tankdeksel
- *dome cover*
49 het tankbodemventiel
- *tank bottom valve*
50 de stookolie
- *fuel oil (heating oil)*
51 de ontluchtingsleiding
- *air-bleed duct*
52 de ontluchtingskap
- *air vent cap*
53 de oliepeilleiding
- *oil level pipe*
54 de oliepeilmeter
- *oil gauge (*Am. *gage)*
55 de zuigleiding
- *suction pipe*
56 de retourleiding
- *return pipe*
57 de centrale-verwarmingsketel (olieketel)
- *central heating furnace;* here: *oil-heating furnace*
58-60 de oliebrander
- ***oil burner***
58 de ventilator
- *fan*
59 de elektromotor
- *electric motor*
60 de branderafscherming
- *covered pilot light*
61 de klep
- *charging door*
62 het kijkglas
- *inspection window*
63 de waterdrukmeter
- *water gauge (*Am. *gage)*
64 de ketelthermometer
- *furnace thermometer*
65 de vul- en tapkraan
- *bleeder*
66 het fundament
- *furnace bed*
67 het bedieningspaneel
- *control panel*
68 de boiler
- *hot water tank (boiler)*
69 de overloopleiding
- *overflow pipe (overflow)*
70 het veiligheidsventiel
- *safety valve*
71 de hoofdverdeelleiding
- *main distribution pipe*
72 de isolatie
- *lagging*
73 de afsluiter
- *valve*
74 de aanvoer
- *flow pipe*
75 de regelkraan
- *regulating valve*
76 de radiator
- *radiator*
77 de rib
- *radiator rib*
78 de kamerthermostaat
- *room thermostat*
79 de retour
- *return pipe (return)*
80 de verzamelretourleiding
- *return pipe [in two-pipe system]*
81 de rookafvoer
- *smoke outlet (smoke extract)*

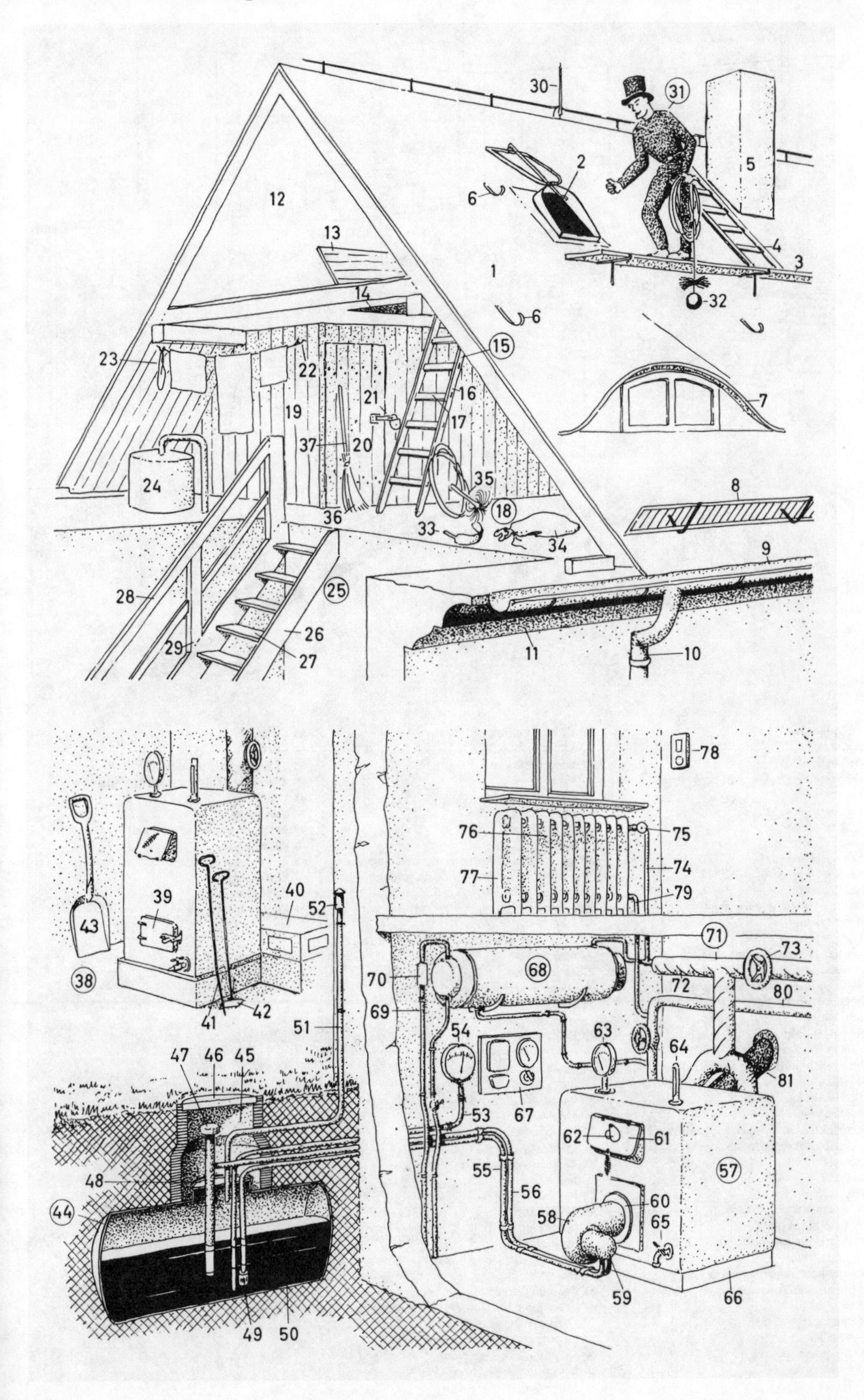
1
2
3
4
5
6
6
7
8
9
10
11
12
13
14
15
16
17
18
19
20
21
22
23
24
25
26
27
28
29
30
31
32
33
34
35
36
37
38
39
40
41
42
43
44
45
46
47
48
49
50
51
52
53
54
55
56
57
58
59
60
61
62
63
64
65
66
67
68
69
70
71
72
73
74
75
76
77
78
79
80
81

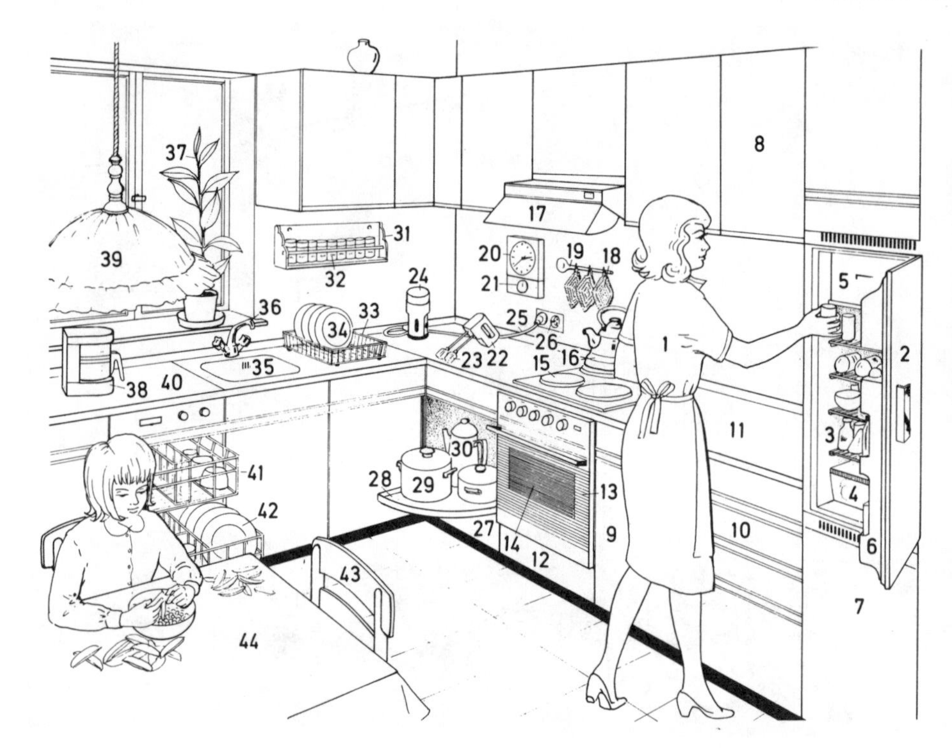

1 de huisvrouw
– *housewife*
2 de koelkast
– *refrigerator (fridge,* Am. *icebox)*
3 het rekje
– *refrigerator shelf*
4 de groentela
– *salad drawer*
5 het koelaggregaat
– *cooling aggregate*
6 het flessenrek
– *bottle rack (in storage door)*
7 de vrieskast
– *upright freezer*
8 het hangkastje (bovenkastje, de servieskast)
– *wall cupboard, a kitchen cupboard*
9 het aanrechtkastje
– *base unit*
10 de besteklade
– *cutlery drawer*
11 het werkblad (het, de aanrecht)
– *working top*
12-17 het kookgedeelte
– ***cooker unit***
12 het elektrische fornuis; *of:* gasfornuis
– *electric cooker (*also: *gas cooker)*
13 de oven
– *oven*
14 het ovenvenster
– *oven window*
15 de (snel)kookplaat
– *hotplate, an automatic high-speed plate*
16 de waterketel
– *kettle;* here: *whistling kettle*
17 de afzuigkap (wasemkap)
– *cooker hood*
18 de pannelap
– *pot holder*
19 het pannelappenrekje
– *pot holder rack*
20 de keukenklok
– *kitchen clock*
21 de kookwekker
– *timer*
22 de handmixer
– *hand mixer*
23 de garde
– *whisk*
24 de elektrische koffiemolen met slagmes
– *electric coffee grinder [with rotating blades]*
25 het snoer
– *lead*
26 het stopcontact (de wandcontactdoos)
– *wall socket*
27 de hoekkast
– *corner unit*
28 het draaiplateau
– *revolving shelf*
29 de pan
– *pot (cooking pot)*
30 de kan
– *jug*
31 het kruidenrek
– *spice rack*
32 het kruidenpotje
– *spice jar*
33-36 het afwasgedeelte
– ***sink unit***
33 het afdruiprek
– *dish drainer*
34 het ontbijtbord
– *tea plate*
35 de gootsteen (spoelbak)
– *sink*
36 de (meng)kraan
– *water tap (*Am. *faucet);* here: *mixer tap (*Am. *mixing faucet)*
37 de potplant, een bladplant
– *pot plant, a foliage plant*
38 het koffiezetapparaat
– *coffee maker*
39 de lamp
– *kitchen lamp*
40 de afwasmachine
– *dishwasher (dishwashing machine)*
41 het rek
– *dish rack*
42 het grote bord (platte bord)
– *dinner plate*
43 de keukenstoel
– *kitchen chair*
44 de keukentafel
– *kitchen table*

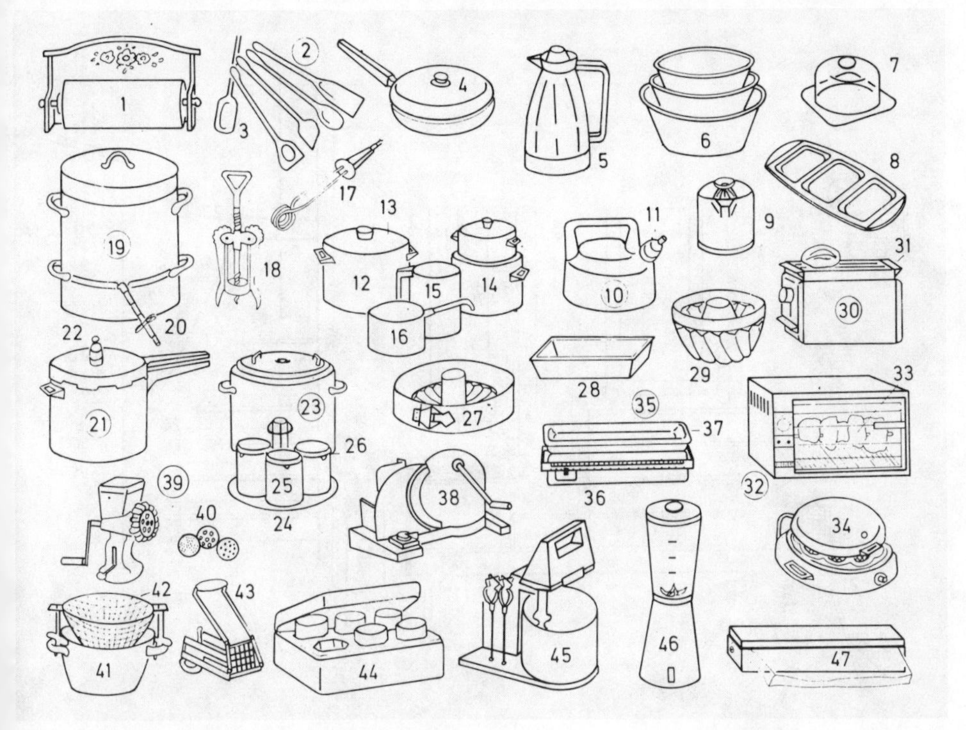

1 de papierrolhouder met keukenrol, keukenrolhouder
- *general-purpose roll holder with kitchen roll (paper towels)*

2 het stel houten lepels
- *set of wooden spoons*

3 de roerlepel
- *mixing spoon*

4 de koekepan
- *frying pan*

5 de thermoskan
- *Thermos jug*

6 een nest schalen
- *set of bowls*

7 de kaasstolp
- *cheese dish with glass cover*

8 het dienblad (presenteerblad)
- *three-compartment dish*

9 de citruspers
- *lemon squeezer*

10 de fluitketel
- *whistling kettle*

11 de fluit
- *whistle*

12-16 de pannenset
- ***pan set***

12 de (vlees)pan
- *pot (cooking pot)*

13 het deksel
- *lid*

14 de stoofpan
- *casserole dish*

15 de melkkoker
- *milk pot*

16 de steelpan
- *saucepan*

17 de dompelaar
- *immersion heater*

18 de kurketrekker
- *corkscrew [with levers]*

19 de sapbereider [in Nederland onbekend]
- *juice extractor*

20 de slangklem
- *tube clamp (tube clip)*

21 de snelkookpan (hogedrukpan)
- *pressure cooker*

22 het overdrukventiel
- *pressure valve*

23 de weckketel
- *fruit preserver*

24 de weckflessendrager
- *removable rack*

25 de weckfles (het weckglas)
- *preserving jar*

26 de weckflesring
- *rubber ring*

27 de springvorm
- *spring form*

28 het cakeblik (de cakevorm)
- *cake tin*

29 de tulbandvorm
- *cake tin*

30 de, het broodrooster
- *toaster*

31 het opzetstuk voor broodjes
- *rack for rolls*

32 de grill
- *rotisserie*

33 de grillspies
- *spit*

34 het wafelijzer
- *electric waffle iron*

35 de keukenweegschaal
- *sliding-weight scales*

36 het schuifgewicht
- *sliding weight*

37 de weegschaal
- *scale pan*

38 de snijmachine
- *food slicer*

39 de vleesmolen
- *mincer (*Am. *meat chopper)*

40 de platen
- *blades*

41 de friteuse
- *chip pan*

42 het draadmandje
- *basket*

43 de frietsnijder
- *potato chipper*

44 de yoghurtbereider
- *yoghurt maker*

45 de mixer
- *mixer*

46 de keukenmachine
- *blender*

47 het folielasapparaat
- *bag sealer*

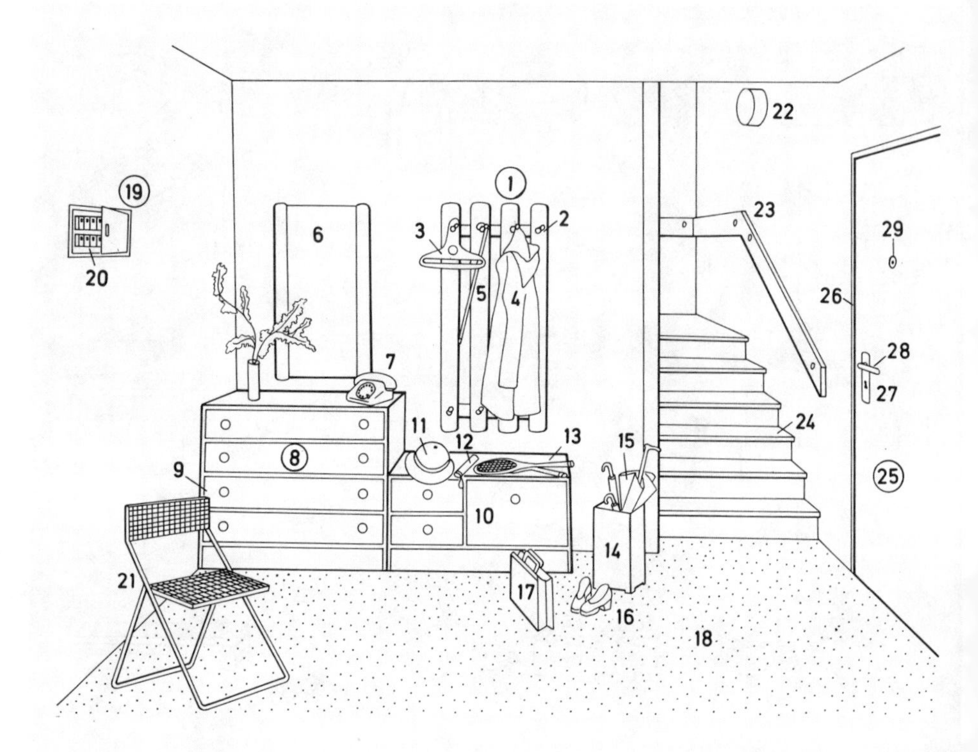

1-29 de hal (gang, entree, vestibule)
- ***hall*** *(entrance hall)*
1 de garderobe (kapstok)
- *coat rack*
2 de haak
- *coat hook*
3 de kleerhanger (het knaapje)
- *coat hanger*
4 het regenjack
- *rain cape*
5 de wandelstok
- *walking stick*
6 de spiegel
- *hall mirror*
7 de telefoon
- *telephone*
8 de ladenkast
- *chest of drawers for shoes, etc.*
9 de la(de)
- *drawer*
10 het telefoonbankje
- *seat*
11 de dameshoed
- *ladies' hat*
12 de opvouwbare paraplu (knirps)
- *telescopic umbrella*
13 het tennisracket
- *tennis rackets (tennis racquets)*
14 de paraplubak
- *umbrella stand*
15 de paraplu
- *umbrella*
16 de schoenen
- *shoes*
17 de aktentas
- *briefcase*
18 de vaste vloerbedekking (het tapijt)
- *fitted carpet*
19 het zekeringenkastje
- *fuse box*
20 de automatische stop
- *miniature circuit breaker*
21 de buisstalen klapstoel
- *tubular steel chair*
22 de trap(gat)verlichting
- *stair light*
23 de trapleuning
- *handrail*
24 de trede (tree)
- *step*
25 de voordeur (huisdeur)
- *front door*
26 het deurkozijn
- *door frame*
27 het slot
- *door lock*
28 de deurklink
- *door handle*
29 de deurspion
- *spyhole*

1 de systeemkast (het wandmeubel)
- *wall units*

2 de staander
- *side wall*

3 de boekenplank
- *bookshelf*

4 de rij boeken
- *row of books*

5 het vitrine-element
- *display cabinet unit*

6 de onderkast
- *cupboard base unit*

7 het kastelement
- *cupboard unit*

8 de televisie (de t.v., het televisietoestel)
- *television set (TV set)*

9 de stereo-installatie
- *stereo system (stereo equipment)*

10 de luidsprekerbox
- *speaker (loudspeaker)*

11 het pijpenrek
- *pipe rack*

12 de pijp
- *pipe*

13 de globe (wereldbol)
- *globe*

14 de koperen ketel
- *brass kettle*

15 de telescoop
- *telescope*

16 de Franse pendule
- *mantle clock*

17 de buste (het borstbeeld)
- *bust*

18 de encyclopedie
- *encyclopaedia [in several volumes]*

19 de scheidingswand
- *room divider*

20 de bar (het barelement)
- *drinks cupboard*

21-26 het bankstel (de zithoek)
- ***upholstered suite*** *(seating group)*

21 de fauteuil
- *armchair*

22 de armleuning
- *arm*

23 het zitkussen
- *seat cushion (cushion)*

24 de bank
- *settee*

25 het rugkussen
- *back cushion*

26 het hoekelement
- *[round] corner section*

27 het sierkussen
- *scatter cushion*

28 de salontafel
- *coffee table*

29 de asbak
- *ashtray*

30 het dienblad (presenteerblad)
- *tray*

31 de whiskyfles
- *whisky (whiskey) bottle*

32 de spuitwaterfles (sifon)
- *soda water bottle (soda bottle)*

33-34 de eethoek
- ***dining set***

33 de eettafel
- *dining table*

34 de stoel
- *chair*

35 de vitrage (het glasgordijn)
- *net curtain*

36 de kamerplant
- *indoor plants (houseplants)*

1 de slaapkamerkast (kleerkast), een hang-legkast
- *wardrobe (*Am. *clothes closet)*

2 de (leg)plank
- *linen shelf*

3 de rotanstoel
- *cane chair*

4-13 **het tweepersoonsbed** (tweepersoonsledikant)
- ***double bed*** *(*sim.: *double divan)*

4-6 **het bed** (de beddebak)
- ***bedstead***

4 het voeteneinde
- *foot of the bed*

5 de zijplank
- *bed frame*

6 het hoofdeinde
- *headboard*

7 de sprei
- *bedspread*

8 de gestikte deken
- *duvet, a quilted duvet*

9 het onderlaken, een laken
- *sheet, a linen sheet*

10 de, het matras, een schuimrubber matras met tijk
- *mattress, a foam mattress with drill tick*

11 de peluw
- *[wedge-shaped] bolster*

12-13 het hoofdkussen
- *pillow*

12 de, het kussensloop
- *pillowcase (pillowslip)*

13 het kussen
- *tick*

14 de boekenplank
- *bookshelf [attached to the headboard]*

15 het leeslampje (bedlampje)
- *reading lamp*

16 de elektrische wekker
- *electric alarm clock*

17 de ombouw; *hier:* een kastje
- *bedside cabinet*

18 de la(de)
- *drawer*

19 de slaapkamerlamp
- *bedroom lamp*

20 het, de schilderij
- *picture*

21 de lijst
- *picture frame*

22 het voetkleedje (beddekleedje)
- *bedside rug*

23 de vaste vloerbedekking (het tapijt)
- *fitted carpet*

24 de taboeret
- *dressing stool*

25 de kaptafel
- *dressing table*

26 de parfumverstuiver
- *perfume spray*

27 het parfumflesje
- *perfume bottle*

28 de poederdoos
- *powder box*

29 de kapspiegel
- *dressing-table mirror (mirror)*

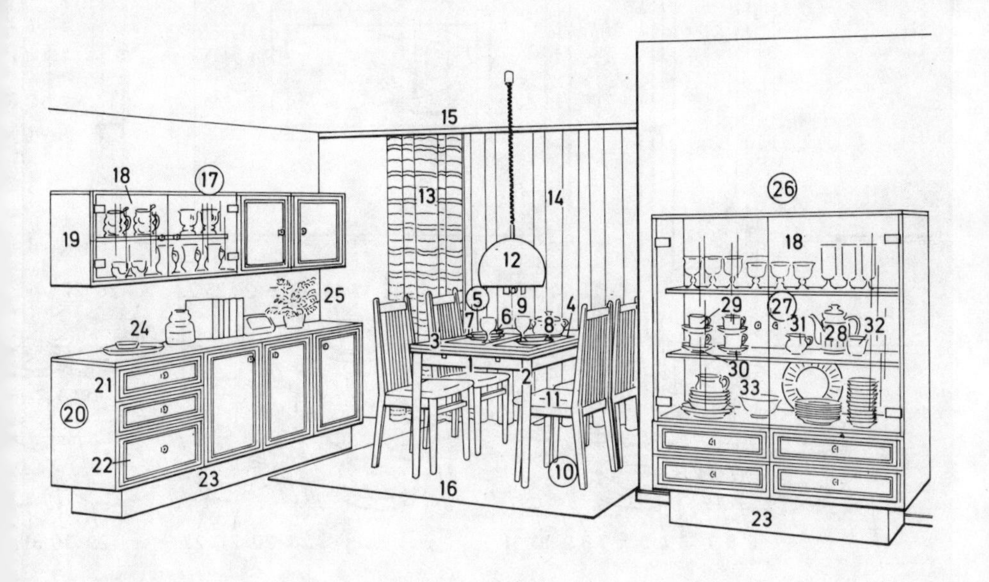

1-11 de eethoek
- ***dining set***

1 de eettafel
- *dining table*

2 de tafelpoot
- *table leg*

3 het tafelblad
- *table top*

4 de placemat
- *place mat*

5 het couvert
- *place (place setting, cover)*

6 het soepbord (diepe bord)
- *soup plate (deep plate)*

7 het platte bord
- *dinner plate*

8 de soepterrine
- *soup tureen*

9 het wijnglas
- *wineglass*

10 de eetkamerstoel
- *dining chair*

11 de zitting
- *seat*

12 de hanglamp
- *lamp;* here: *pendant lamp*

13 de overgordijnen
- *curtains*

14 de vitrage (het glasgordijn)
- *net curtain*

15 de koof
- *curtain rail*

16 het vloerkleed
- *carpet*

17 de hangkast
- *wall unit*

18 de glazen deur
- *glass door*

19 de plank (het de schap)
- *shelf*

20 het dressoir
- *sideboard*

21 de bestekla(de)
- *cutlery drawer*

22 de la(de) voor tafellinnen
- *linen drawer*

23 de plint
- *base*

24 het ronde dienblad
- *round tray*

25 de kamerplant (potplant)
- *pot plant*

26 de servieskast (glazen kast)
- *china cabinet (display cabinet)*

27 het koffieservies
- *coffee set (coffee service)*

28 de koffiepot
- *coffee pot*

29 het koffiekopje
- *coffee cup*

30 het schoteltje
- *saucer*

31 het melkkannetje (roomkannetje)
- *milk jug*

32 de suikerpot
- *sugar bowl*

33 het eetservies
- *dinner set (dinner service)*

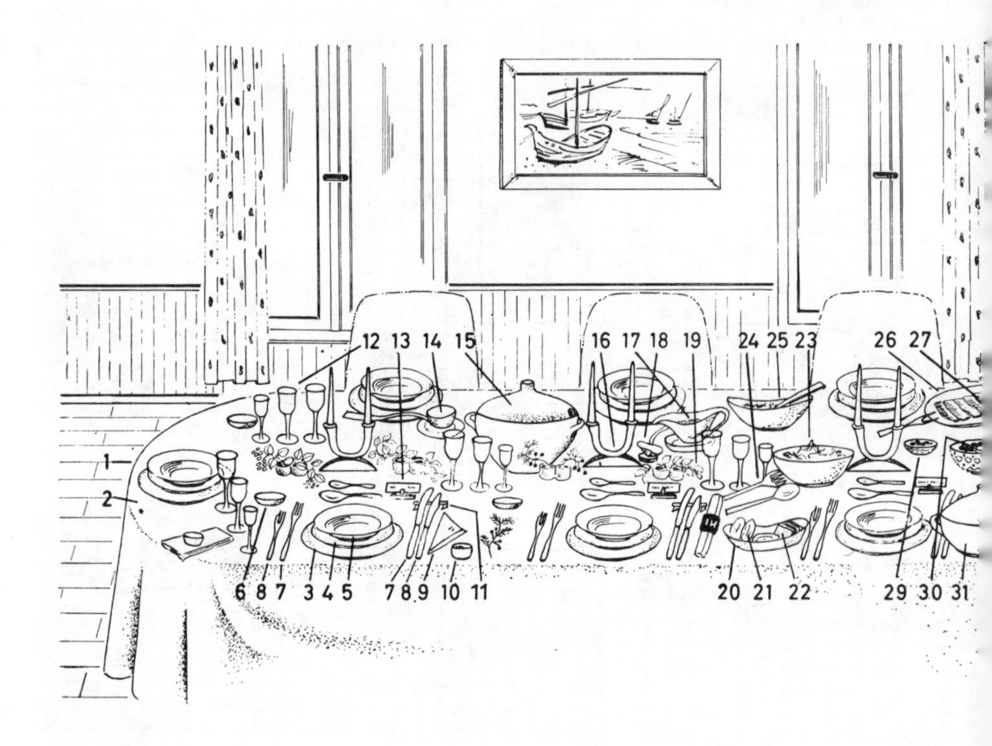

1 de eettafel
- *dining table*
2 het tafelkleed, een damasten kleed
- *tablecloth, a damask cloth*
3-12 het couvert
- ***place** (place setting, cover)*
3 het onder(zet)bord
- *bottom plate*
4 het platte bord
- *dinner plate*
5 het diepe bord (soepbord)
- *deep plate (soup plate)*
6 het dessertbordje
- *dessert plate (dessert bowl)*
7 het gewone bestek
- *knife and fork*
8 het viscouvert (visbestek)
- *fish knife and fork*
9 het servet
- *serviette (napkin, table napkin)*
10 de servetring
- *serviette ring (napkin ring)*
11 de messenlegger
- *knife rest*
12 de wijnglazen
- *wineglasses*
13 het naamkaartje
- *place card*
14 de soeplepel
- *soup ladle*
15 de soepterrine
- *soup tureen (tureen)*
16 de kandelaar
- *candelabra*
17 de juskom (sauskom)
- *sauceboat (gravy boat)*
18 de juslepel (sauslepel)
- *sauce ladle (gravy ladle)*
19 de tafelversiering
- *table decoration*
20 het broodmandje
- *bread basket*
21 het broodje
- *roll*
22 het sneetje brood
- *slice of bread*
23 de slabak
- *salad bowl*
24 het slacouvert (slabestek)
- *salad servers*
25 de groenteschaal
- *vegetable dish*
26 de vleesschotel
- *meat plate (*Am. *meat platter)*
27 het gebraden vlees (gebraad)
- *roast meat (roast)*
28 de compoteschaal
- *fruit dish*
29 het compoteschaaltje
- *fruit bowl*
30 de compôte
- *fruit (stewed fruit)*
31 de dekschaal
- *potato dish*
32 de serveerwagen
- *serving trolley*
33 de groenteschotel
- *vegetable plate (*Am. *vegetable platter)*
34 de toost
- *toast*
35 het kaasplateau
- *cheeseboard*
36 de botervloot
- *butter dish*
37 het belegde brood
- *open sandwich*
38 het broodbeleg
- *filling*
39 de sandwich
- *sandwich*
40 de fruitschaal
- *fruit bowl*
41 de amandelen (*of:* chips, pinda's, zoutjes)
- *almonds;* also: *potato crisps, peanuts*
42 het olie- en azijnstel
- *oil and vinegar bottle*
43 de ketchup
- *ketchup (catchup, catsup)*
44 het dressoir
- *sideboard*
45 het elektrische rechaud (warmhoudplaatje)
- *electric hotplate*
46 de kurketrekker
- *corkscrew*
47 de kroonkurkopener, een flesopener
- *crown cork bottle-opener (crown cork opener), a bottle-opener*
48 de likeurkaraf
- *liqueur decanter*
49 de notekraker
- *nutcrackers (nutcracker)*
50 het mes
- *knife*
51 het heft (hecht)
- *handle*
52 de doorn
- *tang (tongue)*
53 de krop
- *ferrule*
54 het lemmet (lemmer)
- *blade*
55 de krop
- *bolster*

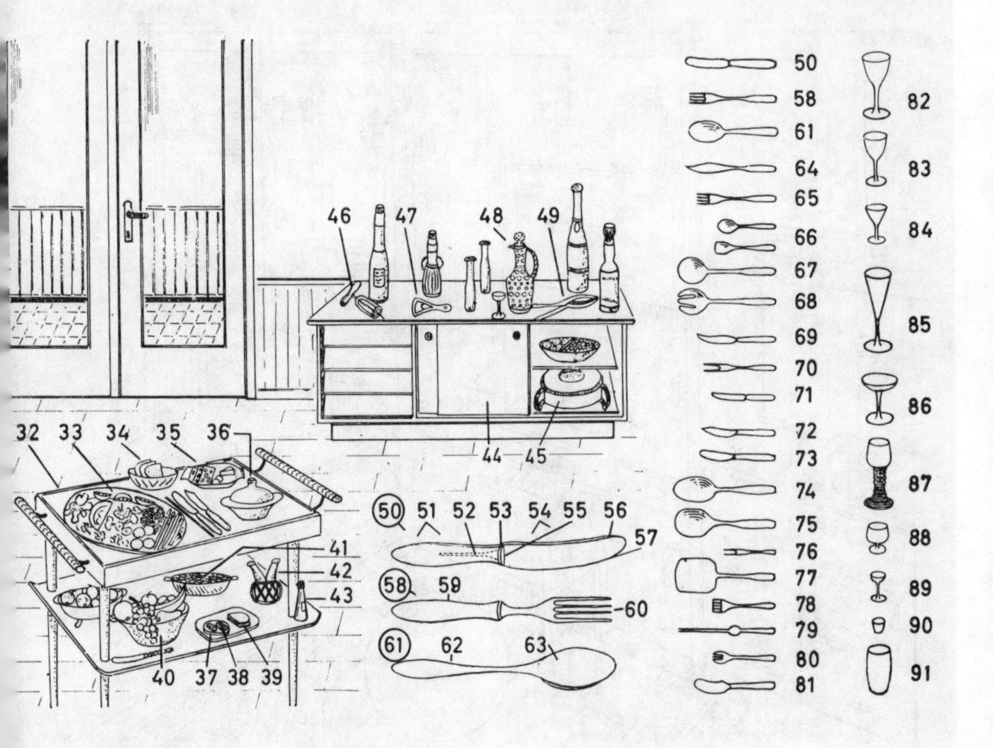

56 de rug
– *back*
57 de snede (het scherp)
– *edge (cutting edge)*
58 de vork
– *fork*
59 de steel
– *handle*
60 de tand
– *prong (tang, tine)*
61 de lepel (eetlepel, soeplepel)
– *spoon (dessert spoon, soup spoon)*
62 de steel
– *handle*
63 het lepelblad
– *bowl*
64 het vismes
– *fish knife*
65 de visvork
– *fish fork*
66 de dessertlepel (compotelepel)
– *dessert spoon (fruit spoon)*
67 de slalepel
– *salad spoon*
68 de slavork
– *salad fork*
69-70 het voorsnijbestek (trancheerbestek)
– *carving set (serving cutlery)*
69 het voorsnijmes (trancheermes)
– *carving knife*
70 de voorsnijvork (trancheervork)
– *serving fork*
71 het fruitmesje
– *fruit knife*
72 het kaasmesje
– *cheese knife*
73 het botermesje
– *butter knife*
74 de groentelepel, een opscheplepel
– *vegetable spoon, a serving spoon*
75 de aardappellepel
– *potato server (serving spoon for potatoes)*
76 het vleesvorkje
– *cocktail fork*
77 de aspergeschep
– *asparagus server (asparagus slice)*
78 het sardinevorkje
– *sardine server*
79 de kreeftevork
– *lobster fork*
80 de oestervork
– *oyster fork*
81 het kaviaarmes
– *caviare knife*
82 het wijnglas (voor witte wijn)
– *white wine glass*
83 het wijnglas (voor rode wijn)
– *red wine glass*
84 het sherry- of portglas
– *sherry glass (madeira glass)*
85-86 de champagneglazen
– *champagne glasses*
85 de flûte
– *tapered glass*
86 de champagnecoupe, een kristallen glas
– *champagne glass, a crystal glass*
87 de roemer (romer)
– *rummer*
88 het cognacglas
– *brandy glass*
89 het likeurglas
– *liqueur glass*
90 het borrelglaasje
– *spirit glass*
91 het bierglas
– *beer glass*

1 het wandmeubel (de kastenwand)
- *wall units (shelf units)*

2 de kastdeur
- *wardrobe door (*Am. *clothes closet door)*

3 de romp
- *body*

4 de zijwand
- *side wall*

5 de bovenlijst
- *trim*

6 het tweedeurskastje
- *two-door cupboard unit*

7 het boekenvak
- *bookshelf unit (bookcase unit) [with glass door]*

8 de boeken
- *books*

9 de vitrine
- *display cabinet*

10 de kaartenbak
- *card index boxes*

11 de la(de)
- *drawer*

12 de koektrommel
- *decorative biscuit tin*

13 het pluche dier
- *soft toy animal*

14 het televisietoestel
- *television set (TV set)*

15 de platen
- *records (discs)*

16 het kajuitbed
- *bed unit*

17 het sierkussen
- *scatter cushion*

18 de bedla(de)
- *bed unit drawer*

19 het bergvak
- *bed unit shelf*

20 de tijdschriften
- *magazines*

21 het bureau-element
- *desk unit (writing unit)*

22 het schrijfblad
- *desk*

23 de onderlegger
- *desk mat (blotter)*

24 de bureaulamp
- *table lamp*

25 de prullenmand (papiermand)
- *wastepaper basket*

26 de bureaula(de)
- *desk drawer*

27 de bureaustoel
- *desk chair*

28 de armleuning
- *arm*

29 het kookgedeelte
- *kitchen unit*

30 het bovenkastje
- *wall cupboard*

31 de afzuigkap (wasemkap)
- *cooker hood*

32 het elektrische fornuis
- *electric cooker*

33 de koelkast
- *refrigerator (fridge,* Am. *icebox)*

34 de eettafel
- *dining table*

35 de tafelloper
- *table runner*

36 het Perzische tapijt
- *oriental carpet*

37 de staande lamp
- *standard lamp*

1 het kinderbed, een stapelbed
– *children's bed, a bunk-bed*
2 de dekenla(de)
– *storage box*
3 de, het matras
– *mattress*
4 het hoofdkussen
– *pillow*
5 de trap
– *ladder*
6 de pluche olifant, een knuffeldier
– *soft toy elephant, a cuddly toy animal*
7 de pluche hond
– *soft toy dog*
8 de poef
– *cushion*
9 de aankleedpop
– *fashion doll*
10 de poppewagen
– *doll's pram*
11 de slaappop
– *sleeping doll*
12 het hemeltje
– *canopy*
13 het schoolbord
– *blackboard*
14 het telraam
– *counting beads*
15 het pluche hobbelpaard met wieltjes
– *toy horse for rocking and pulling*
16 het schommelonderstel
– *rockers*
17 het kinderboek
– *children's book*
18 de spellendoos
– *compendium of games*
19 Mens-erger-je-niet
– *ludo*
20 het schaakbord
– *chessboard*
21 de kast
– *children's cupboard*
22 de la(de) voor linnengoed
– *linen drawer*
23 het schrijfblad
– *drop-flap writing surface*
24 het schrift
– *notebook (exercise book)*
25 de schoolboeken
– *school books*
26 het potlood (*ook:* kleurpotlood, viltstift, bal(punt)pen, ballpoint)
– *pencil;* also: *crayon, felt tip pen, ballpoint pen*
27 het winkeltje
– *toy shop*
28 de toonbank
– *counter*
29 het kruidenrek
– *spice rack*
30 de uitstalkast
– *display*
31 het snoepjesassortiment
– *assortment of sweets (*Am. *candies)*
32 het puntzakje
– *bag of sweets (*Am. *candies)*
33 de weegschaal
– *scales*
34 de kassa
– *cash register*
35 de speelgoedtelefoon
– *toy telephone*
36 het uitstalrek
– *shop shelves (goods shelves)*
37 de rails met houten treinen
– *wooden train set*
38 de kipauto, een speelgoedauto
– *dump truck, a toy lorry (toy truck)*
39 de bouwkraan
– *tower crane*
40 de betonmolen
– *concrete mixer*
41 de grote pluche hond
– *large soft toy dog*
42 de beker met dobbelstenen
– *dice cup*

1-20 het voorbereidende onderwijs
- ***pre-school education*** *(nursery education)*

1 de kleuterleidster
- *nursery teacher*

2 de kleuter
- *nursery child*

3 de handenarbeid
- *handicraft*

4 de lijm (plak)
- *glue*

5 de waterverftekening
- *watercolour (*Am. *watercolor) painting*

6 de waterverfdoos
- *paintbox*

7 het penseel
- *paintbrush*

8 het glas water
- *glass of water*

9 de puzzel
- *jigsaw puzzle (puzzle)*

10 het puzzelstukje
- *jigsaw puzzle piece*

11 de kleurpotloden (*ook:* waskrijt)
- *coloured (*Am. *colored) pencils;* also: *wax crayons*

12 de boetseerklei
- *modelling (*Am. *modeling) clay;* sim.: *Plasticine*

13 kleifiguren
- *clay figures;* sim.: *Plasticine figures*

14 de kleitafel
- *modelling (*Am. *modeling) board*

15 het schoolbordkrijt
- *chalk (blackboard chalk)*

16 het schoolbord
- *blackboard*

17 het telraam
- *counting blocks*

18 de viltstift
- *felt pen (felt tip pen)*

19 het vormlegspel
- *shapes game*

20 de spelende kinderen
- *group of players*

21-32 het speelgoed
- ***toys***

21 het nest kubussen
- *building and filling cubes*

22 de constructiedoos
- *construction set*

23 de kinderboeken
- *children's books*

24 de poppewagen, een rieten wagen
- *doll's pram, a wicker pram*

25 de babypop
- *baby doll*

26 het hemeltje
- *canopy*

27 de blokken
- *building bricks (building blocks)*

28 het blokkenhuis
- *wooden model building*

29 de houten trein
- *wooden train set*

30 de schommelteddybeer
- *rocking teddy bear*

31 de poppewandelwagen
- *doll's pushchair*

32 de aankleedpop
- *fashion doll*

33 de kleuter
- *child of nursery school age*

34 de garderobe
- *cloakroom*

1 de badkuip
– *bath*
2 de mengkraan voor warm en koud water
– *mixer tap (*Am. *mixing faucet) for hot and cold water*
3 het schuimbad
– *foam bath (bubble bath)*
4 de speelgoedeend
– *toy duck*
5 het badzout
– *bath salts*
6 de badspons
– *bath sponge (sponge)*
7 het bidet
– *bidet*
8 het handdoekenrek
– *towel rail*
9 de badstof handdoek
– *terry towel*
10 de toiletrolhouder
– *toilet roll holder (*Am. *bathroom tissue holder)*
11 het toiletpapier
– *toilet paper (*Am. *bathroom tissue)*
12 de w.c. (het toilet)
– *toilet (lavatory, W.C.,* coll. *loo)*
13 de closetpot
– *toilet pan (toilet bowl)*
14 het deksel met badstof overtrek
– *toilet lid with terry cover*
15 de bril (w.c.-bril)
– *toilet seat*
16 de stortbak
– *cistern*
17 de hevel
– *flushing lever*
18 de w.c.-mat
– *pedestal mat*
19 de muurtegel (wandtegel)
– *tile*
20 het ventilatierooster
– *ventilator (extraction vent)*
21 het zeepbakje
– *soap dish*
22 de zeep
– *soap*
23 de handdoek
– *hand towel*
24 de wastafel
– *washbasin*
25 de overloop
– *overflow*
26 de mengkraan
– *hot and cold water tap*
27 de wastafelzuil met de sifon
– *washbasin pedestal with trap (anti-syphon trap)*
28 het glas
– *tooth glass (tooth mug)*
29 de elektrische tandenborstel
– *electric toothbrush*
30 de losse borstels
– *detachable brush heads*
31 de toiletkast met spiegel
– *mirrored bathroom cabinet*
32 de T.L.-buis
– *fluorescent lamp*
33 de spiegel
– *mirror*
34 het laatje
– *drawer*
35 de poederdoos
– *powder box*
36 het mondwater
– *mouthwash*
37 het elektrische scheerapparaat
– *electric shaver*
38 de after-shave
– *aftershave lotion*
39 de douchecabine
– *shower cubicle*
40 de vouwdeur
– *shower curtain*
41 de verstelbare douche (handdouche)
– *adjustable shower head*
42 de douchekop (broes)
– *shower nozzle*
43 de glijstang
– *shower adjustment rail*
44 de douchebak
– *shower base*
45 de afvoer
– *waste pipe*
46 de badslipper
– *bathroom mule*
47 de personenweegschaal
– *bathroom scales*
48 de badmat
– *bath mat*
49 het medicijnkastje
– *medicine cabinet*

1-20 Strijkapparaten
- ***irons***
1 de elektrische strijkmachine
- *electric ironing machine*
2 de elektrische voetschakelaar (het pedaal)
- *electric foot switch*
3 de hoes van de persrol
- *roller covering*
4 de strijkopening
- *ironing head*
5 het laken
- *sheet*
6 het elektrische strijkijzer (de strijkbout, het lichtgewicht strijkijzer)
- *electric iron, a lightweight iron*
7 de zoolplaat
- *sole-plate*
8 de thermostaatknop
- *temperature selector*
9 de handgreep
- *handle (iron handle)*
10 het verklikkerlampje
- *pilot light*
11 het stoomstrijkijzer
- *steam, spray, and dry iron*
12 de vulopening
- *filling inlet*
13 de sproeikop voor bevochtigen van de was
- *spray nozzle for damping the washing*
14 de stoomopeningen
- *steam hole (steam slit)*
15 de strijkplank (strijktafel)
- *ironing table*
16 het strijkvlak
- *ironing board (ironing surface)*
17 het, de overtrek
- *ironing-board cover*
18 het treefje
- *iron well*
19 het aluminium onderstel
- *aluminium (*Am. *aluminum) frame*
20 het mouwplankje
- *sleeve board*
21 de wasbox (wasmand)
- *linen bin*
22 de vuile was
- *dirty linen*

23-34 was- en droogapparaten
- ***washing machines and driers***
23 de wasmachine (de wasautomaat)
- *automatic washing machine*
24 de wastrommel
- *washing drum*
25 de beveiligde deursluiting
- *safety latch (safety catch)*
26 de programmakeuzeknop
- *program selector control*
27 het wasmiddelenbakje [met verschillende vakjes]
- *front soap dispenser [with several compartments]*
28 de wasdroger, een droogtrommel
- *tumble drier*
29 de trommel
- *drum*
30 de deur met ventilatiesleuven
- *front door with ventilation slits*
31 het werkblad
- *work top*
32 het droogrek
- *airer*
33 de waslijn
- *clothes line (washing line)*
34 het scharende droogrek
- *extending airer*
35 de huishoudtrap, een aluminium trap
- *stepladder (steps), an aluminium (*Am. *aluminum) ladder*
36 de boom
- *stile*
37 het steunbeen
- *prop*
38 de trede
- *tread (rung)*

39-43 Schoenpoetsbenodigdheden
- ***shoe care utensils***
39 het doosje schoensmeer
- *tin of shoe polish*
40 de schoenspray, een impregnerende spray
- *shoe spray, an impregnating spray*
41 de schoenborstel
- *shoe brush*
42 de insmeerborstel
- *brush for applying polish*
43 de tube schoensmeer
- *tube of shoe polish*
44 de kledingborstel
- *clothes brush*
45 de tapijtborstel
- *carpet brush*
46 de bezem (*ook:* de veger)
- *broom*
47 de haren
- *bristles*
48 het bezemhout
- *broom head*
49 de bezemsteel
- *broomstick (broom handle)*
50 de schroefdraad
- *screw thread*
51 de afwaskwast
- *washing-up brush*
52 het blik
- *pan (dust pan)*

53-86 de vloerreiniging
- ***floor and carpet cleaning***
53 de handveger (stoffer)
- *brush*
54 de emmer
- *bucket (pail)*
55 de dweil
- *floor cloth (cleaning rag)*
56 de schrobber
- *scrubbing brush*
57 de rolveger
- *carpet sweeper*
58 de steelstofzuiger
- *upright vacuum cleaner*
59 de omzetknop
- *changeover switch*
60 de draaikop
- *swivel head*
61 de zak-volindicator
- *bag-full indicator*
62 de stofzakhouder
- *dust bag container*
63 de handgreep (het handvat)
- *handle*
64 de buis
- *tubular handle*
65 de snoerhaak
- *flex hook*
66 het opgewonden snoer
- *wound-up flex*
67 het combinatiemondstuk
- *all-purpose nozzle*
68 de cilinderstofzuiger
- *cylinder vacuum cleaner*
69 de draaikoppeling
- *swivel coupling*
70 de zuigbuis
- *extension tube*
71 de zuigmond
- *floor nozzle;* sim.: *carpet beater nozzle*
72 de zuigkrachtregeling
- *suction control*
73 de zak-volindicator
- *bag-full indicator*
74 de schuif voor zuigkrachtregeling
- *sliding fingertip suction control*
75 de slang
- *hose (suction hose)*
76 de tapijtreiniger
- *combined carpet sweeper and shampooer*
77 het snoer
- *electric lead (flex)*
78 het apparaatstopcontact
- *plug socket*
79 het klophulpstuk (*andere:* shamponeerhulpstuk, borstelhulpstuk)
- *carpet beater head;* sim.: *shampooing head, brush head*
80 de alleszuiger (droog- en natzuiger)
- *all-purpose vacuum cleaner [for wet and dry operation]*
81 het zwenkwieltje
- *castor*
82 het motorblok
- *motor unit*
83 de dekselsluiting
- *lid clip*
84 de slang voor groot vuil
- *coarse dirt hose*
85 het speciale hulpstuk voor groot vuil
- *special accessory (special attachment) for coarse dirt*
86 het stofreservoir
- *dust container*
87 het boodschappenwagentje (de shopper)
- *shopper (shopping trolley)*

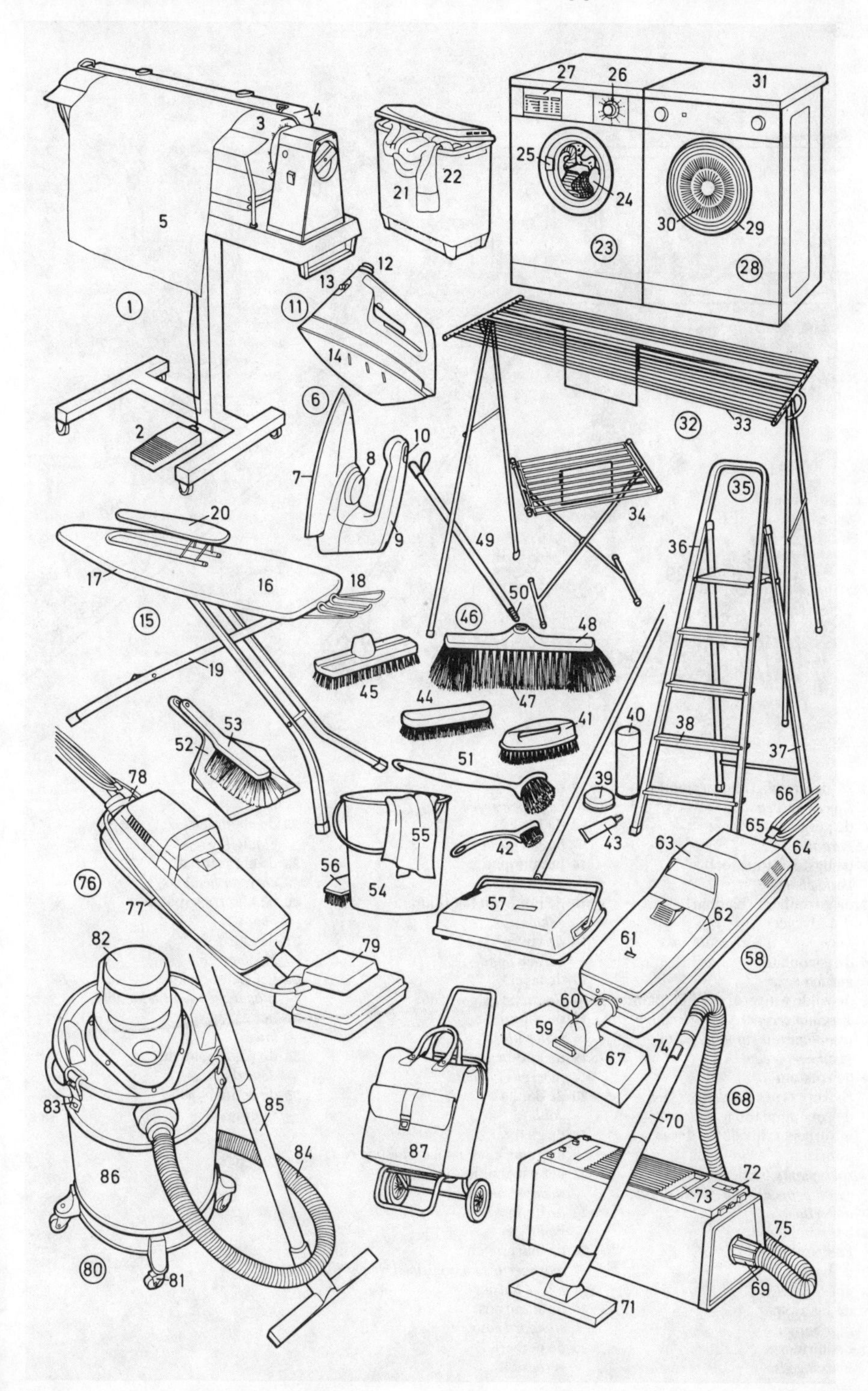
1
2
3
4
5
6
7
8
9
10
11
12
13
14
15
16
17
18
19
20
21
22
23
24
25
26
27
28
29
30
31
32
33
34
35
36
37
38
39
40
41
42
43
44
45
46
47
48
49
50
51
52
53
54
55
56
57
58
59
60
61
62
63
64
65
66
67
68
69
70
71
72
73
74
75
76
77
78
79
80
81
82
83
84
85
86
87

1-35 de siertuin (bloementuin)
- ***flower garden***

1 de pergola
- *pergola*

2 de ligstoel (tuinstoel)
- *deck-chair*

3 de gazonhark (bladhark, draadveger)
- *lawn rake, a wire-tooth rake*

4 de gazonhark
- *garden rake*

5 de wilde wingerd, een klimplant
- *Virginia creeper (American ivy, woodbine), a climbing plant (climber, creeper)*

6 de rotstuin
- *rockery (rock garden)*

7 de rotstuinplanten; *soorten:* muurpeper, huislook, dryas, aubrieta
- *rock plants;* varieties: *stonecrop (wall pepper), houseleek, dryas, aubretia*

8 het pampagras
- *pampas grass*

9 de haag
- *garden hedge*

10 de blauwspar
- *blue spruce*

11 de hortensia
- *hydrangeas*

12 de eik
- *oak (oak tree)*

13 de beuk
- *birch (birch tree)*

14 het tuinpad
- *garden path*

15 de rand van het tuinpad
- *edging*

16 de vijver
- *garden pond*

17 de tegel
- *flagstone (stone slab)*

18 de waterlelie
- *water lily*

19 de knolbegonia's
- *tuberous begonias*

20 de dahlia's
- *dahlias*

21 de gieter
- *watering can (*Am. *sprinkling can)*

22 het wiedhakje
- *weeding hoe*

23 de lupine
- *lupin*

24 de margrieten
- *marguerites (oxeye daisies, white oxeye daisies)*

25 de stamroos
- *standard rose*

26 de gerbera
- *gerbera*

27 de iris
- *iris*

28 de gladiolen
- *gladioli*

29 de chrysanten
- *chrysanthemums*

30 de klaproos (papaver)
- *poppy*

31 de liatris
- *blazing star*

32 het leeuwebekje
- *snapdragon (antirrhinum)*

33 het gazon
- *lawn*

34 de paardebloem
- *dandelion*

35 de zonnebloem
- *sunflower*

1-32 de moestuin (groente- en fruittuin, het volkstuintje)
– ***allotment,*** *a fruit and vegetable garden*

1, 2, 16, 17, 29 laagstamfruitbomen (leifruitbomen, spalierfruitbomen)
– *dwarf fruit trees (espaliers, espalier fruit trees*

1 de vierarmige palmet, een spalierboom
– *quadruple cordon, a wall espalier*

2 de verticale leiboom
– *vertical cordon*

3 de gereedschapsschuur
– *tool shed (garden shed)*

4 de regenton
– *water butt (water barrel)*

5 de klimplant
– *climbing plant (climber, creeper, rambler)*

6 de composthoop
– *compost heap*

7 de zonnebloem
– *sunflower*

8 de ladder
– *garden ladder (ladder)*

9 de heester, een bloemdragende struik
– *flowering perennial*

10 het houten hek
– *garden fence, a paling fence (paling)*

11 de besseboom met hoge stam
– *standard berry tree*

12 de klimroos (aan het latwerk)
– *climbing rose (rambling rose) on the trellis arch*

13 de struikroos
– *bush rose (standard rose tree)*

14 het prieel (tuinhuisje)
– *summerhouse (garden house)*

15 de lampion
– *Chinese lantern (paper lantern)*

16 de piramideboom, een vrijstaande leiboom
– *pyramid tree (pyramidal tree, pyramid), a free-standing espalier*

17 de tweearmige horizontale leiboom
– *double horizontal cordon*

18 de border
– *flower bed, a border*

19 de bessestruik (kruisbessestruik, aalbessestruik)
– *berry bush;* here: *gooseberry bush;* also: *currant bush*

20 de betonnen maaikant (stenen als afscheiding tussen gazon en border)
– *concrete edging*

21 de stamroos (rozestruik)
– *standard rose (standard rose tree)*

22 de border met sierplanten
– *border with perennials*

23 het tuinpad
– *garden path*

24 de tuinier (volkstuinder)
– *allotment holder*

25 het aspergebed
– *asparagus patch (asparagus bed)*

26 het groentebed
– *vegetable patch (vegetable plot)*

27 de vogelverschrikker
– *scarecrow*

28 de stokboon, een bonenplant langs stokken (bonestaken)
– *runner bean (Am. scarlet runner), a bean plant on poles (bean poles)*

29 de eenarmige horizontale leiboom
– *horizontal cordon*

30 de hoogstammige fruitbomen
– *standard fruit tree*

31 de staak (paal)
– *tree stake*

32 de heg (haag)
– *hedge*

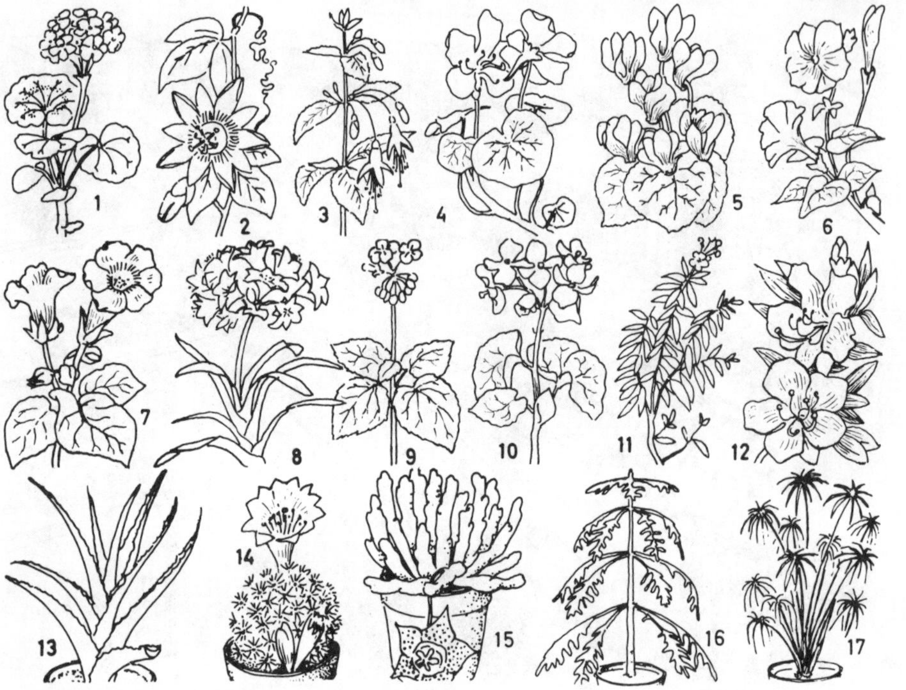

1 de pelargonium, een geraniumachtige (ooievaarsbek)
- *pelargonium (crane's bill), a geranium*
2 de passiebloem (passiflora), een klimplant
- *passion flower (Passiflora), a climbing plant (climber, creeper)*
3 de fuchsia, een teunisbloemachtige
- *fuchsia, an anagraceous plant*
4 de Oostindische kers (klimkers, tropaeolum)
- *nasturtium (Indian cress, tropaeolum)*
5 de cyclaam (het alpenviooltje, de cyclamen), een sleutelbloemachtige
- *cyclamen, a primulaceous herb*
6 de petunia, een nachtschadeachtige
- *petunia, a solanaceous herb*
7 de gloxinia (sinningia), een gesneria
- *gloxinia (Sinningia), a gesneriaceous plant*
8 de clivia, een amaryllisachtige (narcisachtige)
- *Clivia minata, an amaryllis (narcissus)*
9 de kamerlinde (sparmannia), een lindeachtige
- *African hemp (Sparmannia), a tiliaceous plant, a linden plant*
10 de begonia
- *begonia*
11 de mirt(e) (myrtus)
- *myrtle (common myrtle, Myrtus)*
12 de azalea, een heideachtige
- *azalea, an ericaceous plant*
13 de aloë, een lelieachtige
- *aloe, a liliaceous plant*
14 de kogeldistel (kogelcactus, echinops)
- *globe thistle (Echinops)*
15 de stapelia (aasbloem), een zijdeplant
- *stapelia (carrion flower), an asclepiadaceous plant*
16 de kamerden, een araucaria
- *Norfolk Island Pine, an araucaria grown as an ornamental*
17 de parapluplant (cyperus alternifolius), een rietgras (zegge)
- *galingale, a cyperacious plant of the sedge family*

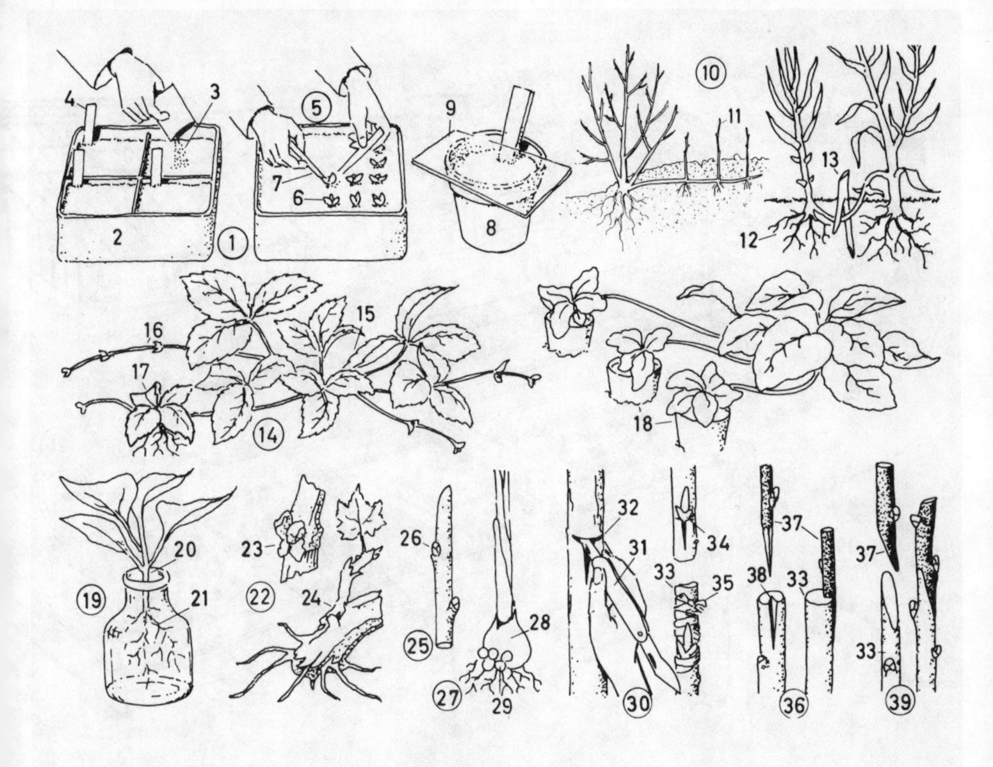

1 het zaaien
– *seed sowing (sowing)*
2 de zaaibak
– *seed pan*
3 het zaad
– *seed*
4 het naambordje
– *label*
5 het verspenen (verplanten, overplanten)
– *pricking out (pricking off, transplanting)*
6 de zaailing
– *seedling (seedling plant)*
7 het planthout (poothout)
– *dibber (dibble)*
8 de bloempot
– *flower pot (pot)*
9 het glasplaatje
– *sheet of glass*
10 de vermeerdering door afleggers
– *propagation by layering*
11 de aflegger
– *layer*
12 de bewortelde uitloper
– *layer with roots*
13 het gaffeltje voor het vastzetten
– *forked stick used for fastening*
14 de vermeerdering door uitlopers
– *propagation by runners*
15 de moederplant
– *parent (parent plant)*
16 de uitloper (spruit, stek, zijscheut, rank)
– *runner*
17 de rozet
– *small rooted leaf cluster*
18 het afzetten (afleggen) in potten
– *setting in pots*
19 de stek op water
– *cutting in water*
20 het stekje (de stek)
– *cutting (slip, set)*
21 de wortel
– *root*
22 de knopstek (oogstek) aan de wijnrank
– *bud cutting on vine tendril*
23 het oog, een knop
– *scion bud, a bud*
24 de wortelscheut
– *sprouting (shooting) cutting*
25 de houten stek
– *stem cutting (hardwood cutting)*
26 de knop
– *bud*
27 de vermeerdering door broedbollen
– *propagation by bulbils (brood bud bulblets)*
28 de oude (bloem)bol
– *old bulb*
29 de bolletjes (kralen)
– *bulbil (brood bud bulblet)*
30-39 de veredeling (het veredelen)
– ***grafting*** *(graftage)*
30 het enten
– *budding;* here: *shield budding*
31 het oculeermes
– *budding knife*
32 de T-vormige insnijding
– *T-cut*
33 de onderstam
– *support (stock, rootstock)*
34 de ingeplante knop
– *inserted scion bud*
35 het bastverband
– *raffia layer (bast layer)*
36 het spleetenten
– *side grafting*
37 de wig
– *scion (shoot)*
38 de wigvormige insnijding
– *wedge-shaped notch*
39 de copulatie (het copuleren, plakenten)
– *splice grafting*

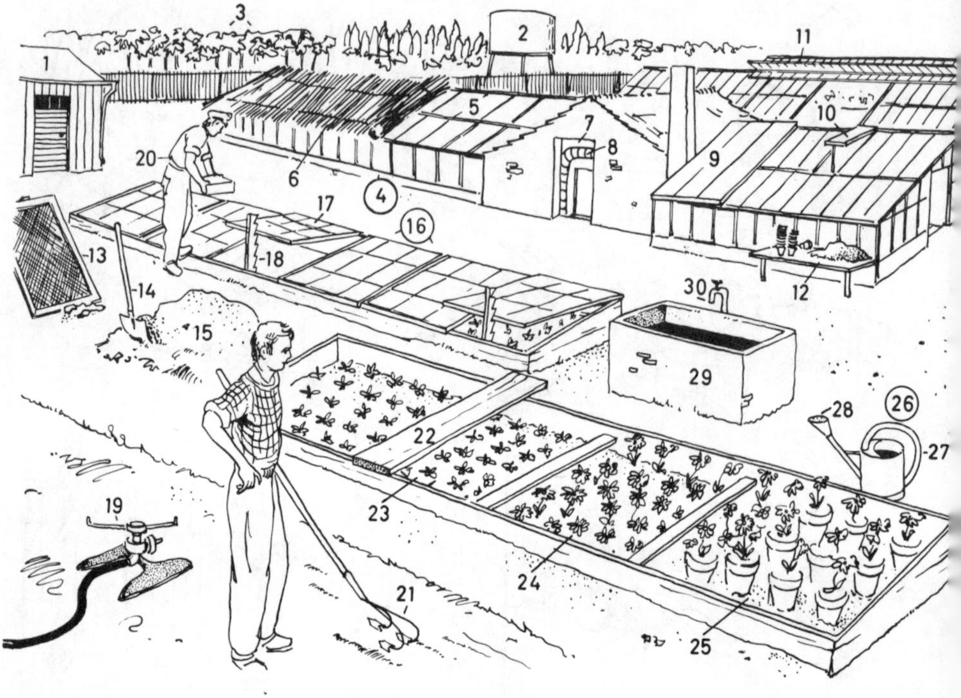

1-51 het tuinbouwbedrijf (de tuinderij)
- ***market garden*** *(*Am. *truck garden, truck farm)*
1 de gereedschapsschuur
- *tool shed*
2 het waterreservoir
- *water tower (water tank)*
3 de boomkwekerij
- *market garden (*Am. *truck garden, truck farm), a tree nursery*
4 de broeikas (kas, serre, het warenhuis)
- *hothouse (forcing house, warm house)*
5 het glazen dak
- *glass roof*
6 de rieten mat (rolmat, stromat)
- *[roll of] matting (straw matting, reed matting, shading)*
7 de stookruimte (het stookhuis, ketelhuis)
- *boiler room (boiler house)*
8 de verwarmingsbuis (verwarmingspijp)
- *heating pipe, a pressure pipe*
9 de dekplank (schaduwplank)
- *shading panel (shutter)*
10-11 de ventilatie (luchtverversing)
- *ventilators (vents)*
10 het ventilatieraam
- *ventilation window (window vent), a hinged ventilator*
11 de nokluchting
- *ridge vent*
12 de plantentafel
- *potting table (potting bench)*
13 de zeef
- *screen (upright sieve);* sim.: *sieve (riddle)*
14 de schop (spade, spa)
- *garden shovel (shovel)*
15 de hoop aarde (tuinaarde, compostgrond, gecomposteerde aarde)
- *heap of earth,* e.g. *composted earth, prepared earth, garden mould (*Am. *mold)*
16 de broeibak (warme bak)
- *hotbed (forcing bed, heated frame)*
17 het broeiraam
- *hotbed vent (frame vent)*
18 de luchtklos
- *vent prop*
19 de sproeier
- *sprinkler (sprinkling device)*
20 de tuinder (hovenier)
- *gardener, a nursery gardener (grower, commercial grower)*
21 de cultivator
- *cultivator (hand cultivator, grubber)*
22 de loopplank
- *plank*
23 de verspeende (verplante) plantjes
- *pricked-out seedlings (pricked-off seedlings)*
24 de in bloei getrokken bloemen
- *forced flowers*
25 de potplanten (opgepotte planten)
- *potted plants (plants in pots, pot plants)*
26 de gieter
- *watering can (*Am. *sprinkling can)*
27 het handvat (de beugel)
- *handle*
28 de sproeikop (broes)
- *rose*
29 de waterbak
- *water tank*
30 de waterkraan
- *water pipe*

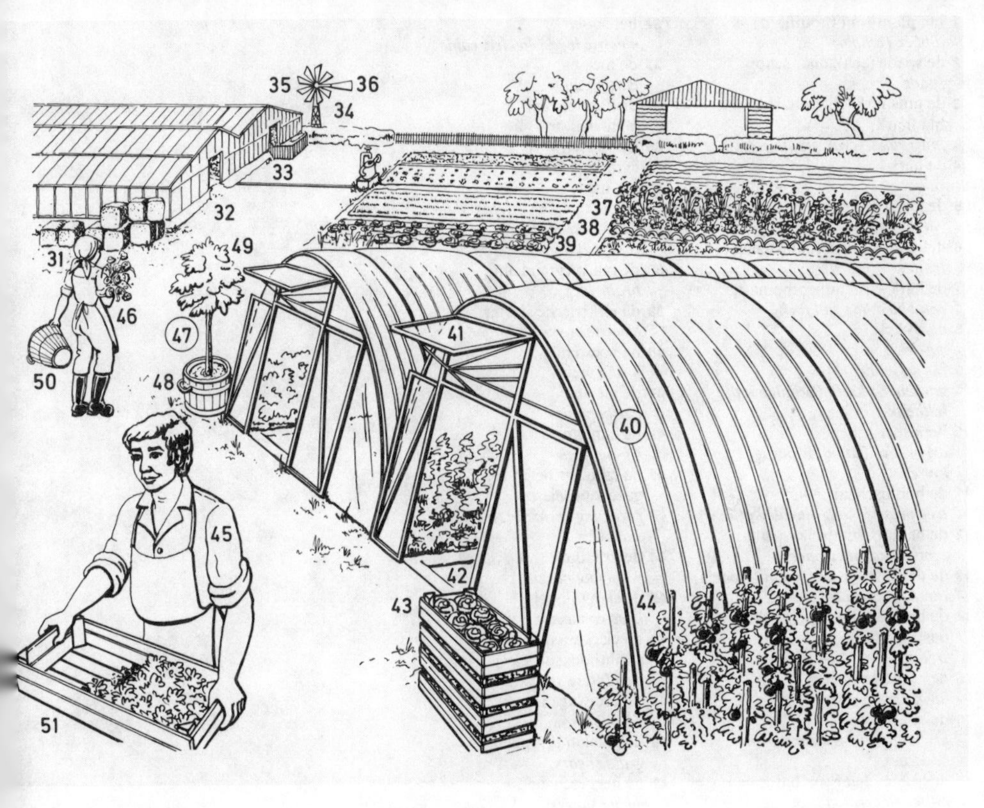

31 de baal turfmolm
- *bale of peat*

32 de broeikas (warme kas)
- *warm house (heated greenhouse)*

33 de onverwarmde kas (koude kas)
- *cold house (unheated greenhouse)*

34 de windmolen
- *wind generator*

35 het windrad (de schoepen), een windturbine
- *wind wheel*

36 de windvaan
- *wind vane*

37 het bed met sierplanten
- *shrub bed, a flower bed*

38 de boogafscheiding
- *hoop edging*

39 het groentebed
- *vegetable plot*

40 de tunnel van kunststoffolie
- *plastic tunnel (polythene greenhouse)*

41 de ventilatieklep
- *ventilation flap*

42 het middenpad (de middengang)
- *central path*

43 het groentekrat
- *vegetable crate*

44 de tomatenplant
- *tomato plant*

45 de tuindersknecht
- *nursery hand*

46 de tuindershulp
- *nursery hand*

47 de kuipplant
- *tub plant*

48 de kuip
- *tub*

49 de oranjeboom
- *orange tree*

50 de ijzeren mand
- *wire basket*

51 de bak met zaailingen
- *seedling box*

1 het planthout (poothout)
- *dibber (dibble)*
2 de spade (spa); *ook:* schop
- *spade*
3 de grashark (gazonhark); *ook:* bladhark
- *lawn rake, a wire-tooth rake*
4 de hark
- *rake*
5 de hakschoffel
- *ridging hoe*
6 het pootschopje (plantschepje)
- *trowel*
7 de hark-en-schopcombinatie
- *combined hoe and fork*
8 de sikkel
- *sickle*
9 het snoeimes
- *gardener's knife (pruning knife, billhook)*
10 het aspergemes
- *asparagus cutter (asparagus knife)*
11 de boomschaar
- *tree pruner (long-handled pruner)*
12 de halfautomatische spade
- *semi-automatic spade*
13 de drietandige cultivator (woeleg)
- *three-pronged cultivator*
14 de boomkrabber (schorskrabber, bastkrabber)
- *tree scraper (bark scraper)*
15 de gazonverluchter
- *lawn aerator (aerator)*
16 de boomzaag
- *pruning saw (saw for cutting branches)*
17 de heggeschaar (op batterijen)
- *battery-operated hedge trimmer*
18 de verticuteermachine
- *motor cultivator*
19 de elektrische handboor
- *electric drill*
20 de overbrenging
- *gear*
21 de verticuteermessen (cultivatorpinnen)
- *cultivator attachment*
22 de vruchteplukker
- *fruit picker*
23 de boomborstel (schorsborstel, bastborstel)
- *tree brush (bark brush)*
24 de tuinspuit voor ongediertebestrijding
- *sprayer for pest control*
25 de spuitstok
- *lance*
26 de slangewagen
- *hose reel (reel and carrying cart)*
27 de tuinslang
- *garden hose*
28 de motormaaier (grasmaaimachine)
- *motor lawn mower (motor mower)*
29 de opvangbak (grasopvanger)
- *grassbox*
30 de tweetaktmotor
- *two-stroke motor*
31 de elektrische grasmaaier
- *electric lawn mower (electric mower)*
32 het snoer
- *electric lead (electric cable)*
33 de messen
- *cutting unit*
34 de handmaaier
- *hand mower*
35 de messenwals
- *cutting cylinder*
36 het mes
- *blade*
37 de maaitrekker
- *riding mower*
38 de remvergrendeling
- *brake lock*
39 de elektrische starter
- *electric starter*
40 de voetrem
- *brake pedal*
41 de messen
- *cutting unit*
42 de aanhanger
- *tip-up trailer*
43 de cirkelsproeier, een gazonsproeier
- *revolving sprinkler, a lawn sprinkler*
44 de draaikop
- *revolving nozzle*
45 de slangnippel
- *hose connector*
46 de vierkantsproeier (rechthoeksproeier)
- *oscillating sprinkler*
47 de kruiwagen
- *wheelbarrow*
48 de graskantknipper
- *grass shears*
49 de heggeschaar
- *hedge shears*
50 de snoeischaar
- *secateurs (pruning shears)*

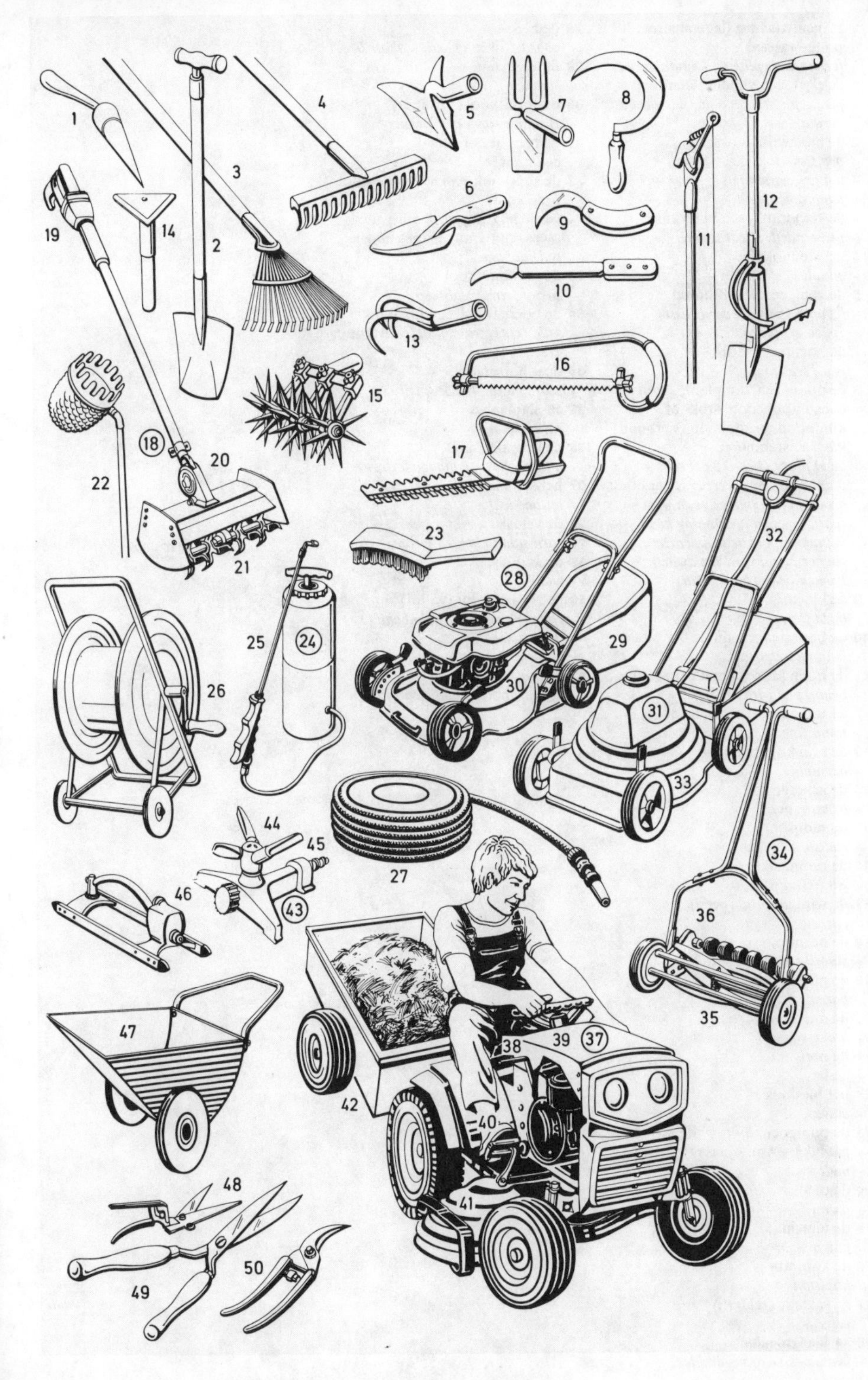
1
2
3
4
5
6
7
8
9
10
11
12
13
14
15
16
17
18
19
20
21
22
23
24
25
26
27
28
29
30
31
32
33
34
35
36
37
38
39
40
41
42
43
44
45
46
47
48
49
50

1-11 peulvruchten (leguminosen, peulgewassen)
- ***leguminous plants*** *(Leguminosae)*

1 de erwt, een vlinderbloemige
- *pea, a plant with a papilionaceous corola*

2 de bloeiwijze
- *pea flower*

3 het geveerde blad
- *pinnate leaf*

4 de erwterank, een bladrank
- *pea tendril, a leaf tendril*

5 het steunblad
- *stipule*

6 de peul, een vruchthulsel
- *legume (pod), a seed vessel (pericarp, legume)*

7 de erwt [het zaad]
- *pea [seed]*

8 de boon, een klimplant; *soorten:* consumptieboon, stok- of klimboon, pronkboon (sierboon); *kleiner:* stamboon
- *bean plant (bean), a climbing plant (climber, creeper);* varieties: *broad bean (runner bean,* Am. *scarlet runner), climbing bean (climber, pole bean), scarlet runner bean;* smaller: *dwarf French bean (bush bean)*

9 de bloem
- *bean flower*

10 de bonestengel aan de bonestaak
- *twining beanstalk*

11 de boon [de peul met het zaad]
- *bean [pod with seeds]*

12 de tomaat
- *tomato*

13 de komkommer
- *cucumber*

14 de asperge
- *asparagus*

15 de radijs
- *radish*

16 de rammenas
- *white radish*

17 de winterwortel (peen)
- *carrot*

18 de peentjes
- *stump-rooted carrot*

19 de p(i)eterselie
- *parsley*

20 de mierik(s)wortel
- *horse-radish*

21 de prei
- *leeks*

22 het bieslook
- *chives*

23 de pompoen; *lijkt op:* de meloen
- *pumpkin (*Am. *squash);* sim.: *melon*

24 de ui
- *onion*

25 de uieschil
- *onion skin*

26 de koolrabi
- *kohlrabi*

27 de selderie (selderij)
- *celeriac*

28-34 bladgroenten
- ***brassicas*** *(leaf vegetables)*

28 de biet
- *chard (Swiss chard, seakale beet)*

29 de spinazie
- *spinach*

30 de spruitkool (spruitjes)
- *Brussels sprouts (sprouts)*

31 de bloemkool
- *cauliflower*

32 de sluitkool; *soorten:* witte kool, rode kool
- *cabbage, a brassica;* cultivated races (cultivars): *green cabbage, red cabbage*

33 de savooi(e)kool
- *savoy (savoy cabbage)*

34 de boerenkool, een bladkool
- *kale (curly kale, kail), a winter green*

35 de schorseneer
- *scorzonera (black salsify)*

36-40 slaplanten
- ***salad plants***

36 de kropsla (sla)
- *lettuce;* here: *cabbage lettuce*

37 het slablad
- *lettuce leaf*

38 de veldsla
- *corn salad (lamb's lettuce)*

39 de andijvie
- *endive*

40 het Brussels lof (witlof)
- *chicory (succory, salad chicory)*

41 de artisjok
- *globe artichoke*

42 de paprika
- *pepper;* here: *Spanish paprika*

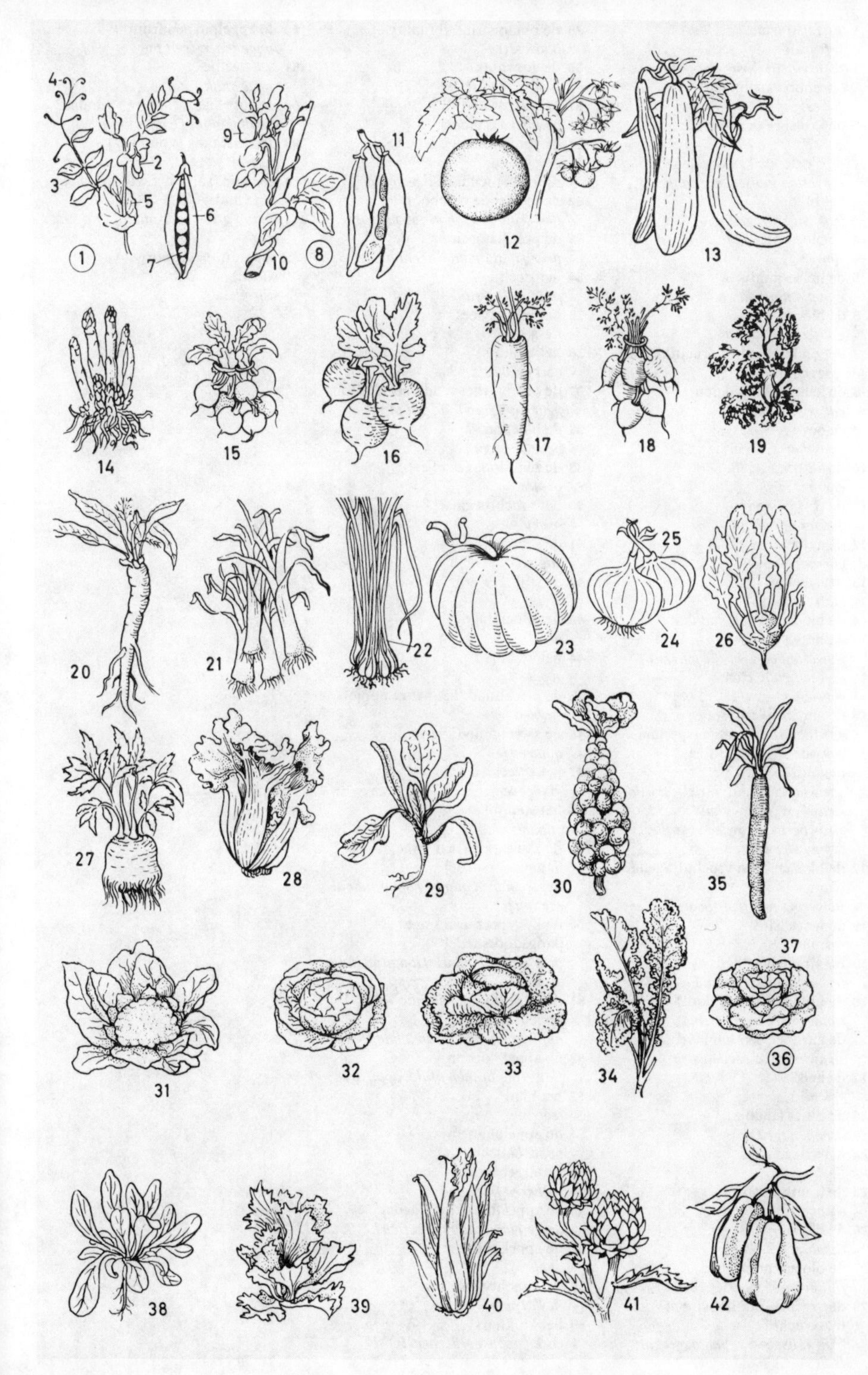
4
2
3
5
6
1
7
9
10
8
11
12
13
14
15
16
17
18
19
20
21
22
23
25
24
26
27
28
29
30
35
37
31
32
33
34
36
38
39
40
41
42

1-30 zacht fruit
- ***soft fruit***
1-15 bessestruiken (steenbreekachtigen)
- ***Ribes***
1 de kruisbes (klapbes)
- *gooseberry bush*
2 de bloeiende kruisbestak
- *flowering gooseberry cane*
3 het blad
- *leaf*
4 de bloesem
- *flower*
5 de bessespanrups
- *magpie moth larva*
6 de bloem
- *gooseberry flower*
7 het onderstandige vruchtbeginsel
- *epigynous ovary*
8 de kelk (kelkbladeren)
- *calyx (sepals)*
9 de bes
- *gooseberry, a berry*
10 de aalbessestruik
- *currant bush*
11 de tros bessen
- *cluster of berries*
12 de aalbes
- *currant*
13 het steeltje
- *stalk*
14 de bloeiende tak van de aalbessestruik
- *flowering cane of the currant*
15 de bloeiende tros
- *raceme*
16 de aardbeiplant; *soorten:* de wilde aardbei, tuinaardbei (speciaal gekweekt), bosaardbei, maandbloeier
- *strawberry plant;* varieties: *wild strawberry (woodland strawberry), garden strawberry, alpine strawberry*
17 de bloeiende en vruchtdragende plant
- *flowering and fruit-bearing plant*
18 de wortelstok
- *rhizome*
19 het driedelige blad
- *ternate leaf (trifoliate leaf)*
20 de uitloper (spruit, loot)
- *runner (prostrate stem)*
21 de aardbei, een schijnvrucht
- *strawberry, a pseudocarp*
22 de kelk
- *epicalyx*
23 de pitjes (zaadjes)
- *achene (seed)*
24 het vruchtvlees
- *flesh (pulp)*
25 de frambozestruik
- *raspberry bush*
26 de bloem
- *raspberry flower*
27 de bloemknop (knop)
- *flower bud (bud)*
28 de vrucht (framboos), een trosvrucht
- *fruit (raspberry), an aggregate fruit (compound fruit)*
29 de braamstruik (braam)
- *blackberry*
30 de doorntak
- *thorny tendril*
31-61 pitvruchten
- ***pomiferous plants***
31 de pereboom; *wild:* de wilde pereboom
- *pear tree;* wild: *wild pear tree*
32 de bloeiende pereboomtak
- *flowering branch of the pear tree*
33 de peer [langsdoorsnede]
- *pear [longitudinal section]*
34 het steeltje
- *pear stalk (stalk)*
35 het vruchtvlees
- *flesh (pulp)*
36 het klokhuis
- *core (carpels)*
37 de perepit (het zaad), een fruitpit
- *pear pip (seed), a fruit pip*
38 de bloesem
- *pear blossom*
39 de zaaddoos (zaadjes)
- *ovules*
40 het vruchtbeginsel
- *ovary*
41 de stempel
- *stigma*
42 de stijl
- *style*
43 het bloemblad
- *petal*
44 het kelkblad
- *sepal*
45 de meeldraad (het helmknopje)
- *stamen*
46 de kweeboom (kwee)
- *quince tree*
47 het kweeblad
- *quince leaf*
48 het steunblad
- *stipule*
49 de kweeappel, een kwee [langsdoorsnede]
- *apple-shaped quince [longitudinal section]*
50 de kweepeer, een kwee [langsdoorsnede]
- *pear-shaped quince [longitudinal section]*
51 de appelboom; *wild:* de wilde appelboom
- *apple tree;* wild: *crab apple tree*
52 de appelbloesem
- *flowering branch of the apple tree*
53 het blad
- *leaf*
54 de appelbloesem
- *apple blossom*
55 de uitgebloeide bloem
- *withered flower*
56 de appel [langsdoorsnede]
- *apple [longitudinal section]*
57 de appelschil
- *apple skin*
58 het vruchtvlees
- *flesh (pulp)*
59 het klokhuis
- *core (apple core, carpels)*
60 de appelpit, een fruitpit
- *apple pip, a fruit pip*
61 het steeltje
- *apple stalk (stalk)*
62 de appelbladroller, een vlinder
- *codling moth (codlin moth)*
63 de vraatgang (vraatweg)
- *burrow (tunnel)*
64 de larve (rups, het wormpje) van een vlinder
- *larva (grub, caterpillar) of a small moth*
65 het wormgat (boorgat van de worm)
- *wormhole*

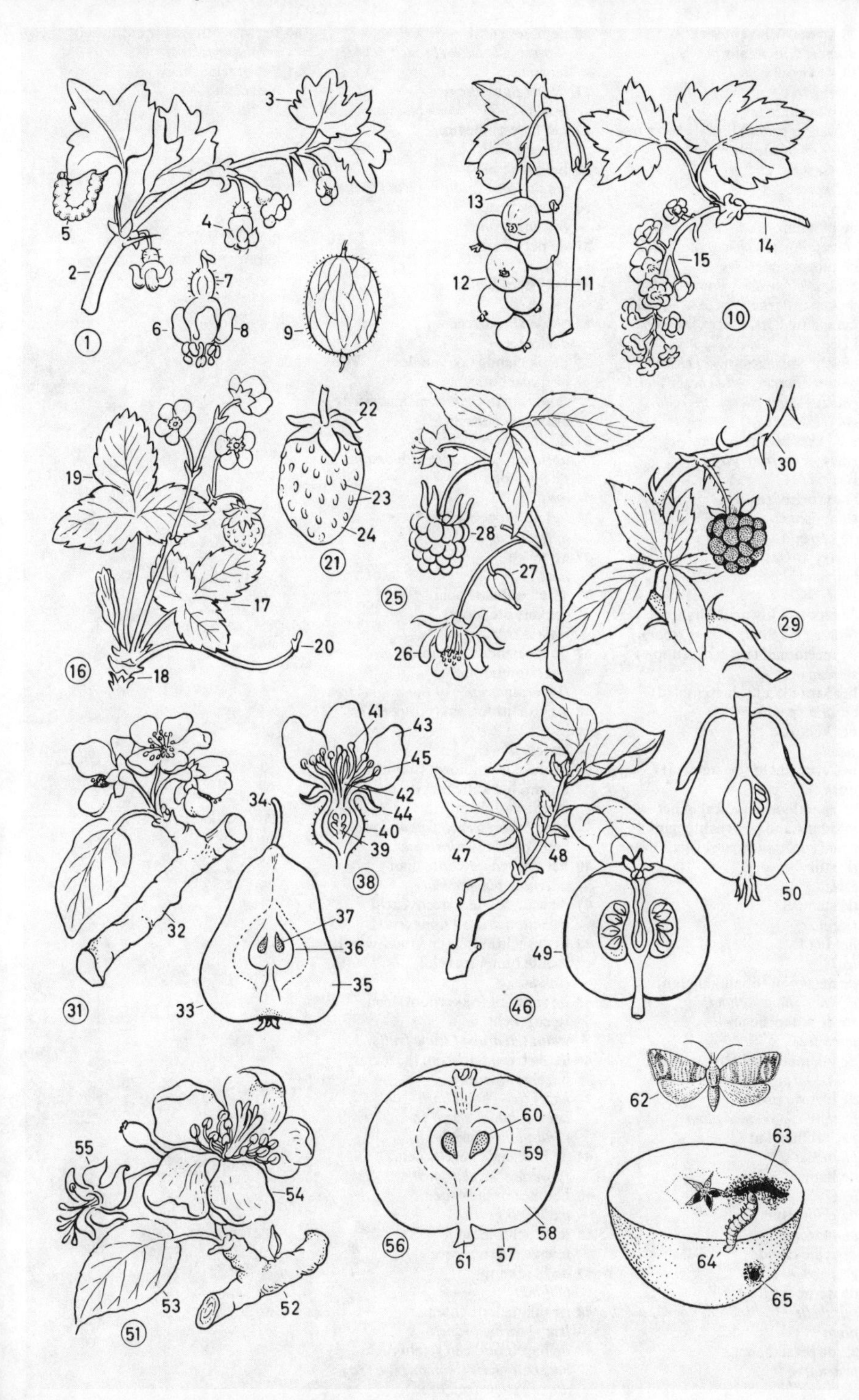
1
2
3
4
5
6
7
8
9
10
11
12
13
14
15
16
17
18
19
20
21
22
23
24
25
26
27
28
29
30
31
32
33
34
35
36
37
38
39
40
41
42
43
44
45
46
47
48
49
50
51
52
53
54
55
56
57
58
59
60
61
62
63
64
65

1-36 steenvruchtgewassen
- ***drupes*** *(drupaceous plants)*

1-18 de kerseboom
- ***cherry tree***

1 de bloeiende tak
- *flowering branch of the cherry tree (branch of the cherry tree in blossom)*

2 het kerseblad
- *cherry leaf*

3 de bloesem
- *cherry flower (cherry blossom)*

4 de bloemstengel
- *peduncle (pedicel, flower stalk)*

5 de kers; *soorten:* zoete kers, wilde kers, zure kers, morel, meikers, kriek
- *cherry;* varieties: *sweet cherry (heart cherry), wild cherry (bird cherry), sour cherry, morello cherry (morello)*

6-8 de kers [dwarsdoorsnede]
- ***cherry*** *(cherry fruit) [cross section]*

6 het vruchtvlees
- *flesh (pulp)*

7 de kersepit
- *cherry stone*

8 het zaad
- *seed*

9 de bloesem [dwarsdoorsnede]
- *flower (blossom) [cross section]*

10 de meeldraad (het helmknopje)
- *stamen*

11 het kroonblad (bloesemblad)
- *corolla (petals)*

12 het kelkblad
- *sepal*

13 het vruchtblad (de stempel)
- *pistil*

14 de zaaddoos (zaadjes) in het middenstandige vruchtbeginsel
- *ovule enclosed in perigynous ovary*

15 de stijl
- *style*

16 de stempel
- *stigma*

17 het blad
- *leaf*

18 de nectariën (honingklieren)
- *nectary (honey gland)*

19-23 de pruimeboom
- ***plum tree***

19 de tak met vruchten
- *fruit-bearing branch*

20 de blauwe pruim
- *oval, black-skinned plum*

21 het pruimeblad
- *plum leaf*

22 de knop
- *bud*

23 de pruimepit
- *plum stone*

24 de reine-claude
- *greengage*

25 de mirabel
- *mirabelle (transparent gage), a plum*

26-32 de perzikboom
- ***peach tree***

26 de bloesemtak
- *flowering branch (branch in blossom)*

27 de perzikbloesem
- *peach flower (peach blossom)*

28 het bloesembegin
- *flower shoot*

29 het jonge blad
- *young leaf (sprouting leaf)*

30 de vruchtsteel
- *fruiting branch*

31 de perzik
- *peach*

32 het perzikblad
- *peach leaf*

33-36 de abrikozeboom
- ***apricot tree***

33 de bloeiende tak van de abrikozeboom
- *flowering apricot branch (apricot branch in blossom)*

34 de abrikozebloesem
- *apricot flower (apricot blossom)*

35 de abrikoos
- *apricot*

36 het abrikozeblad
- *apricot leaf*

37-51 noten
- ***nuts***

37-43 de walnoteboom (okkernoteboom)
- ***walnut tree***

37 de bloeiende tak van de (wal)noteboom
- *flowering branch of the walnut tree*

38 de vruchtbloesem (vrouwelijke bloem)
- *female flower*

39 de meeldraadbloem (mannelijke bloem, het katje met de meeldraadbloem)
- *male inflorescence (male flower);* here: *catkins with stamens*

40 het oneven geveerde blad
- *alternate pinnate leaf*

41 de walnoot, een steenvrucht
- *walnut, a drupe (stone fruit)*

42 het vruchthulsel (de vruchtwand, zachte buitenste schil)
- *cupule*

43 de walnoot (okkernoot), een steenvrucht
- *walnut, a drupe (stone fruit)*

44-51 de hazelnoteboom (hazelaar, hazelnotestruik)
- ***hazel tree*** *(hazel bush), an anemophilous shrub (a wind-pollinating shrub)*

44 de bloeiende hazelnotetak
- *flowering hazel branch*

45 het meeldraadkatje
- *male catkin*

46 de vruchtbloesem
- *female inflorescence*

47 de bladknop
- *leaf bud*

48 de tak met vruchten
- *fruit-bearing branch*

49 de hazelnoot, een steenvrucht
- *hazelnut (hazel, cobnut, cob), a drupe (stone fruit)*

50 het vruchthulsel (zaadhulsel)
- *involucre (husk)*

51 het hazelaarblad
- *hazel leaf*

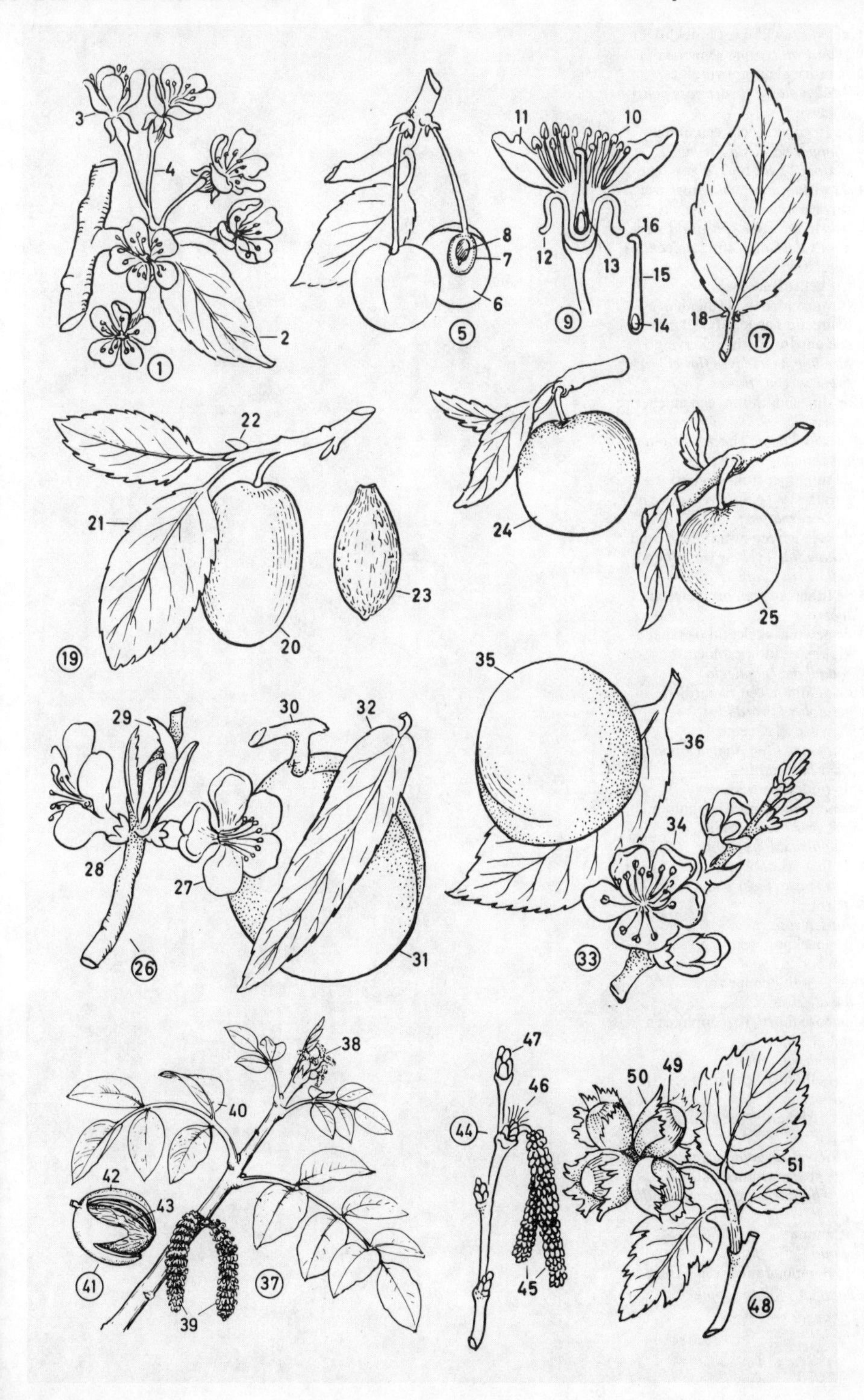
1
2
3
4
5
6
7
8
9
10
11
12
13
14
15
16
17
18
19
20
21
22
23
24
25
26
27
28
29
30
31
32
33
34
35
36
37
38
39
40
41
42
43
44
45
46
47
48
49
50
51

1 het sneeuwklokje (lenteklokje)
- *snowdrop (spring snowflake)*

2 het (driekleurige) viooltje
- *garden pansy (heartsease pansy), a pansy*

3 de trompetnarcis, een narcis
- *trumpet narcissus (trumpet daffodil, Lent lily), a narcissus*

4 de witte narcis; *ook:* trosnarcis, tarzetnarcis
- *poet's narcissus (pheasant's eye, poet's daffodil);* sim.: *polyanthus narcissus*

5 het gebroken hartje (vrouwenhartje, tranenhartje, druipend hartje, Mariahartje), een aardrook (duivekervel)
- *bleeding heart (lyre flower), a fumariaceous flower*

6 de duizendschoon, een anjelier (anjer)
- *sweet william (bunch pink), a carnation*

7 de tuinanjer (tuinanjelier)
- *gillyflower (gilliflower, clove pink, clove carnation)*

8 de gele lis, een zwaardlelie (iris)
- *yellow flag (yellow water flag, yellow iris), an iris*

9 de tuberoos, een herfsthyacint
- *tuberose*

10 de gewone akelei (akolei, het klokje, de klokjesbloem)
- *columbine (aquilegia)*

11 de gladiool, een zwaardlelie
- *gladiolus (sword lily)*

12 de witte lelie, een lelie
- *Madonna lily (Annunciation lily, Lent lily), a lily*

13 de ridderspoor, een ranonkelachtige (delphinium)
- *larkspur (delphinium), a ranunculaceous plant*

14 de flox (vlambloem)
- *moss pink (moss phlox), a phlox*

15 de roos
- *garden rose*

16 de rozeknop, een knop
- *rosebud, a bud*

17 de grootbloemige roos
- *double rose*

18 de rozedoorn, rozedoren, een stekel
- *rose thorn, a thorn*

19 de gaillardia (kokardebloem)
- *gaillardia*

20 het afrikaantje (de afrikaan, tagetes)
- *African marigold (tagetes)*

21 de kattestaartamarant
- *love-lies-bleeding, an amaranthine flower*

22 de zinnia
- *zinnia*

23 de pompondahlia, een dahlia
- *pompon dahlia, a dahlia*

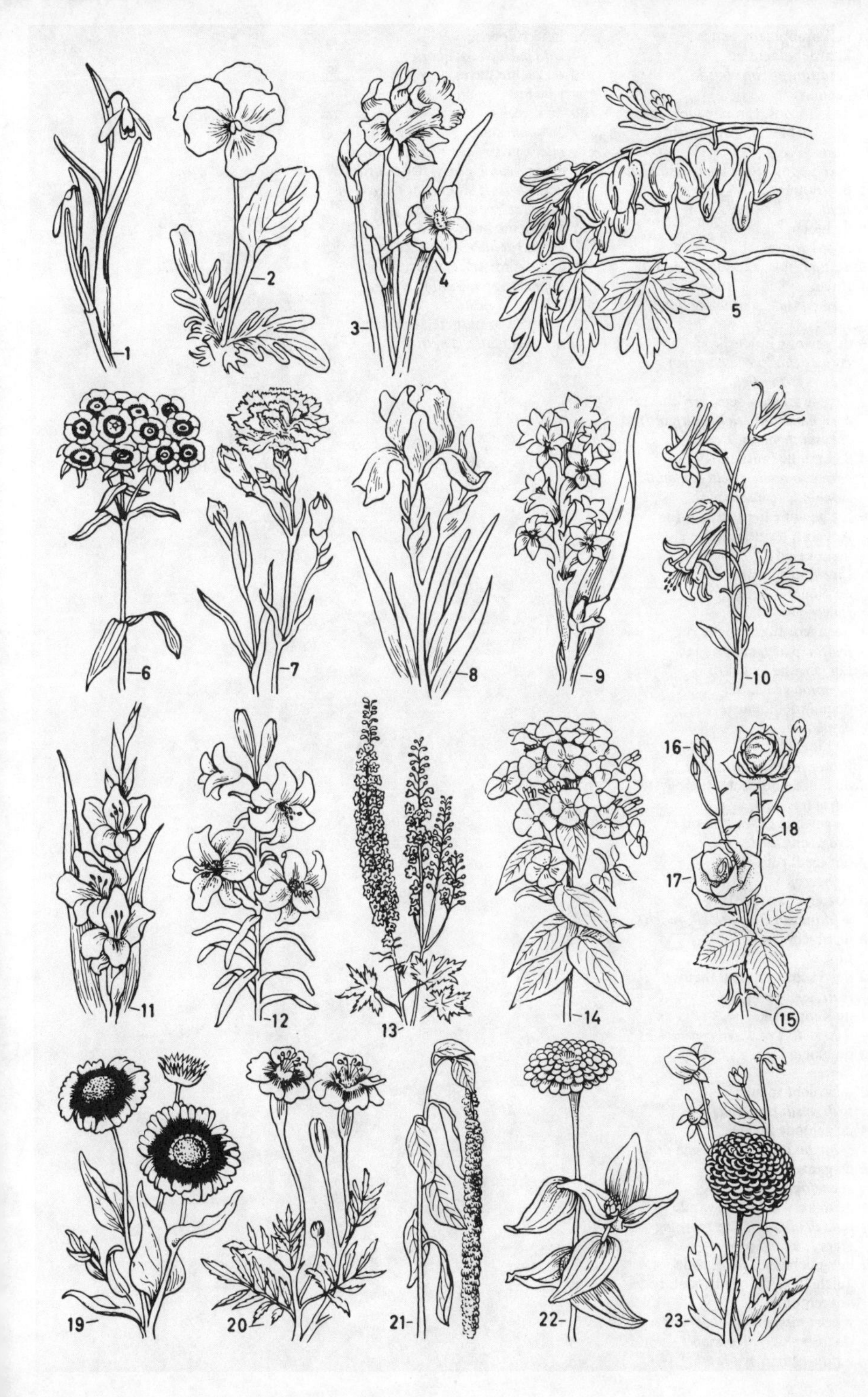
1
2
3
4
5
6
7
8
9
10
11
12
13
14
15
16
17
18
19
20
21
22
23

1 de korenbloem, een kaardebolachtige
- *corn flower (bluebottle), a centaury*
2 de klaproos, een papaverachtige (kankerbloem, kollebloem, korenroos)
- *corn poppy (field poppy), a poppy*
3 de knop
- *bud*
4 de bloem
- *poppy flower*
5 de zaadhuls (zaaddoos) met de zaden
- *seed capsule containing poppy seeds*
6 de gewone bolderik
- *corn cockle (corn campion, crown-of-the-field)*
7 de gele ganzebloem, een chrysant
- *corn marigold (field marigold), a chrysanthemum*
8 de kamille (anthemis)
- *corn camomile (field camomile, camomile, chamomile)*
9 het gewone herderstasje (de lepelaar, lepeltjesdief, het tasjeskruid)
- *shepherd's purse*
10 de bloem
- *flower*
11 de tasvormige vrucht
- *fruit, a pouch-shaped pod*
12 het gewone kruiskruid
- *common groundsel*
13 de paardebloem
- *dandelion*
14 de bloem
- *flower head (capitulum)*
15 de pluizenbol, een vruchtgestel
- *infructescence*
16 de gewone raket, een raket
- *hedge mustard, a mustard*
17 de steenkruidkers
- *stonecrop*
18 de herik (krodde)
- *wild mustard (charlock, runch)*
19 de bloem
- *flower*
20 de vrucht, een peul (hauw)
- *fruit, a siliqua (pod)*
21 de knopherik
- *wild radish (jointed charlock)*
22 de bloem
- *flower*
23 de vrucht (peul)
- *fruit, a siliqua (pod)*
24 de gelobde melde
- *common orache (common orach)*
25 de ganzevoet
- *goosefoot*
26 de akkerwinde, een winde
- *field bindweed (wild morning glory), a bindweed*
27 het guichelheil (*ook:* rode guichelheil, de ogentroost, rode heggemuur)
- *scarlet pimpernel (shepherd's weatherglass, poor man's weatherglass, eye-bright)*
28 het kruipertje
- *wild barley (wall barley)*
29 de zachte haver
- *wild oat*
30 de kweek
- *common couch grass (couch, quack grass, quick grass, quitch grass, scutch grass, twitch grass, witchgrass);* sim.: *bearded couch grass, sea couch grass*
31 het kleine knopkruid
- *gallant soldier*
32 de akkerdistel, een distel
- *field eryngo (Watling Street thistle), a thistle*
33 de grote brandnetel, een netel
- *stinging nettle, a nettle*

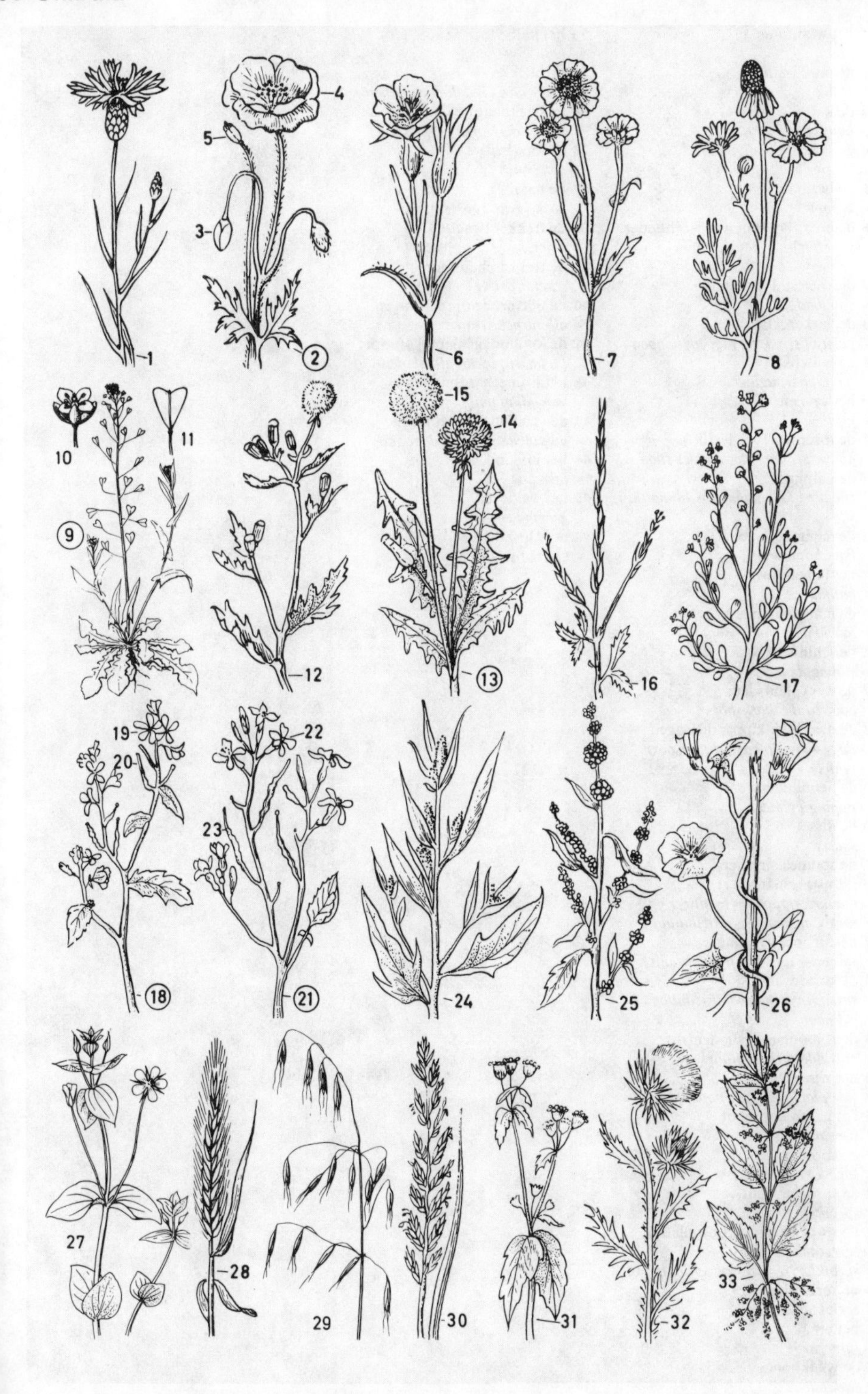
1
2
3
4
5
6
7
8
9
10
11
12
13
14
15
16
17
18
19
20
21
22
23
24
25
26
27
28
29
30
31
32
33

1 het woonhuis
- *house*
2 de paardestal
- *stable*
3 de kat
- *house cat (cat)*
4 de boerin
- *farmer's wife*
5 de bezem
- *broom*
6 de boer (landbouwer, veehouder, agrariër)
- *farmer*
7 de koeiestal (koestal)
- *cowshed*
8 de varkensstal
- *pigsty (sty,* Am. *pigpen, hogpen)*
9 de buitenstal
- *outdoor trough*
10 het varken
- *pig*
11 de torensilo (voedersilo)
- *above-ground silo (fodder silo)*
12 de vulpijp
- *silo pipe (standpipe for filling the silo)*
13 de mengmestsilo
- *liquid manure silo*
14 het bijgebouw
- *outhouse*
15 de machineloods
- *machinery shed*
16 de schuifdeur
- *sliding door*
17 de werkplaatsdeur
- *door to the workshop*
18 de driezijdig kippende wagen
- *three-way tip-cart, a transport vehicle*
19 de hefcilinder
- *tipping cylinder*
20 de dissel
- *shafts*
21 de stalmeststrooier (kunstmeststrooier)
- *manure spreader (fertilizer spreader, manure distributor)*
22 het strooiaggregaat
- *spreader unit (distributor unit)*
23 de strooiwals
- *spreader cylinder (distributor cylinder)*
24 de rolbodem (losbodem)
- *movable scraper floor*
25 het zijschot
- *side planking (side board)*
26 het gazen kopschot
- *wire mesh front*
27 de sproeiwagen
- *sprinkler cart*
28 de sproeiersteun
- *sprinkler stand*
29 de sproeier (sproei-installatie), een rondsproeier
- *sprinkler, a revolving sprinkler*
30 de sproeislangen
- *sprinkler hoses*
31 het erf
- *farmyard*
32 de waakhond
- *watchdog*
33 het kalf
- *calf*
34 de melkkoe
- *dairy cow (milch-cow, milker)*
35 de heg (haag)
- *farmyard hedge*
36 de kip (hen)
- *chicken*
37 de haan
- *cock (*Am. *rooster)*
38 de trekker (tractor)
- *tractor*
39 de trekkerchauffeur
- *tractor driver*
40 de universele opraapwagen
- *all-purpose trailer*
41 de [omhooggeklapte] opraper
- *[folded] pickup attachment*
42 het losmechanisme
- *unloading unit*
43 de vacuümsilo met plastic hoes
- *polythene silo, a fodder silo*
44 het weiland
- *meadow*
45 het weidevee
- *grazing cattle*
46 de schrikdraad
- *electrified fence*

1
2
3
4
5
6
7
8
9
10
11
12
13

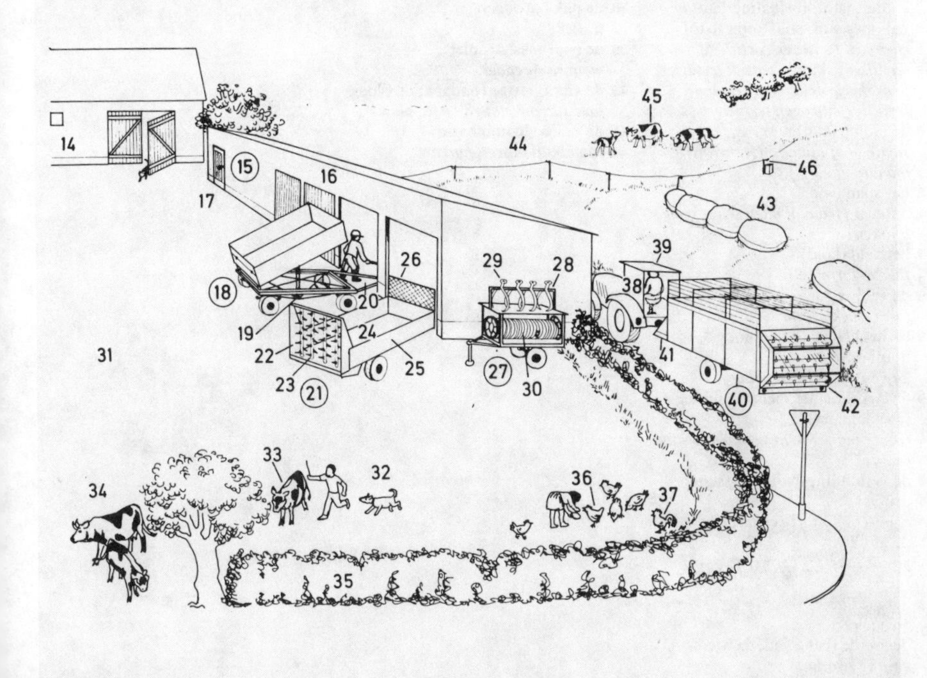
14
15
16
17
18
19
20
21
22
23
24
25
26
27
28
29
30
31
32
33
34
35
36
37
38
39
40
41
42
43
44
45
46

1-41 het werk op het land (de landarbeid, veldarbeid)
- ***work in the fields***

1 de braakliggende akker (braakakker)
- *fallow (fallow field, fallow ground)*

2 de grenssteen
- *boundary stone*

3 de akkergrens, een veldrand
- *boundary ridge, a balk (baulk)*

4 de akker (het land)
- *field*

5 de landarbeider (boer)
- *farmworker (agricultural worker, farmhand, farm labourer,* Am. *laborer)*

6 de ploeg
- *plough (*Am. *plow)*

7 de afgezette grond
- *clod*

8 de ploegvoor (ploegvore)
- *furrow*

9 de (veld)steen (veldkei)
- *stone*

10-12 het zaaien
- *sowing*

10 de zaaier
- *sower*

11 de zaaizak
- *seedlip*

12 het zaaikoren (zaaigoed)
- *seed corn (seed)*

13 de veldwachter (koddebeier) [verouderd]
- *field guard*

14 de kunstmest; *soorten:* kalimeststof, fosfaatmeststof, kalkmeststof, stikstofmeststof
- *chemical fertilizer (artificial fertilizer);* kinds: *potash fertilizer, phosphoric acid fertilizer, lime fertilizer, nitrogen fertilizer*

15 de lading (stal)mest
- *cartload of manure (farmyard manure, dung)*

16 het span ossen
- *oxteam (team of oxen,* Am. *span of oxen)*

17 het veld (land)
- *fields (farmland)*

18 de veldweg
- *farm track (farm road)*

19-30 het hooien (de hooioogst, hooibouw)
- ***hay harvest (haymaking)***

19 de cirkelmaaier met zwaduitleg (zwadmaaier)
- *rotary mower with swather (swath reaper)*

20 de verbindingsbalk (drijfstang, drijfas)
- *connecting shaft (connecting rod)*

21 de aftakas
- *power take-off (power take-off shaft)*

22 het grasland
- *meadow*

23 de zwade (het zwad, de wiers)
- *swath (swathe)*

24 de cirkelschudder
- *tedder (rotary tedder)*

25 het geschudde hooi
- *tedded hay*

26 de cirkelzwader
- *rotary swather*

27 de opraapwagen
- *trailer with pickup attachment*

28 de draairuiter, een hooiruiter
- *fence rack (rickstand), a drying rack for hay*

29 de Duitse ruiter, een hooiruiter
- *rickstand, a drying rack for hay*

30 de driestoksruiter, een hooiruiter
- *hay tripod*

31-41 de graanoogst (korenoogst) en de zaaibedvoorbereiding
- *grain harvest and seedbed preparation*

31 de maaidorser
- *combine harvester*

32 het korenveld (graanveld)
- *cornfield*

33 het stoppelveld
- *stubble field*

34 het stropak (de strobaal)
- *bale of straw*

35 de strobaalpers, een hogedrukpers
- *straw baler (straw press), a high-pressure baler*

36 het strozwad (de strozwade)
- *swath (swathe) of straw (windrow of straw)*

37 de hydraulische pakkenopraapwagen
- *hydraulic bale loader*

38 de pakkenwagen
- *trailer*

39 de (stal)meststrooier
- *manure spreader*

40 de vierscharige rondgaande ploeg
- *four-furrow plough (*Am. *plow)*

41 de zaaibedcombinatie
- *combination seed-harrow*

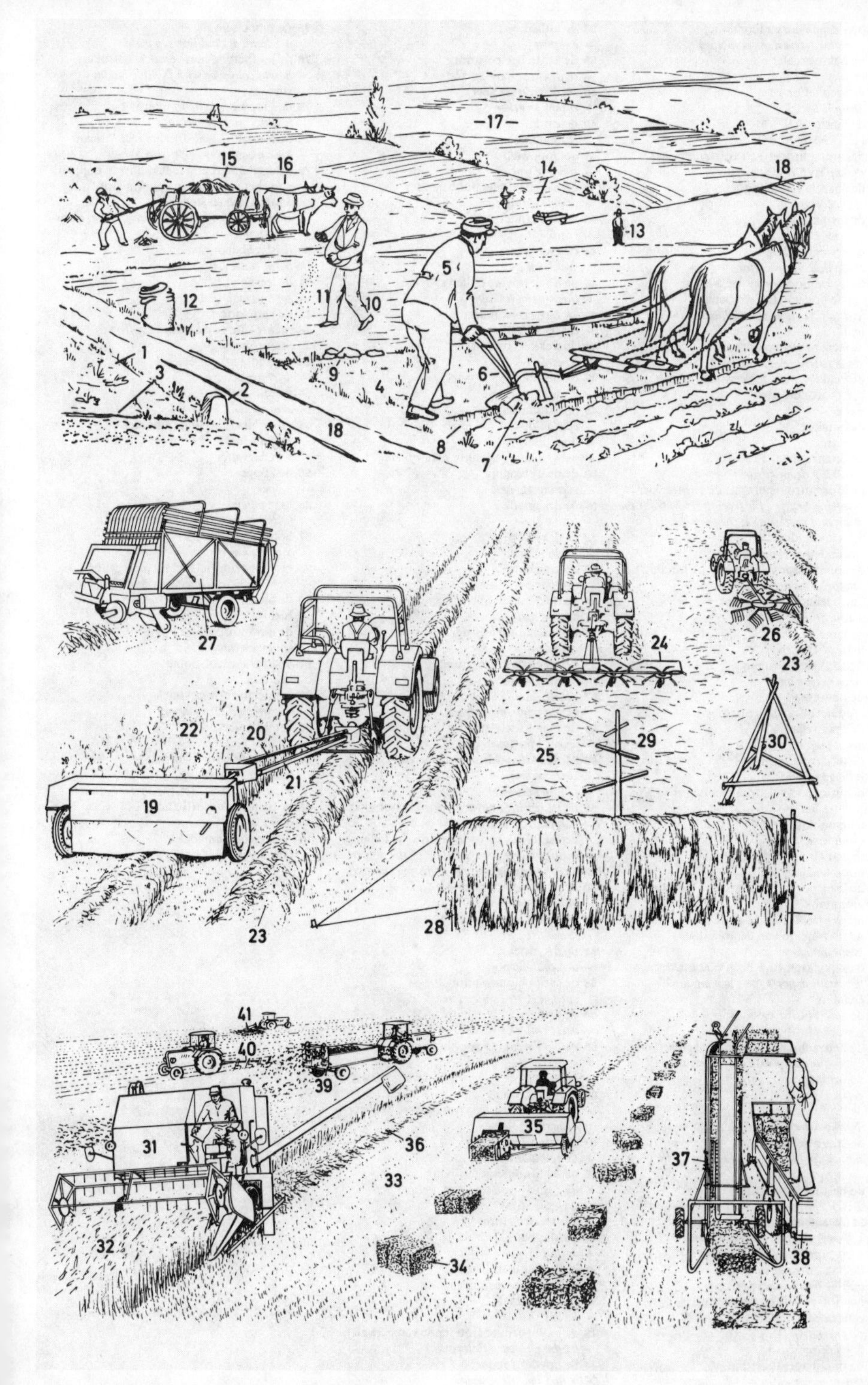
-17-
15
16
14
18
13
5
12
11
10
1
3
2
9
4
6
18
8
7
27
24
26
23
22
20
21
19
29
25
30
23
28
41
40
39
31
36
35
37
33
32
34
38

1-33 de maaidorser (combine)
– ***combine harvester** (combine)*
1 de halmverdeler
– *divider*
2 de arenheffer
– *grain lifter*
3 de messenbalk
– *cutter bar*
4 de opraaphaspel, een veertandhaspel
– *pickup reel, a spring-tine reel*
5 de haspelaandrijving
– *reel gearing*
6 de invoervijzel
– *auger*
7 de opvoerketting
– *chain and slat elevator*
8 de hydraulische cilinder, voor de verstelling van het snijelement
– *hydraulic cylinder for adjusting the cutting unit*
9 de stenenopvanggoot
– *stone catcher (stone trap)*
10 de beuker, voor de verwijdering van gerstkorrelbaarden
– *awner*
11 de dorskorf
– *concave*
12 de dorstrommel
– *threshing drum (drum)*
13 de afneemtrommel voor de strotoevoer
– *revolving beater [for freeing straw from the drum and preparing it for the shakers]*
14 de stroschudder
– *straw shaker (strawwalker)*
15 de compressor voor de persluchtreiniging
– *fan for compressed-air winnowing*
16 de voorbereidingsbodem
– *preparation level*
17 de lamellenzeef
– *louvred-type sieve*
18 de zeefkastverlenging
– *sieve extension*
19 de onderzeef
– *shoe sieve (reciprocating sieve)*
20 de graanvijzel
– *grain auger*
21 de terugvoervijzel
– *tailings auger*
22 de uitloop van de terugvoervijzel
– *tailings outlet*
23 de graantank
– *grain tank*
24 de vulvijzel van de graantank
– *grain tank auger*
25 de transportvijzel naar de uitloop van de graantank
– *augers feeding to the grain tank unloader*
26 de uitlooppijp van de graantank
– *grain unloader spout*
27 de kijkglazen voor de graantankvulling
– *observation ports for checking tank contents*
28 de zescilinderdieselmotor
– *six-cylinder diesel engine*
29 de hydraulische pomp met oliereservoir
– *hydraulic pump with oil reservoir*
30 de drijfasoverbrenging
– *driving axle gearing*
31 de drijfwielband
– *driving wheel tyre* (Am. *tire)*
32 de stuurwielband
– *rubber-tyred* (Am. *rubber-tired) wheel on the steering axle*
33 de bestuurderszitplaats
– *driver's position*
34-39 de automatische veldhakselaar
– ***self-propelled forage harvester (self-propelled field chopper)***
34 de hakseltrommel
– *cutting drum (chopper drum)*
35 het kolvenplukkervoorzetstuk
– *corn head*
36 de cabine
– *cab (driver's cab)*
37 de draaibare afvoerpijp
– *swivel-mounted spout (discharge pipe)*
38 de uitlaat
– *exhaust*
39 de achterwielbesturing
– *rear-wheel steering system*
40-45 de cirkelzwader
– ***rotary swather***
40 de cardanas
– *cardan shaft*
41 het loopwiel
– *running wheel*
42 de harktand met dubbele veer
– *double spring tine*
43 het de handel
– *crank*
44 de zwadhark
– *swath rake*
45 de driepuntsbevestiging
– *three-point linkage*
46-58 de cirkelschudder
– ***rotary tedder***
46 de trekker (tractor)
– *tractor*
47 de trekstang
– *draw bar*
48 de cardanas
– *cardan shaft*
49 de aftakas
– *power take-off (power take-off shaft)*
50 de overbrenging
– *gearing (gears)*
51 de draagbalk
– *frame bar*
52 de draaikop
– *rotating head*
53 de tandstang
– *tine bar*
54 de tand met dubbele veer
– *double spring tine*
55 de beschermingsbeugel
– *guard rail*
56 het zwenkwiel (loopwiel)
– *running wheel*
57 het de handel voor de hoogteïnstelling
– *height adjustment crank*
58 de zwenkwielinstelling
– *wheel adjustment*
59-84 de aardappelrooimachine met verzamelbak
– ***potato harvester***
59 de bedieningshandels voor het optrekken van het rooimechanisme en de verzamelbak en voor de disselinstelling
– *control levers for the lifters of the digger and the hopper and for adjusting the shaft*
60 het in hoogte verstelbare trekoog
– *adjustable hitch*
61 de dissel
– *drawbar*
62 de disselsteun
– *drawbar support*
63 de cardanasaansluiting
– *cardan shaft connection*
64 de drukrol
– *press roller*
65 de overbrenging voor het hydraulische systeem
– *gearing (gears) for the hydraulic system*
66 het schijfkouter
– *disc (disk) coulter* (Am. *colter) (rolling coulter)*
67 de driedelige schaar
– *three-bladed share*
68 de schijfkouteraandrijving
– *disc (disk) coulter* (Am. *colter) drive*
69 de zeefketting
– *open-web elevator*
70 de klopper
– *agitator*
71 het getrapte drijfwerk
– *multi-step reduction gearing*
72 de opvoermat
– *feeder*
73 de loofafstroper (roterende vleugelwals)
– *haulm stripper (flail rotor)*
74 de opvoertrommel
– *rotary elevating drum*
75 de tuimelcelwals
– *mechanical tumbling separator*
76 de loofketting met verende afstropers
– *haulm conveyor with flexible haulm strippers*
77 de klopper van de loofketting
– *haulm conveyor agitator*
78 de loofkettingaandrijving met V-snaar
– *haulm conveyor drive with V-belt*
79 de egelband (band met rubberen noppen) voor het verwijderen van fijn loof, aardkluiten en stenen
– *studded rubber belt for sorting vines, clods and stones*
80 de steenband (afvalband)
– *trash conveyor*
81 de leesband
– *sorting table*
82 de voorsorteerrol
– *rubber-disc (rubber-disk) rollers for presorting*
83 de eindband
– *discharge conveyor*
84 de rolbodembak
– *endless-floor hopper*
85-96 de bietenoogstmachine met verzamelbak
– ***beet harvester***
85 de kopper
– *topper*
86 het tastwiel
– *feeler*
87 het kopmes
– *topping knife*
88 het taststeunwiel met diepteregeling
– *feeler support wheel with depth adjustment*
89 de bietenreiniger
– *beet cleaner*
90 de looftransporteur
– *haulm elevator*
91 de hydraulische pomp
– *hydraulic pump*
92 het persluchtreservoir
– *compressed-air reservoir*
93 het oliereservoir
– *oil tank (oil reservoir)*
94 de spaninrichting voor de bietentransporteur
– *tensioning device for the beet elevator*
95 de bietentransportband
– *beet elevator belt*
96 de bietenopvangbak
– *beet hopper*

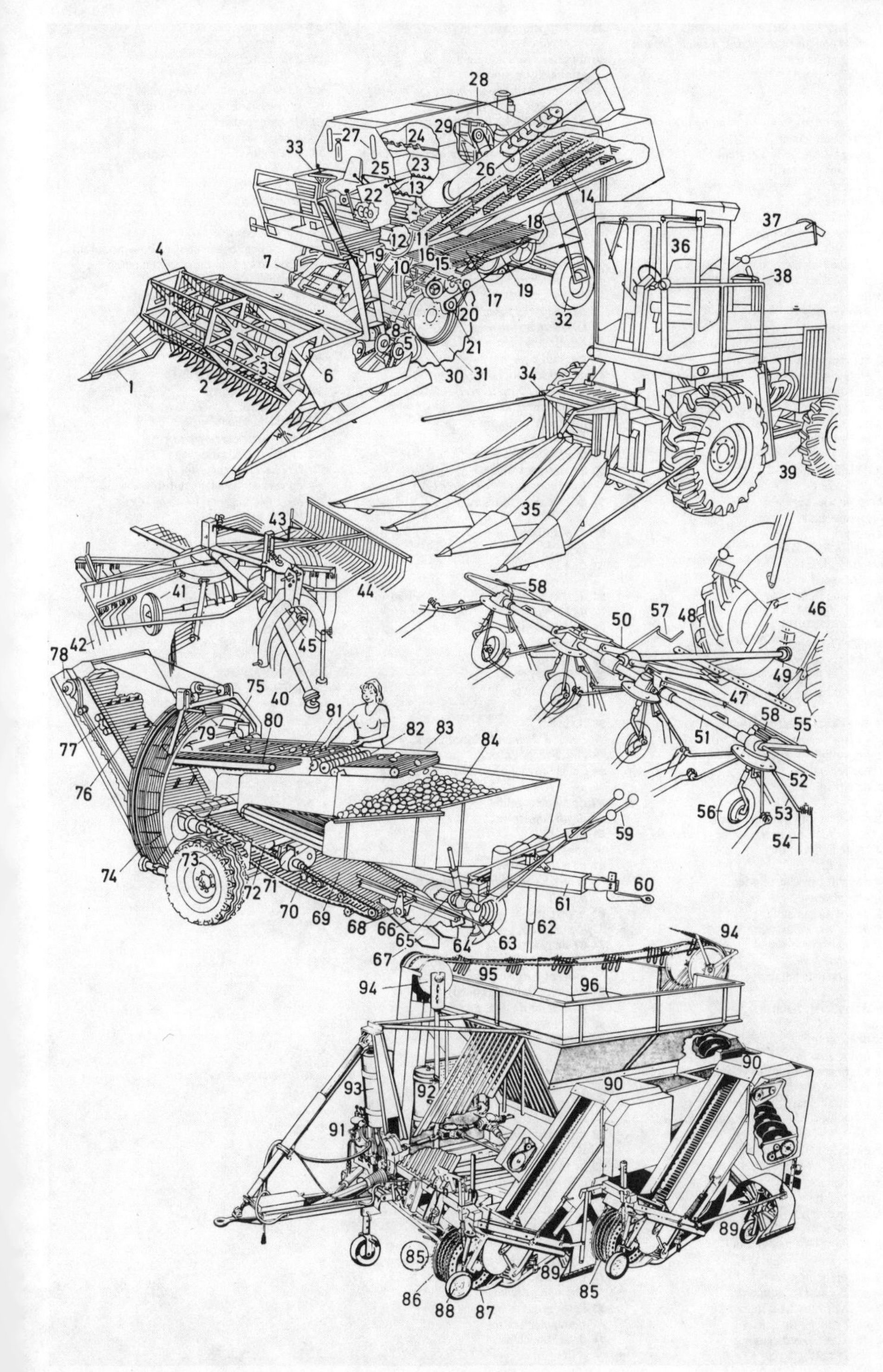
1
2
3
4
5
6
7
8
9
10
11
12
13
14
15
16
17
18
19
20
21
22
23
24
25
26
27
28
29
30
31
32
33
34
35
36
37
38
39
40
41
42
43
44
45
46
47
48
49
50
51
52
53
54
55
56
57
58
58
59
60
61
62
63
64
65
66
67
68
69
70
71
72
73
74
75
76
77
78
79
80
81
82
83
84
85
85
86
87
88
89
89
90
90
91
92
93
94
94
95
96

1 **de ploeg met voorkar** [verouderd]
- ***wheel plough*** *(*Am. *plow), a single-bottom plough* [form.]
2 de handgreep
- *handle*
3 de ploegstaart
- *plough (*Am. *plow) stilt (plough handle)*
4-8 **de ploegschaar**
- ***plough (*****Am.** ***plow) bottom***
4 de rister (het strijkbord)
- *mouldboard (*Am. *moldboard)*
5 de risterplaat
- *landside*
6 de ploegzool (het zoolijzer)
- *sole (slade)*
7 de ploegschaar
- *ploughshare (share,* Am. *plowshare)*
8 het raam
- *frog (frame)*
9 de ploegzuil
- *beam (plough beam,* Am. *plowbeam)*
10 het meskouter, een kouter
- *knife coulter (*Am. *colter), a coulter*
11 de voorschaar
- *skim coulter (*Am. *colter)*
12 de leidbak (dwarsbalk) voor de leidketting
- *guide-chain crossbar*
13 de leidketting
- *guide chain*
14-19 **de voorkar**
- ***forecarriage***
14 het juk
- *adjustable yoke*
15 het landwiel
- *land wheel*
16 het wiel in de voor
- *furrow wheel*
17 de ophangketting
- *hake chain*
18 de trekstang
- *draught beam (drawbar)*
19 de trekhaak
- *hake*
20 **de trekker** (tractor, landbouwtractor)
- ***tractor*** *(general-purpose tractor)*
21 het veiligheidsframe
- *cab frame*
22 de zitting
- *seat*
23 de hefboom voor de aftakas
- *power take-off gear-change (gearshift)*
24-29 **de hefinrichting**
- ***power lift***
24 de hydraulische cilinder
- *ram piston*
25 de hefstanginstelling
- *lifting rod adjustment*
26 het aanbouwframe
- *drawbar frame*
27 de bovenste hefarm
- *top link*
28 de onderste hefarm
- *lower link*
29 de hefstang
- *lifting rod*
30 het bevestigingspunt voor de werktuigen
- *drawbar coupling*
31 de schakelbare aftakas
- *live power take-off (live power take-off shaft, take-off shaft)*
32 de differentieelschakeling
- *differential gear (differential)*
33 de steekas
- *floating axle*
34 de hefboom voor het koppel
- *torque converter lever*
35 het de versnellingshandel
- *gear-change (gearshift)*
36 de versnellingsbak
- *multi-speed transmission*
37 de hydraulische koppeling
- *fluid clutch (fluid drive)*
38 de aftakasoverbrenging
- *power take-off gear*
39 de koppeling voor het rijden
- *main clutch*
40 de aftakasschakeling met de aftakaskoppeling
- *power take-off gear-change (gearshift) with power take-off clutch*
41 de hydraulische besturing met de keerschakeling
- *hydraulic power steering and reversing gears*
42 de brandstoftank
- *fuel tank*
43 de vlotterhefboom
- *float lever*
44 de viercilinderdieselmotor
- *four-cylinder diesel engine*
45 het carter met de pomp voor het druksmeersysteem
- *oil sump and pump for the pressure-feed lubrication system*
46 de olietank
- *fresh oil tank*
47 de spoorstang (stuurstang)
- *track rod (*Am. *tie rod)*
48 de schommelas
- *front axle pivot pin*
49 de voorasvering
- *front axle suspension*
50 de voorste trekhaak
- *front coupling (front hitch)*
51 de radiator (radiateur)
- *radiator*
52 de ventilator
- *fan*
53 de accu
- *battery*
54 de, het luchtfilter voor het oliebad
- *oil bath air cleaner (oil bath air filter)*
55 **de cultivator**
- ***cultivator*** *(grubber)*
56 het frame
- *sectional frame*
57 de verende tand
- *spring tine*
58 de beitel
- *share, a diamond-shaped share;* sim.: *chisel-shaped share*
59 het steunwiel voor de diepteregeling
- *depth wheel*
60 de diepteregeling
- *depth adjustment*
61 de bok
- *coupling (hitch)*
62 **de wentelploeg**
- ***reversible plough*** *(*Am. *plow), a mounted plough*
63 het steunwiel
- *depth wheel*
64-67 **de ploegschaar**
- ***plough (*****Am.** ***plow) bottom,*** *a general-purpose plough bottom*
64 de rister (het strijkbord)
- *mouldboard (*Am. *moldboard)*
65 het ploegmes
- *ploughshare (share,* Am. *plowshare), a pointed share*
66 de ploegzool
- *sole (slade)*
67 de risterplaat
- *landside*
68 de voorschaar
- *skim coulter (*Am. *colter)*
69 de ploegschijf
- *disc (disk) coulter (*Am. *colter) (rolling coulter)*
70 het ploegraam
- *plough (*Am. *plow) frame*
71 de ploegzuil
- *beam (plough beam,* Am. *plowbeam)*
72 het driehoekige voorstuk (de bok)
- *three-point linkage*
73 het wentelmechanisme
- *swivel mechanism*
74 **de zaaimachine**
- ***drill***
75 de zaadbak
- *seed hopper*
76 de vorentrekker
- *drill coulter (*Am. *colter)*
77 de zaaipijp, een telescopische pijp
- *delivery tube, a telescopic tube*
78 de zaadverdeler
- *feed mechanism*
79 de aandrijving (overbrenging)
- *gearbox*
80 het drijfwiel
- *drive wheel*
81 de markeur
- *track indicator*
82 **de schijfeg** (egge), een aanbouwapparaat
- ***disc (disk) harrow,*** *a semimounted implement*
83 de x-vormige schijfopstelling
- *discs (disks) in X-configuration*
84 de schotelvormige schijf
- *plain disc (disk)*
85 de gekartelde schijf
- *serrated-edge disc (disk)*
86 de snelkoppeling
- *quick hitch*
87 **de zaaibedcombinatie**
- ***combination seed-harrow***
88 de driedelige tandeneg
- *three-section spike-tooth harrow*
89 de verkruimelaar met dubbele wals
- *three-section rotary harrow*
90 het raam
- *frame*

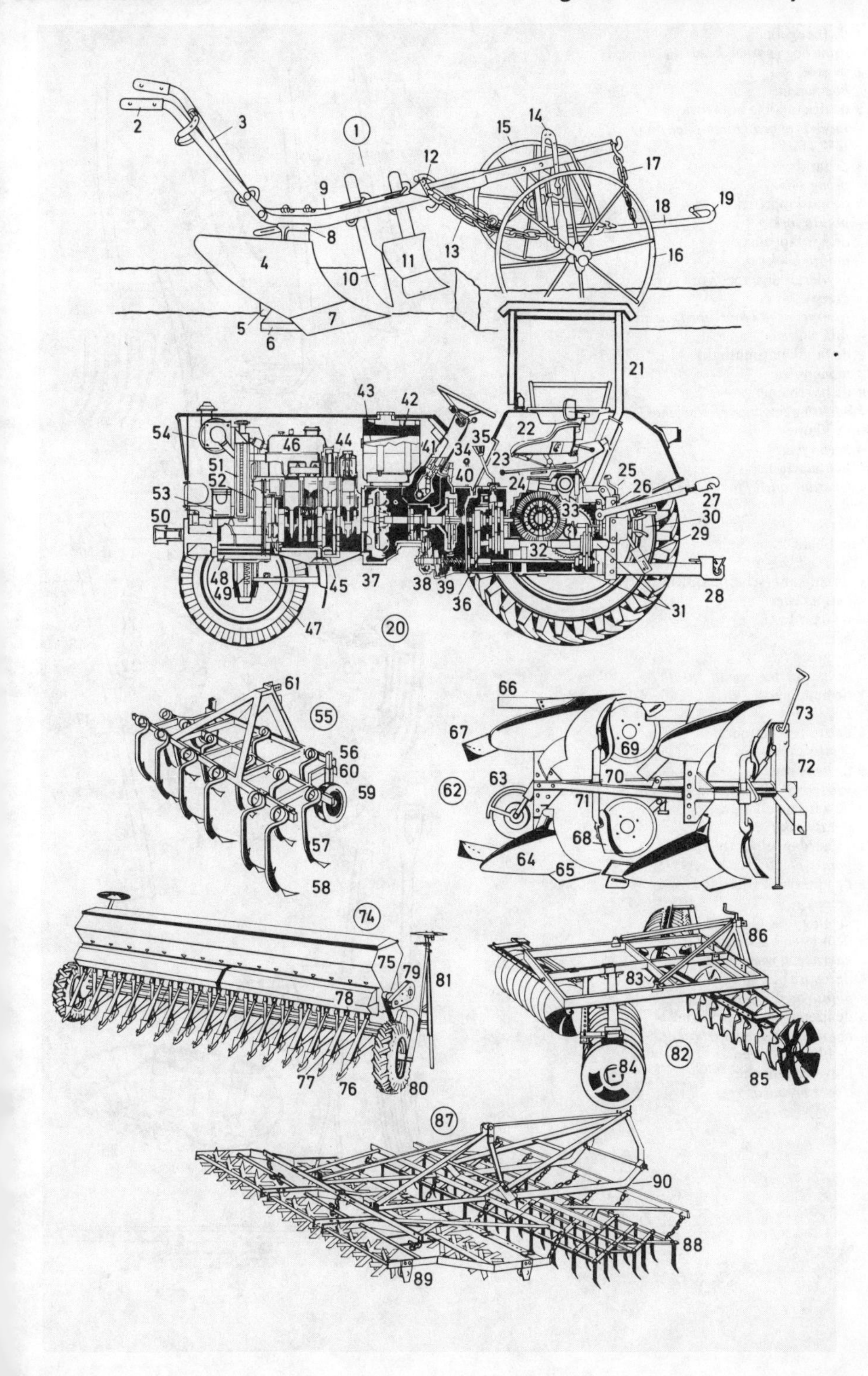
1
2
3
4
5
6
7
8
9
10
11
12
13
14
15
16
17
18
19
20
21
22
23
24
25
26
27
28
29
30
31
32
33
34
35
36
37
38
39
40
41
42
43
44
45
46
47
48
49
50
51
52
53
54
55
56
57
58
59
60
61
62
63
64
65
66
67
68
69
70
71
72
73
74
75
76
77
78
79
80
81
82
83
84
85
86
87
88
89
90

1 de (beugel)hak
- *draw hoe (garden hoe)*
2 de steel
- *hoe handle*
3 de drietandige hooivork
- *three-pronged (three-tined) hay fork (fork)*
4 de tand
- *prong (tine)*
5 de aardappelriek
- *potato fork*
6 de aardappelhak
- *potato hook*
7 de viertandige mestvork (riek, greep)
- *four-pronged (four-tined) manure fork (fork)*
8 de tandhak (punthak)
- *manure hoe*
9 de haarhamer
- *whetting hammer [for scythes]*
10 de klauw
- *peen (pane)*
11 het haarspit
- *whetting anvil [for scythes]*
12 de zeis
- *scythe*
13 het blad
- *scythe blade*
14 de snijkant (scherpe kant)
- *cutting edge*
15 de baard
- *heel*
16 de greep (steel)
- *snath (snathe, snead, sneath)*
17 de handgreep
- *handle*
18 de zeisbeschermer
- *scythe sheath*
19 de wetsteen
- *whetstone (scythestone)*
20 de aardappelklauw
- *potato rake*
21 de aardappelpootbak
- *potato planter*
22 de graafvork (riek, spitvork, greep)
- *digging fork (fork)*
23 de houten hark (hooihark)
- *hayrake, a wooden rake*
24 de zware hak (houw)
- *potato hoe*
25 de ijzeren aardappelmand
- *potato basket, a wire basket*
26 de klaverkar, een klaverzaaimachine
- *clover broadcaster*

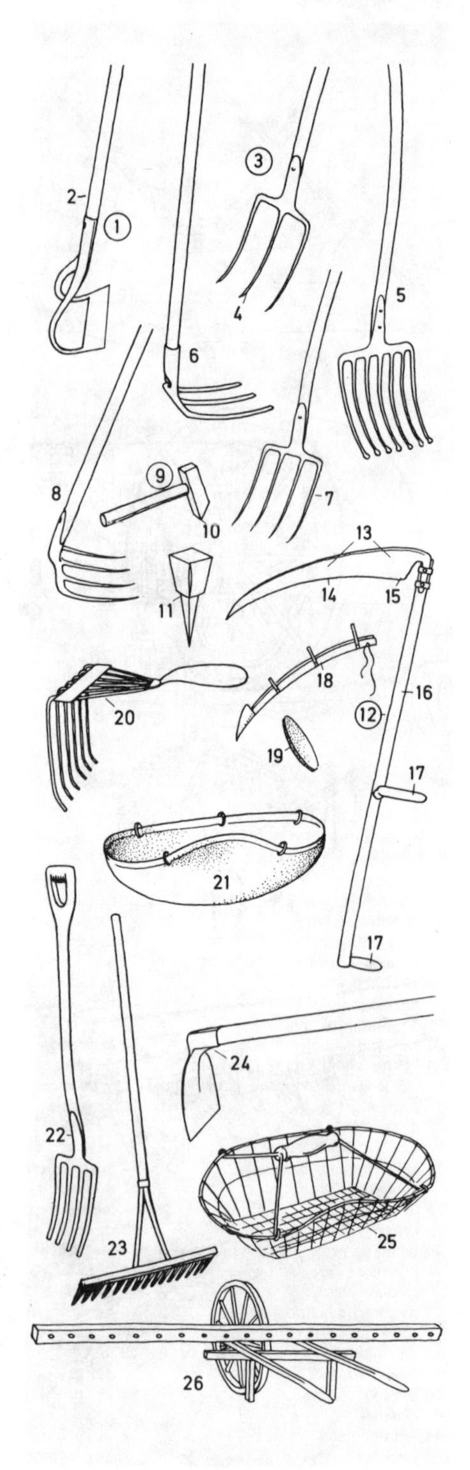

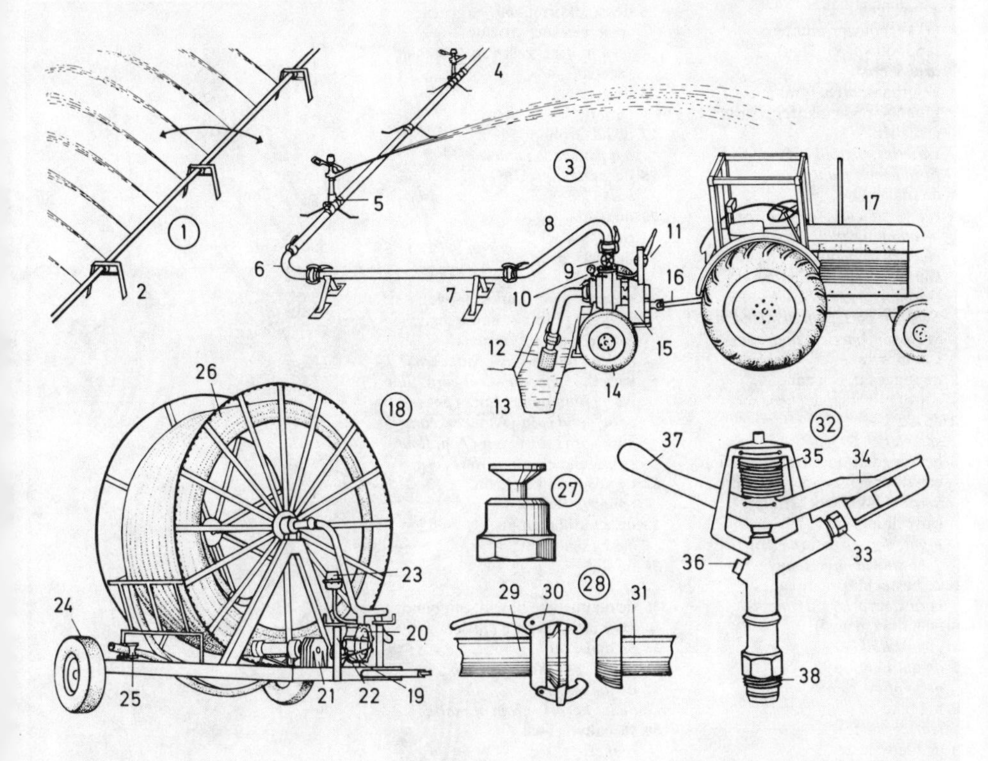

1 de slingersproeileiding
- *oscillating spray line*

2 de steunbok
- *stand (steel chair)*

3 de verplaatsbare beregeningsinstallatie
- *portable irrigation system*

4 de cirkelsproeier
- *revolving sprinkler*

5 de standpijpkoppeling
- *standpipe coupler*

6 het bochtstuk met kogelscharnier
- *elbow with cardan joint (cardan coupling)*

7 de steunbok
- *pipe support (trestle)*

8 het pompaansluitingsstuk
- *pump connection*

9 de afsluiter
- *delivery valve*

10 de manometer
- *pressure gauge (*Am. *gage) (manometer)*

11 de centrifugaalpomp
- *centrifugal evacuating pump*

12 de zuigkorf
- *basket strainer*

13 de sloot
- *channel*

14 het onderstel van de pomp
- *chassis of the p.t.o.-driven pump (power take-off-driven pump)*

15 de getrokken pomp
- *p.t.o.-driven (power take-off-driven) pump*

16 de cardanas
- *cardan shaft*

17 de trekker
- *tractor*

18 de automatische beregeningsinstallatie voor grote oppervlakken
- *long-range irrigation unit*

19 de aandrijfkoppeling
- *drive connection*

20 de turbine
- *turbine*

21 de overbrenging
- *gearing (gears)*

22 de verstelbare wagensteun
- *adjustable support*

23 de centrifugaalpomp
- *centrifugal evacuating pump*

24 het wiel
- *wheel*

25 de slanggeleider
- *pipe support*

26 de kunststofslang
- *polyester pipe*

27 de sproeikop
- *sprinkler nozzle*

28 de snelkoppelbuis met kogelscharnier
- *quick-fitting pipe connection with cardan joint*

29 het kraageind (van het kogelscharnier)
- *M-cardan*

30 de sluithaak
- *clamp*

31 het steekeind (van het kogelscharnier)
- *V-cardan*

32 de cirkelsproeier, een veldsproeier
- *revolving sprinkler, a field sprinkler*

33 de sproeier
- *nozzle*

34 de zwenkarm
- *breaker*

35 de terughaalveer
- *breaker spring*

36 de nok
- *stopper*

37 het contragewicht
- *counterweight*

38 de schroefdraad
- *thread*

1-47 veldgewassen (akkerbouwprodukten, landbouwprodukten)
- ***arable crops***

1-37 graansoorten (graan, graangewassen, korensoorten, cerealiën)
- ***varieties of grain*** *(of cereals, farinaceous plants)*

1 de rogge
- *rye (*also: *corn, 'corn' often meaning the main cereal of a country or region; in Northern Germany: rye; in Southern Germany and Italy: wheat; in Sweden: barley; in Scotland: oats; in North America: maize; in China: rice)*

2 de roggeaar, een aar
- *ear of rye, a spike (head)*

3 de aar
- *spikelet*

4 het moederkoorn (moederkoren), een door een zwam (parasiet) veroorzaakte woekering (mycelium)
- *ergot, a grain deformed by fungus [shown with mycelium]*

5 de bestoelde graanplant
- *corn stem after tillering*

6 de halm (stengel)
- *culm (stalk)*

7 de halmknoop
- *node of the culm*

8 het blad
- *leaf (grain leaf)*

9 de bladschede
- *leaf sheath (sheath)*

10 het aartje
- *spikelet*

11 het kaf
- *glume*

12 de baard (angel, kafnaald)
- *awn (beard, arista)*

13 de zaadkorrel (graankorrel, korrel)
- *seed (grain, kernel, farinaceous grain)*

14 de kiemplant
- *embryo plant*

15 de zaadkorrel
- *seed*

16 de kiem
- *embryo*

17 de wortel
- *root*

18 het wortelhaar
- *root hair*

19 het korenblad
- *grain leaf*

20 de bladschijf
- *leaf blade (blade, lamina)*

21 de bladschede
- *leaf sheath*

22 de ligula (bladhuid)
- *ligule (ligula)*

23 de tarwe
- *wheat*

24 de spelt
- *spelt*

25 de zaadkorrel; *onrijp:* groene spelt, een soepgroente
- *seed;* unripe: *green spelt, a soup vegetable*

26 de gerst
- *barley*

27 de haverpluim
- *oat panicle, a panicle*

28 de gierst
- *millet*

29 de rijst
- *rice*

30 de rijstkorrel
- *rice grain*

31 de maïs (*ook:* Turkse tarwe); *soorten:* pofmaïs, harde maïs, zachte maïs, suikermaïs
- *maize (Indian corn,* Am. *corn);* varieties: *popcorn, dent corn, flint corn (flint maize,* Am. *Yankee corn), pod corn (*Am. *cow corn, husk corn), soft corn (*Am. *flour corn, squaw corn), sweet corn*

32 de vrouwelijke bloem
- *female inflorescence*

33 de schutbladen
- *husk (shuck)*

34 de stijl
- *style*

35 de mannelijke bloem, een pluim
- *male inflorescence (tassel)*

36 de maïskolf
- *maize cob (*Am. *corn cob)*

37 de maïskorrel
- *maize kernel (grain of maize)*

38-45 hakvruchten
- ***root crops***

38 de aardappel, een knollenplant; *soorten:* de ronde, rond-ovale, plat-ovale, lange aardappel; *volgens kleur:* de witte, gele, rode, blauwe aardappel
- *potato plant (potato), a tuberous plant;* varieties: *round, round-oval (pear-shaped), flat-oval, long, kidney-shaped potato;* according to colour: *white (*Am. *Irish), yellow, red, purple potato*

39 de pootaardappel (pootknol, poter)
- *seed potato (seed tuber)*

40 de aardappelknol (aardappel, knol)
- *potato tuber (potato, tuber)*

41 het aardappelloof
- *potato top (potato haulm)*

42 de bloem
- *flower*

43 de giftige bes van de aardappel
- *poisonous potato berry (potato apple)*

44 de suikerbiet, een biet
- *sugar beet, a beet*

45 de biet, een wortel
- *root (beet)*

46 de kop
- *beet top*

47 het loof
- *beet leaf*

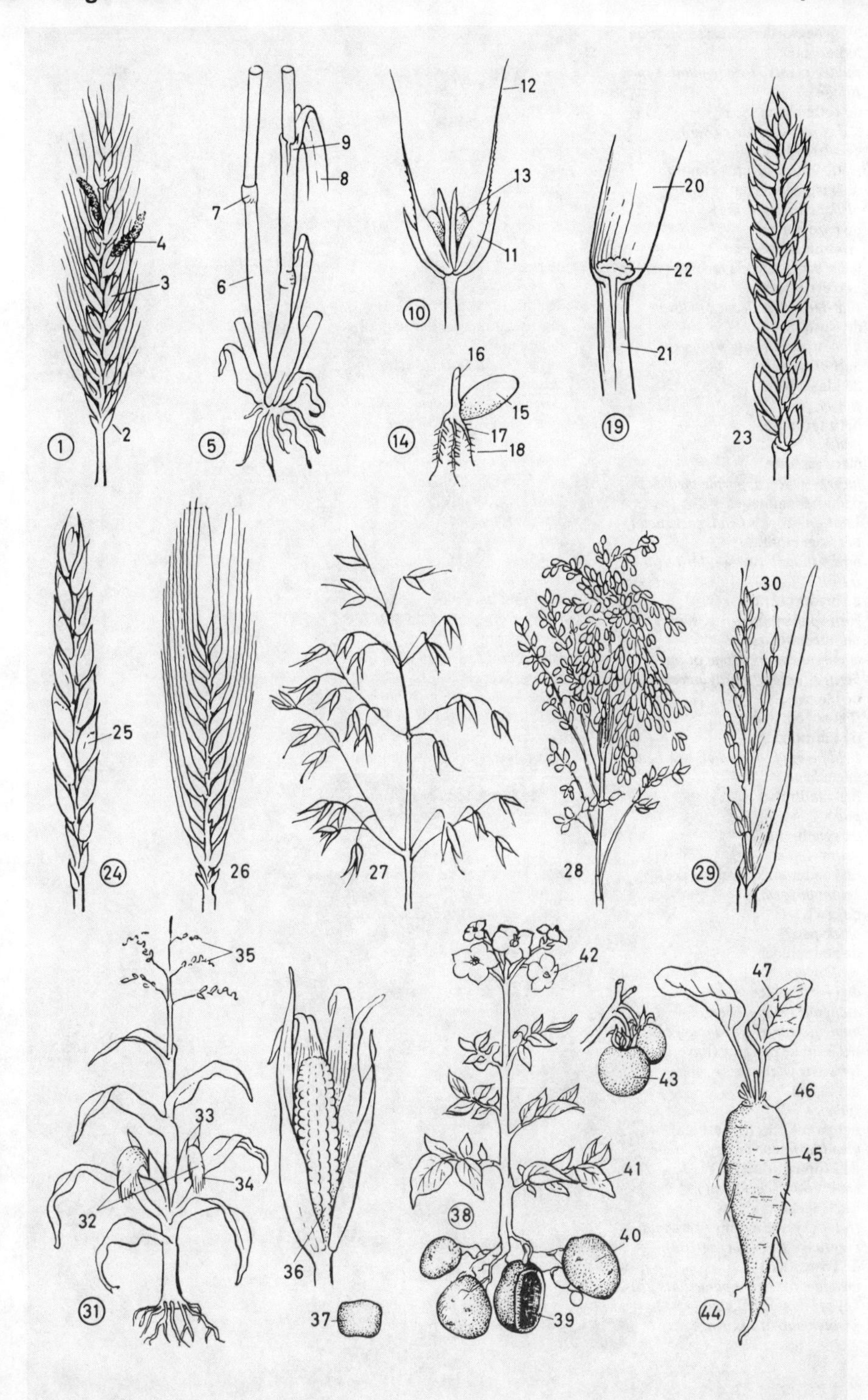
1
2
3
4
5
6
7
8
9
10
11
12
13
14
15
16
17
18
19
20
21
22
23
24
25
26
27
28
29
30
31
32
33
34
35
36
37
38
39
40
41
42
43
44
45
46
47

1-28 groenvoedergewassen voor de akkerbouw
- ***fodder plants (forage plants) for tillage***

1 de rode klaver
- *red clover (purple clover)*

2 de witte klaver
- *white clover (Dutch clover)*

3 de bastaardklaver
- *alsike clover (alsike)*

4 de roze klaver
- *crimson clover*

5 het vierbladige klaverblad (*volkst:* klavertjevier)
- *four-leaf (four-leaved) clover*

6 de wondklaver
- *kidney vetch (lady's finger, lady-finger)*

7 de klaverbloem
- *flower*

8 het zaadhulsel
- *pod*

9 de rupsklaver
- *lucerne (lucern, purple medick)*

10 de hanekammetjes
- *sainfoin (cock's head, cockshead)*

11 het vogelpootje
- *bird's foot (bird-foot, bird's foot trefoil)*

12 de heidespurrie
- *corn spurrey (spurrey, spurry)*

13 de smeerwortel
- *common comfrey, one of the borage family (Boraginaceae)*

14 de bloem
- *flower (blossom)*

15 de tuinboon
- *field bean (broad bean, tick bean, horse bean)*

16 het zaadhulsel
- *pod*

17 de gele lupine
- *yellow lupin*

18 de voederwikke (veldwikke)
- *common vetch*

19 de erwt
- *chick-pea*

20 de zonnebloem
- *sunflower*

21 de (voeder)biet
- *mangold (mangelwurzel, mangoldwurzel, field mangel)*

22 het Franse raaigras (havergras)
- *false oat (oat-grass)*

23 het aartje
- *spikelet*

24 het zwenkgras (de festuca)
- *meadow fescue grass, a fescue*

25 de kropaar (dactylis)
- *cock's foot (cocksfoot)*

26 het Engelse raaigras
- *Italian ryegrass;* sim.: *perennial ryegrass (English ryegrass)*

27 de vossestaart
- *meadow foxtail, a paniculate grass*

28 het groot sorbenkruid
- *greater burnet saxifrage*

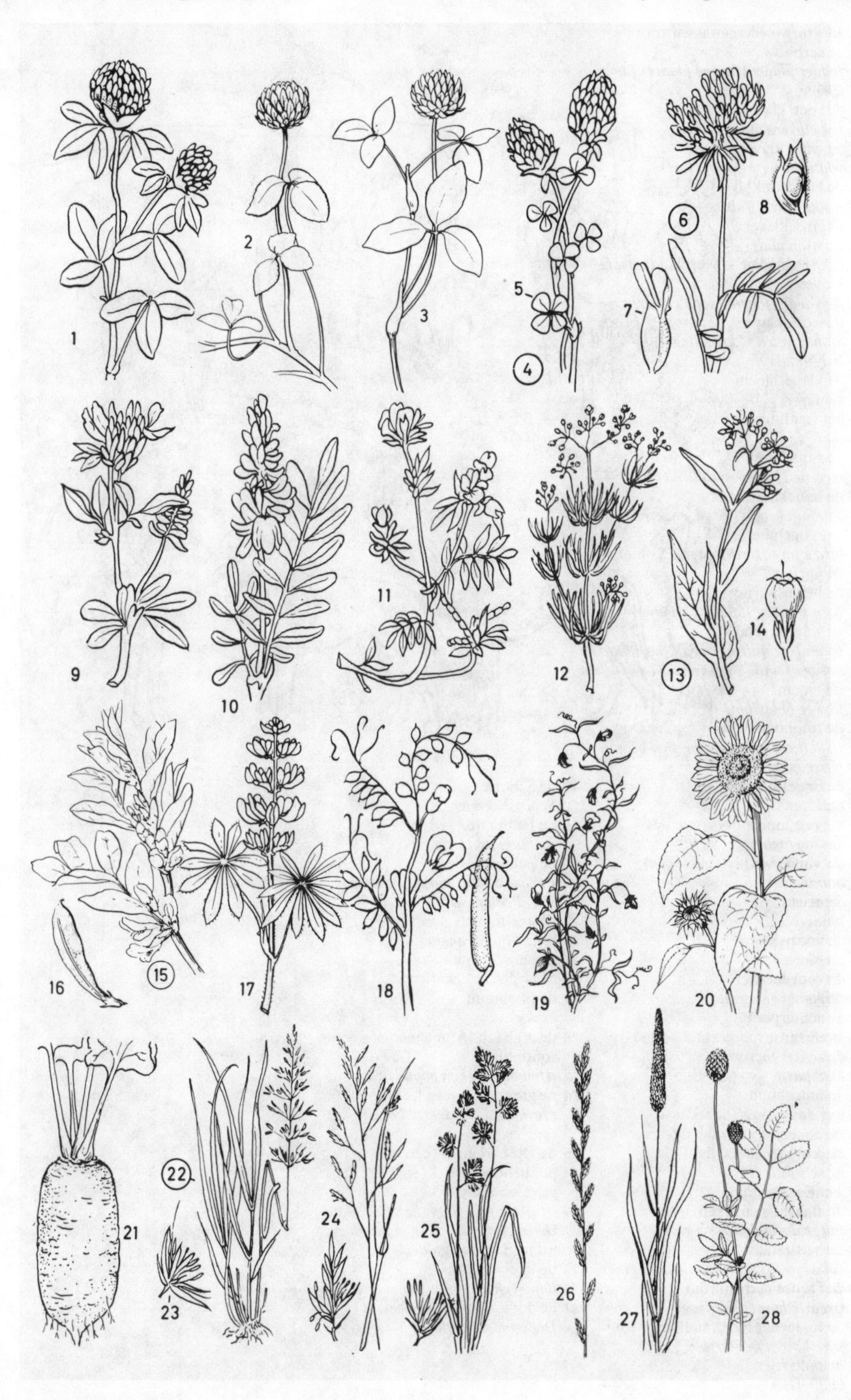
1
2
3
4
5
6
7
8
9
10
11
12
13
14
15
16
17
18
19
20
21
22
23
24
25
26
27
28

1 de Engelse buldog
- *bulldog*

2 het oor, een roosvormig oor
- *ear, a rose-ear*

3 de wang (bek)
- *muzzle*

4 de neus
- *nose*

5 de voorpoot
- *foreleg*

6 de voorvoet
- *forepaw*

7 de achterpoot
- *hind leg*

8 de achtervoet
- *hind paw*

9 de mopshond
- *pug (pug dog)*

10 de boxer
- *boxer*

11 de schoft
- *withers*

12 de staart (gecoupeerd)
- *tail, a docked tail*

13 de halsband
- *collar*

14 de Duitse dog
- *Great Dane*

15 de foxterriër (de draadharige fox)
- *wire-haired fox terrier*

16 de bulterriër
- *bull terrier*

17 de Schotse terriër
- *Scottish terrier*

18 de Bedlington terriër
- *Bedlington terrier*

19 de pekinees
- *Pekinese (Pekingese, Pekinese dog, Pekingese dog)*

20 de keeshond
- *spitz (Pomeranian)*

21 de chow-chow
- *chow (chow-chow)*

22 de poolhond
- *husky*

23 de afghaan (Afghaanse windhond)
- *Afghan (Afghan hound)*

24 de greyhound, een jachthond
- *greyhound (*Am. *grayhound), a courser*

25 de Duitse herder, een politiehond, waak- en geleidehond
- *Alsatian (German sheepdog,* Am. *German shepherd), a police dog, watch dog, and guide dog*

26 de lippen
- *flews (chaps)*

27 de dobermannpin(s)cher
- *Dobermann terrier*

28-31 **het hondegarnituur**
- ***dog's outfit***

28 de hondeborstel
- *dog brush*

29 de hondekam
- *dog comb*

30 de lijn (hondelijn, riem); *voor jachtdoeleinden:* de lange lijn
- *lead (dog lead, leash);* for hunting: *leash*

31 de muilkorf
- *muzzle*

32 de voerbak
- *feeding bowl (dog bowl)*

33 het bot
- *bone*

34 de newfoundlander
- *Newfoundland dog*

35 de schnauzer
- *schnauzer*

36 de poedel, *vergelijkb. maar kleiner:* de dwergpoedel
- *poodle;* sim. and smaller: *pygmy (pigmy) poodle*

37 de sint-bernhardshond
- *St. Bernard (St. Bernard dog)*

38 de cocker-spaniël
- *cocker spaniel*

39 de kortharige tekkel (dashond), een aardhond
- *dachshund, a terrier*

40 de Duitse staander
- *German pointer*

41 de setter (Engelse staander)
- *English setter*

42 de jachthond (speurhond)
- *trackhound*

43 de pointer, een speurhond
- *pointer, a trackhound*

1-6 hogeschoolrijden
- ***equitation*** *(high school riding, hauté ecole)*
1 de piaffe
- *piaffe*
2 de verzamelde draf
- *walk*
3 de passage
- *passage*
4 de levade
- *levade (pesade)*
5 de capriole
- *capriole*
6 de courbette
- *courbette (curvet)*
7-25 het harnachement
- ***harness***
7-13 de leidsel (teugel)
- *bridle*
7-11 het hoofdstel
- ***headstall*** *(headpiece, halter)*
7 de neusriem
- *noseband*
8 het bakstuk
- *cheek piece (cheek strap)*
9 de frontriem
- *browband (front band)*
10 het kopstuk
- *crownpiece*
11 de keelriem
- *throatlatch (throatlash)*
12 de bitketting (kinketting)
- *curb chain*
13 het bit
- *curb bit*
14 de gesp
- *hasp (hook) of the hame (*Am. *drag hook)*
15 het Engelse gareel
- *pointed collar, a collar*
16 de gareelversierselen
- *trappings (side trappings)*
17 de draagsingel
- *saddle-pad*
18 de singel
- *girth*
19 de rugriem
- *backband*
20 de ophoudketting, om het halthouden te vergemakkelijken
- *shaft chain (pole chain)*
21 de dissel
- *pole*
22 de streng
- *trace*
23 de hulpsingel (noodsingel)
- *second girth (emergency girth)*
24 de trekriem
- *trace*
25 de teugel
- *reins (*Am. *lines)*
26-36 onderdelen van het borststuk
- ***breast harness***
26 de oogklep
- *blinker (*Am. *blinder, winker)*
27 de ophoudring
- *breast collar ring*
28 het borststuk
- *breast collar (Dutch collar)*
29 de vork
- *fork*
30 de halsriem
- *neck strap*
31 de draagsingel
- *saddle-pad*
32 de rugriem
- *loin strap*
33 de teugel
- *reins (rein,* Am. *line)*
34 de staartriem
- *crupper (crupper-strap)*
35 de streng
- *trace*
36 de singel
- *girth (belly-band)*
37-49 rijzadels
- ***saddles***
37-44 het cavaleriezadel
- ***stock saddle*** *(*Am. *western saddle)*
37 de zitting
- *saddle seat*
38 de voorboom
- *pommel horn (horn)*
39 de achterboom
- *cantle*
40 het zweetblad
- *flap (*Am. *fender)*
41 de stegen
- *bar*
42 de beugelriem
- *stirrup leather*
43 de stijgbeugel
- *stirrup (stirrup iron)*
44 het schabrak (sjabrak, de woilach)
- *blanket*
45-49 het jachtzadel, het Engelse zadel
- ***English saddle*** *(cavalry saddle)*
45 de zitting
- *seat*
46 de zadelknop
- *cantle*
47 het zweetblad
- *flap*
48 de wrong
- *roll (knee roll)*
49 het zadelkussen
- *pad*
50-51 sporen
- ***spurs***
50 de vaste spoor
- *box spur (screwed jack spur)*
51 de spoor met riemen
- *strapped jack spur*
52 het stangbit
- *curb bit*
53 de ophaaltrens
- *gag bit (gag)*
54 de roskam
- *currycomb*
55 de rosborstel
- *horse brush (body brush, dandy brush)*

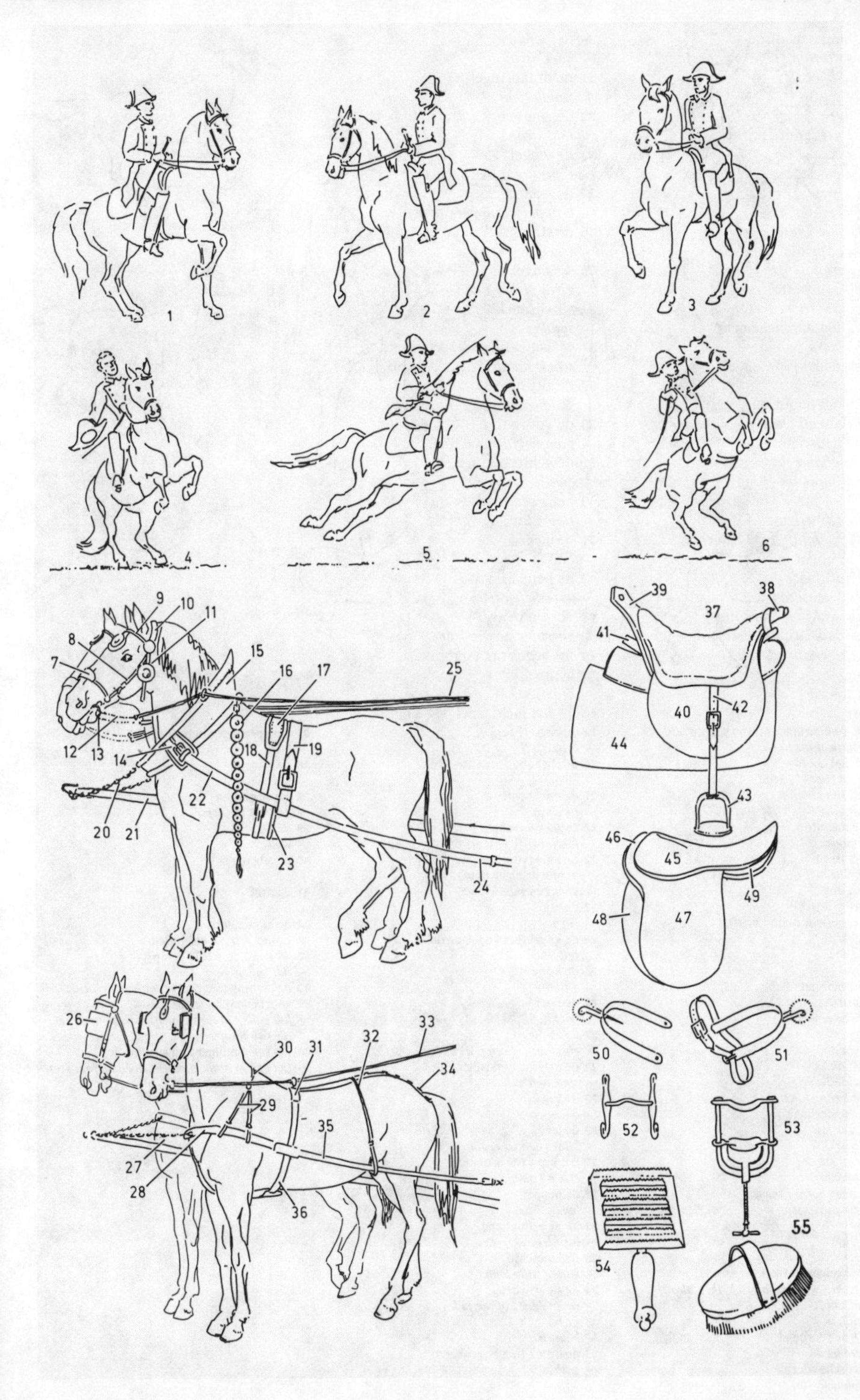
1
2
3
4
5
6
7
8
9
10
11
12
13
14
15
16
17
18
19
20
21
22
23
24
25
26
27
28
29
30
31
32
33
34
35
36
37
38
39
40
41
42
43
44
45
46
47
48
49
50
51
52
53
54
55

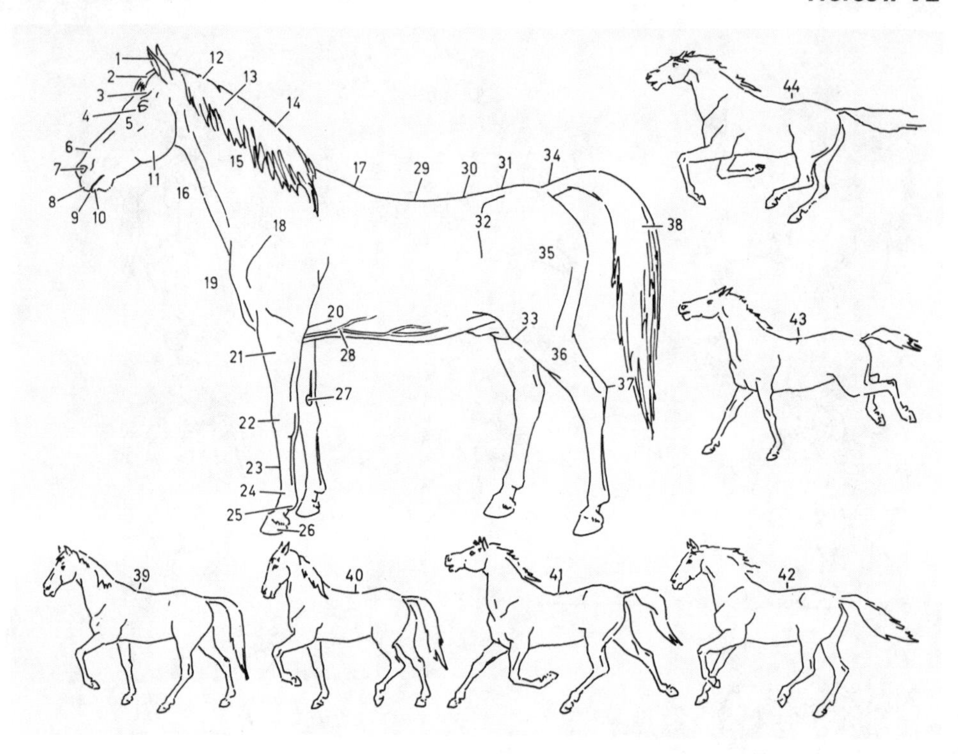

1-38 de uiterlijke vorm van het paard
- ***points*** *of the horse*

1-11 het hoofd
- ***head*** *(horse's head)*

1 het oor
- *ear*

2 de maantop
- *forelock*

3 het front
- *forehead*

4 het oog
- *eye*

5 het gezicht (aangezicht)
- *face*

6 de neus
- *nose*

7 het neusgat
- *nostril*

8 de bovenlip
- *upper lip*

9 de mond
- *mouth*

10 de onderlip
- *underlip (lower lip)*

11 de onderkaak
- *lower jaw*

12 de nek
- *crest (neck)*

13 de manen
- *mane (horse's mane)*

14 de manenkam
- *crest (horse's crest)*

15 de hals
- *neck*

16 de keelgang (keel)
- *throat (*Am. *throatlatch, throatlash)*

17 de schoft
- *withers*

18-27 de voorhand
- ***forehand***

18 het schouderblad
- *shoulder*

19 de borst (boeg)
- *breast*

20 de elleboog
- *elbow*

21 de onderarm
- *forearm*

22-26 de voorvoet
- ***forefoot***

22 de knie (voorknie, het handwortelgewricht)
- *knee (carpus, wrist)*

23 de pijp
- *cannon*

24 de kogel (het kogelgewricht)
- *fetlock*

25 de koot
- *pastern*

26 de hoef
- *hoof*

27 de zwilwrat
- *chestnut (castor), a callosity*

28 de externe borstspier
- *spur vein*

29 de rug
- *back*

30 de lende
- *loins (lumbar region)*

31 het kruis (de croupe)
- *croup (rump, crupper)*

32 de heup
- *hip*

33-37 de achterhand
- ***hind leg***

33 de knieschijf
- *stifle (stifle joint)*

34 de staartwortel
- *root (dock) of the tail*

35 de bil
- *haunch*

36 de broek (het bovenbeen)
- *gaskin*

37 het spronggewricht (de hak)
- *hock*

38 de staart
- *tail*

39-44 de gangen
- ***gaits*** *of the horse*

39 de stap
- *walk*

40 de telgang
- *pace*

41 de draf
- *trot*

42 de handgalop
- *canter;* sim.: *hand gallop*

43-44 de uitgestrekte galop
- *full gallop*

43 de landing (het neerzetten van de beide voorbenen) bij snelle galop
- *full gallop at the moment of descent on to the two forefeet*

44 het zweefmoment bij snelle galop
- *full gallop at the moment when all four feet are off the ground*

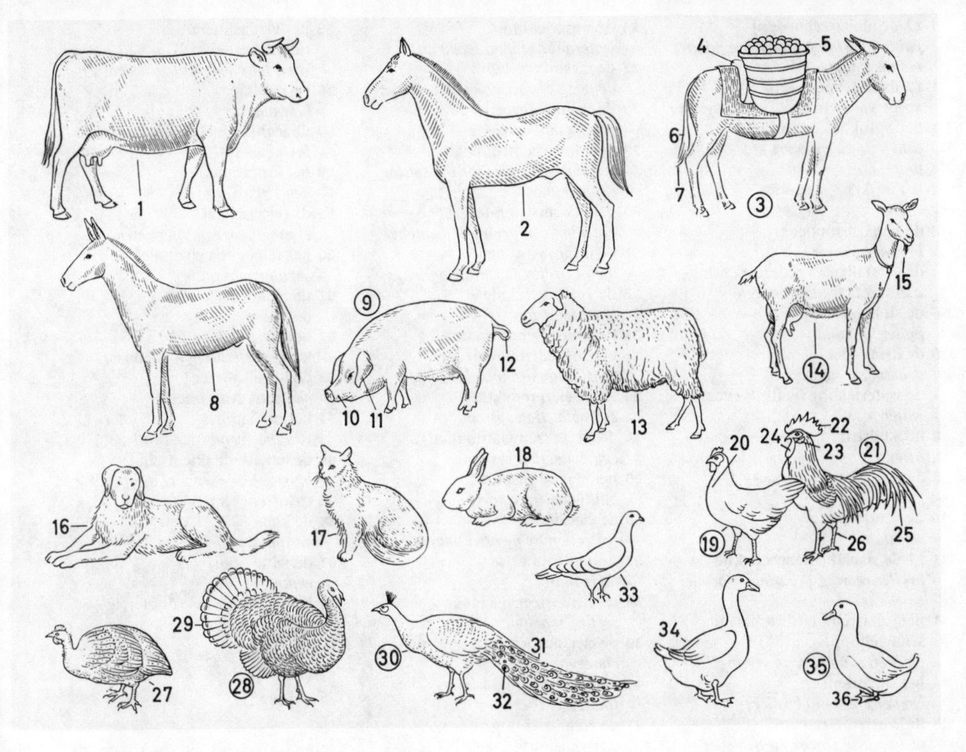

Afkortingen:
m. = mannelijk; *c.* = gecastreerd;
v. = vrouwelijk; *j.* = jong
Abbreviations:
m. = *male;* c. = *castrated;*
f. = *female;* y. = *young*

1-2 grootvee (vee)
– *cattle*
1 het rund, een hoorndier, een herkauwer; *m.*de stier; *c.* de os; *v.* de koe; *j.* het kalf
– *cow, a bovine animal, a horned animal, a ruminant;* m. *bull;* c. *ox;* f. *cow;* y. *calf*
2 het paard; *m.* de hengst; *c.* de ruin; *v.* de merrie; *j.* het veulen
– *horse;* m. *stallion;* c. *gelding;* f. *mare;* y. *foal*
3 de ezel
– *donkey*
4 het pakzadel
– *pack saddle (carrying saddle)*
5 de vracht (last)
– *pack (load)*
6 de staart met kwast
– *tufted tail*
7 de kwast
– *tuft*
8 het muildier, een kruising van ezelhengst en paardemerrie
– *mule, a cross between a male donkey and a mare*
9 het varken, een tweehoevig dier; *m.* de beer; *v.* de zeug; *j.* de big
– *pig, a cloven-hoofed animal;* m. *boar;* f. *sow;* y. *piglet*
10 de snuit
– *pig's snout (snout)*
11 het oor
– *pig's ear*
12 het krulstaartje
– *curly tail*
13 het schaap; *m.* de ram; *c.* de hamel; *v.* de ooi; *j.* het lam
– *sheep;* m. *ram;* c. *wether;* f. *ewe;* y. *lamb*
14 de geit
– *goat*
15 de sik
– *goat's beard*
16 de hond, een leonberger; *m.* de reu; *v.* de teef; *j.* de pup (puppy)
– *dog, a Leonberger;* m. *dog;* f. *bitch;* y. *pup (puppy, whelp)*
17 de kat, een angorakat; *m.* de kater; *v.* de poes
– *cat, an Angora cat (Persian cat);* m. *tom (tom cat)*
18-36 kleinvee
– ***small domestic animals***
18 het konijn; *m.* de ram(melaar); *v.* de voedster
– *rabbit;* m. *buck;* f. *doe*
19-36 pluimvee
– ***poultry*** *(domestic fowl)*
19-26 de kip
– ***chicken***
19 de hen
– *hen*
20 de krop
– *crop (craw)*
21 de haan; *c.* de kapoen
– *cock (Am. rooster);* c. *capon*
22 de hanekam
– *cockscomb (comb, crest)*
23 de wangvlek
– *lap*
24 de lel
– *wattle (gill, dewlap)*
25 de gevederde staart
– *falcate (falcated) tail*
26 de spoor
– *spur*
27 het parelhoen
– *guinea fowl*
28 de kalkoense haan; *v.* de kalkoense hen
– *turkey;* m. *turkey cock (gobbler);* f. *turkey hen*
29 de waaierstaart
– *fan tail*
30 de pauw
– *peacock*
31 de pauweveer
– *peacock's feather*
32 het pauweoog
– *eye (ocellus)*
33 de duif; *m.* de doffer
– *pigeon;* m. *cock pigeon*
34 de gans; *m.* de gent
– *goose;* m. *gander;* y. *gosling*
35 de eend; *m.* de woerd; *j.* het eendekuiken
– *duck;* m. *drake;* y. *duckling*
36 het zwemvlies
– *web (palmations) of webbed foot (palmate foot)*

74 Pluimveehouderij, eierproduktie

1-27 de pluimveehouderij
- ***poultry farming (intensive poultry management)***

1-17 de bodemhouderij
- ***straw yard (strawed yard) system***

1 het opfokhok voor kuikens
- *fold unit for growing stock (chick unit)*

2 het kuiken
- *chick*

3 de kapkunstmoeder
- *brooder (hover)*

4 de verstelbare voederinrichting
- *adjustable feeding trough*

5 de stal voor de jonge hennen
- *pullet fold unit*

6 de drinkgoot
- *drinking trough*

7 de waterleiding (watertoevoer)
- *water pipe*

8 het stalstro
- *litter*

9 de jonge hen
- *pullet*

10 de ventilator
- *ventilator*

11-17 de slachtkuikenproduktie
- ***broiler rearing** (rearing of broiler chickens)*

11 het scharrelhok (de scharrelren, scharrelloop)
- *chicken run (*Am. *fowl run)*

12 het slachtkuiken
- *broiler chicken (broiler)*

13 de voederautomaat
- *mechanical feeder (self-feeder, feed dispenser)*

14 de ophangketting
- *chain*

15 de voederpijp
- *feed supply pipe*

16 de ronde drinkautomaat
- *mechanical drinking bowl (mechanical drinker)*

17 de ventilator
- *ventilator*

18 de batterijhouderij
- *battery system (cage system)*

19 de (leg)batterij
- *battery (laying battery)*

20 de etagebatterij
- *tiered cage (battery cage, stepped cage)*

21 de voedergoot
- *feeding trough*

22 de eiertransportband
- *egg collection by conveyor*

23-27 de automatische voedseltoevoer en ontmesting
- ***mechanical feeding and dunging** (manure removal, droppings removal)*

23 het snelvoersysteem voor batterijvoeding (de voedermachine)
- *rapid feeding system for battery feeding (mechanical feeder)*

24 de trechter
- *feed hopper*

25 de voedertransportband
- *endless-chain feed conveyor (chain feeder)*

26 de waterleiding
- *water pipe (liquid feed pipe)*

27 de mestafvoerband
- *dunging chain (dunging conveyor)*

28 de trommelbroeder
- *setting and hatching machine*

29 de voorbroedtrommel
- *ventilation drum [for the setting compartment]*

30 de uitkomstruimte
- *hatching compartment (hatcher)*

31 de uitkomstwagen
- *metal trolley for hatching trays*

32 de voorbroedlade
- *hatching tray*

33 de aandrijving van de voorbroedtrommel
- *ventilation drum motor*

34-53 de eierproduktie
- ***egg collection system***

34 de eierverzamelautomaat
- *egg collection system*

35 het etagetransport
- *multi-tier transport*

36 de eiertafel
- *collection by pivoted fingers*

37 de aandrijfmotor
- *drive motor*

38 de eiersorteermachine
- *sorting machine*

39 de eiertoevoer
- *conveyor trolley*

40 het doorlichtingsscherm
- *fluorescent screen*

41 de zuiginrichting voor het eiertransport
- *suction apparatus (suction box) for transporting eggs*

42 de plank voor lege en volle eierborden
- *shelf for empty and full egg boxes*

43 de eierweger
- *egg weighers*

44 de sorteerinrichting
- *grading*

45 het eierbord
- *egg box*

46 de volautomatische eierverpakkingsmachine
- *fully automatic egg-packing machine*

47 de doorlichtingscabine
- *radioscope box*

48 de doorlichtingstafel
- *radioscope table*

49-51 het aanvoerapparaat
- *feeder*

49 de vacuümeilichter
- *suction transporter*

50 de vacuümslang
- *vacuum line*

51 de aanvoertafel
- *supply table*

52 de automatische telling en sortering naar gewichtsklasse
- *automatic counting and grading*

53 de eierbordaanvoer
- *packing box dispenser*

54 de pootring (kippering)
- *leg ring*

55 het vleugelmerk (identificatielabel)
- *wing tally (identification tally)*

56 de krielkip
- *bantam*

57 de leghen (legkip, het leghoen)
- *laying hen*

58 het kippeëi (ei)
- *hen's egg (egg)*

59 de (eier)schaal
- *eggshell, an egg integument*

60 het schaal- en eiwitvlies
- *shell membrane*

61 de luchtkamer
- *air space*

62 het eiwit
- *white [of the egg] (albumen)*

63 de hagelsnoeren
- *chalaza (*Am. *treadle)*

64 het dooiervlies
- *vitelline membrane (yolk sac)*

65 de hanetrede (kiemschijf)
- *blastodisc (germinal disc, cock's tread, cock's treadle)*

66 de kiem
- *germinal vesicle*

67 de witte dooier
- *white*

68 het eigeel (de gele dooier)
- *yolk*

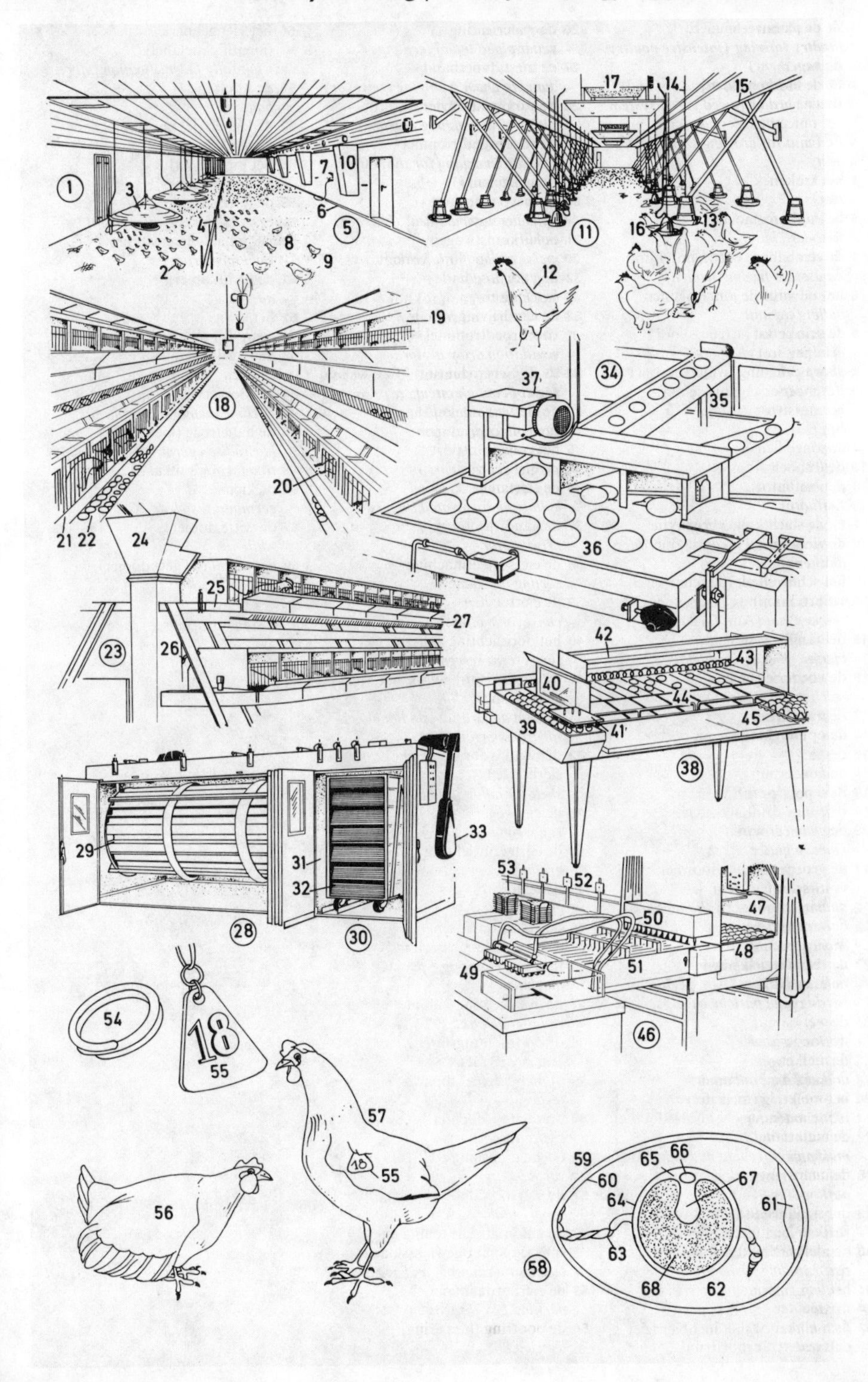
1
2
3
4
5
6
7
8
9
10
11
12
13
14
15
16
17
18
19
20
21
22
23
24
25
26
27
28
29
30
31
32
33
34
35
36
37
38
39
40
41
42
43
44
45
46
47
48
49
50
51
52
53
54
18
55
56
57
58
59
60
61
62
63
64
65
66
67
68

1 **de paardestal**
- ***stable***
2 de box
- *horse stall (stall, horse box, box)*
3 de voedergang
- *feeding passage*
4 de (rij)pony
- *pony*
5 het traliehek
- *bars*
6 het stalstro
- *litter*
7 de strobaal
- *bale of straw*
8 het bovenlicht
- *ceiling light*
9 **de schapestal** (schaapskooi, schapekooi)
- ***sheep pen***
10 het moederschaap (de ooi)
- *mother sheep (ewe)*
11 het lam
- *lamb*
12 de dubbele hooiruif
- *double hay rack*
13 het hooi
- *hay*
14 **de melkveestal** (koestal) met aangebonden koeien
- ***dairy cow shed***
15-16 het aanbindsysteem
- *tether*
15 de hangketting
- *chain*
16 de bovenbevestiging
- *rail*
17 de melkkoe
- *dairy cow (milch-cow, milker)*
18 de uier
- *udder*
19 de tepel (speen)
- *teat*
20 de grup (groep)
- *manure gutter*
21 de groepreiniging door het vouwschuifsysteem
- *manure removal by sliding bars*
22 de korte stand
- *short standing*
23 **de visgraatmelkstand**
- ***milking parlour*** *(*Am. *parlor), a herringbone parlour*
24 de werkstraat
- *working passage*
25 de melker
- *milker (*Am. *milkman)*
26 het melktuig (melkstel)
- *teat cup cluster*
27 de melkslang
- *milk pipe*
28 de luchtslang
- *air line*
29 de vacuümslang
- *vacuum line*
30 de melkbeker (tepelbeker)
- *teat cup*
31 het kijkglaasje
- *window*
32 de melkklauw met luchtverdeler
- *pulsator*
33 de ruststand
- *release phase*
34 de zuigslang
- *squeeze phase*
35 **de varkensstal** (zeugenstal)
- ***pigsty*** *(*Am. *pigpen, hogpen)*
36 de lopersstal
- *pen for young pigs*
37 de voedertrog
- *feeding trough*
38 de scheidingswand
- *partition*
39 de loper, een jong varken
- *pig, a young pig*
40 het kraam- en opfokhok
- *farrowing and store pen*
41 de zeug
- *sow*
42 de biggetjes (biggen) [tot 8 weken]
- *piglet (*Am. *shoat, shote) (sow pig [for first 8 weeks])*
43 de beschermstangen
- *farrowing rails*
44 de giergoot
- *liquid manure channel*

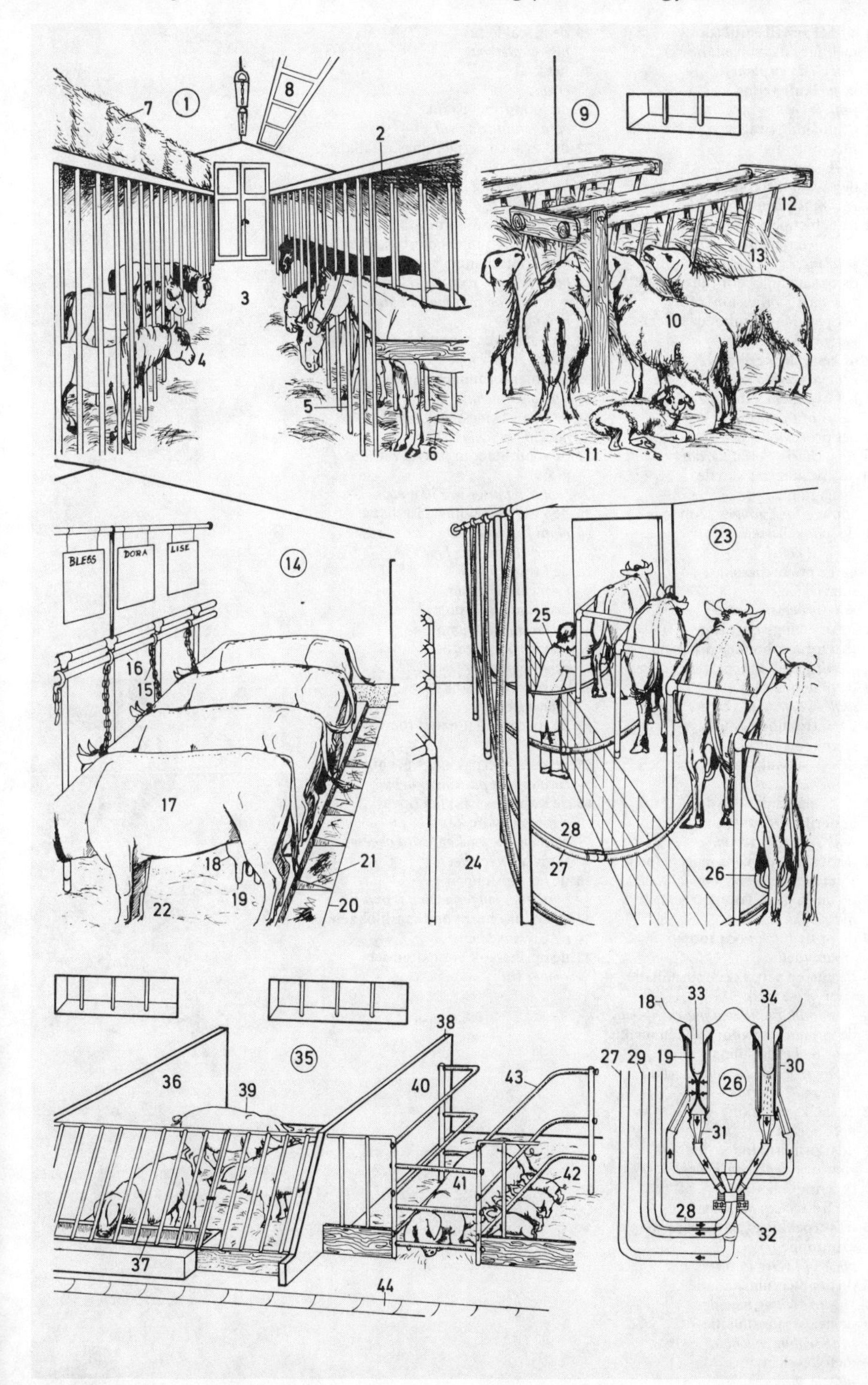
BLESS
DORA
LISE

1-48 het zuivelbedrijf (de melkfabriek, zuivelfabriek)
- ***dairy** (dairy plant)*
1 de melkaflevering
- ***milk reception***
2 de melktankwagen voor rijdende melkontvangst
- *milk tanker*
3 de rauwe-melkpomp
- *raw milk pump*
4 de debietmeter (meetklok)
- *flowmeter, an oval (elliptical) gear meter*
5 de opslagtank voor rauwe melk
- *raw milk storage tank*
6 het peilglas (de inhoudsmeter)
- *gauge (*Am. *gage)*
7 de centrale regelkamer
- ***central control room***
8 het overzicht van het zuivelbedrijf
- *chart of the dairy*
9 het processchema
- *flow chart (flow diagram)*
10 de niveaumeter van de opslagtank
- *storage tank gauges (*Am. *gages)*
11 de schakellessenaar
- *control panel*
12-48 de produktieruimte (fabriekshal)
- ***milk processing area***
12 de reinigingsseparator (bactofuge, homogenisator)
- *sterilizer;* also: *homogenizer*
13 de platenpasteur
- *milk heater;* sim.: *cream heater*
14 de ontromingscentrifuge
- *cream separator*
15 de opslagtanks voor verse melk
- *fresh milk tanks*
16 de opslagtank voor de gesteriliseerde melk
- *tank for sterilized milk*
17 de opslagtank voor magere melk
- *skim milk (skimmed milk) tank*
18 de opslagtank voor karnemelk
- *buttermilk tank*
19 de opslagtank voor room
- *cream tank*
20 de vul- en verpakkingsinstallatie voor verse melk
- *fresh milk filling and packing plant*
21 de vulmachine voor pakken melk; *ook:* de bekervulling
- *filling machine for milk cartons;* sim.: *milk tub filler*
22 de melkverpakking
- *milk carton*
23 de transportband
- *conveyor belt (conveyor)*
24 de krimpfolietunnel
- *shrink-sealing machine*
25 de verpakking van 12 pakken in krimpfolie
- *pack of twelve in shrink foil*
26 de tienlitervulinstallatie
- *ten-litre filling machine*
27 de heat-sealinstallatie
- *heat-sealing machine*
28 de folievellen
- *plastic sheets*
29 de gesealde zak
- *heat-sealed bag*
30 het krat
- *crate*
31 de roomrijpingstank
- *cream maturing vat*
32 de karn- en verpakkingsinstallatie (boterbereiding)
- *butter shaping and packing machine*
33 de zoete-roomkarninstallatie voor de continue boterbereiding (het "boterkanon")
- *butter churn, a creamery butter machine for continuous butter making*
34 de boterstreng (botermassa)
- *butter supply pipe*
35 de botervormmachine
- *shaping machine*
36 de verpakkingsmachine
- *packing machine*
37 de roomboter in pakjes van 250 gram
- *branded butter in 250 g packets*
38 de kwarkbereidingsinstallatie
- *plant for producing curd cheese (curd cheese machine)*
39 de kwarkpomp
- *curd cheese pump*
40 de roomdoseerpomp
- *cream supply pump*
41 de kwarkseparator
- *curds separator*
42 de verzuringstank
- *sour milk vat*
43 de roerinstallatie (het roerwerk)
- *stirrer*
44 de kwarkverpakkingsmachine
- *curd cheese packing machine*
45 de kwarkverpakking (kwark, wrongel, witte kaas)
- *curd cheese packet (curd cheese;* sim.: *cottage cheese)*
46 de flessensluiter
- *bottle-capping machine (capper)*
47 de snijmachine voor kaasblokken
- *cheese machine*
48 de opslagtank voor stremsel
- *rennet vat*

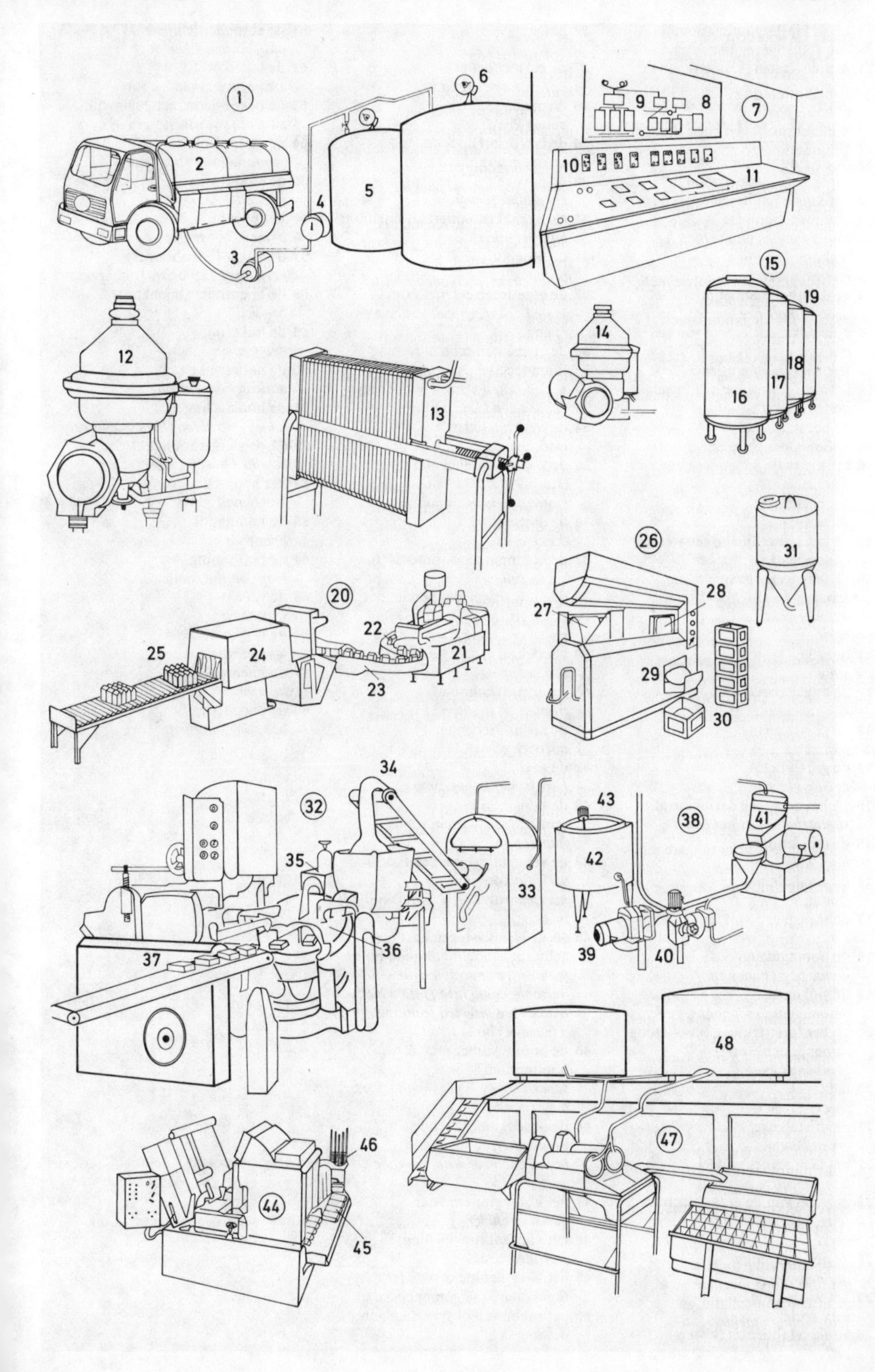
1
2
3
4
5
6
7
8
9
10
11
12
13
14
15
16
17
18
19
20
21
22
23
24
25
26
27
28
29
30
31
32
33
34
35
36
37
38
39
40
41
42
43
44
45
46
47
48

1-25 **de bij** (honingbij, imme)
- ***bee*** *(honey-bee, hive-bee)*

1, 4, 5 **de kasten** (klassen) van de bijen
- ***castes*** *(social classes) of bees*

1 de werkbij (werkster, arbeidster)
- *worker (worker bee)*

2 de drie puntogen
- *three simple eyes (ocelli)*

3 het korfje (stuifmeelbroekje, stuifmeelklompje)
- *load of pollen on the hind leg*

4 de koningin
- *queen (queen bee)*

5 de dar (het mannetje)
- *drone (male bee)*

6-9 **de linkerachterpoot van een werkbij**
- ***left hind leg of a worker***

6 het korfje voor het stuifmeel
- *pollen basket*

7 de borstel
- *pollen comb (brush)*

8 het klauwtje
- *double claw*

9 het hechtlapje
- *suctorial pad*

10-19 **het achterlijf van een werkbij**
- ***abdomen of the worker***

10-14 **het steekorgaan**
- ***stinging organs***

10 het weerhaakje
- *barb*

11 de angel
- *sting*

12 de angelschede
- *sting sheath*

13 de gif(t)blaas
- *poison sac*

14 de gif(t)klier
- *poison gland*

15-19 **het maag- en darmkanaal**
- ***stomachic-intestinal canal***

15 de middendarm
- *intestine*

16 de voedselmaag
- *stomach*

17 de sluitspier
- *contractile muscle*

18 de honingmaag
- *honey bag (honey sac)*

19 de slokdarm
- *oesophagus (esophagus, gullet)*

20-24 **het facet(ten)oog** (insekteoog, samengestelde oog)
- ***compound eye***

20 het facet
- *facet*

21 de kristalkegel
- *crystal cone*

22 het lichtgevoelige deel
- *light-sensitive section*

23 de vezel van de gezichtszenuw
- *fibre (*Am. *fiber) of the optic nerve*

24 de gezichtszenuw
- *optic nerve*

25 het wasplaatje
- *wax scale*

26-30 **de cel** (bijencel, wascel)
- ***cell***

26 het ei
- *egg*

27 de cel met het ei
- *cell with the egg in it*

28 de made
- *young larva*

29 de larve (larf)
- *larva (grub)*

30 de pop
- *chrysalis (pupa)*

31-43 **de raat** (honingraat, bijenraat)
- ***honeycomb***

31 de broedcel
- *brood cell*

32 de afgesloten cel met pop
- *sealed (capped) cell with chrysalis (pupa)*

33 de afgesloten cel met honing (honingcel)
- *sealed (capped) cell with honey (honey cell)*

34 de werkbijecellen
- *worker cells*

35 de voorraadcellen met pollen (stuifmeel)
- *storage cells, with pollen*

36 de darrecellen
- *drone cells*

37 de koninginnecel (moerdop)
- *queen cell*

38 de uit haar cel kruipende koningin
- *queen emerging from her cell*

39 het deksel
- *cap (capping)*

40 het lijstje (raampje)
- *frame*

41 de afstandsregelaar
- *distance piece*

42 de raat
- *[artificial] honeycomb*

43 de kunstraat
- *septum (foundation, comb foundation)*

44 de verzendkist (verzendkooi) voor de koningin
- *queen's travelling (*Am. *traveling) box*

45-50 **de bijenkast,** een kast met achterbehandeling; koude bouw
- ***frame hive*** *(movable-frame hive, movable-comb hive [into which frames are inserted from the rear], a beehive (hive))*

45 de honingkamer met de honingraten
- *super (honey super) with honeycombs*

46 de broedkamer met de broedraten
- *brood chamber with breeding combs*

47 het koninginnerooster
- *queen-excluder*

48 het vlieggat (de opening)
- *entrance*

49 het vliegplankje
- *flight board (alighting board)*

50 het raam, een observatieplaat
- *window*

51 de verouderde bijenstal
- *old-fashioned bee shed*

52 de bijenkorf
- *straw hive (skep), a hive*

53 de bijenzwerm, een bijenvolk
- *swarm (swarm cluster) of bees*

54 de zwermfuik
- *swarming net (bag net)*

55 de stoothaak
- *hooked pole*

56 het bijenhuis
- *apiary (bee house)*

57 de imker (bijenhouder)
- *beekeeper (apiarist,* Am. *beeman)*

58 de bijensluier (bijenkap)
- *bee veil*

59 de imkerpijp
- *bee smoker*

60 de natuurlijke raat
- *natural honeycomb*

61 de honingslinger
- *honey extractor (honey separator)*

62-63 de slingerhoning
- *strained honey (honey)*

62 het honingvat
- *honey pail*

63 de honingpot
- *honey jar*

64 de raathoning
- *honey in the comb*

65 de waspit
- *wax taper*

66 de waskaars
- *wax candle*

67 de bijenwas
- *beeswax*

68 de bijegif(t)zalf
- *bee sting ointment*

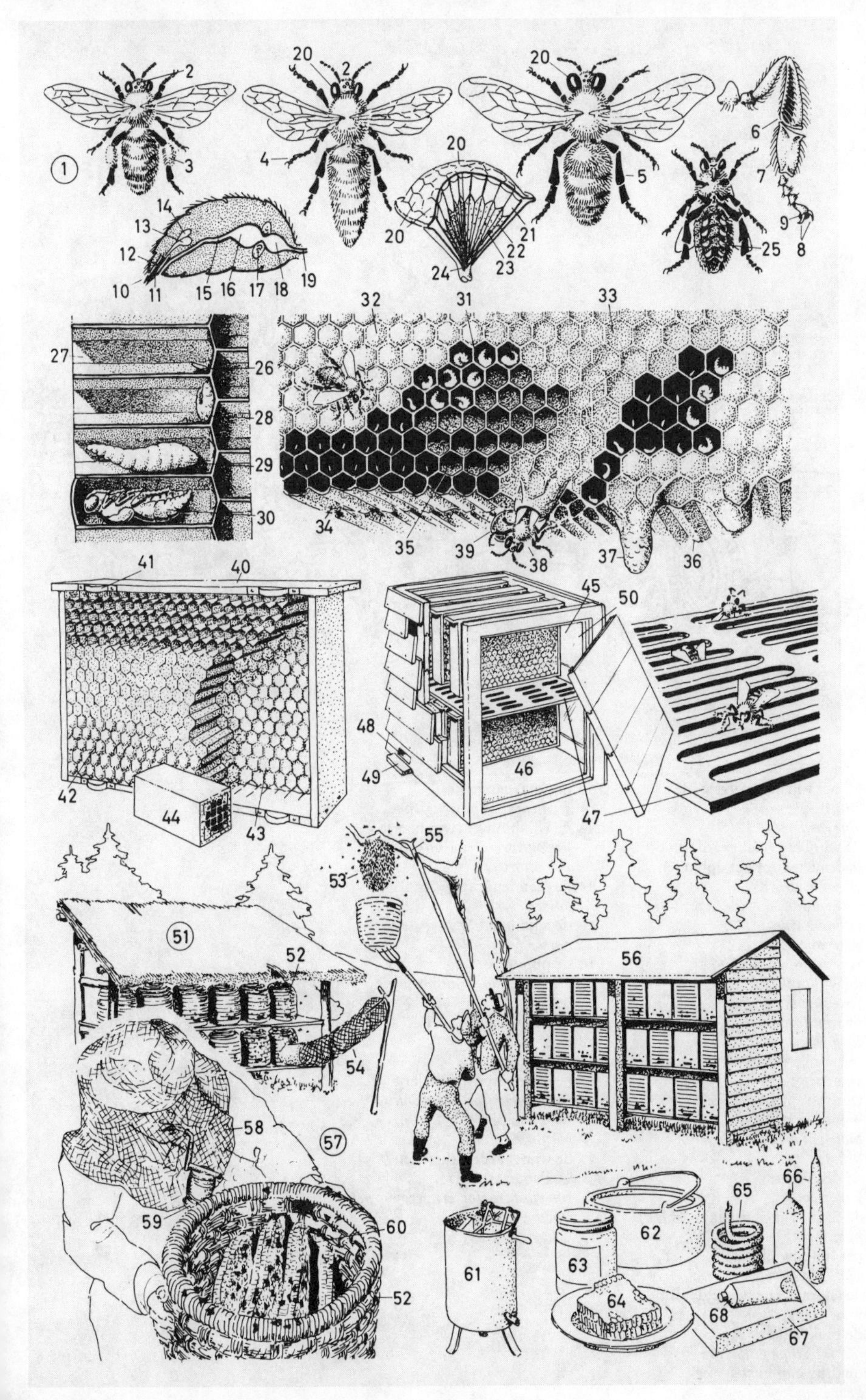
1
2
3
4
5
6
7
8
9
10
11
12
13
14
15
16
17
18
19
20
21
22
23
24
25
26
27
28
29
30
31
32
33
34
35
36
37
38
39
40
41
42
43
44
45
46
47
48
49
50
51
52
53
54
55
56
57
58
59
60
61
62
63
64
65
66
67
68

1-21 het wijnbouwterrein (de wijnberg)
- ***vineyard area***

1 de wijnberg (wijngaard) met leidraden voor het opbinden van de wijnranken
- *vineyard using wire trellises for training vines*

2-9 de wijnstok
- ***vine*** *(*Am. *grapevine)*

2 de wijnrank
- *vine shoot*

3 de loot (scheut)
- *long shoot*

4 het wingerdblad (druiveblad)
- *vine leaf*

5 de druiventros met de wijndruiven
- *bunch of grapes (cluster of grapes)*

6 de druivestam
- *vine stem*

7 de paal (wijngaardstaak, staak)
- *post (stake)*

8 het tuitouw (de tui)
- *guy (guy wire)*

9 de leidraad (het leidradenframe)
- *wire trellis*

10 de plukemmer
- *tub for grape gathering*

11 de druivenplukster
- *grape gatherer*

12 de druivenschaar
- *secateurs for pruning vines*

13 de wijnbouwer (wijnboer)
- *wine grower (viniculturist, viticulturist)*

14 de mandendrager
- *dosser carrier*

15 de wijnmand
- *dosser (pannier)*

16 de pulptank
- *crushed grape transporter*

17 de druivenpers
- *grape crusher*

18 de trechter
- *hopper*

19 het driedelige opzetschot
- *three-sided flap extension*

20 het opstapje
- *platform*

21 de wijngaardtrekker, een smalspoortrekker
- *vineyard tractor, a narrow-track tractor*

1-22 de wijnkelder
- ***wine cellar*** *(wine vault)*

1 het gewelf
- *vault*

2 het vat (wijnvat, fust)
- *wine cask*

3 de betonnen wijntank
- *wine vat, a concrete vat*

4 de roestvrijstalen tank (*of:* kunststoftank)
- *stainless steel vat (*also: *vat made of synthetic material)*

5 de snelmenger met propeller (snelmixer)
- *propeller-type high-speed mixer*

6 de propeller
- *propeller mixer*

7 de centrifugaalpomp
- *centrifugal pump*

8 de, het filter van roestvrij staal
- *stainless steel sediment filter*

9 de halfautomatische ronde bottelmachine
- *semi-automatic circular bottling machine*

10 de halfautomatische kurkmachine
- *semi-automatic corking machine*

11 het flessenrek
- *bottle rack*

12 de kelderknecht
- *cellarer's assistant*

13 de flessenmand
- *bottle basket*

14 de wijnfles
- *wine bottle*

15 de wijnkruik (wijnkan)
- *wine jug*

16 de wijnproef
- *wine tasting*

17 de eerste keldermeester
- *head cellarman*

18 de keldermeester
- *cellarman*

19 het wijnglas
- *wineglass*

20 het apparaat voor snelonderzoek
- *inspection apparatus [for spot-checking samples]*

21 de horizontale wijnpers
- *horizontal wine press*

22 het sproeiapparaat
- *humidifier*

80 Schadelijke insekten in de tuin en op de akker

1-19 schadelijke insekten op fruit
- ***fruit pests***

1 de plakker
- *gipsy (gypsy) moth*

2 het eipakket
- *batch (cluster) of eggs*

3 de rups
- *caterpillar*

4 de pop
- *chrysalis (pupa)*

5 de ooftmot, een stippelmot
- *small ermine moth, an ermine moth*

6 de larve
- *larva (grub)*

7 het spinsel (rupsennest)
- *tent*

8 de bladetende rups
- *caterpillar skeletonizing a leaf*

9 de appelbladroller
- *fruit surface eating tortrix moth (summer fruit tortrix moth)*

10 de appelbloesemboorder, een snuitkever
- *appleblossom weevil, a weevil*

11 de aangeboorde, uitgedroogde bloem
- *punctured, withered flower (blossom)*

12 het boorgat
- *hole for laying eggs*

13 de ringelrupsvlinder
- *lackey moth*

14 de rups
- *caterpillar*

15 de eieren
- *eggs*

16 de wintervlinder, een spanner
- *winter moth, a geometrid*

17 de rups
- *caterpillar*

18 de kersenboorvlieg
- *cherry fruit fly, a borer*

19 de larve (made)
- *larva (grub, maggot)*

20-27 schadelijke insekten op wijnstokken
- ***vine pests***

20 de meeldauw, een bladval veroorzakende schimmel
- *downy mildew, a mildew, a disease causing leaf drop*

21 de leerachtige, aangetaste druif
- *grape affected with downy mildew*

22 de druivebladroller
- *grape-berry moth*

23 de rupsen van de eerste generatie
- *first-generation larva of the grape-berry moth (*Am. *grape worm)*

24 de rupsen van de tweede generatie
- *second-generation larva of the grape-berry moth (*Am. *grape worm)*

25 de pop
- *chrysalis (pupa)*

26 de wortelluis, een druifluis
- *root louse, a grape phylloxera*

27 de galachtige wortelzwelling (wortelgal, knolligheid)
- *root gall, a knotty swelling of the root (nodosity, tuberosity)*

28 de bastaardsatijnvlinder
- *brown-tail moth*

29 de rups
- *caterpillar*

30 het eipakket
- *batch (cluster) of eggs*

31 het overwinteringsnest
- *hibernation cocoon*

32 de galluis, een bladluis
- *woolly apple aphid (American blight), an aphid*

33 de gallen van de galluis, een woekering
- *gall caused by the woolly apple aphid*

34 de galluizenkolonie
- *woolly apple aphid colony*

35 de San José-schildluis
- *San-Jośe scale, a scale insect (scale louse)*

36 de larve [*mannelijke* langwerpig, *vrouwelijke* rond]
- *larvae (grubs) [*male *elongated,* female *round]*

37-55 schadelijke insekten op de akker
- ***field pests***

37 de akkerkniptor
- *click beetle, a snapping beetle (*Am. *snapping bug)*

38 de ritnaald, de larve van de kniptor
- *wireworm, larva of the click beetle*

39 de aardvlo
- *flea beetle*

40 de Hessische vlieg, een galmug
- *Hessian fly, a gall midge (gall gnat)*

41 de larve
- *larva (grub)*

42 de zaad-aardrupsvlinder
- *turnip moth, an earth moth*

43 de pop
- *chrysalis (pupa)*

44 de aardrups
- *cutworm, a caterpillar*

45 de doffe bietenkever
- *beet carrion beetle*

46 de larve
- *larva (grub)*

47 het grote koolwitje
- *large cabbage white butterfly*

48 de rups van het kleine koolwitje (knollenwitje)
- *caterpillar of the small cabbage white butterfly*

49 een bladetende snuitkever
- *brown leaf-eating weevil, a weevil*

50 het vreetgat
- *feeding site*

51 het bietenaaltje
- *sugar beet eelworm, a nematode (threadworm, hairworm)*

52 de coloradokever
- *Colorado beetle (potato beetle)*

53 de volgroeide larve
- *mature larva (grub)*

54 de jonge larve
- *young larva (grub)*

55 de eieren
- *eggs*

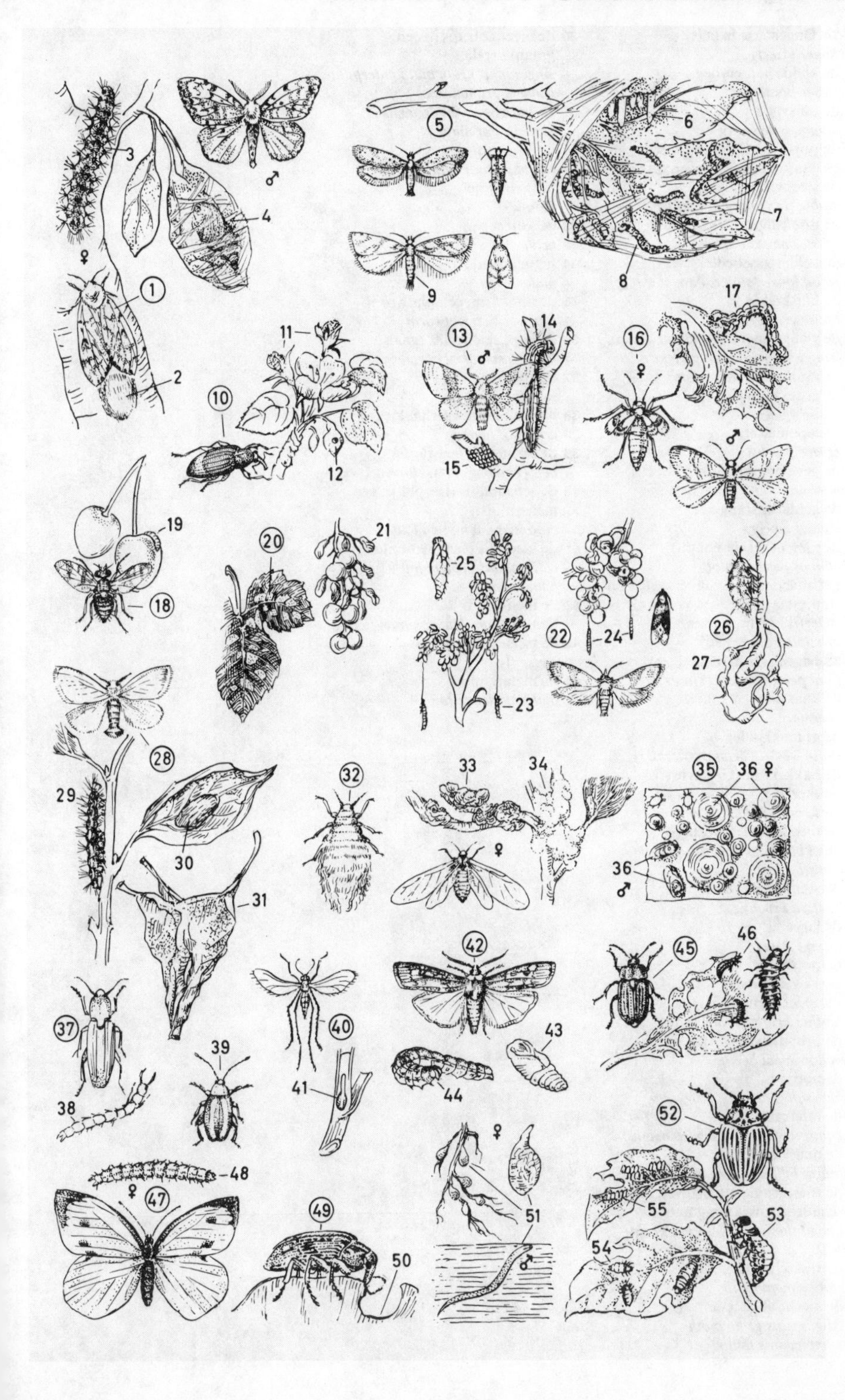

♀
1
2
3
4
♂
5
6
7
8
9
10
11
12
13
♂
14
15
16
♀
17
♂
18
19
20
21
22
23
24
25
26
27
28
29
30
31
32
33
34
♀
35
36 ♀
36
♂
37
38
39
40
41
42
43
44
45
46
47
♀
48
49
50
51
♀
♂
52
53
54
55

81 Ongedierte in huis en in voedsel, parasieten

1-14 Ongedierte in huis
- ***house insects***

1 de kleine kamervlieg
- *lesser housefly*

2 de huisvlieg
- *common housefly*

3 de pop
- *chrysalis (pupa), a coarctate pupa*

4 de steekvlieg
- *stable fly (biting housefly)*

5 de drieledige antenne
- *trichotomous antenna*

6 de kelderpissebed
- *wood louse (slater,* Am. *sow bug)*

7 de huiskrekel
- *house cricket*

8 de vleugel met de stridulatieaders
- *wing with stridulating apparatus (stridulating mechanism)*

9 de grote huisspin
- *house spider*

10 het spinneweb
- *spider's web*

11 de gewone oorworm
- *earwig*

12 de achterlijfstang
- *caudal pincers*

13 de kleermot (klerenmot)
- *clothes moth, a moth*

14 het zilvervisje (de suikergast), een franjestaart
- *silverfish (*Am. *slicker), a bristletail*

15-30 ongedierte in voedsel
- ***food pests*** *(pests to stores)*

15 de kaasvlieg
- *cheesefly*

16 de graanklander
- *grain weevil (granary weevil)*

17 de bakkerstor (Oosterse kakkerlak)
- *cockroach (black beetle)*

18 de meeltor (meelworm)
- *meal beetle (meal worm beetle, flour beetle)*

19 de stambonenkever
- *spotted bruchus*

20 de larve
- *larva (grub)*

21 de pop
- *chrysalis (pupa)*

22 de spekkever
- *leather beetle (hide beetle)*

23 de broodkever
- *yellow meal beetle*

24 de pop
- *chrysalis (pupa)*

25 de tabakskever
- *cigarette beetle (tobacco beetle)*

26 de maïsklander
- *maize billbug (corn weevil)*

27 de roestbruine graankever, een schadelijk insekt in graan
- *one of the Cryptolestes, a grain pest*

28 de Indische meelmot
- *Indian meal moth*

29 de meelmot
- *Angoumois grain moth (Angoumois moth)*

30 de meelmotrups in een graankorrel
- *Angoumois grain moth caterpillar inside a grain kernel*

31-42 parasieten bij de mens
- ***parasites of man***

31 de spoelworm
- *round worm (maw worm)*

32 het vrouwtje
- *female*

33 de kop
- *head*

34 het mannetje
- *male*

35 de lintworm, een platworm
- *tapeworm, a flatworm*

36 de kop, een hechtorgaan
- *head, a suctorial organ*

37 de zuignap
- *sucker*

38 de krans van weerhaakjes
- *crown of hooks*

39 de wandluis (bedwants)
- *bug (bed bug,* Am. *chinch)*

40 de schaamluis (het platje, een mensenluis)
- *crab louse, a human louse*

41 de kleerluis (een mensenluis)
- *clothes louse (body louse), a human louse*

42 de mensenvlo
- *flea (human flea, common flea)*

43 de tsetsevlieg
- *tsetse fly*

44 de malariamug
- *malaria mosquito*

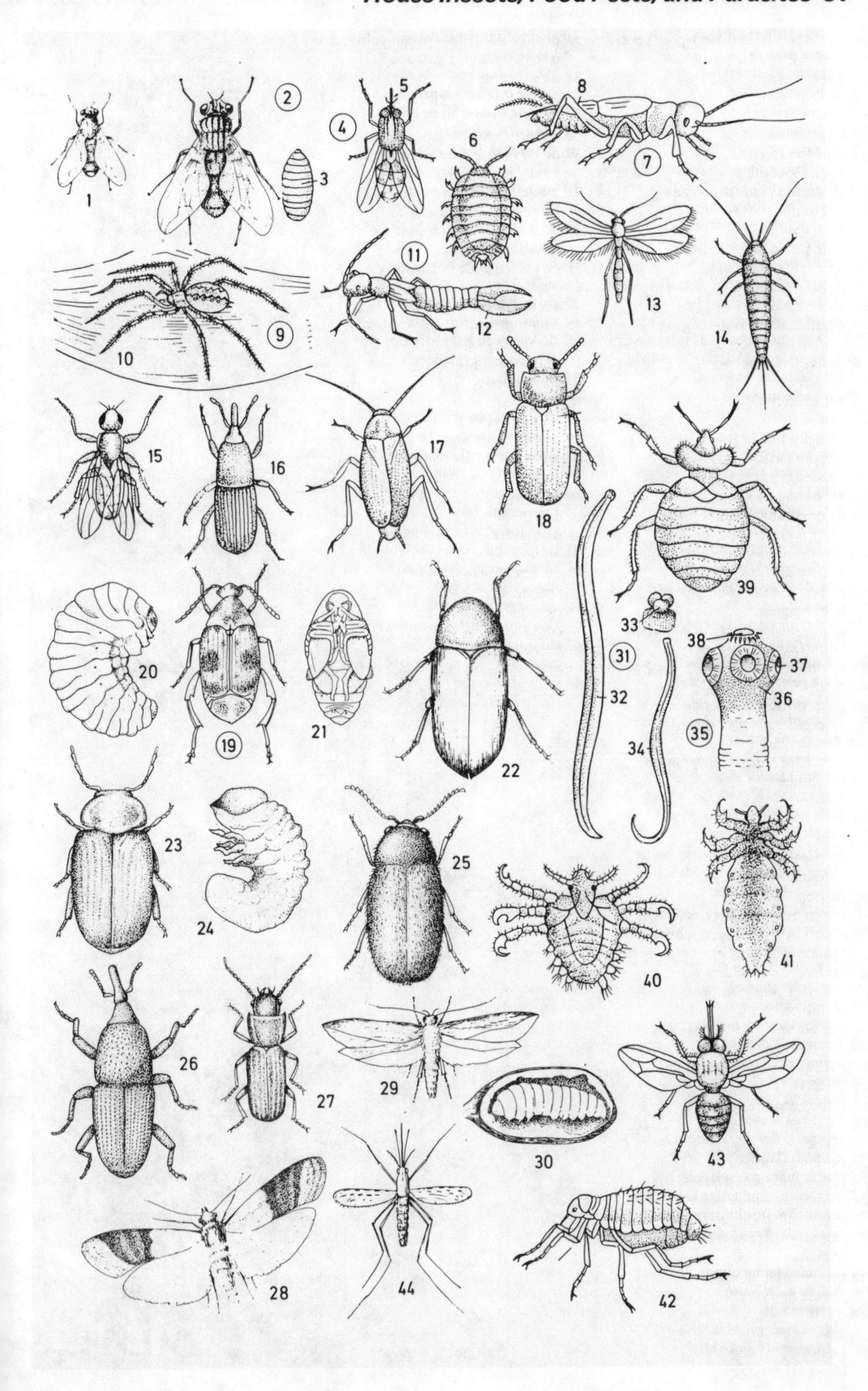
1
2
3
4
5
6
7
8
9
10
11
12
13
14
15
16
17
18
19
20
21
22
23
24
25
26
27
28
29
30
31
32
33
34
35
36
37
38
39
40
41
42
43
44

1 de meikever, een bladsprietkever
- *cockchafer (May bug), a lamellicorn*
2 de kop
- *head*
3 de antenne
- *antenna (feeler)*
4 het halsschild
- *thoracic shield (prothorax)*
5 het schildje
- *scutellum*
6-8 de poten (extremiteiten)
- *legs*
6 de voorste poot
- *front leg*
7 de middelste poot
- *middle leg*
8 de achterste poot
- *back leg*
9 het achterlijf
- *abdomen*
10 de dekschilden [hard]
- *elytron (wing case)*
11 de vleugels [vliezig]
- *membranous wing*
12 de engerling (meikeverlarve)
- *cockchafer grub, a larva*
13 de pop
- *chrysalis (pupa)*
14 de processierupsvlinder, een nachtvlinder
- *processionary moth, a nocturnal moth (night-flying moth)*
15 de vlinder
- *moth*
16 de in processie lopende rupsen
- *caterpillars in procession*
17 de nonvlinder
- *nun moth (black arches moth)*
18 de vlinder
- *moth*
19 de ei
- *eggs*
20 de rups
- *caterpillar*
21 de pop
- *chrysalis (pupa) in its cocoon*
22 de boekdrukker, een schorskever
- *typographer beetle, a bark beetle*
23-24 het vraatbeeld
- *galleries under the bark*
23 de moedergang
- *egg gallery*
24 de larvengang
- *gallery made by larva*
25 de larve
- *larva (grub)*
26 de kever
- *beetle*
27 de dennepijlstaart
- *pine hawkmoth, a hawkmoth*
28 de dennespanner
- *pine moth, a geometrid*
29 de mannelijke vlinder
- *male moth*
30 de vrouwelijke vlinder
- *female moth*
31 de rups
- *caterpillar*
32 de pop
- *chrysalis (pupa)*
33 de eikebladgalwesp, een galwesp
- *oak-gall wasp, a gall wasp*
34 de galappel
- *oak gall (oak apple), a gall*
35 de galwesp
- *wasp*
36 de larve in het larvekamertje
- *larva (grub) in its chamber*
37 buidelbladgallen op de beuk
- *beech gall*
38 de sparre-ananasgalluis
- *spruce-gall aphid*
39 de gevleugelde vorm van de bladluis
- *winged aphid*
40 de ananasgal
- *pineapple gall*
41 de dennesnuitkever
- *pine weevil*
42 de kever
- *beetle (weevil)*
43 de eikebladroller
- *green oak roller moth (green oak tortrix), a leaf roller*
44 de rups
- *caterpillar*
45 de vlinder
- *moth*
46 de denne-uil
- *pine beauty*
47 de rups
- *caterpillar*
48 de vlinder
- *moth*

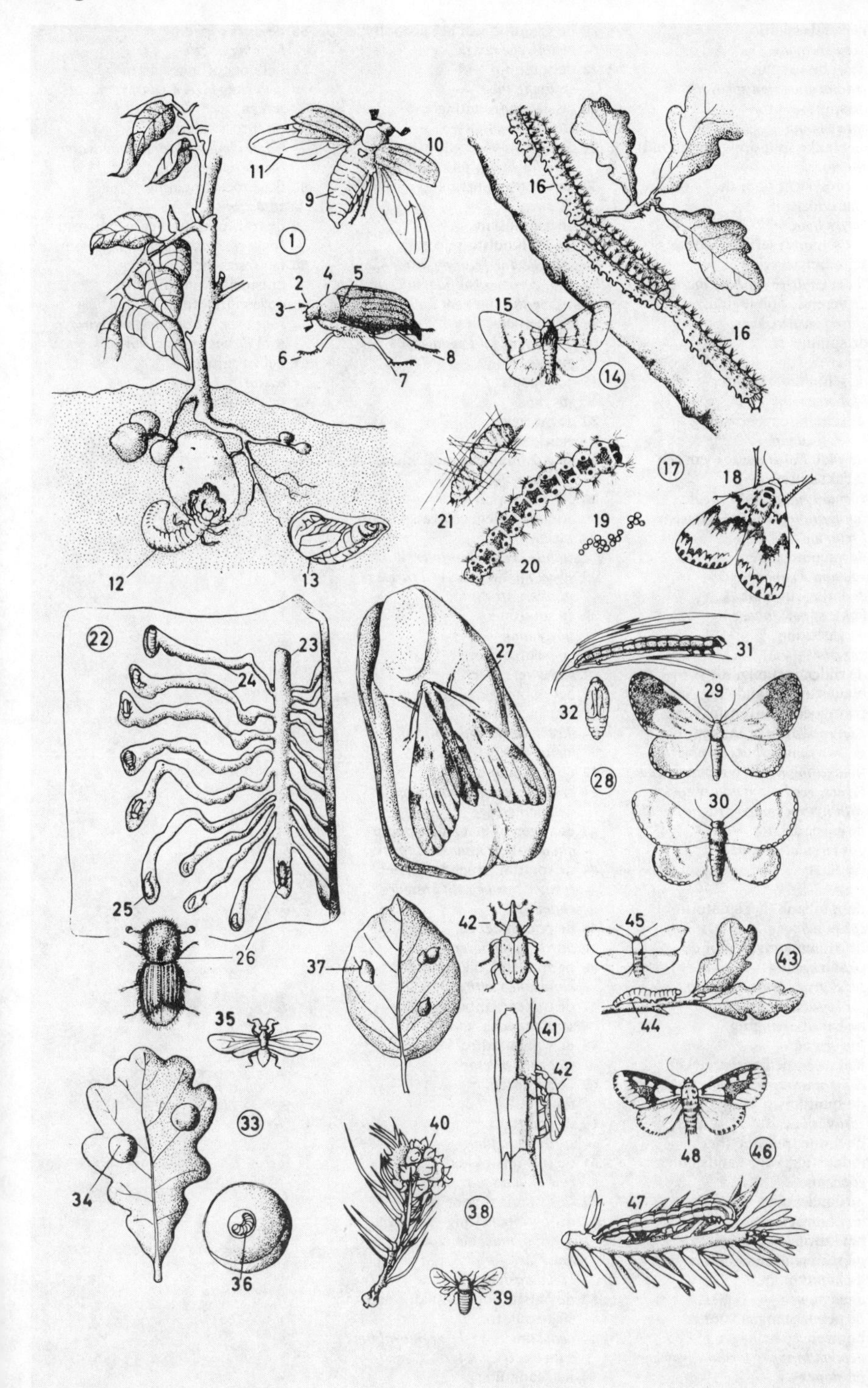
1
2
3
4
5
6
7
8
9
10
11
12
13
14
15
16
16
17
18
19
20
21
22
23
24
25
26
27
28
29
30
31
32
33
34
35
36
37
38
39
40
41
42
42
43
44
45
46
47
48

1 de veldbespuiting
- *area spraying*
2 de opbouwspuit
- *tractor-mounted sprayer*
3 de spuitboom
- *spray boom*
4 de vlakke spuitdop (spuitmond)
- *fan nozzle*
5 het reservoir voor de spuitvloeistof
- *spray fluid tank*
6 het schuimreservoir voor de schuimmarkering
- *foam canister for blob marking*
7 de verende ophanging
- *spring suspension*
8 de spuitnevel
- *spray*
9 de schuimmarkeerder
- *blob marker*
10 de schuimtoevoerleiding
- *foam feed pipe*
11 de vacuümfumigator van een tabaksfabriek
- *vacuum fumigator (vacuum fumigation plant) of a tobacco factory*
12 de vacuümkamer
- *vacuum chamber*
13 de balen ruwe tabak
- *bales of raw tobacco*
14 de gasleiding
- *gas pipe*
15 de rijdende fumigator voor blauwzuurbehandeling van plantgoed, druivenstekken, zaaigoed en lege zakken
- *mobile fumigation chamber for fumigating nursery saplings, vine layers, seeds, and empty sacks with hydrocyanic (prussic) acid*
16 de gascirculator
- *gas circulation unit*
17 de plaat
- *tray*
18 de spuitstok (het spuitpistool)
- *spray gun*
19 het draaihandvat voor de straalregeling
- *twist grip (control grip, handle) for regulating the jet*
20 de handbeveiliging
- *finger guard*
21 het, de bedieningshandel
- *control lever (operating lever)*
22 de spuitbuis
- *spray tube*
23 de ronde spuitdop (het mondstuk) voor handspuiten
- *cone nozzle*
24 de handspuit
- *hand spray*
25 het kunststofreservoir
- *plastic container*
26 de handpomp
- *hand pump*
27 de pendelstangen voor de hopteelt op hellingen
- *pendulum spray for hop growing on slopes*
28 de spuitdop van het pistooltype
- *pistol-type nozzle*
29 de spuitpijp
- *spraying tube*
30 de slangaansluiting
- *hose connection*
31 de legbuis voor gifkorrels
- *tube for laying poisoned bait*
32 de vliegemepper
- *fly swat*
33 de wijnluislans (zwavelkoolstofinjector)
- *soil injector (carbon disulphide,* Am. *carbon disulfide, injector) for killing the vine root louse*
34 de voetbediening
- *foot lever (foot pedal, foot treadle)*
35 de gasbuis
- *gas tube*
36 de muizeval
- *mousetrap*
37 de woelmuis- en molleklem
- *vole and mole trap*
38 de motorspuit voor boomgaarden, een vatspuit op wielen
- *mobile orchard sprayer, a wheelbarrow sprayer (carriage sprayer)*
39 de spuittank
- *spray tank*
40 het schroefdeksel
- *screw-on cover*
41 het pompaggregaat met benzinemotor
- *direct-connected motor-driven pump with petrol motor*
42 de manometer
- *pressure gauge (*Am. *gage) (manometer)*
43 de rugspuit met zuigerpomp
- *plunger-type knapsack sprayer*
44 de spuittank met drukketel
- *spray canister with pressure chamber*
45 de pompzwengel
- *piston pump lever*
46 de spuitstok met spuitdop
- *hand lance with nozzle*
47 de trekkeraanbouwspuit
- *semi-mounted sprayer*
48 de wijngaardtrekker
- *vineyard tractor*
49 de compressor
- *fan*
50 de spuittank
- *spray fluid tank*
51 de rij wijnstokken
- *row of vines*
52 de automaat voor droogontsmetting van zaaigoed
- *dressing machine (seed-dressing machine) for dry-seed dressing (seed dusting)*
53 de ontstoffingsventilator met elektromotor
- *dedusting fan (dust removal fan) with electric motor*
54 het slangfilter
- *bag filter*
55 de opzakopening
- *bagging nozzle*
56 het ontstoffingsscherm
- *dedusting screen (dust removal screen)*
57 de sproeiwatertank
- *water canister [containing water for spraying]*
58 de sproei-inrichting
- *spray unit*
59 de transporteur met mengworm
- *conveyor unit with mixing screw*
60 het reservoir voor ontsmettingspoeder met doseerinrichting
- *container for disinfectant powder with dosing mechanism*
61 het zwenkwiel
- *castor*
62 de mengkamer
- *mixing chamber*

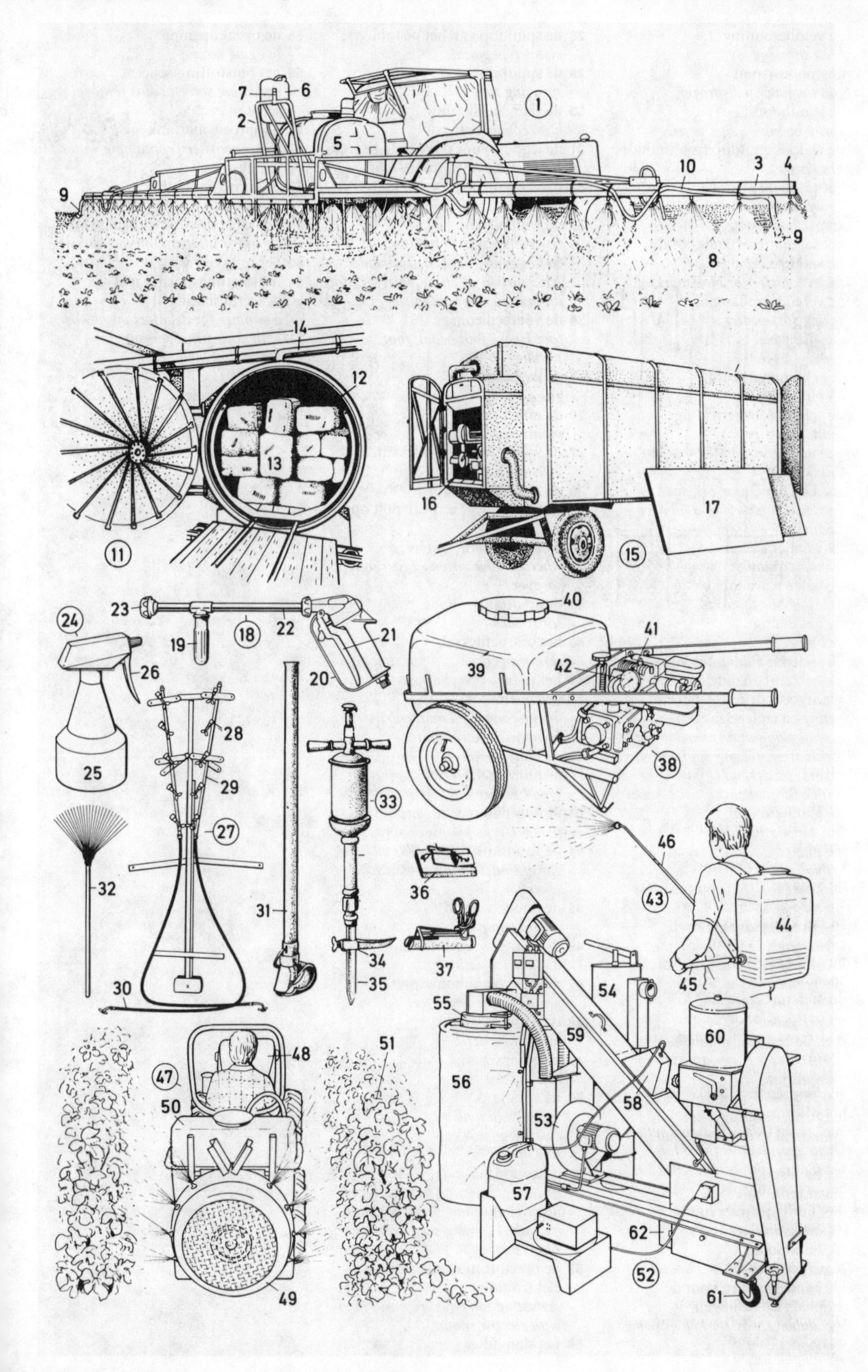
1
2
3
4
5
6
7
8
9
10
11
12
13
14
15
16
17
18
19
20
21
22
23
24
25
26
27
28
29
30
31
32
33
34
35
36
37
38
39
40
41
42
43
44
45
46
47
48
49
50
51
52
53
54
55
56
57
58
59
60
61
62

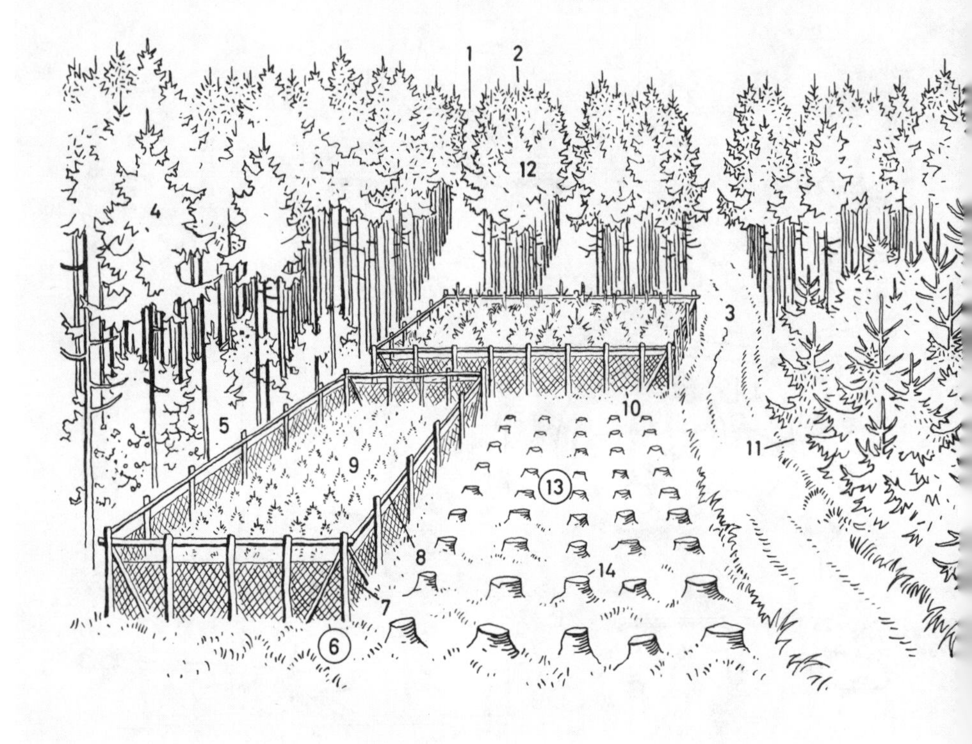

1-34 het bos
- ***forest,*** *a wood*

1 het dunningspad
- *ride (aisle, lane, section line)*

2 het vak
- *compartment (section)*

3 de bosweg
- *wood haulage way, a forest track*

4-14 het kaalkapsysteem
- ***clear-felling system***

4 de opstand
- *standing timber*

5 de ondergroei (opslag)
- *underwood (underbrush, undergrowth, brushwood,* Am. *brush)*

6 de kwekerij
- *seedling nursery, a tree nursery*

7 het wildraster
- *deer fence (fence), a wire netting fence, a protective fence for seedlings;* sim.: *rabbit fence*

8 de versterkingsplank
- *guard rail*

9 de zaailingen
- *seedlings*

10-11 de jonge opstand
- *young trees*

10 de verspeende zaailingen
- *tree nursery after transplanting*

11 de jonge opstand
- *young plantation*

12 de jonge opstand na opsnoeien
- *young plantation after brashing*

13 de kaalslag
- *clearing*

14 de stobbe (boomstronk)
- *tree stump (stump, stub)*

15-37 het vellen en opwerken
- ***wood cutting*** *(timber cutting, tree felling,* Am. *lumbering)*

15 het uitgesleepte langhout
- *timber skidded to the stack (stacked timber,* Am. *yarded timber)*

16 gekort en gestapeld hout; 1 stère of stapelmeter
- *stack of logs, one cubic metre (*Am. *meter) of wood*

17 de steunpaal
- *post (stake)*

18 de bosarbeider bij het keren van de stam
- *forest labourer (woodsman,* Am. *logger, lumberer, lumberjack, lumberman, timberjack) turning (*Am. *canting) timber*

19 de gesnoeide stam
- *bole (tree trunk, trunk, stem)*

20 de houtmeter bij het nummeren van de stammen
- *feller numbering the logs*

21 de boommeetklem
- *steel tree calliper (caliper)*

22 de motorzaag
- *power saw (motor saw) cutting a bole*

23 de veiligheidshelm met gelaatsscherm en oorbescherming
- *safety helmet with visor and ear pieces*

24 de jaarringen
- *annual rings*

25 de hydraulische velwig
- *hydraulic felling wedge*

26 de veiligheidskleding (oranje blouse, groene broek)
- *protective clothing [orange top, green trousers]*

27 het vellen met de motorzaag
- *felling with a power saw (motor saw)*

28 de valkerf
- *undercut (notch, throat, gullet, mouth, sink, kerf, birdsmouth)*

29 de valsnede
- *back cut*

30 de tas met velwig
- *sheath holding felling wedge*

31 het gekorte sortiment
- *log*

32 de bosmaaier, voor het verwijderen van opslag
- *free-cutting saw for removing underwood and weeds*

33 het maaiblad
- *circular saw attachment;* sim.: *activated blade attachment*

34 de motor
- *power unit (motor)*

35 het blik tweetaktolie
- *canister of viscous oil for the saw chain*

36 het benzineblik
- *petrol canister (*Am. *gasoline canister)*

37 het vellen van licht dunningshout
- *felling of small timber (of small-sized thinnings) (thinning)*

1 de bijl
- *axe (*Am. *ax)*
2 de snede
- *edge (cutting edge)*
3 de steel
- *handle (helve)*
4 de wig
- *felling wedge (falling wedge) with wood insert and ring*
5 de kloofhamer
- *riving hammer (cleaving hammer, splitting hammer)*
6 de sappie
- *lifting hook*
7 de kartelhaak
- *cant hook*
8 de schilschop
- *barking iron (bark spud)*
9 de velhevel met kartelhaak
- *peavy*
10 de meetstok met klem en ritsmes
- *slide calliper (caliper) (calliper square)*
11 de beitel (het slagmes met kromme punt)
- *billhook, a knife for lopping*
12 de merkhamer (nummerhamer)
- *revolving die hammer (marking hammer, marking iron,* Am. *marker)*
13 de motorzaag
- *power saw (motor saw)*
14 de zaagketting
- *saw chain*
15 het, de handel van de kettingrem
- *safety brake for the saw chain, with finger guard*
16 het zaagblad (de kettingscheider)
- *saw guide*
17 het, de veiligheidsgashandel
- *accelerator lock*
18 de snoeimachine
- *snedding machine (trimming machine,* Am. *knotting machine, limbing machine)*
19 de invoerrollen
- *feed rolls*
20 het flexibele snoeiblad
- *flexible blade*
21 de hydraulische arm
- *hydraulic arm*
22 het snoeiblad
- *trimming blade*
23 de schilmachine
- *debarking (barking, bark stripping) of boles*
24 de invoerrollen
- *feed roller*
25 de schilcilinder
- *cylinder trimmer*
26 het voorsnijmes
- *rotary cutter*
27 de uitrijtrekker
- *short-haul skidder*
28 de hydraulische laadkraan
- *loading crane*
29 de houtgrijper
- *log grips*
30 de rongen
- *post*
31 de knikbesturing
- *Ackermann steering system*
32 het stapelhout
- *log dump*
33 de nummering
- *number (identification number)*
34 de uitsleeptrekker
- *skidder*
35 het opduwblad (grondschuifblad)
- *front blade (front plate)*
36 de veiligheidsstangen
- *crush-proof safety bonnet (*Am. *safety hood)*
37 de knikbesturing
- *Ackermann steering system*
38 de lier
- *cable winch*
39 de liertrommel
- *cable drum*
40 het lierblad
- *rear blade (rear plate)*
41 de opgetrokken stameinden
- *boles with butt ends held off the ground*
42 het wegtransport van langhout
- *haulage of timber by road*
43 de trekker
- *tractor (tractor unit)*
44 de hijskraan
- *loading crane*
45 de hydraulische steunen
- *hydraulic jack*
46 de lier
- *cable winch*
47 de rongen
- *post*
48 de draaischijfoplegger
- *bolster plate*
49 de volgassen
- *rear bed (rear bunk)*

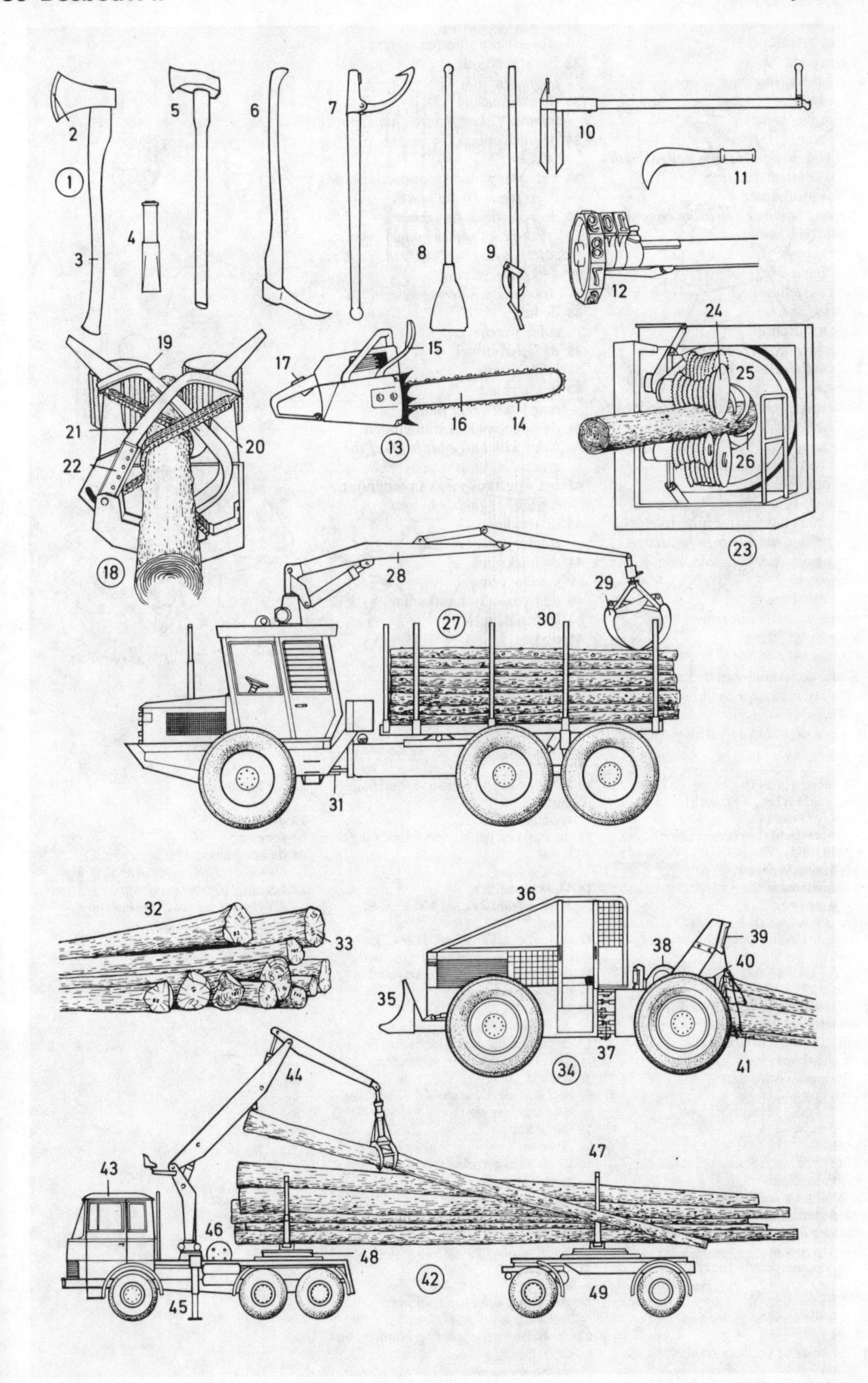
1
2
3
4
5
6
7
8
9
10
11
12
13
14
15
16
17
18
19
20
21
22
23
24
25
26
27
28
29
30
31
32
33
34
35
36
37
38
39
40
41
42
43
44
45
46
47
48
49

1-52 soorten jacht (het jagen, de jacht, het weidwerken, weidwerk)
- ***kinds of hunting***

1-8 de bersjacht (het bersen in het (jacht)veld)
- ***stalking*** *(deer stalking,* Am. *stillhunting) in the game preserve*

1 de jager (weidman)
- *huntsman (hunter)*

2 de jachtkleding (het jachtkostuum)
- *hunting clothes*

3 de rugzak (weitas)
- *knapsack*

4 de bersbuks (buks, kogelbuks)
- *sporting gun (sporting rifle, hunting rifle)*

5 de jachthoed
- *huntsman's hat*

6 de (verre)kijker
- *field glasses (binoculars)*

7 de jachthond
- *gun dog*

8 het spoor (de reeks van prenten, pootafdrukken)
- *track (trail, hoofprints)*

9-12 de bronstjacht en de baltsjacht
- ***hunting in the rutting season and the pairing season***

9 het scherm (de schutting)
- *hunting screen (screen,* Am. *blind)*

10 de zit-wandelstok
- *shooting stick (shooting seat, seat stick)*

11 de baltsende korhaan (korhaan in de balts)
- *blackcock, displaying*

12 het bronsthert (bronstige, burlende hert)
- *rutting stag*

13 de hinde bij het laveien (hinde op lavei)
- *hind, grazing*

14-17 het aanzitten
- ***hunting from a raised hide*** *(raised stand)*

14 de hoogzit (kansel, wildkansel)
- *raised hide (raised stand, high seat)*

15 de roedel binnen schootsafstand
- *herd within range*

16 de wissel
- *game path (*Am. *runway)*

17 de reebok, door een bladschot getroffen en met een vangschot gedood
- *roebuck, hit in the shoulder and killed by a finishing shot*

18 de faëton
- *phaeton*

19-27 de jacht op schadelijk wild
- ***types of trapping***

19 de roofwildbestrijding met kastvallen
- *trapping of small predators*

20 de kastval (valkooi)
- *box trap, a trap for small predators*

21 het (lok)aas
- *bait*

22 de marter, een klein roofdier
- *marten, a small predator*

23 het fretteren, de jacht op konijnen met de fret
- *ferreting (hunting rabbits out of their warrens)*

24 het fret
- *ferret*

25 de fretteur
- *ferreter*

26 de konijnebouw (konijnepijpen)
- *burrow (rabbit burrow, rabbit hole)*

27 het netje (op de springpijp)
- *net (rabbit net) over the burrow opening*

28 de voederplaats voor wild (ruif voor bijvoeren van wild)
– *feeding place for game (winter feeding place)*
29 de stroper
– *poacher*
30 het stutzenmodel (kogelbuks voor jacht in de bergen)
– *carbine, a short rifle*
31 de zwartwildjacht (jacht op wilde zwijnen)
– *boar hunt*
32 het zwartwild (wilde zwijn, wilde varken)
– *wild sow (sow, wild boar)*
33 de jachthond voor de zwartwildjacht; *een aantal honden:* de meute
– *boarhound, a hound (hunting dog;* collectively: *pack, pack of hounds)*
34-39 de drijfjacht (kesseljacht, hazejacht, het kesselen)
– ***beating** (driving, hare hunting)*
34 het epauleren (schouderen, aan de schouder brengen)
– *aiming position*
35 de, het haas, een soort haarwild
– *hare, furred game (ground game)*
36 het apport (het apporteren)
– *retrieving*
37 de drijver (klopper)
– *beater*
38 het tableau (de score)
– *bag (kill)*
39 de wildkar (wildwagen)
– *cart for carrying game*
40 de jacht op waterwild (eendejacht)
– *waterfowling (wildfowling, duck shooting,* Am. *duck hunting)*
41 de eendentrek (het veerwild)
– *flight of wild ducks, winged game*
42-46 de valkejacht
– ***falconry** (hawking)*
42 de valkenier
– *falconer*
43 de beloning, een stuk vlees
– *reward, a piece of meat*
44 de huif (kap)
– *falcon's hood*
45 de langveter (lang- en kortveter)
– *jess*
46 de valk, een stootvogel, een mannetjesvalk bij het slaan van een reiger
– *falcon, a hawk, a male hawk (tiercel) swooping (stooping) on a heron*
47-52 de hutjacht
– ***shooting from a butt***
47 de boom waar de gelokte vogels in moeten vallen
– *tree to which birds are lured*
48 de oehoe (uil), een lokvogel
– *eagle owl, a decoy bird (decoy)*
49 de stang (vogelstok)
– *perch*
50 de gelokte vogel, een kraai
– *decoyed bird, a crow*
51 de hut
– *butt for shooting crows or eagle owls*
52 de schietopening
– *gun slit*

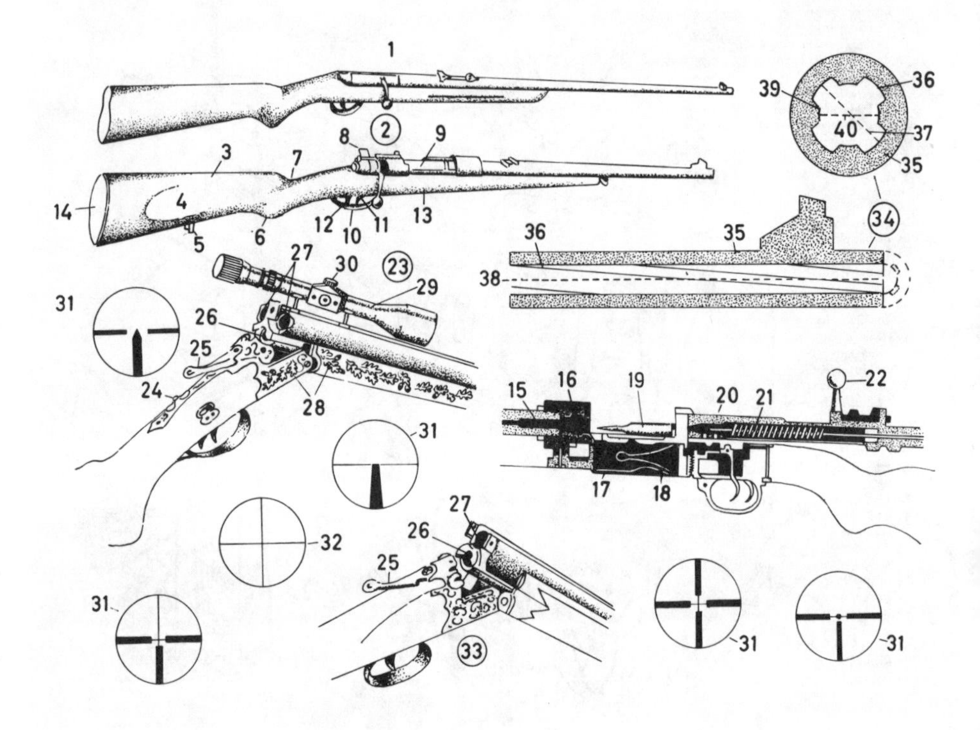

1-40 wapens voor de schietsport (jachtgeweren)
- ***sporting guns*** *(sporting rifles, hunting rifles)*

1 het enkelschots geweer
- *single-loader (single-loading rifle)*

2 de repeteerkogelbuks, een handvuurwapen (schietwapen), een geweer met magazijn
- *repeating rifle, a small-arm (fire-arm), a repeater (magazine rifle, magazine repeater)*

3, 4, 6, 13 de vormgeving van de kolf
- *stock*

3 de kolf
- *butt*

4 de wang [aan de linkerkant]
- *cheek [on the left side]*

5 de riembeugel
- *sling ring*

6 de pistoolgreep
- *pistol grip*

7 de (kolf)greep
- *small of the butt*

8 de veiligheidspal
- *safety catch*

9 het geweerslot
- *lock*

10 de trekkerbeugel
- *trigger guard*

11 de trekker met drukpunt
- *second set trigger (firing trigger)*

12 de versneller
- *hair trigger (set trigger)*

13 het voorhout (de voorlade)
- *foregrip*

14 de verende kolfplaat, een geventileerde kolfplaat van rubber
- *butt plate*

15 de kamer
- *cartridge chamber*

16 de voorste brug van het grendelhuis
- *receiver*

17 het magazijn
- *magazine*

18 de aanbrengveer (magazijnveer)
- *magazine spring*

19 de munitie
- *ammunition (cartridge)*

20 de achterste brug van het grendelhuis
- *chamber*

21 de slagpin
- *firing pin (striker)*

22 de grendelknop
- *bolt handle (bolt lever)*

23 de drieling, een combinatiewapen, een hammerless zonder uitwendige hanen
- *triple-barrelled (triple-barreled) rifle, a self-cocking gun*

24 de omstelschuif (*vaak gecombineerd met* veiligheid)
- *reversing catch;* in various guns: *safety catch*

25 de toplever, een sleutel
- *sliding safety catch*

26 de loop van een kogelbuks
- *rifle barrel (rifled barrel)*

27 de hagelloop
- *smooth-bore barrel*

28 de gravure
- *chasing*

29 de richtkijker
- *telescopic sight (riflescope, telescope sight)*

30 de stelschroeven voor de bedrading van de richtkijker
- *graticule adjuster screws*

31-32 de bedrading
- *graticule (sight graticule)*

31 verschillende soorten bedrading
- *various graticule systems*

32 het draadkruis
- *cross wires (*Am. *cross hairs)*

33 het bockgeweer (de over and under, superposé)
- *over-and-under shotgun*

34 de getrokken loop
- *rifled gun barrel*

35 de loopwand
- *barrel casing*

36 de trek
- *rifling*

37 het kaliber, gemeten tussen de trekken
- *rifling calibre (*Am. *caliber)*

38 de zielas
- *bore axis*

39 het veld
- *land*

40 het kaliber, gemeten tussen de velden
- *calibre (bore diameter,* Am. *caliber)*

41-48 jachtartikelen
– ***hunting equipment***
41 de hartsvanger
– *double-edged hunting knife*
42 de jachtnicker (zowel hartsvanger als ontweidmes)
– *single-edged hunting knife*
43-47 lokjachtartikelen
– ***calls for luring game*** *(for calling game)*
43 de reepiep (reelokker)
– *roe call*
44 de hazeklacht (lokker voor de vos)
– *hare call*
45 de kwartellokker
– *quail call*
46 de hertelokker (imitatiebronstroep)
– *stag call*
47 de patrijzelokker
– *partridge call*
48 de zwanehals, een klem
– *bow trap (bow gin), a jaw trap*
49 de hagelpatroon
– *small-shot cartridge*
50 de kartonnen huls
– *cardboard case*
51 de hagellading
– *small-shot charge*
52 de viltprop
– *felt wad*
53 het rookloze kruit (*andere soort:* zwart kruit)
– *smokeless powder;* also: *black powder*
54 de kogelpatroon
– *cartridge*
55 de volmantelkogel
– *full-jacketed cartridge*
56 de loodkern
– *soft-lead core*
57 de kruitlading
– *powder charge*
58 de hulsbodem
– *detonator cap*
59 het slaghoedje
– *percussion cap*
60 de jachthoorn
– *hunting horn*
61-64 wapenreinigingsartikelen
– *rifle cleaning kit*
61 de poetsstok
– *cleaning rod*
62 de staalborstel
– *cleaning brush*
63 het vlashaar
– *cleaning tow*
64 het schoonmaaktouw
– *pull-through (*Am. *pull-thru)*
65 het verstelbare mauser-boogvizier
– *sights*
66 de vizierkeep
– *notch (sighting notch)*
67 de vizierklep
– *back sight leaf*
68 de afstandsschaal
– *sight scale division*
69 de vizierschuif
– *back sight slide*
70 de rust
– *notch [to hold the spring]*
71 de korrel
– *front sight (foresight)*
72 de dakkorrel
– *bead*
73 ballistiek
– ***ballistics***
74 het azimut (de horizontale lijn)
– *azimuth*
75 de mondingshoek (uitvaartshoek)
– *angle of departure*
76 de elevatie
– *angle of elevation*
77 de culminatiehoogte
– *apex (zenith)*
78 de invalshoek
– *angle of descent*
79 de ballistische curve (kogelbaan)
– *ballistic curve*

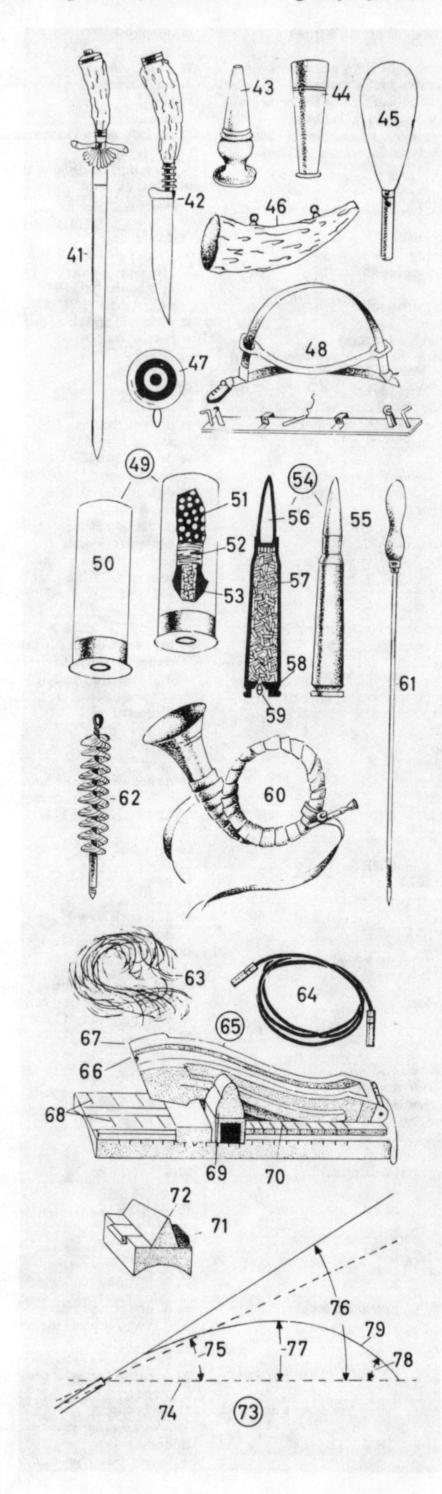

1-27 **het roodwild** (de edelherten)
– ***red deer***
1 de hinde (vrouwelijk stuk roodwild), een smaldier (vrouwelijk stuk roodwild in het tweede levensjaar); *groep hinden met kalveren:* kaalwild; j.: het kalf
– *hind (red deer), a young hind or a dam;* collectively: *antlerless deer,* (y.) *calf*
2 de tong
– *tongue*
3 de nek (hals)
– *neck*
4 het bronsthert
– *rutting stag*
5-11 **het gewei** (de koptooi)
– ***antlers***
5 de roos (rozenkrans)
– *burr (rose)*
6 de oogtakken (oogtak)
– *brow antler (brow tine, brow point, brow snag)*
7 de ijstakken (ijstak)
– *bez antler (bay antler, bay, bez tine)*
8 de middentakken (middentak)
– *royal antler (royal, tray)*
9 de kroon
– *surroyal antlers (surroyals)*
10 het eind (de tak)
– *point (tine)*
11 de stang
– *beam (main trunk)*
12 de kop
– *head*
13 de bek
– *mouth*
14 de traankanalen (oogklieren)
– *larmier (tear bag)*
15 het oog
– *eye*
16 het oor (*beide oren:* het gehoor)
– *ear*
17 het blad
– *shoulder*
18 de lende
– *loin*
19 de staart
– *scut (tail)*
20 de spiegel
– *rump*
21 de achterbout (bil)
– *leg (haunch)*
22 de achterloper
– *hind leg*
23 de achterklauw
– *dew claw*
24 de schaal
– *hoof*
25 de voorloper
– *foreleg*
26 de flank
– *flank*
27 de bronstmanen
– *collar (rutting mane)*
28-39 **het reewild**
– ***roe*** *(roe deer)*
28 de reebok
– *roebuck (buck)*
29-31 **het gewei** (de koptooi)
– ***antlers*** *(horns)*
29 de roos
– *burr (rose)*
30 de stang met de parels
– *beam with pearls*
31 het eind
– *point (tine)*
32 het oor (*beide oren:* het gehoor)
– *ear*
33 het oog
– *eye*
34 de reegeit (geit), een smaldier; *oud:* een oude geit
– *doe (female roe), a female fawn or a barren doe*
35 de lende
– *loin*
36 de spiegel
– *rump*
37 de achterbout (bil)
– *leg (haunch)*
38 het blad
– *shoulder*
39 het kalf; m.: bokkalf; v.: het vrouwelijke kalf (geitkalf)
– *fawn,* (m.) *young buck,* (f.) *young doe*
40-41 **het damwild**
– ***fallow deer***
40 het damhert, een schoffelaar; v.: de damhinde
– *fallow buck, a buck with palmate (palmated) antlers,* (f.) *doe*
41 de schaufel (schoffel)
– *palm*
42 de vos; m.: rekel; v.: teef (moer)
– *red fox,* (m.) *dog,* (f.) *vixen,* (y.) *cub*
43 de ogen
– *eyes*
44 het gehoor
– *ear*
45 de vang (bek)
– *muzzle (mouth)*
46 de voorlopers
– *pads (paws)*
47 de lont (staart)
– *brush (tail)*
48 de das; m.: de mannetjesdas (rekel); v.: de wijfjesdas (moer)
– *badger,* (f.) *sow*
49 de staart
– *tail*
50 de klauwen
– *paws*
51 het zwartwild; m.: de keiler; v.: de bache (zeug); j.: de frischling (big)
– *wild boar,* (m.) *boar,* (f.) *wild sow (sow),* (y.) *young boar*
52 de borstel
– *bristles*
53 de snuit
– *snout*
54 de houwer; *mv.:* de houwers (de geweren in de bovenkaak, de harderers); *bij de bache (zeug):* de kaken
– *tusk*
55 het schild
– *shield*
56 de huid
– *hide*
57 de (voor)klauw
– *dew claw*
58 de staart
– *tail*
59 het, de haas (veldhaas); m.: de rammelaar; v.: de moerhaas
– *hare,* (m.) *buck,* (f.) *doe*
60 het oog
– *eye*
61 de lepel
– *ear*
62 de staart (pluim)
– *scut (tail)*
63 de achterloper
– *hind leg*
64 de voorloper
– *foreleg*
65 het konijn
– *rabbit*
66 de korhaan
– *blackcock*
67 de staart
– *tail*
68 de liervormige veer
– *falcate (falcated) feathers*
69 het hazelhoen
– *hazel grouse (hazel hen)*
70 de patrijs (het veldhoen)
– *partridge*
71 het hoefijzer
– *horseshoe (horseshoe marking)*
72 de auerhaan
– *wood grouse (capercaillie)*
73 de keelbart
– *beard*
74 de spiegel
– *axillary marking*
75 de staart
– *tail (fan)*
76 de vleugel
– *wing (pinion)*
77 de fazant; m.: de fazantehaan; v.: de fazantehen
– *common pheasant, a pheasant,* (m.) *cock pheasant (pheasant cock),* (f.) *hen pheasant (pheasant hen)*
78 het oor
– *plumicorn (feathered ear, ear tuft, ear, horn)*
79 de vleugel
– *wing*
80 de staart
– *tail*
81 de poot
– *leg*
82 de spoor
– *spur*
83 de houtsnip
– *snipe*
84 de snep
– *bill (beak)*

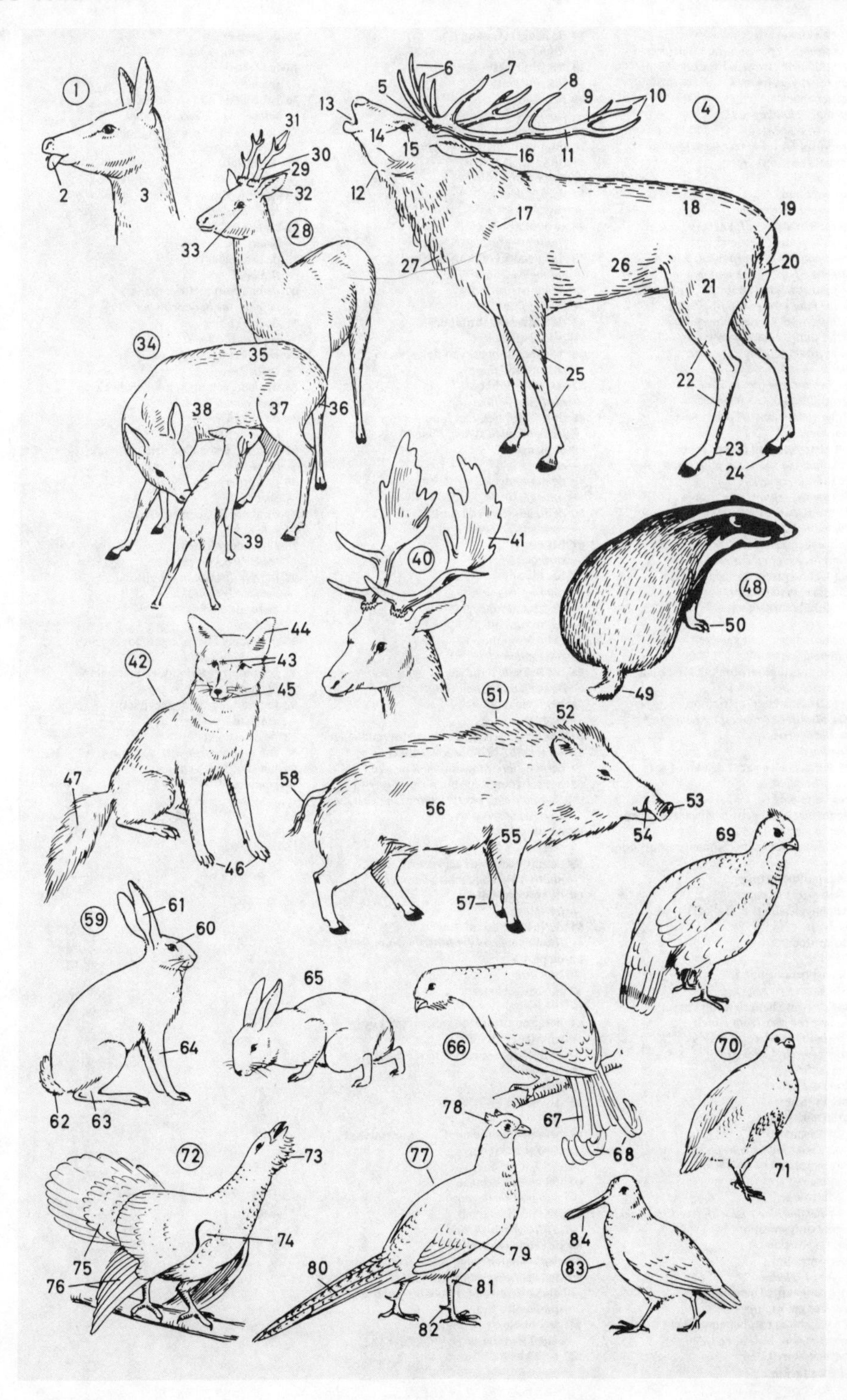
1
2
3
4
5
6
7
8
9
10
11
12
13
14
15
16
17
18
19
20
21
22
23
24
25
26
27
28
29
30
31
32
33
34
35
36
37
38
39
40
41
42
43
44
45
46
47
48
49
50
51
52
53
54
55
56
57
58
59
60
61
62
63
64
65
66
67
68
69
70
71
72
73
74
75
76
77
78
79
80
81
82
83
84

89 Viskwekerij en hengelsport

1-19 de viskwekerij
– ***fish farming*** *(fish culture, pisciculture)*
1 de houder in stromend water
– *cage in running water*
2 het schepnet
– *hand net (landing net)*
3 het vistransportvat
– *semi-oval barrel for transporting fish*
4 het vat (de kuip)
– *vat*
5 de loopplank
– *trellis in the overflow*
6 de forellenvijver; *of:* karpervijver, een broed-, poot- of groeivijver
– *trout pond;* sim.: *carp pond, a fry pond, fattening pond, or cleansing pond*
7 de instroom (watertoevoerpijp)
– *water inlet (water supply pipe)*
8 de uitstroom (waterafvoerpijp)
– *water outlet (outlet pipe)*
9 de afvoerinrichting
– *monk*
10 de, het rooster (de duiker)
– *screen*
11-19 de visbroedinstallatie
– ***hatchery***
11 het afstrijken van de kuitsnoek
– *stripping the spawning pike (seed pike)*
12 de kuit (viseitjes)
– *fish spawn (spawn, roe, fish eggs)*
13 de vrouwelijke vis (kuitvis, kuiter)
– *female fish (spawner, seed fish)*
14 de forellenteelt
– *trout breeding (trout rearing)*
15 het Californische broedapparaat
– *Californian incubator*
16 het forellenbroed(sel)
– *trout fry*
17 het broedglas voor snoeken
– *hatching jar for pike*
18 de langwerpige stroombak (visopslagbak)
– *long incubation tank*
19 het (Brandstetter) eiertelbord
– *Brandstetter egg-counting board*
20-94 het sportvissen
– ***angling***
20-31 het hengelen vanaf de oever (wal, waterkant)
– ***coarse fishing***
20 de met de hand geleide zijwaartse worp
– *line shooting*
21 het binnengehaalde (binnengeviste) snoer
– *coils*
22 de lap of het papier
– *cloth (rag) or paper*
23 de hengelsteun (het statief)
– *rod rest*
24 de aasdoos
– *bait tin*
25 de viskorf (vismand)
– *fish basket (creel)*
26 het drijvend hengelen (op karpers)
– *fishing for carp from a boat*
27 de roeiboot (vissersboot)
– *rowing boat (fishing boat)*
28 het leefnet
– *keep net*
29 het kruisnet
– *drop net*
30 de roeispaan
– *pole (punt pole, quant pole)*
31 het werpnet
– *casting net*
32 de lassoworp
– *two-handed side cast with fixed-spool reel*
33 de uitgangspositie
– *initial position*
34 het werppunt
– *point of release*
35 de baan van de hengelpunt
– *path of the rod tip*
36 de vliegbaan van het aasgewicht
– *trajectory of the baited weight*
37-94 hengelartikelen
– ***fishing tackle***
37 de hengelaarstang
– *fishing pliers*
38 het fileermes
– *filleting knife*
39 het vismes
– *fish knife*
40 de hakensteker
– *disgorger (hook disgorger)*
41 de aasnaald
– *bait needle*
42 de bekklem
– *gag*
43-48 visdobbers
– ***floats***
43 de kurkdrijver (kurkdobber)
– *sliding cork float*
44 de kunststofdobber
– *plastic float*
45 de penneschachtdobber
– *quill float*
46 de snoekdobber, van polystyreen
– *polystyrene float*
47 de ovale dobber
– *oval bubble float*
48 de geefdobber, met lood verzwaard
– *lead-weighted sliding float*
49-58 hengels
– ***rods***
49 de glashengel
– *solid glass rod*
50 de handgreep van kurk
– *cork handle (cork butt)*
51 het oog
– *spring-steel ring*
52 het topoog
– *top ring (end ring)*
53 de telescoophengel
– *telescopic rod*
54 het telescoopdeel
– *rod section*
55 het beklede handvat
– *bound handle (bound butt)*
56 het (geleide)oog
– *ring*
57 de carbonhengel, een koolstofvezelhengel; *vergelijkb.:* de holle glashengel
– *carbon-fibre rod;* sim.: *hollow glass rod*
58 het startoog, een stalen ring
– *all-round ring (butt ring for long cast), a steel bridge ring*
59-64 haspels
– ***reels***
59 de rail, reel, voor zeevisserij
– *multiplying reel (multiplier reel)*
60 de snoergeleider
– *line guide*
61 de vastzethaspel
– *fixed-spool reel (stationary-drum reel)*
62 de pick-up
– *bale arm*
63 het hengelsnoer
– *fishing line*
64 het gecontroleerde werpen (met de wijsvinger)
– *controlling the cast with the index finger*
65-76 aas
– ***baits***
65 de vlieg
– *fly*
66 het nimfaas (de nimf), de kunstmatige nimf (insektepop)
– *artificial nymph*
67 het regenwormaas
– *artificial earthworm*
68 het sprinkhaanaas
– *artificial grasshopper*
69 de eendelige schijnvis
– *single-jointed plug (single-jointed wobbler)*
70 de tweedelige schijnvis
– *double-jointed plug (double-jointed wobbler)*
71 de wobbler, een schijnvis
– *round wobbler*
72 de pilker
– *wiggler*
73 de blinker
– *spoon bait (spoon)*
74 het tolletje (de tol)
– *spinner*
75 het tolletje met verstopte haak
– *spinner with concealed hook*
76 de lepel, een langwerpig tolletje
– *long spinner*
77 de wartel
– *swivel*
78 de onderlijn
– *cast (leader)*
79-87 haken
– ***hooks***
79 de hengelhaak
– *fish hook*
80 de haaktop met weerhaak
– *point of the hook with barb*
81 de haakboog
– *bend of the hook*
82 het plaatje (oog)
– *spade (eye)*
83 de fleur, een open dubbele haak
– *open double hook*
84 de limerick
– *limerick*
85 de dreg, een dichte drietandhaak
– *closed treble hook (triangle)*
86 de karperhaak
– *carp hook*
87 de aberdeen, een aalhaak
– *eel hook*
88-92 loodgewichten
– ***leads*** *(lead weights)*
88 het verwisselbare schuiflood
– *oval lead (oval sinker)*
89 de loodkorrels
– *lead shot*
90 de arlesey bomb, een loodgewicht
– *pear-shaped lead*
91 het paternosterlood, een schietlood
– *plummet*
92 het botlood, voor zeevisserij
– *sea lead*
93 de doortocht
– *fish ladder (fish pass, fish way)*
94 het staaknet, een fuik
– *stake net*

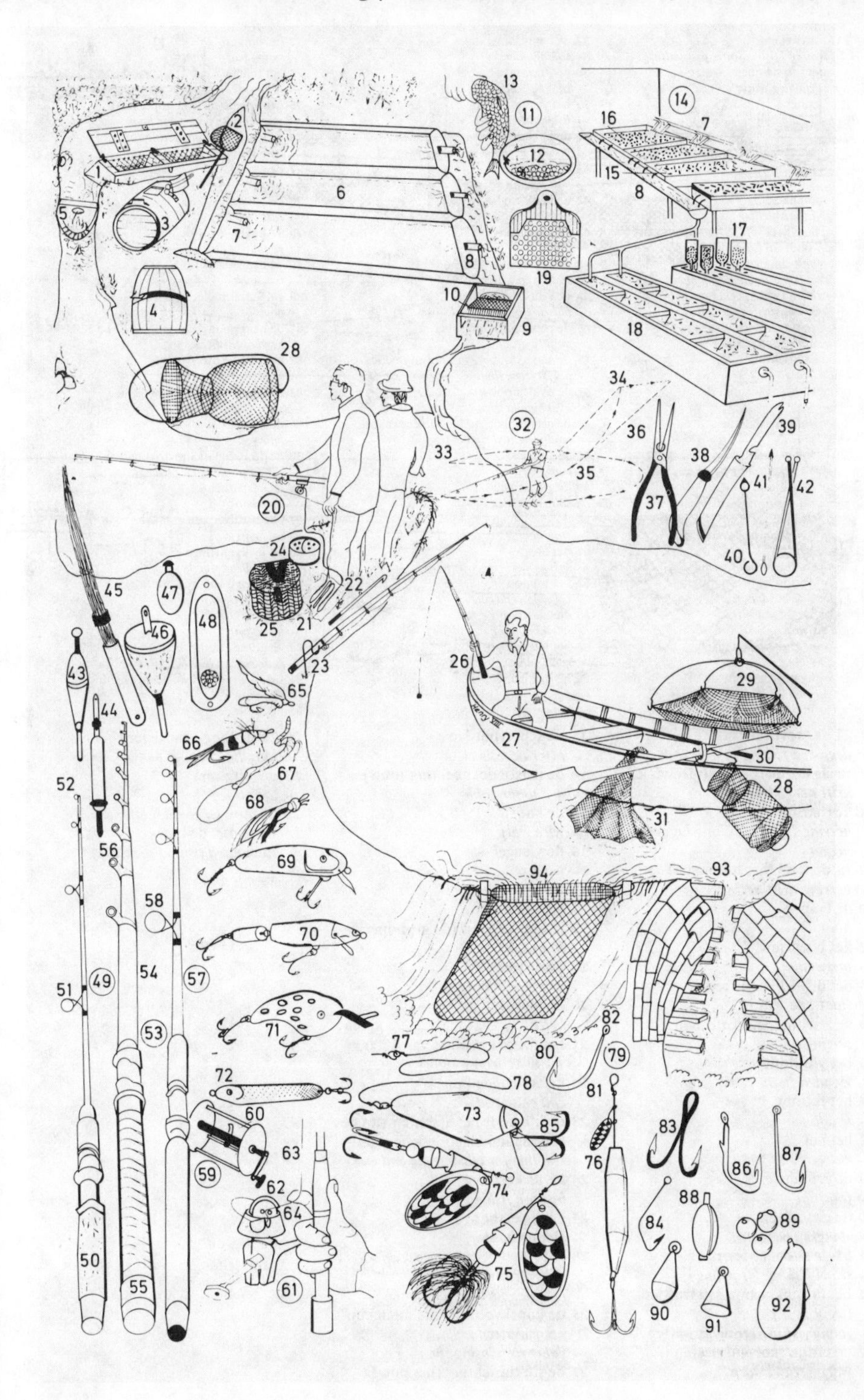

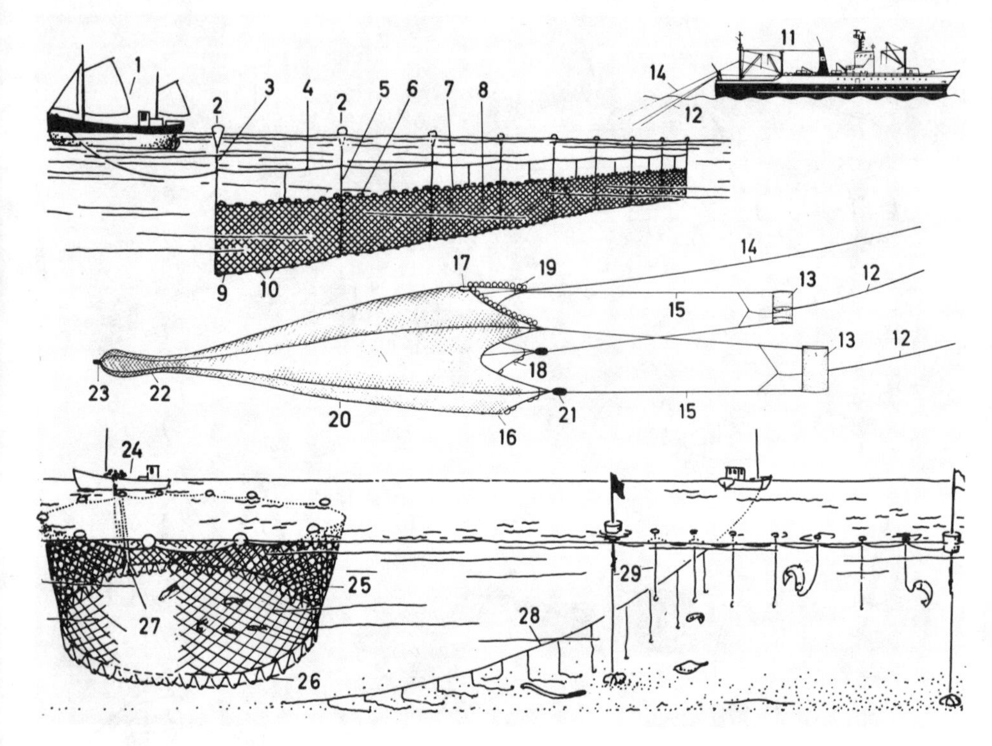

1-23 de zeevisserij
- ***deep-sea fishing***

1-10 de drijfnetvisserij (vleetvisserij)
- ***drift net fishing***

1 de (haring)logger
- *herring lugger (fishing lugger, lugger)*

2-10 de vleet (het haringnet)
- ***herring drift net***

2 de boei
- *buoy*

3 het boeitouw
- *buoy rope*

4 het drijftouw (de reep)
- *float line*

5 de seizing (het sjortouw)
- *seizing*

6 het vlothout
- *wooden float*

7 het ratouw
- *headline*

8 het net
- *net*

9 de grondpees
- *footrope*

10 de gewichten
- *sinkers (weights)*

11-23 de sleepnetvisserij
- ***trawl fishing*** *(trawling)*

11 het fabrieksschip, een trawler (treiler)
- *factory ship, a trawler*

12 de vislijn (korlijn, sleeplijn)
- *warp (trawl warp)*

13 de scheerborden
- *otter boards*

14 de netsondekabel (het touw)
- *net sonar cable*

15 de kabel
- *wire warp*

16 de vleugel
- *wing*

17 de netsonde
- *net sonar device*

18 het ondertouw (de grondpees)
- *footrope*

19 de drijvers
- *spherical floats*

20 de buik
- *belly*

21 het ijzeren gewicht van 1800 kg
- *1,800 kg iron weight*

22 de verlengde kuil
- *cod end (cod)*

23 de lijn voor het afsluiten van de verlengde kuil
- *cod line for closing the cod end*

24-29 de kustvisserij
- ***inshore fishing***

24 de vissersboot
- *fishing boat*

25 het ringnet, een uitgezet ringvormig drijfnet
- *ring net cast in a circle*

26 de kabel voor het afsluiten van het ringnet
- *cable for closing the ring net*

27 de sluitinrichting (het power block)
- *closing gear*

28-29 de long-line visserij
- *long-line fishing (long-lining)*

28 de long-line
- *long line*

29 de joon (*met vlaggetje; zonder vlaggetje:* de blaas)
- *suspended fishing tackle*

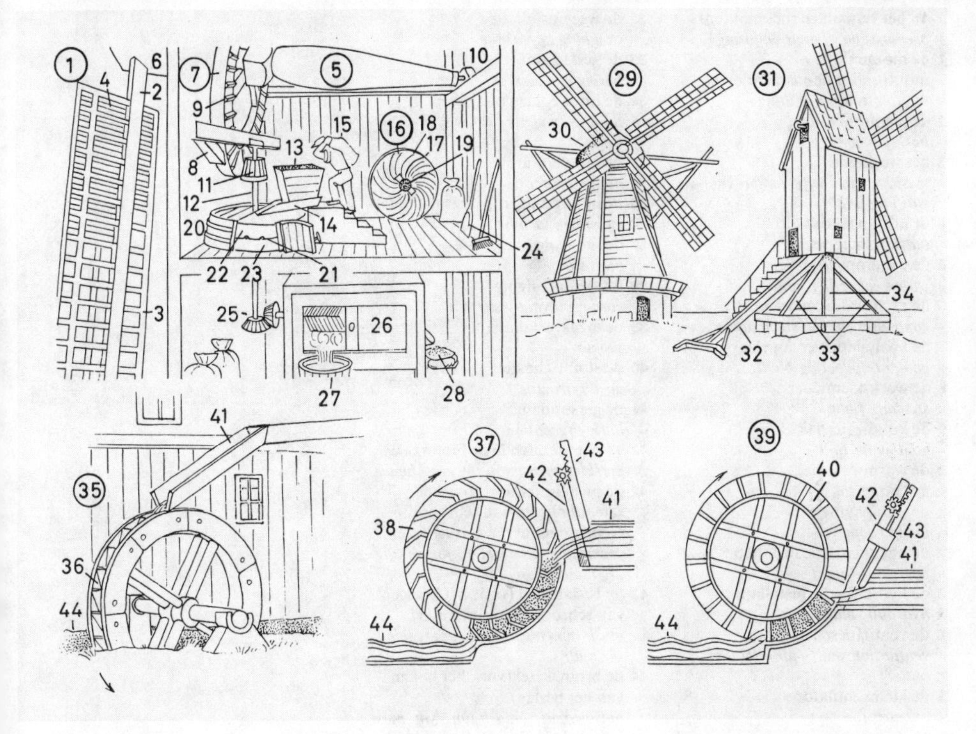

1-34 de windmolen
– ***windmill***
1 de (molen)wiek
– *windmill vane (windmill sail, windmill arm)*
2 de roede
– *stock (middling, back, radius)*
3 de zoomlat
– *frame*
4 de jaloezie
– *shutter*
5 de wiekenas
– *wind shaft (sail axle)*
6 de askop
– *sail top*
7 het kroonwiel (bovenwiel)
– *brake wheel*
8 de vang
– *brake*
9 de houten tand
– *wooden cog*
10 de pensteen (het penlager)
– *pivot bearing (step bearing)*
11 de bovenschijfloop
– *wallower*
12 de spil
– *mill spindle*
13 de kaar
– *hopper*
14 de schoen
– *shoe (trough, spout)*
15 de molenaar
– *miller*
16 de molensteen
– *millstone*
17 de groef
– *furrow (flute)*
18 de maalbalk
– *master furrow*
19 het kropgat (steengat, de krop)
– *eye*
20 de (maal)kuip
– *hurst (millstone casing)*
21 de maalstoel
– *set of stones (millstones)*
22 de loper
– *runner (upper millstone)*
23 de ligger
– *bed stone (lower stone, bedder)*
24 de houten schop
– *wooden shovel*
25 het stel kegelraderen
– *bevel gear (bevel gearing)*
26 de builkist (builmolen)
– *bolter (sifter)*
27 het houten vat
– *wooden tub (wooden tun)*
28 het meel
– *flour*
29 de bovenkruier
– *smock windmill (Dutch windmill)*
30 de draaibare kap
– *rotating (revolving) windmill cap*
31 de standermolen
– *post windmill (German windmill)*
32 de staart
– *tailpole (pole)*
33 de onderbouw (het onderstel)
– *base*
34 de stander
– *post*
35-44 de waterradmolen (watermolen)
– ***watermill***
35 het bovenslagrad, een molenrad (waterrad)
– *overshot mill wheel (high-breast mill wheel), a mill wheel (waterwheel)*
36 de bak
– *bucket (cavity)*
37 het middelslagrad
– *middleshot mill wheel (breast mill wheel)*
38 de gebogen schoep
– *curved vane*
39 het onderslagrad
– *undershot mill wheel*
40 de platte schoep (rechte schoep)
– *flat vane*
41 de goot
– *headrace (discharge flume)*
42 de schuif
– *mill weir*
43 de overloop
– *overfall (water overfall)*
44 de molenbeek
– *millstream (millrace,* Am. *raceway)*

1-41 het vermouten (het mouten)
- ***preparation of malt*** *(malting)*
1 de mouterij (de moutproduktie-installatie)
- *malting tower (maltings)*
2 de laadinrichting
- *barley hopper*
3 het weekhuis
- *washing floor with compressed-air washing unit*
4 de afloopcondensor
- *outflow condenser*
5 de wateropvangbak
- *water-collecting tank*
6 de zachtwatercondensor
- *condenser for the steep liquor*
7 de koelmiddelverzamelaar
- *coolant-collecting plant*
8 de week-kiemvloer
- *steeping floor*
9 de koudwaterbak
- *cold water tank*
10 de warmwaterbak
- *hot water tank*
11 de pompkamer
- *pump room*
12 de pneumatische installatie
- *pneumatic plant*
13 de hydraulische installatie
- *hydraulic plant*
14 de ventilatieschacht
- *ventilation shaft (air inlet and outlet)*
15 de kiemventilator
- *exhaust fan*
16-18 de eestetages
- ***kilning floors***
16 de drooghorde (schwelkhorde)
- *drying floor*
17 de eestventilator
- *burner ventilator*
18 de afeesthorde
- *curing floor*
19 de eestventilatieschacht
- *outlet duct from the kiln*
20 de eestmoutbunker (eestmoutsilo)
- *finished malt collecting hopper*
21 het transformatorstation
- *transformer station*
22 de koelcompressoren
- *cooling compressors*
23 het, de groenmout
- *green malt (germinated barley)*
24 de wender
- *turner (plough)*
25 het bedieningspaneel met blindschema
- *central control room with flow diagram*
26 de schroeftransporteur
- *screw conveyor*
27 het weekhuis
- *washing floor*
28 de week-kiemvloer
- *steeping floor*
29 de drooghorde
- *drying kiln*
30 de afeesthorde
- *curing kiln*
31 de gerstsilo
- *barley silo*
32 de weeginstallatie
- *weighing apparatus*
33 de gerstelevator
- *barley elevator*
34 de driewegklepkast
- *three-way chute (three-way tippler)*
35 de moutelevator
- *malt elevator*
36 de moutreiniger (poleermachine)
- *cleaning machine*
37 de moutsilo
- *malt silo*
38 de kiemafzuiging
- *corn removal by suction*
39 de afzakinstallatie
- *sacker*
40 de stofafscheider
- *dust extractor*
41 de gerstinname
- *barley reception*
42-53 het brouwen in de brouwzaal
- ***mashing process in the mashhouse***
42 de menginrichting voor het samenbrengen van schroot (geplette mout) en brouwwater
- *premasher (converter) for mixing grist and water*
43 de beslagketel (voor het mengen van schroot en brouwwater)
- *mash tub (mash tun) for mashing the malt*
44 de brouwketel (voor het koken van het beslag)
- *mash copper (mash tun,* Am. *mash kettle) for boiling the mash*
45 de bovenkant van de ketel
- *dome of the tun*
46 het roerwerk
- *propeller (paddle)*
47 de schuifdeur
- *sliding door*
48 de brouwwatertoevoer
- *water (liquor) supply pipe*
49 de brouwer
- *brewer (master brewer, masher)*
50 de klaringskuip voor het afzetten van bostel [niet-opgeloste deeltjes uit het wort (moutextract)]
- *lauter tun for settling the draff (grains) and filtering off the wort*
51 de rij kranen met goot (voor het controleren van de helderheid van het wort)
- *lauter battery for testing the wort for quality*
52 de wortketel (voor het koken van het wort waaraan de hop wordt toegevoegd)
- *hop boiler (wort boiler) for boiling the wort*
53 de schepthermometer
- *ladle-type thermometer (scoop thermometer)*

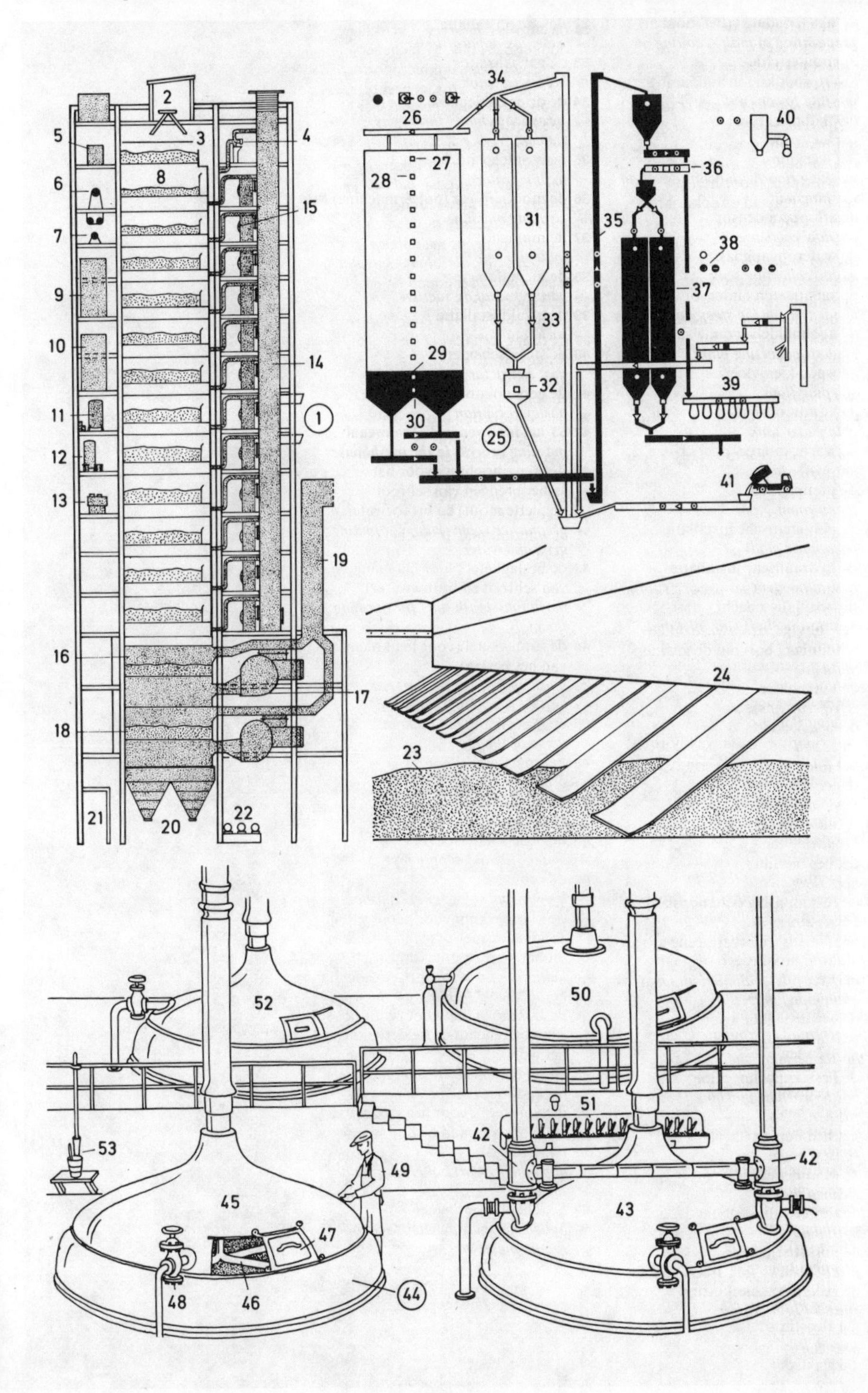
1
2
3
4
5
6
7
8
9
10
11
12
13
14
15
16
17
18
19
20
21
22
23
24
25
26
27
28
29
30
31
32
33
34
35
36
37
38
39
40
41
42
43
44
45
46
47
48
49
50
51
52
53

1-31 de bierproduktie
- ***brewery** (brewhouse)*

1-5 de wortkoeling en de wortreiniging
- ***wort cooling and break removal** (trub removal)*

1 het bedieningspaneel
- *control desk (control panel)*

2 de whirlpool (voor het verwijderen van onoplosbare eiwitten en hopresten)
- *whirlpool separator for removing the hot break (hot trub)*

3 de doseerinstallatie voor kiezelguhr (kiezelgoer)
- *measuring vessel for the kieselguhr*

4 de, het kiezelguhrfilter
- *kieselguhr filter*

5 de wortkoeler
- *wort cooler*

6 de installatie voor de reincultuur (het kweken van biergist)
- *pure culture plant for yeast (yeast propagation plant)*

7 de gistkelder
- *fermenting cellar*

8 de gistkuip
- *fermentation vessel (fermenter)*

9 de gistthermometer
- *fermentation thermometer (mash thermometer)*

10 de vlokkige, bruinwitte dikke schuimlaag bovenin de gistkuip
- *mash*

11 de koelbuizen
- *refrigeration system*

12 de lagerkelder
- *lager cellar*

13 het mangat in de lagertank (lagervat)
- *manhole to the storage tank*

14 de uitloopkraan
- *broaching tap*

15 de, het bierfilter
- *beer filter*

16 de fustenopslag (vatenopslag)
- *barrel store*

17 het bierfust (biervat), een vat van aluminium of roestvrij staal
- *beer barrel, an aluminium (*Am. *aluminum) barrel*

18 de wasinstallatie voor retourflessen
- *bottle-washing plant*

19 de flessenspoelmachine
- *bottle-washing machine (bottle washer)*

20 het bedieningspaneel
- *control panel*

21 de schone flessen
- *cleaned bottles*

22 de flessenvulinstallatie
- *bottling*

23 de vork(hef)truck
- *forklift truck (fork truck, forklift)*

24 de gestapelde bierkratten
- *stack of beer crates*

25 het bierblikje
- *beer can*

26 de euroﬂes; *biertypen:* licht bier, donker bier, pils, Münchener bier, moutbier, bokbier, porter, ale, stout, salvator, genzenbier, alcoholarm bier, speciaal bier, tafelbier
- *beer bottle, a Eurobottle with bottled beer;* kinds of beer: *light beer (lager, light ale, pale ale or bitter), dark beer (brown ale, mild), Pilsener beer, Munich beer, malt beer, strong beer (bock beer), porter, ale, stout, Salvator beer, wheat beer, small beer*

27 de kroonkurk
- *crown cork (crown cork closure)*

28 de draagverpakking (het draagkarton)
- *disposable pack (carry-home pack)*

29 de wegwerpfles, een fles zonder statiegeld (no-return)
- *non-returnable bottle (single-trip bottle)*

30 het glas bier
- *beer glass*

31 de schuimkraag (manchet)
- *head*

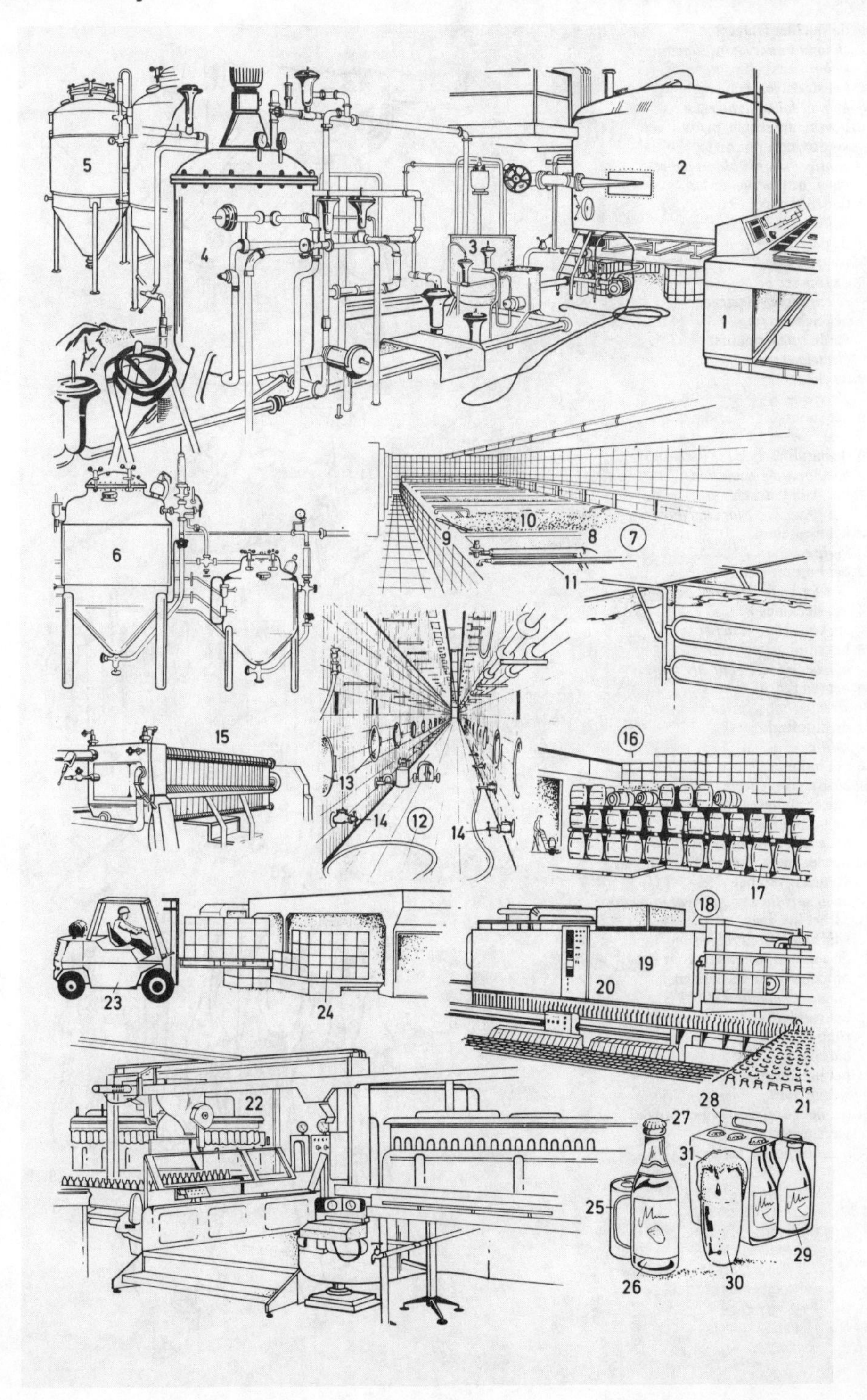
1
2
3
4
5
6
7
8
9
10
11
12
13
14
14
15
16
17
18
19
20
21
22
23
24
25
26
27
28
29
30
31

1 de slachter (slager)
- *slaughterman (*Am. *slaughterer, killer)*

2 het slachtvee, een rund
- *animal for slaughter, an ox*

3 het pneumatische pistool, een verdovingsapparaat
- *captive-bolt pistol (pneumatic gun), a stunning device*

4 de schietpin
- *bolt*

5 de patronen
- *cartridges*

6 de trekker
- *release lever (trigger)*

7 het elektrische verdovingsapparaat
- *electric stunner*

8 de elektrode
- *electrode*

9 het snoer
- *lead*

10 de handbeschermer (isolatie)
- *hand guard (insulation)*

11 het slachtvarken
- *pig (*Am. *hog) for slaughter*

12 het messenrek
- *knife case*

13 het huidmes, een vilmes
- *flaying knife*

14 het steekmes
- *sticking knife (sticker)*

15 het snijmes
- *butcher's knife (butcher knife)*

16 het (wet)staal
- *steel*

17 de kloofbijl
- *splitter*

18 het hakmes
- *cleaver (butcher's cleaver, meat axe (*Am. *meat ax))*

19 de beenderzaag
- *bone saw (butcher's saw)*

20 de vleeszaag, voor het in stukken verdelen van het vlees
- *meat saw for sawing meat into cuts*

21-24 het koelhuis
- ***cold store** (cold room)*

21 de spreider, een haak voor het ophangen van karkassen
- *gambrel (gambrel stick)*

22 het runderkwartier, een kwart rund
- *quarter of beef*

23 het halve varken
- *side of pork*

24 de, het controlestempel van de vleesinspectie
- *meat inspector's stamp*

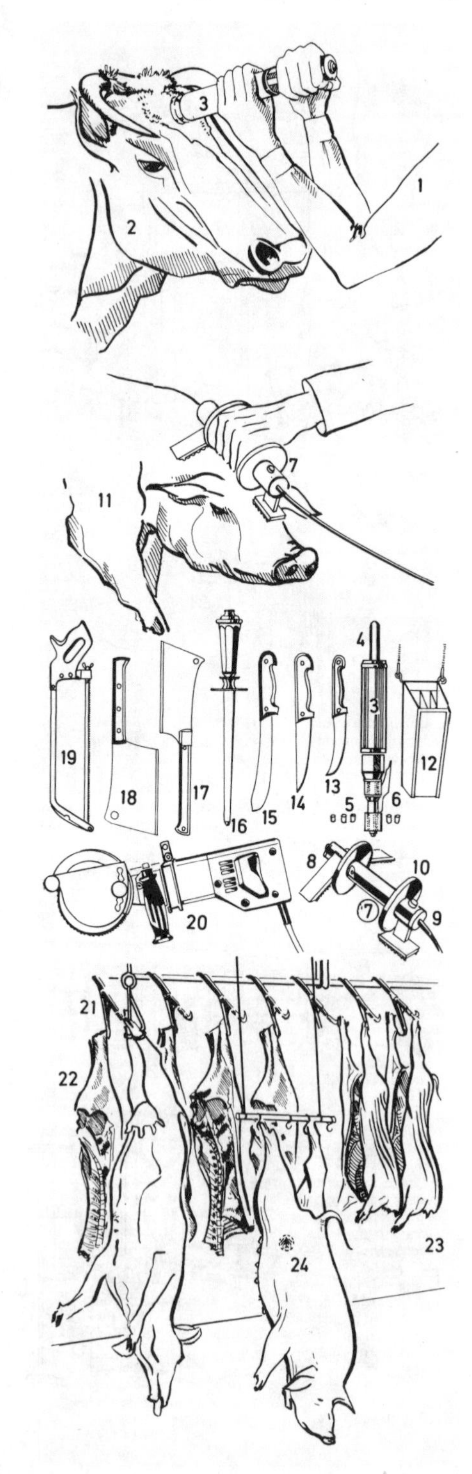

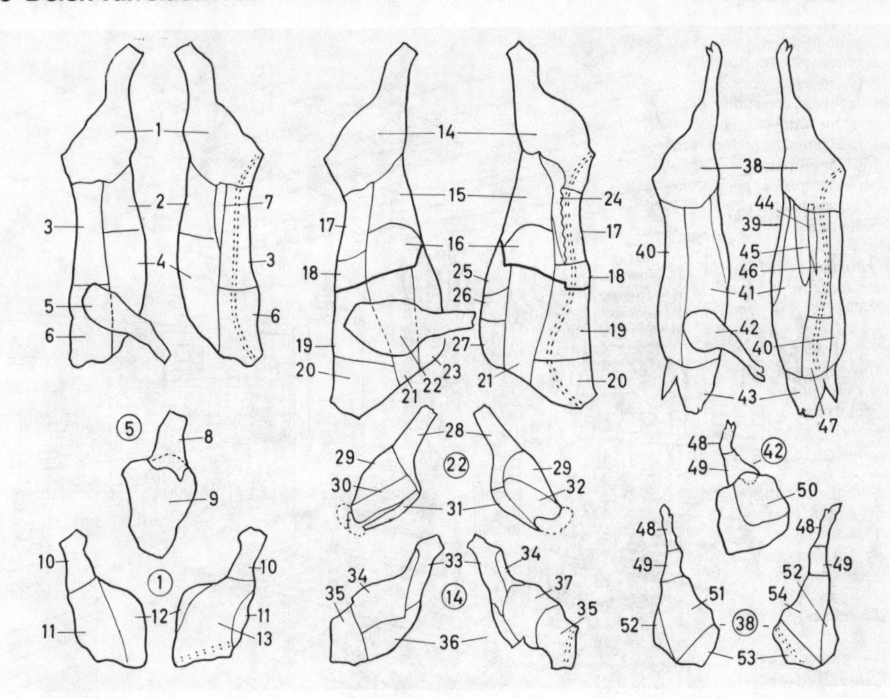

Linkerzijde: vleeskant
rechterzijde: botkant
left: meat side;
right: bone side

1-13 het kalf
- animal: ***calf;*** meat: ***veal***

1 de bout met achterschenkel
- *leg with hind knuckle*

2 de buik (vang)
- *flank*

3 de kotelet (rib, lende)
- *loin and rib*

4 de borst
- *breast (breast of veal)*

5 de schouder met schenkel
- *shoulder with fore knuckle*

6 de hals
- *neck with scrag (scrag end)*

7 de, het filet
- *best end of loin (of loin of veal)*

8 de schenkel (voorpoot)
- *fore knuckle*

9 de schouder
- *shoulder*

10 de achterschenkel (achterpoot)
- *hind knuckle*

11 het kalkoenstuk met liesstuk
- *roasting round (oyster round)*

12 de platte fricandeau
- *cutlet for frying or braising*

13 de ronde fricandeau
- *undercut (fillet)*

14-37 het rund
- animal: ***ox;*** meat: ***beef***

14 de stomp met achterschenkel
- *round with rump and shank*

15-16 de vleeslappen
- *flank*

15 de flank (het lendestuk)
- *thick flank*

16 de (rib)flank
- *thin flank*

17 de rosbief
- *sirloin*

18 de middenrib
- *prime rib (fore ribs, prime fore rib)*

19 de schouderrib (voorrib)
- *middle rib and chuck*

20 de nek
- *neck*

21 de platte ribben (voorribben)
- *flat rib*

22 de schouder
- *leg of mutton piece (bladebone) with shin*

23 de borst
- *brisket (brisket of beef)*

24 de, het filet
- *fillet (fillet of beef)*

25 de naborst
- *hind brisket*

26 de (midden)borst
- *middle brisket*

27 de puntborst
- *breastbone*

28 de schouder
- *shin*

29 het bloemstuk
- *leg of mutton piece*

30 het sukadestuk
- *part of bladebone*

31 de schoudermuis
- *part of top rib*

32 de baklap
- *part of bladebone*

33 de stomp
- *shank*

34 de platte bil en muis
- *silverside*

35 het spierstuk (de dikke lende)
- *rump*

36 het spierstuk
- *thick flank*

37 de bovenbil
- *top side*

38-54 het varken
- animal: ***pig;*** meat: ***pork***

38 de ham met schenkel en achterpoot
- *leg with knuckle and trotter*

39 het broekvet (de buik, wam)
- *ventral part of the belly*

40 het rugspek
- *back fat*

41 de buik (mager spek met broek)
- *belly*

42 de schouderboeg met schenkel en voorpoot (het pootje)
- *bladebone with knuckle and trotter*

43 de kop met kinnebak
- *head (pig's head)*

44 de, het filet
- *fillet (fillet of pork)*

45 de bladreuzel
- *leaf fat (pork flare)*

46 de kotelet (karbonadestreng)
- *loin (pork loin)*

47 de halskarbonade (nek)
- *spare rib*

48 de achterpoot
- *trotter*

49 de schenkel
- *knuckle*

50 het bloemstuk
- *butt*

51 de schijf
- *fore end (ham)*

52 het nootje
- *round end for boiling*

53 de platte fricandeau
- *fat end*

54 de bovenfricandeau
- *gammon steak*

1-30 de slagerij
- ***butcher's shop***

1-4 vlees
- ***meat***

1 de ham met been
- *ham on the bone*

2 de zij spek
- *flitch of bacon*

3 het rookvlees
- *smoked meat*

4 het lendestuk
- *piece of loin (piece of sirloin)*

5 de reuzel
- *lard*

6-11 worst
- ***sausages***

6 de prijskaart
- *price label*

7 de mortadella
- *mortadella*

8 de gekookte worst; *soorten:* Wiener worst, Frankfurter worst
- *scalded sausage;* kinds: *Vienna sausage (Wiener), Frankfurter sausage (Frankfurter)*

9 de preskop
- *collared pork (*Am. *headcheese)*

10 de vleesworst
- *ring of [Lyoner] sausage*

11 de braadworst
- *bratwurst (sausage for frying or grilling)*

12 de koeling (koelvitrine)
- *cold shelves*

13 de vleessalade
- *meat salad (diced meat salad)*

14 de vleeswaren
- *cold meats (*Am. *cold cuts)*

15 de paté
- *pâté*

16 het gehakt
- *mince (mincemeat, minced meat)*

17 het varkenspootje
- *knuckle of pork*

18 de mand met speciale aanbiedingen
- *basket for special offers*

19 de prijskaart voor speciale aanbiedingen
- *price list for special offers*

20 de speciale aanbieding
- *special offer*

21 de vrieskist
- *freezer*

22 het voorverpakte vlees
- *pre-packed joints*

23 de diepgevroren kant-en-klaarmaaltijd (diepvriesmaaltijd)
- *deep-frozen ready-to-eat meal*

24 de kip
- *chicken*

25 de conserven
- *canned food*

26 het conservenblik
- *can*

27 de groenteconserven
- *canned vegetables*

28 de visconserven
- *canned fish*

29 de remouladesaus
- *salad cream*

30 de frisdranken
- *soft drinks*

31-59 de worstkeuken
- ***kitchen for making sausages***

31-37 slagersmessen
- ***butcher's knives***

31 het beendermes
- *slicer*

32 het lemmet
- *knife blade*

33 de zaagtanden
- *saw teeth*

34 het heft
- *knife handle*

35 het vliesmes
- *carver (carving knife)*

36 het uitbeenmes
- *boning knife*

37 het snijmes
- *butcher's knife (butcher knife)*

38 de slager
- *butcher (master butcher)*

39 de, het schort
- *butcher's apron*

40 de mengbak
- *meat-mixing trough*

41 het worstdeeg
- *sausage meat*

42 de schraper
- *scraper*

43 de schuimspaan
- *skimmer*

44 de worstvork
- *sausage fork*

45 de zeef
- *scalding colander*

46 de afvalemmer (afvalbak)
- *waste bin (*Am. *trash bin)*

47 de kook- en braadkast
- *cooker, for cooking with steam or hot air*

48 de rookkast
- *smoke house*

49 de stopper
- *sausage filler (sausage stuffer)*

50 de stoppijp
- *feed pipe (supply pipe)*

51 de bakken met groente
- *containers for vegetables*

52 de cutter voor de worstmakerij
- *mincing machine for sausage meat*

53 de gehaktmolen
- *mincing machine (meat mincer, mincer,* Am. *meat grinder)*

54 de platen
- *plates (steel plates)*

55 de vleeshaak
- *meathook (butcher's hook)*

56 de beenderzaag
- *bone saw*

57 de hakbank
- *chopping board*

58 de slagersknecht bij het snijden
- *butcher, cutting meat*

59 het stuk vlees
- *piece of meat*

1-54 debakkerswinkel (banketbakkerij)
- ***baker's shop***

1 de verkoopster
- *shop assistant (*Am. *salesgirl, saleslady)*

2 het brood
- *bread (loaf of bread, loaf)*

3 het kruim
- *crumb*

4 de korst
- *crust (bread crust)*

5 het kapje
- *crust (*Am. *heel)*

6-12 Broodsoorten
- ***kinds of bread*** *(breads)*

6 het ronde brood (boerenbrood, een meergranenbrood)
- *round loaf, a wheat and rye bread*

7 het kleine ronde brood
- *small round loaf*

8 het vloerbrood, een tarwe-roggebrood
- *long loaf (bloomer), a wheat and rye bread*

9 het witbrood
- *white loaf*

10 het busbrood, een volkorenbrood
- *pan loaf, a wholemeal rye bread*

11 de stol (kerststol)
- *yeast bread (*Am. *stollen)*

12 het stokbrood
- *French loaf (baguette, French stick)*

13-16 Broodjes (luxe broodjes)
- ***rolls***

13 het bolletje
- *roll*

14 het witte bolletje (*b.v.:* maanzaadbolletje, sesambolletje)
- *[white] roll*

15 het dubbele broodje
- *double roll*

16 het roggebroodje
- *rye-bread roll*

17-47 Banket
- ***cakes*** *(confectionery)*

17 het roombroodje (*ook:* puddingbroodje)
- *cream roll*

18 het pasteitje, een bladerdeegpasteitje
- *vol-au-vent, a puff pastry (*Am. *puff paste)*

19 de cakerol
- *Swiss roll (*Am. *jelly roll)*

20 het gebakje
- *tartlet*

21 het crèmegebak
- *cream slice*

22-24 Taarten
- ***flans (*Am. *pies) and gateaux*** *(torten)*

22 de vruchtentaart (*soorten:* aardbeientaart, kersentaart, kruisbessentaart, perzikentaart, rabarbertaart, appeltaart)
- *fruit flan;* kinds: *strawberry flan, cherry flan, gooseberry flan, peach flan, rhubarb flan*

23 de kwarktaart
- *cheesecake*

24 de crèmetaart (*soorten:* roomtaart, Schwarzwalder taart)
- *cream cake (*Am. *cream pie);* kinds: *butter-cream cake, Black Forest gateau*

25 het taartplateau
- *cake plate*

26 de meringue
- *meringue*

27 de roomsoes
- *cream puff*

28 de slagroom
- *whipped cream*

29 de Berliner bollen
- *doughnut (*Am. *bismarck)*

30 de vlinder
- *Danish pastry*

31 de zoute stengel
- *saltstick,* also: *caraway roll, caraway stick*

32 de croissant
- *croissant (crescent roll,* Am. *crescent)*

33 de tulband
- *ring cake (gugelhupf)*

34 de cake met chocoladeglazuur
- *slab cake with chocolate icing*

35 het kruimelgebak
- *streusel cakes*

36 de moorkop
- *marshmallow*

37 de kokosmak(a)ron
- *coconut macaroon*

38 de bolus
- *schnecke*

39 de rondo
- *[kind of] iced bun*

40 het melkbrood
- *sweet bread*

41 het gevlochten broodje
- *plaited bun (plait)*

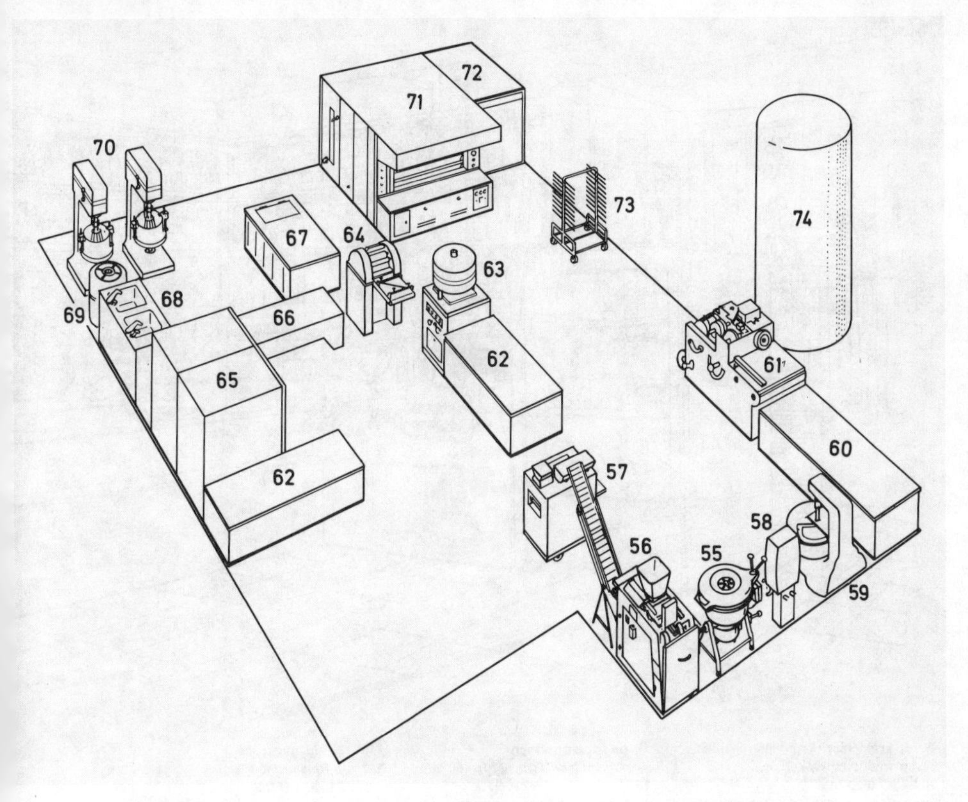

42 de Frankfurter cake
- *Frankfurter garland cake*

43 het plaatgebak (*soorten:* kruimelcake, pruimencake)
- *slices (*kinds: *streusel slices, sugared slices, plum slices)*

44 de krakeling (zoute krakeling)
- *pretzel*

45 de wafel
- *wafer (*Am. *waffle)*

46 de etagetaart
- *tree cake (baumkuchen)*

47 de taartbodem (vlaaibodem)
- *flan case*

48-50 verpakte broodsoorten
- ***wrapped bread***

48 het volkorenbrood
- *wholemeal bread;* also: *wheatgerm bread*

49 de Pumpernickel (het zwarte roggebrood)
- *pumpernickel (wholemeal rye bread)*

50 het knäckebröd
- *crispbread*

51 de lebkuchen, een soort taaitaai
- *gingerbread (*Am. *lebkuchen)*

52 het meel (*soorten:* tarwemeel, roggemeel)
- *flour;* kinds: *wheat flour, rye flour*

53 de gist
- *yeast (baker's yeast)*

54 de beschuit
- *rusks (French toast)*

55-74 de bakkerswerkplaats
- ***bakery** (bakehouse)*

55 de kneedmachine
- *kneading machine (dough mixer)*

56-57 de broodmachine
- ***bread unit***

56 de afmeetmachine
- *divider*

57 de opmaakmachine (langmaakmachine)
- *moulder (*Am. *molder)*

58 het watermeetapparaat
- *premixer*

59 de deegmenger
- *dough mixer*

60 de werkbank
- *workbench*

61 de broodjesmachine
- *roll unit*

62 de werkbank
- *workbench*

63 de afmeet- en opbolmachine
- *divider and rounder (rounding machine)*

64 de croissantmachine
- *crescent-forming machine*

65 de koelcellen
- *freezers*

66 de oven voor vet gebak
- *oven [for baking with fat]*

67-70 de banketbakkerswerkplaats
- ***confectionery unit***

67 de gekoelde werkbank
- *cooling table*

68 de spoelbak
- *sink*

69 het kooktoestel
- *boiler*

70 de deegkneedmachine (kluts)
- *whipping unit [with beater]*

71 de inschietoven, een bakoven
- *reel oven (oven)*

72 de rijskast
- *fermentation room*

73 de rijswagen
- *fermentation trolley*

74 de meelsilo
- *flour silo*

1-87 de kruidenier (kruidenierswinkel, levensmiddelenwinkel), een detailhandelszaak
- ***grocer's shop*** *(grocer's,* Am. *grocery store), a retail shop (*Am. *retail store);* sim.: *delicatessen*

1 de etalage
- *window display*

2 het, de affiche (de reclameposter)
- *poster (advertisement)*

3 de koelvitrine
- *cold shelves*

4 de vleeswaren
- *sausages*

5 de kaas
- *cheese*

6 de kip
- *roasting chicken (broiler)*

7 de poularde, een gemeste kip
- *poulard, a fattened hen*

8-11 de bakingrediënten
- ***baking ingredients***

8 de rozijnen; (*ook:* sultanarozijnen)
- *raisins;* sim.: *sultanas*

9 de krenten
- *currants*

10 de citroensnippers
- *candied lemon peel*

11 de oranjesnippers
- *candied orange peel*

12 de weegschaal
- *computing scale, a rapid scale*

13 de verkoper
- *shop assistant (*Am. *salesclerk)*

14 de schappen
- *goods shelves (shelves)*

15-20 conserven
- ***canned food***

15 de ingeblikte melk
- *canned milk*

16 de fruitconserven
- *canned fruit (cans of fruit)*

17 de groenteconserven
- *canned vegetables*

18 het vruchtesap
- *fruit juice*

19 de sardines in olie, visconserven
- *sardines in oil, a can of fish*

20 de vleesconserven
- *canned meat (cans of meat)*

21 de margarine
- *margarine*

22 de boter
- *butter*

23 het kokosvete, een plantaardig vet
- *coconut oil, a vegetable oil*

24 de olie; *soorten:* slaolie, olijfolie, zonnebloemolie, tarwekiemolie, notenolie
- *oil;* kinds: *salad oil, olive oil, sunflower oil, wheatgerm oil, ground-nut oil*

25 de azijn
- *vinegar*

26 het soeptablet (soepblokje)
- *stock cube*

27 het bouillonblokje
- *bouillon cube*

28 de mosterd
- *mustard*

29 de zure bom
- *pickled gherkin*

30 het soeparoma
- *soup seasoning*

31 de verkoopster
- *shop assistant (*Am. *salesgirl, saleslady)*

32-34 deegwaren
- ***pastas***

32 de spaghetti
- *spaghetti*

33 de macaroni
- *macaroni*

34 de noedels
- *noodles*

35-39 graanprodukten
- ***cereal products***

35 de (parel)gort
- *pearl barley*

36 het griesmeel
- *semolina*

37 de havermout
- *rolled oats (porridge oats, oats)*

38 de rijst
- *rice*

39 de sago
- *sago*

40 het zout
- *salt*

41 de winkelier, een detailhandelaar
- *grocer (*Am. *groceryman), a shopkeeper (tradesman, retailer,* Am. *storekeeper)*

42 de kappertjes
- *capers*

43 de klant
- *customer*

44 de kassabon
- *receipt (sales check)*

45 de boodschappentas
- *shopping bag*

46-49 verpakkingsmateriaal
- ***wrapping material***

46 het pakpapier
- *wrapping paper*

47 het plakband
- *adhesive tape*

48 de papieren zak
- *paper bag*

49 de puntzak
- *cone-shaped paper bag*

50 het puddingpoeder
- *blancmange powder*

51 de jam
- *whole-fruit jam (preserve)*

52 de marmelade
- *jam*

53-55 suiker
- ***sugar***

53 de suikerklontjes
- *cube sugar*

54 de poedersuiker
- *icing sugar* (Am. *confectioner's sugar)*

55 de kristalsuiker, geraffineerde suiker
- *refined sugar in crystals*

56-59 sterke drank
- ***spirits***

56 de jenever
- *schnapps distilled from grain [usually wheat]*

57 de rum
- *rum*

58 de likeur
- *liqueur*

59 de cognac
- *brandy;* here: *cognac*

60-64 gebottelde wijn
- ***wine** in bottles (bottled wine)*

60 de witte wijn
- *white wine*

61 de chianti
- *Chianti*

62 de vermouth
- *vermouth*

63 de mousserende wijn
- *sparkling wine*

64 de rode wijn
- *red wine*

65-68 genotmiddelen
- ***tea, coffee, etc.***

65 de koffie
- *coffee (pure coffee)*

66 de cacao
- *cocoa*

67 de koffiesoorten
- *coffee*

68 het theezakje
- *tea bag*

69 de elektrische koffiemolen
- *electric coffee grinder*

70 de koffiebrander
- *coffee roaster*

71 de trommel
- *roasting drum*

72 het proefschepje
- *sample scoop*

73 de prijslijst
- *price list*

74 de diepvrieskist
- *freezer*

75-86 bonbons en suikerwaren
- ***confectionery*** (Am. *candies)*

75 het snoepje
- *sweet* (Am. *candy)*

76 de zuurtjes
- *drops*

77 de toffees
- *toffees*

78 het tablet chocola
- *bar of chocolate*

79 de doos bonbons
- *chocolate box*

80 de bonbon
- *chocolate, a sweet*

81 de noga
- *nougat*

82 de, het marsepein
- *marzipan*

83 de rumboon
- *chocolate liqueur*

84 de kattetong
- *cat's tongue*

85 de praline
- *croquant*

86 de chocoladetruffel
- *truffle*

87 het mineraalwater (spuitwater)
- *soda water*

1-95 de supermarkt, een zelfbedieningszaak
- ***supermarket,** a self-service food store*

1 het winkelwagentje
- *shopping trolley*

2 de klant
- *customer*

3 de boodschappentas
- *shopping bag*

4 de toegang tot de winkelruimte
- *entrance to the sales area*

5 het hek
- *barrier*

6 het bordje "verboden voor honden"
- *sign (notice) banning dogs*

7 de aangelijnde honden
- *dogs tied by their leads*

8 de mand
- *basket*

9 de afdeling brood en banket
- ***bread and cake counter** (bread counter, cake counter)*

10 de vitrine voor brood en banket
- *display counter for bread and cakes*

11 de soorten brood
- *kinds of bread (breads)*

12 de broodjes
- *rolls*

13 de croissants
- *croissants (crescent rolls,* Am. *crescents)*

14 het boerenbrood
- *round loaf (strong rye bread)*

15 de taart
- *gateau*

16 de zoute krakeling [gemaakt met gist] (van brooddeeg)
- *pretzel [made with yeast dough]*

17 de verkoopster
- *shop assistant (*Am. *salesgirl, saleslady)*

18 de klant
- *customer*

19 het reclameplakkaat
- *sign listing goods*

20 de vruchtentaart
- *fruit flan*

21 de cake
- *slab cake*

22 de tulband
- *ring cake*

23 de gondola (het rek) met cosmetica, een gondola (rek)
- ***cosmetics gondola,** a gondola (sales shelves)*

24 het, de baldakijn
- *canopy*

25 het kousenvak
- *hosiery shelf*

26 het pakje nylons
- *stockings pack (nylons pack)*

27-35 toiletartikelen (cosmetica)
- ***toiletries** (cosmetics)*

27 de pot crème (*soorten:* vochtinbrengende crème, dagcrème, nachtcrème, handcrème)
- *jar of cream (*kinds: *moisturising cream, day cream, night-care cream, hand cream)*

28 het pakje watten
- *packet of cotton wool*

29 het busje poeder
- *powder tin*

30 het pak wattenbollen
- *packet of cotton wool balls*

31 het doosje tandpasta
- *toothpaste box*

32 de nagellak
- *nail varnish (nail polish)*

33 de tube crème
- *cream tube*

34 de badartikelen (het badschuim, badzout)
- *bath salts*

35 toiletartikelen
- *sanitary articles*

36-37 de dierenvoeding
- *pet foods*

36 de volledige hondemaaltijd
- *complete dog food*

37 het pakje hondekoekjes
- *packet of dog biscuits*

38 de zak kattebakvulling
- *bag of cat litter*

39 de kaasafdeling
- ***cheese counter***

40 de kaas
- *whole cheese*

41 de Zwitserse kaas (emmentaler) met gaten
- *Swiss cheese (Emmental cheese) with holes*

42 de edammer, een ronde kaas
- *Edam cheese, a round cheese*

43 de gondola voor zuivelprodukten
- *gondola for dairy products*

44 de houdbare melk (gepasteuriseerde en gehomogeniseerde melk)
- *long-life milk (milk with good keeping properties, pasteurized and homogenized milk)*

45 het pak melk
- *plastic milk bag*

46 de room
- *cream*

47 de boter
- *butter*

48 de margarine
- *margarine*

49 het doosje kaas
- *box of cheeses*

50 de doos eieren
- *box of eggs*

51 de afdeling vlees en vleeswaren
- ***fresh meat counter** (meat counter)*

52 de ham
- *ham on the bone*

53 de vleesprodukten (het vlees)
- *meat (meat products)*

54 de worst
- *sausages*

55 de vleesworst
- *ring of pork sausage*

56 de bloedworst
- *ring of blood sausage*

57 de diepvriezer
– *freezer*
58-61 de diepvriesprodukten
– ***frozen food***
58 de poularde
– *poulard*
59 de kalkoenpoot
– *turkey leg (drumstick)*
60 de soepkip
– *boiling fowl*
61 de diepvriesgroenten
– *frozen vegetables*
62 de gondola voor bakartikelen en graanprodukten
– ***gondola for baking ingredients and cereal products***
63 het tarwemeel (de tarwebloem)
– *wheat flour*
64 het suikerbrood
– *sugar loaf*
65 het pak vermicelli
– *packet of noodles [for soup]*
66 de spijsolie
– *salad oil*
67 het pakje kruiden
– *packet of spice*
68-70 de genotmiddelen
– ***tea, coffee, etc.***
68 de koffie
– *coffee*
69 het pakje thee
– *packet of tea*
70 de poederkoffie
– *instant coffee*
71 de gondola met dranken
– ***drinks gondola***
72 het krat bier
– *beer crate (crate of beer)*
73 het blikje bier
– *can of beer (canned beer)*
74 de fles vruchtesap
– *bottle of fruit juice (bottled fruit juice)*
75 het pak vruchtesap
– *can of fruit juice (canned fruit juice)*
76 de fles wijn
– *bottle of wine*
77 de fles chianti
– *bottle of Chianti*
78 de fles mousserende wijn
– *bottle of champagne*
79 de nooduitgang
– *emergency exit*
80 de afdeling groenten en fruit
– ***fruit and vegetable counter***
81 de bak met groente
– *vegetable basket*
82 de tomaten
– *tomatoes*
83 de komkommers
– *cucumbers*
84 de bloemkool
– *cauliflower*
85 de ananas
– *pineapple*
86 de appels
– *apples*
87 de peren
– *pears*
88 de weegschaal
– *scales for weighing fruit*
89 de druiven
– *grapes (bunches of grapes)*
90 de bananen
– *bananas*
91 het blik conserven
– *can*
92 de kassa
– ***checkout***
93 het kasregister
– *cash register*
94 de cassière
– *cashier*
95 de ketting
– *chain*

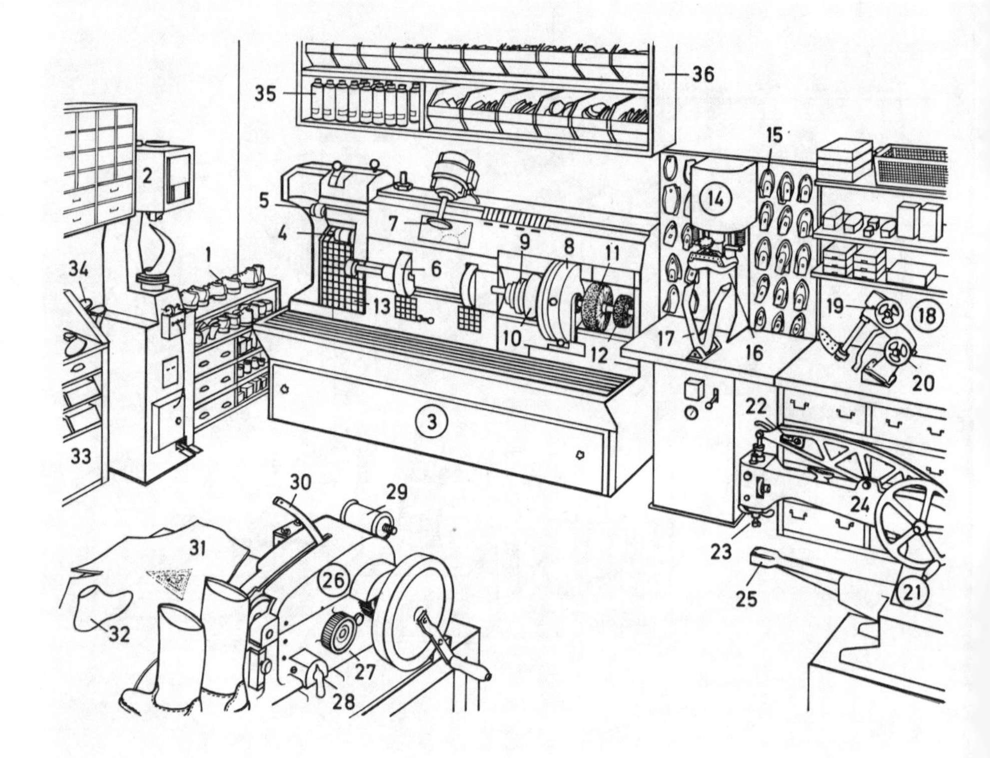

1-68 de schoenmakerij (schoenmakerswerkplaats)
- *shoemaker's workshop (bootmaker's workshop)*

1 de gerepareerde schoenen
- *finished (repaired) shoes*

2 de doornaaimachine
- *auto-soling machine*

3 de reparatiemachine
- *finishing machine*

4 de hakkenschuurder
- *heel trimmer*

5 het schrooimes
- *sole trimmer*

6 de schuurschijf
- *scouring wheel*

7 de bimsschijf
- *naum keag*

8 het drijfwiel (de aandrijfschijf)
- *drive unit (drive wheel)*

9 de kantenaankloprol
- *iron*

10 de wasopbrengschijf
- *buffing wheel*

11 de (zachte) poetsborstel
- *polishing brush*

12 de (harde) poetsborstel
- *horsehair brush*

13 de stofafzuiger
- *extractor grid*

14 de automatische zolenpers
- *automatic sole press*

15 de persplaat
- *press attachment*

16 het perskussen
- *pad*

17 de persvoet
- *press bar*

18 het oprekapparaat
- *stretching machine*

19 de wijdteïnsteller
- *width adjustment*

20 de lengteïnsteller
- *length adjustment*

21 de stikmachine
- *stitching machine*

22 de spanningsregelaar
- *power regulator (power control)*

23 de drukvoet
- *foot*

24 het handwiel
- *handwheel*

25 de (lange) arm
- *arm*

26 de aflapmachine
- *sole stitcher (sole-stitching machine)*

27 de voetlichter
- *foot bar lever*

28 de voorstekerregelaar
- *feed adjustment (feed setting)*

29 de spoel
- *bobbin (cotton bobbin)*

30 de draadgeleider
- *thread guide (yarn guide)*

31 het zoolleder
- *sole leather*

32 de (houten) leest
- *[wooden] last*

33 de werktafel
- *workbench*

34 de driepoot
- *last*

35 de spuitbussen met verf
- *dye spray*

36 het materiaalrek
- *shelves for materials*

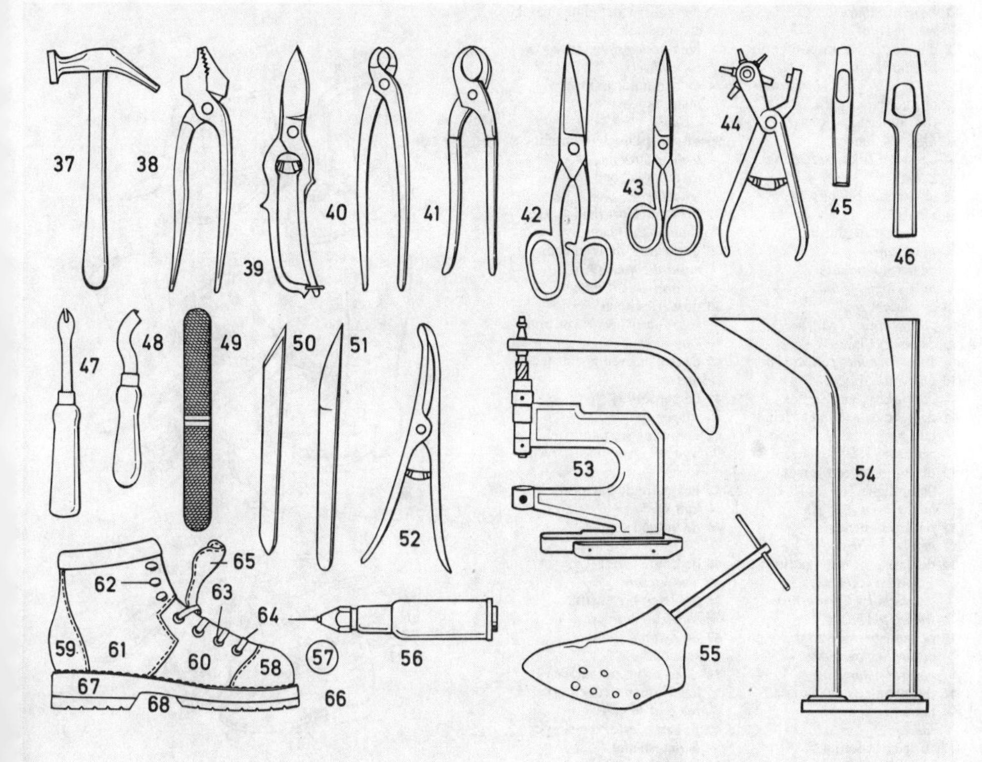

37 de schoenmakershamer
- *shoemaker's hammer*

38 de zwiktang
- *shoemaker's pliers (welt pincers)*

39 de leerschaar
- *sole-leather shears*

40 de kleine nijptang
- *small pincers (nippers)*

41 de grote nijptang
- *large pincers (nippers)*

42 de bovenleerschaar
- *upper-leather shears*

43 de gewone schaar
- *scissors*

44 de revolver(gaatjes)tang (revolverponstang)
- *revolving punch (rotary punch)*

45 het holpijpje
- *punch*

46 de grote holpijp (voor zadelmakers)
- *punch with handle*

47 de tekslichter
- *nail puller*

48 het uitsnijmes
- *welt cutter*

49 de schoenmakersrasp
- *shoemaker's rasp*

50 het schoenmakersmes
- *cobbler's knife (shoemaker's knife)*

51 het schalmmes
- *skiving knife (skife knife, paring knife)*

52 de knobbeltang
- *toecap remover*

53 de oogjes- haakjes- en drukknoopinzetmachine
- *eyelet, hook, and press-stud setter*

54 de werkstandaard
- *stand with iron lasts*

55 de houten oprekleest
- *width-setting tree*

56 de penbros met heft
- *nail grip*

57 de hoge schoen
- *boot*

58 de opgestikte neus
- *toecap*

59 het contrefort (hielstuk)
- *counter*

60 het middenstuk van de schacht
- *vamp*

61 het zijstuk van de schacht
- *quarter*

62 het veterhaakje
- *hook*

63 het veterringetje
- *eyelet*

64 de veter
- *lace (shoelace, bootlace)*

65 de tong
- *tongue*

66 de zool
- *sole*

67 de hak
- *heel*

68 het geleng
- *shank (waist)*

1 de winterlaars
- *winter boot*

2 de pvc-zool (kunststofzool, plastic zool)
- *PVC sole;* sim.: *plastic sole*

3 de vachtvoering (borgvoering)
- *high-pile lining*

4 de nylon stikselversiering
- *nylon*

5 de herenenkellaars
- *men's boot*

6 de binnenritssluiting
- *inside zip*

7 de herenkuitlaars
- *men's high leg boot*

8 de plateauzool
- *platform sole (platform)*

9 de cowboylaars
- *Western boot (cowboy boot)*

10 de bontlaars
- *pony-skin boot*

11 de gewone zool met kleine hak
- *cemented sole*

12 de stijllaars, een gewone dameslaars
- *ladies' boot*

13 de herenknielaars
- *men's high leg boot*

14 de kaplaars, een naadloos gespoten regenlaars
- *seamless PVC waterproof wellington boot*

15 de transparante zool
- *natural-colour (*Am. *natural-color) sole*

16 de sprong (neus) van de laars
- *toecap*

17 de tricot voering
- *tricot lining (knitwear lining)*

18 de bergschoen
- *hiking boot*

19 de profielzool
- *grip sole*

20 de gepolsterde schachtrand
- *padded collar*

21 de vetersluiting, met haakjes
- *tie fastening (lace fastening)*

22 de muil
- *open-toe mule*

23 het bovenstuk van badstof
- *terry upper*

24 de sleehak(zool) (doorlopende hak)
- *polo outsole*

25 de pantoffel
- *mule*

26 het bovenstuk van ribfluweel
- *corduroy upper*

27 de pump met open hiel en hoge hak
- *evening sandal (sandal court shoe)*

28 de hoge hak
- *high heel (stiletto heel)*

29 de hoge trotteur
- *court shoe (*Am. *pump)*

30 de damesmocassin
- *moccasin*

31 de molière, een (heren)veterschoen
- *shoe, a tie shoe (laced shoe, Oxford shoe,* Am. *Oxford)*

32 de tong
- *tongue*

33 de molière met plateauzool en hoge hak
- *high-heeled shoe (shoe with raised heel)*

34 de herenmocassin, een instapmocassin
- *casual*

35 de sportschoen (trimschoen)
- *trainer (training shoe)*

36 de tennisschoen
- *tennis shoe*

37 het contrefort (hielstuk)
- *counter (stiffening)*

38 de zuiver rubberen zool
- *natural-colour (*Am. *natural-color) rubber sole*

39 de werkschoen
- *heavy-duty boot (*Am. *stogy, stogie)*

40 de (stalen) veiligheidsneus
- *toecap*

41 de pantoffel
- *slipper*

42 de wollen sokpantoffel
- *woollen (*Am. *woolen) slip sock*

43 het gebreide patroon
- *knit stitch (knit)*

44 de houten slipper
- *clog*

45 de houten zool
- *wooden sole*

46 het leren bovenstuk
- *soft-leather upper*

47 de Zweedse muil
- *sabot*

48 de teenslipsandaal, een teenslipper met achterband
- *toe post sandal*

49 de sandaletto, een slipper
- *ladies' sandal*

50 het orthopedische voetbed
- *surgical footbed (sock)*

51 de sandaal met dichte hiel
- *sandal*

52 de gesp
- *shoe buckle (buckle)*

53 de slingback, een damespump met open hiel en dichte neus
- *sling-back court shoe (*Am. *sling pump)*

54 de keilschoen, een schoen met doorlopende zool
- *fabric court shoe*

55 de keilhak
- *wedge heel*

56 het hoge kinderschoentje
- *baby's first walking boot*

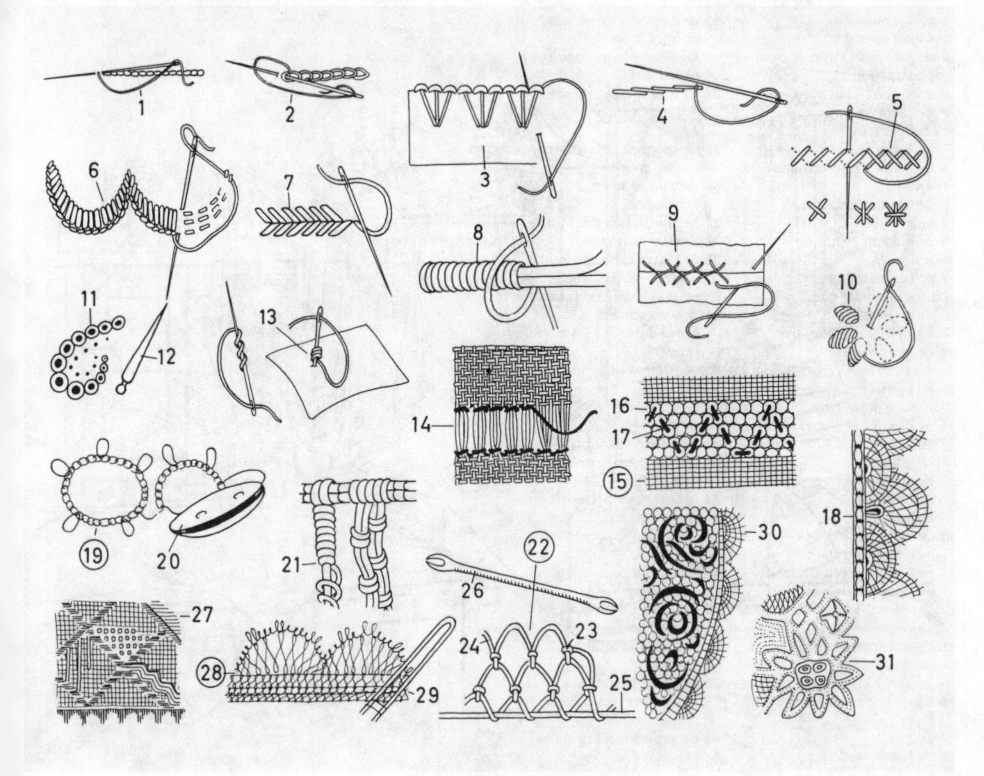

1 de stiksteek
– *backstitch seam*
2 de kettingsteek
– *chain stitch*
3 de siersteek
– *ornamental stitch*
4 de steelsteek
– *stem stitch*
5 de kruissteek
– *cross stitch*
6 de festonsteek (festonneersteek, knoopsgatsteek)
– *buttonhole stitch (button stitch)*
7 de visgraatsteek
– *fishbone stitch*
8 de kordonsteek
– *overcast stitch*
9 de flanelsteek
– *herringbone stitch (Russian stitch, Russian cross stitch)*
10 de platsteek
– *satin stitch (flat stitch)*
11 het Engelse borduurwerk
– *eyelet embroidery (broderie anglaise)*
12 de priem
– *stiletto*
13 de knoopsteek (het Franse knoopje)
– *French knot (French dot, knotted stitch, twisted knot stitch)*
14 het open naaiwerk (de open zoom)
– *hem stitch work*
15 het tule-borduurwerk
– *tulle work (tulle lace)*
16 de tule (ondergrond)
– *tulle background (net background)*
17 de doorstopsteek (rijgsteek)
– *darning stitch*
18 de kloskant; *soorten:* Valencienneskant, Brusselse kant
– *pillow lace (bobbin lace, bone lace);* kinds: *Valenciennes, Brussels lace*
19 het frivolité (spoeltjeswerk)
– *tatting*
20 het spoeltje
– *tatting shuttle (shuttle)*
21 het knoopwerk (macramé)
– *knotted work (macramé)*
22 het filetwerk (netknoopwerk)
– *filet (netting)*
23 de filetknoop
– *netting loop*
24 de filetdraad
– *netting thread*
25 het maatstokje
– *mesh pin (mesh gauge)*
26 de filetnaald
– *netting needle*
27 het Perzische ajour (samentrekwerk, open naaiwerk)
– *open work*
28 het guimpehaakwerk
– *gimping (hairpin work)*
29 de guimpevork
– *gimping needle (hairpin)*
30 de naaldkant; *soorten:* reticellakant, Venetiaanse kant, alençonkant; *met metaaldraad:* het filigraanwerk
– *needlepoint lace (point lace, needlepoint);* kinds: *reticella lace, Venetian lace, Alençon lace;* sim. with metal thread: *filigree work*
31 het band opnaaien
– *braid embroidery (braid work)*

1-27 het kleermakersatelier
- ***dressmaker's workroom***

1 de kleermaker
- *dressmaker*

2 de centimeter
- *tape measure (measuring tape), a metre (*Am. *meter) tape measure*

3 de coupeursschaar (kleermakersschaar)
- *cutting shears*

4 de snijtafel
- *cutting table*

5 de modeljurk
- *model dress*

6 de paspop
- *dressmaker's model (dressmaker's dummy, dress form)*

7 de modeljas
- *model coat*

8 de kleermakersnaaimachine
- *sewing machine*

9 de aandrijfmotor
- *drive motor*

10 de aandrijfriem
- *drive belt*

11 het pedaal
- *treadle*

12 het naaimachinegaren (de klos met garen)
- *sewing machine cotton (sewing machine thread) (bobbin)*

13 het snijsjabloon
- *cutting template*

14 het naadband
- *seam binding*

15 het knopendoosje
- *button box*

16 de stofrest
- *remnant*

17 het verrijdbare kledingrek
- *movable clothes rack*

18 de perstafel
- *hand-iron press*

19 de strijkster
- *presser (ironer)*

20 het stoomstrijkijzer
- *steam iron*

21 de watertoevoerleiding
- *water feed pipe*

22 de watertoevoer
- *water container*

23 de verstelbare perstafel
- *adjustable-tilt ironing surface*

24 de hefinrichting voor het strijkijzer
- *lift device for the iron*

25 de stoomafzuiger
- *steam extractor*

26 de voetschakelaar voor de stoomafzuiger
- *foot switch controlling steam extraction*

27 de opgeperste vlieseline
- *pressed non-woven woollen (*Am. *woolen) fabric*

1-32 het kleermakersatelier
- ***tailor's workroom***

1 de driedelige spiegel
- *triple mirror*

2 de banen stof
- *lengths of material*

3 de kostuumstof
- *suiting*

4 het modetijdschrift
- *fashion journal (fashion magazine)*

5 de asbak
- *ashtray*

6 de modecatalogus
- *fashion catalogue*

7 de werkbank
- *workbench*

8 het wandrekje
- *wall shelves (wall shelf unit)*

9 de klos naaigaren
- *cotton reel*

10 de klosjes naaizijde
- *small reels of sewing silk*

11 de schaar
- *hand shears*

12 de trapnaaimachine voorzien van elektrische bediening
- *combined electric and treadle sewing machine*

13 de trapper
- *treadle*

14 de kledingbeschermer
- *dress guard*

15 het vliegwiel
- *band wheel*

16 de spoel
- *bobbin thread*

17 de naaimachinetafel
- *sewing machine table*

18 de naaimachinelade
- *sewing machine drawer*

19 het naadband
- *seam binding*

20 het speldenkussen
- *pincushion*

21 het aftekenen
- *marking out*

22 de kleermaker
- *tailor*

23 het vormkussen
- *shaping pad*

24 het kleermakerskrijt
- *tailor's chalk (French chalk)*

25 het werkstuk
- *workpiece*

26 de stoomstrijker
- *steam press (steam pressing unit)*

27 de zwenkarm
- *swivel arm*

28 het perskussen
- *pressing cushion (pressing pad)*

29 het strijkijzer
- *iron*

30 het handperskussen
- *hand-ironing pad*

31 de kledingborstel
- *clothes brush*

32 de persdoek
- *pressing cloth*

1-39 de dameskapsalon en schoonheidssalon
- ***ladies' hairdressing salon and beauty salon*** (Am. *beauty parlor, beauty shop)*

1-16 kappersbenodigdheden
- ***hairdresser's tools***

1 het blondeer- of verfbakje
- *bowl containing bleach*

2 het opbrengkwastje
- *detangling brush*

3 de tube met blondeermiddel
- *bleach tube*

4 de permanentwikkel (bij het blonderen)
- *curler [used in dyeing]*

5 de krultang (ondulatietang)
- *curling tongs (curling iron)*

6 de insteekkam
- *comb (back comb, side comb)*

7 de coupeschaar
- *haircutting scissors*

8 de effileerschaar
- *thinning scissors (*Am. *thinning shears)*

9 het effileermes
- *thinning razor*

10 de nekkwast
- *hairbrush*

11 de haarclip
- *hair clip*

12 de watergolfroller
- *roller*

13 de föhnborstel
- *curl brush*

14 de afdeelklem
- *curl clip*

15 de puntkam
- *dressing comb*

16 de opkamborstel
- *stiff-bristle brush*

17 de pompstoel
- *adjustable hairdresser's chair*

18 de voetensteun
- *footrest*

19 de kaptafel
- *dressing table*

20 de kapspiegel
- *salon mirror (mirror)*

21 de tondeuse
- *electric clippers*

22 de kamföhn
- *warm-air comb*

23 de handspiegel
- *hand mirror (hand glass)*

24 de haarlak
- *hair spray (hair-fixing spray)*

25 de droogkap met zwenkarm
- *drier, a swivel-mounted drier*

26 de zwenkarm
- *swivel arm of the drier*

27 het stoelonderstel
- *round base*

28 het wasbekken
- *shampoo unit*

29 de wasbak
- *shampoo basin*

30 de handdouche
- *hand spray (shampoo spray)*

31 het hulptafeltje
- *service tray*

32 de shampoofles
- *shampoo bottle*

33 de föhn
- *hair drier, a hand-held hair drier (hand hair drier)*

34 de kapmantel
- *cape (gown)*

35 de kapster (haarstyliste)
- *hairdresser*

36 het parfumflesje
- *perfume bottle*

37 de toiletlotion
- *bottle of toilet water*

38 de pruik
- *wig*

39 de pruikstandaard
- *wig block*

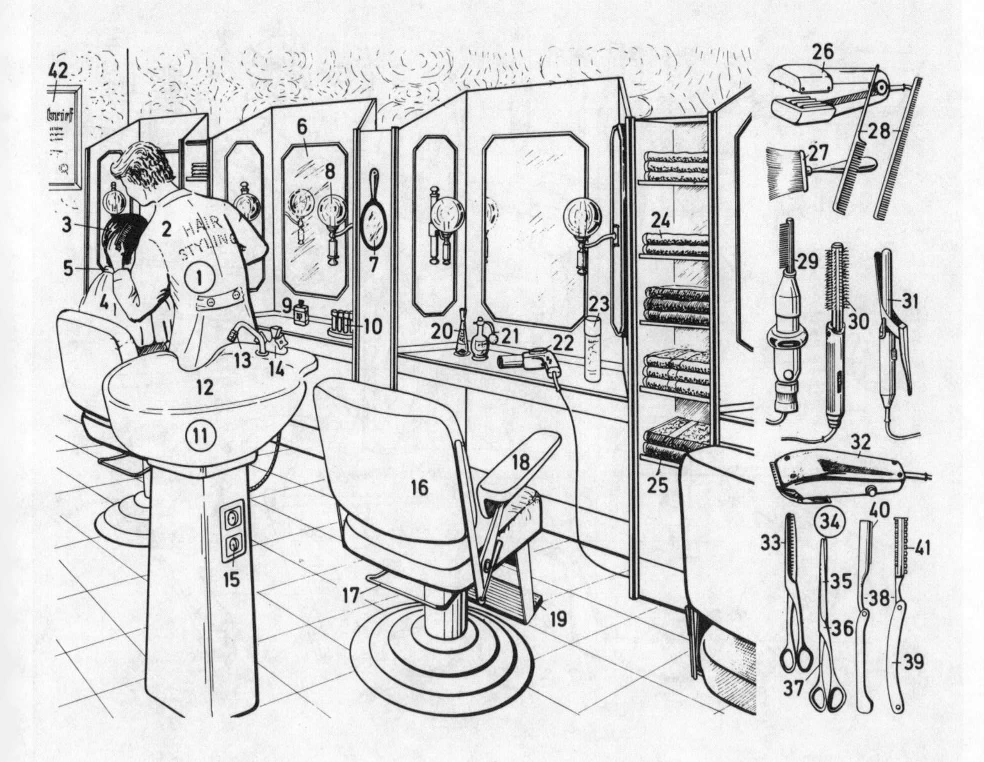

1-42 de herenkapsalon
- *men's salon (men's hairdressing salon, barber's shop,* Am. *barbershop)*

1 de kapper
- *hairdresser (barber)*

2 de kappersjas
- *overalls (hairdresser's overalls)*

3 het kapsel (de coupe)
- *hairstyle (haircut)*

4 de kapmantel
- *cape (gown)*

5 de papieren kraag
- *paper towel*

6 de kapspiegel
- *salon mirror (mirror)*

7 de handspiegel
- *hand mirror (hand glass)*

8 de wandlamp
- *light*

9 de toiletlotion
- *toilet water*

10 het haarwater
- *hair tonic*

11 het haarwasbekken
- *shampoo unit*

12 de spoelbak
- *shampoo basin*

13 de handdouche
- *hand spray (shampoo spray)*

14 de mengkraan
- *mixer tap (*Am. *mixing faucet)*

15 het stopcontact (de wandcontactdoos) b.v. voor de föhn
- *sockets, e.g. for hair drier*

16 de pompstoel
- *adjustable hairdresser's chair (barber's chair)*

17 het pomppedaal voor de hoogte-instelling
- *height-adjuster bar (height adjuster)*

18 de armleuning
- *armrest*

19 de voetensteun
- *footrest*

20 de shampoo
- *shampoo*

21 de parfumverstuiver
- *perfume spray*

22 de föhn
- *hair drier, a hand-held hair drier (hand hair drier)*

23 de haarversteviger in een spuitbus
- *setting lotion in a spray can*

24 de handdoeken voor het drogen van het haar
- *hand towels for drying hair*

25 de handdoeken voor gezichtscompressen
- *towels for face compresses*

26 de wafeltang
- *crimping iron*

27 de nekkwast
- *neck brush*

28 de kapperskam
- *dressing comb*

29 de kamföhn
- *warm-air comb*

30 de thermoborstel
- *warm-air brush*

31 de krultang (ondulatietang)
- *curling tongs (hair curler, curling iron)*

32 de tondeuse
- *electric clippers*

33 de effileerschaar
- *thinning scissors (*Am. *thinning shears)*

34 de modelleerschaar
- *haircutting scissors;* sim.: *styling scissors*

35 het snijblad
- *scissor-blade*

36 de stelschroef
- *pivot*

37 de handgreep
- *handle*

38 het scheermes
- *open razor (straight razor)*

39 het handvat
- *razor handle*

40 het scheerblad
- *edge (cutting edge, razor's edge, razor's cutting edge)*

41 het effileermes
- *thinning razor*

42 het vakdiploma
- *diploma*

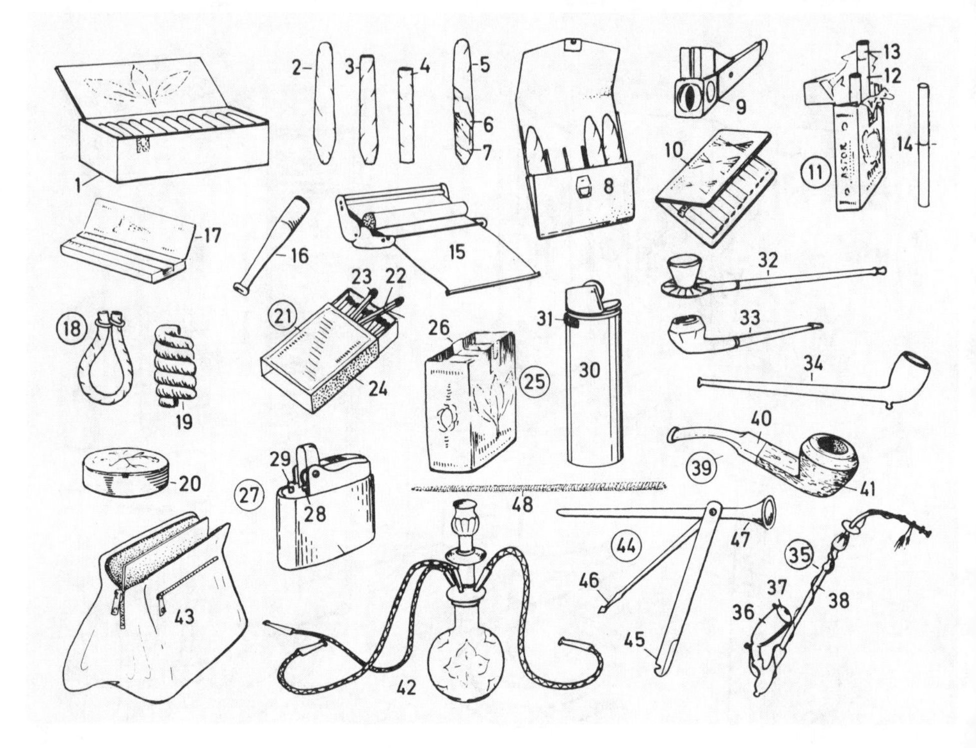

1 de sigarendoos (sigarenkist)
– *cigar box*
2 de sigaar; *soorten:* Havanna, Brazil, Sumatra
– *cigar;* kinds: *Havana cigar (Havana), Brazilian cigar, Sumatra cigar*
3 de cigarillo
– *cigarillo*
4 de corona
– *cheroot*
5 het dekblad
– *wrapper*
6 het omblad
– *binder*
7 het binnengoed
– *filler*
8 het sigarenetui
– *cigar case*
9 de sigareknipper (het sigareschaartje)
– *cigar cutter*
10 het sigarettenetui
– *cigarette case*
11 het pakje sigaretten
– *cigarette packet (*Am. *pack)*
12 de sigaret, een filtersigaret
– *cigarette, a filter-tipped cigarette*
13 de, het filter; *soorten:* o.a. het kurken mondstuk, goudkleurige mondstuk
– *cigarette tip;* kinds: *cork tip, gold tip*
14 de papirossa, een Russische sigaret
– *Russian cigarette*
15 de sigarettedraaier
– *cigarette roller*
16 het sigarettepijpje
– *cigarette holder*
17 het pakje vloeitjes
– *packet of cigarette papers*
18 de roltabak (gerolde pruimtabak)
– *pigtail (twist of tobacco)*
19 de pruimtabak; *een stuk:* de (tabaks)pruim
– *chewing tobacco;* a piece: *plug (quid, chew)*
20 de snuifdoos met snuiftabak
– *snuff box, containing snuff*
21 het doosje lucifers
– *matchbox*
22 de lucifer
– *match*
23 de (zwavel)kop
– *head (match head)*
24 het strijkvlak
– *striking surface*
25 het pakje tabak; *soorten:* baai (fijngesneden), krul, shag
– *packet of tobacco;* kinds: *fine cut, shag, navy plug*
26 de banderol
– *revenue stamp*
27 de benzineaansteker
– *petrol cigarette lighter (petrol lighter)*
28 het vuursteentje
– *flint*
29 de pit
– *wick*
30 de gasaansteker, een wegwerpaansteker
– *gas cigarette lighter (gas lighter), a disposable lighter*
31 de vlamregelaar
– *flame regulator*
32 de tsjiboek
– *chibonk (chibonque)*
33 de korte pijp
– *short pipe*
34 de stenen pijp (Goudse pijp)
– *clay pipe (Dutch pipe)*
35 de Duitse pijp (Beierse pijp)
– *long pipe*
36 de pijpekop (ketel)
– *pipe bowl (bowl)*
37 het deksel
– *bowl lid*
38 de steel
– *pipe stem (stem)*
39 de bruyèrepijp, een houten pijp
– *briar pipe*
40 het mondstuk
– *mouthpiece*
41 het (gezandstraalde of gepolijste) bruyèrehout
– *sand-blast finished or polished briar grain*
42 de nargileh, een waterpijp
– *hookah (narghile, narghileh), a water pipe*
43 de tabakszak
– *tobacco pouch*
44 de pijperooier
– *smoker's companion*
45 de pijpekrabber
– *pipe scraper*
46 de pijpereiniger
– *pipe cleaner*
47 de pijpestopper
– *tobacco presser*
48 de pijperager
– *pipe cleaner*

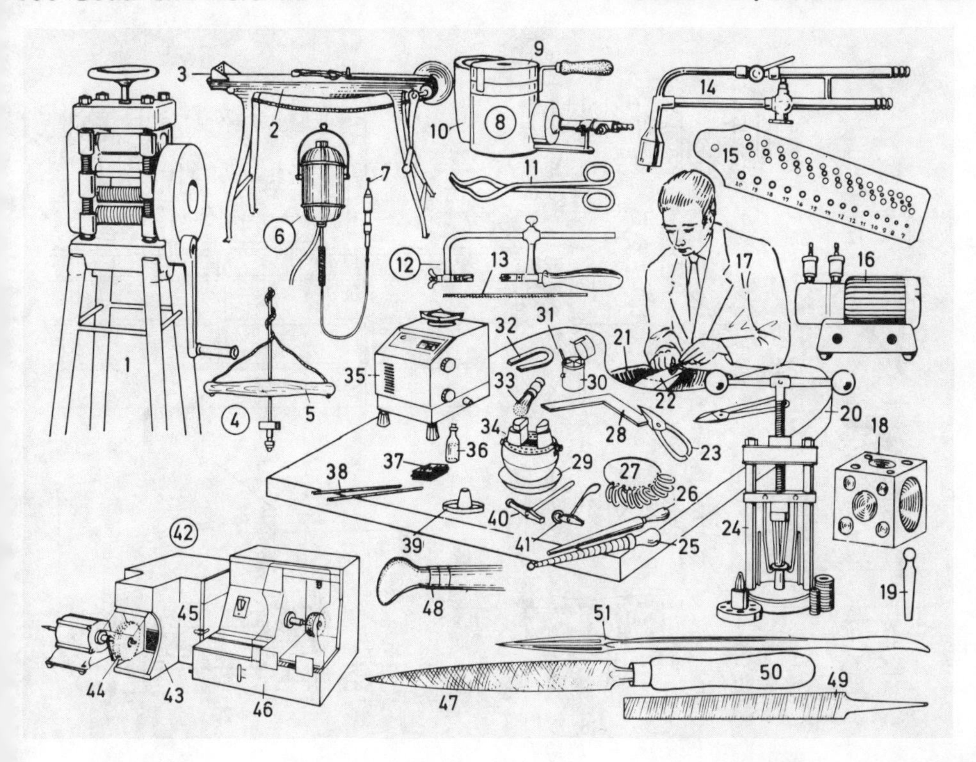

1 de draad- en plaatwals
– *wire and sheet roller*
2 de trekbank
– *drawbench (drawing bench)*
3 de draad (goud- of zilverdraad)
– *wire, e.g. gold or silver wire*
4 de pompdril
– *archimedes drill (drill)*
5 het handvat
– *crossbar*
6 de elektrische hangmotor
– *suspended (pendant) electric drilling machine*
7 de bolfrees in het handstuk
– *spherical cutter (cherry)*
8 de smeltoven
– *melting pot*
9 het chamottedeksel
– *fireclay top*
10 de grafietkroes
– *graphite crucible*
11 de kroezetang
– *crucible tongs*
12 de zaagbeugel (het zaagspan)
– *piercing saw (jig saw)*
13 het figuurzaagblad
– *piercing saw blade*
14 het soldeerpistool (de soldeerlamp, soldeerspuit)
– *soldering gun*
15 de snijplaat
– *thread tapper*
16 de aanjager (compressor)
– *blast burner (blast lamp) for soldering*
17 de goudsmid
– *goldsmith*
18 de hol-ank
– *swage block*
19 de pons
– *punch*
20 de stavelij (werkbank)
– *workbench (bench)*
21 het schootsvel
– *bench apron*
22 de vijlpen
– *needle file*
23 de plaatschaar
– *metal shears*
24 de trouwringvergroot- en verkleinmachine
– *wedding ring sizing machine*
25 de ringmaatstok
– *ring gauge (*Am. *gage)*
26 de triboulet
– *ring-rounding tool*
27 de ringmaat
– *ring gauge (*Am. *gage)*
28 de winkelhaak
– *steel set-square*
29 het zandkussen
– *leather pad*
30 de ponsenbus
– *box of punches*
31 de pons
– *punch*
32 het zeilijzer (de magneet)
– *magnet*
33 de bankborstel
– *bench brush*
34 de graveerkogel
– *engraving ball (joint vice, clamp)*
35 de precisieweegschaal
– *gold and silver balance (assay balance), a precision balance*
36 het vloeimiddel
– *soldering flux (flux)*
37 de soldeerhoutskool
– *charcoal block*
38 de soldeerstaaf
– *stick of solder*
39 de boraxkegel in de boraxtegel
– *soldering borax*
40 de bolhamer
– *shaping hammer*
41 de ciseleerhamer
– *chasing (enchasing) hammer*
42 de polijstmotor
– *polishing and burnishing machine*
43 de afzuiger
– *dust exhauster (vacuum cleaner)*
44 de polijstborstel
– *polishing wheel*
45 de stofvanger
– *dust collector (dust catcher)*
46 de kretsmotor
– *buffing machine*
47 de halfronde vijl
– *round file*
48 de bruneersteen
– *bloodstone (haematite, hematite)*
49 de blokvijl
– *flat file*
50 het vijlheft
– *file handle*
51 het schraapstaal met bruneerstaal gecombineerd
– *polishing iron (burnisher)*

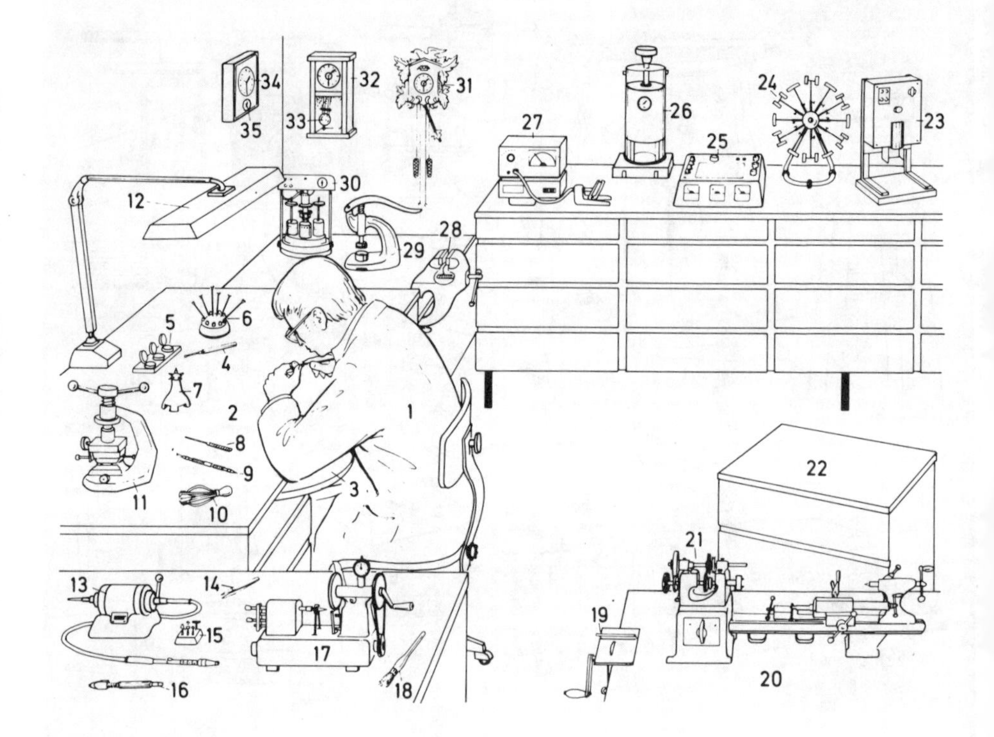

1 de uurwerkmaker
- *watchmaker;* also: *clockmaker*

2 de werkbank
- *workbench*

3 de armsteun
- *armrest*

4 de oliegever
- *oiler*

5 de agaten oliepotjes voor horloge-olie
- *oil stand*

6 de set schroevedraaiers voor horlogemakers
- *set of screwdrivers*

7 het gatenaanbeeld (gatenaambeeld)
- *clockmaker's anvil*

8 de opruimer
- *broach, a reamer*

9 de tappenvijl
- *spring pin tool*

10 de wijzerafnemer
- *hand-removing tool*

11 de kastopener
- *watchglass-fitting tool*

12 de lamp, een koud-lichtlamp
- *workbench lamp, a multi-purpose lamp*

13 de universele motor
- *multi-purpose motor*

14 het, de pincet
- *tweezers*

15 de losse polijstborstels en -stiften
- *polishing machine attachments*

16 de pennetang
- *pin vice (pin holder)*

17 de arrondeermachine
- *burnisher, for burnishing, polishing, and shortening of spindles*

18 de stofborstel
- *dust brush*

19 het snijapparaat voor metalen horlogebanden
- *cutter for metal watch straps*

20 de draaibank
- *watchmaker's lathe, a precision bench lathe*

21 de trappenschijven voor de V-snaar
- *drive-belt gear*

22 het fourniturenkastje
- *workshop trolley for spare parts*

23 het ultrasonische reinigingsapparaat
- *ultrasonic cleaner*

24 de proefopstelling voor automatische horloges
- *rotating watch-testing machine for automatic watches*

25 het testapparaat voor elektronische uurwerken
- *watch-timing machine for electronic components*

26 de waterdichtheidstester
- *testing device for waterproof watches*

27 het regelapparaat
- *electronic timing machine*

28 de bankschroef
- *vice (*Am. *vise)*

29 het glasopzetapparaat
- *watchglass-fitting tool for armoured (*Am. *armored) glasses*

30 de schoonmaakmachine voor de normale schoonmaakbeurt
- *[automatic] cleaning machine for conventional cleaning*

31 de koekoeksklok (Schwarzwalder klok)
- *cuckoo clock, a Black Forest clock*

32 de regulateur
- *wall clock, a regulator*

33 de compensatieslinger
- *compensation pendulum*

34 de keukenklok
- *kitchen clock*

35 de kookwekker
- *timer*

1 het elektronische polshorloge
- *electronic wristwatch*

2 de digitale tijdaanwijzing met lichtgevende dioden (LED's); *ook:* met vloeibare kristallen (LCD's)
- *digital readout, a light-emitting diode (LED) readout;* also: *liquid crystal readout*

3 de uren- en minutenknop
- *hour and minute button*

4 de datum- en secondenknop
- *date and second button*

5 de horlogeband
- *strap (watch strap)*

6 het stemvorkprincipe (principe van het stemvorkhorloge)
- *tuning fork principle (principle of the tuning fork watch)*

7 de batterij (knoopcel)
- *power source (battery cell)*

8 de elektronische schakeling
- *transformer*

9 de stemvork
- *tuning fork element (oscillating element)*

10 het palrad
- *wheel ratchet*

11 het wijzerwerk
- *wheels*

12 de grote wijzer
- *minute hand*

13 de kleine wijzer
- *hour hand*

14 het principe van het elektronische kwartsuurwerk
- *principle of the electronic quartz watch*

15 het kwartskristal
- *quartz*

16 de frequentiedeler
- *integrated circuit*

17 de stappenmotor
- *oscillation counter*

18 de decoder
- *decoder*

19 de elektrische wekker; *ook:* elektronische wekker
- *calendar clock (alarm clock)*

20 de digitale tijdaanwijzing door middel van lamellen
- *digital display with flip-over numerals*

21 de secondenaanduiding
- *second indicator*

22 de uitschakeltoets
- *stop button*

23 de stelknop
- *forward and backward wind knob*

24 het staande horloge
- *grandfather clock*

25 de wijzerplaat
- *face*

26 de kast
- *clock case*

27 de slingerlens
- *pendulum*

28 het gewicht voor het slagwerk
- *striking weight*

29 het gewicht voor het gaande werk
- *time weight*

30 de zonnewijzer
- *sundial*

31 de zandloper
- *hourglass (egg timer)*

32-43 de opengewerkte tekening van het horloge met automatische opwinding
- ***components of an automatic watch*** *(automatic wristwatch)*

32 de rotor
- *weight (rotor)*

33 de steen (een synthetische korund) met steengat
- *stone (jewel, jewelled bearing), a synthetic ruby*

34 de pal
- *click*

35 het palrad
- *click wheel*

36 het uurwerk
- *clockwork (clockwork mechanism)*

37 de platine
- *bottom train plate*

38 de veerton
- *spring barrel*

39 de balans
- *balance wheel*

40 het ankerrad
- *escape wheel*

41 het opwindrad
- *crown wheel*

42 de kroon
- *winding crown*

43 de aandrijving
- *drive mechanism*

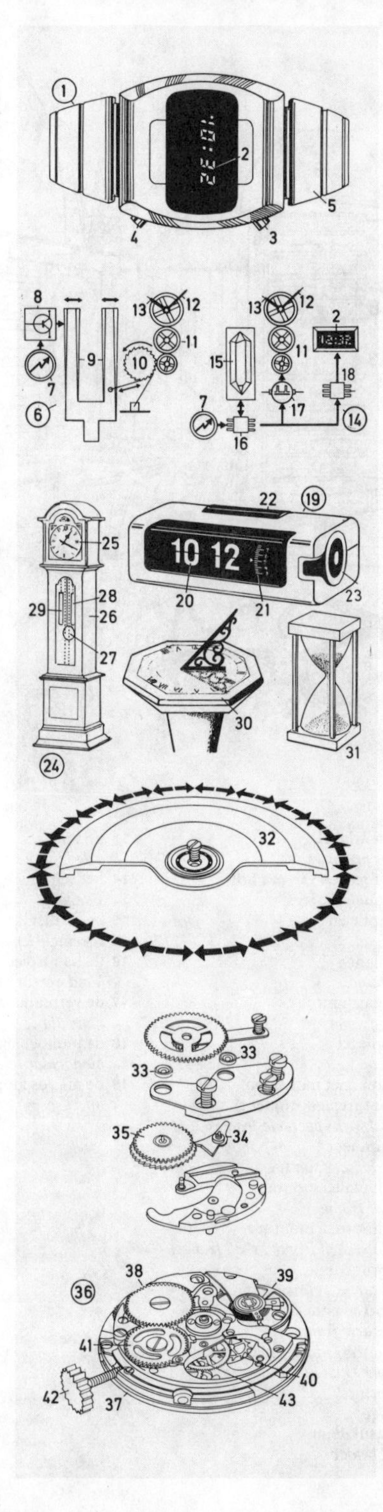

1-19 de winkel
- ***sales premises***

1-4 het passen van een bril
- ***spectacle fitting***

1 de opticien
- *optician*

2 de klant
- *customer*

3 het pasmontuur
- *trial frame*

4 de spiegel
- *mirror*

5 het rek met monturen (monturenassortiment)
- *stand with spectacle frames*

6 de zonnebril
- *sunglasses (sun spectacles)*

7 het metalen montuur
- *metal frame*

8 het hoornen montuur
- *tortoiseshell frame (shell frame)*

9 de bril
- *spectacles (glasses)*

10-14 het montuur
- ***spectacle frame***

10 de vatting van de glazen
- *fitting (mount) of the frame*

11 de brug
- *bridge*

12 de neussteun
- *pad bridge*

13 de veer
- *side*

14 het scharnier
- *side joint*

15 het brilleglas, een bifocaal glas
- *spectacle lens, a bifocal lens*

16 de handspiegel
- *hand mirror (hand glass)*

17 de verrekijker
- *binoculars*

18 de monoculaire verrekijker
- *monocular telescope (tube)*

19 de microscoop
- *microscope*

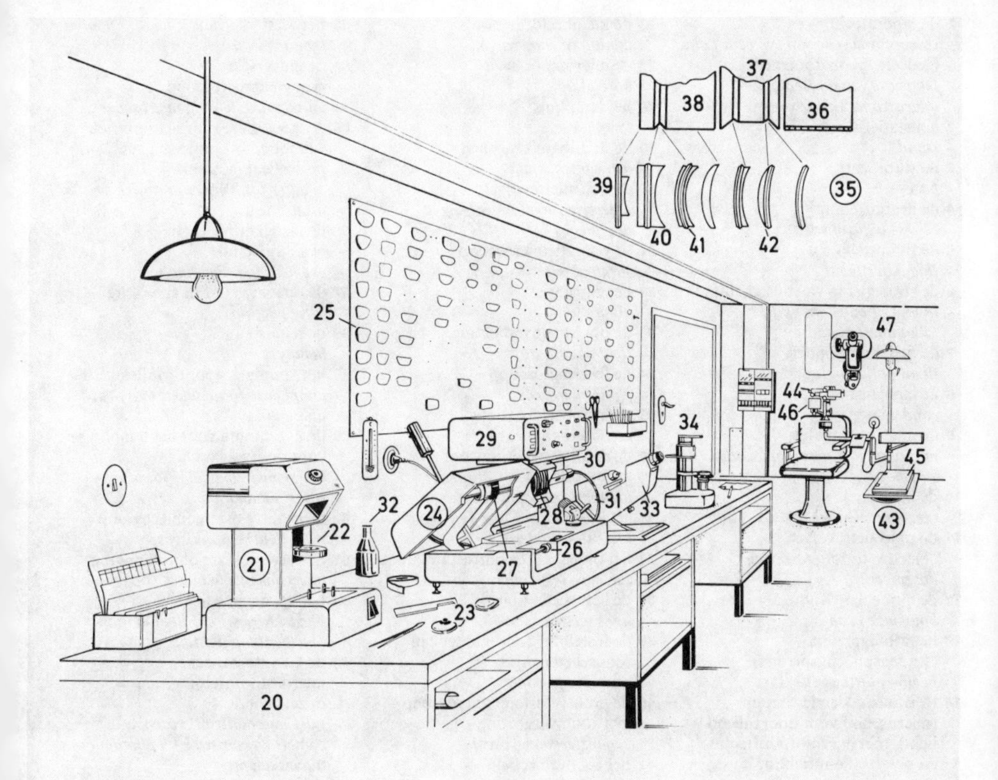

20-47 deopticienswerkplaats
- ***optician's workshop***

20 de werktafel (werkbank)
- *workbench*

21 het universele centreerapparaat
- *universal centring (centering) apparatus*

22 de houder van de centreerzuiger
- *centring (centering) suction holder*

23 de centreerzuiger
- *sucker*

24 de slijpautomaat
- *edging machine*

25 de slijpmallen (vormschijven)
- *formers for the lens edging machine*

26 de ingezette slijpmal
- *inserted former*

27 de meedraaiende kopieerschijf
- *rotating printer*

28 de slijpschijvenset
- *abrasive wheel combination*

29 het stuurapparaat
- *control unit*

30 het machinegedeelte
- *machine part*

31 de koelwateraansluiting
- *cooling water pipe*

32 de reinigingsvloeistof
- *cleaning fluid*

33 de topsterktemeter
- *focimeter (vertex refractionometer)*

34 het centreer-, zuigeraandruk- en metaalblokapparaat
- *metal-blocking device*

35 slijpschijvenset en slijpvormen
- *abrasive wheel combination and forms of edging*

36 de voorslijpschijf
- *roughing wheel for preliminary surfacing*

37 de fijnslijpschijf voor plus- en minfacet
- *fining lap for positive and negative lens surfaces*

38 de fijnslijpschijf voor speciaalfacet en vlakfacet
- *fining lap for special and flat lenses*

39 de planconcave lens met vlakfacet
- *plano-concave lens with a flat surface*

40 de planconcave lens met speciaalfacet
- *plano-concave lens with a special surface*

41 de concaaf-convexe lens met speciaalfacet
- *concave and convex lens with a special surface*

42 de concaaf-convexe lens met minfacet
- *convex and concave lens with a special surface*

43 de refractie-unit
- *ophthalmic test stand*

44 de phoropter met oftalmometer en refractometer
- *phoropter with ophthalmometer and optometer (refractometer)*

45 de proefglazenkast
- *trial lens case*

46 de visuscollimator
- *collimator*

47 de visusprojector
- *acuity projector*

1 de laboratorium- en researchmicroscoop *systeem Leitz* [gedeeltelijk in doorsnede]
- *laboratory and research microscope,* Leitz system

2 het statief
- *stand*

3 de statiefvoet
- *base*

4 de grofinstelling
- *coarse adjustment*

5 de fijninstelling
- *fine adjustment*

6 de stralengang van de belichting
- *illumination beam path (illumination path)*

7 de belichtingsoptiek
- *illumination optics*

8 de condensor
- *condenser*

9 de microscooptafel
- *microscope (microscopic, object) stage*

10 de kruistafel
- *mechanical stage*

11 de objectiefrevolver
- *objective turret (revolving nosepiece)*

12 de binoculaire tubus
- *binocular head*

13 het afbuigprisma (stralensplitsingsprisma)
- *beam-splitting prisms*

14 de transmissiemicroscoop (microscoop voor doorvallend licht), met microfoto-inrichting en polarisatie-inrichting, *systeem Zeiss*
- *transmitted-light microscope with camera and polarizer,* Zeiss system

15 de basis met tafeldrager
- *stage base*

16 de apertuurdiafragmaschuif
- *aperture-stop slide*

17 de universele draaitafel
- *universal stage*

18 de optiekbrug
- *lens panel*

19 de beeldwisselaar
- *polarizing filter*

20 de microfoto-inrichting voor groot- en kleinbeeld
- *camera*

21 het instelmatglas
- *focusing screen*

22 de discussietubus
- *discussion tube arrangement*

23 de grootveldmetaalmicroscoop, een microscoop voor opvallend licht
- *wide-field metallurgical microscope, a reflected-light microscope (microscope for reflected light)*

24 het projectiematglas
- *matt screen (ground glass screen, projection screen)*

25 de grootbeeldcamera
- *large-format camera*

26 de kleinbeeldcamera
- *miniature camera*

27 de microscoopbasis
- *base plate*

28 het lamphuis
- *lamphouse*

29 de draaibare kruistafel
- *mechanical stage*

30 de objectiefrevolver
- *objective turret (revolving nosepiece)*

31 de operatiemicroscoop
- *surgical microscope*

32 het zuilstatief
- *pillar stand*

33 de objectveldverlichting
- *field illumination*

34 de fotomicroscoop
- *photomicroscope*

35 de kleinbeeldcassette
- *miniature film cassette*

36 de extra aansluiting voor grootbeeld- of t.v.-camera
- *photomicrographic camera attachment for large-format or television camera*

37 het oppervlaktecontroleapparaat
- *surface-finish microscope*

38 de lichtsnedetubus
- *light section tube*

39 de instelling door middel van rondsel en heugel
- *rack and pinion*

40 de grootveldstereomicroscoop met zoomvergroting
- *zoom stereomicroscope*

41 het zoomobjectief
- *zoom lens*

42 het stofmeetapparaat
- *dust counter*

43 de meetkamer
- *measurement chamber*

44 de elektronische digitale aansluiting
- *data output*

45 de elektronische analoge aansluiting
- *analogue (*Am. *analog) output*

46 de keuzeschakelaar voor de meetbereiken (meetgebieden)
- *measurement range selector*

47 het digitale venster voor meetgegevens
- *digital display (digital readout)*

48 de dompelrefractometer, voor controle van bier en levensmiddelen
- *dipping refractometer for examining food*

49 de microscoopfotometer
- *microscopic photometer*

50 het lamphuis voor de lichtbron van de fotometer
- *photometric light source*

51 de meetkop met multiplicatorbuis
- *measuring device, a photomultiplier (multiplier phototube)*

52 het lamphuis voor overzichtsbelichting
- *light source for survey illumination*

53 het versterkerhuis
- *remote electronics*

54 de universele grootveldmicroscoop
- *universal wide-field microscope*

55 de fototubus, voor het opzetten van microfoto-uitrusting en van projectieapparatuur
- *adapter for camera or projector attachment*

56 de instelknop voor de oculairafstand
- *eyepiece focusing knob*

57 de opening voor de filterschuif
- *filter pick-up*

58 de handsteun
- *handrest*

59 het lamphuis voor opvallend licht
- *lamphouse for incident (vertical) illumination*

60 de aansluiting voor het lamphuis voor doorvallend licht
- *lamphouse connector for transillumination*

61 de grootveldstereomicroscoop
- *wide-field stereomicroscope*

62 de verwisselbare objectiefparen
- *interchangeable lenses (objectives)*

63 het opvallende licht
- *incident (vertical) illumination (incident top lighting)*

64 de volautomatische microfoto-inrichting, een opzetcamera
- *fully automatic microscope camera, a camera with photomicro mount adapter*

65 de filmcassette
- *film cassette*

66 de universele condensor voor een researchmicroscoop
- *universal condenser for research microscope 1*

67 de fototheodoliet
- *universal-type measuring machine for photogrammetry (phototheodolite)*

68 het cameragedeelte van de fototheodoliet
- *photogrammetric camera*

69 het waterpasinstrument met automatische horizontering
- *motor-driven level, a compensator level*

70 de elektronische tachymeter (elektro-optische afstandsmeter)
- *electro-optical distance-measuring instrument*

71 de stereomeetcamera
- *stereometric camera*

72 de horizontale basis
- *horizontal base*

73 de eensecondentheodoliet
- *one-second theodolite*

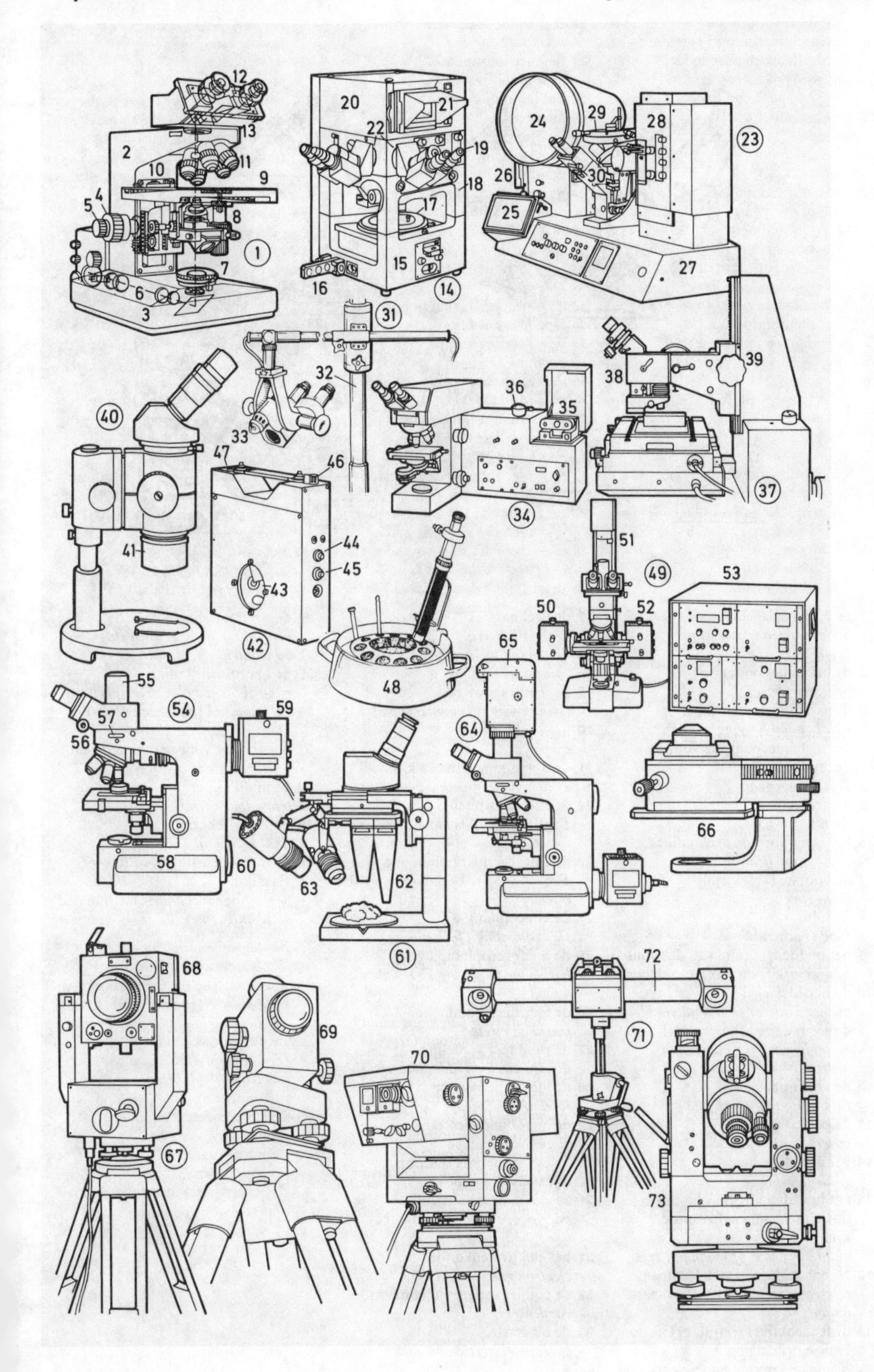
1
2
3
4
5
6
7
8
9
10
11
12
13
14
15
16
17
18
19
20
21
22
23
24
25
26
27
28
29
30
31
32
33
34
35
36
37
38
39
40
41
42
43
44
45
46
47
48
49
50
51
52
53
54
55
56
57
58
59
60
61
62
63
64
65
66
67
68
69
70
71
72
73

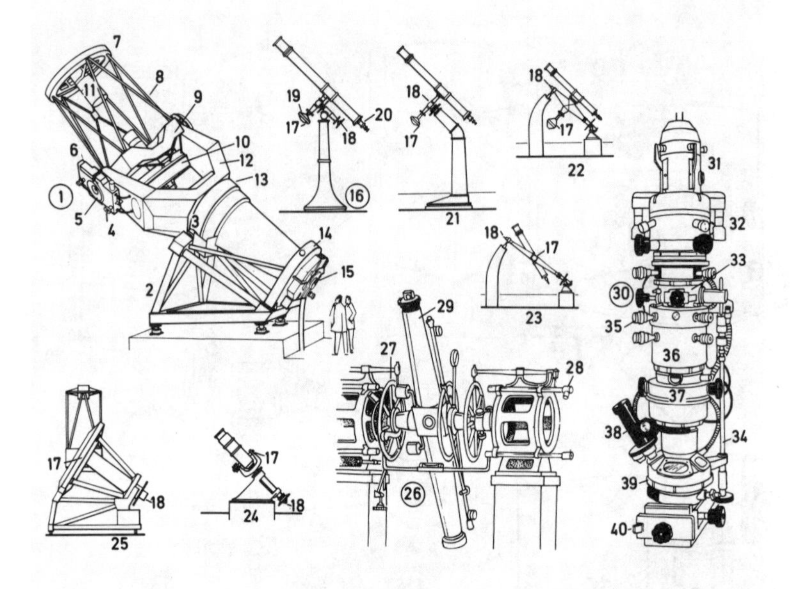

1 **de 2,2-m-spiegeltelescoop**
- ***2.2 m reflecting telescope*** *(reflector)*

2 de basis (het onderstel)
- *pedestal (base)*

3 de axiale en radiale lagering
- *axial-radial bearing*

4 het instelmechanisme voor de declinatie
- *declination gear*

5 de declinatieas
- *declination axis*

6 het lager voor de declinatieas
- *declination bearing*

7 de voorste (afdek)ring
- *front ring*

8 de tubus
- *tube (body tube)*

9 het middengedeelte van de tubus
- *tube centre (*Am. *center) section*

10 de hoofdspiegel
- *primary mirror (main mirror)*

11 de secundaire afbuigspiegel
- *secondary mirror (deviation mirror, corrector plate)*

12 de vorkophanging
- *fork mounting (fork)*

13 de bekleding
- *cover*

14 het geleidingslager
- *guide bearing*

15 het hoofdaandrijfmechanisme (instelmechanisme) voor de urenas
- *main drive unit of the polar axis*

16-25 **ophangingen van telescopen**
- ***telescope mountings*** *(telescope mounts)*

16 de lenzenkijker (refractor) in Duitse ophanging
- *refractor (refracting telescope) on a German-type mounting*

17 de declinatieas
- *declination axis*

18 de polaire as (urenas)
- *polar axis*

19 het contragewicht
- *counterweight (counterpoise)*

20 het oculair
- *eyepiece*

21 de ophanging aan een knikzuil
- *knee mounting with a bent column*

22 de Engelse ophanging
- *English-type axis mounting (axis mount)*

23 de Engelse raamophanging
- *English-type yoke mounting (yoke mount)*

24 de vorkophanging
- *fork mounting (fork mount)*

25 de hoefijzerophanging
- *horseshoe mounting (horseshoe mount)*

26 de meridiaanrand
- *meridian circle*

27 de rand met verdeling
- *divided circle (graduated circle)*

28 de afleesmicroscoop
- *reading microscope*

29 de meridiaantelescoop
- *meridian telescope*

30 de elektronenmicroscoop
- *electron microscope*

31-39 de (microscoop)zuil
- *microscope tube (microscope body, body tube)*

31 het elektronenkanon
- *electron gun*

32 de condensorlenzen (condensors)
- *condensers*

33 de objectsluis
- *specimen insertion air lock*

34 de objecttafelinstelling
- *control for the specimen stage adjustment*

35 de apertuurinstelling
- *control for the objective apertures*

36 het objectief (de ocjectieflens)
- *objective lens*

37 het venster voor het tussenbeeld
- *intermediate image screen*

38 de inblikkijker
- *telescope magnifier*

39 het beeldscherm
- *final image tube*

40 de foto-uitrusting voor film of vlakfilm
- *photographic chamber for film and plate magazines*

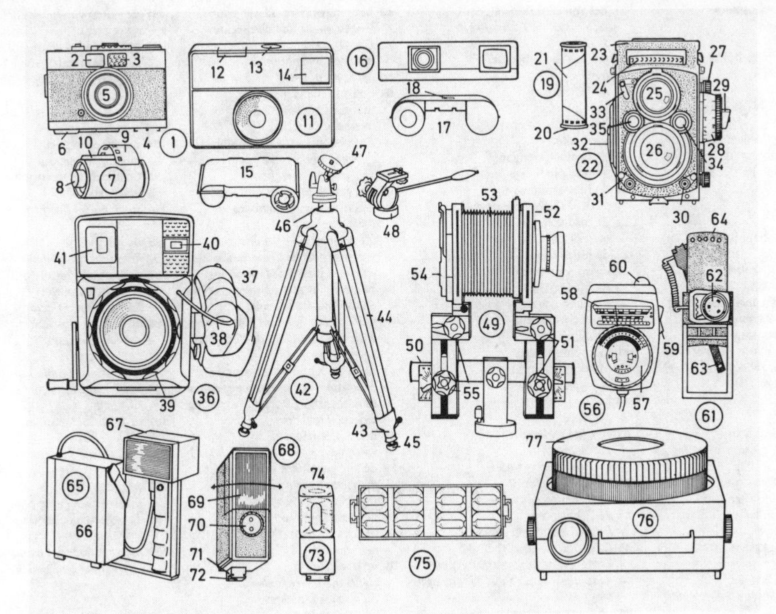

1 de kleinbeeld-compactcamera
– *miniature camera (35 mm camera)*
2 het zoekervenster (de doorzichtzoeker)
– *viewfinder eyepiece*
3 de belichtingsmetercel
– *meter cell*
4 het accessoireschoentje (flitserschoentje)
– *accessory shoe*
5 de verzinkbare lens
– *flush lens*
6 de terugspoelknop (terugspoelslinger)
– *rewind handle (rewind, rewind crank)*
7 de kleinbeeldcassette (het 35 mm-kleinbeeldpatroon)
– *miniature film cassette (135 film cassette, 35 mm cassette)*
8 de filmspoel
– *film spool*
9 de film met aanloopstrook
– *film with leader*
10 de cassettemond
– *cassette slit (cassette exit slot)*
11 de 126-cassettecamera
– *cartridge-loading camera*
12 de ontspanner
– *shutter release (shutter release button)*
13 het flitsblokjescontact
– *flash cube contact*
14 de vierkante zoeker (doorzichtzoeker)
– *rectangular viewfinder*
15 de 126-filmcassette
– *126 cartridge (instamatic cartridge)*
16 de pocketcamera
– *pocket camera (subminiature camera)*
17 de pocketcassette (110-filmcassette)
– *110 cartridge (subminiature cartridge)*
18 het filmvenster
– *film window*
19 de 120-rolfilm
– *120 rollfilm*
20 de rolfilmspoel
– *rollfilm spool*
21 het schutpapier
– *backing paper*
22 de tweeogige spiegelreflexcamera
– *twin-lens reflex camera*
23 de opklapbare zoekerschacht
– *folding viewfinder hood (focusing hood)*
24 de belichtingsmetercel
– *meter cell*
25 de zoekerlens
– *viewing lens*
26 de opnamelens
– *object lens*
27 de spoelknop
– *spool knob*
28 de afstandsinstelling
– *distance setting (focus setting)*
29 de gekoppelde belichtingsmeter
– *exposure meter using needle-matching system*
30 het flitscontact
– *flash contact*
31 de ontspanner
– *shutter release*
32 het, de filmtransporthandel
– *film transport (film advance, film wind)*
33 de flitssynchronisatieschakelaar
– *flash switch*
34 de instelknop voor het diafragma
– *aperture-setting control*
35 de tijdinstelknop
– *shutter speed control*
36 de groot formaat handcamera (perscamera)
– *large-format hand camera (press camera)*
37 de handgreep
– *grip (handgrip)*
38 de draadontspanner
– *cable release*
39 de afstandsinstelling
– *distance-setting ring (focusing ring)*
40 het venster van de afstandsmeter
– *rangefinder window*
41 de meerformatenzoeker (de universele lijnkaderzoeker)
– *multiple-frame viewfinder (universal viewfinder)*
42 het (buizen)statief
– *tripod*
43 de statiefpoot
– *tripod leg*
44 de dubbelbuispoot
– *tubular leg*
45 de rubbervoet
– *rubber foot*
46 de middenzuil
– *central column*
47 het (kogel)balhoofd
– *ball and socket head*
48 de kinonivelleerknop
– *cine camera pan and tilt head*
49 de groot formaat balgcamera
– *large-format folding camera*
50 de optische bank
– *optical bench*
51 de standaardinstelling
– *standard adjustment*
52 de objectiefstandaard (het voorpaneel, de objectiefhouder)
– *lens standard*
53 de balg
– *bellows*
54 de achterwand van de camera (het achterpaneel)
– *camera back*
55 de achterwandverstelling (achterpaneelverstelling)
– *back standard adjustment*
56 de (hand)belichtingsmeter
– *hand-held exposure meter (exposure meter)*
57 de rekenschijf (instelschijf)
– *calculator dial*
58 de afleesschaal met meetnaald
– *scales (indicator scales) with indicator needle (pointer)*
59 de meetbereikschakelaar
– *range switch (high/low range selector)*
60 de diffusiekap voor lichtmeting
– *diffuser for incident light measurement*
61 de belichtingsmeetcassette voor groot formaat camera's
– *probe exposure meter for large-format cameras*
62 de meter
– *meter*
63 de meetsonde
– *probe*
64 de cassetteschuif
– *dark slide*
65 de tweedelige elektronenflitser
– *battery-portable electronic flash (battery-portable electronic flash unit)*
66 het generatordeel (accuhuis)
– *powerpack unit (battery)*
67 de flitslamp (flitsstaaf)
– *flash head*
68 de flitser
– *single-unit electronic flash (flashgun)*
69 de zwenkbare reflector
– *swivel-mounted reflector*
70 de fotodiode (meetcel)
– *photodiode*
71 het voetje
– *foot*
72 het middencontact
– *hot-shoe contact*
73 de blokjesflitser
– *flash cube unit*
74 het flitsblokje
– *flash cube*
75 de flashbar (AGFA)
– *flash bar (AGFA)*
76 de diaprojector
– *slide projector*
77 het ronde magazijn
– *rotary magazine*

1-105 de systeemcamera
– ***system camera***
1 de eenogige kleinbeeld-spiegelreflexcamera
– *miniature single-lens reflex camera*
2 het camerahuis (de body)
– *camera body*
3-8 de lens (het objectief), een standaardlens
– *lens, a normal lens (standard lens)*
3 de lenstubus
– *lens barrel*
4 de afstandsschaal in meters en feet
– *distance scale in metres and feet*
5 de diafragmaring
– *aperture ring (aperture-setting ring, aperture control ring)*
6 de frontlensvatting met schroefdraad voor de (het) filter
– *front element mount with filter mount*
7 de frontlens
– *front element*
8 de afstandsinstelring
– *focusing ring (distance-setting ring)*
9 het oog voor de draagriem
– *ring for the carrying strap*
10 de batterijhouder
– *battery chamber*
11 het schroefdeksel
– *screw-in cover*
12 de terugspoelslinger
– *rewind handle (rewind, rewind crank)*
13 de batterijschakelaar
– *battery switch*
14 de flitsaansluiting voor F- en X-contact
– *flash socket for F and X contact*
15 de spanhefboom voor de zelfontspanner
– *self-time lever (setting lever for the self-timer, setting lever for the delayed-action release)*
16 het, de sneltransporthandel (het sneltransport)
– *single-stroke film advance lever*
17 de opnamenteller (beeldteller)
– *exposure counter (frame counter)*
18 de ontspanner
– *shutter release (shutter release button)*
19 de sluitertijdenknop
– *shutter speed setting knob (shutter speed control)*
20 het accessoireschoentje (flitserschoentje)
– *accessory shoe*
21 het flitsmiddencontact
– *hot-shoe flash contact*
22 de zoeker (het zoekeroculair) met correctielensje
– *viewfinder eyepiece with correcting lens*
23 de achterwand van de camera
– *camera back*
24 de filmaandrukplaat
– *pressure plate*
25 de filmgeleider van het snellaadsysteem
– *take-up spool of the rapid-loading system*
26 de filmtransportrol
– *transport sprocket*
27 de ontgrendelknop voor filmtransport
– *rewind release button (reversing clutch)*
28 het beeldvenster (de filmbaan)
– *film window*
29 de terugwindas
– *rewind cam*
30 de statiefmoer
– *tripod socket (tripod bush)*
31 het spiegelreflexsysteem
– *reflex system (mirror reflex system)*
32 de lens (het objectief)
– *lens*
33 de reflexspiegel
– *reflex mirror*
34 het beeldvenster
– *film window*
35 de beeldstralengang
– *path of the image beam*
36 de meetstralengang
– *path of the sample beam*
37 de meetcel
– *meter cell*
38 de hulpspiegel
– *auxiliary mirror*
39 het instelglas
– *focusing screen*
40 de beeldveldlens
– *field lens*
41 het pentaprisma (dakkantprisma)
– *pentaprism*
42 het oculair
– *eyepiece*
43-105 het toebehoren (de accessoires)
– ***system of accessories***
43 de wissellenzen
– *interchangeable lenses*
44 de fisheye-lens
– *fisheye lens (fisheye)*
45 de groothoeklens (het korte-brandpuntsobjectief)
– *wide-angle lens (short focal length lens)*
46 de standaardlens
– *normal lens (standard lens)*
47 de lens met middellange brandpuntsafstand
– *medium focal length lens*
48 de telelens (het lange-brandpuntsobjectief)
– *telephoto lens (long focal length lens)*
49 de supertelelens
– *long-focus lens*
50 de spiegellens (het spiegelobjectief)
– *mirror lens*
51 het zoekerbeeld
– *viewfinder image*
52 het teken voor instelling op handbediening
– *signal to switch to manual control*
53 de matglasinstelring
– *matt collar (ground glass collar)*
54 het microprisma-instelraster
– *microprism collar*
55 de deelbeeldinstelwig
– *split-image rangefinder (focusing wedges)*
56 de diafragmaschaal
– *aperture scale*
57 de naald van de belichtingsmeter
– *exposure meter needle*
58-66 verwisselbare instelglazen
– *interchangeable focusing screens*
58 het gehele matglas met microprisma-instelraster
– *all-matt screen (ground glass screen) with microprism spot*
59 het gehele matglas met microprisma-deelbeeldinstelwig
– *all-matt screen (ground glass screen) with microprism spot and split-image rangefinder*
60 het gehele matglas zonder instelhulpmiddelen
– *all-matt screen (ground glass screen) without focusing aids*
61 het matglas met rasterindeling
– *matt screen (ground glass screen) with reticule*
62 het microprismaraster voor lenzen met grote opening
– *microprism spot for lenses with a large aperture*
63 het microprismaraster voor lenzen vanaf de lichtsterkte f = 1:3,5
– *microprism spot for lenses with an aperture of f = 1 : 3.5 or larger*
64 de fresnellens met matglasinstelring en deelbeeldinstelwig
– *Fresnel lens with matt collar (ground glass collar) and split-image rangefinder*
65 het gehele matglas met fijn gematteerde middenvlek en meetschalen
– *all-matt screen (ground glass screen) with finely matted central spot and graduated markings*
66 het matglas met heldere glasvlek en dubbel draadkruis
– *matt screen (ground glass screen) with clear spot and double cross hairs*
67 de data-achterwand voor de belichting van opnamegegevens
– *data recording back for exposing data about shots*
68 de zoekerlichtschacht
– *viewfinder hood (focusing hood)*
69 de verwisselbare prismazoeker
– *interchangeable pentaprism viewfinder*
70 het pentaprisma (dakkantprisma)
– *pentaprism*
71 de hoekzoeker
– *right-angle viewfinder*
72 de oogcorrectielens
– *correction lens*
73 de oogschelp
– *eyecup*
74 de instelloep
– *focusing telescope*
75 de batterijaansluiting
– *battery unit*
76 de gecombineerde batterijhouder met bediening van de filmtransportmotor (winder)
– *combined battery holder and control grip for the motor drive*
77 de multi-shot-camera (repeteercamera)
– *rapid-sequence camera*
78 de aansluitbare filmtransportmotor (winder)
– *attachable motor drive*
79 de externe stroombron
– *external (outside) power supply*
80 het tienmeterfilmmagazijn
– *ten meter film back (magazine back)*
81-98 close-up- en macroapparatuur
– *close-up and macro equipment*
81 de tussentubus
– *extension tube*
82 de adapterring
– *adapter ring*
83 de omkeerring
– *reversing ring*
84 de lens in retrostand (retrofocuspositie)
– *lens in retrofocus position*
85 het balgapparaat
– *bellows unit (extension bellows, close-up bellows attachment)*
86 de instelslede
– *focusing stage*
87 het diakopieerapparaat (de diaduplicator)
– *slide-copying attachment*
88 de adapterring voor diakopieën
– *slide-copying adapter*
89 de microscoopadapter
– *micro attachment (photomicroscope adapter)*
90 het reprostatief (documentstatief)
– *copying stand (copy stand, copypod)*
91 de poten van het statief
– *spider legs*
92 het reproduktieapparaat (de reprostandaard)
– *copying stand (copy stand)*
93 de reproarm
– *arm of the copying stand (copy stand)*
94 het macrostatief
– *macrophoto stand*
95 de inlegbladen voor het macrostatief
– *stage plates for the macrophoto stand*
96 de inlegschijf
– *insertable disc (disk)*
97 de Lieberkühnreflector (Descartesspiegel)
– *Lieberkühn reflector*
98 de kruistafelinrichting
– *mechanical stage*
99 het tafelstatief
– *table tripod (table-top tripod)*
100 het schouderstatief
– *rifle grip*
101 de draadontspanner
– *cable release*
102 de dubbele draadontspanner
– *double cable release*
103 de paraattas
– *camera case (ever-ready case)*
104 de objectiefkoker (lenskoker)
– *lens case*
105 het zachtlederen lensetui
– *soft-leather lens pouch*

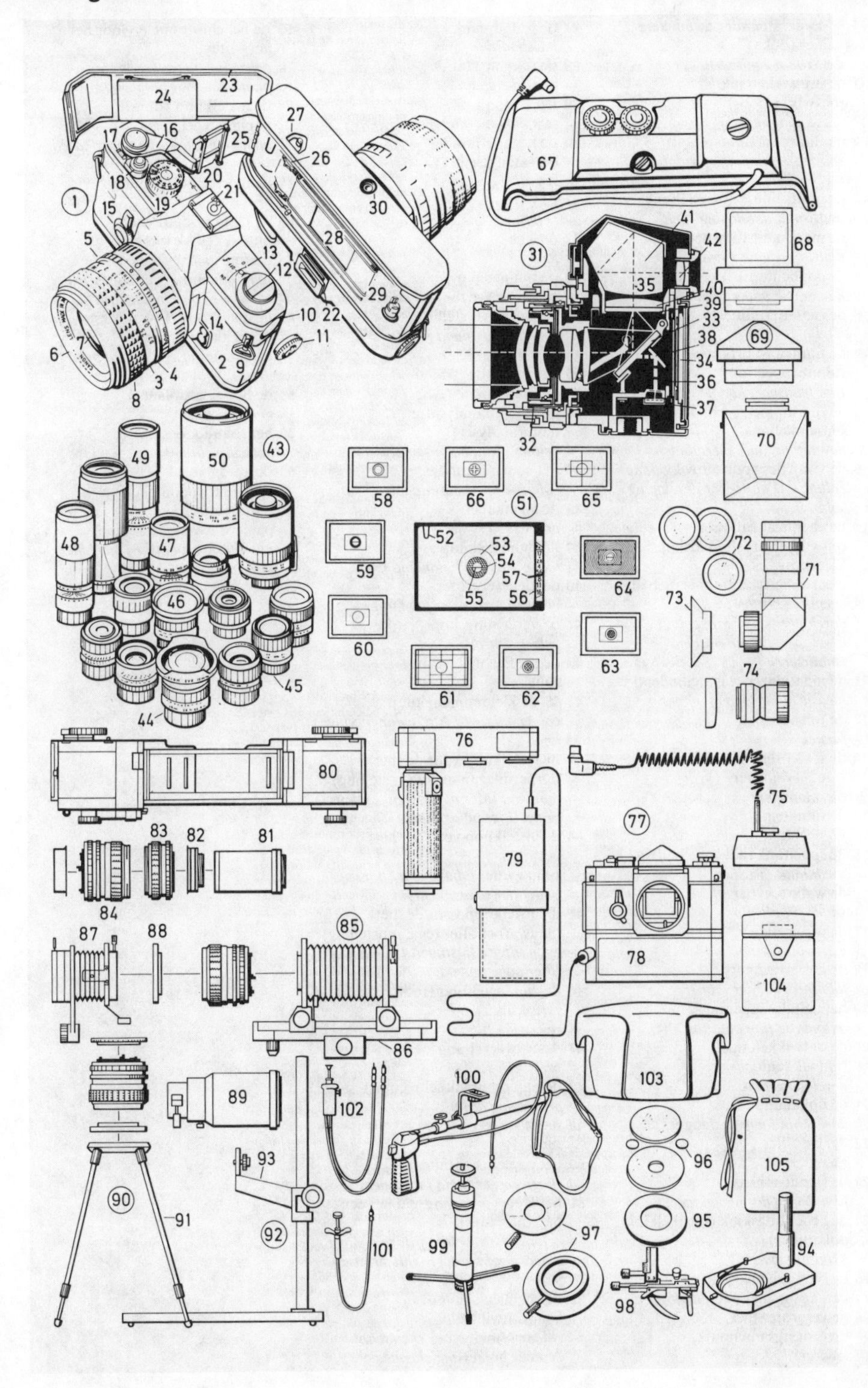
1
2
3
4
5
6
7
8
9
10
11
12
13
14
15
16
17
18
19
20
21
22
23
24
25
26
27
28
29
30
31
32
33
34
35
36
37
38
39
40
41
42
43
44
45
46
47
48
49
50
51
52
53
54
55
56
57
58
59
60
61
62
63
64
65
66
67
68
69
70
71
72
73
74
75
76
77
78
79
80
81
82
83
84
85
86
87
88
89
90
91
92
93
94
95
96
97
98
99
100
101
102
103
104
105

1-60 apparaten voor de donkere kamer (doka)
- ***darkroom equipment***

1 de ontwikkeltank (ontwikkeldoos)
- *developing tank*

2 de filmspoel (filmspiraal)
- *spiral (developing spiral, tank reel)*

3 de multi-unit-ontwikkeltank
- *multi-unit developing tank*

4 de multi-unit-filmspoel
- *multi-unit tank spiral*

5 de daglichtontwikkeltank
- *daylight-loading tank*

6 de cassetteruimte
- *loading chamber*

7 de filmtransportknop (filminspoelknop)
- *film transport handle*

8 de thermometer van de ontwikkeltank
- *developing tank thermometer*

9 de vouwfles voor ontwikkelaar
- *collapsible bottle for developing solution*

10 de chemicaliënflessen voor eerste ontwikkelaar, stophardingsbad, kleurontwikkelaar, bleekfixeerbad, stabilisatiebad
- *chemical bottles for first developer, stop bath, colour developer, bleach-hardener, stabilizer*

11 de maatglazen (maatcilinders)
- *measuring cylinders*

12 de trechter
- *funnel*

13 de schaalthermometer
- *tray thermometer (dish thermometer)*

14 de filmklem
- *film clip*

15 de spoeltank (het spoelbad)
- *wash tank (washer)*

16 de watertoevoer
- *water supply pipe*

17 de waterafvoer
- *water outlet pipe*

18 de dokawekker
- *laboratory timer (timer)*

19 het agitatieapparaat
- *automatic film agitator*

20 de ontwikkeltank (ontwikkeldoos)
- *developing tank*

21 de dokalamp
- *darkroom lamp (safelight)*

22 de, het filter
- *filter screen*

23 de filmdroogkast
- *film drier (drying cabinet)*

24 de belichtingsklok (schakelklok, dokatimer)
- *exposure timer*

25 de ontwikkelbak
- *developing dish (developing tray)*

26 de vergroter (het vergrotingsapparaat)
- *enlarger*

27 de grondplank
- *baseboard*

28 de schuine zuil
- *angled column*

29 het lamphuis
- *lamphouse (lamp housing)*

30 de negatiefhouder (negatiefgeleider)
- *negative carrier*

31 de balg
- *bellows*

32 de lens
- *lens*

33 de fijninstelling
- *friction drive for fine adjustment*

34 de hoogteverstelling
- *height adjustment (scale adjustment)*

35 het vergrotingsraam
- *masking frame (easel)*

36 de kleurenanalysator (coloranalyser)
- *colour (*Am. *color) analyser*

37 het controlelampje
- *colour (*Am. *color) analyser lamp*

38 de meetkabel
- *probe lead*

39 de tijdinstelknop
- *exposure time balancing knob*

40 de kleurvergroter
- *colour (*Am. *color) enlarger*

41 de vergrotingskop
- *enlarger head*

42 de profielzuil
- *column*

43-45 de kleurenmengknop
- *colour-mixing (*Am. *color-mixing) knob*

43 de instelknop voor de (het) purperfilter (magenta-instelling)
- *magenta filter adjustment (minus green filter adjustment)*

44 de instelknop voor de (het) geelfilter
- *yellow filter adjustment (minus blue filter adjustment)*

45 de instelknop voor de (het) blauwgroenfilter (cyaaninstelling)
- *cyan filter adjustment (minus red filter adjustment)*

46 de, het instelfilter (rode zwenkfilter)
- *red swing filter*

47 de ontwikkeltang
- *print tongs*

48 de papierontwikkeltrommel
- *processing drum*

49 de rolstrijker
- *squeegee*

50 het papierassortiment
- *range (assortment) of papers*

51 het kleurvergrotingspapier, een pak fotopapier
- *colour (*Am. *color) printing paper, a packet of photographic printing paper*

52 de chemicaliën voor kleurontwikkeling
- *colour (*Am. *color) chemicals (colour processing chemicals)*

53 de belichtingsmeter voor het vergroten
- *enlarging meter (enlarging photometer)*

54 de instelknop voor de papiergevoeligheid
- *adjusting knob with paper speed scale*

55 de meetcel (meetsonde)
- *probe*

56 de halfautomatische ontwikkelbak met thermostaatregeling
- *semi-automatic thermostatically controlled developing dish*

57 de droogpers (het droogglansapparaat)
- *rapid print drier (heated print drier)*

58 de hoogglansplaat
- *glazing sheet*

59 het spandoek
- *pressure cloth*

60 de automatische rollenontwikkelmachine (automatische papierontwikkelmachine)
- *automatic processor (machine processor)*

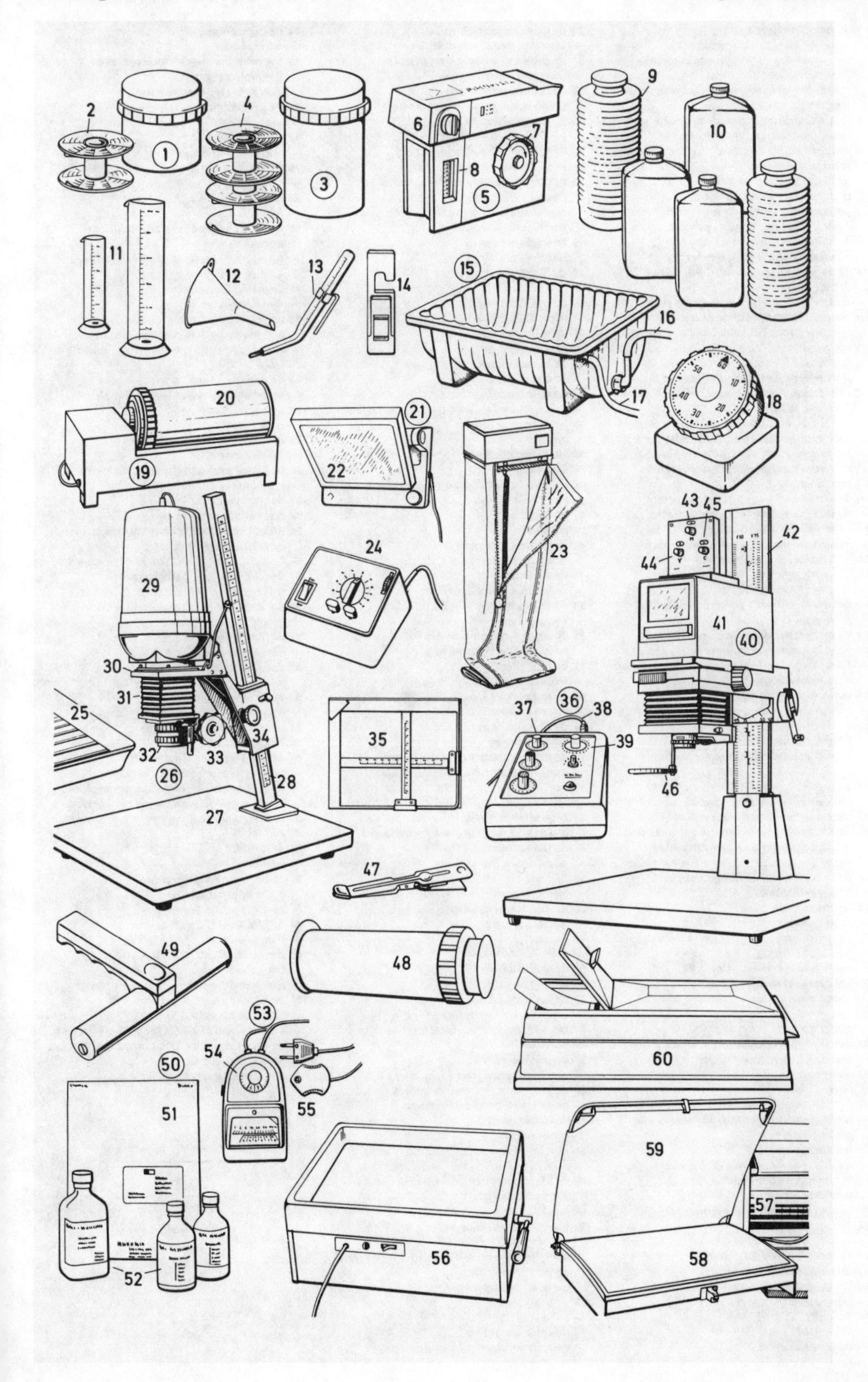
1
2
3
4
5
6
7
8
9
10
11
12
13
14
15
16
17
18
19
20
21
22
23
24
25
26
27
28
29
30
31
32
33
34
35
36
37
38
39
40
41
42
43
44
45
46
47
48
49
50
51
52
53
54
55
56
57
58
59
60

1 **de smalfilmcamera,** een super-8-geluidsfilmcamera
- ***cine camera, a Super-8 sound camera***
2 de verwisselbare zoomlens
- *interchangeable zoom lens (variable focus lens, varifocal lens)*
3 de afstandsinstelling en de instelling van de brandpuntsafstand met de hand
- *distance setting (focus setting) and manual focal length setting*
4 de diafragmaring voor de diafragmainstelling met de hand
- *aperture ring (aperture-setting ring, aperture control ring) for manual aperture setting*
5 de handgreep met batterijhouder
- *handgrip with battery chamber*
6 de ontspanknop met aansluiting voor de draadontspanner
- *shutter release with cable release socket*
7 het aansluitpunt voor de piloottoon of de pulsgever voor het geluidsopnameapparaat (de bandrecorder), bij het dubbelbandsysteem
- *pilot tone or pulse generator socket for the sound recording equipment [with the dual film-tape system]*
8 de geluidsaansluitkabel voor microfoon of toespeelapparaat (bij enkelbandsysteem)
- *sound connecting cord for microphone or external sound source [in single-system recording]*
9 de aansluiting voor afstandsbediening
- *remote control socket (remote control jack)*
10 de koptelefoonaansluiting
- *headphone socket;* sim.: *earphone socket*
11 de keuzeschakelaar van het scherpstelsysteem
- *autofocus override switch*
12 de instelknop voor opnamesnelheid
- *filming speed selector*
13 de keuzeschakelaar voor automatische geluidsopname of handbediening
- *sound recording selector switch for automatic or manual operation*
14 het oculair met oogschelp
- *eyepiece with eyecup*
15 de dioptrie-instelling (oogsterkteaanpassing)
- *diopter control ring (dioptric adjustment ring)*
16 de regelknop voor het opnameniveau
- *recording level control (audio level control, recording sensitivity selector)*
17 de keuzeschakelaar voor de automatische belichtingsmeter met handbediening
- *manual/automatic exposure control switch*
18 de instelling van de filmgevoeligheid
- *film speed setting*
19 de zoommotor
- *power zooming arrangement*
20 de diafragmasturingsmotor (automatische diafragmasturing)
- *automatic aperture control*
21 **het geluidssysteem met randspoor**
- ***sound track system***
22 de geluidsfilmcamera
- *sound camera*
23 de telescopische microfoonhengel
- *telescopic microphone boom*
24 de microfoon
- *microphone*
25 de microfoonkabel
- *microphone connecting lead (microphone connecting cord)*
26 **het mengpaneel**
- ***mixing console*** *(mixing desk, mixer)*
27 de ingangen voor verschillende geluidsbronnen
- *inputs from various sound sources*
28 de camera-uitgang
- *output to camera*
29 **de super-8-geluidsfilmcassette**
- ***Super-8 sound film cartridge***
30 het cassettefilmvenster
- *film gate of the cartridge*
31 de voorraadspoel
- *feed spool*
32 de opwikkelspoel
- *take-up spool*
33 de geluidsopnamekop
- *recording head (sound head)*
34 de capstan (geluidstransportrol)
- *transport roller (capstan)*
35 de rubber aandrukrol
- *rubber pinch roller (capstan idler)*
36 de justeringsuitsparing
- *guide step (guide notch)*
37 de filmgevoeligheidsuitsparing
- *exposure meter control step*
38 de conversiefilteruitsparing (keuze voor daglicht- of kunstlichtfilter)
- *conversion filter step (colour,* Am. *color, conversion filter step)*
39 **de single-8-cassette**
- ***single-8 cassette***
40 de filmvensteruitsparing
- *film gate opening*
41 de onbelichte film
- *unexposed film*
42 de belichte film
- *exposed film*
43 **de 16-mm-camera**
- ***16 mm camera***
44 de reflexzoeker
- *reflex finder (through-the-lens reflex finder)*
45 het filmmagazijn
- *magazine*
46-49 **de objectiefkop**
- ***lens head***
46 de objectiefrevolverkop (turrethead)
- *lens turret (turret head)*
47 de telelens
- *telephoto lens*
48 de groothoeklens
- *wide-angle lens*
49 de standaardlens
- *normal lens (standard lens)*
50 de opwindslinger
- *winding handle*
51 **de super-8-compactcamera**
- ***compact Super-8 camera***
52 de filmteller
- *footage counter*
53 de macrozoomlens
- *macro zoom lens*
54 de zoomhefboom
- *zooming lever*
55 de macrovoorzetlens (dichtbijlens)
- *macro lens attachment (close-up lens)*
56 het hulpstuk van het macroframe
- *macro frame (mount for small originals)*
57 **het onderwaterhuis**
- ***underwater housing*** *(underwater case)*
58 de raamzoeker
- *direct-vision frame finder*
59 de meetstaaf (afstandsmaat)
- *measuring rod*
60 de stabilisatievlakken
- *stabilizing wing*
61 de handgreep
- *grip (handgrip)*
62 de sluitklem
- *locking bolt*
63 de bedieningsknop
- *control lever (operating lever)*
64 het opnamevenster (frontglas)
- *porthole*
65 **de synchroonstart**
- ***synchronization start*** *(sync start)*
66 de professionele persfilmcamera
- *professional press-type camera*
67 de cameraman
- *cameraman*
68 de camera-assistent (geluidsassistent)
- *camera assistant;* also: *sound assistant*
69 de klap (handklap) voor synchrone start van beeld en geluid
- *handclap marking sync start*
70 **het dubbelband-film- en geluidsopnamesysteem**
- ***dual film-tape recording using a tape recorder***
71 de pulsgevende camera
- *pulse-generating camera*
72 de pulskabel
- *pulse cable*
73 de cassetterecorder
- *cassette recorder*
74 de microfoon
- *microphone*
75 **het dubbelband-geluidsweergave- en filmprojectiesysteem**
- ***dual film-tape reproduction***
76 de geluidscassette
- *tape cassette*
77 de synchronisator
- *synchronization unit*
78 de smalfilmprojector
- *cine projector*
79 de afwikkelspoel
- *film feed spool*
80 de opwikkelspoel, een automatische opwikkelspoel
- *take-up reel (take-up spool), an automatic take-up reel (take-up spool)*
81 **de geluidsfilmprojector**
- ***sound projector***
82 de geluidsfilm (randspoorfilm, gestripte film met magnetisch randspoor, stripe)
- *sound film with magnetic stripe (sound track, track)*
83 de opnameknop
- *automatic-threading button*
84 de trucageknop
- *trick button*
85 de volumeregelaar
- *volume control*
86 de lusvormerknop (luscorrectieknop)
- *reset button*
87 de trucageschakelknop
- *fast and slow motion switch*
88 de keuzeschakelaar voor vooruit, achteruit en stilstaande projectie
- *forward, reverse, and still projection switch*
89 de plakpers voor natte lassen
- *splicer for wet splices*
90 de draaibare filmstrookhouder
- *hinged clamping plate*
91 **de filmviewer**
- ***film viewer*** *(animated viewer editor)*
92 de inklapbare spoelarm
- *foldaway reel arm*
93 de terugwindslinger
- *rewind handle (rewinder)*
94 het matglas (beeldscherm)
- *viewing screen*
95 de markeerstang (filmstang)
- *film perforator (film marker)*
96 **de zesspoelenfilm- en geluidsmontagetafel**
- ***six-turntable film and sound cutting table*** *(editing table, cutting bench, animated sound editor)*
87 de monitor
- *monitor*
98 de bedieningsknoppen (het bedieningspaneel)
- *control buttons (control well)*
99 de filmspoel (filmschotel)
- *film turntable*
100 de eerste geluidsspoel, b.v. voor het live-geluid
- *first sound turntable, e.g. for live sound*
101 de tweede geluidsspoel, voor het toegevoegde geluid
- *second sound turntable for post-sync sound*
102 de weergavekoppen (het projectievenster en de magnetische weergavekop)
- *film and tape synchronizing head*

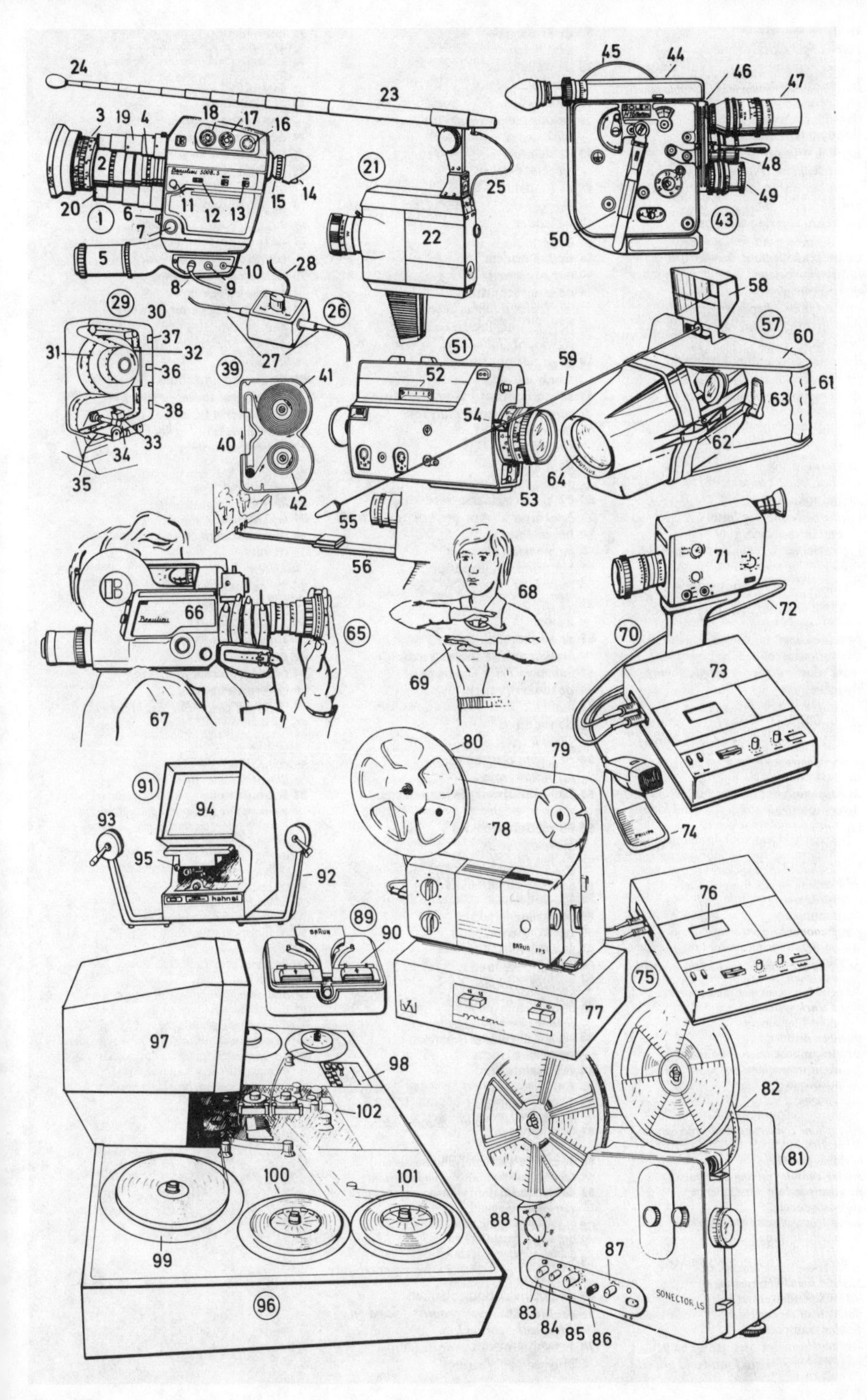
24
23
3 19 4
18 17 16
2
21
25
20 1 6
11 12 13 15 14
7
22
5
8 9 10
28
29
30
26
37
31 32
36
38
33
34
35
27
39
41
40
42
45 44
46
47
48
49
43
50
58
57
60
61
63
62
64
51
52
59
54
53
55
56
71
72
70
68
69
66
65
67
73
74
80
79
78
91
94
93
95
92
hahnel
89
90
77
76
75
97
98
102
82
81
100
101
99
88
87
96
83 84 85 86
SONECTOR LS

1-49 de ruwbouw
- ***carcase*** *(carcass, fabric)*

1 het souterrain, gemaakt van beton
- *basement of tamped (rammed) concrete*

2 de onderbouw
- *concrete base course*

3 het kelderraam
- *cellar window (basement window)*

4 de buitentrap naar het souterrain
- *outside cellar steps*

5 het raam van de wasruimte
- *utility room window*

6 de buitendeur naar de wasruimte
- *utility room door*

7 de begane grond
- *ground floor (*Am. *first floor)*

8 de buitenmuur van metselwerk
- *brick wall*

9 de rollaag boven het kozijn
- *lintel (window head)*

10 de negge (neggekant)
- *reveal*

11 de kantelaaf
- *jamb*

12 de raamdorpel
- *window ledge (window sill)*

13 de betonlatei
- *reinforced concrete lintel*

14 de eerste verdieping
- *upper floor (first floor,* Am. *second floor)*

15 de muur van holle bouwsteen
- *hollow-block wall*

16 de betonvloer
- *concrete floor*

17 de werksteiger
- *work platform (working platform)*

18 de metselaar
- *bricklayer (*Am. *brickmason)*

19 de opperman
- *bricklayer's labourer (*Am. *laborer);* also: *builder's labourer*

20 de kalkmouw
- *mortar trough*

21 de schoorsteen
- *chimney*

22 de tijdelijke afdekking van het trapgat
- *cover (boards) for the staircase*

23 de steigerpaal
- *scaffold pole (scaffold standard)*

24 de leuning
- *platform railing*

25 de schoor
- *angle brace (angle tie) in the scaffold*

26 de juffer (aanbinder)
- *ledger*

27 de kort(e)ling
- *putlog (putlock)*

28 de steigervloer
- *plank platform (board platform)*

29 de kantplank
- *guard board*

30 de kruisschoor
- *scaffolding joint with chain or lashing or whip or bond*

31 de bouwlier
- *builder's hoist*

32 de molenbaas
- *mixer operator*

33 de betonmolen
- *concrete mixer, a gravity mixer*

34 de mengtrommel
- *mixing drum*

35 de hijslier
- *feeder skip*

36 de toeslagmaterialen [zand en grind]
- *concrete aggregate [sand and gravel]*

37 de kruiwagen
- *wheelbarrow*

38 de waterslang
- *hose (hosepipe)*

39 de kalkbak
- *mortar pan (mortar trough, mortar tub)*

40 de steentas
- *stack of bricks*

41 de houtstapel
- *stacked shutter boards (lining boards)*

42 de ladder
- *ladder*

43 de zak cement
- *bag of cement*

44 de bouwschutting
- *site fence, a timber fence*

45 het reclameplakkaat
- *signboard (billboard)*

46 de uitneembare deur
- *removable gate*

47 het reclamebord voor bouwfirma's
- *contractors' name plates*

48 de bouwkeet
- *site hut (site office)*

49 de w.c.
- *building site latrine*

50-57 het metselaarsgereedschap
- ***bricklayer's*** (Am. *brickmason's)* ***tools***

50 het schietlood
- *plumb bob (plummet)*

51 het timmermanspotlood
- *thick lead pencil*

52 de troffel
- *trowel*

53 de kaphamer
- *bricklayer's (*Am. *brickmason's) hammer (brick hammer)*

54 de moker (vuist)
- *mallet*

55 de waterpas
- *spirit level*

56 de stalen pleisterspaan
- *laying-on trowel*

57 het schuurbord (de houten spaan)
- *float*

58-68 metselverbanden
- ***masonry bonds***

58 de baksteen (metselsteen)
- *brick (standard brick)*

59 het halfsteensverband
- *stretching bond*

60 het koppenverband
- *heading bond*

61 de vallende tand
- *racking (raking) back*

62 het staande verband
- *English bond*

63 de strekkenlaag
- *stretching course*

64 de staande tand
- *heading course*

65 het kruisverband
- *English cross bond (Saint Andrew's cross bond)*

66 het schoorsteenverband
- *chimney bond*

67 de eerste laag
- *first course*

68 de tweede laag
- *second course*

69-82 de bouwput
- ***excavation***

69 de hoek van bouwplanken
- *profile (*Am. *batterboard) [fixed on edge at the corner]*

70 het snijpunt van twee draden
- *intersection of strings*

71 het schietlood
- *plumb bob (plummet)*

72 het talud
- *excavation side*

73 de kantplank
- *upper edge board*

74 de kantplank
- *lower edge board*

75 de funderingssleuf
- *foundation trench*

76 de grondwerker
- *navvy (* Am. *excavator)*

77 de transportband (transporteur)
- *conveyor belt (conveyor)*

78 de uitgegraven grond
- *excavated earth*

79 de bouwweg (knuppelweg)
- *plank roadway*

80 de boombescherming
- *tree guard*

81 de dieplepelmachine
- *mechanical shovel (excavator)*

82 de dieplepel (graafbak)
- *shovel bucket (bucket)*

83-91 stukadoorswerk
- ***plastering***

83 de stukadoor
- *plasterer*

84 de kalkmouw
- *mortar trough*

85 de zeef
- *screen*

86-89 de bouwsteiger
- ***ladder scaffold***

86 de steigerladder
- *standard ladder*

87 de steigervloer
- *boards (planks, platform)*

88 de kruisschoor
- *diagonal strut (diagonal brace)*

89 de leuning
- *railing*

90 het veiligheidshek
- *guard netting*

91 het hijstouw
- *rope-pulley hoist*

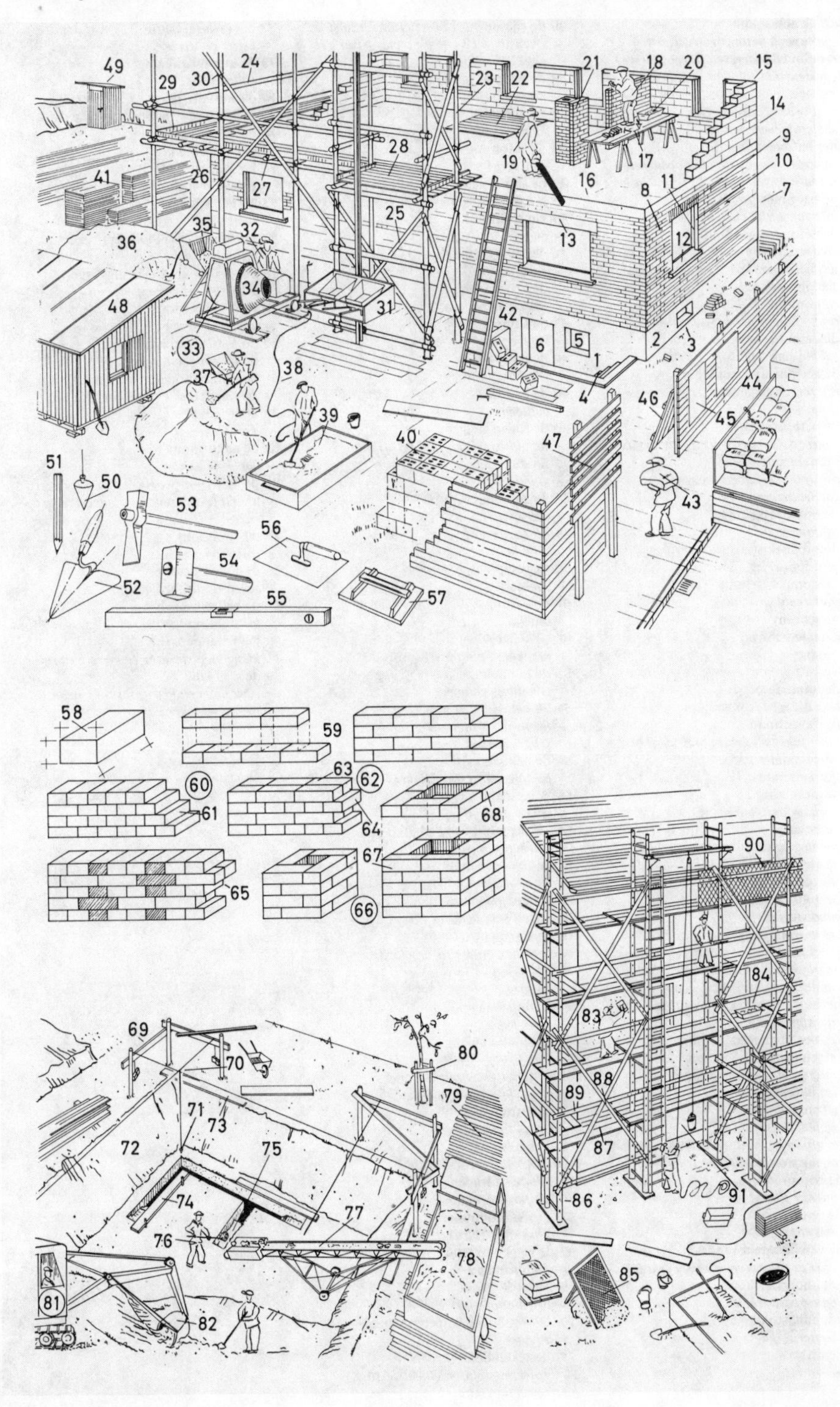
1
2
3
4
5
6
7
8
9
10
11
12
13
14
15
16
17
18
19
20
21
22
23
24
25
26
27
28
29
30
31
32
33
34
35
36
37
38
39
40
41
42
43
44
45
46
47
48
49
50
51
52
53
54
55
56
57
58
59
60
61
62
63
64
65
66
67
68
69
70
71
72
73
74
75
76
77
78
79
80
81
82
83
84
85
86
87
88
89
90
91

1-89 de betonbouw (gewapend-betonconstructie)
- ***reinforced concrete (ferroconcrete) construction***

1 het gewapend-betonskelet
- *reinforced concrete (ferroconcrete) skeleton construction*

2 het betonnen spant
- *reinforced concrete (ferroconcrete) frame*

3 de betonnen gevelbalk
- *inferior purlin*

4 de betonnen gording
- *concrete purlin*

5 het betonnen spant ter ondersteuning
- *ceiling joist*

6 de console
- *arch (flank)*

7 de betonnen wandconstructie
- *rubble concrete wall*

8 de gewapend-betonvloer
- *reinforced concrete (ferroconcrete) floor*

9 de betonafwerker
- *concreter (concretor), flattening out*

10 de stekeinden
- *projecting reinforcement (*Am. *connection rebars)*

11 de kolombekisting
- *column box*

12 de randbekisting
- *joist shuttering*

13 de stempel
- *shuttering strut*

14 de schoor
- *diagonal bracing*

15 de spie
- *wedge*

16 de houten slof
- *board*

17 de damwand
- *sheet pile wall (sheet pile, sheet piling)*

18 de bekistingsdelen
- *shutter boards (lining boards)*

19 de cirkelzaag
- *circular saw (buzz saw)*

20 de buigplank (plooiplank)
- *bending table*

21 de vlechter
- *bar bender (steel bender)*

22 de betonschaar
- *hand steel shears*

23 het opgebogen wapeningsstaal
- *reinforcing steel (reinforcement rods)*

24 de betonblokken
- *pumice concrete hollow block*

25 het tussenschot, van planken
- *partition wall, a timber wall*

26 de toeslagmaterialen [zand en grind in verschillende afmetingen]
- *concrete aggregate [gravel and sand of various grades]*

27 het smalspoor
- *crane track*

28 de kiplorrie
- *tipping wagon (tipping truck)*

29 de betonmolen
- *concrete mixer*

30 de cementsilo
- *cement silo*

31 de verrijdbare torenkraan
- *tower crane (tower slewing crane)*

32 het onderstel
- *bogie (*Am. *truck)*

33 het ballastblok
- *counterweight*

34 de mast
- *tower*

35 de cabine voor de kraanmachinist
- *crane driver's cabin (crane driver's cage)*

36 de hijsarm (giek)
- *jib (boom)*

37 de hijskabel
- *bearer cable*

38 de betonkubel
- *concrete bucket*

39 de spoorbiel(s) (dwarsligger)
- *sleepers (*Am. *ties)*

40 het stootblok
- *chock*

41 de oprit (hellingbaan)
- *ramp*

42 de kruiwagen
- *wheelbarrow*

43 de leuning
- *safety rail*

44 de bouwkeet
- *site hut*

45 de kantine
- *canteen*

46 de stalen steiger
- *tubular steel scaffold (scaffolding)*

47 de staander
- *standard*

48 de aanbinder (juffer)
- *ledger tube*

49 de kort(e)ling
- *tie tube*

50 de voetplaat
- *shoe*

51 de schoor
- *diagonal brace*

52 de steigervloer
- *planking (platform)*

53 de koppeling
- *coupling (coupler)*

54-76 bekisting en wapening
- ***formwork*** *(shuttering) and reinforcement*

54 de bekistingsvloer
- *bottom shuttering (lining)*

55 de randkist
- *side shutter of a purlin*

56 de bekisting van de balkbodem
- *cut-in bottom*

57 de onderslagbalk
- *cross beam*

58 de stempelkram
- *cramp iron (cramp, dog)*

59 de stempel
- *upright member, a standard*

60 de klamp
- *strap*

61 de onderslagbalk
- *cross piece*

62 de spatklamp
- *stop fillet*

63 de schoor voor de stempel
- *strut (brace, angle brace)*

64 de wartelbalk
- *frame timber (yoke)*

65 de klamp
- *strap*

66 de warteldraden
- *reinforcement binding*

67 de afstandhouder
- *cross strut (strut)*

68 de wapeningsstaaf
- *reinforcement*

69 de verdeelstaaf
- *distribution steel*

70 de opgebogen wapeningsstaaf
- *stirrup*

71 de stekeinden
- *projecting reinforcement (*Am. *connection rebars)*

72 het (zware) beton
- *heavy concrete*

73 de kolombekisting
- *column box*

74 de wartelbalk
- *bolted frame timber (bolted yoke)*

75 de bekistingspanner
- *nut (thumb nut)*

76 het bekistingsdeel
- *shutter board (shuttering board)*

77-89 gereedschap
- ***tools***

77 het buigijzer (plooiijzer)
- *bending iron*

78 de verstelbare bekistingsligger
- *adjustable service girder*

79 de blokkeerbout
- *adjusting screw*

80 de ronde betonstaaf
- *round bar reinforcement*

81 de afstandhouder (het dekkingblokje)
- *distance piece (separator, spacer)*

82 het torstaal
- *Torsteel*

83 de handstamper
- *concrete tamper*

84 de mal voor proefkuben
- *mould (*Am. *mold) for concrete test cubes*

85 de vlechttang
- *concreter's tongs*

86 de stalen stempel
- *sheeting support*

87 de betonijzerschaar
- *hand shears*

88 het trilapparaat
- *immersion vibrator (concrete vibrator)*

89 de trilnaald
- *vibrating cylinder (vibrating head, vibrating poker)*

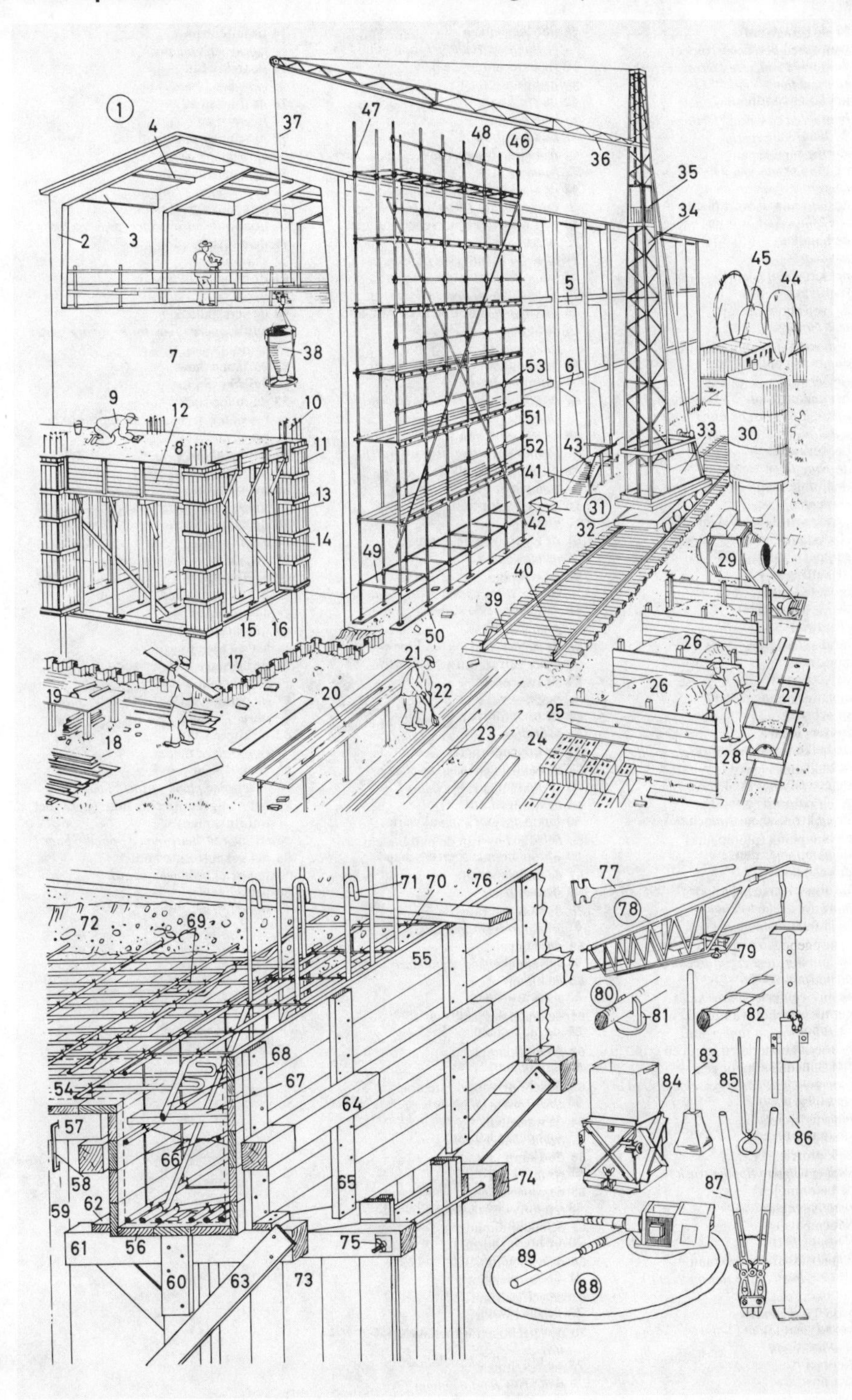
1
2
3
4
5
6
7
8
9
10
11
12
13
14
15
16
17
18
19
20
21
22
23
24
25
26
26
27
28
29
30
31
32
33
34
35
36
37
38
39
40
41
42
43
44
45
46
47
48
49
50
51
52
53
54
55
56
57
58
59
60
61
62
63
64
65
66
67
68
69
70
71
72
73
74
75
76
77
78
79
80
81
82
83
84
85
86
87
88
89

1-59 de timmerwerf
– ***carpenter's yard***
1 de houtopslag
– *stack of boards (planks)*
2 het lange rondhout
– *long timber (*Am. *lumber)*
3 de zaagloods
– *sawing shed*
4 de timmerwerkplaats
– *carpenter's workshop*
5 de deur van de werkplaats
– *workshop door*
6 de handkar
– *handcart*
7 het kapspant
– *roof truss*
8 de mei(boom) in top
– *tree [used for topping out ceremony], with wreath*
9 de houten buitenwand
– *timber wall*
10 het gekantrechte bouwhout
– *squared timber (building timber, scantlings)*
11 de werkvloer
– *drawing floor*
12 de timmerman
– *carpenter*
13 de timmermanshoed [niet in Nederland]
– *carpenter's hat*
14 de kettingzaag
– *cross-cut saw, a chain saw*
15 de kettinggeleider
– *chain guide*
16 de zaagketting
– *saw chain*
17 de kettingfrees
– *mortiser (chain cutter)*
18 de schraag
– *trestle (horse)*
19 de balken op de schraag
– *beam mounted on a trestle*
20 de gereedschapskist
– *set of carpenter's tools*
21 de elektrische boor(machine)
– *electric drill*
22 de gaten voor deuvels
– *dowel hole*
23 de afgetekende gaten
– *mark for the dowel hole*
24 de houten balken
– *beams*
25 de stijlen
– *post (stile, stud, quarter)*
26 de tussenregels
– *corner brace*
27 de schoor
– *brace (strut)*
28 het cementraam
– *base course (plinth)*
29 de buitenmuur
– *house wall (wall)*
30 de raamopening
– *window opening*
31 de kantelaaf
– *reveal*
32 de negge (neggekant)
– *jamb*
33 de raamdorpel
– *window ledge (window sill)*
34 de randbalk
– *cornice*
35 het rondhout
– *roundwood (round timber)*
36 de vloerdelen
– *floorboards*
37 het hijstouw
– *hoisting rope*
38 de vloerbalken
– *ceiling joist (ceiling beam, main beam)*
39 de muurdragende balk
– *wall joist*
40 de strijkbalk
– *wall plate*
41 de raveelbalk
– *trimmer (trimmer joist,* Am. *header, header joist)*
42 de steekbalk (kreupele balk)
– *dragon beam (dragon piece)*
43 de tussenvloer [in Nederland niet gebruikelijk]
– *false floor (inserted floor)*
44 het vulmateriaal voor isolatie
– *floor filling of breeze, loam, etc.*
45 de tengels voor opleggen van het plafond
– *fillet (cleat)*
46 het trapgat
– *stair well (well)*
47 de schoorsteen
– *chimney*
48 de vakwerkwand
– *framed partition (framed wall)*
49 de onderslagbalk
– *wall plate*
50 de onderdorpel
– *girt*
51 de zijstijl van het raam
– *window jamb*
52 de hoekstijl
– *corner stile (corner strut, corner stud)*
53 de gekoppelde stijlen
– *principal post*
54 de schoor met vertanding
– *brace (strut) with skew notch*
55 de tussenregel
– *nogging piece*
56 de onderdorpel
– *sill rail*
57 de bovendorpel
– *window lintel (window head)*
58 de bovenregel
– *head (head rail)*
59 het metselwerk in vakwerk
– *filled-in panel (bay, pan)*
60-82 timmermansgereedschap
– ***carpenter'stools***
60 de handzaag
– *hand saw*
61 de spanzaag
– *bucksaw*
62 het zaagblad
– *saw blade*
63 de schrobzaag
– *compass saw (keyhole saw)*
64 de blokschaaf
– *plane*
65 de avegaar
– *auger (gimlet)*
66 de lijmtang (sergeant)
– *screw clamp (cramp, holdfast)*
67 de houten hamer
– *mallet*
68 de trekzaag
– *two-handed saw*
69 de winkelhaak (schrijfhaak)
– *try square*
70 de brede bijl
– *broad axe (*Am. *broadax)*
71 de hakbeitel
– *chisel*
72 de steekbeitel
– *mortise axe (mortice axe,* Am. *mortise ax)*
73 de bijl
– *axe (*Am. *ax)*
74 de lattenhamer
– *carpenter's hammer*
75 de trekpunt
– *claw head (nail claw)*
76 de duimstok
– *folding rule*
77 het timmermanspotlood
– *carpenter's pencil*
78 de winkelhaak
– *iron square*
79 de spookschaaf (stokschaaf)
– *drawknife (drawshave, drawing knife)*
80 de houtspaander
– *shaving*
81 de zwaaihaak (zwei)
– *bevel*
82 de verstekhaak
– *mitre square (*Am. *miter square, miter angle)*
83-96 timmerhout
– ***building timber***
83 de ronde stam
– *round trunk (undressed timber,* Am. *rough lumber)*
84 het kernhout
– *heartwood (duramen)*
85 het spinthout
– *sapwood (sap, alburnum)*
86 de bast (schors)
– *bark (rind)*
87 het vierkant bezaagde hout
– *baulk (balk)*
88 het meskant bezaagde hout
– *halved timber*
89 de wa(a)nkant
– *wane (waney edge)*
90 de in vieren te delen stam
– *quarter baulk (balk)*
91 de plank (deel)
– *plank (board)*
92 de kopse kant
– *end-grained timber*
93 de hartplaat
– *heartwood plank (heart plank)*
94 het niet-gekantrechte hout (hout met wa(a)nkanten)
– *unsquared (untrimmed) plank (board)*
95 het gekantrechte hout
– *squared (trimmed) board*
96 het schaaldeel
– *slab (offcut)*

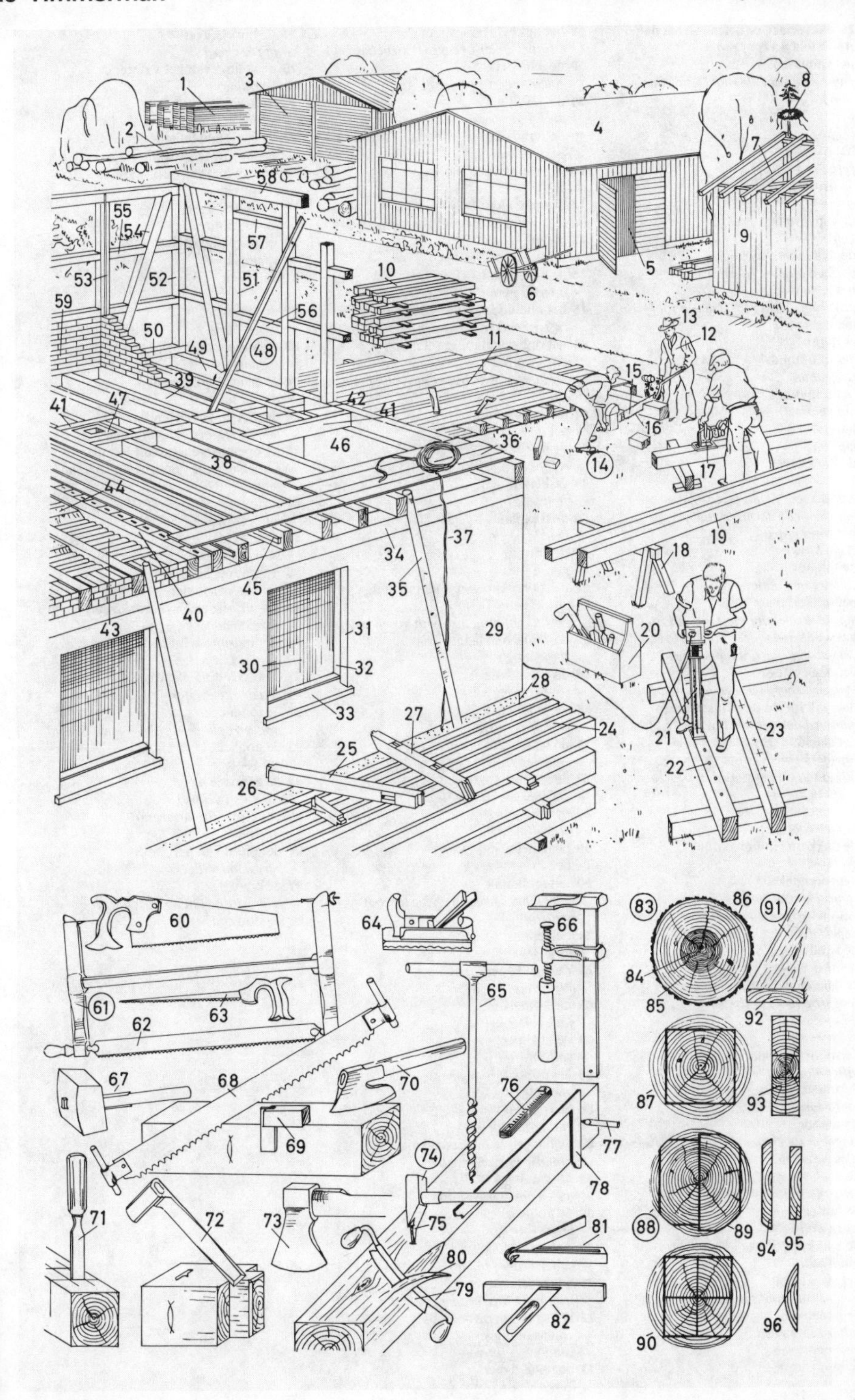
1
2
3
4
5
6
7
8
9
10
11
12
13
14
15
16
17
18
19
20
21
22
23
24
25
26
27
28
29
30
31
32
33
34
35
36
37
38
39
40
41
42
43
44
45
46
47
48
49
50
51
52
53
54
55
56
57
58
59
60
61
62
63
64
65
66
67
68
69
70
71
72
73
74
75
76
77
78
79
80
81
82
83
84
85
86
87
88
89
90
91
92
93
94
95
96

1-26 dakvormen en delen van het dak
- ***styles and parts of roofs***

1 het zadeldak
- *gable roof (saddle roof, saddleback roof)*

2 de nok
- *ridge*

3 het overstek
- *verge*

4 de druipkant
- *eaves*

5 de topgevel
- *gable*

6 de dakkapel (koekoek)
- *dormer window (dormer)*

7 het lessenaardak
- *pent roof (shed roof, lean-to roof)*

8 het dakraam
- *skylight*

9 de brandmuur
- *fire gable*

10 het schilddak
- *hip (hipped) roof*

11 het dakschild
- *hip end*

12 de hoekkeper
- *hip (arris)*

13 het dakschild van de dakkapel
- *hip (hipped) dormer window*

14 het torenkapje
- *ridge turret*

15 de kilgoot
- *valley (roof valley)*

16 het schilddak
- *hipped-gable roof (jerkin head roof)*

17 het wolfseind
- *partial-hip (partial-hipped) end*

18 de mansardekap
- *mansard roof (*Am. *gambrel roof)*

19 de dakkapel in de mansardekap
- *mansard dormer window*

20 het sheddak (zaagdak)
- *sawtooth roof*

21 de ramen op het noorden
- *north light*

22 het tentdak
- *broach roof*

23 de dakkapel in het tentdak
- *eyebrow*

24 het torendak
- *conical broach roof*

25 het uivormige koepeldak
- *imperial dome (imperial roof)*

26 de windwijzer
- *weather vane*

27-83 houten dakconstructies
- ***roof structures of timber***

27 de sporenkap
- *rafter roof*

28 de spoor (dakspar)
- *rafter*

29 de zolderbalklaag
- *roof beam*

30 de schoor
- *diagonal tie (cross tie, sprocket piece, cocking piece)*

31 de klos
- *arris fillet (tilting fillet)*

32 de buitenmuur
- *outer wall*

33 de balkkop
- *beam head*

34 het steekspant
- *collar beam roof (trussed-rafter roof)*

35 de hanebalk
- *collar beam (collar)*

36 het spantbeen
- *rafter*

37 het dubbele hangspant
- *strutted collar beam roof structure*

38 de hanebalk
- *collar beams*

39 de gording
- *purlin*

40 de standvink
- *post (stile, stud)*

41 de schoor
- *brace*

42 de sporenkap
- *unstrutted (king pin) roof structure*

43 de nok
- *ridge purlin*

44 de muurplaat
- *inferior purlin*

45 het uiteinde van de spoor
- *rafter head (rafter end)*

46 het dubbele hangspant met borstwering
- *purlin roof with queen post and pointing sill*

47 de borstwering
- *pointing sill*

48 de nokbalk
- *ridge beam (ridge board)*

49 de klamp
- *simple tie*

50 de trekplaat
- *double tie*

51 de gording
- *purlin*

52 de sporenkap met ondersteunde gordingen
- *purlin roof structure with queen post*

53 de zolderbalklaag
- *tie beam*

54 de tussenbalk
- *joist (ceiling joist)*

55 de spoor (dakspar)
- *principal rafter*

56 de tussenspoor
- *common rafter*

57 de schoor
- *angle brace (angle tie)*

58 de kreupele stijl
- *brace (strut)*

59 de hanebalk
- *ties*

60 het schilddak
- *hip (hipped) roof with purlin roof structure*

61 de keper
- *jack rafter*

62 de hoekkeper
- *hip rafter*

63 de dakbalk
- *jack rafter*

64 de kilkeper
- *valley rafter*

65 het dubbele hangspant
- *queen truss*

66 de trekplaat
- *main beam*

67 de hangende onderslagbalk
- *summer (summer beam)*

68 de standvink
- *queen post (truss post)*

69 de hulpspantpoot
- *brace (strut)*

70 de koppelbalk
- *collar beam (collar)*

71 de raveelkeper
- *trimmer (*Am. *header)*

72 het spant uitgevoerd als vollewandligger
- *solid-web girder*

73 de onderligger
- *lower chord*

74 de bovenligger
- *upper chord*

75 de vulling van het vakwerk
- *boarding*

76 de gording
- *purlin*

77 de dragende buitenmuur
- *supporting outer wall*

78 de kap met vakwerkspanten
- *roof truss*

79 de onderligger
- *lower chord*

80 de bovenligger
- *upper chord*

81 de stijlen
- *post*

82 de schoor
- *brace (strut)*

83 de buitenmuur
- *support*

84-98 houtverbindingen
- ***timber joints***

84 de pen-en-gatverbinding
- *mortise (mortice) and tenon joint*

85 de open pen-en-gatverbinding
- *forked mortise (mortice) and tenon joint*

86 de liplas
- *halving (halved) joint*

87 de haaklas
- *simple scarf joint*

88 de schuine haaklas
- *oblique scarf joint*

89 de dubbele trekzwaluwverbinding
- *dovetail halving*

90 de tand-met-schuine-borstverbinding
- *single skew notch*

91 de verbinding met dubbele tand
- *double skew notch*

92 de toognagel
- *wooden nail*

93 de dook
- *pin*

94 de gesmede nagel
- *clout nail (clout)*

95 de spijker (draadnagel)
- *wire nail*

96 de spieën van hardhout
- *hardwood wedges*

97 de kram
- *cramp iron (timber dog, dog)*

98 de slotbout
- *bolt*

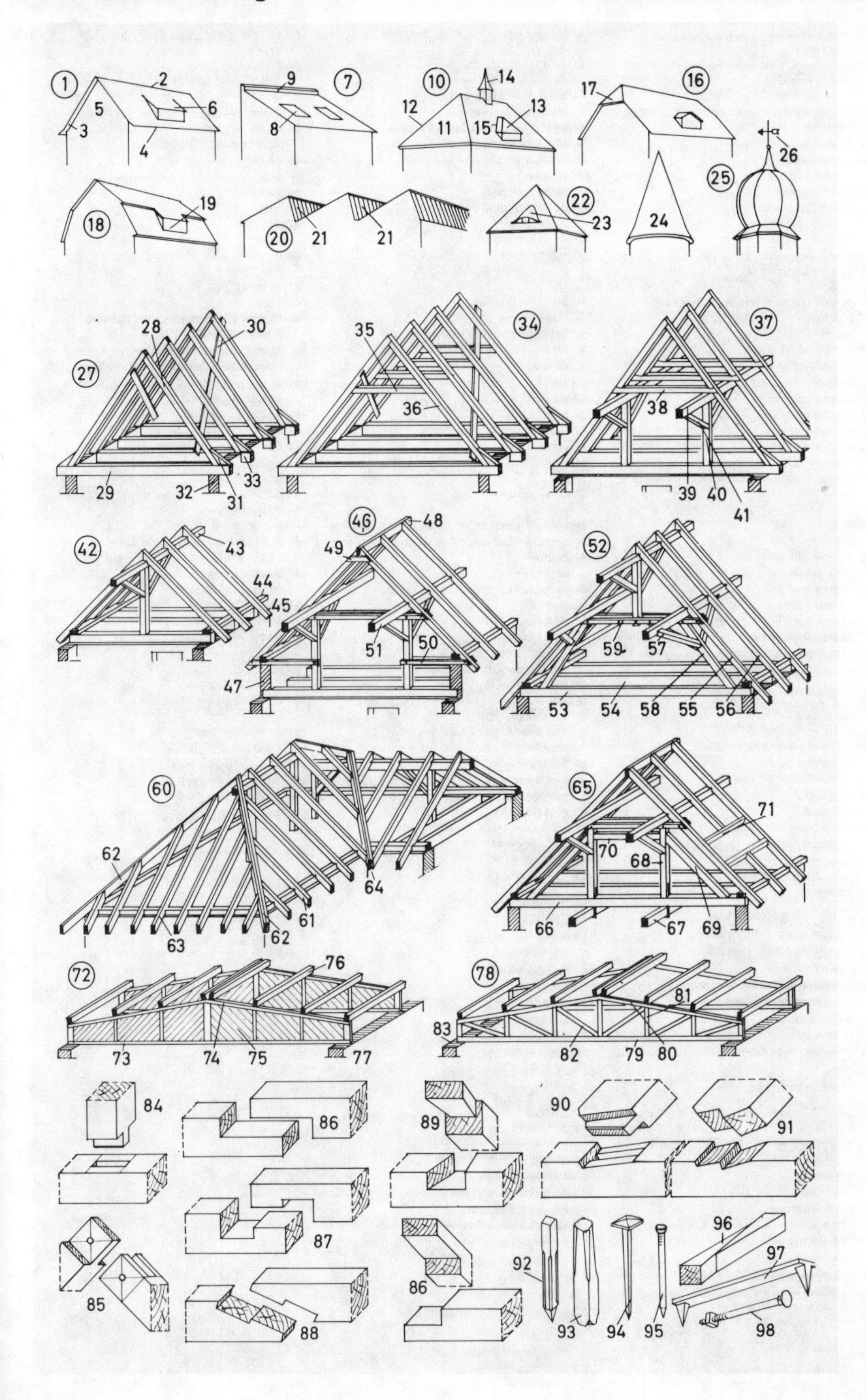
1
2
5
6
3
4
9
7
8
10
14
12
11
13
15
17
16
26
25
18
19
20
21
21
22
23
24
28
30
27
29
32
31
33
35
34
36
37
38
39
40
41
42
43
44
45
46
48
49
51
50
47
52
59
57
53
54
58
55
56
60
62
64
61
63
62
65
71
70
68
66
67
69
72
76
73
74
75
77
78
81
83
82
79
80
84
86
89
90
91
87
85
88
86
92
93
94
95
96
97
98

1 het pannendak
- *tiled roof*
2 de overlappende dekking van leipannen (platte pannen)
- *plain-tile double-lap roofing*
3 de nokpan (dakvorst, nokvorst, vorstpan)
- *ridge tile*
4 de sluitpan
- *ridge course tile*
5 de onderpan
- *under-ridge tile*
6 de leipan (platte pan)
- *plain (plane) tile*
7 de ventilatiepan
- *ventilating tile*
8 de hoekkepervorst
- *ridge tile*
9 de aansluitvorst (eindvorstpan, het broekstuk)
- *hip tile*
10 het schilddakvlak
- *hipped end*
11 de kilgoot
- *valley (roof valley)*
12 het dakraam
- *skylight*
13 de schoorsteen
- *chimney*
14 de aansluiting van de schoorsteen, van zink
- *chimney flashing, made of sheet zinc*
15 de ladderhaak
- *ladder hook*
16 de sneeuwhaak
- *snow guard bracket*
17 de panlat
- *battens (slating and tiling battens)*
18 de mal voor het bepalen van de afstand tussen de panlatten
- *batten gauge (*Am. *gage)*
19 de spoor (dakspar)
- *rafter*
20 de dakdekkershamer
- *tile hammer*
21 de timmermansbijl
- *lath axe (*Am. *ax)*
22 de speciekuip
- *hod*
23 de haak
- *hod hook*
24 de opening in het dak
- *opening (hatch)*
25 de topgevel
- *gable (gable end)*
26 het boeiboord
- *toothed lath*
27 het dakbeschot
- *soffit*
28 de dakgoot (mastgoot)
- *gutter*
29 de regenpijp
- *rainwater pipe (downpipe)*
30 het verloopstuk
- *swan's neck (swan-neck)*
31 de beugel voor de regenpijp
- *pipe clip*
32 de gootbeugel
- *gutter bracket*
33 de dakpansnijder
- *tile cutter*
34 de werksteiger
- *scaffold*
35 het veiligheidsschot
- *safety wall*
36 het dakoverstek
- *eaves*
37 de buitenmuur
- *outer wall*
38 de pleisterlaag op de buitenmuur
- *exterior rendering*
39 de opvulling van metselwerk
- *frost-resistant brickwork*
40 de muurplaat
- *inferior purlin*
41 de spoor (dakspar)
- *rafter head (rafter end)*
42 het dakbeschot van het overstek
- *eaves fascia*
43 de dubbele panlat
- *double lath (tilting lath)*
44 het isolatiemateriaal
- *insulating boards*
45-60 dakpannen en dakdekkingen
- ***tiles and tile roofings***
45 het dak gedekt met leipannen (platte pannen)
- *split-tiled roof*
46 de leipan (platte pan)
- *plain (plane) tile*
47 de rij bovenpannen
- *ridge course*
48 de zijsluiting van de leipan
- *slip*
49 de rij onderpannen
- *eaves course*
50 het leipannendak, dubbel gedekt
- *plain-tiled roof*
51 de nok
- *nib*
52 de vorstpan
- *ridge tile*
53 het dak met holle pannen
- *pantiled roof*
54 de holle pan
- *pantile*
55 de specielaag
- *pointing*
56 het dak gedekt met monniken en nonnen
- *Spanish-tiled roof (*Am. *mission-tiled roof)*
57 de non
- *under tile*
58 de monnik
- *over tile*
59 de tuile du nord
- *interlocking tile*
60 de Romaanse pan
- *flat interlocking tile*
61-89 het leiendak
- ***slate roof***
61 het dakbeschot
- *roof boards (roof boarding, roof sheathing)*
62 het teerpapier
- *roofing paper (sheathing paper);* also: *roofing felt (*Am. *rag felt)*
63 de dakladder
- *cat ladder (roof ladder)*
64 de koppelhaak
- *coupling hook*
65 de ladderhaak
- *ridge hook*
66 de dakstoel
- *roof trestle*
67 het dakstoeltouw
- *trestle rope*
68 de knoop
- *knot*
69 de ladderhaak
- *ladder hook*
70 de steigerplank
- *scaffold board*
71 de leidekker
- *slater*
72 de spijkerzak
- *nail bag*
73 de leidekkershamer
- *slate hammer*
74 de leinagel
- *slate nail, a galvanized wire nail*
75 de speciale leidekkersschoen, een bast- of hennepschoen
- *slater's shoe, a bast or hemp shoe*
76 de voetleien
- *eaves course (eaves joint)*
77 de hoeklei
- *corner bottom slate*
78 de daklei
- *roof course*
79 de noklei
- *ridge course (ridge joint)*
80 de paslei
- *gable slate*
81 de smetlijn
- *tail line*
82 de overgang
- *valley (roof valley)*
83 de bakgoot
- *box gutter (trough gutter, parallel gutter)*
84 de slagschaar
- *slater's iron*
85 de lei
- *slate*
86 de achterkant
- *back*
87 de kop
- *head*
88 de voorkant
- *front edge*
89 de maatlijn
- *tail*
90-103 het bitumendak en het dak van asbestgolfplaten
- ***asphalt-impregnated paper roofing and corrugated asbestos cement roofing***
90 de gebitumineerde dakbedekking
- *asphalt-impregnated paper roof*
91 de baan evenwijdig aan de goot
- *width [parallel to the gutter]*
92 de dakgoot
- *gutter*
93 de nokstrook
- *ridge*
94 de overlapping
- *join*
95 de baan loodrecht op de dakgoot
- *width [at right angles to the gutter]*
96 de asfaltspijker
- *felt nail (clout nail)*
97 het golfplatendak
- *corrugated asbestos cement roof*
98 de golfplaat
- *corrugated sheet*
99 de nokafdekking
- *ridge capping piece*
100 de overlapping
- *lap*
101 de houtschroef
- *wood screw*
102 de waterdichte ring
- *rust-proof zinc cup*
103 de loden ring
- *lead washer*

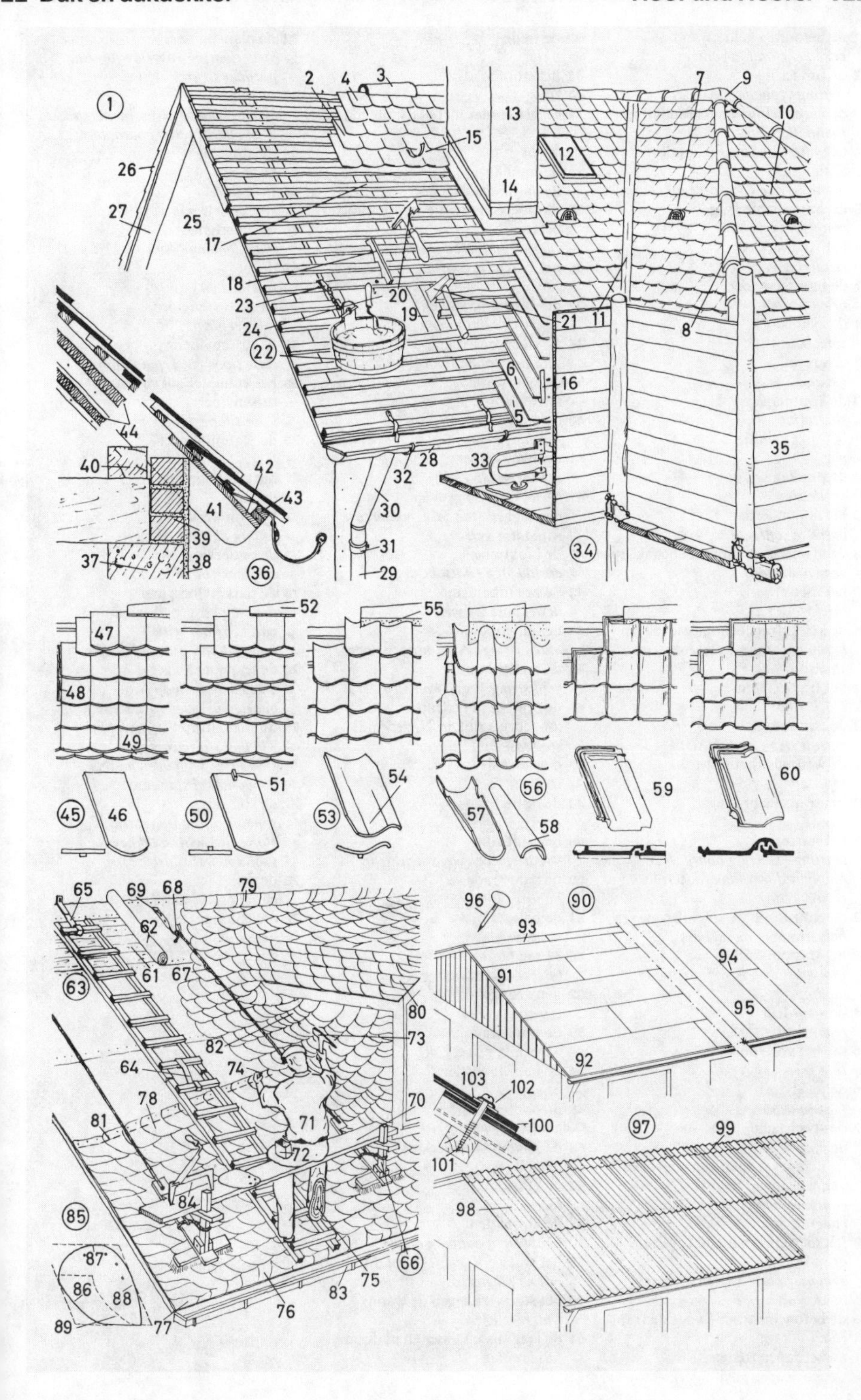
1
2
3
4
5
6
7
8
9
10
11
12
13
14
15
16
17
18
19
20
21
22
23
24
25
26
27
28
29
30
31
32
33
34
35
36
37
38
39
40
41
42
43
44
45
46
47
48
49
50
51
52
53
54
55
56
57
58
59
60
61
62
63
64
65
66
67
68
69
70
71
72
73
74
75
76
77
78
79
80
81
82
83
84
85
86
87
88
89
90
91
92
93
94
95
96
97
98
99
100
101
102
103

1 de betonnen kelderwand
- *basement wall, a concrete wall*
2 de fundering
- *footing (foundation)*
3 de verzwaring van de fundering
- *foundation base*
4 de waterdichte horizontale afdichting
- *damp course (damp-proof course)*
5 de waterdichte laag
- *waterproofing*
6 het stucwerk
- *rendering coat*
7 de baksteenvloer
- *brick paving*
8 de zandlaag
- *sand bed*
9 de grond
- *ground*
10 de kantplank
- *shuttering*
11 het piketpaaltje
- *peg*
12 de puinlaag
- *hardcore*
13 het stampbeton
- *oversite concrete*
14 de afwerklaag van cementspecie
- *cement screed*
15 het metselwerk
- *brickwork base*
16 de keldertrap, een massieve trap
- *basement stairs, solid concrete stairs*
17 het trapelement
- *block step*
18 de aantrede
- *curtail step (bottom step)*
19 de weltrede (het welstuk)
- *top step*
20 het trapneusprofiel
- *nosing*
21 het harpstuk
- *skirting (skirting board,* Am. *mopboard, washboard, scrub board, base)*
22 de balustrade van metalen staven
- *balustrade of metal bars*
23 het trapportaal
- *ground-floor (*Am. *first-floor) landing*
24 de voordeur
- *front door*
25 de, het voetrooster
- *foot scraper*
26 de tegelvloer
- *flagstone paving*
27 de specielaag
- *mortar bed*
28 de massieve vloer, een constructie van gewapend beton
- *concrete ceiling, a reinforced concrete slab*
29 het metselwerk op de begane grond
- *ground-floor (*Am. *first-floor) brick wall*
30 de betonconstructie voor de trap
- *ramp*
31 de betonnen treden
- *wedge-shaped step*
32 de trede
- *tread*
33 het stootbord
- *riser*
34-41 **het bordes** met aansluitende trap
- ***landing***
34 de trapaanzet
- *landing beam*
35 de vloerconstructie van gewapend beton
- *ribbed reinforced concrete floor*
36 het balkje van gewapend beton
- *rib*
37 de wapeningsstaven
- *steel-bar reinforcement*
38 de vloerconstructie
- *subfloor (blind floor)*
39 de egaliseerlaag
- *level layer*
40 de ondervloer
- *finishing layer*
41 de afwerkvloer
- *top layer (screed)*
42-44 **de verdiepingstrap**
- ***dog-legged staircase, a staircase without a well***
42 de bloktrede
- *curtail step (bottom step)*
43 de hoofdbaluster
- *newel post (newel)*
44 de buitenboom
- *outer string (*Am. *outer stringer)*
45 de binnenboom
- *wall string (*Am. *wall stringer)*
46 de schroef in de trap [ongebruikelijk in Nederland]
- *staircase bolt*
47 de aantrede
- *tread*
48 de optrede
- *riser*
49 het kuipstuk
- *wreath piece (wreathed string)*
50 de balustrade
- *balustrade*
51 de baluster
- *baluster*
52-62 **het bordes**
- ***intermediate landing***
52 het wrongstuk
- *wreath*
53 de trapleuning
- *handrail (guard rail)*
54 de hoofdbaluster
- *head post*
55 de bordesbalk
- *landing beam*
56 de schalmgatafwerking
- *lining board*
57 de afdeklat
- *fillet*
58 de gipsplaten
- *lightweight building board*
59 het stucwerk tegen het plafond
- *ceiling plaster*
60 het stucwerk tegen de wand
- *wall plaster*
61 de laag tussen vloer en plafond
- *false ceiling*
62 de plankenvloer
- *strip flooring (overlay flooring, parquet strip)*
63 de plint
- *skirting board (*Am. *mopboard, washboard, scrub board, base)*
64 de afdeklat
- *beading*
65 het raam
- *staircase window*
66 de vloerbalk
- *main landing beam*
67 de lat
- *fillet (cleat)*
68-69 de tussenvloer
- *false ceiling*
68 de tussenvloer
- *false floor (inserted floor)*
69 het vulmateriaal van de tussenvloer
- *floor filling (plugging, pug)*
70 de plafondtengel
- *laths*
71 het riet voor stucwerk
- *lathing*
72 het stucwerk
- *ceiling plaster*
73 de ondervloer
- *subfloor (blind floor)*
74 de parketvloer, met messing-en-groefverbinding
- *parquet floor with tongued-and-grooved blocks*
75 de trap met kwart
- *quarter-newelled (*Am. *quarter-neweled) staircase*
76 de wenteltrap
- *winding staircase (spiral staircase) with open newels (open-newel staircase)*
77 de spiltrap
- *winding staircase (spiral staircase) with solid newels (solid-newel staircase)*
78 de spil
- *newel (solid newel)*
79 de leuning
- *handrail*

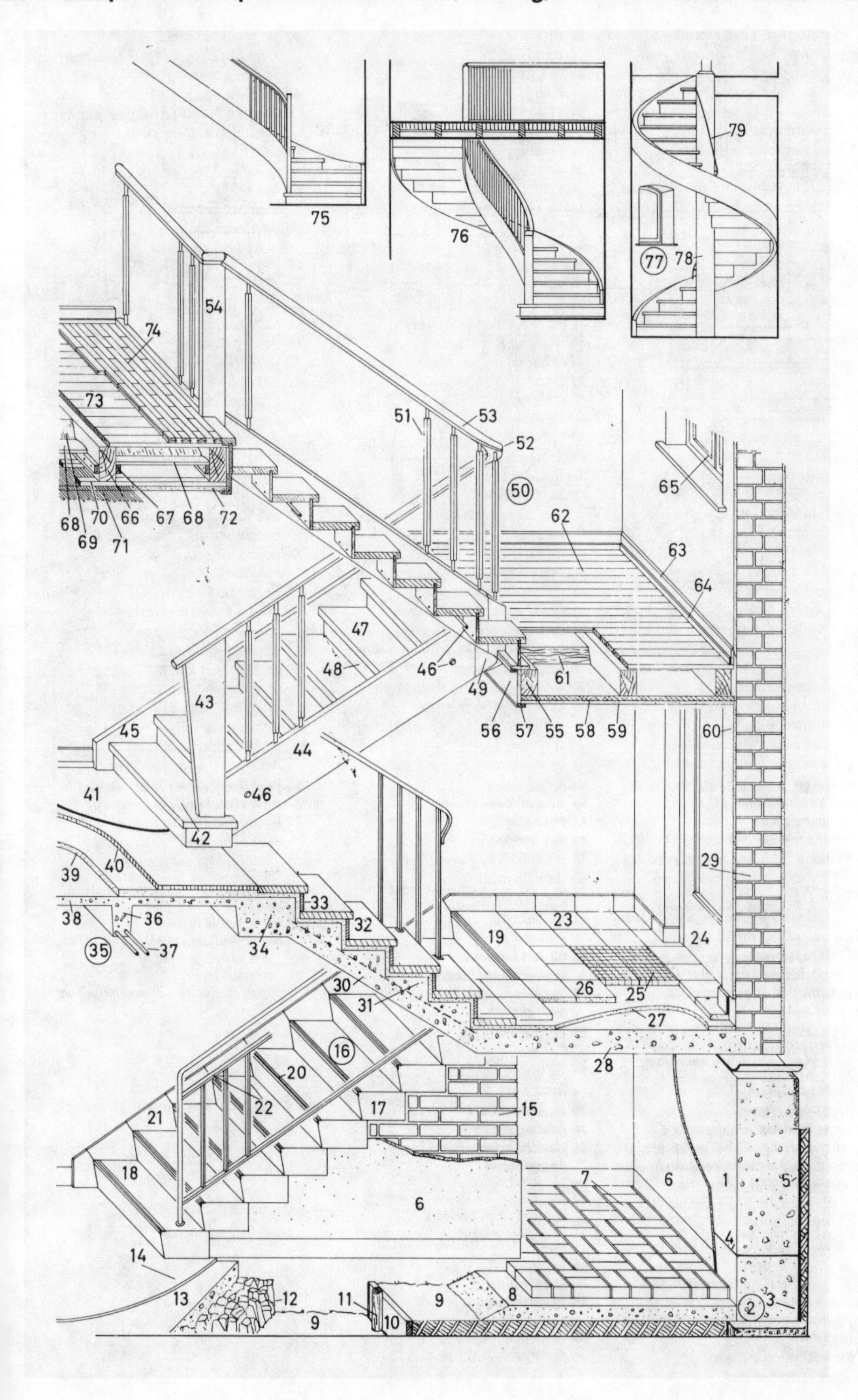
75
76
77
78
79
74
54
73
51
53
52
50
68
69
70
71
66
67
68
72
65
62
63
64
47
48
46
49
61
43
45
44
56
57
55
58
59
60
41
46
42
39
40
29
38
36
35
37
33
32
34
23
19
24
30
31
26
25
27
16
20
22
28
17
15
21
18
6
7
6
1
5
4
14
13
12
11
9
10
9
8
2
3

1 de werkplaats van de glasbewerker
- *glazier's workshop*

2 de lijstmonsters
- *frame wood samples (frame samples)*

3 de lijst
- *frame wood*

4 het verstek
- *mitre joint (mitre,* Am. *miter joint, miter)*

5 het vlakke glas (vlakglas); *soorten:* vensterglas, matglas, mousselineglas, kristalglas, dubbeldik glas, melkglas, gelaagd glas, kogelwerend glas (veiligheidsglas)
- *sheet glass;* kinds: *window glass, frosted glass, patterned glass, crystal plate glass, thick glass, milk glass, laminated glass (safety glass, shatterproof glass)*

6 het gegoten glas; *soorten:* kathedraalglas, ornamentglas, butzenglas, draadglas, gestreept glas
- *cast glass;* kinds: *stained glass, ornamental glass, raw glass, bull's-eye glass, wired glass, line glass (lined glass)*

7 de verstekmachine
- *mitring (*Am. *mitering) machine*

8 de glasbewerker (b.v. glaszetter, glazenier, glaskunstenaar)
- *glassworker,* e.g. *glazier, building glazier, decorative glass worker*

9 het rasteel
- *glass holder*

10 de glasscherf
- *piece of broken glass*

11 de loodhamer
- *lead hammer*

12 het loodmes
- *lead knife*

13 de roede voor glas-in-loodraam
- *came (lead came)*

14 het glas-in-loodraam
- *leaded light*

15 de werktafel
- *workbench*

16 de ruit
- *pane of glass*

17 de stopverf
- *putty*

18 de glashamer
- *glazier's hammer*

19 de glastang
- *glass pliers*

20 de glashaak
- *glazier's square*

21 de glasliniaal
- *glazier's rule*

22 het rondsnijapparaat
- *glazier's beam compass*

23 het ophangoogje
- *eyelet*

24 het glasdriehoekje
- *glazing sprig*

25-26 glassnijders
- *glass cutters*

25 de diamantsnijder
- *diamond glass cutter*

26 de glassnijder met stalen wieltjes
- *steel-wheel (steel) glass cutter*

27 het stopverfmes
- *putty knife*

28 de stiftdraad
- *pin wire*

29 de glasstift
- *panel pin*

30 de verstekzaag
- *mitre (*Am. *miter) block (mitre box) [with saw]*

31 de verstekbak
- *mitre (*Am. *miter) shoot (mitre board)*

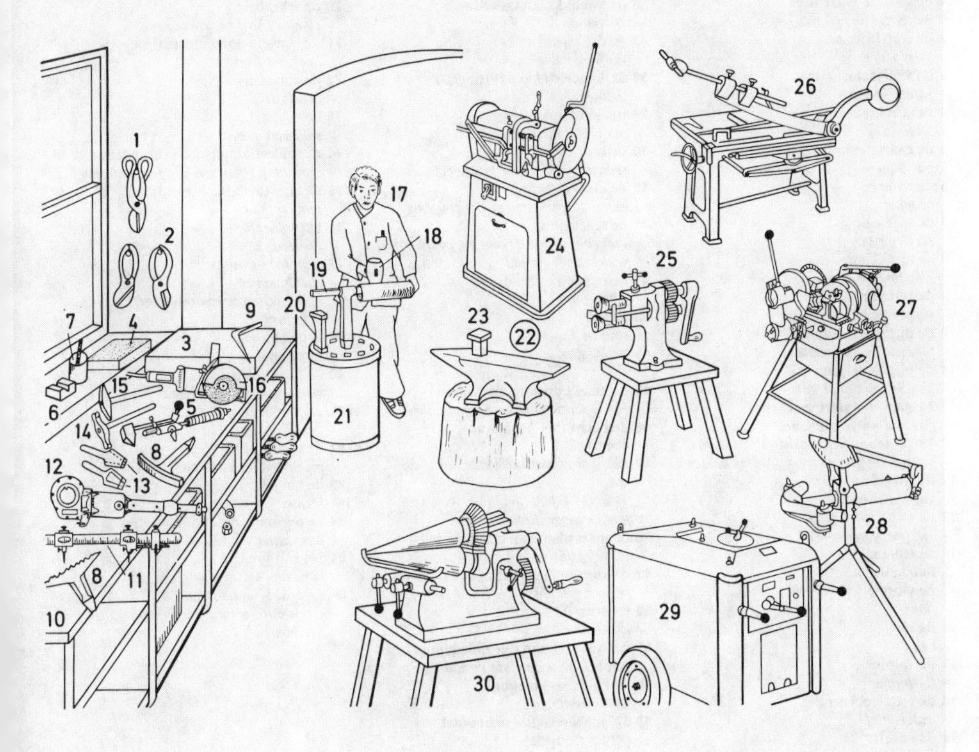

1 de blikschaar
- *metal shears (tinner's snips,* Am. *tinner's shears)*

2 de figuurschaar
- *elbow snips (angle shears)*

3 de vlakplaat
- *gib*

4 de vlakschuurplaat
- *lapping plate*

5-7 het soldeerapparaat voor propaangas
- *propane soldering apparatus*

5 de soldeerbout voor propaangas
- *propane soldering iron, a hatchet iron*

6 de salmiaksteen
- *soldering stone, a sal-ammoniac block*

7 de soldeervloeistof
- *soldering fluid (flux)*

8 de voorstaak
- *beading iron for forming reinforcement beading*

9 de opruimer
- *angled reamer*

10 de werkbank
- *workbench (bench)*

11 de staafpasser
- *beam compass (trammel,* Am. *beam trammel)*

12 het elektrische draadsnijapparaat
- *electric hand die*

13 de holpijp
- *hollow punch*

14 de rekhamer
- *chamfering hammer*

15 de vlakhamer
- *beading swage (beading hammer)*

16 de doorslijpmachine
- *abrasive-wheel cutting-off machine*

17 de loodgieter
- *plumber*

18 de houten hamer
- *mallet*

19 de pijpstaak
- *mandrel*

20 de vlaktas
- *socket (tinner's socket)*

21 de sokkel
- *block*

22 het aanbeeld (aambeeld)
- *anvil*

23 de tas
- *stake*

24 de metaalcirkelzaag
- *circular saw (buzz saw)*

25 de voormachine
- *flanging, swaging, and wiring machine*

26 de slagschaar
- *sheet shears (guillotine)*

27 de draadsnijmachine
- *screw-cutting machine (thread-cutting machine, die stocks)*

28 de pijpenbuigmachine
- *pipe-bending machine (bending machine, pipe bender)*

29 de lastransformator
- *welding transformer*

30 de tapse wals
- *bending machine (rounding machine) for shaping funnels*

1 de gas- en waterfitter
– *gas fitter and plumber*
2 de trap (trapleer)
– *stepladder*
3 de veiligheidsketting
– *safety chain*
4 de stopkraan
– *stop valve*
5 de gasmeter
– *gas meter*
6 de console
– *bracket*
7 de stijgleiding
– *service riser*
8 de aftakking
– *distributing pipe*
9 de gemeenteleiding
– *supply pipe*
10 de pijpzaagmachine
– *pipe-cutting machine*
11 de pijpklem (pionier)
– *pipe repair stand*
12-25 gas- en watertoestellen
– ***gas and water appliances***
12-13 de geiser, een warmwatertoestel
– *geyser, an instantaneous water heater*
12 de gasgeiser
– *gas water heater*
13 de elektrische geiser
– *electric water heater*
14 de stortbak
– *toilet cistern*
15 de vlotter
– *float*
16 de klok
– *bell*
17 de valpijp
– *flush pipe*
18 de watertoevoer
– *water inlet*
19 de hevel
– *flushing lever (lever)*
20 de radiator
– *radiator*
21 de rib
– *radiator rib*
22 het tweepijpssysteem
– *two-pipe system*
23 de aanvoer
– *flow pipe*
24 de retourleiding
– *return pipe*
25 de gaskachel
– *gas heater*
26-37 armaturen
– ***plumbing fixtures***
26 de sifon (stankafsluiter)
– *trap (anti-syphon trap)*
27 de eengatsmengkraan voor de wastafel
– *mixer tap (*Am. *mixing faucet) for washbasins*
28 de warmwaterkraan
– *hot tap*
29 de koudwaterkraan
– *cold tap*
30 de handdouche
– *extendible shower attachment*
31 de waterkraan voor de wastafel
– *water tap (pillar tap) for washbasins*
32 de kruk
– *spindle top*
33 de bovenkop
– *shield*
34 de tapkraan
– *draw-off tap (*Am. *faucet)*
35 de kraan met dubbele afsluiting
– *supatap*
36 de zwenkkraan (gevelkraan)
– *swivel tap*
37 de drukspoeler
– *flushing valve*
38-52 koppelstukken (fittingen)
– ***fittings***
38 het puntstuk
– *joint with male thread*
39 de verloopsok
– *reducing socket (reducing coupler)*
40 de kniekoppeling
– *elbow screw joint (elbow coupling)*
41 de schroefbus
– *reducing socket (reducing coupler) with female thread*
42 de rechte koppeling
– *screw joint*
43 de sok
– *coupler (socket)*
44 het T-stuk
– *T-joint (T-junction joint, tee)*
45 de kniekoppeling met wartel
– *elbow screw joint with female thread*
46 de bocht (het bochtstuk)
– *bend*
47 het T-stuk met binnendraad in de spruit
– *T-joint (T-junction joint, tee) with female taper thread*
48 de muurplaat van hoog model
– *ceiling joint*
49 de knie met aan één zijde binnendraad
– *reducing elbow*
50 de kruis-T
– *cross*
51 de knie met aan één zijde buitendraad
– *elbow joint with male thread*
52 de knie (het knietje)
– *elbow joint*
53-57 pijpbevestigingsmateriaal (leidingbeugels)
– ***pipe supports***
53 de leidingbeugel op vlakke basis
– *saddle clip*
54 de leidingbeugel op holle basis
– *spacing bracket*
55 de stalen pen
– *plug*
56 eenvoudige pijpbeugels
– *pipe clips*
57 de pijpbeugel met afstandhouder
– *two-piece spacing clip*
58-86 loodgietersgereedschap
– ***plumber's tools, gas fitter's tools***
58 de gasfitterstang
– *gas pliers*
59 de pijptang
– *footprints*
60 de combinatietang
– *combination cutting pliers*
61 de waterpomptang
– *pipe wrench*
62 de platte buigtang
– *flat-nose pliers*
63 de propdoorn
– *nipple key*
64 de wastafeltang
– *round-nose pliers*
65 de snij- en vernauwtang voor loden buizen
– *pincers*
66 de verstelbare sleutel
– *adjustable S-wrench*
67 de warteltang
– *screw wrench*
68 de verstelbare schroefsleutel
– *shifting spanner*
69 de schroevedraaier
– *screwdriver*
70 de schrobzaag
– *compass saw (keyhole saw)*
71 de beugel voor de metaalzaag
– *hacksaw frame*
72 de handzaag
– *hand saw*
73 de soldeerbout
– *soldering iron*
74 de soldeerlamp (soldeerbrander)
– *blowlamp (blowtorch) [for soldering]*
75 de tape (het afdichtband)
– *sealing tape*
76 het soldeer
– *tin-lead solder*
77 de moker (vuist)
– *club hammer*
78 de klinkhamer (bankhamer)
– *hammer*
79 het waterpas
– *spirit level*
80 de bankschroef
– *steel-leg vice (*Am. *vise)*
81 de pijpklem
– *pipe vice (*Am. *vise)*
82 de pijpebuiger
– *pipe-bending machine*
83 de buigvorm
– *former (template)*
84 de pijpsnijder met drie wieltjes
– *pipe cutter*
85 het snij-ijzer
– *hand die*
86 de draadsnijmachine
– *screw-cutting machine (thread-cutting machine)*

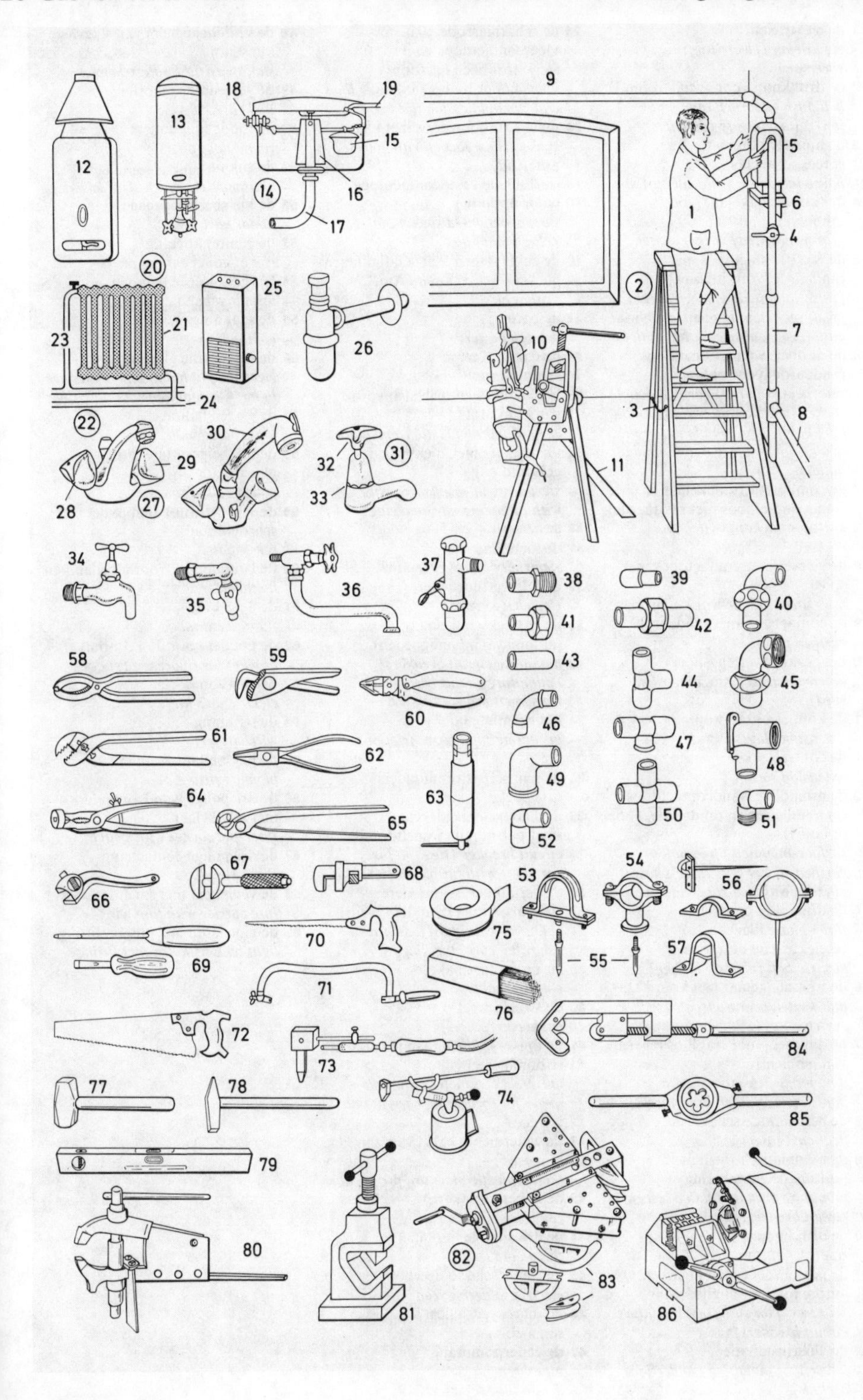
1
2
3
4
5
6
7
8
9
10
11
12
13
14
15
16
17
18
19
20
21
22
23
24
25
26
27
28
29
30
31
32
33
34
35
36
37
38
39
40
41
42
43
44
45
46
47
48
49
50
51
52
53
54
55
56
57
58
59
60
61
62
63
64
65
66
67
68
69
70
71
72
73
74
75
76
77
78
79
80
81
82
83
84
85
86

1 de elektricien
- *electrician (electrical fitter, wireman)*
2 de drukknop voor zwakstroom
- *bell push (doorbell) for low-voltage safety current*
3 de huistelefoon met spreekschakelaar
- *house telephone with call button*
4 de tuimelschakelaar [voor inbouw]
- *[flush-mounted] rocker switch*
5 de wandcontactdoos met randaarde [voor inbouw]
- *[flush-mounted] earthed socket (wall socket, plug point,* Am. *wall outlet, convenience outlet, outlet)*
6 de dubbele wandcontactdoos met randaarde [voor opbouw]
- *[surface-mounted] earthed double socket (double wall socket, double plug point,* Am. *double wall outlet, double convenience outlet, double outlet)*
7 de combinatie (schakelaar en wandcontactdoos met randaarde)
- *switched socket (switch and socket)*
8 de viervoudige contactdoos met snoer
- *four-socket (four-way) adapter*
9 de contactstop met randaarde
- *earthed plug*
10 het geaarde verlengsnoer
- *extension lead (*Am. *extension cord)*
11 de koppelcontactstop
- *extension plug*
12 de contrastekker
- *extension socket*
13 de driepolige wandcontactdoos (met nulleider en randaarde, voor opbouw)
- *surface-mounted three-pole earthed socket [for three-phase circuit] with neutral conductor*
14 de driepolige contactstop
- *three-phase plug*
15 de elektrische bel (zoemer)
- *electric bell (electric buzzer)*
16 de trekschakelaar met koord
- *pull-switch (cord-operated wall switch)*
17 de dimmer [voor traploos regelen van het licht]
- *dimmer switch [for smooth adjustment of lamp brightness]*
18 de beschermde schakelaar
- *drill-cast rotary switch*
19 de automatische veiligheid (automatische zekering)
- *miniature circuit breaker (screw-in circuit breaker, fuse)*
20 de drukknop
- *resetting button*
21 de passchroef (voor smelt- en automatische veiligheden)
- *set screw [for fuses and miniature circuit breakers]*
22 de vloerinstallatie
- *underfloor mounting (underfloor sockets)*
23 de scharnierende vloercontactdoos voor sterkstroom en telefoon
- *hinged floor socket for power lines and communication lines*
24 de vloerinbouwdoos met klep
- *sunken floor socket with hinged lid (snap lid)*
25 de dubbele wandcontactdoos [voor opbouw]
- *surface-mounted socket outlet (plug point) box*
26 de zaklantaarn, een staaflantaarn
- *pocket torch, a torch (*Am. *flashlight)*
27 de batterij
- *dry cell battery*
28 de contactveer
- *contact spring*
29 het kroonsteentje in stripvorm, van kunststof
- *strip of thermoplastic connectors*
30 de trekveer met zoekpen en geklemd oog
- *steel draw-in wire (draw wire) with threading key, and ring attached*
31 de meterkast
- *electricity meter cupboard*
32 de kilowattuurmeter
- *electricity meter*
33 de aardlekschakelaars (automatische veiligheden)
- *miniature circuit breakers (miniature circuit breaker consumer unit)*
34 het isolatieband
- *insulating tape (*Am. *friction tape)*
35 de schroefpatroonhouder
- *fuse holder*
36 de smeltveiligheid, een smeltpatroon met smeltdraad
- *circuit breaker (fuse), a fuse cartridge with fusible element*
37 de verklikker [voor iedere stroomsterkte een andere kleur]
- *colour (*Am. *color) indicator [showing current rating]*
38-39 de contactmakers
- *contact maker*
40 de kabelbeugel
- *cable clip*
41 de universeelmeter (spannings- en stroommeter)
- *universal test meter (multiple meter for measuring current and voltage)*
42 de waterdichte kabel van kunststof
- *thermoplastic moisture-proof cable*
43 de koperader (kern)
- *copper conductor*
44 de drieaderige lintkabel
- *three-core cable*
45 de elektrische soldeerbout
- *electric soldering iron*
46 de schroevedraaier
- *screwdriver*
47 de waterpomptang
- *pipe wrench*
48 de veiligheidshelm van slagvaste kunststof
- *shock-resisting safety helmet*
49 de gereedschapskoffer
- *tool case*
50 de ronde buigtang
- *round-nose pliers*
51 de zijkniptang
- *cutting pliers*
52 de kleine metaalzaag
- *junior hacksaw*
53 de combinatietang
- *combination cutting pliers*
54 het geïsoleerde handvat
- *insulated handle*
55 de spanningzoeker
- *continuity tester*
56 de elektrische gloeilamp
- *electric light bulb (general service lamp, filament lamp)*
57 de glazen ballon
- *glass bulb (bulb)*
58 de dubbelgespiraliseerde gloeidraad
- *coiled-coil filament*
59 de schroeffitting (lampvoet met schroefdraad)
- *screw base*
60 de lamphouder voor gloeilampen
- *lampholder*
61 de T.L.-buis
- *fluorescent tube*
62 de houder voor de T.L.-buis
- *bracket for fluorescent tubes*
63 het kabelmes
- *electrician's knife*
64 de striptang
- *wire strippers*
65 de bajonetlamphouder
- *bayonet fitting*
66 de driepolige wandcontactdoos met schakelaar
- *three-pin socket with switch*
67 de driepolige contactstop
- *three-pin plug*
68 de veiligheid met smeltdraad
- *fuse carrier with fuse wire*
69 de gloeilamp met bajonetfitting
- *light bulb with bayonet fitting*

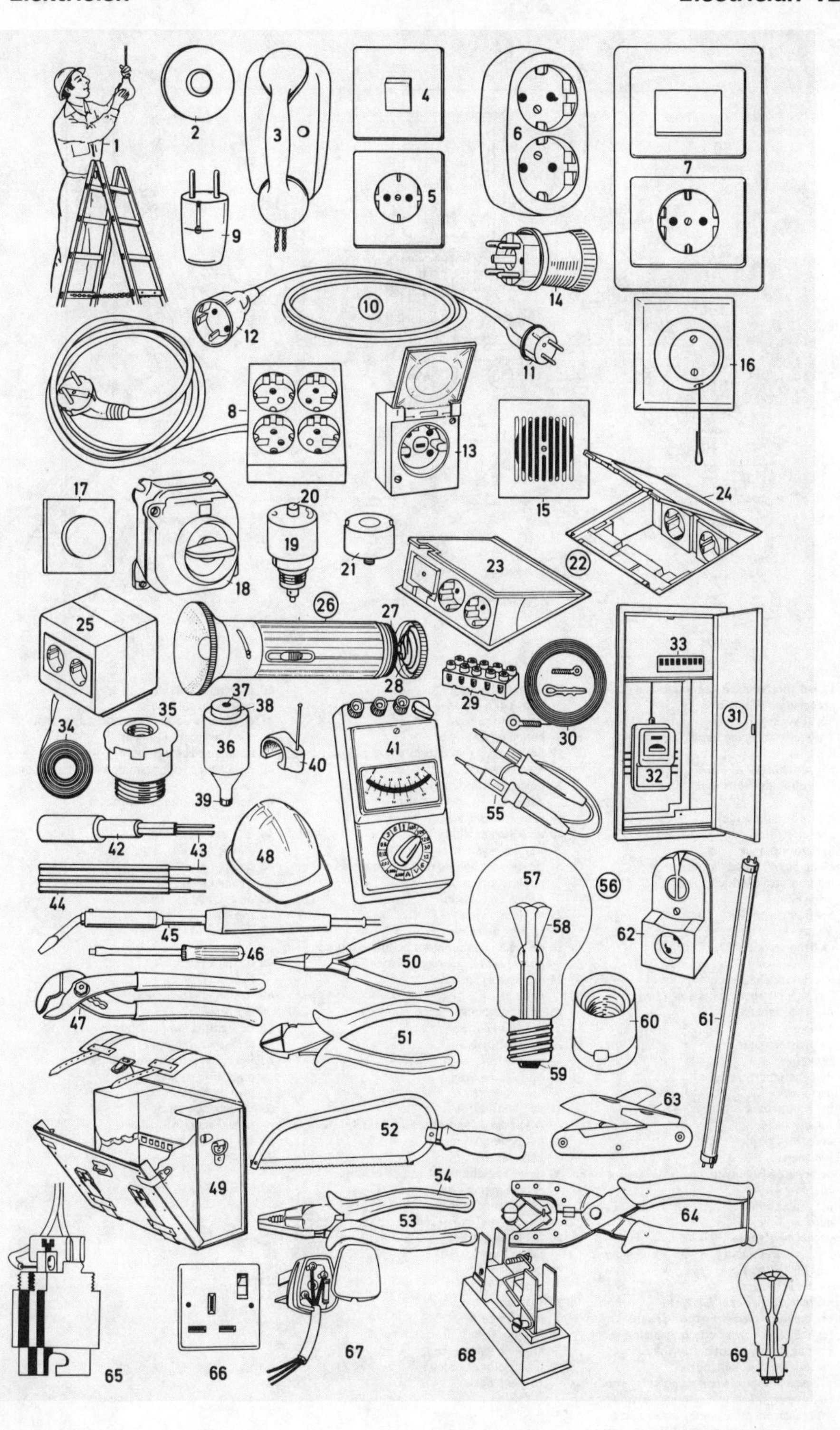
1
2
3
4
5
6
7
8
9
10
11
12
13
14
15
16
17
18
19
20
21
22
23
24
25
26
27
28
29
30
31
32
33
34
35
36
37
38
39
40
41
42
43
44
45
46
47
48
49
50
51
52
53
54
55
56
57
58
59
60
61
62
63
64
65
66
67
68
69

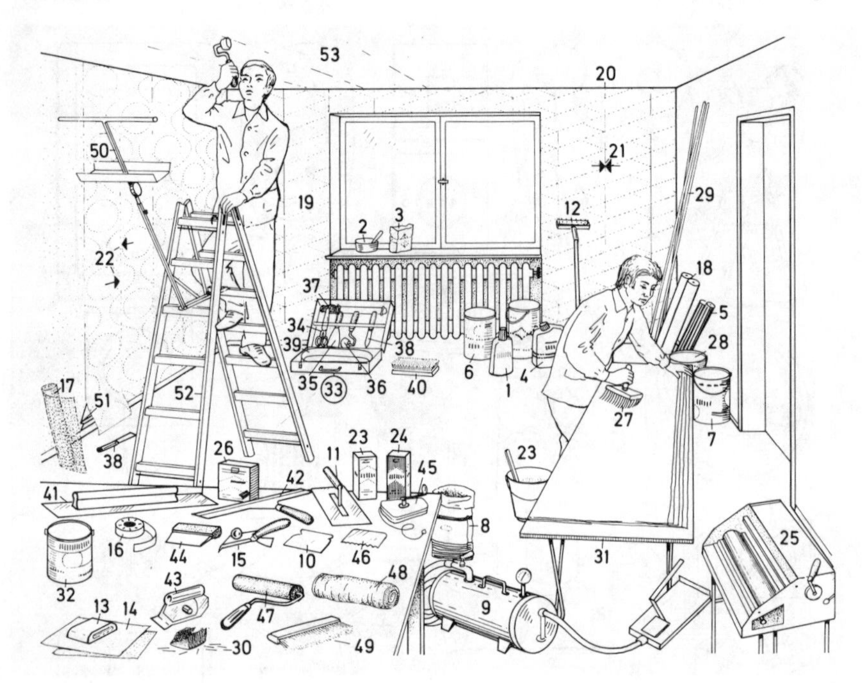

1-17 het voorbereiden van wanden en plafond
- ***preparation of surfaces***

1 het afweekmiddel
- *wallpaper-stripping liquid (stripper)*

2 het gips
- *plaster (plaster of Paris)*

3 het vulmiddel voor scheuren e.d.
- *filler*

4 het anti-plakmiddel
- *glue size (size)*

5 het grondpapier
- *lining paper, a backing paper*

6 het voorstrijkmiddel
- *primer*

7 het fluateermiddel
- *fluate*

8 de behangresten
- *shredded lining paper*

9 het elektrische afstoomapparaat
- *wallpaper-stripping machine (stripper)*

10 de verdeelspatel
- *scraper*

11 de pleisterspaan
- *smoother*

12 de behangperforator
- *perforator*

13 het schuurblok
- *sandpaper block*

14 het schuurpapier
- *sandpaper*

15 de behangafschuiver
- *stripping knife*

16 het afplakband
- *masking tape*

17 de weefselstrook
- *strip of sheet metal [on which wallpaper is laid for cutting]*

18-53 het behangen
- ***wallpapering*** *(paper hanging)*

18 het behang (*soorten:* papier-, rauhfaser-, textielbehang, synthetisch, gemetalliseerd behang, behang van natuurlijke materialen, fotobehang)
- *wallpaper;* kinds: *wood pulp paper, wood chip paper, fabric wallhangings, synthetic wallpaper, metallic paper, natural (*e.g. *wood or cork) paper, tapestry wallpaper*

19 de baan behang
- *length of wallpaper*

20 de gestoten naad
- *butted paper edges*

21 het rapport (het aansluitende patroon)
- *matching edge*

22 de rapporthoogte (het versprongen patroon)
- *non-matching edge*

23 de behangerslijm
- *wallpaper paste*

24 de speciale behangerslijm, voor zware papiersoorten
- *heavy-duty paste*

25 de lijmmachine
- *pasting machine*

26 de behangerslijm voor de lijmmachine
- *paste [for the pasting machine]*

27 de insmeerborstel
- *paste brush*

28 de emulsielijm
- *emulsion paste*

29 de bagetlijsten
- *picture rail*

30 de bagetnaalden
- *beading pins*

31 de plaktafel
- *pasteboard (paperhanger's bench)*

32 het behangvernis
- *gloss finish*

33 de gereedschapskist van de behanger
- *paperhanging kit*

34 de behangersschaar
- *shears (bull-nosed scissors)*

35 het plamuurmes
- *filling knife*

36 de nadenrol
- *seam roller*

37 het slagmes
- *hacking knife*

38 het mes (randsnijmes)
- *knife (trimming knife)*

39 de oprolbare stalen rei
- *straightedge*

40 de behangborstel
- *paperhanging brush*

41 de spaan waarlangs het behang wordt afgesneden [in Duitsland]
- *wallpaper-cutting board*

42 de geleider voor afsnijden van het behang
- *cutter*

43 het snijapparaat voor naden
- *trimmer*

44 de kunststofspatel
- *plastic spatula*

45 de slaglijn
- *chalked string*

46 de getande lijmkam
- *spreader*

47 de aandrukrol
- *paper roller*

48 de flanellen doek
- *flannel cloth*

49 de behangersborstel
- *dry brush*

50 de stempel om plafonds te behangen
- *ceiling paperhanger*

51 het snijapparaat om behang boven de plint af te snijden
- *overlap angle*

52 de behangerstrap
- *paperhanger's trestles*

53 het plafondbehang
- *ceiling paper*

1 **het schilderen**
– ***painting***
2 de schilder
– *painter*
3 de blokwitter
– *paintbrush*
4 de emulsieverf
– *emulsion paint (emulsion)*
5 de dubbele ladder
– *stepladder*
6 de verfbus
– *can (tin) of paint*
7-8 de verfblikken
– *cans (tins) of paint*
7 het verfblik met handgreep
– *can (tin) with fixed handle*
8 de verfbus met hengsel
– *paint kettle*
9 de bus met verf
– *drum of paint*
10 het verfemmertje
– *paint bucket*
11 de verfroller
– *paint roller*
12 het raster voor de verfroller
– *grill [for removing excess paint from the roller]*
13 de verfroller met patroon
– *stippling roller*
14 **het lakken**
– ***varnishing***
15 de lambrizering
– *oil-painted dado*
16 het blik met verdunner
– *canister for thinner*
17 de brede lakkwast
– *flat brush for larger surfaces (flat wall brush)*
18 de tamponneerborstel
– *stippler*
19 het penseel
– *fitch*
20 de verfkwast
– *cutting-in brush*
21 de radiatorkwast
– *radiator brush (flay brush)*
22 het tempermes
– *paint scraper*
23 de verdeelspatel
– *scraper*
24 het stopmes
– *putty knife*
25 het schuurpapier
– *sandpaper*
26 het schuurblok
– *sandpaper block*
27 de bezem
– *floor brush*
28 **het slijpen en spuiten**
– ***sanding and spraying***
29 de roterende schuurmachine
– *grinder*
30 de schuurmachine
– *sander*
31 het drukvat
– *pressure pot*
32 de verfspuit
– *spray gun*
33 de compressor
– *compressor (air compressor)*
34 het voorraadvat met te spuiten verf
– *flow coating machine for flow coating radiators, etc.*
35 de handspuit
– *hand spray*
36 de spuitinstallatie voor spuiten zonder luchtdruk
– *airless spray unit*
37 het spuitpistool voor spuiten zonder luchtdruk
– *airless spray gun*
38 de maatbeker voor het bepalen van de viscositeit
– *efflux viscometer*
39 de secondenteller
– *seconds timer*
40 **het letterzetten en vergulden**
– ***lettering and gilding***
41 het penseel voor de letterzetter
– *lettering brush (signwriting brush, pencil)*
42 het radeerwieltje
– *tracing wheel*
43 het mesje voor het snijden van patronen
– *stencil knife*
44 de verguldolie
– *oil gold size*
45 het bladgoud
– *gold leaf*
46 het aanbrengen van omlijning
– *outline drawing*
47 de steunstok voor de letterzetter
– *mahlstick*
48 het overtrekken van een tekening
– *pouncing*
49 het zakje met krijtpoeder
– *pounce bag*
50 het verguldkussen
– *gilder's cushion*
51 het verguldmesje
– *gilder's knife*
52 het aansluiten van bladgoud
– *sizing gold leaf*
53 het sjabloneren
– *filling in the letters with stipple paint*
54 de sjabloneerkwast
– *gilder's mop*

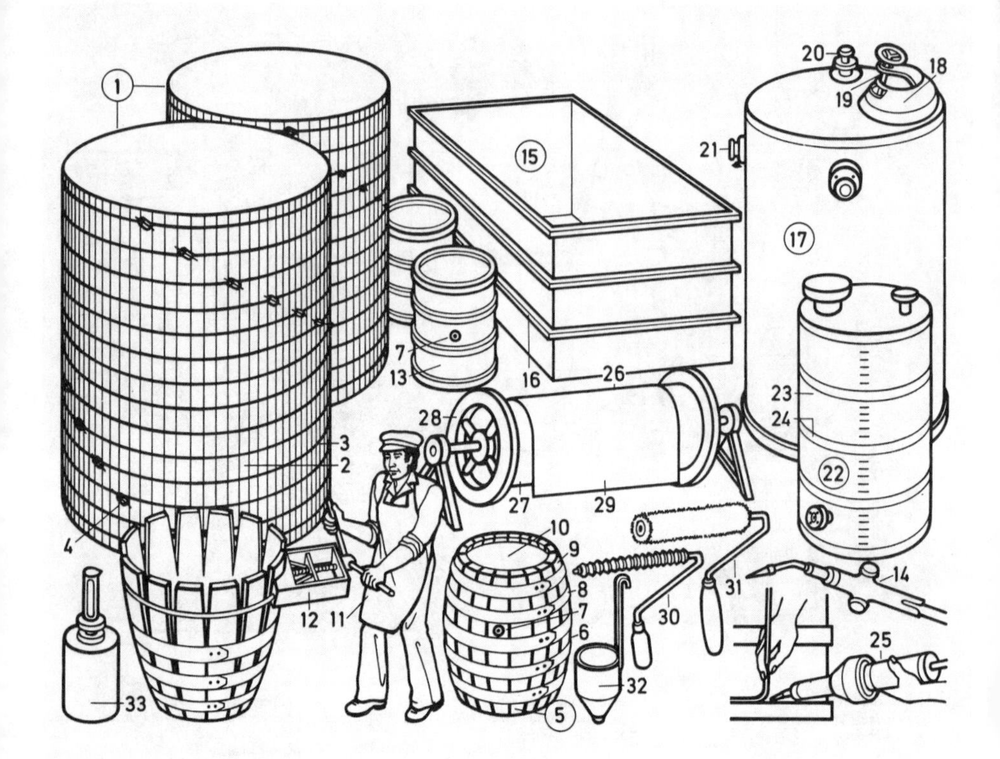

1-33 **de werkplaats van de kuiper en reservoirbouwer** (de kuiperij)
- ***cooper's and tank construction engineer's workshops***

1 de tank (het reservoir)
- *tank*

2 de mantel van staven
- *circumference made of staves (staved circumference)*

3 de ijzeren hoepels
- *iron rod*

4 het spanslot
- *turnbuckle*

5 het vat
- *barrel (cask)*

6 de romp
- *body of barrel (of cask)*

7 het spongat
- *bunghole*

8 de hoepel
- *band (hoop) of barrel*

9 de duig
- *barrel stave*

10 de bodem
- *barrelhead (heading)*

11 de kuiper
- *cooper*

12 het spanblok
- *trusser*

13 het ijzeren vat met versterkingsringen
- *drum*

14 de autogene brander
- *gas welding torch*

15 de beitskuip, van thermoplasten
- *staining vat made of thermoplastics*

16 de versterkingsrib, van profielijzer
- *iron reinforcing bands*

17 de opslagtank, van glasvezelversterkte polyesterhars
- *storage container, made of glass fibre (*Am. *glass fiber) reinforced polyester resin*

18 het mangat
- *manhole*

19 het mangatdeksel met handwiel
- *manhole cover with handwheel*

20 het veiligheidsventiel
- *flange mount*

21 de geflenste stopkraanaansluiting
- *flange-type stopcock*

22 het maatvat
- *measuring tank*

23 de mantel
- *shell (circumference)*

24 de krimpring
- *shrink ring*

25 het heteluchtpistool
- *hot-air gun*

26 de cilinder, van glasvezelversterkte kunsthars
- *roller made of glass fibre (*Am. *glass fiber) reinforced synthetic resin*

27 de cilinder
- *cylinder*

28 de flens
- *flange*

29 de glasmat (het glasweefsel)
- *glass cloth*

30 de gegroefde roller, om luchtbellen uit het polyester te rollen
- *grooved roller*

31 de roller van lamsvel
- *lambskin roller*

32 de viscositeitslepel
- *ladle for testing viscosity*

33 het doseerapparaat voor harder
- *measuring vessel for hardener*

1-25 het bontatelier
- ***furrier's workroom***

1 de bontwerker
- *furrier*

2 het stoomspuitpistool
- *steam spray gun*

3 het stoomstrijkijzer
- *steam iron*

4 de klopmachine
- *beating machine*

5 de uitlaatsnijmachine
- *cutting machine for letting out furskins*

6 het ongesneden vel
- *uncut furskin*

7 de uitlaatstroken
- *let-out strips (let-out sections)*

8 de bontmachinestikster
- *fur worker*

9 de bontstikmachine
- *fur-sewing machine*

10 de compressor
- *blower for letting out*

11-21 vellen
- *furskins*

11 het nertsvel
- *mink skin*

12 de haarkant
- *fur side*

13 de leerkant
- *leather side*

14 het gesneden vel
- *cut furskin*

15 het lynxvel vóór het uitlaten
- *lynx skin before letting out*

16 het uitgelaten lynxvel
- *let-out lynx skin*

17 de haarkant
- *fur side*

18 de leerkant
- *leather side*

19 het uitgelaten nertsvel
- *let-out mink skin*

20 het in elkaar gezette nertsvel
- *lynx fur, sewn together (sewn)*

21 het breitschwanzvel
- *broadtail*

22 de vetstift
- *fur marker*

23 de bontwerkster
- *fur worker*

24 de nertsmantel
- *mink coat*

25 de ocelotmantel
- *ocelot coat*

1-73 de werkplaats van de meubelmaker
- ***joiner's workshop***

1-28 het gereedschap van de meubelmaker
- ***joiner's tools***

1 de rasp
- *wood rasp*

2 de houtvijl
- *wood file*

3 de schrobzaag
- *compass saw (keyhole saw)*

4 het handvat
- *saw handle*

5 de houten hamer
- *[square-headed] mallet*

6 de winkelhaak
- *try square*

7-11 beitels
- ***chisels***

7 de steekbeitel
- *bevelled-edge chisel (chisel)*

8 de schietbeitel
- *mortise (mortice) chisel*

9 de guts
- *gouge*

10 het heft
- *handle*

11 de kantbeitel
- *framing chisel (cant chisel)*

12 de buitenpot voor het hete water
- *glue pot in water bath*

13 de binnenpot voor de warme lijm
- *glue pot (glue well), an insert for joiner's glue*

14 de lijmtang (lijmklem, sergeant, serre-joints)
- *handscrew*

15-28 handschaven
- ***planes***

15 de zoetschaaf
- *smoothing plane*

16 de schraapschaaf
- *jack plane*

17 de tandschaaf
- *toothing plane*

18 het handvat
- *handle (toat)*

19 de spie
- *wedge*

20 de schaafbeitel
- *plane iron (cutter)*

21 het spiegat
- *mouth*

22 de zool
- *sole*

23 de zijwang
- *side*

24 het blok
- *stock (body)*

25 de boorschaaf
- *rebate (rabbet) plane*

26 de grondschaaf
- *router plane (old woman's tooth)*

27 het spookschaafje
- *spokeshave*

28 de rondschaaf
- *compass plane*

29-37 de schaafbank, een werkbank
- ***woodworker's bench***

29 het onderstel
- *foot*

30 de voortang
- *front vice (*Am. *vise)*

31 de spindel
- *vice (*Am. *vise) handle*

32 de bankschroef
- *vice (*Am. *vise) screw*

33 de plankenklem
- *jaw*

34 het blad
- *bench top*

35 de gereedschapsbak
- *well*

36 de bankhaak
- *bench stop (bench holdfast)*

37 de achtertang
- *tail vice (*Am. *vise)*

38 de meubelmaker
- *cabinet maker (joiner)*

39 de rijschaaf
- *trying plane*

40 de schaafkrullen
- *shavings*

41 de houtschroef
- *wood screw*

42 het zagenzetijzer
- *saw set*

43 de verstekbak
- *mitre (*Am. *miter) box*

44 de kapzaag
- *tenon saw*

45 de vandiktebank
- *thicknesser (thicknessing machine)*

46 het blad met de onderwalsen
- *thicknessing table with rollers*

47 de terugslagbeveiliging
- *kick-back guard*

48 de aansluiting voor de spaanafzuiging
- *chip-extractor opening*

49 de kettingfreesmachine
- *chain mortising machine (chain mortiser)*

50 de rondlopende freesketting
- *endless mortising chain*

51 de kleminrichting voor het hout
- *clamp (work clamp)*

52 de kwastenboormachine (kwast = noest)
- *knot hole moulding (*Am. *molding) machine*

53 de kwastenboor
- *knot hole cutter*

54 de snelspaninrichting
- *quick-action chuck*

55 het, de bedieningshandel
- *hand lever*

56 de snelheidsregeling
- *change-gear handle*

57 de formaat- en kantrechtzaag
- *sizing and edging machine*

58 de hoofdschakelaar
- *main switch*

59 het cirkelzaagblad
- *circular-saw (buzz saw) blade*

60 het handwiel voor de hoogteïnstelling van de zaagas
- *height (rise and fall) adjustment wheel*

61 de prismageleider voor de roltafel en de kantrechtwagen
- *V-way*

62 de roltafel
- *framing table*

63 de meelopende draagarm
- *extension arm (arm)*

64 de wagen voor het kantrechten
- *trimming table*

65 de geleider
- *fence*

66 de fijnafstelling voor de geleider
- *fence adjustment handle*

67 de knevel voor het vastzetten van de geleider
- *clamp lever*

68 de platenzaag
- *board-sawing machine*

69 de zwenkmotor
- *swivel motor*

70 het geleideraam voor de platen
- *board support*

71 de zaagwagen
- *saw carriage*

72 het pedaal voor bediening van de geleiderollen
- *pedal for raising the transport rollers*

73 de, het meubelplaat (gefineerde plaat met binnenvulling van massief houten latten)
- *block board*

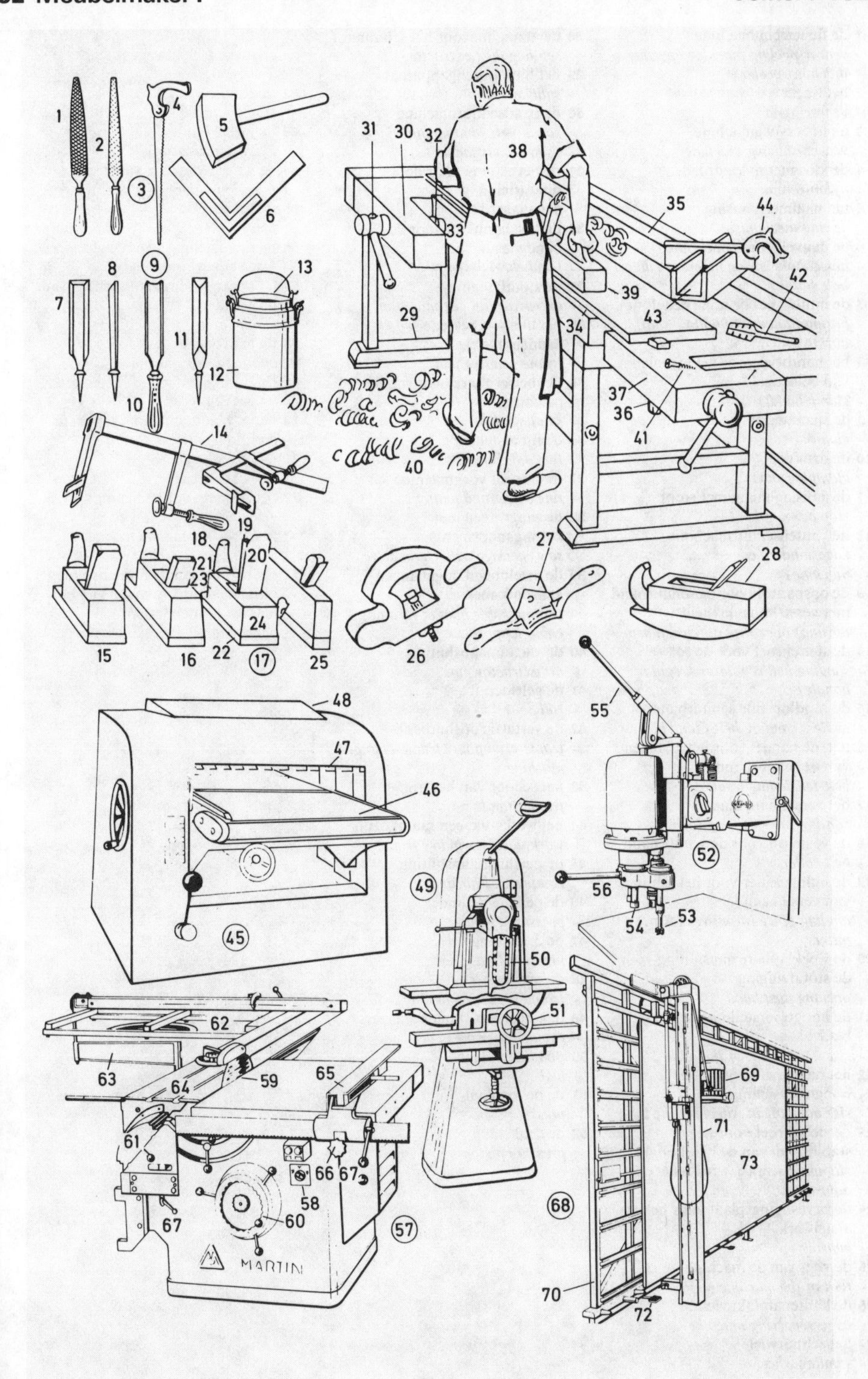
1
2
3
4
5
6
7
8
9
10
11
12
13
14
15
16
17
18
19
20
21
22
23
24
25
26
27
28
29
30
31
32
33
34
35
36
37
38
39
40
41
42
43
44
45
46
47
48
49
50
51
52
53
54
55
56
57
58
59
60
61
62
63
64
65
66
67
68
69
70
71
72
73
MARTIN

1 de fineerschilmachine
- *veneer-peeling machine (peeling machine, peeler)*
2 het fineer
- *veneer*
3 de fineervoegmachine
- *veneer-splicing machine*
4 de klos met nylondraad
- *nylon-thread cop*
5 het naaimechanisme
- *sewing mechanism*
6 de deuvelgatboormachine
- *dowel hole boring machine (dowel hole borer)*
7 de motor met de holle beitelboor
- *boring motor with hollow-shaft boring bit*
8 het handwiel voor het afstellen van de beugel
- *clamp handle*
9 de spanbeugel
- *clamp*
10 de drukvoet
- *clamping shoe*
11 de aanslagliniaal met stoot
- *stop bar*
12 de kantenschuurmachine
- *edge sander (edge-sanding machine)*
13 de opspanrol voor de schuurband met verstelmogelijkheid
- *tension roller with extension arm*
14 de stelschroef voor de rol
- *sanding belt regulator (regulating handle)*
15 de rondlopende schuurband
- *endless sanding belt (sand belt)*
16 het, de handel voor het afstellen van de schuurband
- *belt-tensioning lever*
17 het verstelbare blad
- *canting table (tilting table)*
18 de vaste rol voor de schuurband
- *belt roller*
19 de hulpgeleider voor het schuren van verstekken
- *angling fence for mitres (*Am. *miters)*
20 de wegklapbare aansluiting voor de stofafzuiging
- *opening dust hood*
21 de hoogteverstelling voor het blad
- *rise adjustment of the table*
22 het handwiel voor de hoogteverstelling
- *rise adjustment wheel for the table*
23 de stelschroef voor het stabiliseren van de bladhoogte
- *clamping screw for the table rise adjustment*
24 de bevestigingsplaat voor het afstelwerk
- *console*
25 de voet van de machine
- *foot of the machine*
26 de kantenafplakmachine
- *edge-veneering machine*
27 het schuurwiel
- *sanding wheel*
28 de afzuiging voor het schuurstof
- *sanding dust extractor*
29 het lijmopbrengapparaat
- *splicing head*
30 de bandschuurmachine
- *single-belt sanding machine (single-belt sander)*
31 de beveiliging voor de schuurband
- *belt guard*
32 de beschermkap voor de bandwielen
- *bandwheel cover*
33 de stofafzuiging
- *extractor fan (exhaust fan)*
34 het met vilt beklede aandrukblokje
- *frame-sanding pad*
35 het beweegbare blad van de machine
- *sanding table*
36 de fijnafstelling
- *fine adjustment*
37 de snij- en voegmachine
- *fine cutter and jointer*
38 de zaagwagen met kettingaandrijving
- *saw carriage with chain drive*
39 de meelopend opgehangen aansluitkabel
- *trailing cable hanger (trailing cable support)*
40 de vacuümaansluiting
- *air extractor pipe*
41 de geleiderail
- *rail*
42 de verticale opsluitbank
- *frame-cramping (frame-clamping) machine*
43 het schoor van het frame
- *frame stand*
44 het werkstuk, een raamkozijn
- *workpiece, a window frame*
45 de persluchtaansluiting
- *compressed-air line*
46 de persluchtcilinder
- *pressure cylinder*
47 de drukstang
- *pressure foot*
48 de opspanners
- *frame-mounting device*
49 de fineerpers (koude snelpers)
- *rapid-veneer press*
50 de bodemplaat
- *bed*
51 de bovenplaat
- *press*
52 de drukstang
- *pressure piston*

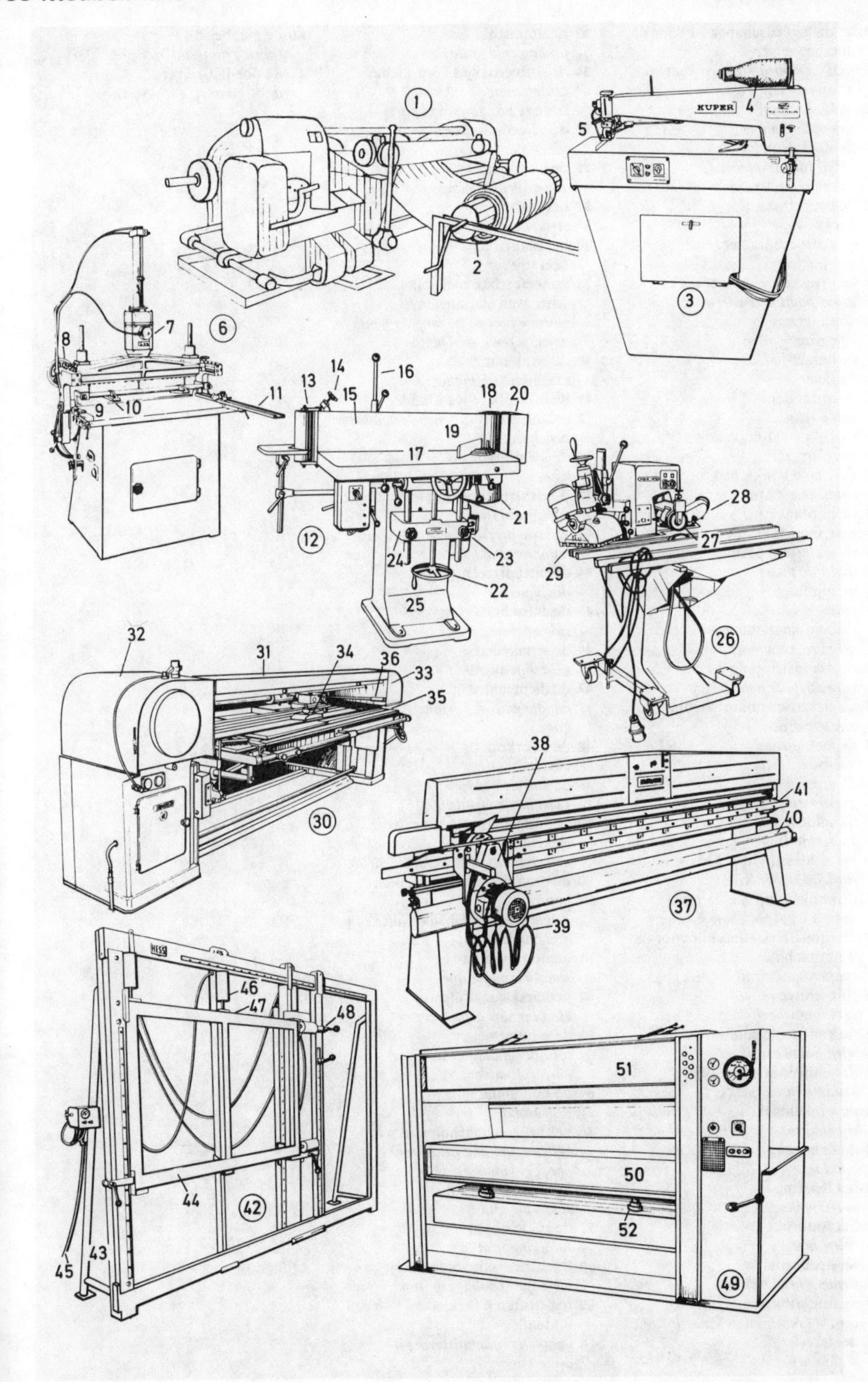
KUPER
HESS
1
2
3
4
5
6
7
8
9
10
11
12
13
14
15
16
17
18
19
20
21
22
23
24
25
26
27
28
29
30
31
32
33
34
35
36
37
38
39
40
41
42
43
44
45
46
47
48
49
50
51
52

1-34 de gereedschapskast voor de doe-het-zelver
- *tool cupboard (tool cabinet) for do-it-yourself work*

1 de blokschaaf
- *smoothing plane*

2 de steeksleutelset
- *set of fork spanners (fork wrenches, open-end wrenches)*

3 de beugelzaag
- *hacksaw*

4 de schroevedraaier
- *screwdriver*

5 de kruiskopschroevedraaier
- *cross-point screwdriver*

6 de zaagrasp
- *saw rasp*

7 de hamer
- *hammer*

8 de houtrasp
- *wood rasp*

9 de vijl met stompe kop
- *roughing file*

10 de kleine bankschroef
- *small vice (*Am. *vise)*

11 de pijptang
- *pipe wrench*

12 de waterpomptang
- *multiple pliers*

13 de nijptang
- *pincers*

14 de combinatietang
- *all-purpose wrench*

15 de draadstriptang
- *wire stripper and cutter*

16 de elektrische boormachine
- *electric drill*

17 de metaalzaag
- *hacksaw*

18 de gipsbeker
- *plaster cup*

19 de soldeerbout
- *soldering iron*

20 het soldeertin in draadvorm
- *tin-lead solder wire*

21 de polijstschijf met lamsvel
- *lamb's wool polishing bonnet*

22 de rubberen steunschijf voor de boormachine
- *rubber backing disc (disk)*

23 slijpschijven
- *grinding wheel*

24 de komstaaldraadborstel
- *wire wheel brush*

25 de schijven schuurpapier
- *sanding discs (disks)*

26 de winkelhaak
- *try square*

27 de handzaag
- *hand saw*

28 het ledermes
- *universal cutter*

29 het waterpas
- *spirit level*

30 de steekbeitel
- *firmer chisel*

31 de centerpons
- *centre (*Am. *center) punch*

32 de drevel
- *nail punch*

33 de duimstok
- *folding rule (rule)*

34 de sorteerbakjes voor kleine onderdelen
- *storage box for small parts*

35 de gereedschapskist
- *tool box*

36 de houtlijm
- *woodworking adhesive*

37 het plamuurmes
- *stripping knife*

38 het plakband
- *adhesive tape*

39 de sorteerbak met spijkers, schroeven en pluggen
- *storage box with compartments for nails, screws, and plugs*

40 de bankhamer
- *machinist's hammer*

41 de inklapbare werkbank
- *collapsible workbench (collapsible bench)*

42 de kleminrichting
- *jig*

43 de elektrische klopboormachine (klopboor)
- *electric percussion drill (electric hammer drill)*

44 de pistoolgreep
- *pistol grip*

45 de extra handgreep
- *side grip*

46 de schakelaar
- *gearshift switch*

47 de diepteaanslag
- *handle with depth gauge (*Am. *gage)*

48 de boorkop
- *chuck*

49 de spiraalboor
- *twist bit (twist drill)*

50-55 hulpstukken voor een elektrische boor
- *attachments for an electric drill*

50 de gecombineerde cirkel- en bandzaag
- *combined circular saw (buzz saw) and bandsaw*

51 de houtdraaibank
- *wood-turning lathe*

52 het cirkelzaaghulpstuk
- *circular saw attachment*

53 de schuurvoet
- *orbital sanding attachment (orbital sander)*

54 de boorstandaard
- *drill stand*

55 het heggeschaarhulpstuk
- *hedge-trimming attachment (hedge trimmer)*

56 het soldeerpistool
- *soldering gun*

57 de soldeerbout
- *soldering iron*

58 de extra snelle soldeerbout
- *high-speed soldering iron*

59 het stofferen (bekleden) van een fauteuil
- *upholstery, upholstering an armchair*

60 de meubelstof
- *fabric (material) for upholstery*

61 de doe-het-zelver
- *do-it-yourself enthusiast*

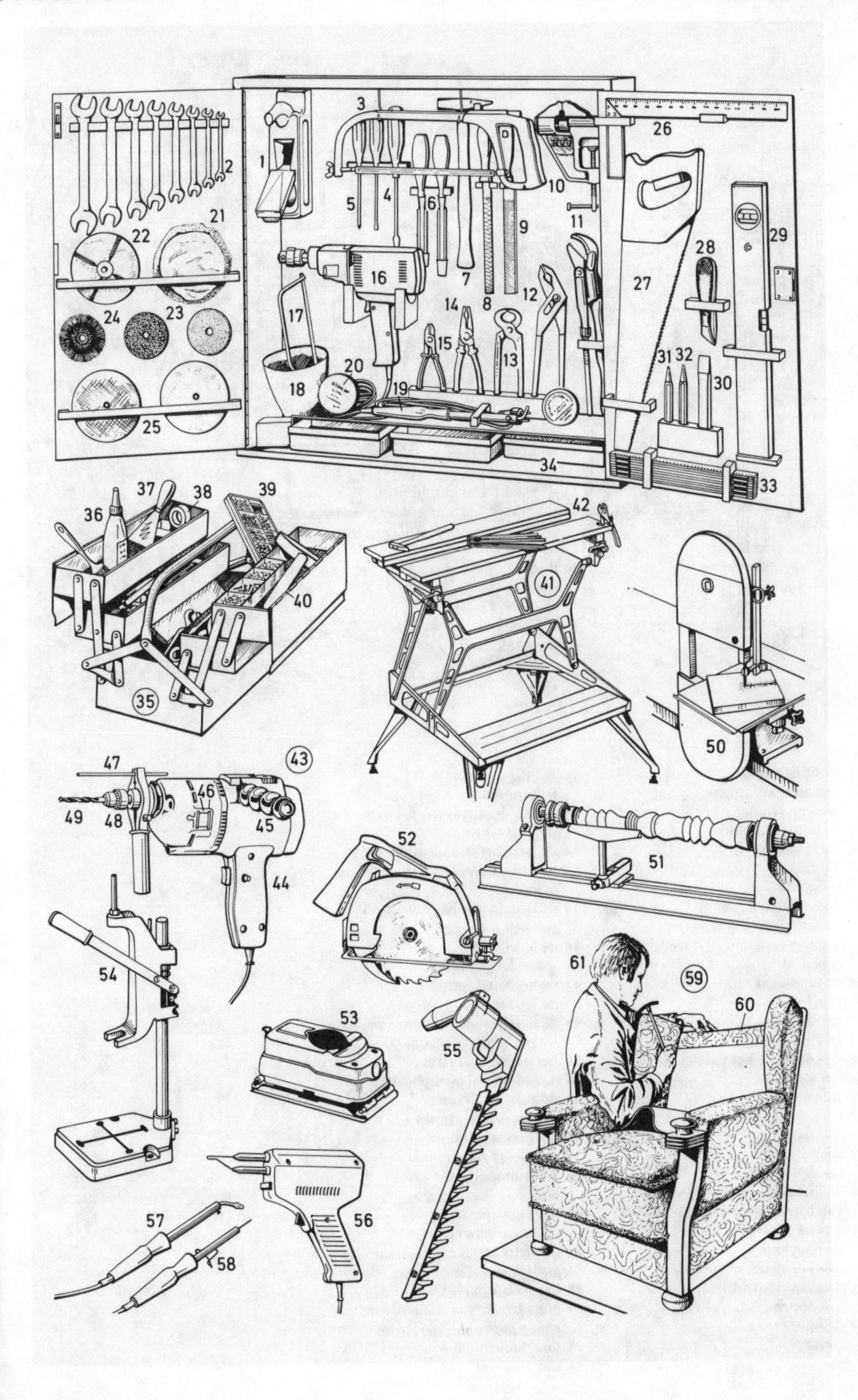
1
2
3
4
5
6
7
8
9
10
11
12
13
14
15
16
17
18
19
20
21
22
23
24
25
26
27
28
29
30
31
32
33
34
35
36
37
38
39
40
41
42
43
44
45
46
47
48
49
50
51
52
53
54
55
56
57
58
59
60
61

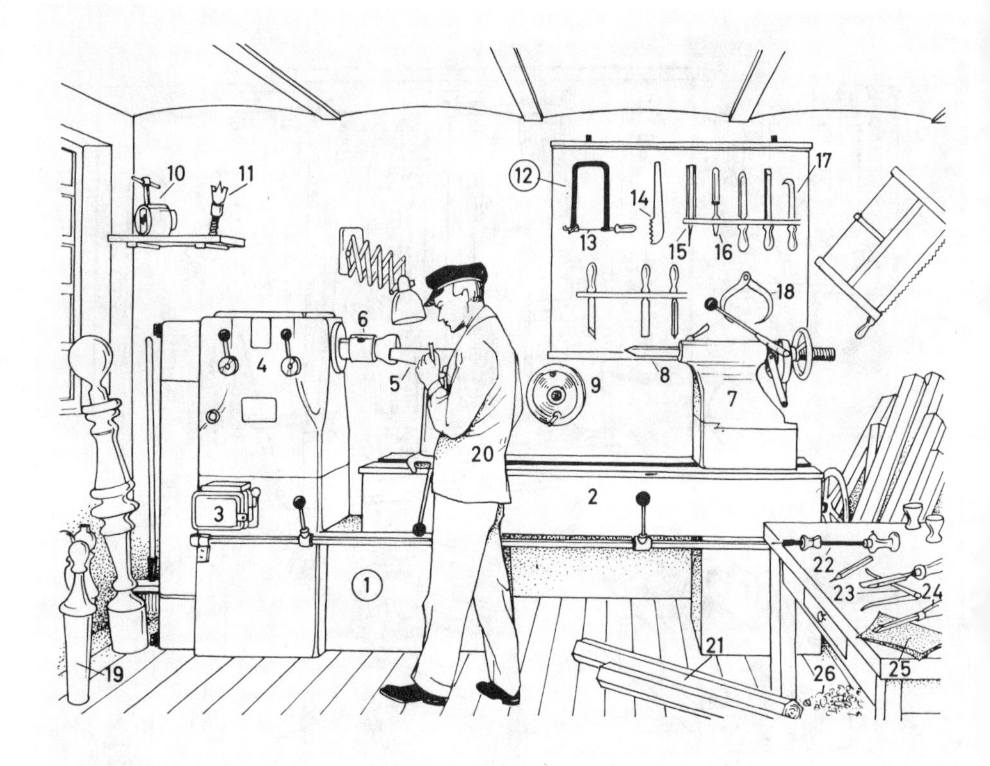

1-26 de draaierij (draaierswerkplaats)
- ***turnery*** *(turner's workshop)*

1 de houtdraaibank
- *wood-turning lathe*

2 het bed
- *lathe bed*

3 de schakelaar met aanloopweerstand
- *starting resistance (starting resistor)*

4 de tandwielkast
- *gearbox*

5 het support
- *tool rest*

6 de kop voor het vastzetten van het werkstuk
- *chuck*

7 het verstelbare achterstuk
- *tailstock*

8 de centerpen
- *centre (*Am. *center)*

9 de draaiplaat voor het vastzetten van een schotelvormig werkstuk
- *driving plate with pin*

10 de boorkop
- *two-jaw chuck*

11 de meenemer (drietand)
- *live centre (*Am. *center)*

12 de figuurzaag
- *fretsaw*

13 het (figuur)zaagje
- *fretsaw blade*

14, 15, 24 draaiersgereedschap
- *turning tools*

14 de (schroef)draadsnijder
- *thread chaser, for cutting threads in wood*

15 de beitel voor het ruwe werk
- *gouge, for rough turning*

16 de lepelboor
- *spoon bit (shell bit)*

17 de holbeitel (guts)
- *hollowing tool*

18 de maatpasser (buitenpasser)
- *outside calliper (caliper)*

19 het gerede werkstuk
- *turned work (turned wood)*

20 de meester-draaier
- *master turner (turner)*

21 het te draaien hout
- *[piece of] rough wood*

22 de drilboor
- *drill*

23 de binnenpasser
- *inside calliper (caliper)*

24 de afsteekbeitel
- *parting tool*

25 het schuurpapier
- *glass paper;* sim.: *sandpaper, emery paper*

26 de draaikrullen
- *shavings*

1-40 de mandenmakerij
- ***basket making*** *(basketry, basketwork)*

1-4 soorten vlechtwerk
- ***weaves*** *(strokes)*

1 het gedraaide vlechtwerk
- *randing*

2 het horizontale vlechtwerk
- *rib randing*

3 het diagonale vlechtwerk
- *oblique randing*

4 het eenvoudige vlechtwerk
- *randing, a piece of wickerwork (screen work)*

5 de inslag
- *weaver*

6 de staak
- *stake*

7 het werkblad
- *workboard;* also: *lapboard*

8 het vlechtblok
- *screw block*

9 de gaten voor het vlechtblok
- *hole for holding the block*

10 de bok
- *stand*

11 de spanen (reis)mand
- *chip basket (spale basket)*

12 de spaan
- *chip (spale)*

13 de inweekkuip
- *soaking tub*

14 de wilgetenen
- *willow stakes (osier stakes)*

15 de wilgestokken
- *willow rods (osier rods)*

16 de mand, een vlechtwerk
- *basket, a piece of wickerwork (basketwork)*

17 de afwerkrand
- *border*

18 de gevlochten zijkant
- *woven side*

19 de mandbodem
- *round base*

20 het bodemvlechtwerk
- *woven base*

21 het vlechtkruis
- *slath*

22-24 het vlechtwerk aan een onderstel
- ***covering a frame***

22 het geraamte (onderstel)
- *frame*

23 de windselverbinding
- *end*

24 de zittingribben
- *rib*

25 het mandgeraamte
- *upsett*

26 het gras; *soorten:* espartogras (Spaans gras), halfagras (alfagras)
- *grass;* kinds: *esparto grass, alfalfa grass*

27 het riet (lisdodderiet)
- *rush,* e.g. *bulrush, reed mace*

28 de bies (het biezen touw)
- *reed (China reed, string)*

29 de, het raffia
- *raffia;* sim.: *bast*

30 het stro
- *straw*

31 het bamboeriet (het de bamboe)
- *bamboo cane*

32 het pitriet (de rotankern)
- *rattan (ratan) chair cane*

33 de mandenmaker; *hier:* rietvlechter
- *basket maker*

34 het buigijzer
- *bending tool*

35 het splijtmes
- *cutting point (bodkin)*

36 het klopijzer
- *rapping iron*

37 de nijptang
- *pincers*

38 het schilmes
- *picking knife*

39 de fijnschaaf
- *shave*

40 de beugelzaag (metaalzaag)
- *hacksaw*

1-8 de smidshaard met het smidsvuur
- ***hearth (forge) with blacksmith's fire***

1 de smidshaard (smidse)
- *hearth (forge)*

2 de vuurschop
- *shovel (slice)*

3 de bluszwabber
- *swab*

4 de vuurhark
- *rake*

5 de pook
- *poker*

6 de luchttoevoer
- *blast pipe (tue iron)*

7 de afzuigkap
- *chimney (cowl, hood)*

8 de blusbak (afschrikbak)
- *water trough (quenching trough, bosh)*

9 de pneumatische smeedhamer
- *power hammer*

10 de ram
- *ram (tup)*

11-16 het aanbeeld (aambeeld)
- ***anvil***

11 het aanbeeld (aambeeld)
- *anvil*

12 de vierkante doorn
- *flat beak (beck, bick)*

13 de ronde doorn
- *round beak (beck, bick)*

14 het zijstuk
- *auxiliary table*

15 de voet
- *foot*

16 het stuikblok
- *upsetting block*

17 het gatenblok (smeedzadel)
- *swage block*

18 de gereedschapsslijpmachine
- *tool-grinding machine (tool grinder)*

19 de slijpschijf
- *grinding wheel*

20 de takel
- *block and tackle*

21 de werkbank
- *workbench (bench)*

22-39 smeedgereedschap
- ***blacksmith's tools***

22 de voorhamer
- *sledge hammer*

23 de vuisthamer
- *blacksmith's hand hammer*

24 de smeedtang
- *flat tongs*

25 de rondbeksmeedtang
- *round tongs*

26 de hameronderdelen
- *parts of the hammer*

27 de pen
- *peen (pane, pein)*

28 het slagvlak
- *face*

29 het oog
- *eye*

30 de steel
- *haft*

31 de spie
- *cotter punch*

32 de koubeitel
- *hardy (hardie)*

33 de vlakhamer
- *set hammer*

34 de bankhamer
- *sett (set, sate)*

35 de plethamer
- *flat-face hammer (flatter)*

36 de ronde penhamer
- *round punch*

37 de tang met gebogen bek
- *angle tongs*

38 de bikhamer
- *blacksmith's chisel (scaling hammer, chipping hammer)*

39 het buigijzer
- *moving iron (bending iron)*

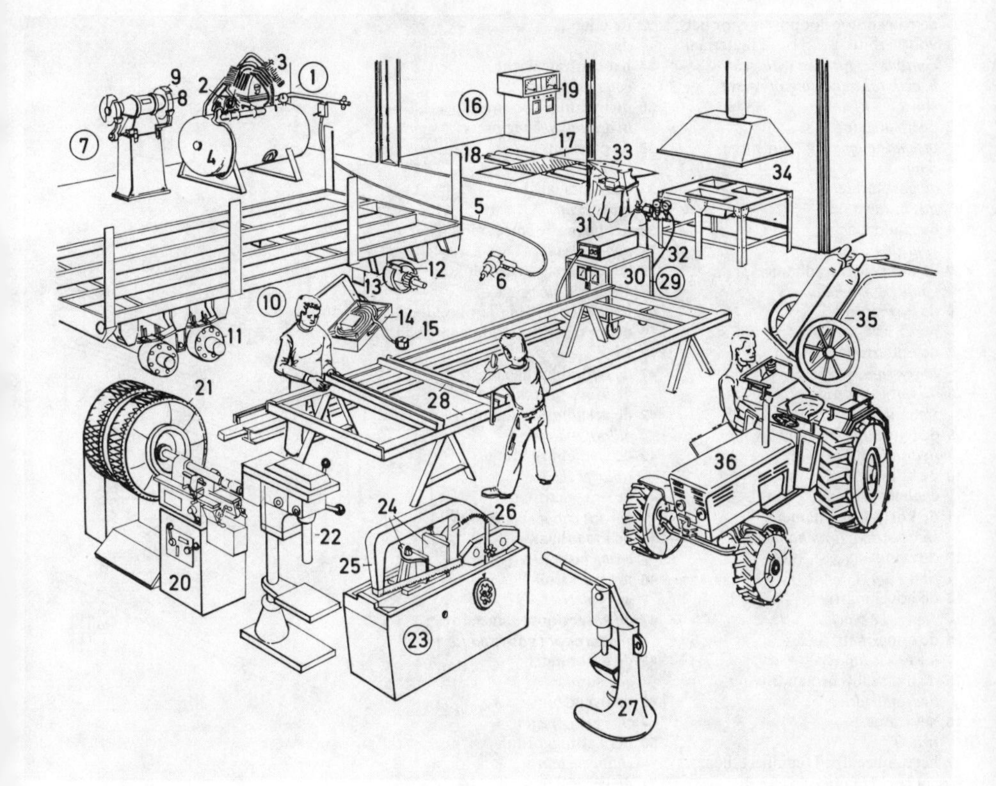

1 de persluchtinstallatie
– *compressed-air system*
2 de elektromotor
– *electric motor*
3 de compressor
– *compressor*
4 de persluchtketel
– *compressed-air tank*
5 de persluchtleiding
– *compressed-air line*
6 de pneumatische slagschroevedraaier
– *percussion screwdriver*
7 de slijpmachine
– *pedestal grinding machine (floor grinding machine)*
8 de slijpschijf
– *grinding wheel*
9 de beschermkap
– *guard*
10 de aanhanger (aanhangwagen)
– *trailer*
11 de remtrommel
– *brake drum*
12 de remschoen
– *brake shoe*
13 de remvoering
– *brake lining*
14 de meetkoffer
– *testing kit*
15 de manometer
– *pressure gauge (*Am. *gage)*
16 de remproefstand, een rollenbank
– *brake-testing equipment, a rolling road*
17 de werkkuil
– *pit*
18 de rol
– *braking roller*
19 de recorder
– *meter (recording meter)*
20 de remtrommeldraaibank
– *precision lathe for brake drums*
21 het personenwagenwiel
– *lorry wheel*
22 de kolomboormachine
– *boring mill*
23 de beugelzaagmachine
– *power hacksaw, a power saw*
24 de spaninrichting (spanklem)
– *vice (*Am. *vise)*
25 de zaagbeugel
– *saw frame*
26 de koelmiddeltoevoer
– *coolant supply pipe*
27 de klinkmachine
– *riveting machine*
28 het aanhangwagenchassis in aanbouw
– *trailer frame (chassis) under construction*
29 het inertgas-lasapparaat
– *inert-gas welding equipment*
30 de gelijkrichter
– *rectifier*
31 de besturingskast
– *control unit*
32 de CO_2-fles
– *CO_2 cylinder*
33 het aanbeeld (aambeeld)
– *anvil*
34 de smidshaard (smidse) met het smidsvuur
– *hearth (forge) with blacksmith's fire*
35 de autogeenlaswagen
– *trolley for gas cylinders*
36 het voertuig in reparatie, een trekker (tractor)
– *vehicle under repair, a tractor*

139 Vrij- en matrijssmeden

1 de roosterdoorloopoven voor het voorverhitten van rond materiaal
- *continuous furnace with grid hearth for annealing of round stock*
2 de losopening
- *discharge opening (discharge door)*
3 de gasbranders
- *gas burners*
4 de laaddeur
- *charging door*
5 de dubbele smeedhamer
- *counterblow hammer*
6 de bovenram
- *upper ram*
7 de onderram
- *lower ram*
8 de ramgeleiding
- *ram guide*
9 de hydraulische aandrijving
- *hydraulic drive*
10 de kolom
- *column*
11 de korteslagvalhamer
- *short-stroke drop hammer*
12 de ram
- *ram (tup)*
13 de bovenmatrijs
- *upper die block*
14 de ondermatrijs
- *lower die block*
15 de hydraulische aandrijving
- *hydraulic drive*
16 het frame
- *frame*
17 het aanbeeldbed (aambeeldbed, aanbeeld, aambeeld)
- *anvil*
18 de matrijssmeed- en kaliberpers
- *forging and sizing press*
19 het machineframe
- *standard*
20 de tafel
- *table*
21 de lamellenkoppeling
- *disc (disk) clutch*
22 de persluchtleiding
- *compressed-air pipe*
23 de magneetklep
- *solenoid valve*
24 de pneumatische hamer
- *air-lift gravity hammer (air-lift drop hammer)*
25 de aandrijfmotor
- *drive motor*
26 de ram
- *hammer (tup)*
27 de voetbediening
- *foot control (foot pedal)*
28 het voorgevormde werkstuk
- *preshaped (blocked) workpiece*
29 de blokgeleiding
- *hammer guide*
30 de ramcilinder
- *hammer cylinder*
31 het aanbeeldbed (aambeeldbed)
- *anvil*
32 de smeedstukmanipulator
- *mechanical manipulator to move the workpiece in hammer forging*
33 de tang
- *dogs*
34 het contragewicht
- *counterweight*
35 de hydraulische smeedpers
- *hydraulic forging press*
36 de perskop
- *crown*
37 de dwarsbalk
- *cross head*
38 het bovenste smeedblok
- *upper die block*
39 het onderste smeedblok
- *lower die block*
40 het aanbeeldbed (aambeeldbed, onderaanbeeld, onderaambeeld)
- *anvil*
41 de hydraulische zuiger
- *hydraulic piston*
42 de geleidingskolommen
- *pillar guide*
43 de wentelinrichting
- *rollover device*
44 de draagketting
- *burden chain (chain sling)*
45 de kraanhaak
- *crane hook*
46 het werkstuk
- *workpiece*
47 de gasgestookte smeedoven
- *gas furnace (gas-fired furnace)*
48 de gasbrander
- *gas burner*
49 de ovendeur
- *charging opening*
50 het kettinggordijn
- *chain curtain*
51 de verticale schuifdeur
- *vertical-lift door*
52 de heteluchtleiding
- *hot-air duct*
53 de luchtvoorverhitter
- *air preheater*
54 de gastoevoer
- *gas pipe*
55 de deurhefinrichting
- *electric door-lifting mechanism*
56 het luchtgordijn
- *air blast*

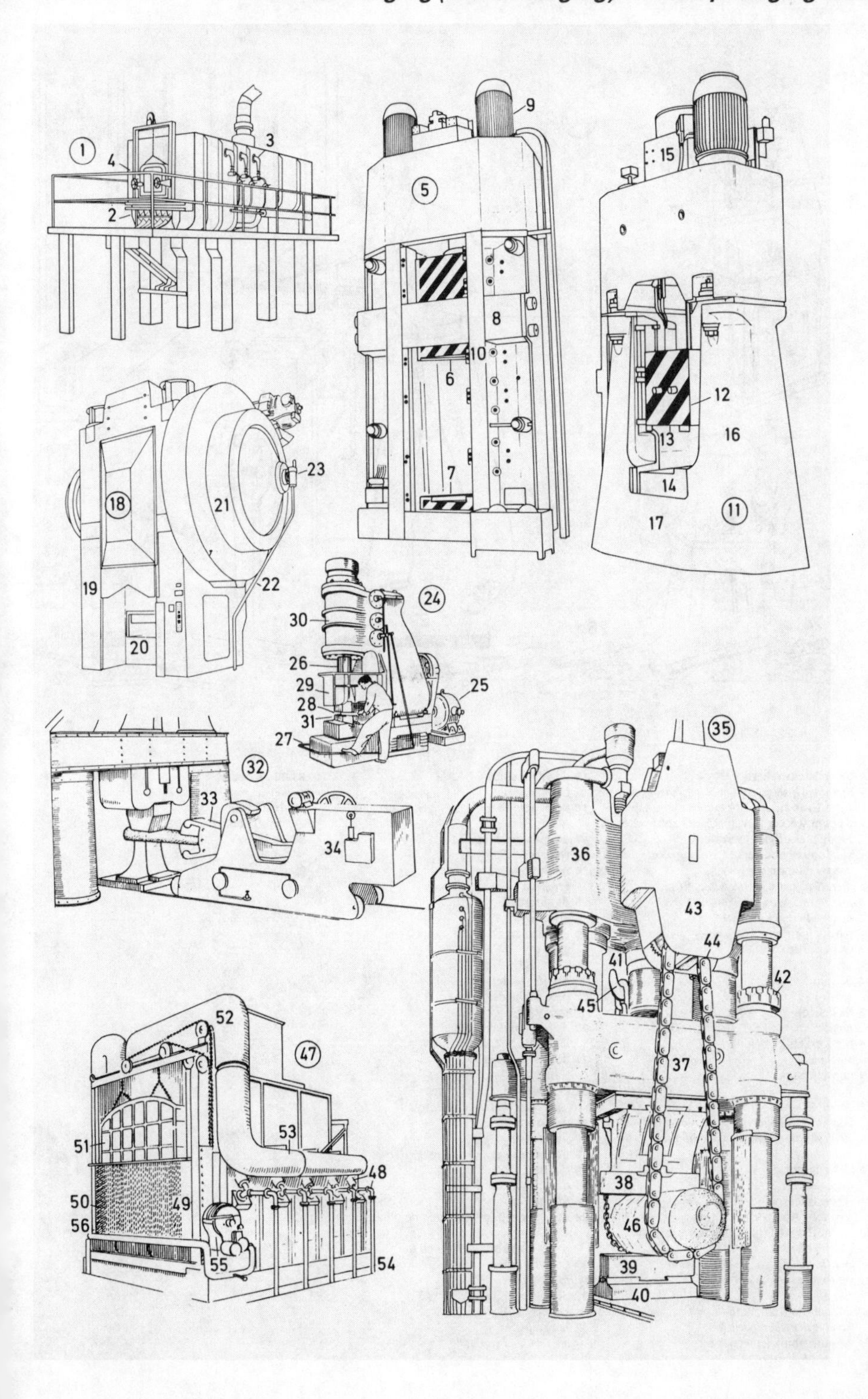
1
2
3
4
5
6
7
8
9
10
11
12
13
14
15
16
17
18
19
20
21
22
23
24
25
26
27
28
29
30
31
32
33
34
35
36
37
38
39
40
41
42
43
44
45
46
47
48
49
50
51
52
53
54
55
56

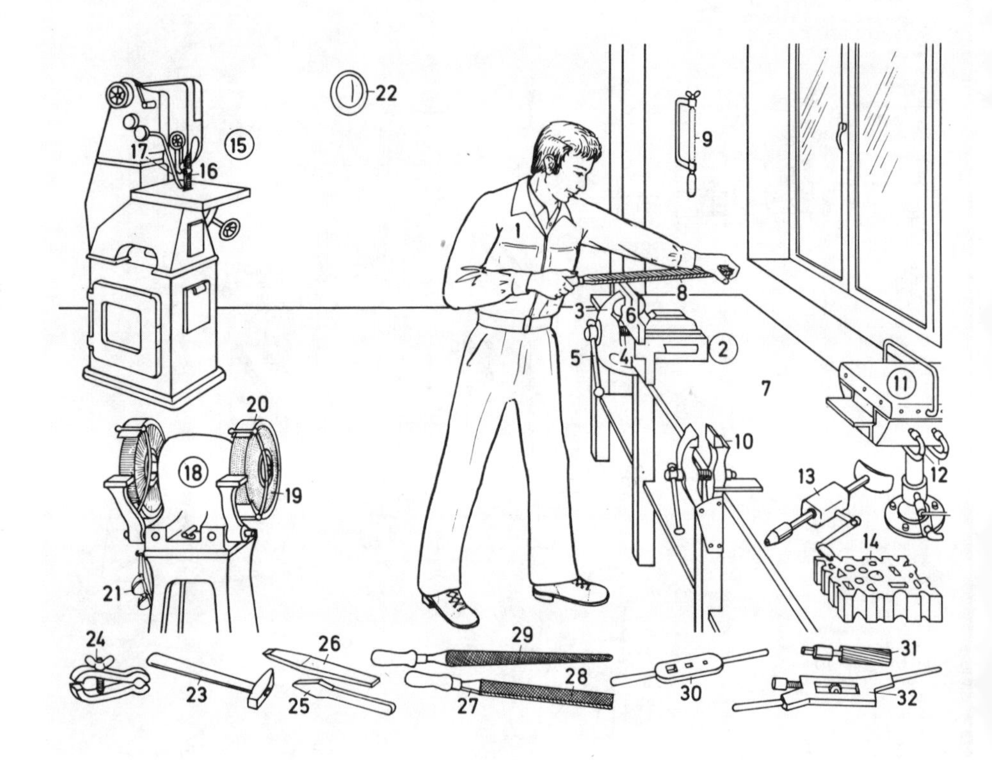

1-22 de bankwerkerij
- ***metalwork shop,*** e.g. *mechanic's workshop, fitter's workshop, locksmith's workshop*

1 de bankwerker (b.v. machinebankwerker, loodgieter of gas- en waterfitter, staalbouwbankwerker, slotenmaker), een constructiewerker
- *metalworker,* e.g. *mechanic, fitter, locksmith, wrought-iron craftsman*

2 de parallelbankschroef
- *parallel-jaw vice (*Am. *vise)*

3 de bek
- *jaw*

4 de spindel
- *screw*

5 de knevel
- *handle*

6 het werkstuk
- *workpiece*

7 de werkbank
- *workbench (bench)*

8 de vijl (*soorten:* grove (ruwe) vijl, bastaardvijl, zoetvijl, fijne zoetvijl)
- *files;* kinds: *rough file, smooth file, precision file*

9 de beugelzaag
- *hacksaw*

10 de bankschroef
- *leg vice (*Am. *vise), a spring vice*

11 de moffeloven (hardingsoven), een gassmeedoven
- *muffle furnace, a gas-fired furnace*

12 de gastoevoer
- *gas pipe*

13 de handboormachine
- *hand brace (hand drill)*

14 het gatenblok (smeedzadel)
- *swage block*

15 de vijlmachine
- *filing machine*

16 de bandvijl
- *file*

17 de spanenblaaspijp
- *compressed-air pipe*

18 de slijpmachine
- *grinding machine (grinder)*

19 de slijpschijf
- *grinding wheel*

20 de beschermkap
- *guard*

21 de veiligheidsbril
- *goggles (safety glasses)*

22 de veiligheidshelm
- *safety helmet*

23 de bankwerkershamer
- *machinist's hammer*

24 de handschroef
- *hand vice (*Am. *vise)*

25 de ritsbeitel
- *cape chisel (cross-cut chisel)*

26 de vlakke beitel
- *flat chisel*

27 de vlakke vijl
- *flat file*

28 de vijlkapping
- *file cut (cut)*

29 de ronde vijl (rattestaart); *ook:* halfronde vijl
- *round file;* also: *half-round file*

30 het wringijzer
- *tap wrench*

31 de ruimer
- *reamer*

32 het snij-ijzer
- *die (die and stock)*

33-35 de sleutel
- ***key***

33 de schacht
- *stem (shank)*

34 de greep
- *bow*

35 de baard
- *bit*

36-43 het deurslot, een insteekslot
– door lock, a mortise (mortice) lock
36 de grondplaat
– back plate
37 de dagschoot
– spring bolt (latch bolt)
38 de tuimelaar
– tumbler
39 de nachtschoot
– bolt
40 het sleutelgat
– keyhole
41 de geleidepen
– bolt guide pin
42 de tuimelaarveer
– tumbler spring
43 de haan met vierkant gat
– follower, with square hole
44 het cilinderslot
– cylinder lock (safety lock)
45 de cilinder
– cylinder (plug)
46 de veer
– spring
47 de arrêteerstift
– pin
48 de cilindersleutel
– safety key, a flat key
49 de paumelle
– lift-off hinge
50 het haakse opzetscharnier
– hook-and-ride band
51 het (stift)geheng
– strap hinge
52 de schuifmaat
– *vernier calliper (caliper) gauge (*Am. *gage)*
53 de voelermaatjes
– *feeler gauge (*Am. *gage)*
54 de diepteschuifmaat
– *vernier depth gauge (*Am. *gage)*
55 de nonius
– vernier
56 de haarliniaal
– straightedge
57 de winkelhaak
– square
58 de booromslag
– breast drill
59 de spiraalboor
– twist bit (twist drill)
60 de (draad)tap
– screw tap (tap)
61 de snij-ijzerbekken
– halves of a screw die
62 de schroevedraaier
– screwdriver
63 het schraapstaal (*ook:* driekantschraapstaal)
– *scraper;* also: *pointed triangle scraper*
64 de centerpons
– *centre (*Am. *center) punch*
65 de doorslag
– round punch
66 de platbektang
– flat-nose pliers
67 de kopkniptang
– detachable-jaw cut nippers
68 de pijptang
– gas pliers
69 de nijptang
– pincers

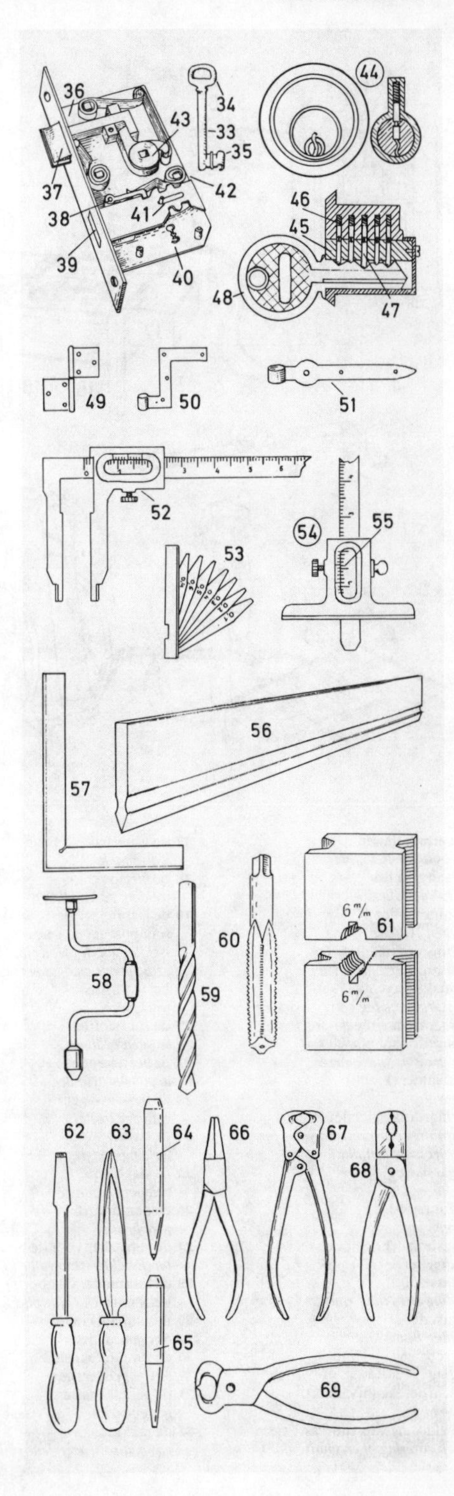

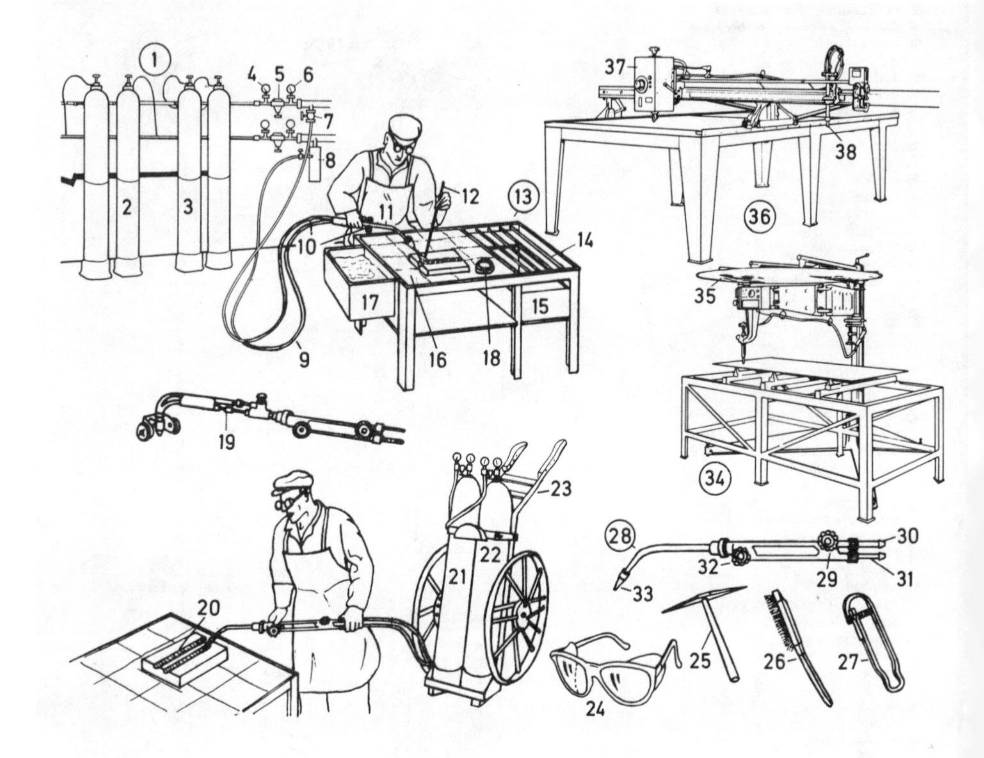

1 de batterij flessen
- *gas cylinder manifold*

2 de acetyleenfles
- *acetylene cylinder*

3 de zuurstoffles
- *oxygen cylinder*

4 de hogedrukmanometer
- *high-pressure manometer*

5 het reduceerventiel
- *pressure-reducing valve (reducing valve, pressure regulator)*

6 de lagedrukmanometer
- *low-pressure manometer*

7 de afsluiter (kraan)
- *stop valve*

8 het lagedrukwaterslot
- *hydraulic back-pressure valve for low-pressure installations*

9 de gasslang
- *gas hose*

10 de zuurstofslang
- *oxygen hose*

11 de lasbrander (lastoorts)
- *welding torch (blowpipe)*

12 de lasstaaf
- *welding rod (filler rod)*

13 de lastafel
- *welding bench*

14 het rooster
- *grating*

15 de schrootbak (afvalbak)
- *scrap box*

16 de bekleding van vuurvaste steen
- *bench covering of chamotte slabs*

17 de waterbak
- *water tank*

18 de laspasta
- *welding paste (flux)*

19 de lasbrander (lastoorts) met snijapparaat en geleidingswagen
- *welding torch (blowpipe) with cutting attachment and guide tractor*

20 het werkstuk
- *workpiece*

21 de zuurstoffles
- *oxygen cylinder*

22 de acetyleenfles
- *acetylene cylinder*

23 de flessenwagen
- *cylinder trolley*

24 de lasbril
- *welding goggles*

25 de slakhamer
- *chipping hammer*

26 de draadborstel
- *wire brush*

27 de aansteker voor de brander
- *torch lighter (blowpipe lighter)*

28 de lasbrander (lastoorts)
- *welding torch (blowpipe)*

29 de zuurstofkraan
- *oxygen control*

30 de zuurstofaansluiting
- *oxygen connection*

31 de gasaansluiting
- *gas connection (acetylene connection)*

32 de gaskraan
- *gas control (acetylene control)*

33 het lasmondstuk
- *welding nozzle*

34 de snijbrandmachine
- *cutting machine*

35 de ronde mal
- *circular template*

36 de universele snijbrandmachine
- *universal cutting machine*

37 de besturingskop
- *tracing head*

38 het mondstuk van de brander
- *cutting nozzle*

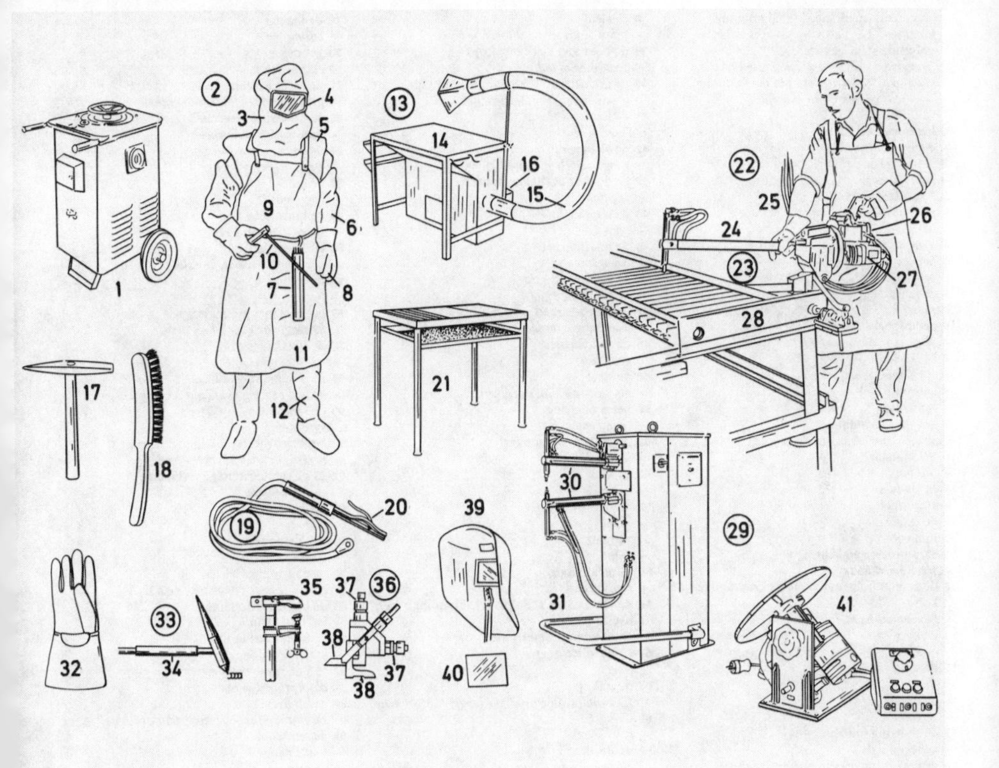

1 de lastransformator
– *welding transformer*
2 de elektrische lasser (booglasser)
– *arc welder*
3 de lashelm
– *arc welding helmet*
4 het kijkglas
– *flip-up window*
5 de schouderbescherming
– *shoulder guard*
6 de mouwbescherming
– *protective sleeve*
7 de koker met elektroden
– *electrode case*
8 de drievingerige lashandschoen
– *three-fingered welding glove*
9 de lastang (elektrodehouder)
– *electrode holder*
10 de laselektrode
– *electrode*
11 het leren voorschoot
– *leather apron*
12 de scheenbescherming
– *shin guard*
13 de lastafel met afzuiging
– *welding table with fume extraction equipment*
14 het werkvlak
– *table top*
15 de beweegbare afvoer
– *movable extractor duct*
16 de aansluiting voor de afvoer
– *extractor support*
17 de slakhamer
– *chipping hammer*
18 de staalborstel
– *wire brush*
19 de laskabel
– *welding lead*
20 de elektrodenhouder
– *electrode holder*
21 de lastafel
– *welding bench*
22 het puntlassen
– *spot welding*
23 de puntlastang
– *spot welding electrode holder*
24 de elektrodearm
– *electrode arm*
25 de stroomtoevoer (aansluitkabel)
– *lead*
26 de cilinder voor de elektrodendruk
– *electrode-pressure cylinder*
27 de lastransformator
– *welding transformer*
28 het werkstuk
– *workpiece*
29 de puntlasmachine met voetbediening
– *foot-operated spot welder*
30 de lasarmen
– *welder electrode arms*
31 de voetbeugel voor de elektrodendruk
– *foot pedal for welding pressure adjustment*
32 de vijfvingerige lashandschoen
– *five-fingered welding glove*
33 de lasbrander voor lassen onder gasatmosfeer; *ook:* onder beschermgas (lassen met inertgas)
– *inert-gas torch for inert-gas welding (gas-shielded arc welding)*
34 de toevoer van beschermgas
– *inert-gas (shielding-gas) supply*
35 de werkstuktang (aardingsklem)
– *work clamp, an earthing clamp*
36 de hoeklasmeter
– *fillet gauge (*Am. *gage) (weld gauge) [for measuring throat thickness]*
37 de schroef voor precisiemetingen
– *micrometer*
38 het meetbeen
– *measuring arm*
39 de laskap
– *arc welding helmet*
40 het glas
– *filter lens*
41 de kleine lasdraaitafel
– *small turntable*

143 Profielen, schroeven en machine-onderdelen

[materiaal: staal, messing, aluminium, kunststof, enz.; als voorbeeld is in het volgende staal gekozen]
*[material: steel, brass, aluminium (*Am. *aluminum), plastics, etc.; in the following, steel was chosen as an example]*

1 het hoekstaal
- *angle iron (angle)*
2 het been (de flens)
- *leg (flange)*
3-7 constructiestaal
- ***steel girders***
3 het T-staal
- *T-iron (tee-iron)*
4 het verticale been
- *vertical leg*
5 de flens
- *flange*
6 het dubbele-T-staal
- *H-girder (H-beam)*
7 het U-staal
- *E-channel (channel iron)*
8 het rondstaal
- *round bar*
9 het vierkantstaal
- *square iron (*Am. *square stock)*
10 het platstaal
- *flat bar*
11 het bandstaal
- *strip steel*
12 de staaldraad
- *iron wire*
13-50 schroeven en bouten
- ***screws and bolts***
13 de zeskantbout, een bout met zeskantige kop
- *hexagonal-head bolt*
14 de kop
- *head*
15 de schacht
- *shank*
16 de draad
- *thread*
17 de sluitring (onderlegring)
- *washer*
18 de zeskantmoer, een zeskantige moer
- *hexagonal nut*
19 de splitpen
- *split pin*
20 het ronde eind
- *rounded end*
21 de wijdte van de sleutel
- *width of head (of flats)*
22 het tapeind; *geheel met draad:* de tapbout
- *stud*
23 het eind
- *point (end)*
24 de kroonmoer
- *castle nut (castellated nut)*
25 het gat voor de splitpen
- *hole for the split pin*
26 de kruiskopschroef, een plaatschroef; *ook:* zelftappende schroef, zelftapper
- *cross-head screw, a sheet-metal screw (self-tapping screw)*
27 de schroef met binnenzeskant (inbus), cilinderkopschroef
- *hexagonal socket head screw*
28 de bout met verzonken kop
- *countersunk-head bolt*
29 de neus (nok)
- *catch*
30 de contramoer
- *locknut (locking nut)*
31 de tap
- *bolt (pin)*
32 de kraagbout
- *collar-head bolt*
33 de kraag
- *set collar (integral collar)*
34 de veerring (verende onderlegring)
- *spring washer (washer)*
35 de ronde moer, een stelmoer (regelmoer)
- *round nut, an adjusting nut*
36 de cilinderkopschroef, een schroef met sleuf
- *cheese-head screw, a slotted screw*
37 de conische borgstift
- *tapered pin*
38 de sleuf
- *screw slot (screw slit, screw groove)*
39 de bout met vierkante kop
- *square-head bolt*
40 de gekerfde stift, een cilindrische stift
- *grooved pin, a cylindrical pin*
41 de hamerkopbout
- *T-head bolt*
42 de vleugelmoer
- *wing nut (fly nut, butterfly nut)*
43 de dookbout (hakkelbout)
- *rag bolt*
44 de weerhaak
- *barb*
45 de houtschroef
- *wood screw*
46 de verzonken kop
- *countersunk head*
47 de schroefdraad voor hout
- *wood screw thread*
48 de stelschroef
- *grub screw*
49 de sleuf
- *pin slot (pin slit, pin groove)*
50 het ronde eind
- *round end*
51 de spijker (draadnagel)
- *wire nail*
52 de kop
- *head*
53 de steel (schacht)
- *shank*
54 de punt
- *point*
55 de asfaltnagel
- *roofing nail*
56 de verklinking (klinknagelverbinding); *hier:* overlapping
- *riveting;* here: *lap riveting*
57-60 de klinknagel
- ***rivet***
57 de zetkop
- *set head (swage head, die head), a rivet head*
58 de steel
- *rivet shank*
59 de sluitkop
- *closing head*
60 de nagelsteek
- *pitch of rivets*
61 de as
- *shaft*
62 de afkanting (schuine kant)
- *chamfer (bevel)*
63 de tap
- *journal*
64 de hals
- *neck*
65 de zitting
- *seat*
66 de spiebaan (spiegleuf, spiesleuf)
- *keyway*
67 de conus
- *conical seat (cone)*
68 de draad
- *thread*
69 de, het kogellager, een wentellager
- *ball bearing, an antifriction bearing*
70 de stalen kogel
- *steel ball (ball)*
71 de buitenloopring
- *outer race*
72 de binnenloopring
- *inner race*
73-74 de inlegspieën
- ***keys***
73 de inlegspie (veer)
- *sunk key (feather)*
74 de kopspie (neuswig)
- *gib (gib-headed key)*
75-76 het naaldlager
- ***needle roller bearing***
75 de naaldkooi
- *needle cage*
76 de naald
- *needle*
77 de kroonmoer
- *castle nut (castellated nut)*
78 de splitpen
- *split pin*
79 de mantel
- *casing*
80 het deksel
- *casing cover*
81 de (druk)smeernippel
- *grease nipple (lubricating nipple)*
82-96 tandwielen (vertandingen)
- ***gear wheels, cog wheels***
82 de getrapte tandwielen
- *stepped gear wheel*
83 de tand
- *cog (tooth)*
84 de kuilwijdte
- *space between teeth*
85 de spiegroef
- *keyway (key seat, key slot)*
86 de boring
- *bore*
87 het wiel met pijltanden
- *herringbone gear wheel*
88 de spaak
- *spokes (arms)*
89 de schuine vertanding
- *helical gearing (helical spur wheel)*
90 de tandkrans
- *sprocket*
91 het kegelwiel (conische tandwiel)
- *bevel gear wheel (bevel wheel)*
92-93 de schroefvormige vertanding
- ***spiral toothing***
92 het rondsel
- *pinion*
93 het kroonwiel
- *crown wheel*
94 de planeettandwielen
- *epicyclic gear (planetary gear)*
95 de binnenvertanding
- *internal toothing*
96 de buitenvertanding
- *external toothing*
97-107 de remdynamometer
- ***absorption dynamometer***
97 de blokrem
- *shoe brake (check brake, block brake)*
98 de remschijf
- *brake pulley*
99 de remas
- *brake shaft (brake axle)*
100 het remblok (de remschoen)
- *brake block (brake shoe)*
101 de trekstang
- *pull rod*
102 de remmagneet
- *brake magnet*
103 het remgewicht
- *brake weight*
104 de bandrem
- *band brake*
105 de remband
- *brake band*
106 de remvoering
- *brake lining*
107 de stelschroef voor het gelijkmatig lossen van de rem
- *adjusting screw, for even application of the brake*

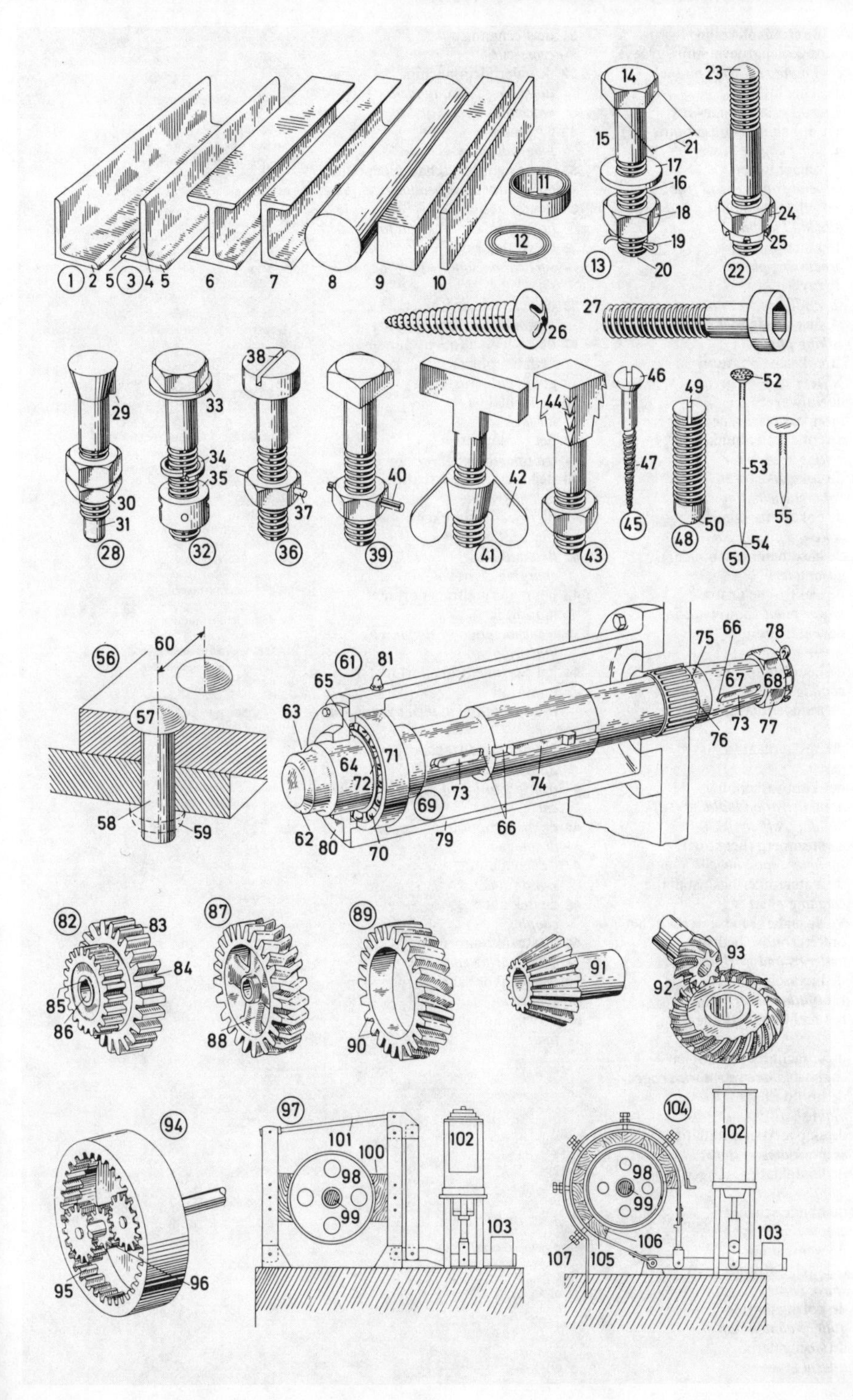
1 2 5 3 4 5 6 7 8 9 10 11 12 13 14 15 16 17 18 19 20 21 22 23 24 25 26 27 28 29 30 31 32 33 34 35 36 37 38 39 40 41 42 43 44 45 46 47 48 49 50 51 52 53 54 55 56 57 58 59 60 61 62 63 64 65 66 67 68 69 70 71 72 73 74 75 76 77 78 79 80 81 82 83 84 85 86 87 88 89 90 91 92 93 94 95 96 97 98 99 100 101 102 103 104 105 106 107

1-51 de steenkolenmijn (steenkolengroeve, mijn, groeve)
- ***coal mine*** *(colliery, pit)*

1 de schachtbok
- *pithead gear (headgear)*

2 het ophaalmachinegebouw
- *winding engine house*

3 de schachttoren
- *pithead frame (head frame)*

4 het schachtgebouw
- *pithead building*

5 de kolenwasserij
- *processing plant*

6 de zagerij
- *sawmill*

7-11 de cokesfabriek
- ***coking plant***

7 de cokesovenbatterij
- *battery of coke ovens*

8 de vulwagen
- *larry car (larry, charging car)*

9 de cokeskolenbunker
- *coking coal tower*

10 de cokesblustoren
- *coke-quenching tower*

11 de cokesbluswagen
- *coke-quenching car*

12 de gasometer (gashouder)
- *gasometer*

13 de elektrische centrale
- *power plant (power station)*

14 de watertoren
- *water tower*

15 de koeltoren
- *cooling tower*

16 de mijnventilator
- *mine fan*

17 de opslagplaats
- *depot*

18 het kantoorgebouw
- *administration building (office building, offices)*

19 de steenberg (het stort)
- *tip heap (spoil heap)*

20 de waterzuiveringsinstallatie
- *cleaning plant*

21-51 de ondergrondse werken (het ondergrondse bedrijf)
- ***underground workings***

21 de luchtschacht
- *ventilation shaft*

22 het luchtschachtkanaal
- *fan drift*

23 de schacht met liftkooien
- *cage-winding system with cages*

24 de hoofdschacht
- *main shaft*

25 de skipvervoerinstallatie
- *skip-winding system*

26 de laadplaats
- *winding inset*

27 de blinde schacht
- *staple shaft*

28 de wentelgoot (wentelgootproduktie)
- *spiral chute*

29 de kolengalerij
- *gallery along seam*

30 de steengalerij
- *lateral*

31 de steengang
- *cross-cut*

32 de galerijdrijfmachine
- *tunnelling (*Am. *tunneling) machine*

33-37 pijlers
- ***longwall faces***

33 de horizontale schaafploegpijler
- *horizontal ploughed longwall face*

34 de horizontale kerfpijler
- *horizontal cut longwall face*

35 de verticale delfhamerpijler
- *vertical pneumatic pick longwall face*

36 de verticale drijfpijler
- *diagonal ram longwall face*

37 de oudeman (openstaande verlaten pijler)
- *goaf (gob, waste)*

38 de luchtsluis
- *air lock*

39 het personentransport
- *transportation of men by cars*

40 de kolentransportbanden
- *belt conveying*

41 de ruwkolenbunker
- *raw coal bunker*

42 de laadband
- *charging conveyor*

43 het materiaaltransport met monorail
- *transportation of supplies by monorail car*

44 het personentransport met monorail
- *transportation of men by monorail car*

45 het materiaaltransport met mijnwagen
- *transportation of supplies by mine car*

46 de drooghouding
- *drainage*

47 de schachtput
- *sump (sink)*

48 de deklagen
- *capping*

49 de steenkoolformatie
- *coal-bearing rock*

50 de steenkoollaag
- *coal seam*

51 de verschuiving
- *fault*

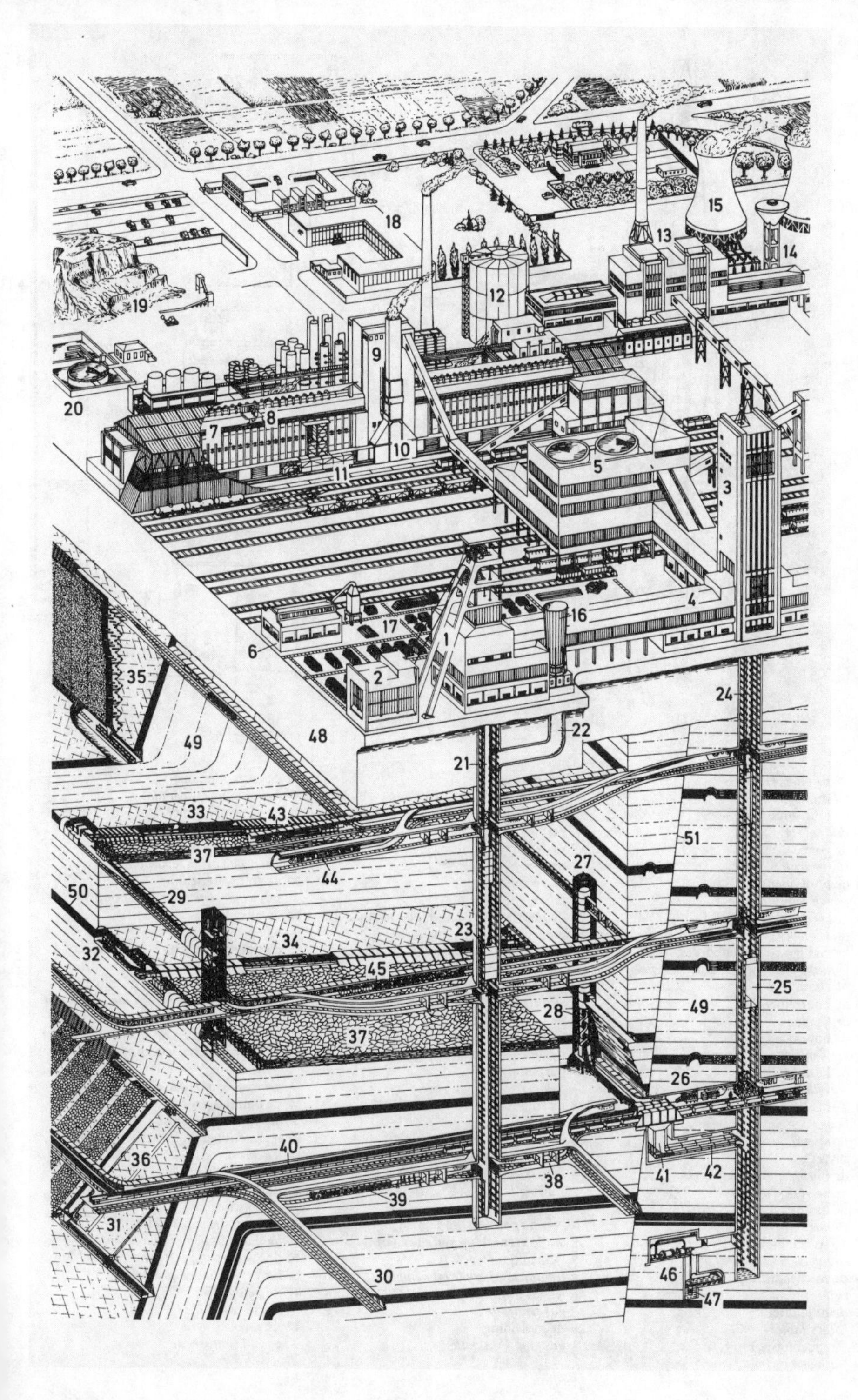
18
15
13
14
19
12
9
20
8
7
10
5
11
3
4
16
17
1
6
2
35
24
49
48
22
21
33
43
51
37
44
27
50
29
23
34
32
45
25
28
49
37
26
40
36
38
41
42
39
31
30
46
47

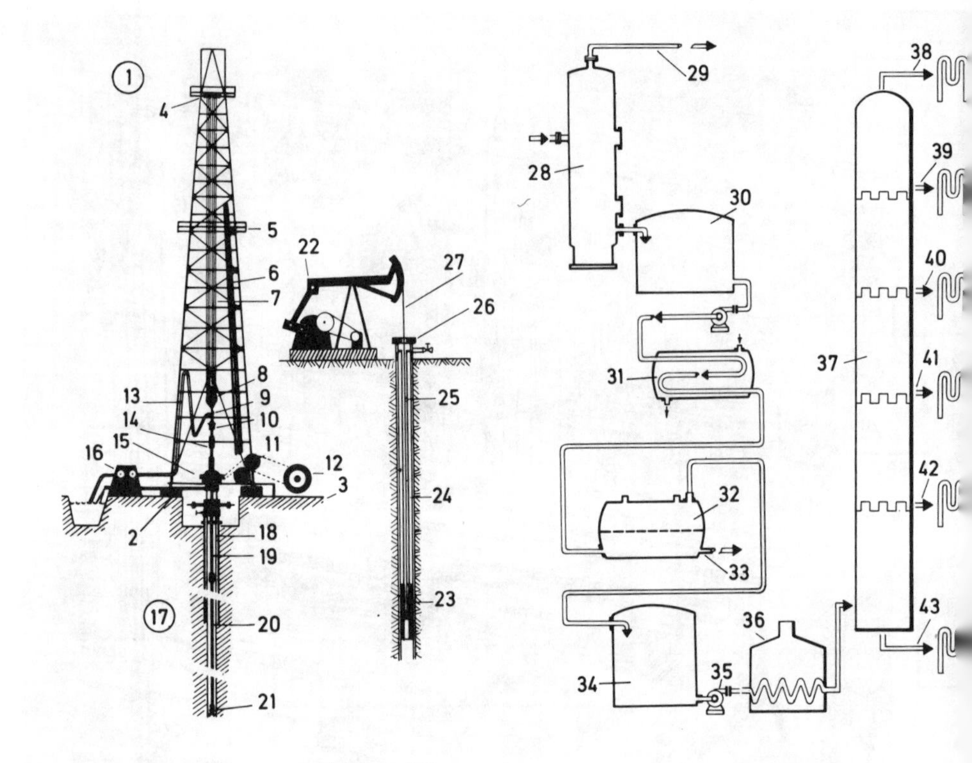

1-21 de olieboring
- ***oil drilling***

1 de boortoren
- *drilling rig*

2 de voet
- *substructure*

3 de boorvloer
- *crown safety platform*

4 het kroonblok
- *crown blocks*

5 het veiligheidskroonbordes
- *working platform, an intermediate platform*

6 de boorpijpen
- *drill pipes*

7 de boorkabel
- *drilling cable (drilling line)*

8 de katrol
- *travelling (*Am. *traveling) block*

9 de haak
- *hook*

10 de spoelkop
- *swivel*

11 de hijsinstallatie, een lier
- *draw works, a hoist*

12 de motor
- *engine*

13 de spoelingsslang
- *standpipe and rotary hose*

14 de meeneemstang
- *kelly*

15 de draaitafel
- *rotary table*

16 de spoelingspomp
- *slush pump (mud pump)*

17 het boorgat
- *well*

18 de leibuis
- *casing*

19 de boorpijpen
- *drilling pipe*

20 de verbuizing
- *tubing*

21 de boorbeitel; *soorten:* visstaartbeitel, holle beitel, kernbeitel
- *drilling bit;* kinds: *fishtail (blade) bit, rock (*Am. *roller) bit, core bit*

22-27 de aardoliewinning
- ***oil (crude oil) production***

22 de pompinstallatie
- *pumping unit (pump)*

23 de boorgatpomp (diepbronpomp, putpomp)
- *plunger*

24 de stijgbuizen
- *tubing*

25 de pompstangen
- *sucker rods (pumping rods)*

26 de pakkingbus
- *stuffing box*

27 de gepolijste stang
- *polish (polished) rod*

28-35 de verwerking van ruwe olie [schema]
- ***treatment of crude oil*** *[diagram]*

28 de gasafscheider
- *gas separator*

29 de gasleiding
- *gas pipe (gas outlet)*

30 de natte-olietank
- *wet oil tank (wash tank)*

31 de voorverwarmer
- *water heater*

32 de water- en zoutscheider
- *water and brine separator*

33 de zoutwaterleiding
- *salt water pipe (salt water outlet)*

34 de olietank
- *oil tank*

35 de transportleiding voor zuivere olie [naar de raffinaderij of voor transport per tanker, tankwagen of pijpleiding]
- *trunk pipeline for oil [to the refinery or transport by tanker lorry (*Am. *tank truck), oil tanker, or pipeline]*

36-64 het raffineren van ruwe olie [schema]
- ***processing of crude oil*** *[diagram]*

36 de buizenoven
- *oil furnace (pipe still)*

37 de fractioneerkolom met schotels
- *fractionating column (distillation column) with trays*

38 de topgassen
- *top gases (tops)*

39 de lichte-benzinefractie
- *light distillation products*

40 de zware-benzinefractie
- *heavy distillation products*

41 de petroleum
- *petroleum*

42 de gasoliefractie
- *gas oil component*

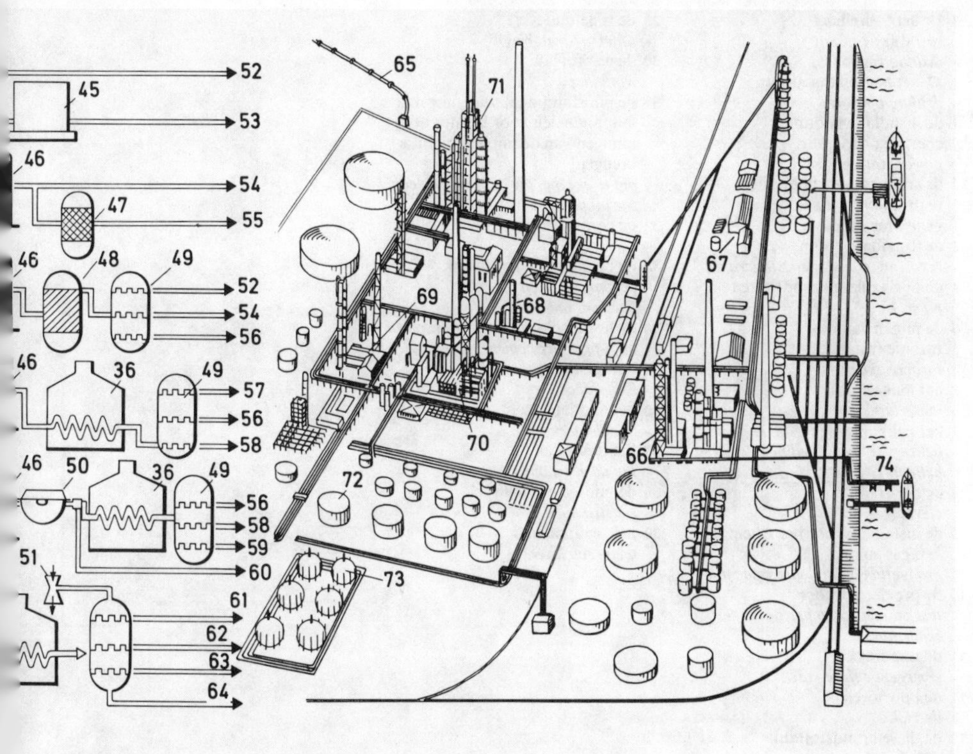

43 het residu
– *residue*
44 de koelinstallatie (koeling)
– *condenser (cooler)*
45 de compressor
– *compressor*
46 de ontzwavelingsinstallatie
– *desulphurizing (desulphurization,* Am. *desulfurizing, desulfurization) plant*
47 de reformer
– *reformer (hydroformer, platformer)*
48 de katalytische kraakinstallatie
– *catalytic cracker (cat cracker)*
49 de fractioneerkolom
– *distillation column*
50 de ontparaffinering
– *de-waxing (wax separation)*
51 de vacuüminstallatie
– *vacuum equipment*
52-64 aardolieprodukten
– ***oil products***
52 het stookgas
– *fuel gas*
53 het LPG
– *liquefied petroleum gas (liquid gas)*
54 de normale benzine
– *regular grade petrol (*Am. *gasoline)*
55 de superbenzine
– *super grade petrol (*Am. *gasoline)*
56 de dieselolie
– *diesel oil*
57 de kerosine
– *aviation fuel*
58 de lichte stookolie
– *light fuel oil*
59 de zware stookolie
– *heavy fuel oil*
60 de paraffine
– *paraffin (paraffin oil, kerosene)*
61 de spindelolie
– *spindle oil*
62 de smeerolie
– *lubricating oil*
63 de cilinderolie
– *cylinder oil*
64 het bitumen
– *bitumen*
65-74 de olieraffinaderij
– ***oil refinery***
65 de pijpleiding
– *pipeline (oil pipeline)*
66 de destillatie-installatie
– *distillation plants*
67 de smeerolieraffinaderij
– *lubricating oil refinery*
68 de ontzwavelingsinstallatie
– *desulphurizing (desulphurization,* Am. *desulfurizing, desulfurization) plant*
69 de gasafscheidingsinstallatie
– *gas-separating plant*
70 de katalytische kraakinstallatie
– *catalytic cracking plant*
71 de katalytische reformer
– *catalytic reformer*
72 de opslagtank
– *storage tank*
73 de ronde tank
– *spherical tank*
74 de oliehaven (olieterminal)
– *tanker terminal*

1-39 het booreiland (produktie-eiland)
- ***drilling rig*** *(oil rig)*

1-37 het boortorenplatform
- ***drilling platform***

1 de installatie voor de energievoorziening
- *power station*

2 de schoorstenen voor de verbrandingsgassen
- *generator exhausts*

3 de draaibare kraan
- *revolving crane (pedestal crane)*

4 de opslagplaats voor buizen
- *piperack*

5 de pijpen van de turbine-installatie
- *turbine exhausts*

6 het magazijn
- *materials store*

7 het helikopterdek
- *helicopter deck (heliport deck, heliport)*

8 de lift
- *elevator*

9 de installatie voor het scheiden van gas en olie
- *production oil and gas separator*

10 de proefseparators
- *test oil and gas separators (test separators)*

11 de noodfakkel
- *emergency flare stack*

12 de boortoren
- *derrick*

13 de dieselbrandstoftank
- *diesel tank*

14 het kantoorgedeelte
- *office building*

15 de cementvoorraadtanks
- *cement storage tanks*

16 de drinkwatertank
- *drinking water tank*

17 de zoutwatertank
- *salt water tank*

18 de tanks voor helikopterbrandstof
- *jet fuel tanks*

19 de redding(s)boten
- *lifeboats*

20 de liftkoker
- *elevator shaft*

21 het persluchtreservoir
- *compressed-air reservoir*

22 de pompkamer
- *pumping station*

23 de luchtcompressor
- *air compressor*

24 de inrichting voor luchtbehandeling
- *air lock*

25 de installatie voor het ontzouten van zeewater
- *seawater desalination plant*

26 de filterinstallatie voor dieselbrandstof
- *inlet filters for diesel fuel*

27 het gaskoelaggregaat
- *gas cooler*

28 het bedieningspaneel voor de scheidingsinstallatie
- *control panel for the separators*

29 de toiletten
- *toilets (lavatories)*

30 de werkplaats
- *workshop*

31 de pijpsluis [maakt het mogelijk hulpmiddelen voor hetinwendig reinigen van de pijpleiding in te brengen]
- *pig trap [the 'pig' is used to clean the oil pipeline]*

32 de controlekamer
- *control room*

33 de bemanningsverblijven
- *accommodation modules (accommodation)*

34 de hogedrukcementatiepompen
- *high-pressure cementing pumps*

35 het onderdek
- *lower deck*

36 het middendek
- *middle deck*

37 het bovendek
- *top deck (main deck)*

38 de pootconstructie
- *substructure*

39 het zeeoppervlak
- *mean sea level*

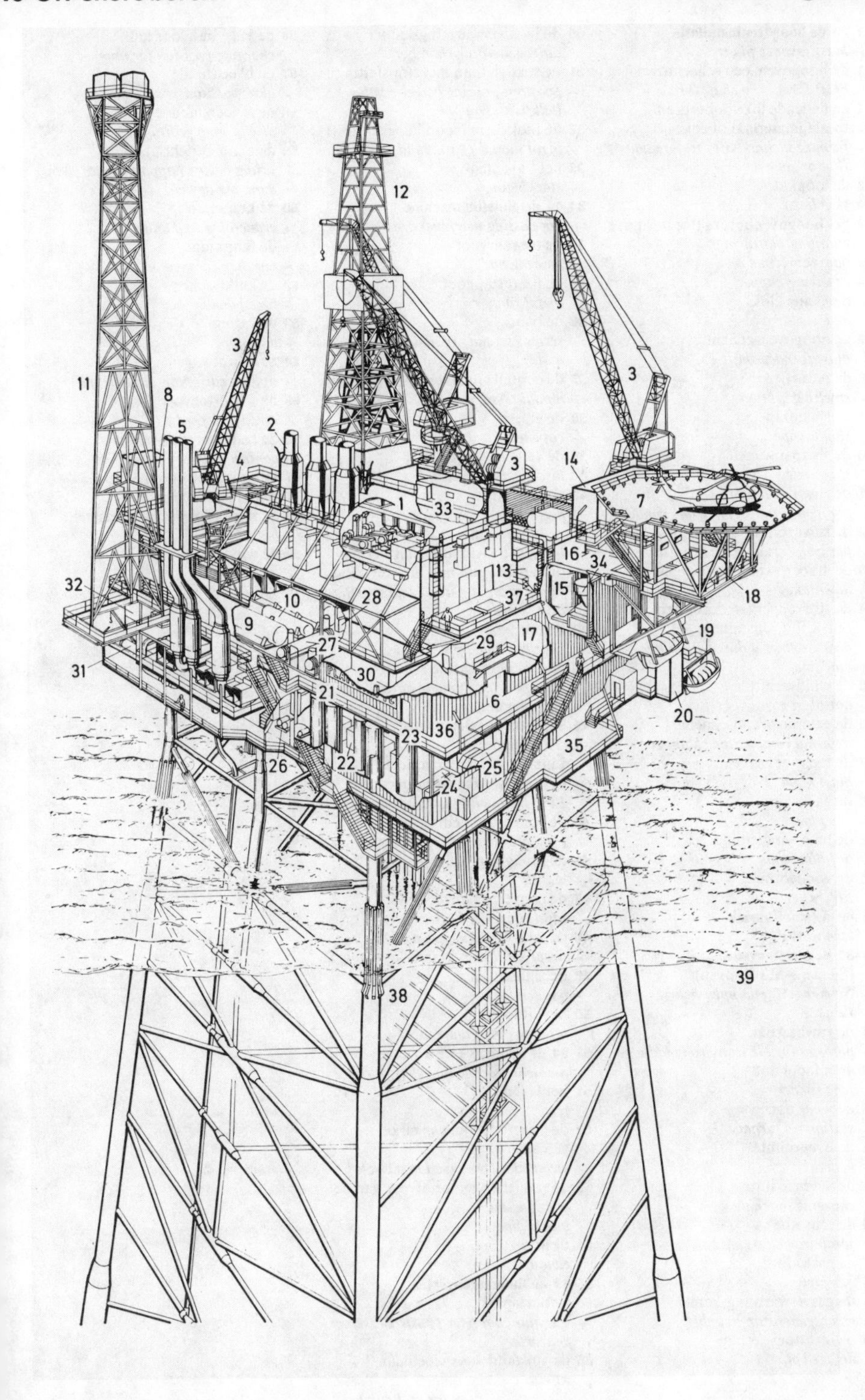
1
2
3
3
3
3
4
5
6
7
8
9
10
11
12
13
14
15
16
17
18
19
20
21
22
23
24
25
26
27
28
29
30
31
32
33
34
35
36
37
38
39

1-20 de hoogoveninstallatie
- ***blast furnace plant***
1 de hoogoven, een schachtoven
- *blast furnace, a shaft furnace*
2 de hellende lift voor erts en toeslagmateriaal of cokes
- *furnace incline (lift) for ore and flux or coke*
3 de loopkat
- *skip hoist*
4 het hoogovenbordes (topbordes)
- *charging platform*
5 de trechterbak
- *receiving hopper*
6 de kleine klok
- *bell*
7 de hoogovenschacht
- *blast furnace shaft*
8 de reductiezone
- *smelting section*
9 de slakaftap
- *slag escape*
10 de slakpanwagen
- *slag ladle*
11 de ruwijzeraftap
- *pig iron (crude iron, iron) runout*
12 de ruwijzerpan
- *pig iron (crude iron, iron) ladle*
13 de afvoer van hoogovengas
- *downtake*
14 de stofvanger (stofzak), een ontstoffingsinstallatie
- *dust catcher, a dust-collecting machine*
15 de windverhitter
- *hot-blast stove*
16 de externe brandschacht
- *external combustion chamber*
17 de luchttoevoer
- *blast main*
18 de gasleiding
- *gas pipe*
19 de hete-windleiding
- *hot-blast pipe*
20 de windvorm
- *tuyère*
21-69 de staalfabriek
- ***steelworks***
21-30 de martinoven (Siemens-Martinoven)
- ***Siemens-Martin open-hearth furnace***
21 de ruwijzerpan
- *pig iron (crude iron, iron) ladle*
22 de inloopgoot
- *feed runner*
23 de vaste oven
- *stationary furnace*
24 de ovenruimte
- *hearth*
25 de laadmachine
- *charging machine*
26 de schrotbak
- *scrap iron charging box*
27 de gasleiding
- *gas pipe*
28 de gasverwarmingskamer
- *gas regenerator chamber*
29 de luchttoevoerpijp
- *air feed pipe*
30 de luchtverwarmingskamer
- *air regenerator chamber*
31 de staalgietpan met stopsluiting
- *[bottom-pouring] steel-casting ladle with stopper*
32 de blokvorm (coquille, gietvorm)
- *ingot mould (*Am. *mold)*
33 het blok staal
- *steel ingot*
34-44 de gietelingmachine
- ***pig-casting machine***
34 de toevoergoot
- *pouring end*
35 de ijzeraftapgoot
- *metal runner*
36 de band
- *series (strand) of moulds (*Am. *molds)*
37 de coquille (gietvorm)
- *mould (*Am. *mold)*
38 de galerij
- *catwalk*
39 de valgoot
- *discharging chute*
40 de gieteling
- *pig*
41 de loopkraan
- *travelling (*Am. *traveling) crane*
42 de ruwijzerpan met bovenlossing
- *top-pouring pig iron (crude iron, iron) ladle*
43 de tuit
- *pouring ladle lip*
44 de kantelinrichting
- *tilting device (tipping device,* Am. *dumping device)*
45-50 de oxystaalconverter (LD-converter, Linz-Donawitzconverter)
- ***oxygen-blowing converter;*** here: *Linz-Donawitz (L-D) converter*
45 de converterhoed
- *conical converter top*
46 de draagring
- *mantle*
47 de converterbodem
- *solid converter bottom*
48 de vuurvaste bekleding
- *fireproof lining (refractory lining)*
49 de zuurstoflans
- *oxygen lance*
50 het aftapgat
- *tapping hole (tap hole)*
51-54 de Siemens-elektrolaagoven
- ***Siemens electric low-shaft furnace***
51 het laden
- *feed*
52 de elektroden [in een cirkel geplaatst]
- *electrodes [arranged in a circle]*
53 de ringleiding voor afvoer van de ovengassen
- *bustle pipe*
54 de aftap
- *runout*
55-69 de thomasconverter (thomaspeer)
- ***Thomas converter (basic Bessemer converter)***
55 de vulstand voor vloeibaar ruwijzer
- *charging position for molten pig iron*
56 de vulstand voor kalk
- *charging position for lime*
57 de blaasstand
- *blow position*
58 de afvoerstand
- *discharging position*
59 de kantelinrichting
- *tilting device (tipping device,* Am. *dumping device)*
60 de kraanpan
- *crane-operated ladle*
61 de hulpkraan
- *auxiliary crane hoist*
62 de kalkbunker
- *lime bunker*
63 de valpijp
- *downpipe*
64 de schrotwagen
- *tipping car (*Am. *dump truck)*
65 de schrottoevoer
- *scrap iron feed*
66 de bedieningslessenaar
- *control desk*
67 de converterschoorsteen
- *converter chimney*
68 de toevoerpijp voor blaaslucht
- *blast main*
69 de windkast
- *wind box*

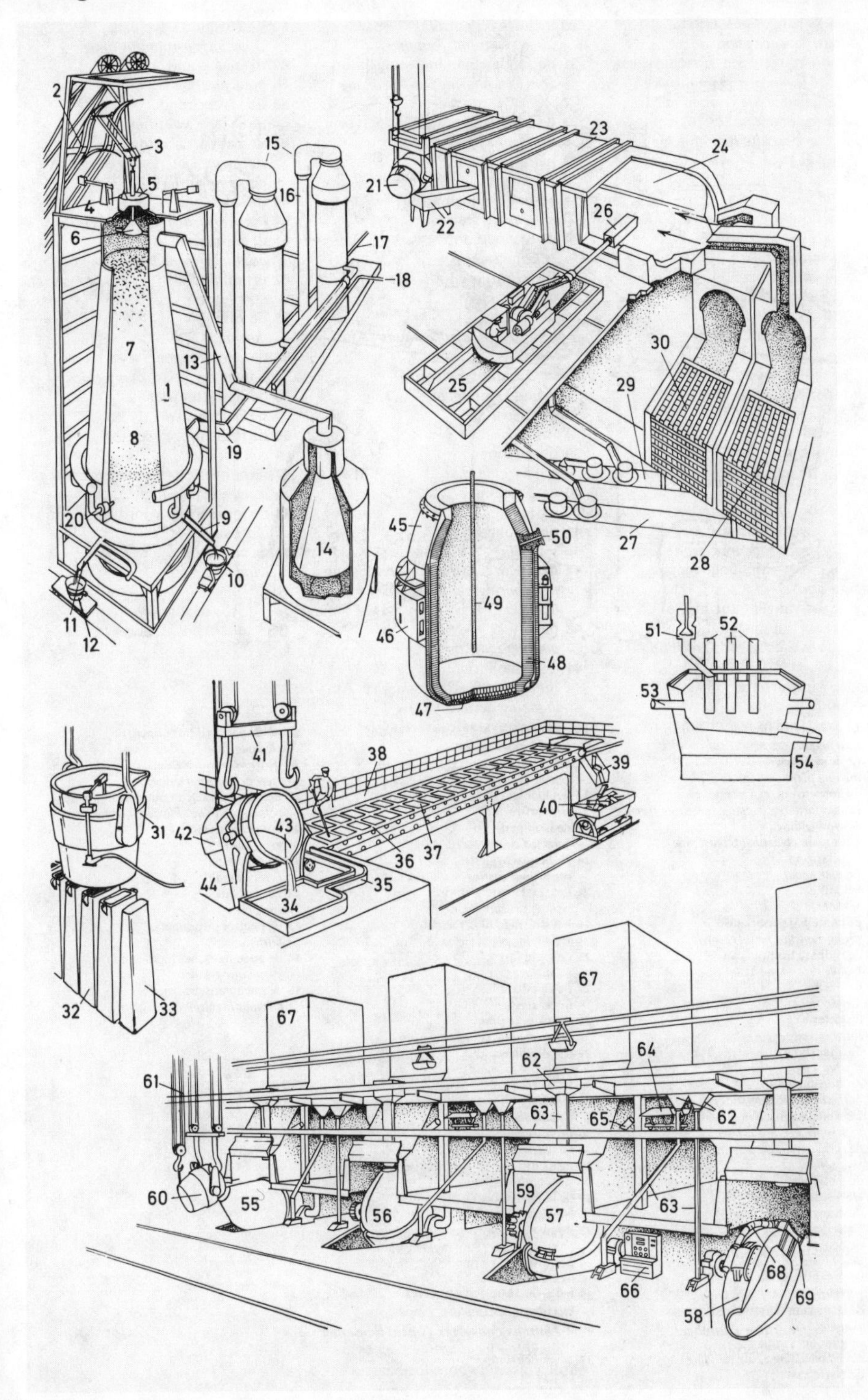
1
2
3
4
5
6
7
8
9
10
11
12
13
14
15
16
17
18
19
20
21
22
23
24
25
26
27
28
29
30
31
32
33
34
35
36
37
38
39
40
41
42
43
44
45
46
47
48
49
50
51
52
53
54
55
56
57
58
59
60
61
62
63
64
65
66
67
68
69

1-45 de ijzergieterij
– ***iron foundry***
1-12 de smelterij
– ***melting plant***
1 de koepeloven, een smeltoven
– *cupola furnace (cupola), a melting furnace*
2 de windleiding
– *blast main (blast inlet, blast pipe)*
3 de aftapgoot
– *tapping spout*
4 het kijkgat
– *spyhole*
5 de kantelbare voorhaard
– *tilting-type hot-metal receiver*
6 de rijdbare trommelpan
– *mobile drum-type ladle*
7 de smelter
– *melter*
8 de gieter
– *founder (caster)*
9 de aftapstang
– *tap bar (tapping bar)*
10 de stopstang
– *bott stick (*Am. *bot stick)*
11 het vloeibare ijzer
– *molten iron*
12 de slakkengoot
– *slag spout*
13 de gietgroep
– *casting team*
14 de draagpan
– *hand shank*
15 de beugel
– *double handle (crutch)*
16 de draagstang
– *carrying bar*
17 de slakspaan
– *skimmer rod*
18 de gesloten vormkast
– *closed moulding (*Am. *molding) box*
19 de bovenkast
– *upper frame (cope)*
20 de onderkast
– *lower frame (drag)*
21 de gietopening
– *runner (runner gate, down-gate)*
22 het luchtgat (de giettap, opkomer)
– *riser (riser gate)*
23 de handpan
– *hand ladle*
24-29 het strenggieten
– ***continuous casting***
24 het verstelbare gietbordes
– *sinking pouring floor*
25 het stollende blok metaal
– *solidifying pig*
26 de vaste fase
– *solid stage*
27 de vloeibare fase
– *liquid stage*
28 de waterkoeling
– *water-cooling system*
29 de coquillewand
– *mould (*Am. *mold) wall*
30-37 de vormerij
– ***moulding** (*Am. *molding) **department** (moulding shop)*
30 de vormer
– *moulder (*Am. *molder)*
31 de luchtstamper (pneumatische stamper)
– *pneumatic rammer*
32 de handstamper
– *hand rammer*
33 de geopende vormkast
– *open moulding (*Am. *molding) box*
34 de vorm (het gietmodel)
– *pattern*
35 het vormzand
– *moulding (*Am. *molding) sand*
36 de kern
– *core*
37 de modelstomp
– *core print*
38-45 de poetserij (afbramerij)
– ***cleaning shop** (fettling shop)*
38 de toevoer van staalgrit of zand
– *steel grit or sand delivery pipe*
39 de automatische draaitafelcompressor
– *rotary-table shot-blasting machine*
40 het gritscherm
– *grit guard*
41 de draaitafel
– *revolving table*
42 het gietstuk
– *casting*
43 de poetser (afbramer)
– *fettler*
44 de pneumatische slijpmachine
– *pneumatic grinder*
45 de pneumatische beitel
– *pneumatic chisel*

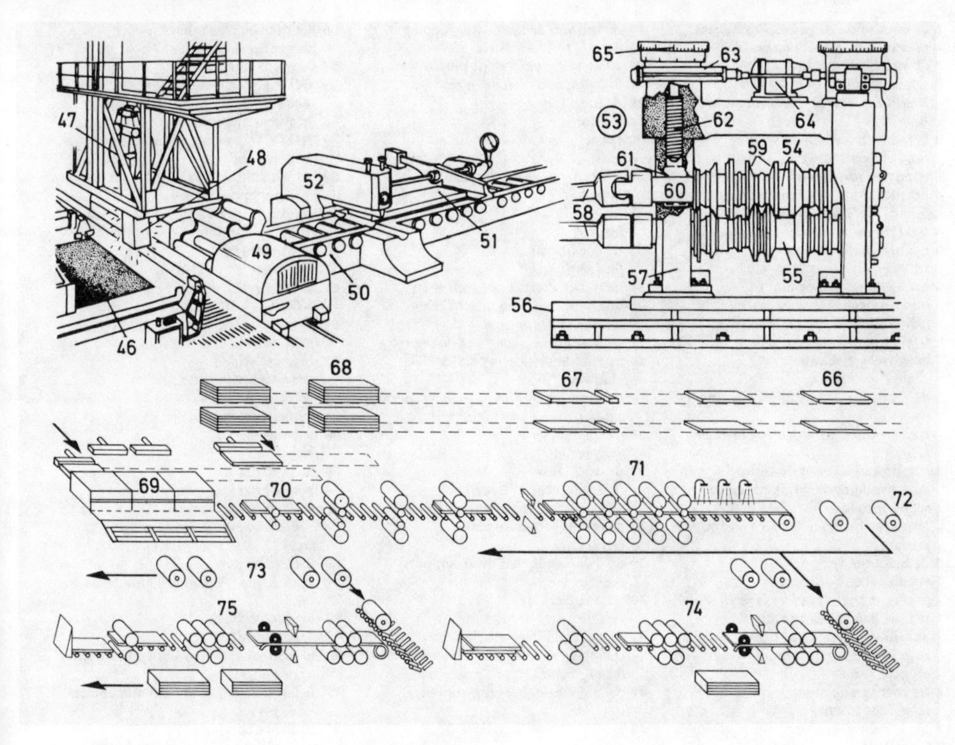

46-75 de walserij
– ***rolling mill***
46 de putoven
– *soaking pit*
47 de putovenkraan
– *soaking pit crane*
48 het plaatblok
– *ingot*
49 de blokkipper
– *ingot tipper*
50 de rollenbaan
– *blooming train (roller path)*
51 het werkstuk
– *workpiece*
52 de blokschaar
– *bloom shears*
53 het duo-walstuig
– *two-high mill*
54-55 het paar walsen
– ***set of rolls*** *(set of rollers)*
54 de bovenwals
– *upper roll (upper roller)*
55 de onderwals
– *lower roll (lower roller)*
56-60 het walstuig
– ***roll stand***
56 de grondplaat (fundatieplaat)
– *base plate*
57 het walsraam
– *housing (frame)*
58 de koppelingsspil
– *coupling spindle*
59 het kaliber
– *groove*
60 de, het walslager
– *roll bearing*
61-65 het instelmechanisme
– ***adjusting equipment***
61 het inbouwstuk
– *chock*
62 de drukspil
– *main screw*
63 de aandrijving
– *gear*
64 de motor
– *motor*
65 de aanwijzing voor grof- en fijninstelling
– *indicator for rough and fine adjustment*
66-75 de walsstraat voor vervaardiging van bandstaal
– ***continuous rolling mill train for the manufacture of strip*** *[diagram]*
66-68 de afwerking van halffabrikaten
– *processing of semi-finished product*
66 het halffabrikaat
– *semi-finished product*
67 de autogeensnijinrichting
– *gas cutting installation*
68 de stapel afgewerkt produkt
– *stack of finished steel sheets*
69 de doorschuifovens
– *continuous reheating furnaces*
70 de voorwalsgroep
– *blooming train*
71 de afwalsgroep
– *finishing train*
72 de rol bandstaal
– *coiler*
73 het rollenmagazijn voor de verkoop
– *collar bearing for marketing*
74 de 5-mm-knipstraat
– *5 mm shearing train*
75 de 10-mm-knipstraat
– *10 mm shearing train*

1 de draaisnijbank en leispildraaibank
– ***centre** (Am. center) **lathe***
2 de vaste kop met het schakelmechanisme
– *headstock with gear control (geared headstock)*
3 het, de schakelhandel voor tandwielvertraging
– *reduction drive lever*
4 het, de handel voor normale en grove draad
– *lever for normal and coarse threads*
5 de toerentalinstelling
– *speed change lever*
6 het, de handel voor het omkeermechanisme (voor- en achteruitloop) van de leispil
– *leadscrew reverse-gear lever*
7 de wisselwielenkast
– *change-gear box*
8 de kast voor de voedingsbeweging (Nortonkast)
– *feed gearbox;* here: *Norton tumbler gear*
9 het, de handel voor de verhoging van de snijvoedingsbewegingen en de schroefdraad
– *levers for changing the feed and thread pitch*
10 de hefboom voor de voedingsbeweging
– *feed gear lever (tumbler lever)*
11 het, de handel voor rechts- of linksloop van de hoofdspil
– *switch lever for right or left hand action of main spindle*
12 de voet van de draaimachine
– *lathe foot (footpiece)*
13 het handwiel voor de beweging van de langsslede
– *leadscrew handwheel for traversing of saddle (longitudinal movement of saddle)*
14 het, de handel voor het omkeermechanisme van de voeding
– *tumbler reverse lever*
15 de spil van de dwarsslede
– *feed screw*
16 de slotplaat (het schort)
– *apron (saddle apron, carriage apron)*
17 het, de handel voor bediening van de transporteur
– *lever for longitudinal and transverse motion*
18 de valvorm voor het inschakelen van de voeding
– *drop (dropping) worm (feed trip, feed tripping device) for engaging feed mechanisms*
19 het, de handel voor het moerslot van de leispil
– *lever for engaging half nut of leadscrew (lever for clasp nut engagement)*
20 de hoofdspil
– *lathe spindle*
21 de gereedschapshouder
– *tool post*
22 de bovenslede (het langssupport); *ook:* beitelslede
– *top slide (tool slide, tool rest)*
23 de dwarsslede (het dwarssupport)
– *cross slide*
24 de bedslede
– *bed slide*
25 de toevoer van het koelmiddel
– *coolant supply pipe*
26 de centerpunt (van de losse kop)
– *tailstock centre (*Am. *center)*
27 de spil van de losse kop (pinole)
– *barrel (tailstock barrel)*
28 de klemschroef van de pinole
– *tailstock barrel clamp lever*
29 de losse kop
– *tailstock*
30 het stelwiel van de pinole
– *tailstock barrel adjusting handwheel*
31 het bed van de draaimachine
– *lathe bed*
32 de leispil
– *leadscrew*
33 de voedingsas
– *feed shaft*
34 de omschakelas voor rechts- en linksloop en in- en uitschakelen
– *reverse shaft for right and left hand motion and engaging and disengaging*
35 de vierklauw (klauwplaat met 4 klauwen)
– *four-jaw chuck (four-jaw independent chuck)*
36 de spanklauw
– *gripping jaw*
37 de drieklauw
– *three-jaw chuck (three-jaw self-centring, self-centering, chuck)*
38 de revolverdraaimachine
– ***turret lathe***
39 de dwarsslede (het dwarssupport)
– *cross slide*
40 de revolverkop
– *turret*
41 de meervoudige beitelhouder
– *combination toolholder (multiple turning head)*
42 de langsslede (het langssupport)
– *top slide*
43 het handkruis (draaikruis)
– *star wheel*
44 de opvangschaal voor spanen en koelsmeermiddelen
– *coolant tray for collecting coolant and swarf*
45-53 de draaibeitels
– ***lathe tools***
45 de beitel (klemhouder) voor wisselplaten
– *tool bit holder (clamp tip tool) for adjustable cutting tips*
46 de wisselplaat van hardmetaal of keramiek
– *adjustable cutting tip (clamp tip) of cemented carbide or oxide ceramic*
47 vormen van keramische wisselplaten
– *shapes of adjustable oxide ceramic tips*
48 de draaibeitel met hardmetalen snijkant
– *lathe tool with cemented carbide cutting edge*
49 de beitelschacht
– *tool shank*
50 de opgesoldeerde hardmetalen snijplaat
– *brazed cemented carbide cutting tip (cutting edge)*
51 de binnenhoekbeitel
– *internal facing tool (boring tool) for corner work*
52 de gebogen draaibeitel
– *general-purpose lathe tool*
53 de insteekbeitel (afsteekbeitel)
– *parting (parting-off) tool*
54 de meenemer
– *lathe carrier*
55 de meenemer
– *driving (driver) plate*
56-72 de meetapparatuur
– ***measuring instruments***
56 het dubbelgrenskaliber
– *plug gauge (*Am. *gage)*
57 de goedkeurzijde
– *'GO' gauging (*Am. *gaging) member (end)*
58 de afkeurzijde
– *'NOT GO' gauging (*Am. *gaging) member (end)*
59 het bekkaliber, een kaliber met goed- en afkeurzijde
– *calliper (caliper, snap) gauge (*Am. *gage)*
60 de goedkeurzijde
– *'GO' side*
61 de afkeurzijde
– *'NOT GO' side*
62 de micrometer (schroefmaat)
– *micrometer*
63 de (meet)schaal
– *measuring scale*
64 de trommel
– *graduated thimble*
65 de beugel
– *frame*
66 de meetstift
– *spindle (screwed spindle)*
67 de universele schuifmaat
– *vernier calliper (caliper) gauge (*Am. *gage)*
68 de dieptemeter
– *depth gauge (*Am. *gage) attachment rule*
69 de noniusschaal
– *vernier scale*
70 de meetbekken voor buitendiameters
– *outside jaws*
71 de meetbekken voor binnendiameters
– *inside jaws*
72 de diepteschuifmaat
– *vernier depth gauge (*Am. *gage)*

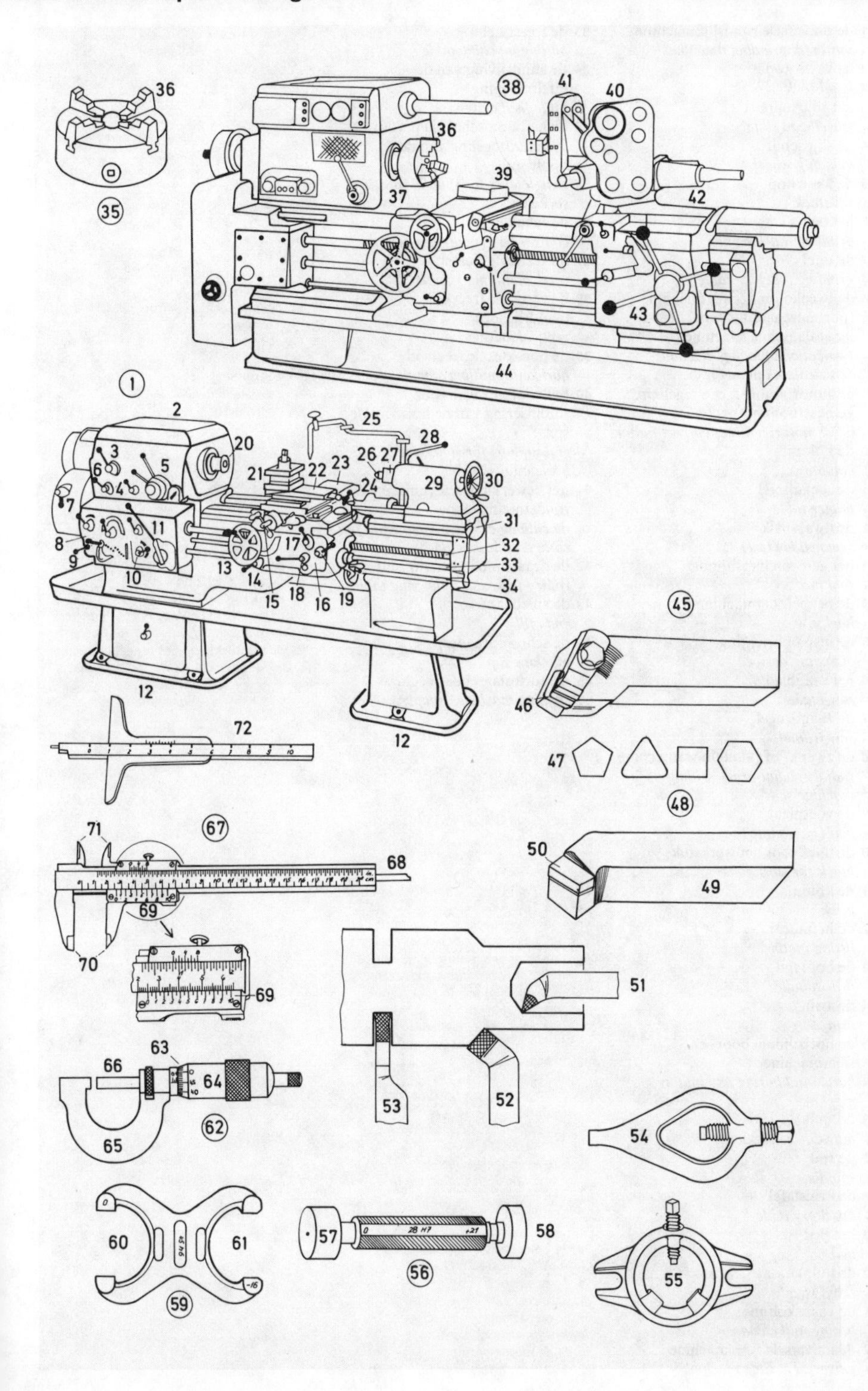
1
2
3
4
5
6
7
8
9
10
11
12
13
14
15
16
17
18
19
20
21
22
23
24
25
26
27
28
29
30
31
32
33
34
35
36
37
38
39
40
41
42
43
44
45
46
47
48
49
50
51
52
53
54
55
56
57
58
59
60
61
62
63
64
65
66
67
68
69
70
71
72
28 H7
+21

1 de universele rondslijpmachine
- *universal grinding machine*

2 de vaste kop
- *headstock*

3 het slijpsupport
- *wheelhead slide*

4 de slijpschijf
- *grinding wheel*

5 de losse kop
- *tailstock*

6 het bed
- *grinding machine bed*

7 de tafel
- *grinding machine table*

8 de tweekoloms schaafmachine (portaalschaafmachine, langeslagschaafmachine)
- *two-column planing machine (two-column planer)*

9 de aandrijfmotor, een regelbare gelijkstroommotor
- *drive motor, a direct current motor*

10 de kolom
- *column*

11 de schaaftafel
- *planer table*

12 de dwarsbalk
- *cross slide (rail)*

13 het gereedschapsupport
- *tool box*

14 de beugelzaagmachine
- *hacksaw*

15 de inspaninrichting
- *clamping device*

16 het zaagblad
- *saw blade*

17 de zaagbeugel
- *saw frame*

18 de zwenk- of radiaalboormachine
- *radial (radial-arm) drilling machine*

19 de voetplaat
- *bed (base plate)*

20 de tafel voor het werkstuk
- *block for workpiece*

21 de kolom
- *pillar*

22 de hefmotor
- *lifting motor*

23 de boorspil
- *drill spindle*

24 de arm
- *arm*

25 de horizontale boor- en freesmachine
- *horizontal boring and milling machine*

26 de spilkast
- *movable headstock*

27 de spil
- *spindle*

28 de kruistafel
- *auxiliary table*

29 het bed
- *bed*

30 de hulpkolom
- *fixed steady*

31 de vaste kolom
- *boring mill column*

32 de universele freesmachine
- *universal milling machine*

33 de freestafel
- *milling machine table*

34 de aandrijving van de tafelbeweging
- *table feed drive*

35 de hefboomschakelaar voor de toerentalregeling van de hoofdspil
- *switch lever for spindle rotation speed*

36 de schakelkast
- *control box (control unit)*

37 de verticale freesspil
- *vertical milling spindle*

38 de verticale freeskop (aandrijfkop)
- *vertical drive head*

39 de horizontale freesspil
- *horizontal milling spindle*

40 het voorste lager voor stabilisering van de horizontale spil
- *end support for steadying horizontal spindle*

41 het bewerkingscentrum, een rondetafelmachine
- *machining centre (*Am. *center), a rotary-table machine*

42 de draaiende indexeringstafel
- *rotary (circular) indexing table*

43 de spiebaanfrees
- *end mill*

44 de schroefdraadtap
- *machine tap*

45 de korteslagschaafmachine
- *shaping machine (shaper)*

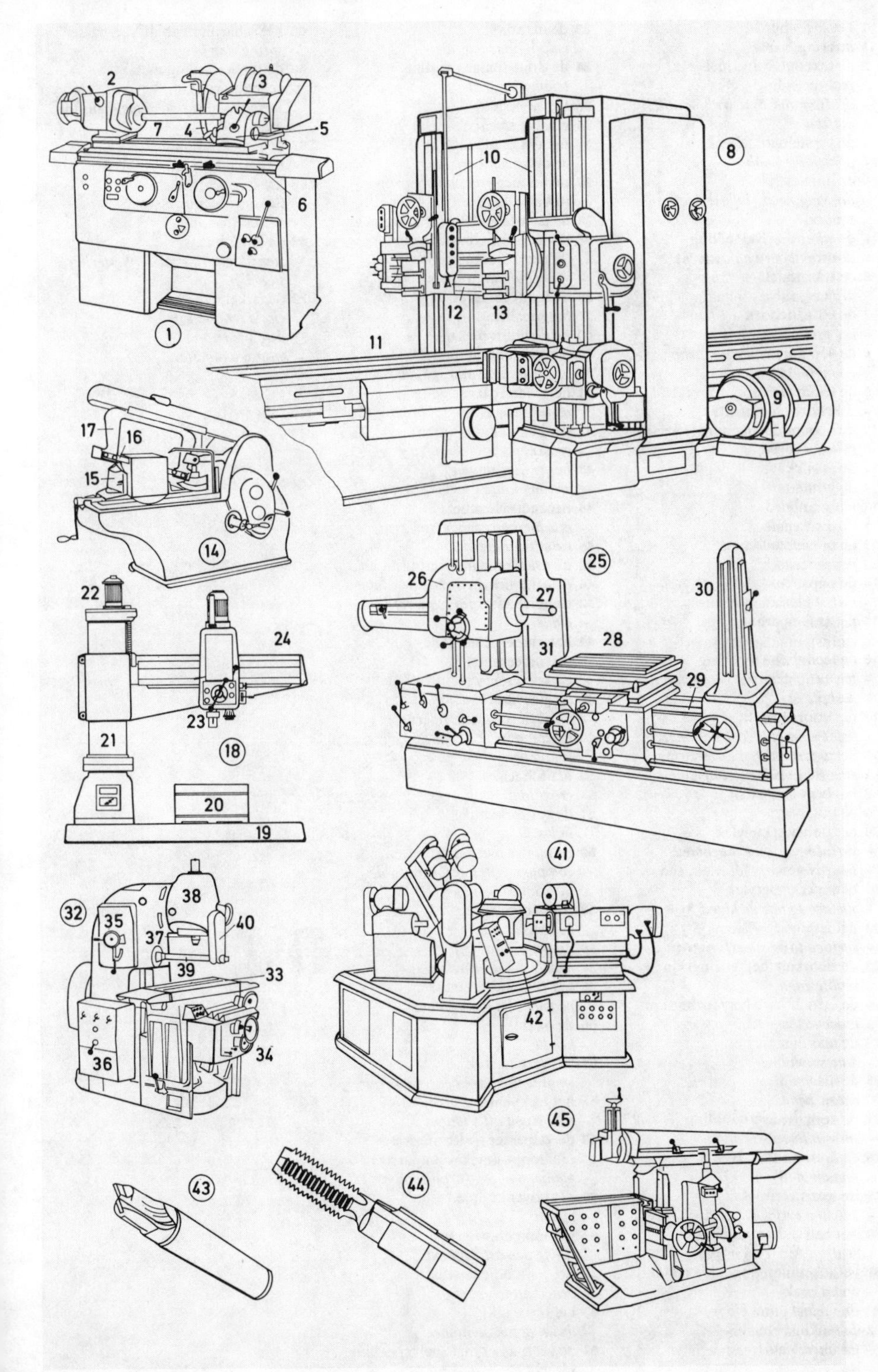
1
2
3
4
5
6
7
8
9
10
11
12
13
14
15
16
17
18
19
20
21
22
23
24
25
26
27
28
29
30
31
32
33
34
35
36
37
38
39
40
41
42
43
44
45

1 het tekenbord
- *drawing board*

2 de tekenmachine met rechtgeleiding
- *drafting machine with parallel motion*

3 de verstelbare tekenkop
- *adjustable knob*

4 de linialen
- *drawing head (adjustable set square)*

5 de tekenbordverstelling
- *drawing board adjustment*

6 de tekentafel
- *drawing table*

7 de 60°-driehoek
- *set square (triangle)*

8 de 45°-driehoek
- *triangle*

9 de tekenhaak
- *T-square (tee-square)*

10 de opgerolde tekening (tekenrol)
- *rolled drawing*

11 de grafiek
- *diagram*

12 het planbord
- *time schedule*

13 de papierstandaard
- *paper stand*

14 de papierrol
- *roll of paper*

15 het snijapparaat
- *cutter*

16 de technische tekening
- *technical drawing (drawing, design)*

17 het vooraanzicht
- *front view (front elevation)*

18 het zijaanzicht
- *side view (side elevation)*

19 het bovenaanzicht
- *plan*

20 het onbewerkte vlak
- *surface not to be machined*

21 het ruwgeschaafde vlak, een bewerkt oppervlak
- *surface to be machined*

22 het gepolijste vlak
- *surface to be superfinished*

23 de zichtbare begrenzingslijn
- *visible edge*

24 de onzichtbare begrenzingslijn
- *hidden edge*

25 de maatlijn
- *dimension line*

26 de maatpijl
- *arrow head*

27 de doorsnedeaanduiding
- *section line*

28 de doorsnede A-B
- *section A-B*

29 het gearceerde vlak
- *hatched surface*

30 de centerlijn (middellijn)
- *centre (*Am. *center) line*

31 het tekeningstempel (de rechter onderhoek)
- *title panel (title block)*

32 de stuklijst
- *technical data*

33 de maatlat
- *ruler (rule)*

34 de driehoekige maatlat
- *triangular scale*

35 de radeermal
- *erasing shield*

36 het flesje tekeninkt
- *drawing ink cartridge*

37 de houder voor buispennen (tekenvulpennen)
- *holders for tubular drawing pens*

38 de set buispennen (tekenvulpennen)
- *set of tubular drawing pens*

39 de hygrometer
- *hygrometer*

40 de afsluitdopjes met lijndikteaanduiding
- *cap with indication of nib size*

41 de radeerstift
- *pencil-type eraser*

42 de, het vlakgom (gum)
- *eraser*

43 het radeermesje
- *erasing knife*

44 het radeerlemmet
- *erasing knife blade*

45 de stifthouder
- *clutch-type pencil*

46 de potloodstift
- *pencil lead (refill lead, refill, spare lead)*

47 het radeerpenseel (de glasradeerstift)
- *glass eraser*

48 de glasvezel
- *glass fibres (*Am. *fibers)*

49 de trekpen
- *ruling pen*

50 het scharnier
- *cross joint*

51 de verdeelschijf
- *index plate*

52 de passer met hulpstukken
- *compass with interchangeable attachments*

53 de rechtgeleiding
- *compass head*

54 de naaldhouder
- *needle point attachment*

55 het potloodinzetstuk
- *pencil point attachment*

56 de naald
- *needle*

57 het verlengstuk
- *lengthening arm (extension bar)*

58 het trekpeninzetstuk
- *ruling pen attachment*

59 de valpasser (orleonpasser, oreillonpasser, orillonpasser)
- *pump compass (drop compass)*

60 het bovenknopje
- *piston*

61 het trekpeninzetstuk
- *ruling pen attachment*

62 het potloodinzetstuk
- *pencil attachment*

63 het flesje inkt
- *drawing ink container*

64 de veerpasser met snelverstelling
- *spring bow (rapid adjustment, ratchet-type) compass*

65 het scharnier van de veerpasser
- *spring ring hinge*

66 de fijnverstelling met veeraandrukking
- *spring-loaded fine adjustment for arcs*

67 de gebogen naald
- *right-angle needle*

68 het buispeninzetstuk (tekenvulpeninzetstuk)
- *tubular ink unit*

69 de lettermal
- *stencil lettering guide (lettering stencil)*

70 de cirkelmal
- *circle template*

71 de ellipsenmal
- *ellipse template*

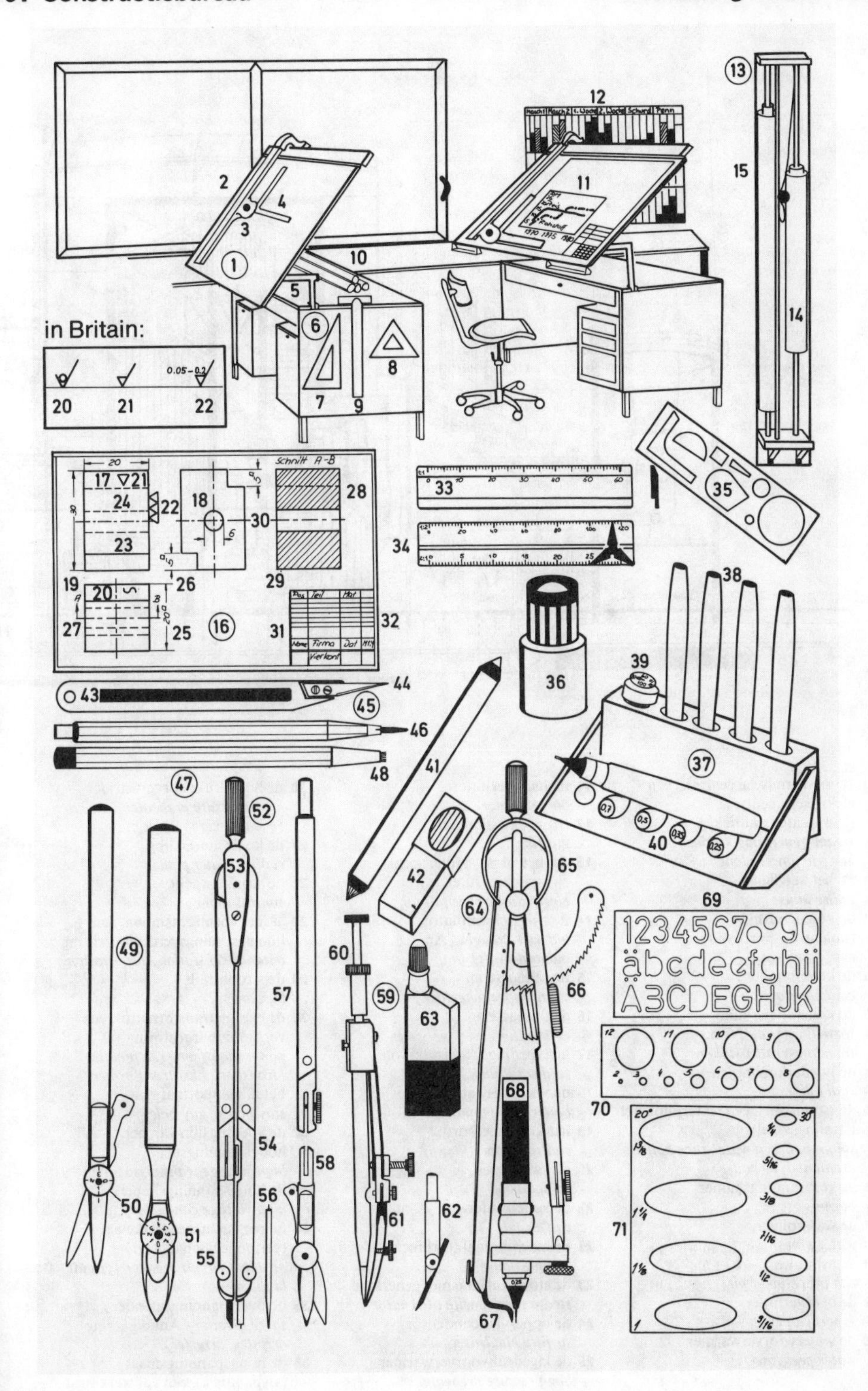
in Britain:
0.05–0.2
Schnitt A-B
Pos
Teil
Mat
Name
Firma
Dat
M1:1
Vierkant
1234567o°90
äbcdeefghij
ÄBCDEGHJK

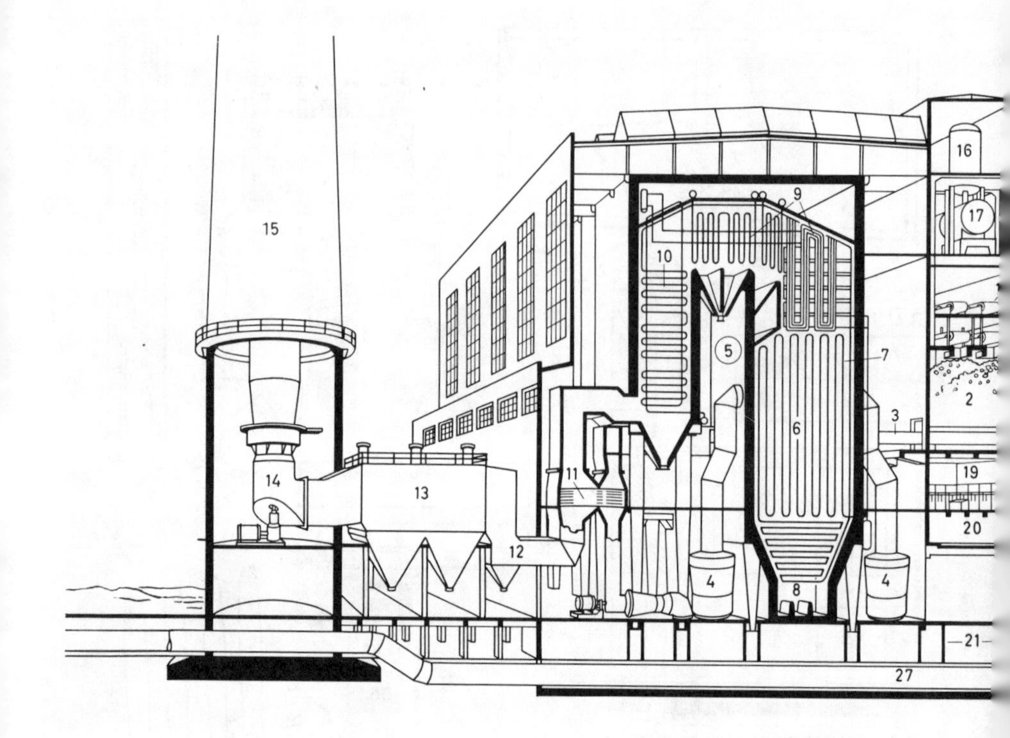

1-28 **de thermische centrale,** een elektrische centrale (elektriciteitsfabriek)
- ***steam-generating station,*** *an electric power plant*

1-21 **het ketelhuis**
- ***boiler house***

1 de kolenconveyor (kolentransportband)
- *coal conveyor*

2 de kolenbunker
- *coal bunker*

3 de kolenafvoerband
- *travelling-grate (*Am. *traveling-grate) stoker*

4 de poederkoolmolen
- *coal mill*

5 de stoomketel, een waterpijpketel (stralingsketel)
- *steam boiler, a water-tube boiler (radiant-type boiler)*

6 de verbrandingskamer
- *burners*

7 de waterpijpen
- *water pipes*

8 de asbunker
- *ash pit (clinker pit)*

9 de oververhitter
- *superheater*

10 de watervoorverwarmer
- *water preheater*

11 de luchtverhitter
- *air preheater*

12 het rookgaskanaal
- *gas flue*

13 de, het rookgasfilter, een elektrisch(e) filter
- *electrostatic precipitator*

14 de zuigtrekventilator
- *induced-draught (*Am. *induced-draft) fan*

15 de schoorsteen
- *chimney (smokestack)*

16 de ontgasser
- *de-aerator*

17 het voedingswaterreservoir
- *feedwater tank*

18 de voedingswaterpomp
- *boiler feed pump*

19 het ketelmeetbord
- *control room*

20 de kabelvloer
- *cable tunnel*

21 de kabelkelder
- *cable vault*

22 de machinezaal (turbinezaal)
- *turbine house*

23 de stoomturbine met generator
- *steam turbine with alternator*

24 de oppervlakcondensor
- *surface condenser*

25 de lagedrukvoorverwarmer
- *low-pressure preheater*

26 de hogedrukvoorverwarmer
- *high-pressure preheater (economizer)*

27 de koelwaterleiding
- *cooling water pipe*

28 de schakelwacht
- *control room*

29-35 **het openluchtstation,** een hoogspanningsverdeelinrichting
- ***outdoor substation,*** *a substation*

29 de stroomrails
- *busbars*

30 de energietransformator, een verrijdbare transformator
- *power transformer, a mobile (transportable) transformer*

31 het afspanportaal
- *stay poles (guy poles)*

32 de voedingslijn van het hoogspanningsnet
- *high-voltage transmission line*

33 de hoogspanningskabel
- *high-voltage conductor*

34 de persluchtsnelschakelaar (vermogensschakelaar)
- *air-blast circuit breaker (circuit breaker)*

35 de overspanningsafleider
- *surge diverter (*Am. *lightning arrester, arrester)*

36 de hoogspanningsmast (afspanmast), een vakwerkmast
- *overhead line support, a lattice steel tower*

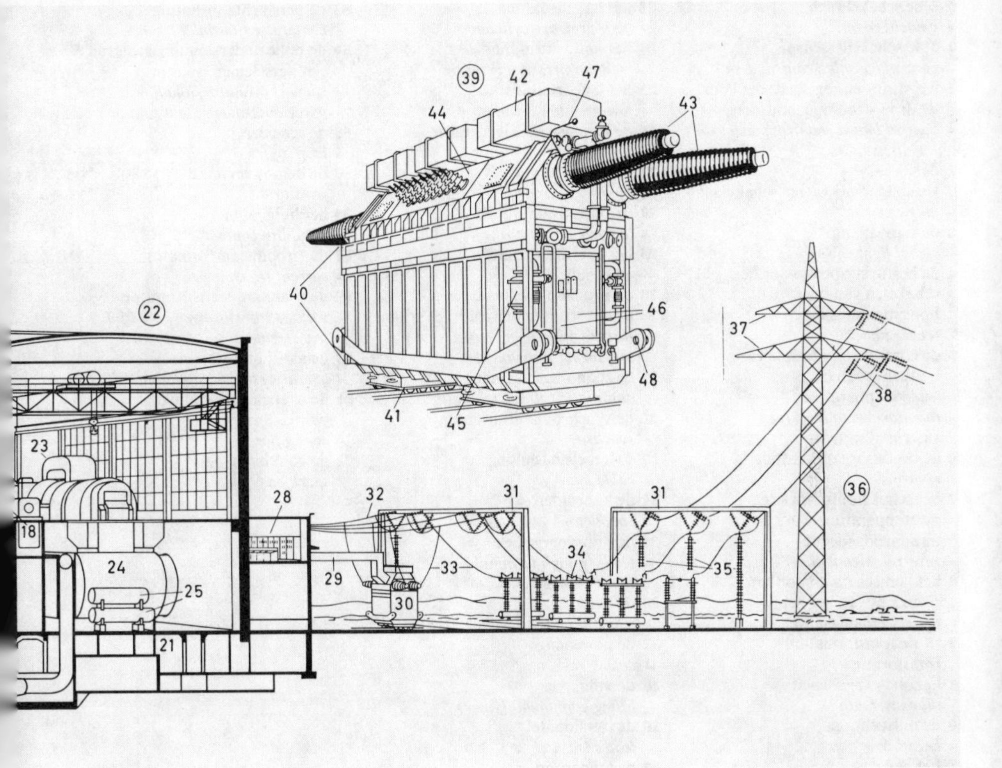

37 de traverse
- *cross arm (traverse)*

38 de afspanisolator (afspanketting)
- *strain insulator*

39 **de verrijdbare transformator** (energietransformator, vermogenstransformator)
- ***mobile (transportable) transformer,*** *a power transformer (transformer)*

40 de transformatorbak
- *transformer tank*

41 het wielstel
- *bogie* (Am. *truck*)

42 het olie-expansievat
- *oil conservator*

43 de primaire aansluiting
- *primary voltage terminal (primary voltage bushing)*

44 de secundaire aansluitingen
- *low-voltage terminals (low-voltage bushings)*

45 de oliepomp
- *oil-circulating pump*

46 de oliekoeler
- *oil cooler*

47 de overspanningsafleider (vonkenbrug)
- *arcing horn*

48 het transportoog (hijsoog)
- *transport lug*

1-8 de schakelwacht
- ***control room***
1-6 de schakellessenaar
- ***control console*** *(control desk)*
1 het stuur- en regelgedeelte voor de draaistroomgeneratoren
- *control board (control panel) for the alternators*
2 de stuurstroom(kwiteer)schakelaar
- *master switch*
3 de signaallamp
- *signal light*
4 de besturingspost, voor het schakelen van de hoogspanningslijnen
- *feeder panel*
5 de controleapparatuur voor besturing van de schakelapparatuur
- *monitoring controls for the switching systems*
6 de besturingsapparatuur
- *controls*
7 het schakelbord, met de meetapparatuur van het terugmeldgedeelte
- *revertive signal panel*
8 het lichtschema, voor het overzicht van het net
- *matrix mimic board*
9-18 de transformator
- ***transformer***
9 het olie-expansievat
- *oil conservator*
10 de ontluchting
- *breather*
11 het peilglas
- *oil gauge (*Am. *gage)*
12 de doorvoerisolator
- *feed-through terminal (feed-through insulator)*
13 de lastschakelaar
- *on-load tap changer*
14 het juk
- *yoke*
15 de primaire wikkeling (hoge spanning)
- *primary winding (primary)*
16 de secundaire wikkeling (lage spanning)
- *secondary winding (secondary, low-voltage winding)*
17 de kern
- *core*
18 de aftakking
- *tap (tapping)*
19 de transformatorschakeling
- ***transformer connection***
20 de sterschakeling
- *star connection (star network, Y-connection)*
21 de driehoeksschakeling
- *delta connection (mesh connection)*
22 het sterpunt (nulpunt)
- *neutral point*
23-30 de stoomturbine, een turbogenerator
- ***steam turbine,*** *a turbogenerator unit*
23 het hogedrukhuis
- *high-pressure cylinder*
24 het middeldrukhuis
- *medium-pressure cylinder*
25 het lagedrukhuis
- *low-pressure cylinder*
26 de (draaistroom)generator
- *three-phase generator*
27 de waterstofkoeler
- *hydrogen cooler*
28 de overstroompijpen
- *leakage steam path*
29 het overdrukventiel
- *jet nozzle*
30 de bedieningslessenaar met meetinstrumenten voor de turbine
- *turbine monitoring panel with measuring instruments*
31 de spanningsregelaar
- *automatic voltage regulator*
32 de synchroniseerinrichting
- *synchro*
33 de kabeleindsluiting
- ***cable box***
34 de kabelader
- *conductor*
35 de doorvoerisolator
- *feed-through terminal (feed-through insulator)*
36 de kern
- *core*
37 de buitenmof
- *casing*
38 de vulmassa
- *filling compound (filler)*
39 de loodmantel
- *lead sheath*
40 de invoerpijp
- *lead-in tube*
41 de kabel
- *cable*
42 de hoogspanningskabel voor 3 fasen
- ***high voltage cable,*** *for three-phase*
43 de geleider
- *conductor*
44 het gemetalliseerde papier
- *metallic paper (metallized paper)*
45 de omspinning
- *tracer (tracer element)*
46 de katoenband
- *varnished-cambric tape*
47 de loodmantel
- *lead sheath*
48 het asfaltpapier
- *asphalted paper*
49 de juteomhulling
- *jute serving*
50 het staalband- of staaldraadpantser
- *steel tape or steel wire armour (*Am. *armor)*
51-62 de persluchtsnelschakelaar, een vermogensschakelaar
- ***air-blast circuit breaker,*** *a circuit breaker*
51 het persluchtreservoir
- *compressed-air tank*
52 het stuurventiel
- *control valve (main operating valve)*
53 de persluchtaansluiting
- *compressed-air inlet*
54 de holle ondersteuningsisolator, een porseleinen isolator
- *support insulator, a hollow porcelain supporting insulator*
55 de scheider
- *interrupter*
56 de dempweerstand
- *resistor*
57 het hulpcontact
- *auxiliary contacts*
58 de stroomtransformator
- *current transformer*
59 de spanningstransformator
- *voltage transformer (potential transformer)*
60 de aansluitkast
- *operating mechanism housing*
61 de overspanningsafleider (vonkenbrug)
- *arcing horn*
62 de vonkbaan
- *spark gap*

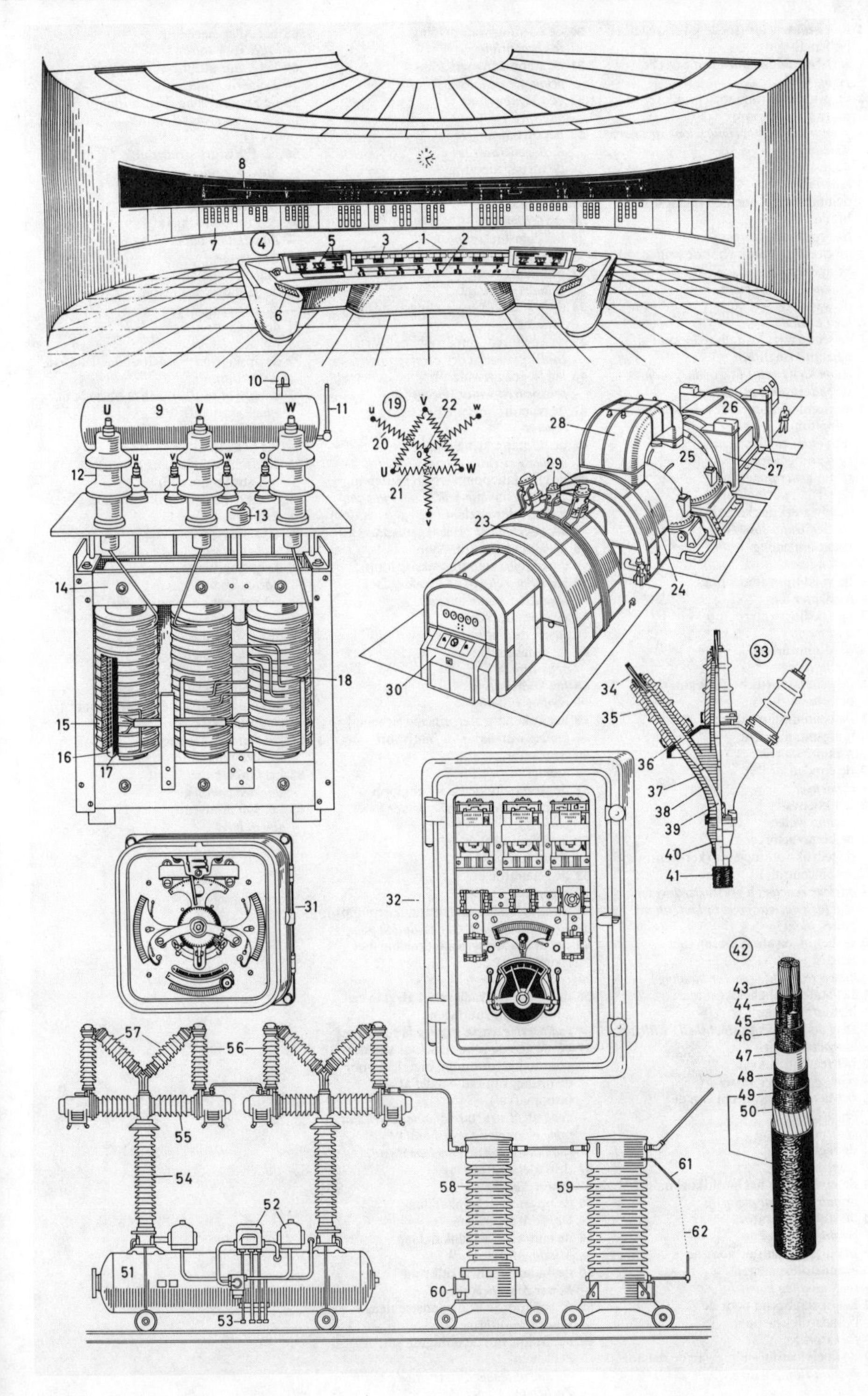
1
2
3
4
5
6
7
8
9
10
11
12
13
14
15
16
17
18
19
20
21
22
23
24
25
26
27
28
29
30
31
32
33
34
35
36
37
38
39
40
41
42
43
44
45
46
47
48
49
50
51
52
53
54
55
56
57
58
59
60
61
62
U
V
W
u
v
w
o

1 **de kweekreactor** (snelle kweekreactor) [schema]
- ***fast-breeder reactor*** *(fast breeder) [diagram]*
2 de primaire kringloop (primaire natriumkringloop)
- *primary circuit (primary loop, primary sodium system)*
3 de reactor
- *reactor*
4 de brandstofelementen (nucleaire brandstof)
- *fuel rods (fuel pins)*
5 de circulatiepomp voor de primaire kringloop
- *primary sodium pump*
6 de warmtewisselaar
- *heat exchanger*
7 de secundaire kringloop (secundaire natriumkringloop)
- *secondary circuit (secondary loop, secondary sodium system)*
8 de circulatiepomp voor de secundaire kringloop
- *secondary sodium pump*
9 de stoomgenerator
- *steam generator*
10 de tertiaire kringloop (koelwaterkringloop)
- *cooling water flow circuit*
11 de stoomleiding
- *steam line*
12 de voedingswaterleiding
- *feedwater line*
13 de voedingswaterpomp
- *feed pump*
14 de stoomturbine
- *steam turbine*
15 de generator (turbogenerator)
- *generator*
16 de voedingslijn van het hoogspanningsnet
- *transmission line*
17 de condensor
- *condenser*
18 het koelwater
- *cooling water*
19 **de kernreactor,** een hogedrukwaterreactor (kerncentrale, atoomcentrale)
- ***nuclear reactor,*** *a pressurized-water reactor (nuclear power plant, atomic power plant)*
20 de betonnen afscherming (het reactorgebouw)
- *concrete shield (reactor building)*
21 het stalen veiligheidsvat met luchtafzuigspleet
- *steel containment (steel shell) with air extraction vent*
22 het reactordrukvat
- *reactor pressure vessel*
23 het bedieningssysteem van de regelstaven
- *control rod drive*
24 de regelstaven
- *control rods*
25 de pomp voor het hoofdkoelmiddel
- *primary coolant pump*
26 de stoomgenerator
- *steam generator*
27 het liftmechanisme voor de brandstofelementen
- *fuel-handling hoists*
28 het opslagbassin voor de brandstofelementen
- *fuel storage*
29 de koelvloeistofleiding van de reactor
- *coolant flow passage*
30 de voedingswaterleiding
- *feedwater line*
31 de stoomaanvoerleiding
- *prime steam line*
32 de toegangssluis
- *manway*
33 het turbineaggregaat
- *turbogenerator set*
34 de turbogenerator
- *turbogenerator*
35 de condensor
- *condenser*
36 het dienstgebouw
- *service building*
37 de schoorsteen
- *exhaust gas stack*
38 de brandstofverwisselingsbrug
- *polar crane*
39 de koeltoren, een droogkoeltoren
- *cooling tower, a dry cooling tower*
40 het hogedrukwaterprincipe [schema]
- *pressurized-water system*
41 de reactor
- *reactor*
42 de primaire kringloop
- *primary circuit (primary loop)*
43 de circulatiepomp (recirculatiepomp)
- *circulation pump (recirculation pump)*
44 de warmtewisselaar (stoomgenerator)
- *heat exchanger (steam generator)*
45 de secundaire kringloop (voedingswater-stoomkringloop)
- *secondary circuit (secondary loop, feedwater steam circuit)*
46 de stoomturbine
- *steam turbine*
47 de generator
- *generator*
48 het koelsysteem
- *cooling system*
49 het kokend-waterprincipe [schema]
- *boiling water system [diagram]*
50 de reactor
- *reactor*
51 de stoom-condensaatkringloop
- *steam and recirculation water flow paths*
52 de stoomturbine
- *steam turbine*
53 de generator
- *generator*
54 de circulatiepomp (recirculatiepomp)
- *circulation pump (recirculation pump)*
55 het koelwatersysteem (koeling met rivierwater)
- *coolant system*
56 **de opslag van radioactief afval** in een zoutmijn (in zoutlagen)
- ***radioactive waste storage in salt mine***
57-68 de geologische structuur van de voormalige zoutmijn, ingericht voor de opslag van radioactief afval (atoomafval)
- *geological structure of abandoned salt mine converted for disposal of radioactive waste (nuclear waste)*
57 de onderste triaslaag
- *Lower Keuper*
58 de bovenste schelpkalklaag
- *Upper Muschelkalk*
59 de middelste schelpkalklaag
- *Middle Muschelkalk*
60 de onderste schelpkalklaag
- *Lower Muschelkalk*
61 de verstoorde Bontzandsteenlaag
- *Bunter downthrow*
62 het residu van de uitloging van Zechstein
- *residue of leached (lixiviated) Zechstein (Upper Permian)*
63 het Aller-steenzout
- *Aller rock salt*
64 het Leine-steenzout
- *Leine rock salt*
65 de Stassfurtlaag (kalizoutlaag)
- *Stassfurt seam, a potash salt seam (bed)*
66 het Stassfurt-steenzout
- *Stassfurt salt*
67 het grensanhydriet
- *grenzanhydrite*
68 de Zechsteinschaal
- *Zechstein shale*
69 de schacht
- *shaft*
70 de dagbouwinstallatie
- *minehead buildings*
71 de opslagruimten
- *storage chamber*
72 de opslag van middelradioactief afval in de zoutmijn
- *storage of medium-active waste in salt mine*
73 het 511 m-niveau
- *511 m level*
74 de afschermingsmuur (het anti-stralingsschild)
- *protective screen (anti-radiation screen)*
75 het raam van loodglas
- *lead glass window*
76 de opslagruimte
- *storage chamber*
77 het vat met radioactief afval
- *drum containing radioactive waste*
78 de t.v.-camera
- *television camera*
79 de aanvoerruimte
- *charging chamber*
80 de controletafel (het controlepaneel)
- *control desk (control panel)*
81 het ventilatorsysteem
- *upward ventilator*
82 het beschermende vat
- *shielded container*
83 het 490 m-niveau
- *490 m level*

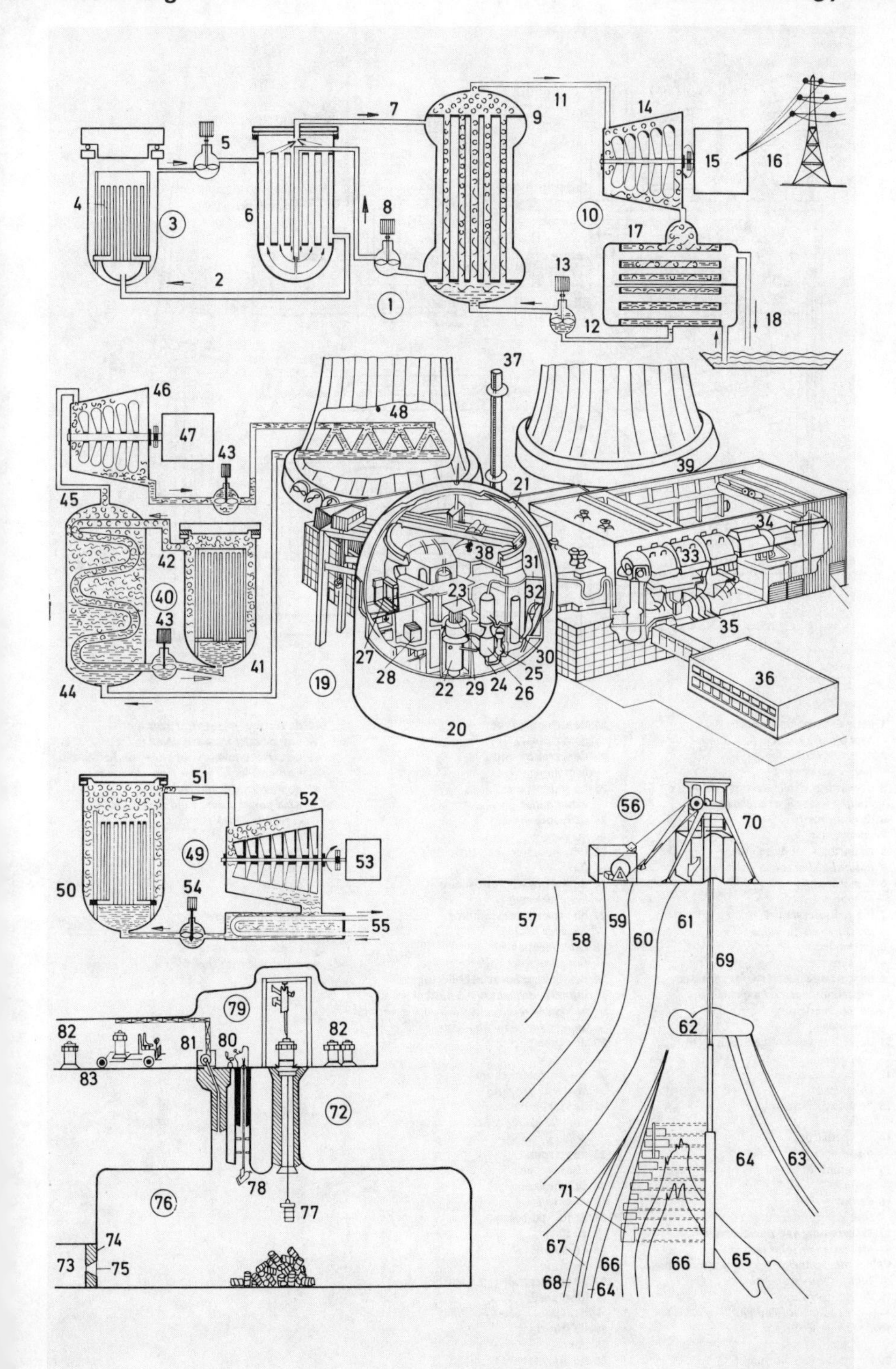
1
2
3
4
5
6
7
8
9
10
11
12
13
14
15
16
17
18
19
20
21
22
23
24
25
26
27
28
29
30
31
32
33
34
35
36
37
38
39
40
41
42
43
44
45
46
47
48
49
50
51
52
53
54
55
56
57
58
59
60
61
62
63
64
65
66
67
68
69
70
71
72
73
74
75
76
77
78
79
80
81
82
83

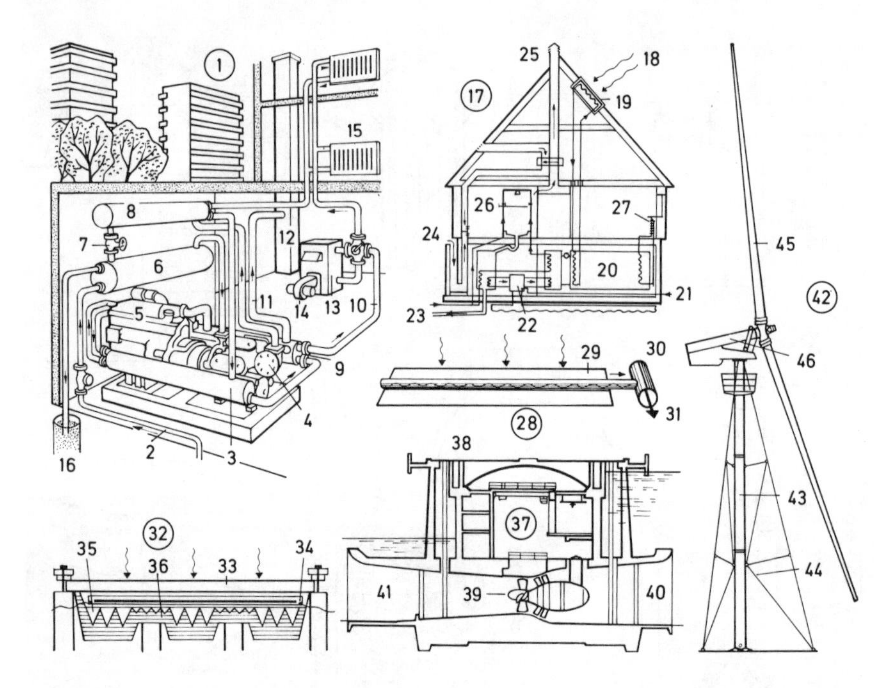

1 **het warmtepompsysteem**
– ***heat pump system***
2 de grondwatertoevoer
– *source water inlet*
3 de warmtewisselaar voor koelwater
– *cooling water heat exchanger*
4 de compressor
– *compressor*
5 de aardgas- of dieselmotor
– *natural-gas or diesel engine*
6 de verdamper
– *evaporator*
7 het reduceerventiel
– *pressure release valve*
8 de condensor
– *condenser*
9 de warmtewisselaar voor rookgas
– *waste-gas heat exchanger*
10 de aanvoerleiding
– *flow pipe*
11 de leiding voor uitgeblazen lucht
– *vent pipe*
12 de schoorsteen
– *chimney*
13 de verwarmingsketel
– *boiler*
14 de ventilator
– *fan*
15 de radiator
– *radiator*
16 de put
– *sink*
17-36 **benutting van zonneënergie**
– ***utilization of solar energy***
17 het met zonneënergie verwarmde huis
– *solar (solar-heated) house*
18 de zoninstraling
– *solar radiation (sunlight, insolation)*
19 de (zonne)collector
– *collector*
20 de opslag van warmte
– *hot reservoir (heat reservoir)*
21 de stroomtoevoer
– *power supply*
22 de warmtepomp
– *heat pump*
23 de waterafvoer
– *water outlet*
24 de luchttoevoer
– *air supply*
25 de schoorsteen voor rookgas
– *flue*
26 de warmwatervoorziening
– *hot water supply*
27 de verwarmingsradiator
– *radiator heating*
28 het zonnepaneel
– *flat plate solar collector*
29 de donkere (zwarte) collector (aluminiumplaat met asfaltbekleding)
– *blackened receiver surface with asphalted aluminium (*Am. *aluminum) foil*
30 de stalen pijp
– *steel tube*
31 het warmtemedium
– *heat transfer fluid*
32 de vlakke-plaatcollector
– *flat plate solar collector, containing solar cell*
33 de glasplaat
– *glass cover*
34 de zonnecel
– *solar cell*
35 de luchtkanalen
– *air ducts*
36 de isolatie
– *insulation*
37 **de getijcentrale** (getijdencentrale) [doorsnede]
– ***tidal power plant*** *[section]*
38 de stuwdam
– *dam*
39 de omkeerbare turbine
– *reversible turbine*
40 de turbine-inlaat voor zeewater
– *turbine inlet for water from the sea*
41 de turbine-inlaat voor water uit het bassin
– *turbine inlet for water from the basin*
42 **de windkrachtcentrale**
– ***wind power plant*** *(wind generator, aerogenerator)*
43 de mast
– *truss tower*
44 de betuiing
– *guy wire*
45 de rotor
– *rotor blades (propeller)*
46 de generator met motor voor de richtingsbesturing
– *generator with variable pitch for power regulation*

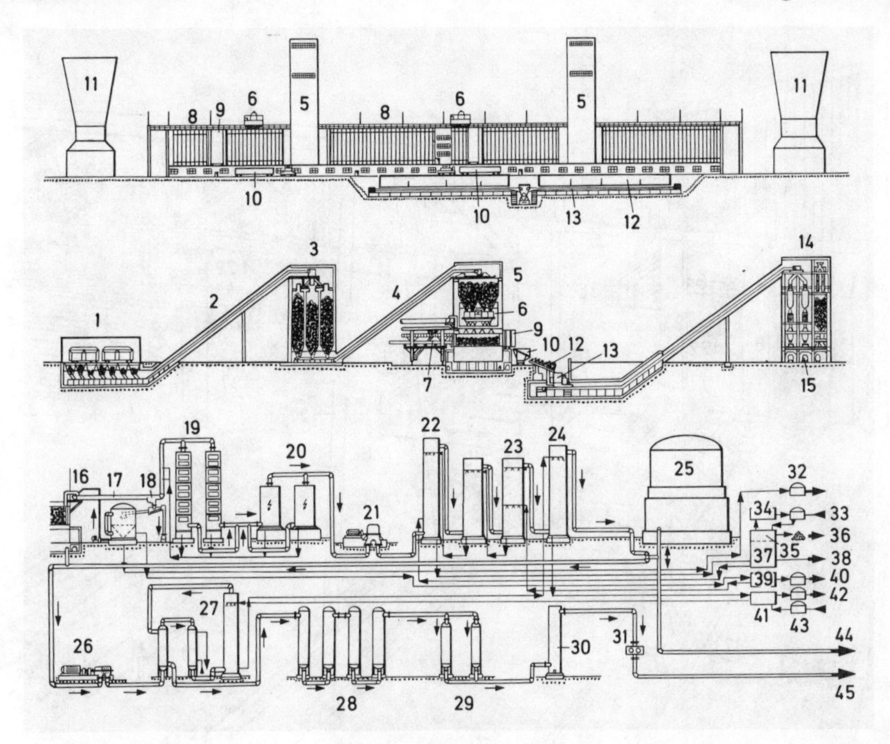

1-15 cokesfabriek
– ***coking plant***
1 het lossen van cokeskolen
– *dumping of coking coal*
2 de transportband (bandtransporteur)
– *belt conveyor*
3 de bunker voor cokeskolen
– *service bunker*
4 de transportband naar de kolentoren
– *coal tower conveyor*
5 de kolentoren
– *coal tower*
6 de vulwagen
– *larry car (larry, charging car)*
7 de cokesuitpersmachine
– *pusher ram*
8 de cokesovenbatterij
– *battery of coke ovens*
9 de geleidingswagen voor de cokesmassa
– *coke guide*
10 de bluswagen met bluslocomotief
– *quenching car, with engine*
11 de blustoren
– *quenching tower*
12 het cokeslaadperron
– *coke loading bay (coke wharf)*
13 de cokeslaadband
– *coke side bench*
14 de zeverij voor grove en fijne cokes
– *screening of lump coal and culm*
15 de cokesverlading
– *coke loading*
16-45 de behandeling van cokesovengas
– ***coke-oven gas processing***
16 de gasafvoer uit de cokesoven
– *discharge (release) of gas from the coke ovens*
17 de gashouderleiding (ontvanger)
– *gas-collecting main*
18 de teerafscheiding
– *coal tar extraction*
19 de gaskoeler
– *gas cooler*
20 de, het elektrofilter
– *electrostatic precipitator*
21 de gasventilator
– *gas extractor*
22 de zwavelwaterstofwasser
– *hydrogen sulphide (*Am. *hydrogen sulfide) scrubber (hydrogen sulphide wet collector)*
23 de ammoniakwasser
– *ammonia scrubber (ammonia wet collector)*
24 de benzeenwasser
– *benzene (benzol) scrubber*
25 de gashouder
– *gas holder*
26 de gascompressor
– *gas compressor*
27 de benzeenvrijmaker met koeler en warmtewisselaar
– *debenzoling by cooler and heat exchanger*
28 de drukgasontzwaveling
– *desulphurization (*Am. *desulfurization) of pressure gas*
29 de gaskoeling
– *gas cooling*
30 het gasdrogen
– *gas drying*
31 de gasmeter
– *gas meter*
32 de tank voor ruwe teer
– *crude tar tank*
33 de zwavelzuurtoevoer
– *sulphuric acid (*Am. *sulfuric acid) supply*
34 de zwavelzuurproduktie
– *production of sulphuric acid (*Am. *sulfuric acid)*
35 de produktie van ammoniumsulfaat
– *production of ammonium sulphate (*Am. *ammonium sulfate)*
36 het ammoniumsulfaat
– *ammonium sulphate (*Am. *ammonium sulfate)*
37 de installatie voor het regenereren van de wasmedia
– *recovery plant for recovering the scrubbing agents*
38 de afvalwaterafvoer
– *waste water discharge*
39 de verwijdering van fenol uit het gaswater
– *phenol extraction from the gas water*
40 de tank voor ruw fenol
– *crude phenol tank*
41 de produktie van benzeen
– *production of crude benzol (crude benzene)*
42 de tank voor ruw benzeen
– *crude benzol (crude benzene) tank*
43 de wasolietank
– *scrubbing oil tank*
44 de lagedrukgasleiding
– *low-pressure gas main*
45 de hogedrukgasleiding
– *high-pressure gas main*

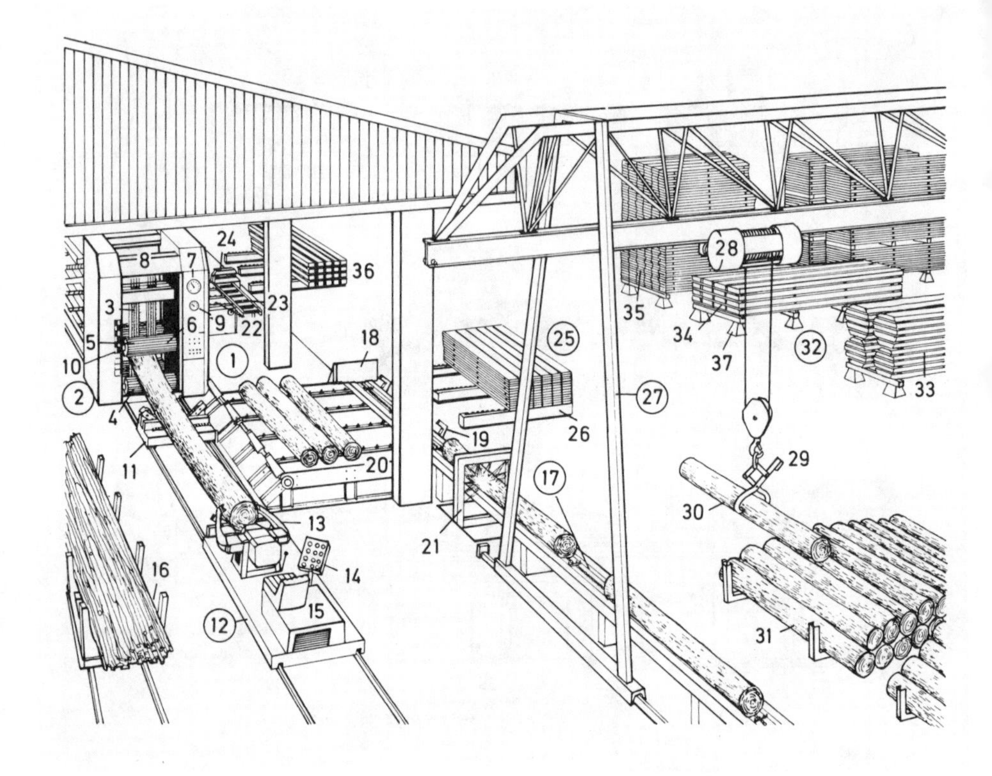

1 de zagerij (zaagloods)
- *sawmill*

2 de raamzaagmachine
- *vertical frame saw* (Am. *gang mill*)

3 de zaagbladen
- *saw blades*

4 de aanvoerwals
- *feed roller*

5 de bovenwals
- *guide roller*

6 de ribbels
- *fluting (grooving, grooves)*

7 de oliedrukmeter
- *oil pressure gauge* (Am. *gage*)

8 het zaagraam
- *saw frame*

9 de meter voor de aanvoersnelheid
- *feed indicator*

10 de meter voor de doorvoerhoogte
- *log capacity scale*

11 de hulpwagen
- *auxiliary carriage*

12 de opspanwagen
- *carriage*

13 de inkleminrichting
- *log grips*

14 het bedieningspaneel
- *remote control panel*

15 de aandrijving voor de opspanwagen
- *carriage motor*

16 de wagen voor de aflopers
- *truck for splinters (splints)*

17 de aanvoerbaan voor de zaagstammen
- *endless log chain* (Am. *jack chain*)

18 de stootplaat
- *stop plate*

19 de armen die de stammen op de dwarsbaan werpen
- *log-kicker arms*

20 de dwarstransporteur
- *cross conveyor*

21 de wasinrichting
- *washer (washing machine)*

22 de dwarskettingtransporteur voor het gezaagde hout
- *cross chain conveyor for sawn timber*

23 de rollenbaan
- *roller table*

24 de opwaarts werkende afkortzaag
- *undercut swing saw*

25 het oplatten
- *piling*

26 de rolstrijken
- *roller trestles*

27 de portaalkraan
- *gantry crane*

28 de kraanmotor
- *crane motor*

29 de Zweedse klemhaak
- *pivoted log grips*

30 het rondhout
- *roundwood (round timber)*

31 de rondhoutopslag (sorteerplaats)
- *log dump*

32 de opslag voor het opgelatte hout
- *squared timber store*

33 de gezaagde ongekantrechte delen
- *sawn logs*

34 de delen
- *planks*

35 de planken
- *boards (planks)*

36 het balkhout
- *squared timber*

37 de poer
- *stack bearer*

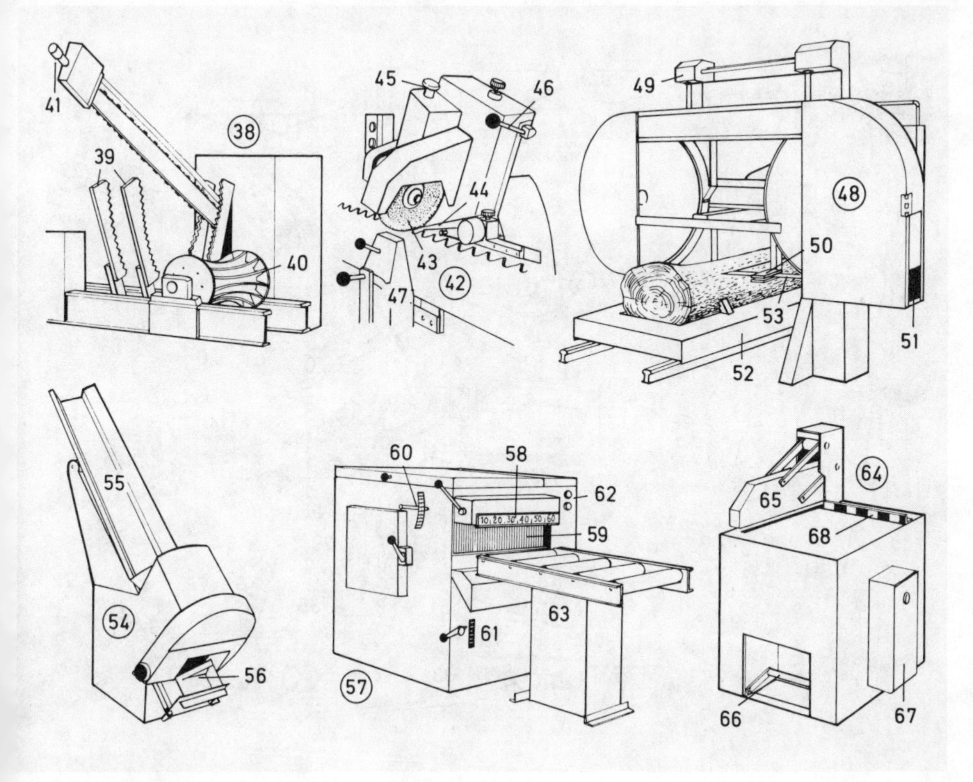

38 de automatische kettingafkortzaag
- *automatic cross-cut chain saw*

39 de kleminrichting voor de stam
- *log grips*

40 de aanvoerwals
- *feed roller*

41 de kettingspanner
- *chain-tensioning device*

42 de automatische zagenslijpmachine
- *saw-sharpening machine*

43 de slijpsteen
- *grinding wheel (teeth grinder)*

44 de doorvoerpal
- *feed pawl*

45 de diepteïnstelling voor de slijpsteen
- *depth adjustment for the teeth grinder*

46 het, de handel voor de slijpkop
- *lifter (lever) for the grinder chuck*

47 de zaaggeleider
- *holding device for the saw blade*

48 de horizontale blokbandzaag
- *horizontal bandsaw for sawing logs*

49 de instelling voor de te zagen houtdikte
- *height adjustment*

50 de spaanverwijderinrichting
- *chip remover*

51 de spaanafzuiging
- *chip extractor*

52 de zaagwagen
- *carriage*

53 het bandzaagblad
- *bandsaw blade*

54 de automatische brandhoutafkortzaag
- *automatic blocking saw*

55 de invoergoot
- *feed channel*

56 de uitwerpopening
- *discharge opening*

57 de dubbel werkende kantrechtzaag
- *twin edger (double edger)*

58 de schaal voor de breedteïnstelling
- *breadth scale (width scale)*

59 de terugslagbeveiliging
- *kick-back guard*

60 de instelling van de doorvoerhoogte
- *height scale*

61 de regeling van de doorvoersnelheid
- *in-feed scale*

62 de controlelampjes
- *indicator lamps*

63 de aanvoertafel
- *feed table*

64 de opwaarts werkende afkortzaag
- *undercut swing saw*

65 het aandrukapparaat met beschermkap
- *automatic hold-down with protective hood*

66 de voetschakelaar
- *foot switch*

67 de schakelkast
- *distribution board (panelboard)*

68 de stoot voor de af te korten lengten
- *length stop*

1 **de steengroeve,** een dagbouw (open groeve)
- ***quarry,*** *an open-cast working*

2 de deklaag
- *overburden*

3 het vaste gesteente
- *working face*

4 het losgeraakte gesteente
- *loose rock pile*

5 de steenbreker (steengraver)
- *quarryman (quarrier), a quarry worker*

6 de zware moker
- *sledge hammer*

7 de wig (spie)
- *wedge*

8 het rotsblok
- *block of stone*

9 de boorder
- *driller*

10 de veiligheidshelm
- *safety helmet*

11 de drilboor (boorhamer)
- *hammer drill (hard-rock drill)*

12 het boorgat
- *borehole*

13 de universele graafmachine
- *universal excavator*

14 de lorrie met groot laadvermogen
- *large-capacity truck*

15 de rotswand
- *rock face*

16 de schuine lift (lier)
- *inclined hoist*

17 de voorbreker
- *primary crusher*

18 de steenslagfabriek
- *stone-crushing plant*

19 de grove (of fijne) tolbreker
- *coarse rotary (gyratory) crusher;* sim.: *fine rotary (gyratory) crusher*

20 de kaakbreker
- *hammer crusher (impact crusher)*

21 de trilzeef
- *vibrating screen*

22 het steenstof
- *screenings (fine dust)*

23 het steengruis
- *stone chippings*

24 de steenslag
- *crushed stone*

25 de schietmeester
- *shot firer*

26 de meetlat
- *measuring rod*

27 de springpatroon
- *blasting cartridge*

28 het lont
- *fuse (blasting fuse)*

29 de emmer met vulzand
- *plugging sand (stemming sand) bucket*

30 het blok natuursteen
- *dressed stone*

31 de punthak (het houweel, de pik)
- *pick*

32 het breekijzer (de koevoet)
- *crowbar (pinch bar)*

33 de steenvork
- *fork*

34 de steenhouwer
- *stonemason*

35-38 **steenhouwerswerktuigen**
- ***stonemason's tools***

35 de moker (vuist)
- *stonemason's hammer*

36 de klopper (klepel)
- *mallet*

37 de carreerbeitel (steenhouwersbeitel)
- *drove chisel (drove, boaster, broad chisel)*

38 de zware vlakhamer
- *dressing axe (*Am. *ax)*

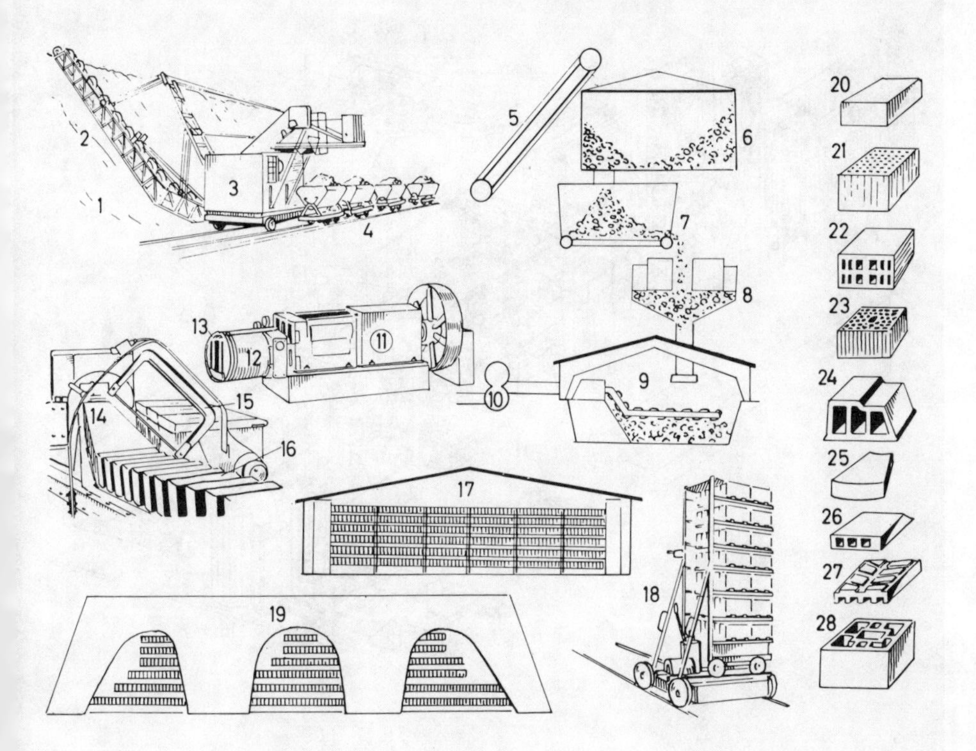

1 de leemgroeve
- *clay pit*

2 de leem, een onzuivere klei (ruwe klei)
- *loam, an impure clay (raw clay)*

3 de excavateur
- *overburden excavator, a large-scale excavator*

4 het smalspoor
- *narrow-gauge (*Am. *narrow-gage) track system*

5 de schuine opvoerband
- *inclined hoist*

6 de bufferbunker (silo)
- *souring chambers*

7 de kleitoedeler
- *box feeder (feeder)*

8 de kollergang (koldermolen)
- *edge runner mill (edge mill, pan grinding mill)*

9 de transporteur
- *rolling plant*

10 de dubbelasmenger
- *double-shaft trough mixer (mixer)*

11 de strengpers (extrusiemachine)
- *extrusion press (brick-pressing machine)*

12 de vacuümkamer
- *vacuum chamber*

13 het mondstuk (de spuitmond)
- *die*

14 de kleistreng (kleiband)
- *clay column*

15 de steenafsnijder
- *cutter (brick cutter)*

16 de natte vormeling
- *unfired brick (green brick)*

17 de droogkamer
- *drying shed*

18 de transportwagen
- *mechanical finger car (stacker truck)*

19 de ringoven (baksteenoven)
- *circular kiln, a brick kiln*

20 de volle steen (baksteen, metselsteen)
- *solid brick*

21-22 de geperforeerde bakstenen
- *perforated bricks and hollow blocks*

21 de hoge holle baksteen met verticale gaten
- *perforated brick with vertical perforations*

22 de hoge holle baksteen met horizontale gaten
- *hollow clay block with horizontal perforations*

23 de holle baksteen met handgreepgat
- *hollow clay block with vertical perforations*

24 de holle vloersteen
- *floor brick*

25 de schoorsteenvormsteen
- *compass brick (radial brick, radiating brick)*

26 het vloerelement
- *hollow flooring block*

27 het stalvloerelement
- *paving brick*

28 het schoorsteenmantelelement
- *chimney brick*

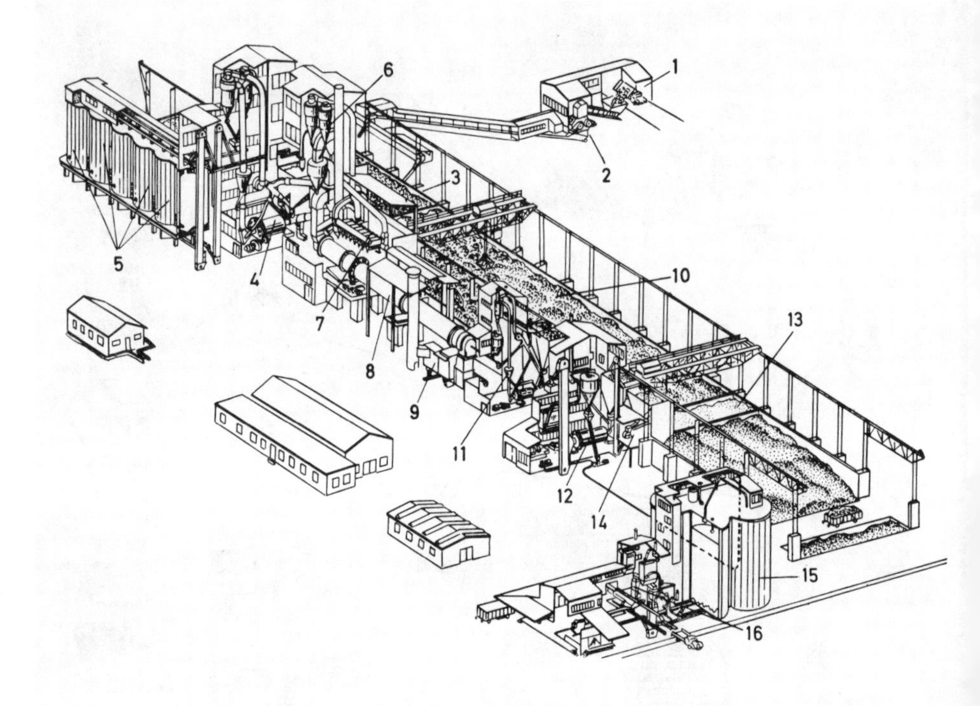

1 de grondstoffen (kalksteen, klei en kalksteenmergel)
- *raw materials (limestone, clay and, marl)*

2 de hamermolen
- *hammer crusher (hammer mill)*

3 de grondstoffenopslag
- *raw material store*

4 de kogelmolen voor het malen en tegelijkertijd drogen van grondstoffen, met gebruikmaking van de gassen afkomstig van de warmtewisselaar
- *raw mill for simultaneously grinding and drying the raw materials with exhaust gas from the heat exchanger*

5 de slibsilo's
- *raw meal silos*

6 de warmtewisselaar
- *heat exchanger, a cyclone heat exchanger*

7 de stofvanger (een elektrofilter) voor gassen uit de warmtewisselaar van de kogelmolen
- *dust collector [an electrostatic precipitator for the heat exchanger exhaust from the raw mill]*

8 de draaioven
- *rotary kiln*

9 de (clinker)koelcilinder
- *clinker cooler*

10 de clinkeropslag
- *clinker store*

11 de primaire compressor
- *primary air blower*

12 de cementmolen
- *cement-grinding mill*

13 de gipsopslag
- *gypsum store*

14 de gipsvermalingsmachine
- *gypsum crusher*

15 de cementsilo
- *cement silo*

16 de zakkenvulmachine (voor papieren zakken)
- *cement-packing plant for paper sacks*

1 de trommelmolen (kogelmolen) voor de natte bereiding van het grondstoffenmengsel
- *grinding cylinder (ball mill) for the preparation of the raw material in water*

2 de proefcassette, met opening voor het volgen van het stookproces
- *sample sagger (saggar, seggar), with aperture for observing the firing process*

3 de ronde oven
- *bottle kiln (beehive kiln) [diagram]*

4 de stookvorm
- *firing mould (*Am. *mold)*

5 de tunneloven
- *tunnel kiln*

6 de segerkegels, voor het meten van hoge temperaturen
- *Seger cone (pyrometric cone,* Am. *Orton cone) for measuring high temperatures*

7 de vacuümpers, een strengpers
- *de-airing pug mill (de-airing pug press), an extrusion press*

8 de uitgeperste streng
- *clay column*

9 de draaier, bezig met het draaien van een kleivorm
- *thrower throwing a ball (bat) of clay*

10 de kleiklomp
- *slug of clay*

11 de draaischijf (pottenbakkersschijf)
- *turntable;* sim.: *potter's wheel*

12 de filterpers
- *filter press*

13 de filterkoek
- *filter cake*

14 het draaien met de draaimal
- *jiggering, with a profiling tool;* sim.: *jollying*

15 de driedelige gietvorm, voor het slibgietproces
- *plaster mould (*Am. *mold) for slip casting*

16 de glazuurmachine, volgens het carrouselprincipe
- *turntable glazing machine*

17 de porseleinschilder
- *porcelain painter (china painter)*

18 de met de hand beschilderde vaas
- *hand-painted vase*

19 het boetseren (modelleren)
- *repairer*

20 het boetseerhoutje (modelleerhoutje)
- *pallet, a modelling (*Am. *modeling), tool*

21 de porseleinscherven
- *shards (sherds, potsherds)*

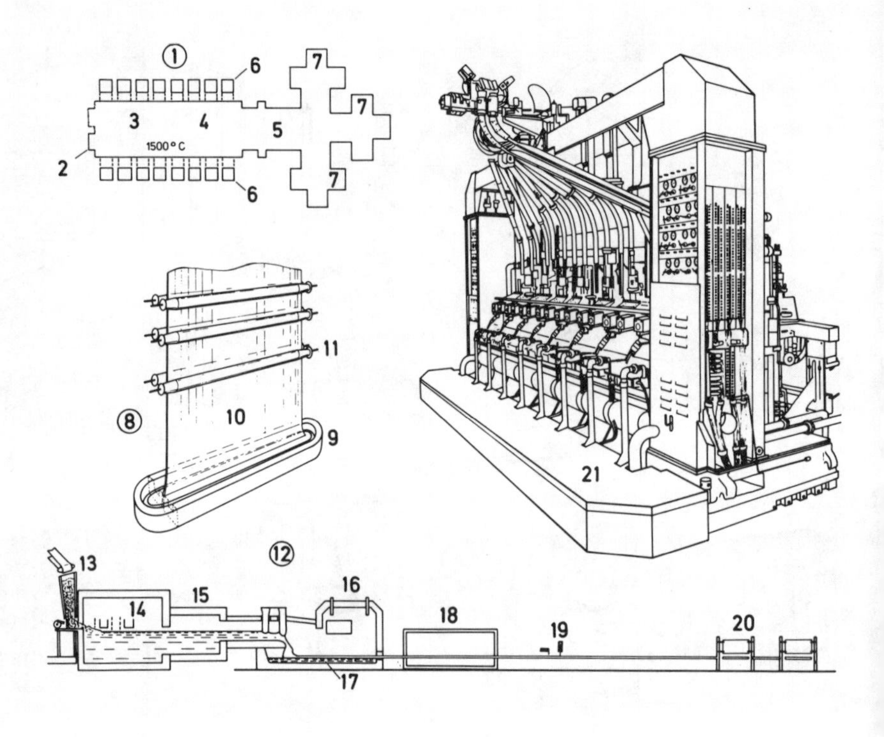

1-20 de vlakglasfabricage
- ***sheet glass production*** *(flat glass production)*

1 de (glas)smeltwan voor het Fourcaultprocédé [schema]
- *glass furnace (tank furnace) for the Fourcault process [diagram]*

2 de „doghouses" (inlegzones) voor het gemeng
- *filling end, for feeding in the batch (frit)*

3 de smeltwan (smeltoven)
- *melting bath*

4 de louterzone
- *refining bath (fining bath)*

5 de werkwannen (werkovens)
- *working baths (working area)*

6 de branders
- *burners*

7 de trekmachines
- *drawing machines*

8 de Fourcaultglastrekmachine
- *Fourcault glass-drawing machine*

9 de treksteen
- *slot*

10 de glasmat (glasband) tijdens het omhoogtrekken
- *glass ribbon (ribbon of glass, sheet of glass) being drawn upwards*

11 de trekrollen
- *rollers (drawing rolls)*

12 het floatglasproces [schema]
- *float glass process*

13 de inlegmachine
- *batch (frit) feeder (funnel)*

14 de smeltwan (het smeltbad)
- *melting bath*

15 de koelzone
- *cooling tank*

16 het floatbad in een beschermende edelgasatmosfeer
- *float bath in a protective inert-gas atmosphere*

17 het gesmolten tin
- *molten tin*

18 de koeloven
- *annealing lehr*

19 het automatische afsnijapparaat
- *automatic cutter*

20 de stapelmachines
- *stacking machines*

21 de I.S.-(individual section-)machine, een flessenmachine
- *IS (individual-section) machine, a bottle-making machine*

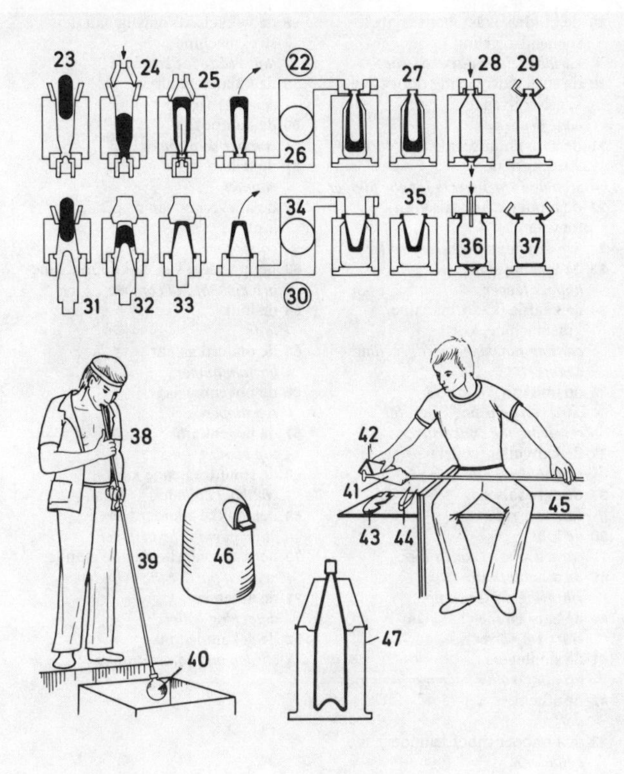

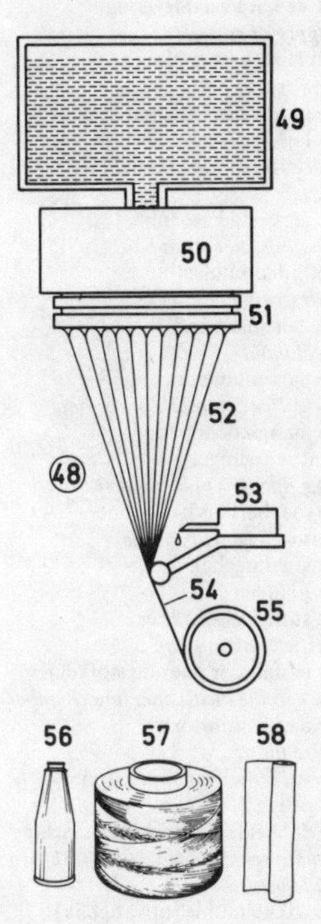

22-37 de blaasprocessen
– ***blowing processes***
22 het dubbele blaasproces (blaas-blaas-proces)
– *blow-and-blow process*
23 de glasportieinvoer
– *introduction of the gob of molten glass*
24 het puffen (voorblazen)
– *first blowing*
25 het zuigen (remblazen)
– *suction*
26 de overgang van de kloos van de persvorm naar de blaasvorm
– *transfer from the parison mould (*Am. *mold) to the blow mould (*Am. *mold)*
27 het opnieuw opwarmen
– *reheating*
28 het blazen (de vacuümvorming
– *blowing for final shaping*
29 de uitstoot van het afgewerkte produkt
– *delivery of the completed vessel*
30 het pers-blaasproces
– *press-and-blow process*
31 de glasportieinvoer
– *introduction of the gob of molten glass*
32 de persstempel (plunjer)
– *plunger*
33 het persen
– *pressing*
34 de overgang van de kloos van de persvorm naar de blaasvorm
– *transfer from the press mould (*Am. *mold) to the blow mould (*Am. *mold)*
35 het opnieuw opwarmen
– *reheating*
36 het blazen (de vacuümvorming)
– *blowing for final shaping*
37 de uitstoot van het afgewerkte produkt
– *delivery of the completed vessel*
38-47 het glasblazen, het glasmaken (handblazen)
– ***glassmaking;*** here: *glassblowing by hand*
38 de glasblazer (glasmaker)
– *glassmaker (glassblower)*
39 de blaaspijp
– *blowing iron*
40 de kloos
– *gob*
41 het handgeblazen kelkglas
– *hand-blown goblet*
42 het houtje voor het vormen van de kelkglasvoet
– *clappers for shaping the base (foot) of the goblet*
43 de vormmal
– *trimming tool*
44 de tang (grijptang)
– *tongs*
45 de glasmakersbank
– *glassmaker's chair (gaffer's chair)*
46 de gesloten pot
– *covered glasshouse pot*
47 de vorm voor het inbrengen van de voorgevormde kloos
– *mould (*Am. *mold), into which the parison is blown*
48-55 de fabricage van glasvezel
– ***production of glass fibre*** *(*Am. *glass fiber)*
48 het trekproces via een nippel
– *continuous filament process*
49 de glassmeltoven
– *glass furnace*
50 de voorraadtank met smelt
– *bushing containing molten glass*
51 de nippels
– *bushing tips*
52 de glasfilamenten
– *glass filaments*
53 het profileren
– *sizing*
54 het glasgaren
– *strand (thread)*
55 de opwikkeltrommel
– *spool*
56-58 de glasvezelprodukten
– ***glass fibre*** *(*Am. *glass fiber)* ***products***
56 het glasgaren
– *glass yarn (glass thread)*
57 het opgewikkelde glasgaren
– *sleeved glass yarn (glass thread)*
58 de rol glaswol
– *glass wool*

1-13 **de katoenaanlevering**
- ***supply of cotton***
1 het rijpe katoenpluis
- *ripe cotton boll*
2 de garenspoel met garen voor de inslag
- *full cop (cop wound with weft yarn)*
3 de geperste katoenbaal
- *compressed cotton bale*
4 het juteomhulsel
- *jute wrapping*
5 de, het staalband
- *steel band*
6 de partijnummers
- *identification mark of the bale*
7 de mengbalenopener (katoenreiniger)
- *bale opener (bale breaker)*
8 de toevoerband
- *cotton-feeding brattice*
9 de voedingsbak
- *cotton feed*
10 de stofafzuigtrechter
- *dust extraction fan*
11 de stofafvoer naar de stofkelder
- *duct to the dust-collecting chamber*
12 de aandrijfmotor
- *drive motor*
13 de verzameltransportband
- *conveyor brattice*
14 **de dubbele slag- en wikkelmachine**
- ***double scutcher*** *(machine with two scutchers)*
15 de wikkelmulde (opvangbak)
- *lap cradle*
16 de drukregelaar
- *rack head*
17 het, de starthandel
- *starting handle*
18 het handwiel voor omhoog- en omlaagzetten van de drukregelaar
- *handwheel, for raising and lowering the rack head*
19 de inrichting om het begin van de wikkel om te slaan
- *movable lap-turner*
20 de perswalsen
- *calender rollers*
21 de afdekplaat voor de zeeftrommel
- *cover for the perforated cylinders*
22 de stofopvangruimte
- *dust escape flue (dust discharge flue)*
23 de aandrijfmotoren
- *drive motors (beater drive motors)*
24 de aandrijfas voor de openerwals
- *beater driving shaft*
25 de openerwals met drie naaldbalken
- *three-blade beater (Kirschner beater)*
26 de, het doorlaatrooster van staven [om afval door te laten]
- *grid [for impurities to drop]*
27 de toevoercilinder
- *pedal roller (pedal cylinder)*
28 de hoeveelheidsregelaar, een voetschakelaar
- *control lever for the pedal roller, a pedal lever*
29 de tandwielkast met variabele snelheidsregeling
- *variable change-speed gear*
30 de snelheidsregeling door twee kegelschijven
- *cone drum box*
31 de aan- en uitschakeling voor de voedingsbak
- *stop and start levers for the hopper*
32 de houten drukwals voor de toevoer
- *wooden hopper delivery roller*
33 de voedingsbak
- *hopper feeder*
34 **de kaarde** (kaardmachine, krasmachine, kras)
- ***carding machine*** *(card, carding engine)*
35 de lontkan
- *card can (carding can), for receiving the coiled sliver*
36 de kanvuller (coiler)
- *can holder*
37 de perswalsen
- *calender rollers*
38 de lont
- *carded sliver (card sliver)*
39 de afnemerkam
- *vibrating doffer comb*
40 de aan- en uitschakelaar
- *start-stop lever*
41 de slijplagers
- *grinding-roller bearing*
42 de afnemer
- *doffer*
43 de tamboer (hoofdcilinder)
- *cylinder*
44 de kaardstavenpoetswals
- *flat clearer*
45 de kaardstaven
- *flats*
46 de spanrollen voor de kaardstaven
- *supporting pulleys for the flats*
47 de wikkel afkomstig van de slag- en wikkelmachine
- *scutcher lap (carded lap)*
48 de wikkelhouder
- *scutcher lap holder*
49 de aandrijfmotor met vlakke riem
- *drive motor with flat belt*
50 de aandrijfriemschijf
- *main drive pulley (fast-and-loose drive pulley)*
51 het principe van de kaarde
- *principle of the card (of the carding engine)*
52 de voedingscilinder
- *fluted feed roller*
53 de vooropener
- *licker-in (taker-in, licker-in roller)*
54 de, het rooster onder de vooropener
- *licker-in undercasing*
55 de, het rooster onder de tamboer
- *cylinder undercasing*
56 **de kammachine**
- ***combing machine*** *(comber)*
57 de aandrijfkast
- *drive gearbox (driving gear)*
58 de wikkels afkomstig van de strekmachine
- *laps ready for combing*
59 de kalanderwalsen
- *calender rollers*
60 de kampositie
- *comber draw box*
61 de teller
- *counter*
62 de aflevering van de gekamde lont
- *coiler top*
63 het principe van de kammachine
- *principle of the comber*
64 de lont
- *lap*
65 de onderregelaar
- *bottom nipper*
66 de bovenregelaar
- *top nipper*
67 de bovenkam
- *top comb*
68 de ronddraaiende kam
- *combing cylinder*
69 het vlakke cilinderdeel
- *plain part of the cylinder*
70 het kamgedeelte van de cilinder
- *needled part of the cylinder*
71 de afnemer
- *detaching rollers*
72 de gekamde lont
- *carded and combed sliver*

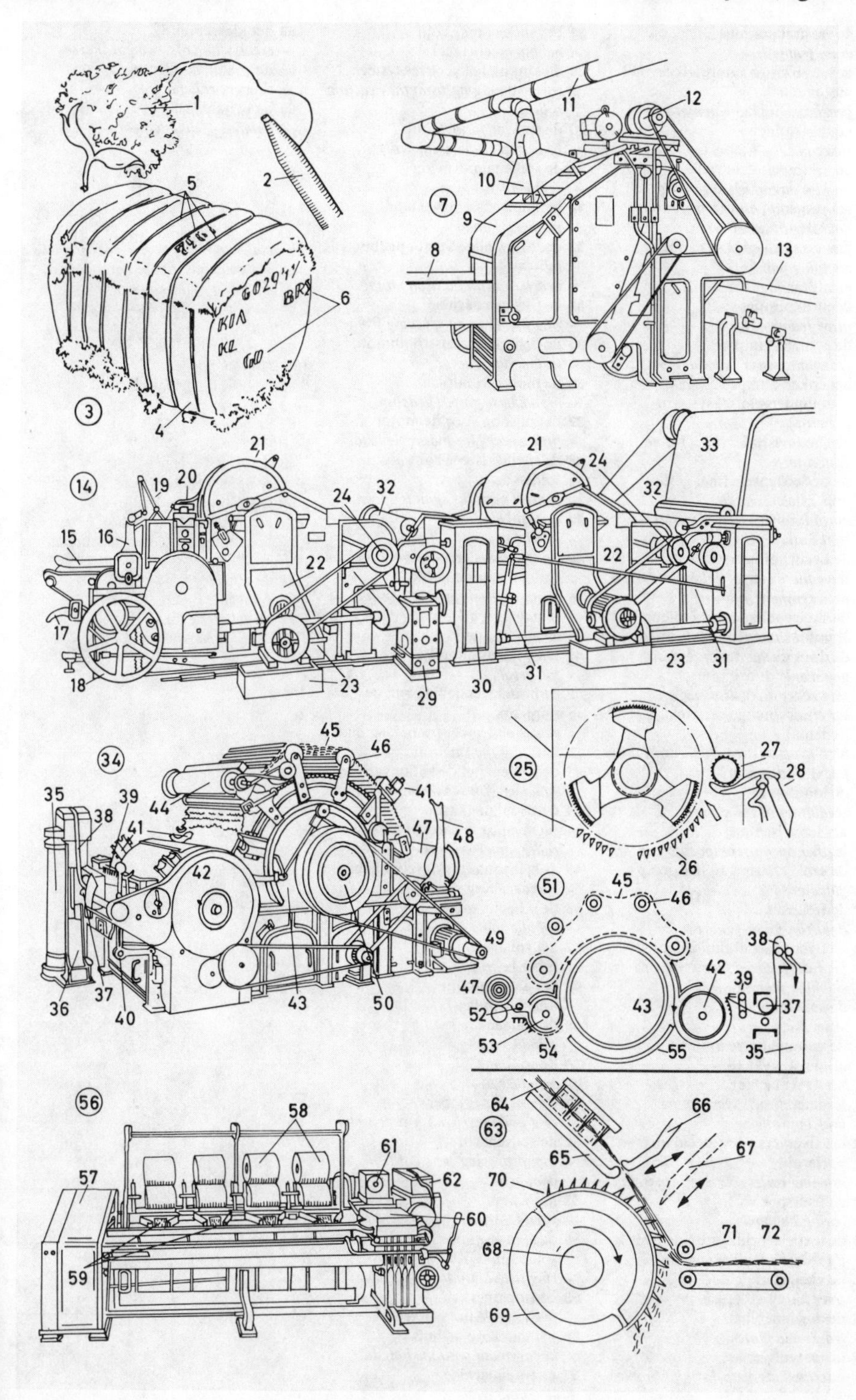
1
2
3
4
5
6
7
8
9
10
11
12
13
14
15
16
17
18
19
20
21
22
23
24
25
26
27
28
29
30
31
32
33
34
35
36
37
38
39
40
41
42
43
44
45
46
47
48
49
50
51
52
53
54
55
56
57
58
59
60
61
62
63
64
65
66
67
68
69
70
71
72

1 **de verstrekmachine**
- ***draw frame***
2 de aandrijf- en tandwielkast met motor
- *gearbox with built-in motor*
3 de spinkannen
- *sliver cans*
4 de lontbreukafstelwals
- *broken thread detector roller*
5 het samenlopen van de lonten
- *doubling of the slivers*
6 het, de stop- en starthandel
- *stopping handle*
7 de afdekplaat van de verstrekposities
- *draw frame cover*
8 de controlelampen
- *indicator lamps (signal lights)*
9 het enkelvoudige viercilinderverstreksysteem [schema]
- *simple four-roller draw frame [diagram]*
10 de onderste wals (met gerild oppervlak)
- *bottom rollers (lower rollers), fluted steel rollers*
11 de berubberde bovenwals
- *top rollers (upper rollers) covered with synthetic rubber*
12 de samengebundelde lonten
- *doubled slivers before drafting*
13 de door de verstrekwalsen gevormde dunne lont
- *thin sliver after drafting*
14 het meervoudige verstreksysteem [schema]
- *high-draft system (high-draft draw frame) [diagram]*
15 de lontinvoer
- *feeding-in of the sliver*
16 het leren riempje
- *leather apron (composition apron)*
17 de omkeerstrip van het riempje
- *guide bar*
18 de trekwals
- *light top roller (guide roller)*
19 de flyer (*ook:* dralmachine)
- *high-draft speed frame (fly frame, slubbing frame)*
20 de spinkannen
- *sliver cans*
21 de inloop van de lonten afkomstig van de verstrekmachine
- *feeding of the slivers to the drafting rollers*
22 het flyerverstreksysteem met poetsrol
- *drafting rollers with top clearers*
23 de flyerspoelen
- *roving bobbins*
24 de textielarbeidster bij de flyer
- *fly frame operator (operative)*
25 de vleugel
- *flyer*
26 de machineplaat
- *frame end plate*
27 de tussenflyer
- *intermediate yarn-forming frame*
28 het spoelenmagazijn
- *bobbin creel (creel)*
29 de lont na het verstreksysteem
- *roving emerging from the drafting rollers*
30 de spoelenaandrijfbok
- *lifter rail (separating rail)*
31 de spillenaandrijving
- *spindle drive*
32 het, de bedieningshandel
- *stopping handle*
33 de tandwielkast met opgebouwde motor
- *gearbox, with built-on motor*
34 **de ringspinmachine**
- ***ring frame*** *(ring spinning frame)*
35 de collectordraaistroommotor
- *three-phase motor*
36 de motorgrondplaat
- *motor base plate (bedplate)*
37 het hijsoog voor de motor
- *lifting bolt [for motor removal]*
38 de snelheidsregelaar voor de spillen
- *control gear for spindle speed*
39 de tandwielkast
- *gearbox*
40 de wisselwielen voor verandering van het garennummer
- *change wheels for varying the spindle speed [to change the yarn count]*
41 het volle aflooprek
- *full creel*
42 de hoogteverstelling van de ringbank
- *shafts and levers for raising and lowering the ring rail*
43 de spillen met de ballonvangers
- *spindles with separators*
44 de stofafzuigkast
- *suction box connected to the front roller underclearers*
45 **de spil** van een ringspinmachine
- ***standard ring spindle***
46 de schacht van de spil
- *spindle shaft*
47 het rollager
- *roller bearing*
48 het aandrijfpunt
- *wharve (pulley)*
49 de spilhaak
- *spindle catch*
50 de spilbank
- *spindle rail*
51 de spil (ring, loper)
- *ring and traveller (*Am. *traveler)*
52 de spilschacht
- *top of the ring tube (of the bobbin)*
53 het garen
- *yarn (thread)*
54 de spinring voor montage op de spinbank
- *ring fitted into the ring rail*
55 de ringloper
- *traveller (*Am. *traveler)*
56 het garen op de huls
- *yarn wound onto the bobbin*
57 **de twijnmachine**
- ***doubling frame***
58 het klossenrek
- *creel, with cross-wound cheeses*
59 de voedingsrollen
- *delivery rollers*
60 de twijnhulzen
- *bobbins of doubled yarn*

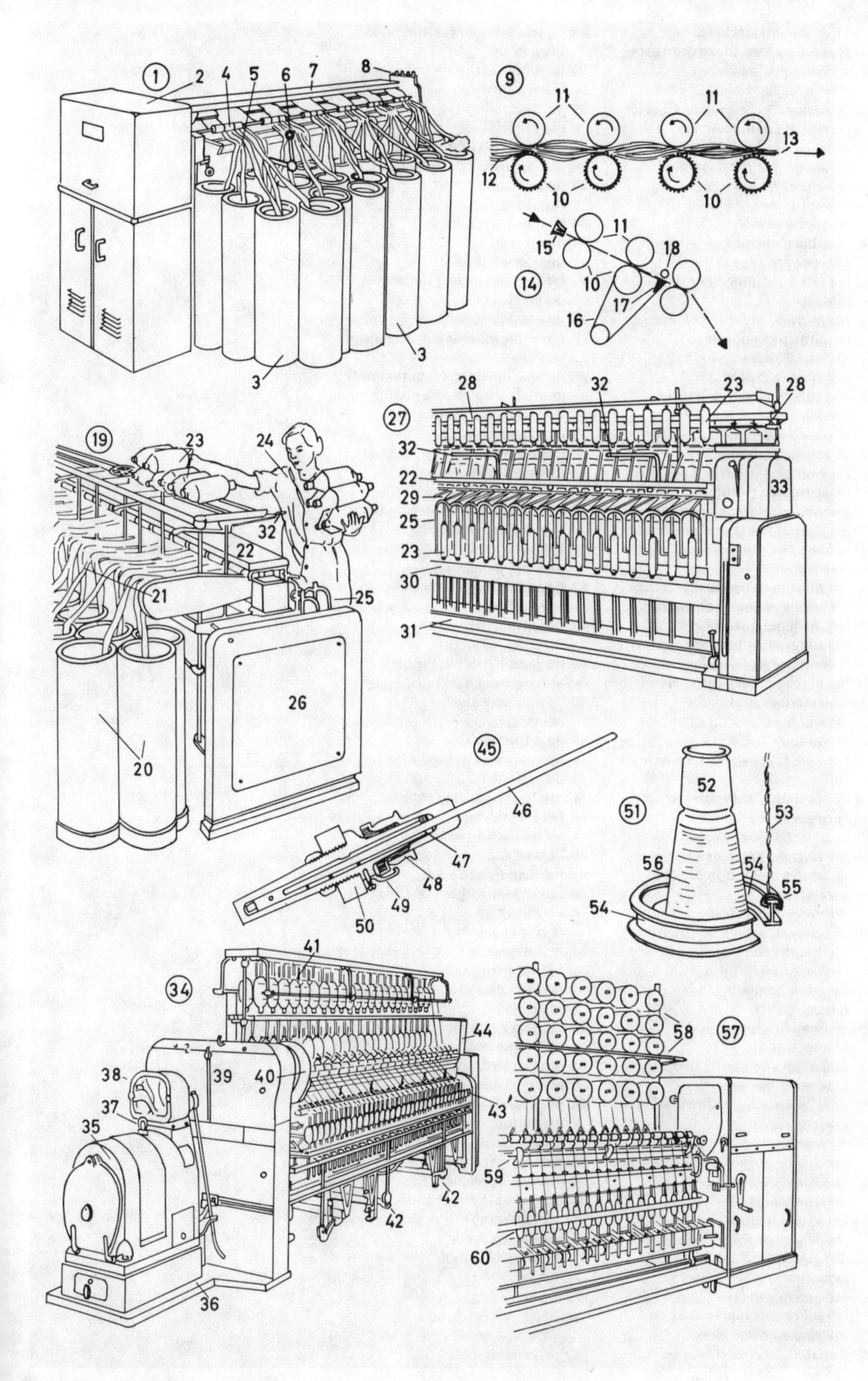
1
2
3
4
5
6
7
8
9
10
11
12
13
14
15
16
17
18
19
20
21
22
23
24
25
26
27
28
29
30
31
32
33
34
35
36
37
38
39
40
41
42
43
44
45
46
47
48
49
50
51
52
53
54
55
56
57
58
59
60

1-57 de weverijvoorbereiding
- ***processes preparatory to weaving***

1 de kruisspoelmachine
- *cone-winding frame*

2 de heen en weer gaande afblazer
- *travelling (*Am. *traveling) blower*

3 de rail voor de afblazer
- *guide rail, for the travelling (*Am. *traveling) blower*

4 de ventilator
- *blowing assembly*

5 de afblaasopening
- *blower aperture*

6 het opbouwframe voor de afblazer
- *superstructure for the blower rail*

7 de aanwijzer voor de kruisspoeldiameter
- *full-cone indicator*

8 de kruisspoel met gekruiste draden
- *cross-wound cone*

9 de kruisspoelhouder
- *cone creel*

10 de gegroefde trommel
- *grooved cylinder*

11 de gleuf om de draden te kruisen
- *guiding slot for cross-winding the threads*

12 het machinekopstuk met motor
- *side frame, housing the motor*

13 het, de handel voor het omhoogstellen van de kruisspoel
- *tension and slub-catching device*

14 het machine-eindstuk met stoffilterinrichting
- *off-end framing with filter*

15 de spinhuls
- *yarn package, a ring tube or mule cop*

16 de spinhulskast (voorraad)
- *yarn package container*

17 de aan- en uitschakelaar
- *starting and stopping lever*

18 de beugel met automatische gareninleg
- *self-threading guide*

19 de automatische-stopinrichting bij draadbreuk
- *broken thread stop motion*

20 de gleufgarenreiniger
- *thread clearer*

21 de gewichtschijf voor de garenspanning
- *weighting disc (disk) for tensioning the thread*

22 de scheermachine (direct scheren)
- *warping machine*

23 de ventilator
- *fan*

24 de kruisspoel
- *cross-wound cone*

25 het kruisspoelrek
- *creel*

26 de verstelbare kam (het expansieriet)
- *adjustable comb*

27 het scheermachineframe
- *warping machine frame*

28 de garenmeterteller
- *yarn length recorder*

29 de scheerboom (kettingboom)
- *warp beam*

30 de schijf (kettingboomschijf)
- *beam flange*

31 de stootrail
- *guard rail*

32 de drukwals (aandrijfwals)
- *driving drum (driving cylinder)*

33 de riemaandrijving
- *belt drive*

34 de motor
- *motor*

35 de voetschakelaar
- *release for starting the driving drum*

36 de kamverstelschroef
- *screw for adjusting the comb setting*

37 de afstelnaalden bij garenbreuk
- *drop pins, for stopping the machine when a thread breaks*

38 de meeloperstang
- *guide bar*

39 de draadbreukwalsen
- *drop pin rollers*

40 de indigo-verf- en sterkmachine
- *indigo dying and sizing machine*

41 het afloopgestel
- *take-off stand*

42 de scheerboom (kettingboom)
- *warp beam*

43 de ketting (het garen)
- *warp*

44 de garenbevochtigingsbak
- *wetting trough*

45 de dompelwals
- *immersion roller*

46 de uitperswals
- *squeeze roller (mangle)*

47 de verfbak
- *dye liquor padding trough*

48 het luchtkanaal
- *air oxidation passage*

49 de wasbak
- *washing trough*

50 de cilinderdroger voor de voordroging
- *drying cylinders for pre-drying*

51 de rollengang voor compensatie van de spanning
- *tension compensator (tension equalizer)*

52 de sterkmachine (papmachine)
- *sizing machine*

53 de cilinderdroger
- *drying cylinders*

54 het droogverdeelveld
- for cotton: *stenter;* for wool: *tenter*

55 de boommachine
- *beaming machine*

56 de gesterkte-kettingboom (weversboom)
- *sized warp beam*

57 de aandrukwalsen
- *rollers*

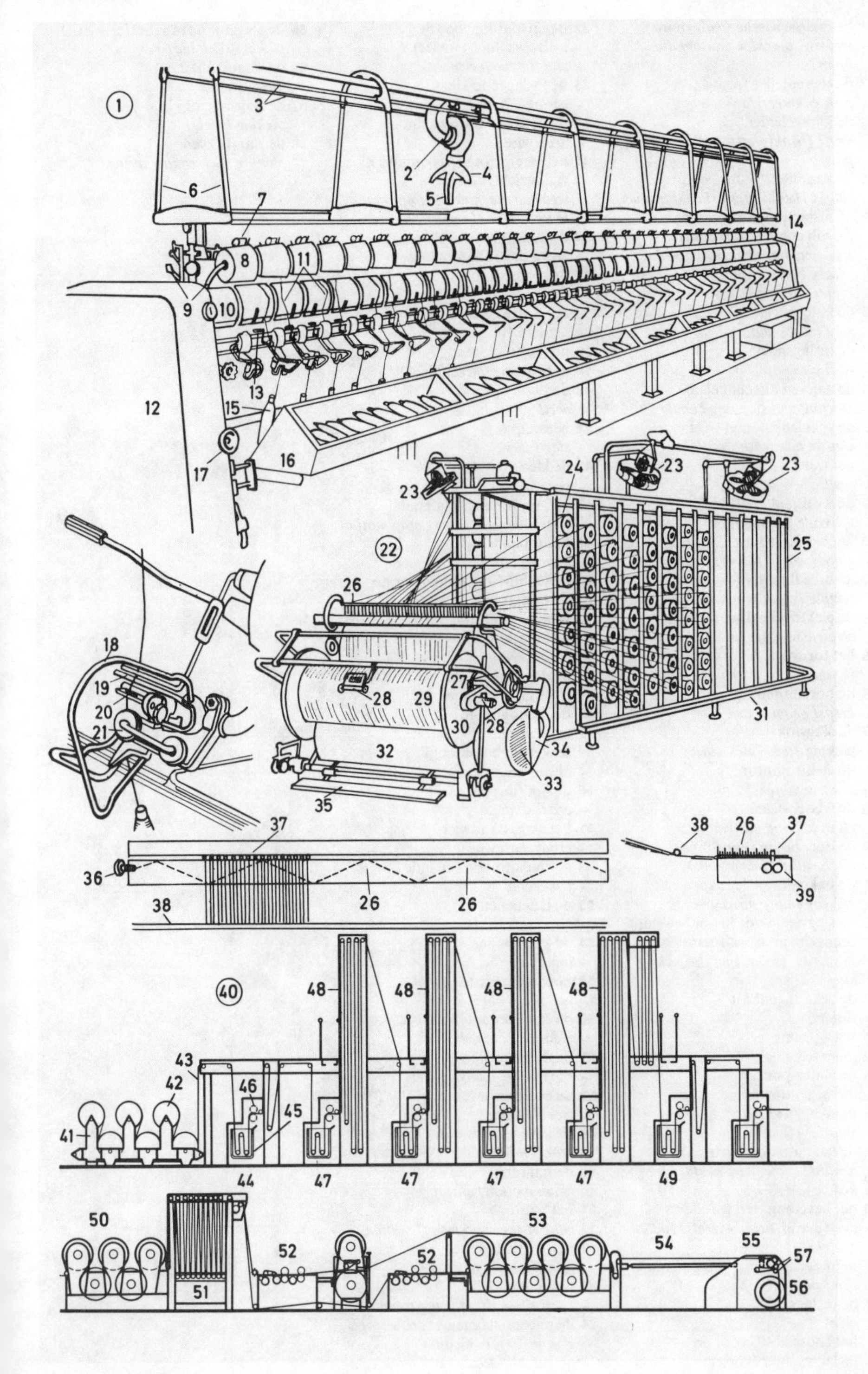
1
2
3
4
5
6
7
8
9
10
11
12
13
14
15
16
17
18
19
20
21
22
23
24
25
26
27
28
29
30
31
32
33
34
35
36
37
38
39
40
41
42
43
44
45
46
47
48
49
50
51
52
53
54
55
56
57

1 het automatische weefgetouw
- ***weaving machine** (automatic loom)*

2 de toerenteller (picksteller)
- *pick counter (tachometer)*

3 de kamgeleider
- *shaft (heald shaft, heald frame) guide*

4 de kammen
- *shafts (heald shafts, heald frames)*

5 de inslagwisselautomaat (revolversysteem) voor het wisselen van de inslagspoelen
- *rotary battery for weft replenishment*

6 de ladebeugel
- *sley (slay) cap*

7 de inslagspoel
- *weft pirn*

8 de aan- en uitschakelaar
- *starting and stopping handle*

9 de spoelenbak met weefspoel
- *shuttle box, with shuttles*

10 het riet
- *reed*

11 de weefkant (zelfkant)
- *selvedge (selvage)*

12 het weefsel (doek)
- *cloth (woven fabric)*

13 de breedhouder
- *temple (cloth temple)*

14 de elektrische draadwachter
- *electric weft feeler*

15 het tornwiel
- *flywheel*

16 de borstboom
- *breast beam board*

17 de slagstok
- *picking stick (pick stick)*

18 de elektromotor
- *electric motor*

19 de wisselwielen
- *cloth take-up motion*

20 de doekboom (voorloper)
- *cloth roller (fabric roller)*

21 de bak voor de lege spoelen
- *can for empty pirns*

22 de slagriem voor het in beweging brengen van de slagarm
- *lug strap, for moving the picking stick*

23 de zekeringenkast
- *fuse box*

24 het zijframe
- *loom framing*

25 de stalen punt
- *metal shuttle tip*

26 de weefspoel
- *shuttle*

27 de (staaldraad)hevels
- *heald (heddle, wire heald, wire heddle)*

28 het heveloog, een garenoog
- *eye (eyelet, heald eyelet, heddle eyelet)*

29 het weefspoeloog, een garenoog
- *eye (shuttle eye)*

30 de inslagspoel
- *pirn*

31 het contactblik voor de inslagwachter (voeler)
- *metal contact sleeve for the weft feeler*

32 de uitsparing voor de inslagwachter (voeler)
- *slot for the feeler*

33 de inslagspoelklem
- *spring-clip pirn holder*

34 de kettingdradenwachter
- *drop wire*

35 het weefgetouw [schematisch zijaanzicht]
- *weaving machine (automatic loom) [side elevation]*

36 de kamrollen
- *heald shaft guiding wheels*

37 de strijkboom
- *backrest*

38 de verdeelbalk
- *lease rods*

39 de (ketting)draad
- *warp (warp thread)*

40 de (weef)sprong
- *shed*

41 het riet
- *sley (slay)*

42 de lade
- *race board*

43 het, de stopaanslaghandel
- *stop rod blade for the stop motion*

44 de stopaanslag
- *bumper steel*

45 de verbindingsstang naar de stopzetter van de machine
- *bumper steel stop rod*

46 de borstboom
- *breast beam*

47 de doekspanboom
- *cloth take-up roller*

48 de kettingboom
- *warp beam*

49 de kettingboomschijf
- *beam flange*

50 de hoofdas (slagas)
- *crankshaft*

51 het slagastandwiel
- *crankshaft wheel*

52 de slagarm voor de lade
- *connector*

53 de ladebenen
- *sley (slay)*

54 de kamspanner
- *lam rods*

55 het excenterastandwiel
- *camshaft wheel*

56 de excenteras
- *camshaft (tappet shaft)*

57 de excenter
- *tappet (shedding tappet)*

58 de excenterhevel
- *treadle lever*

59 de kettingboomrem
- *let-off motion*

60 de remschijf
- *beam motion control*

61 het remtouw
- *rope of the warp let-off motion*

62 het, de remhandel
- *let-off weight lever*

63 het remgewicht
- *control weight [for the treadle]*

64 de picker (slagneus) met lederen of kunststofbekleding
- *picker with leather or bakelite pad*

65 de slagstokopvangbuffer
- *picking stick buffer*

66 de slagexcenter
- *picking cam*

67 de slagstokrol
- *picking bowl*

68 de slagstokveer
- *picking stick return spring*

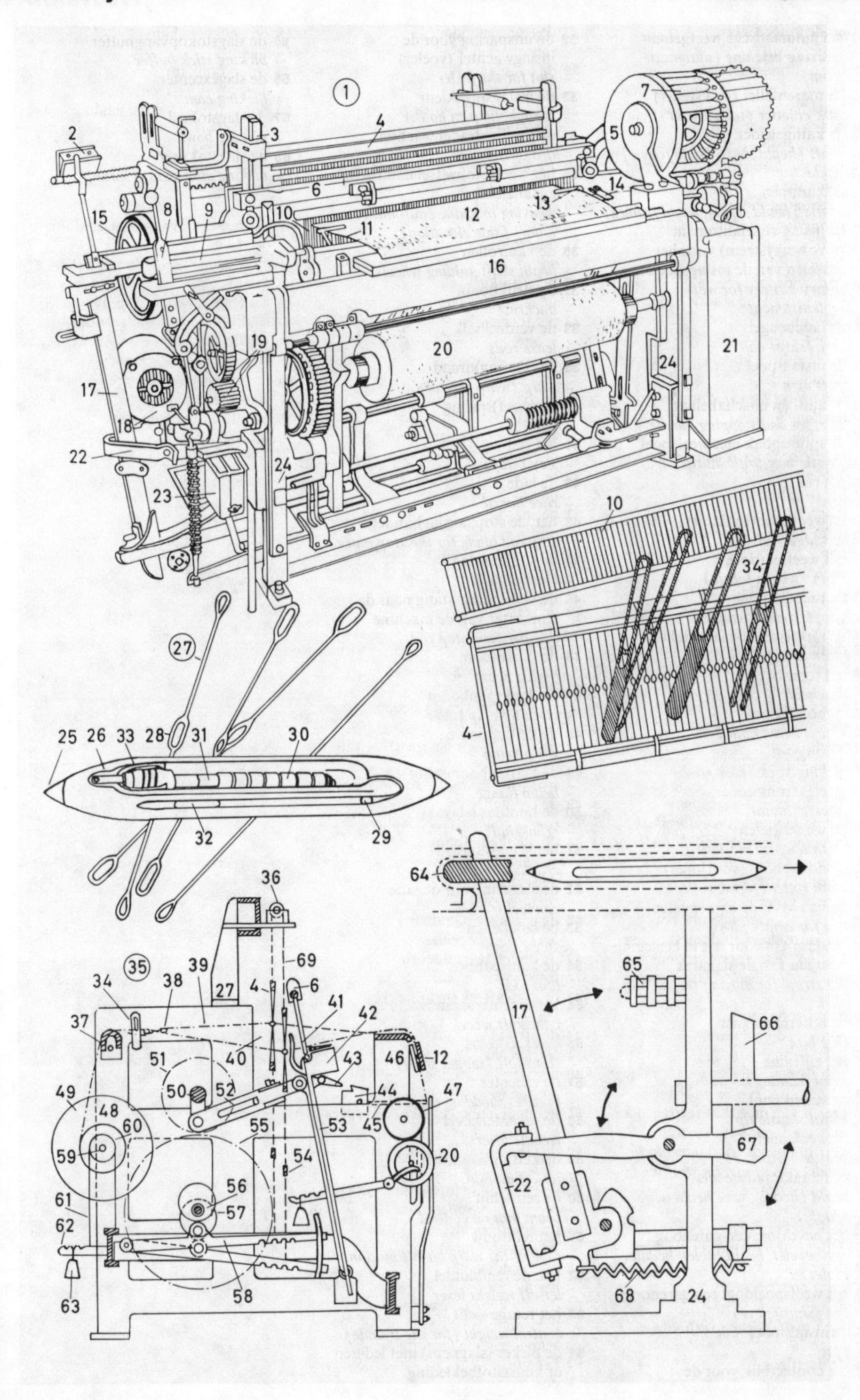
1
2
3
4
5
6
7
8
9
10
11
12
13
14
15
16
17
18
19
20
21
22
23
24
10
34
4
27
25
26
33
28
31
30
32
29
64
36
35
69
34
38
39
27
4
6
37
41
42
40
51
46
12
43
49
50
52
44
48
47
45
60
55
59
53
54
20
56
61
57
62
58
63
65
17
66
67
22
68
24

1-66 de kousenfabriek
- ***hosiery mill***

1 de rondbreimachine
- *circular knitting machine for the manufacture of tubular fabric*

2 de bevestigingsbalk voor de draadgeleiders
- *yarn guide support post (thread guide support post)*

3 de draadgeleider
- *yarn guide (thread guide)*

4 de flessenspoel
- *bottle bobbin*

5 de draadspanner
- *yarn-tensioning device*

6 het slot
- *yarn feeder*

7 het handwiel voor het tornen van de machine
- *handwheel for rotating the machine by hand*

8 de cilinder
- *needle cylinder (cylindrical needle holder)*

9 het rondbreisel
- *tubular fabric*

10 de doekopvangtrommel
- *fabric drum (fabric box, fabric container)*

11 de cilinder [doorsnede]
- *needle cylinder (cylindrical needle holder) [section]*

12 de radiaal geplaatste tongnaalden
- *latch needles arranged in a circle*

13 de slotmantel
- *cam housing*

14 de kammen
- *needle cams*

15 de naaldgroef
- *needle trick*

16 de cilinderdiameter; *ook:* diameter van het rondbreisel
- *cylinder diameter and diameter of tubular fabric*

17 de draad (het garen)
- *thread (yarn)*

18 de cottonmachine voor het vervaardigen van dameskousen
- *Cotton's patent flat knitting machine for ladies' fully-fashioned hose*

19 de patroonketting
- *pattern control chain*

20 het zijframe
- *side frame*

21 de breikop; *met meer koppen:* breien van meer kousen tegelijk
- *knitting head;* with several knitting heads: *simultaneous production of several stockings*

22 de aanzetstang
- *starting rod*

23 de Raschel
- *Raschel warp-knitting machine*

24 de ketting(boom)
- *warp on warp beam*

25 de deelboom
- *yarn-distributing (yarn-dividing) beam*

26 de deelflens
- *beam flange*

27 de (tong)naaldenrij
- *row of needles*

28 de naaldenbalk
- *needle bar*

29 het breisel (Raschelbreisel) [gordijnen en netten] op de doekrol
- *Raschel fabric [for curtain lace and net] on the fabric roll*

30 het handwiel
- *handwheel*

31 de aandrijving en de motor
- *motor drive gear*

32 het aftrekgewicht
- *take-down weight*

33 het frame
- *frame*

34 de funderingsplaat
- *base plate*

35 de vlakbreimachine (handbreimachine)
- *hand flat (flat-bed) knitting machine*

36 de draad (het garen)
- *thread (yarn)*

37 de spanveer
- *return spring*

38 de bevestigingsstang voor de veren
- *support for springs*

39 de verschuifbare slede
- *carriage*

40 het slot
- *feeder-selecting device*

41 de handgrepen voor het verschuiven van de slede
- *carriage handles*

42 de schaal voor het instellen van de steekgrootte
- *scale for regulating size of stitches*

43 de rijenteller
- *course counter (tachometer)*

44 de schakelhefboom
- *machine control lever*

45 de sledegeleiding
- *carriage rail*

46 de bovenste naaldenrij
- *back row of needles*

47 de onderste naaldenrij
- *front row of needles*

48 de doekaftrek (het doek)
- *knitted fabric*

49 de aftrekkam
- *tension bar*

50 het aftrekgewicht
- *tension weight*

51 het naaldenbed en het breiproces
- *needle bed showing knitting action*

52 de tanden van de afslagkam
- *teeth of knock-over bit*

53 de evenwijdig ingezette naalden
- *needles in parallel rows*

54 de draadgeleider
- *yarn guide (thread guide)*

55 het naaldenbed
- *needle bed*

56 de afdeklineaal over de tongnaalden
- *retaining plate for latch needles*

57 het slot
- *guard cam*

58 de steekregelkam
- *sinker*

59 de oploopkam
- *needle-raising cam*

60 de voet(nok) van de naald
- *needle butt*

61 de tongnaald
- *latch needle*

62 de steek
- *loop*

63 het bewegen van de naald door de steek
- *pushing the needle through the fabric*

64 het leggen van de draad in de naald door de draadgeleider
- *yarn guide (thread guide) placing yarn in the needle hook*

65 de vorming van de steek
- *loop formation*

66 het afslaan van de steek
- *casting off of loop*

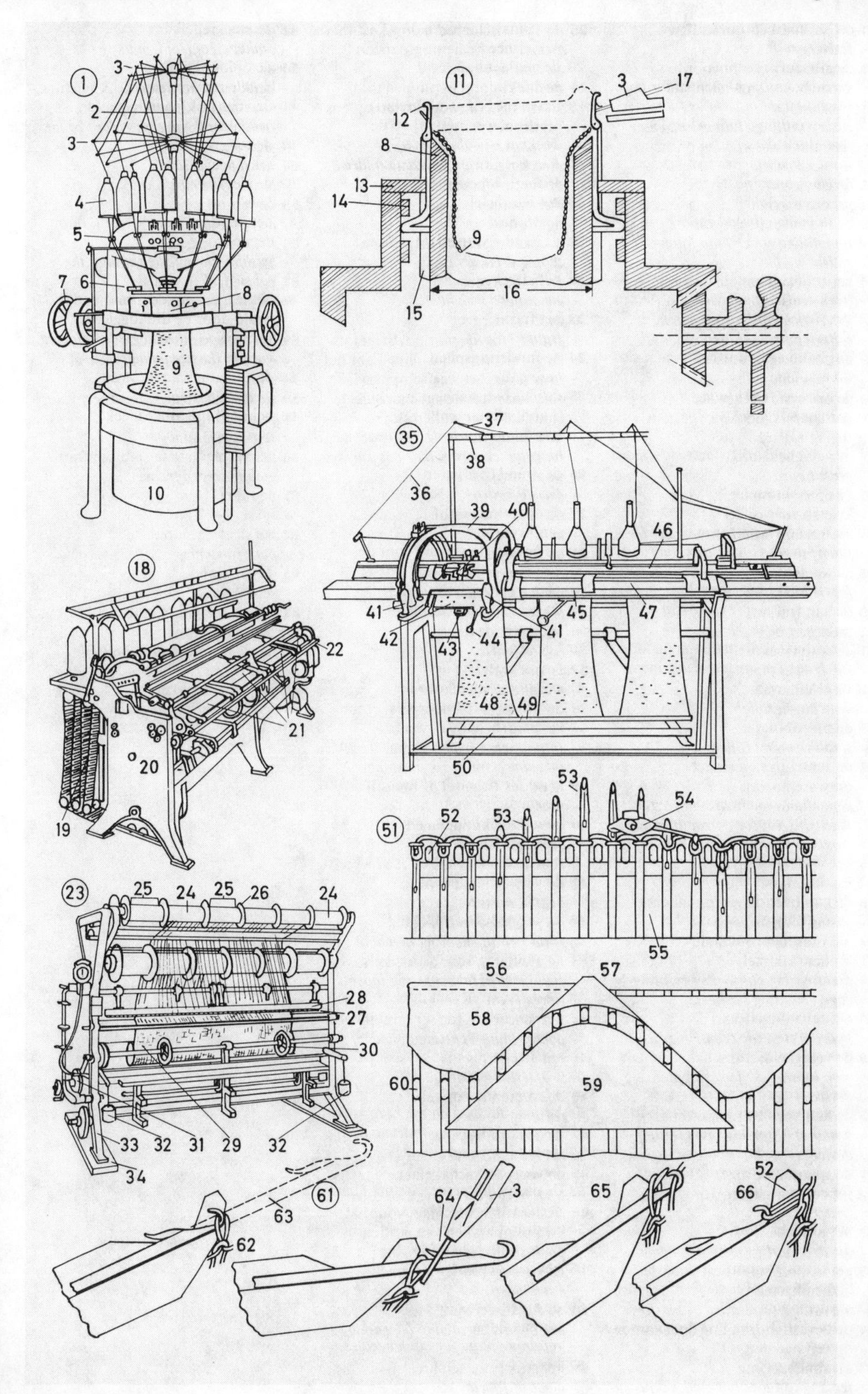
1
2
3
4
5
6
7
8
9
10
11
12
13
14
15
16
17
18
19
20
21
22
23
24
25
26
27
28
29
30
31
32
33
34
35
36
37
38
39
40
41
42
43
44
45
46
47
48
49
50
51
52
53
54
55
56
57
58
59
60
61
62
63
64
65
66

1-65 het finishen van stoffen
- ***finishing***

1 de cilindervolkom voor het verdichten van wollen stof (weefsel)
- *rotary milling (fulling) machine for felting the woollen (*Am. *woolen) fabric*

2 de gewichten
- *pressure weights*

3 de bovenste (trek)wals
- *top milling roller (top fulling roller)*

4 het drijfwiel van de onderste (trek)wals
- *drive wheel of bottom milling roller (bottom fulling roller)*

5 de doekgeleidewals
- *fabric guide roller*

6 de onderste (trek)wals
- *bottom milling roller (bottom fulling roller)*

7 de veiligheidsbril
- *draft board*

8 de breedwasmachine voor kwetsbaar weefsel
- *open-width scouring machine for finer fabrics*

9 de weefselinloop
- *fabric being drawn off the machine*

10 de aandrijfkast
- *drive gearbox*

11 de watertoevoer(leiding)
- *water inlet pipe*

12 de geleidewals
- *drawing-in roller*

13 de breedhouder
- *scroll-opening roller*

14 de centrifuge, voor het ontwateren van weefsel
- *pendulum-type hydro-extractor (centrifuge), for extracting liquors from the fabric*

15 het vaste grondframe
- *machine base*

16 de kap over de veerophanging
- *casing over suspension*

17 het huis met roterende binnentrommel
- *outer casing containing rotating cage (rotating basket)*

18 het centrifugedeksel
- *hydro-extractor (centrifuge) lid*

19 de veiligheidsstopschakelaar
- *stop-motion device (stopping device)*

20 de aanloop- en remautomaat
- *automatic starting and braking device*

21 de spanraamdroger
- for cotton: *stenter;* for wool: *tenter*

22 het natte weefsel
- *air-dry fabric*

23 het inspectieplatform voor de bedieningsman
- *operator's (operative's) platform*

24 de bevestiging van de doekkanten op een naalden- of klemmenketting
- *feeding of fabric by guides onto stenter (tenter) pins or clips*

25 de elektrische bedieningskast (het elektrische bedieningspaneel)
- *electric control panel*

26 de doekinloop in plooien door voorijling, vanwege krimp tijdens het drogen
- *initial overfeed to produce shrink-resistant fabric when dried*

27 de thermometer
- *thermometer*

28 de droogsectie (het droogcompartiment)
- *drying section*

29 de luchtafvoer
- *air outlet*

30 de doekaflegger
- *plaiter (fabric-plaiting device)*

31 de garnituurruwmachine voor het ruwen van het weefseloppervlak; *ook:* kaardedistelruwmachine (speciaal voor wollen stof)
- *wire-roller fabric-raising machine for producing raised or nap surface*

32 de aandrijfkast
- *drive gearbox*

33 de ongeruwde stof
- *unraised cloth*

34 de ruwwalsjes
- *wire-covered rollers*

35 de doekaflegger (inslagen)
- *plaiter (cuttling device)*

36 het geruwde doek
- *raised fabric*

37 de doektafel
- *plaiting-down platform*

38 de walspers (cilinderpers), voor het gladpersen van weefsel
- *rotary press (calendering machine), for press finishing*

39 het doek (weefsel of breisel)
- *fabric*

40 de schakelknoppen en schakelwielen
- *control buttons and control wheels*

41 de verwarmde perswals
- *heated press bowl*

42 de weefselscheermachine
- *rotary cloth-shearing machine*

43 de afzuiging van losse vezels
- *suction slot, for removing loose fibres (*Am. *fibers)*

44 het scheermes (de scheercilinder)
- *doctor blade (cutting cylinder)*

45 het afschermgaas
- *protective guard*

46 de roterende borstel
- *rotating brush*

47 de doekglijbaan
- *curved scray entry*

48 de voetplankschakelaar
- *treadle control*

49 de decatiseermachine, voor het krimpvrij maken van stoffen
- *[non-shrinking] decatizing (decating) fabric-finishing machine*

50 de decatiseerwals
- *perforated decatizing (decating) cylinder*

51 het stuk (weefsel, breisel)
- *piece of fabric*

52 de zwengel
- *cranked control handle*

53 de tienkleurenrouleauxdrukmachine (weefseldrukmachine)
- *ten-colour (*Am. *ten-color) roller printing machine*

54 het machineframe
- *base of the machine*

55 de motor
- *drive motor*

56 het meeloperdoek
- *blanket [of rubber or felt]*

57 het bedrukte weefsel
- *fabric after printing (printed fabric)*

58 het bedieningspaneel
- *electric control panel (control unit)*

59 de vlakfilmdruk (*moderner:* rotatiefilmdruk)
- *screen printing*

60 het verplaatsbare sjabloonframe
- *mobile screen frame*

61 de rakel
- *squeegee*

62 het druksjabloon
- *pattern stencil*

63 de druktafel
- *screen table*

64 het vastgeplakte, onbedrukte weefsel
- *fabric gummed down on table ready for printing*

65 de textieldrukker
- *screen printing operator (operative)*

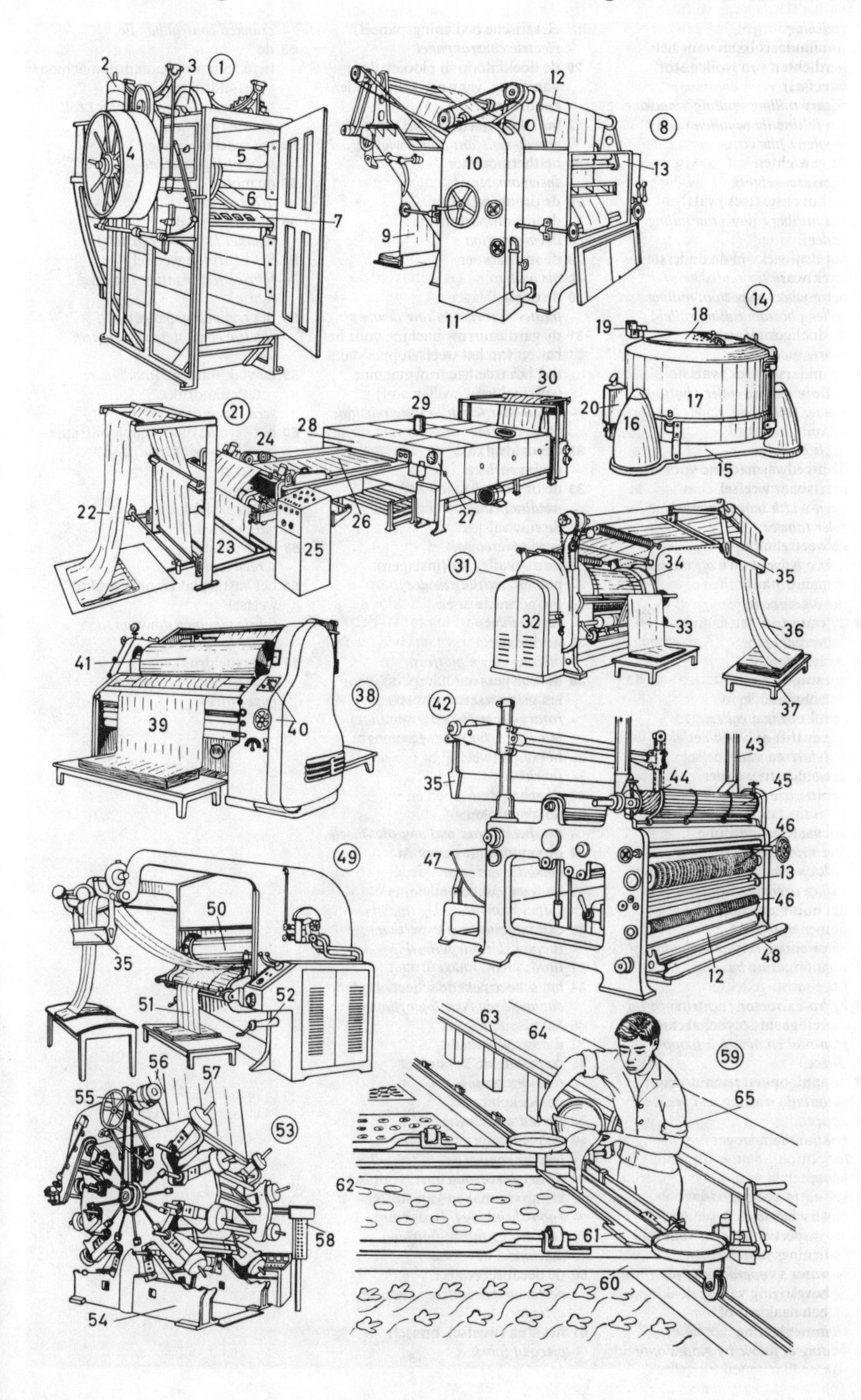
1
2
3
4
5
6
7
8
9
10
11
12
13
14
15
16
17
18
19
20
21
22
23
24
25
26
27
28
29
30
31
32
33
34
35
36
37
38
39
40
41
42
43
44
45
46
47
48
49
50
51
52
53
54
55
56
57
58
59
60
61
62
63
64
65

1-34 de vervaardiging van **viscosevezels en viscosegaren (rayonvezels en rayongaren)**
- *manufacture of* ***continuous filament and staple fibre*** *(*Am. *fiber)* ***viscose rayon yarns*** *by means of the viscose process*

1-12 van grondstof tot viscose
- *from raw material to viscose rayon*

1 het uitgangsmateriaal [beuken- en vurencelstof in bladen, celstofplaten]
- *basic material [beech and spruce cellulose in form of sheets]*

2 het mengen van de celstofbladen
- *mixing cellulose sheets*

3 de, het natronloog
- *caustic soda*

4 het plaatsen van de celstofbladen in de het natronloog
- *steeping cellulose sheets in caustic soda*

5 het afpersen van de het overtollige natronloog
- *pressing out excess caustic soda*

6 het verkruimelen van de celstofbladen
- *shredding the cellulose sheets*

7 het rijpen van de natroncellulose
- *maturing (controlled oxidation) of the alkali-cellulose crumbs*

8 de zwavelkoolstof
- *carbon disulphide (*Am. *carbon disulfide)*

9 het sulfideren (omzetten van de natroncellulose in cellulosexanthogenaat)
- *conversion of alkali-cellulose into cellulose xanthate*

10 het oplossen van het xanthogenaat in natronloog ter bereiding van de viscosespinvloeistof
- *dissolving the xanthate in caustic soda for the preparation of the viscose spinning solution*

11 de vacuümopslagtank voor narijping
- *vacuum ripening tanks*

12 de filterpersen
- *filter press*

13-27 van viscose-oplossing tot viscosegaren (rayongaren)
- *from viscose to viscose rayon thread*

13 de spinpomp (tandradpomp)
- *metering pump*

14 de spindop
- *multi-holed spinneret (spinning jet)*

15 het spinbad voor het coaguleren van de stroperige viscose in plastische cellulosefilamenten
- *coagulating (spinning) bath for converting (coagulating) viscose (viscous solution) into solid filaments*

16 de galette (glasrol)
- *Godet wheel, a glass pulley*

17 de spincentrifuge voor het twisten van de filamenten tot garen
- *Topham centrifugal pot (box) for twisting the filaments into yarn*

18 de spinkoek
- *viscose rayon cake*

19-27 de verwerking van de spinkoek
- *processing of the cake*

19 het wegwassen van het zuur
- *washing*

20 het ontzwavelen
- *desulphurizing (desulphurization,* Am. *desulfurizing, desulfurization)*

21 het bleken
- *bleaching*

22 het aviveren (zacht maken, de avivage)
- *treating of cake to give filaments softness and suppleness*

23 het centrifugeren ter verwijdering van het grootste deel van de badvloeistof
- *hydro-extraction to remove surplus moisture*

24 het drogen in de droogkamer
- *drying in heated room*

25 het spoelen (op klossen)
- *winding yarn from cake into cone form*

26 de spoelmachine
- *cone-winding machine*

27 het viscosefilamentgaren op conische kruisspoelen voor de verdere verwerking tot textiel
- *viscose rayon yarn on cone ready for use*

28-34 van viscose-oplossing tot viscosevezel (rayonvezel)
- *from viscose spinning solution to viscose rayon staple fibre (*Am. *fiber)*

28 de kabel
- *filament tow*

29 de sproeierwasmachine
- *overhead spray washing plant*

30 de snijmachine, voor het in stukken van bepaalde lengte hakken van de kabel (maken van stapelvezels)
- *cutting machine for cutting filament tow to desired length*

31 de vezelbandetagedroger
- *multiple drying machine for cut-up staple fibre (*Am. *fiber) layer (lap)*

32 de transportband
- *conveyor belt (conveyor)*

33 de balenpers
- *baling press*

34 de verzendklare baal viscosestapelvezels
- *bale of viscose rayon ready for dispatch (despatch)*

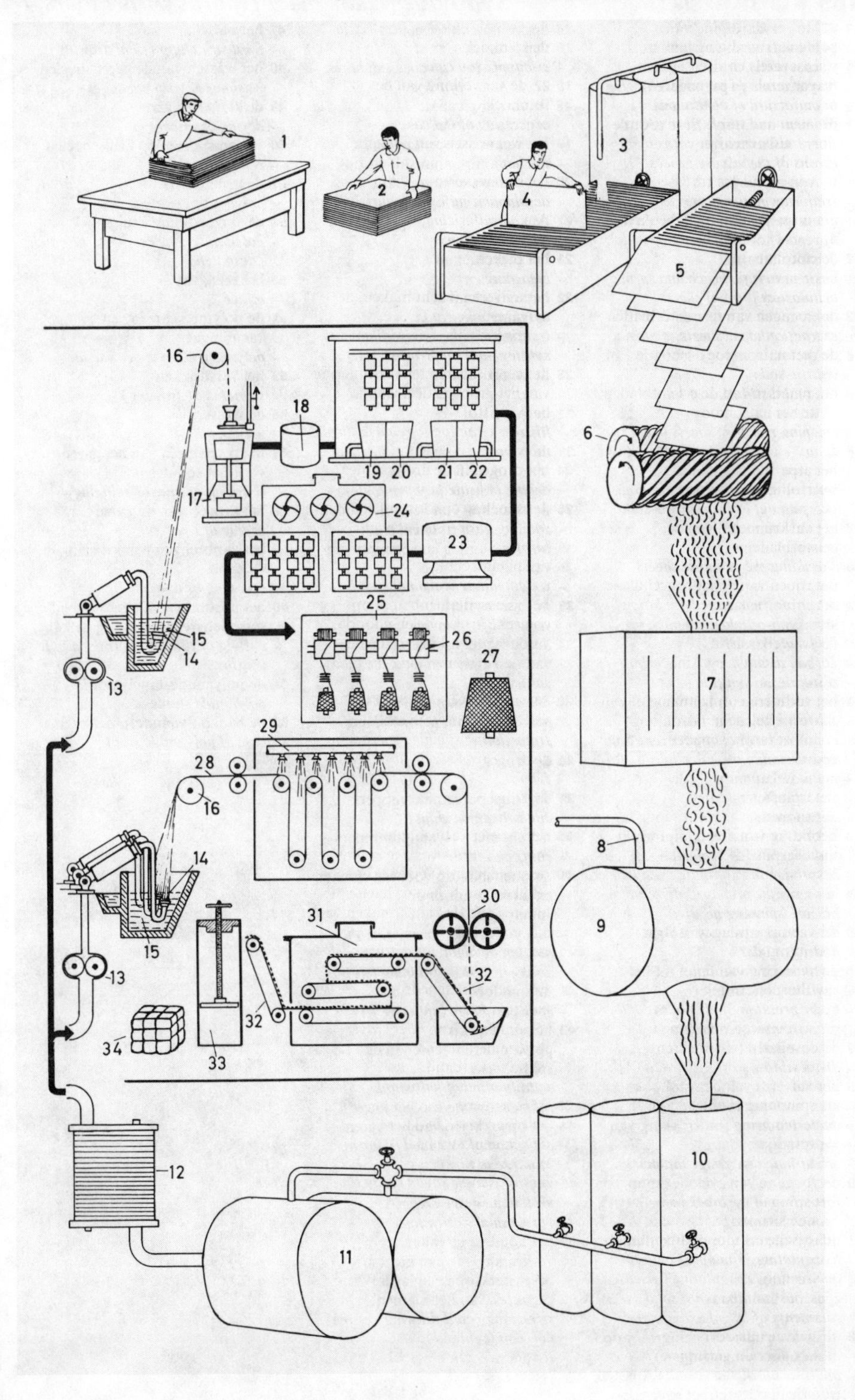
1
2
3
4
5
6
7
8
9
10
11
12
13
14
15
16
17
18
19
20
21
22
23
24
25
26
27
28
29
30
31
32
33
34

1-62 de vervaardiging van **polyamidevezels** (perlonvezels, nylonvezels)
- *manufacture of* ***polyamide*** *(nylon 6, perlon) fibres (*Am. ***fibers)***

1 de steenkool [grondstof voor de polyamidebereiding (perlonbereiding, nylonbereiding)]
- *coal [raw material for manufacture of polyamide (nylon 6, perlon) fibres (*Am. *fibers)]*

2 de cokesfabriek
- *coking plant for dry coal distillation*

3 de extractie van teer en fenol
- *extraction of coal tar and phenol*

4 de gefractioneerde destillatie van teer
- *gradual distillation of tar*

5 de koeler
- *condenser*

6 de opvang en het transport van benzeen
- *benzene extraction and dispatch (despatch)*

7 het chloor(gas)
- *chlorine*

8 de chlorering van benzeen
- *benzene chlorination*

9 het chloorbenzeen
- *monochlorobenzene (chlorobenzene)*

10 de, het natronloog
- *caustic soda solution*

11 het verhitten van het mengsel van chloorbenzeen en natronloog
- *evaporation of chlorobenzene and caustic soda*

12 het reactie(druk)vat (de autoclaaf)
- *autoclave*

13 het keukenzout, een bijprodukt
- *sodium chloride (common salt), a by-product*

14 het fenol
- *phenol (carbolic acid)*

15 de toevoer van waterstofgas
- *hydrogen inlet*

16 de hydrering van fenol tot het ruwe cyclohexanol
- *hydrogenation of phenol to produce raw cyclohexanol*

17 de destillatie
- *distillation*

18 het zuivere cyclohexanol
- *pure cyclohexanol*

19 de dehydrering (onttrekking van waterstof, oxydatie)
- *oxidation (dehydrogenation)*

20 de vorming van cyclohexanon
- *formation of cyclohexanone (pimehinketone)*

21 de toevoeging van hydroxylamine
- *hydroxylamine inlet*

22 de vorming van cyclohexanonoxim
- *formation of cyclohexanoxime*

23 de zwavelzuurtoevoeging voor de moleculaire omlegging
- *addition of sulphuric acid (*Am. *sulfuric acid) to effect molecular rearrangement*

24 de ammoniak ter neutralisatie van het zwavelzuur
- *ammonia to neutralize sulphuric acid (*Am. *sulfuric acid)*

25 de vorming van de caprolactamolie
- *formation of caprolactam oil*

26 de, het ammoniumsulfaatloog
- *ammonium sulphate (*Am. *ammonium sulfate) solution*

27 de koelwals
- *cooling cylinder*

28 het caprolactam
- *caprolactam*

29 de weegschaal
- *weighing apparatus*

30 de smeltketel
- *melting pot*

31 de pomp
- *pump*

32 de, het filter
- *filter*

33 de polymerisatie in het drukvat (de autoclaaf)
- *polymerization in the autoclave*

34 de afkoeling van het polyamide
- *cooling of the polyamide*

35 het vastworden en versnipperen van het polyamide
- *solidification of the polyamide*

36 de paternosterlift
- *vertical lift (*Am. *elevator)*

37 de extractor voor de scheiding van polyamide en de rest lactamolie
- *extractor for separating the polyamide from the remaining lactam oil*

38 de droger
- *drier*

39 de droge polyamidesnippers
- *dry polyamide chips*

40 het vat met polyamidesnippers
- *chip container*

41 de smeltspinkop voor het smelten en uitpersen door de spindopgaatjes
- *top of spinneret for melting the polyamide and forcing it through spinneret holes (spinning jets)*

42 de spindop
- *spinneret holes (spinning jets)*

43 het stollen van de polyamidefilamenten in de spinschacht
- *solidification of polyamide filaments in the cooling tower*

44 het opwikkelen van het garen
- *collection of extruded filaments into thread form*

45 het voortwijnen
- *preliminary stretching (preliminary drawing)*

46 het koud verstrekken ter verkrijging van een grotere breeksterkte en een lagere breukrek van het filament
- *stretching (cold-drawing) of the polyamide thread to achieve high tensile strength*

47 het natwijnen
- *final stretching (final drawing)*

48 het wassen van de garenspoelen
- *washing of yarn packages*

49 de kamerdroger
- *drying chamber*

50 het omspoelen op kruisspoelen
- *rewinding*

51 de kruisspoel
- *polyamide cone*

52 de verzendklare kruisspoel
- *polyamide cone ready for dispatch (despatch)*

53 het mengvat
- *mixer*

54 de polymerisatie in een vacuümvat
- *polymerization under vacua*

55 het verstrekken
- *stretching (drawing)*

56 de wasserij
- *washing*

57 het prepareren van het garen voor het spinnen
- *finishing of tow for spinning*

58 het drogen van de kabel
- *drying of tow*

59 het aanbrengen van kroezing in de kabel
- *crimping of tow*

60 het in stukken van gebruikelijke stapellengte hakken van de kabel
- *cutting of tow into normal staple lengths*

61 de polyamidestapelvezel
- *polyamide staple*

62 de baal polyamidestapelvezels
- *bale of polyamide staple*

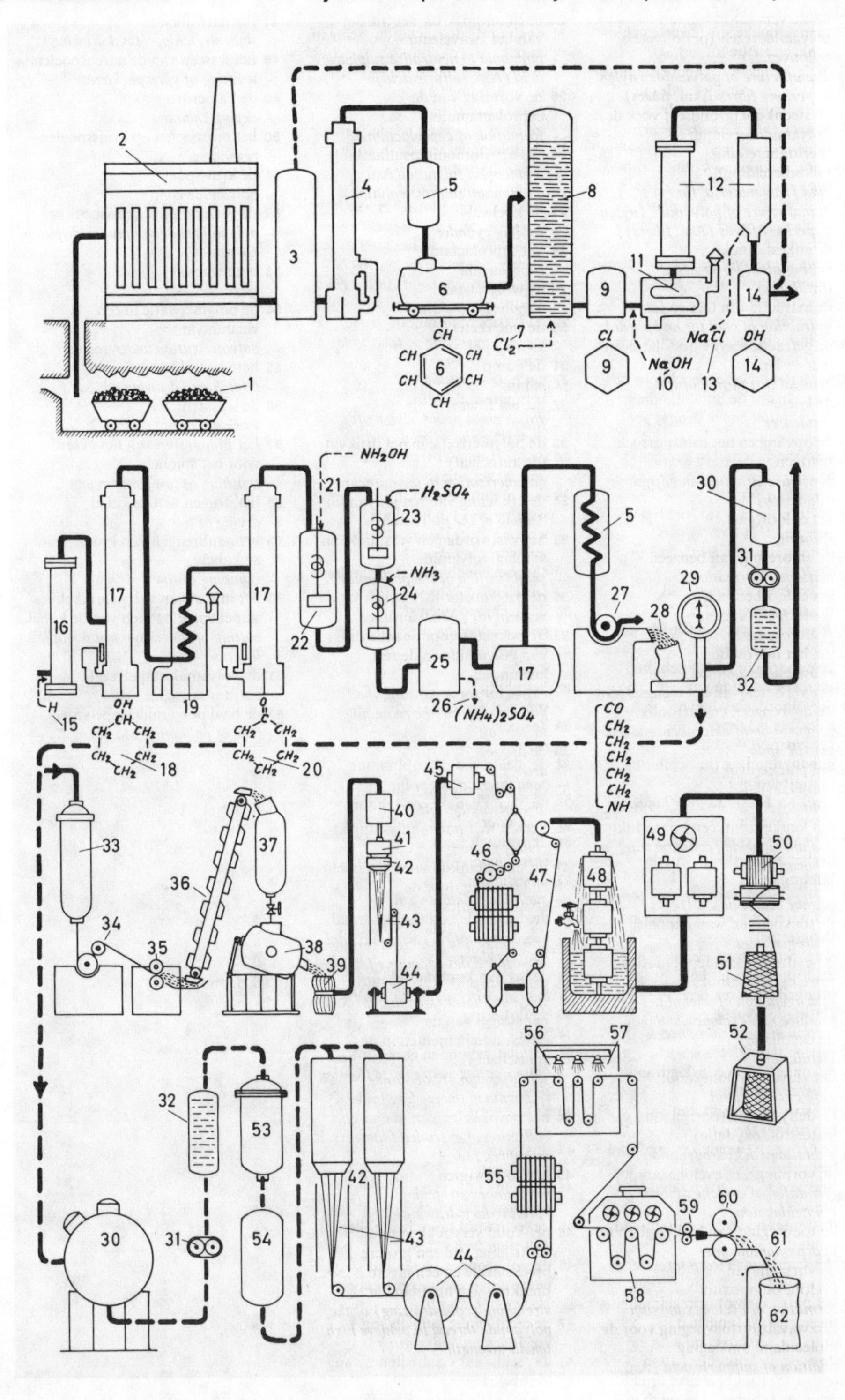
CH
CH
CH
CH
CH
CH
Cl₂
Cl
NaOH
NaCl
OH
NH₂OH
H₂SO₄
NH₃
(NH₄)₂SO₄
H
OH
CH
CH₂
CH₂
CH₂
CH₂
CH₂
O
C
CH₂
CH₂
CH₂
CH₂
CH₂
CO
CH₂
CH₂
CH₂
CH₂
CH₂
NH

1-29 weefbindingen [zwarte vakjes: geheven kettingdraad, onderliggende inslagdraad; witte vakjes: geheven inslagdraad, onderliggende kettingdraad]
- ***weaves*** *[black squares: warp thread raised, weft thread lowered; white squares: weft thread raised, warp thread lowered]*

1 de linnenbinding (het platte weefsel) [weefsel van bovenaf gezien]
- *plain weave (tabby weave) [weave viewed from above]*

2 de kettingdraad
- *warp thread*

3 de inslagdraad
- *weft thread*

4 het patroon [voorbeeld voor de wever] voor de linnenbinding
- *draft (point paper design) for plain weave*

5 de door de schaften geregen draden
- *threading draft*

6 de door de rietkam (het riet) geregen draad
- *denting draft (reed-threading draft)*

7 de geheven kettingdraad
- *raised warp thread*

8 de onderliggende kettingdraad
- *lowered warp thread*

9 de ophanging van de schaften
- *tie-up of shafts in pairs*

10 de volgorde van heffen
- *treadling diagram*

11 het patroon voor de panamabinding (nattébinding, matjesbinding)
- *draft for basket weave (hopsack weave, matt weave)*

12 het rapport (het zich steeds herhalende gedeelte van de binding)
- *pattern repeat*

13 het patroon voor de inslagrips (lengterips)
- *draft for warp rib weave*

14 de doorsnede van het inslagribsweefsel, een kettingdoorsnede
- *section of warp rib fabric, a section through the warp*

15 de onderliggende inslagdraad
- *lowered weft thread*

16 de geheven inslagdraad
- *raised weft thread*

17 de eerste en tweede kettingdraad [geheven]
- *first and second warp threads [raised]*

18 de derde en vierde kettingdraad [onderliggend]
- *third and fourth warp threads [lowered]*

19 het patroon voor onregelmatige dwarsrips (kettingrips)
- *draft for combined rib weave*

20 de door de zelfkantschaften (extra schaften) geregen draad
- *selvedge (selvage) thread draft*

21 de door de doekschaften geregen draad
- *draft for the fabric shafts*

22 de ophanging van de zelfkantschaften
- *tie-up of selvedge (selvage) shafts*

23 de ophanging van de doekschaften
- *tie-up of fabric shafts*

24 de zelfkant in platte binding
- *selvedge (selvage) in plain weave*

25 de doorsnede van het weefsel van de onregelmatige dwarsribs
- *section through combination rib weave*

26 de kettingtricotbinding
- *thread interlacing of reversible warp-faced cord*

27 het patroon voor kettingtricotbinding
- *draft (point paper design) for reversible warp-faced cord*

28 de plaatsen met tegenbinding
- *interlacing points*

29 de wafelbinding voor wafelpatroon in het doek
- *weaving draft for honeycomb weave in the fabric*

30-48 grondbindingen van de breisels
- ***basic knits***

30 de steek, een open steek
- *loop, an open loop*

31 de kop
- *head*

32 het pootje
- *side*

33 de voet
- *neck*

34 de plaats van de kopbinding
- *head interlocking point*

35 de plaats van de voetbinding
- *neck interlocking point*

36 de gesloten steek
- *closed loop*

37 de vanglus
- *mesh [with inlaid yarn]*

38 de diagonale verbindingsdraad
- *diagonal floating yarn (diagonal floating thread)*

39 de lus met kopbinding
- *loop interlocking at the head*

40 de flottering
- *float*

41 het niet-gebonden garenstuk
- *loose floating yarn (loose floating thread)*

42 de stekenrij
- *course*

43 de inslag
- *inlaid yarn*

44 de rechts-linksvang
- *tuck and miss stitch*

45 de rechts-links parelvang (keper)
- *pulled-up tuck stitch*

46 de versprongen rechts-links parelvang (versprongen keper)
- *staggered tuck stitch*

47 de rechts-links dubbelvang 2 x 2
- *2 x 2 tuck and miss stitch*

48 de rechts-links dubbelparelvang (dubbele keper)
- *double pulled-up tuck stitch*

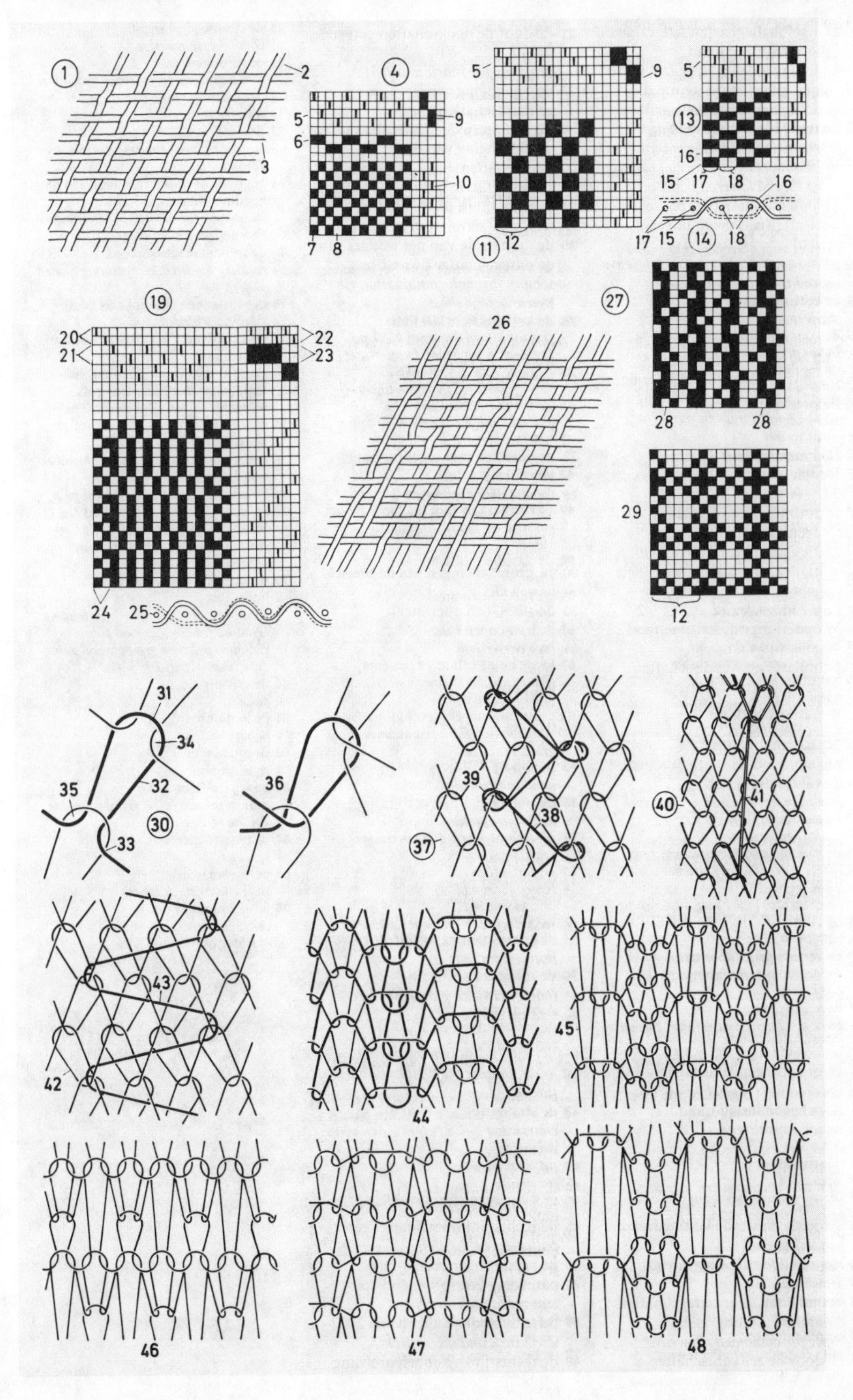

1
2
3
4
5
6
7
8
9
10
11
12
13
14
15
16
17
18
19
20
21
22
23
24
25
26
27
28
29
30
31
32
33
34
35
36
37
38
39
40
41
42
43
44
45
46
47
48

1-52 de fabriek voor sulfaatcelstof [schema]
- *sulphate (*Am. *sulfate) pulp mill (kraft pulp mill) [in diagram form]*

1 de kapmachine met stofafscheider
- *chippers with dust extractor*

2 de roterende sorteerinrichting
- *rotary screen (riffler)*

3 de spaanderverdeler
- *chip packer (chip distributor)*

4 de ventilator
- *blower*

5 de slingermolen
- *disintegrator (crusher, chip crusher)*

6 de stofkamer
- *dust-settling chamber*

7 de celstofkoker
- *digester*

8 de voorverwarmer voor het loog
- *liquor preheater*

9 de regelkraan
- *control tap*

10 de zwenkpijp
- *swing pipe*

11 de diffuseur
- *blow tank (diffuser)*

12 het spuitventiel
- *blow valve*

13 de diffuseurkuip
- *blow pit (diffuser)*

14 de terpentijnafscheider
- *turpentine separator*

15 de centrale afscheider
- *centralized separator*

16 de inspuitcondensor
- *jet condenser (injection condenser)*

17 het condensaatreservoir
- *storage tank for condensate*

18 het warmwaterreservoir
- *hot water tank*

19 de warmtewisselaar
- *heat exchanger*

20 de, het filter
- *filter*

21 de voorsorteerinrichting
- *presorter*

22 de zandcentrifuge
- *centrifugal screen*

23 de roterende sorteermachine
- *rotary sorter (rotary strainer)*

24 de vervezelaar
- *concentrator (thickener, decker)*

25 de kuip
- *vat (chest)*

26 de verzameltank voor retourwater
- *collecting tank for backwater (low box)*

27 de kegelrefiner
- *conical refiner (cone refiner, Jordan, Jordan refiner)*

28 de, het filter voor het zwarte loog
- *black liquor filter*

29 het reservoir voor het zwarte loog
- *black liquor storage tank*

30 de condensor
- *condenser*

31 de separators
- *separators*

32 het verwarmingselement
- *heaters (heating elements)*

33 de loogpomp
- *liquor pump*

34 de pomp voor het ingedikte loog
- *heavy liquor pump*

35 de mengtank
- *mixing tank*

36 de sulfaattank
- *salt cake storage tank (sodium sulphate storage tank)*

37 de oplostank
- *dissolving tank (dissolver)*

38 de stoomketel
- *steam heater*

39 de, het elektrostatische filter
- *electrostatic precipitator*

40 de luchtpomp
- *air pump*

41 de tank voor het ongezuiverde groene loog
- *storage tank for the uncleared green liquor*

42 de indikker
- *concentrator (thickener, decker)*

43 de voorverwarmer voor het groene loog
- *green liquor preheater*

44 de indikker voor waswater
- *concentrator (thickener, decker) for the weak wash liquor (wash water)*

45 de tank voor het zwakke loog
- *storage tank for the weak liquor*

46 de tank voor het kookloog
- *storage tank for the cooking liquor*

47 het roerwerk
- *agitator (stirrer)*

48 de indikker
- *concentrator (thickener, decker)*

49 de roerwerken voor het bleekmiddel
- *causticizing agitators (causticizing stirrers)*

50 de classificeerinrichting
- *classifier*

51 de kalkblustrommel
- *lime slaker*

52 de herwonnen kalk
- *reconverted lime*

53-65 de houtstoffabriek [schema]
- *groundwood mill (mechanical pulp mill) [diagram]*

53 de continuslijper (kettingslijper)
- *continuous grinder (continuous chain grinder)*

54 de trilzeef
- *strainer (knotter)*

55 de stofpomp
- *pulp water pump*

56 de cycloon (centrifugaalreiniger)
- *centrifugal screen*

57 de sorteerder
- *screen (sorter)*

58 de nasorteerder
- *secondary screen (secondary sorter)*

59 de grofstoftank (grofstofkuip)
- *rejects chest*

60 de kegelrefiner
- *conical refiner (cone refiner, Jordan, Jordan refiner)*

61 de ontwateringsmachine (zeefbandpers)
- *pulp-drying machine (pulp machine)*

62 de indikker
- *concentrator (thickener, decker)*

63 de afvalwaterpomp (witwaterpomp)
- *waste water pump (white water pump, pulp water pump)*

64 de stoomafzuigleiding
- *steam pipe*

65 de waterleiding (witwaterleiding)
- *water pipe*

66 de continuslijper
- *continuous grinder (continuous chain grinder)*

67 de voedingsketting
- *feed chain*

68 het te slijpen hout
- *groundwood*

69 de kettingaandrijving met tandwielkast
- *reduction gear for the feed chain drive*

70 de steenscherpinrichting
- *stone-dressing device*

71 de slijpsteen
- *grinding stone (grindstone, pulpstone)*

72 de spuitpijp
- *spray pipe*

73 de kegelrefiner
- *conical refiner (cone refiner, Jordan, Jordan refiner)*

74 het handwiel voor instelling van de maalmessenafstand
- *handwheel for adjusting the clearance between the knives (blades)*

75 de roterende messenkegel
- *rotating bladed cone (rotating bladed plug)*

76 de stilstaande messenkegel (stator)
- *stationary bladed shell*

77 de inlaat voor ongemalen celstof of houtslijp
- *inlet for unrefined cellulose (chemical wood pulp, chemical pulp) or groundwood pulp (mechanical pulp)*

78 de uitlaat voor gemalen celstof of houtslijp
- *outlet for refined cellulose (chemical wood pulp, chemical pulp) or groundwood pulp (mechanical pulp)*

79-86 installatie voor de verwerking van balen celstof of houtslijp [schema]
- *stuff (stock) preparation plant [diagram]*

79 de aanvoerband voor celstof of houtslijp
- *conveyor belt (conveyor) for loading cellulose (chemical wood pulp, chemical pulp) or groundwood pulp (mechanical pulp)*

80 de celstofpulper
- *pulper*

81 de leeglooptank
- *dump chest*

82 de ontstipper
- *cone breaker*

83 de kegelrefiner
- *conical refiner (cone refiner, Jordan, Jordan refiner)*

84 de plaatrefiner
- *refiner*

85 de voorraadsilo
- *stuff chest (stock chest)*

86 de machinesilo (machinevoorraadkuip)
- *machine chest (stuff chest)*

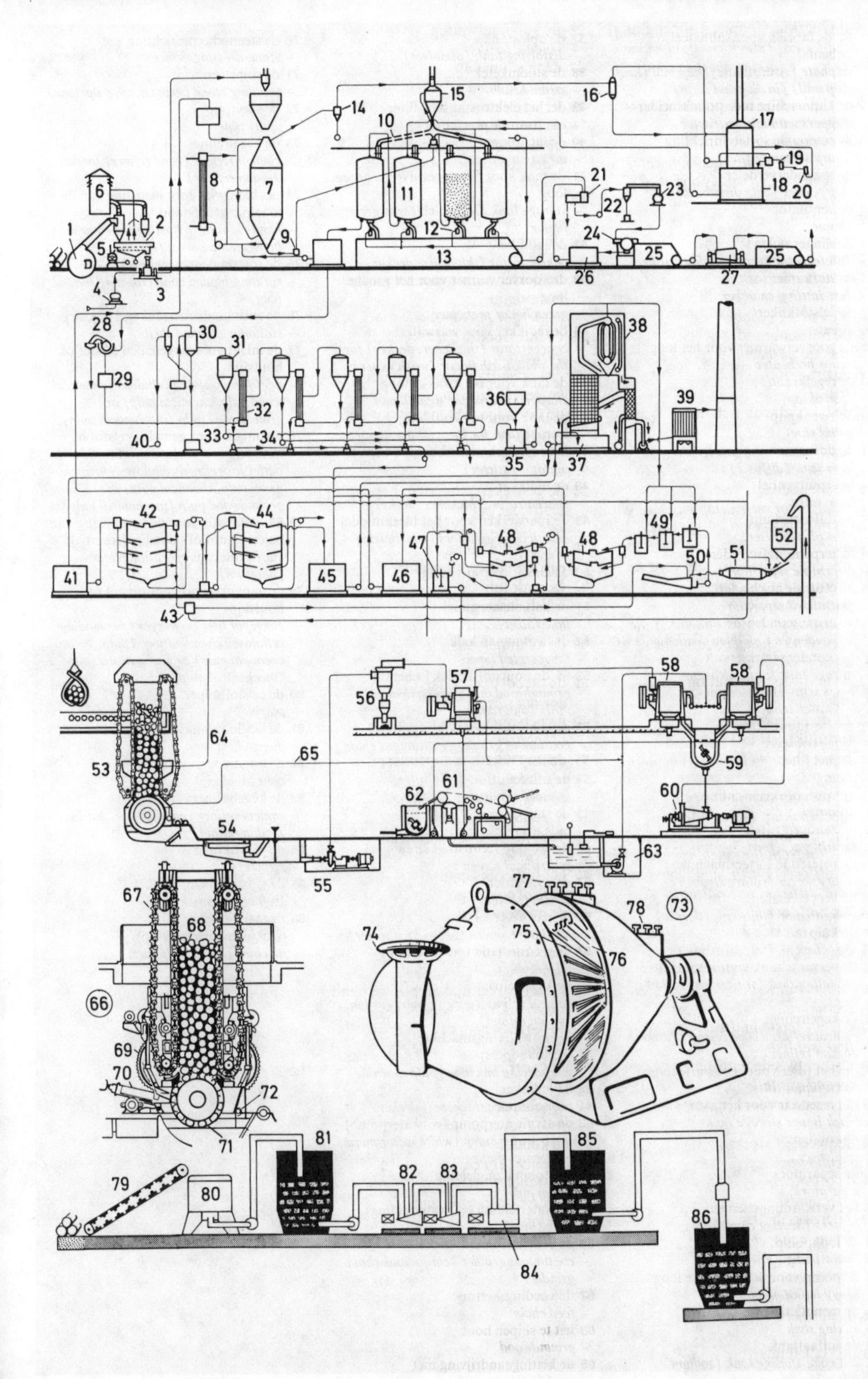
1
2
3
4
5
6
7
8
9
10
11
12
13
14
15
16
17
18
19
20
21
22
23
24
25
26
27
28
29
30
31
32
33
34
35
36
37
38
39
40
41
42
43
44
45
46
47
48
49
50
51
52
53
54
55
56
57
58
59
60
61
62
63
64
65
66
67
68
69
70
71
72
73
74
75
76
77
78
79
80
81
82
83
84
85
86

1 de roerkuip (papierstofmengkuip)
- *stuff chest (stock chest, machine chest), a mixing chest for stuff (stock)*

2-10 laboratoriumapparaten voor het papierstof- en papieronderzoek
- *laboratory apparatus (laboratory equipment) for analysing stuff (stock) and paper*

2 de erlenmeyer
- *Erlenmeyer flask*

3 het mengglas
- *volumetric flask*

4 het maatglas
- *measuring cylinder*

5 de bunsenbrander
- *Bunsen burner*

6 de driepoot
- *tripod*

7 de laboratoriumschaal
- *petri dish*

8 het reageerbuizenrek
- *test tube rack*

9 de weegschaal
- *balance for measuring basis weight*

10 de diktemeter
- *micrometer*

11 de centrifugaalreinigers voor de oploopkast van een papiermachine
- *centrifugal cleaners ahead of the breastbox (headbox, stuff box) of a paper machine*

12 de hoofdtoevoerleiding
- *standpipe*

13-28 de papiermachine (produktiestraat) [schema]
- *paper machine (production line) [diagram]*

13 de toevoerleiding voor de machinekuip met zand- en knopenvanger
- *feed-in from the machine chest (stuff chest) with sand table (sand trap, riffler) and knotter*

14 het zeefdoek
- *wire (machine wire)*

15 de zuigbak (vacuümbak)
- *vacuum box (suction box)*

16 de zeefzuigwals
- *suction roll*

17 de, het eerste natfilter
- *first wet felt*

18 de, het tweede natfliter
- *second wet felt*

19 de eerste natpers (natnip)
- *first press*

20 de tweede natpers
- *second press*

21 de offsetpers
- *offset press*

22 de droogcilinder
- *drying cylinder (drier)*

23 het droogdoek (*ook:* de droogzeef)
- *dry felt (drier felt)*

24 de lijmpers
- *size press*

25 de koelcilinder
- *cooling roll*

26 de kalanderwalsen
- *calender rolls*

27 de machinekap
- *machine hood*

28 de oproller
- *delivery reel*

29-35 de bladstrijkmachine
- *blade coating machine (blade coater)*

29 het ongestreken papier
- *raw paper (body paper)*

30 de papierbaan
- *web*

31 de deklaagaanbrenger voor de bovenkant
- *coater for the top side*

32 de infrarooddroger
- *infrared drier*

33 de verwarmde droogcilinder
- *heated drying cylinder*

34 de deklaagaanbrenger voor de onderkant
- *coater for the underside (wire side)*

35 de gestreken papierrol (het gestreken papier)
- *reel of coated paper*

36 de superkalander
- *calender (Super-calender)*

37 de hydraulische instelling voor de walsbelasting
- *hydraulic system for the press rolls*

38 de kalanderwals
- *calender roll*

39 de breedstreekwals
- *unwind station*

40 de personenlift
- *lift platform*

41 de opwikkelbok (oproller)
- *rewind station (rewinder, re-reeler, reeling machine, re-reeling machine)*

42 de rollensnijder (bobineur)
- *roll cutter*

43 het bedieningspaneel
- *control panel*

44 de messenbalk
- *cutter*

45 de papierrol
- *web*

46-51 het papier maken met de hand
- *papermaking by hand*

46 de papierschepper
- *vatman*

47 de voorraadkuip
- *vat*

48 de schepzeef
- *mould (*Am.* mold)*

49 de koetser
- *coucher (couchman)*

50 de stapel (post)
- *post ready for pressing*

51 het vilt
- *felt*

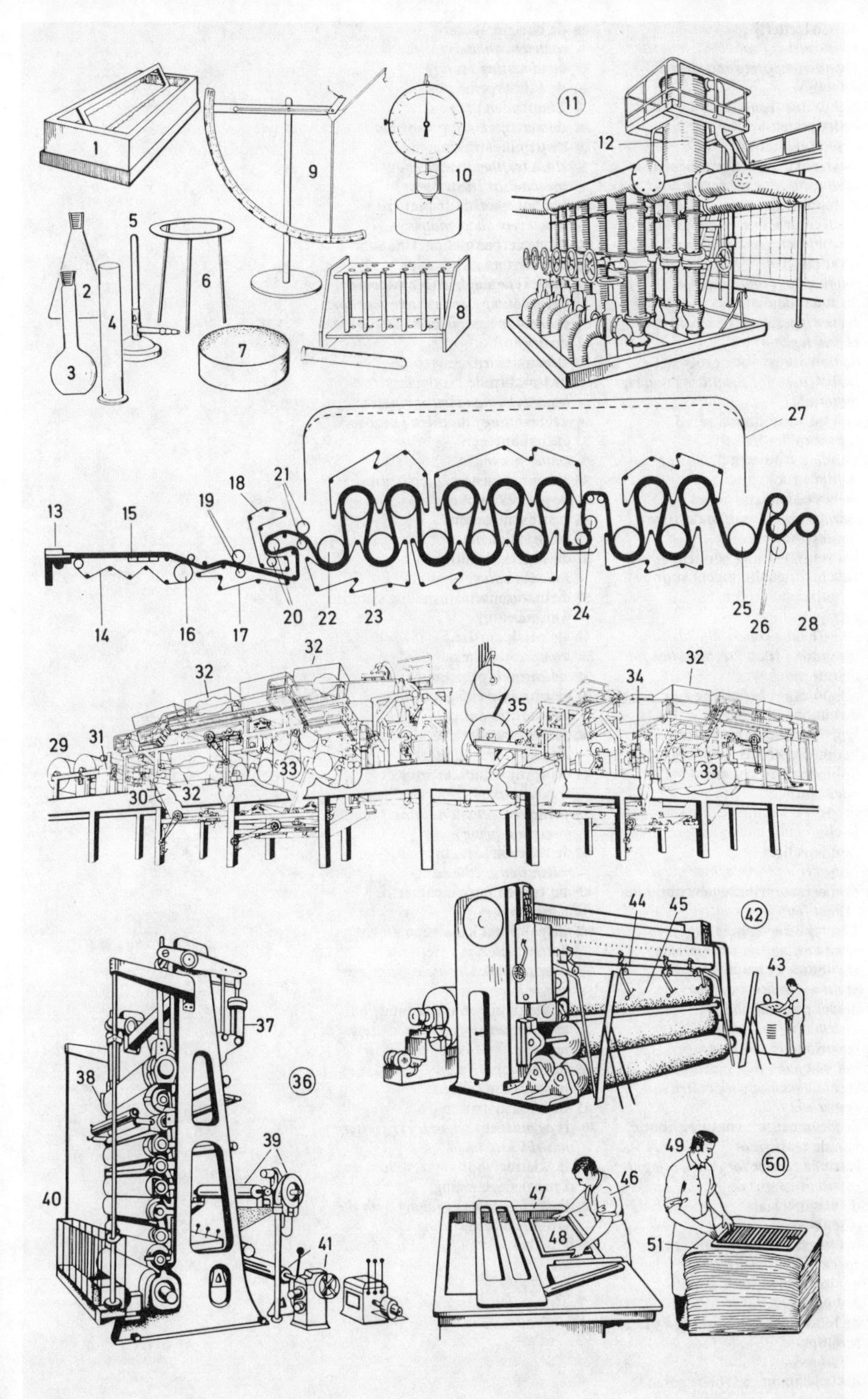
1
2
3
4
5
6
7
8
9
10
11
12
13
14
15
16
17
18
19
20
21
22
23
24
25
26
27
28
29
30
31
32
33
34
35
36
37
38
39
40
41
42
43
44
45
46
47
48
49
50
51

1 de handzetterij
- ***hand-setting room*** *(hand-composing room)*

2 de zetbok
- *composing frame*

3 de letterkast
- *case (typecase)*

4 de steekkastjes voor tabelwit
- *case cabinet (case rack)*

5 de handzetter; *ook:* smoutzetter
- *hand compositor (compositor, typesetter);* also: *maker-up*

6 de kopij
- *manuscript (typescript)*

7 de losse handletters
- *sorts (types, type characters, characters)*

8 de holwitkast voor groot wit
- *rack (case) for furniture (spacing material)*

9 de kast voor staand zetsel (opgebonden zetsel)
- *standing type rack (standing matter rack)*

10 de la voor staand zetsel
- *storage shelf (shelf for storing formes,* Am. *forms)*

11 het staande (opgebonden) zetsel
- *standing type (standing matter)*

12 de galei
- *galley*

13 de zethaak
- *composing stick (setting stick)*

14 de zetlijn
- *composing rule (setting rule)*

15 de handgezette regels
- *type (type matter, matter)*

16 het paginakoord, voor het opbinden van het zetsel
- *page cord*

17 de els
- *bodkin*

18 de correctietang
- *tweezers*

19 de meermagazijnsregelzetmachine „Linotype"
- ***Linotype line-composing (line-casting, slug-composing, slug-casting) machine,*** *a multi-magazine machine*

20 de distributieliniaal
- *distributing mechanism (distributor)*

21 het magazijn met matrijzen
- *type magazines with matrices (matrixes)*

22 de elevatorarm, voor distributie van de matrijzen
- *elevator carrier for distributing the matrices (matrixes)*

23 de verzamelaar
- *assembler*

24 het wigspatiemagazijn
- *spacebands*

25 het gietwiel en de loodpot
- *casting mechanism*

26 de loodstaaf, voor vulling van de loodpot
- *metal feeder*

27 het machinezetsel (de gegoten regels)
- *machine-set matter (cast lines, slugs)*

28 de handmatrijzen
- *matrices (matrixes) for hand-setting (sorts)*

29 de Linotypematrijs
- *Linotype matrix*

30 de matrijstanding voor het distributieapparaat
- *teeth for the distributing mechanism (distributor)*

31 het letterbeeld (de matrijs)
- *face (type face, matrix)*

32-45 de zet- en gietmachine voor losse letters „Monotype"
- ***monotype single-unit composing*** *(typesetting)* ***and casting machine*** *(monotype single-unit composition caster)*

32 de standaardzetmachine „Monotype"
- *monotype standard composing (typesetting) machine [keyboard]*

33 de papiertoren
- *paper tower*

34 de ongeponste papierstrook
- *paper ribbon*

35 de uitvultrommel
- *justifying scale*

36 de eenhedenindicator
- *unit indicator*

37 het toetsenbord
- *keyboard*

38 de persluchtslang
- *compressed-air hose*

39 de Monotypegietmachine
- *monotype casting machine (monotype caster)*

40 de automatische loodtoevoer
- *automatic metal feeder*

41 de compressieveer voor de loodpomp
- *pump compression spring (pump pressure spring)*

42 het matrijzenraam
- *matrix case (die case)*

43 de voorbewerkte papierrol
- *paper tower*

44 de galei met losse gegoten letters
- *galley with types (letters, characters, cast single types, cast single letters)*

45 de elektrische verwarming
- *electric heater (electric heating unit)*

46 het matrijzenraam
- *matrix case (die case)*

47 de lettermatrijzen
- *type matrices (matrixes) (letter matrices)*

48 de klauw, voor vastzetten in de kruissledegeleiding
- *guide block for engaging with the cross-slide guide*

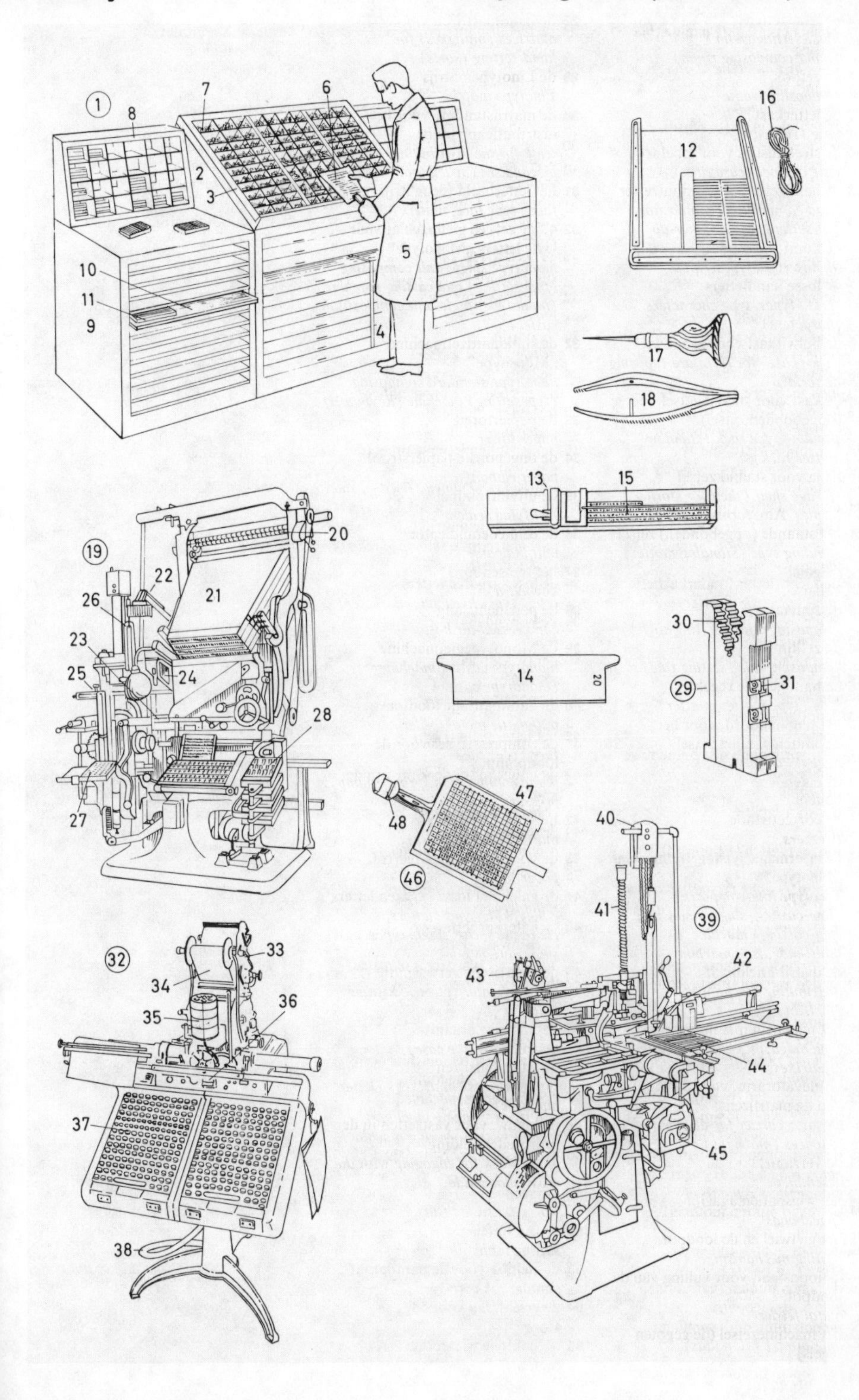
1
2
3
4
5
6
7
8
9
10
11
12
13
14
15
16
17
18
19
20
21
22
23
24
25
26
27
28
29
30
31
32
33
34
35
36
37
38
39
40
41
42
43
44
45
46
47
48

1-17 **de opgemaakte pagina** (het zetsel)
- ***composition*** *(type matter, type)*
1 de initiaal
- *initial (initial letter)*
2 het driekwartvette schrift
- *bold type (bold, boldfaced type, heavy type, boldface)*
3 het halfvette schrift
- *semibold type (semibold)*
4 de regel
- *line*
5 de interlinie
- *space*
6 de ligatuur
- *ligature (double letter)*
7 het cursieve schrift
- *italic type (italics)*
8 het magere schrift
- *light face type (light face)*
9 het extra vette schrift
- *extra bold type (extra bold)*
10 het smalle vette schrift
- *bold condensed type (bold condensed)*
11 de hoofdletter (bovenkastletter, kapitaal)
- *majuscule (capital letter, capital, upper case letter)*
12 de kleine letter (onderkastletter)
- *minuscule (small letter, lower case letter)*
13 de spatiëring
- *letter spacing (interspacing)*
14 het klein-kapitaalschrift
- *small capitals*
15 de uitgangsregel
- *break*
16 de inspringing voor een nieuwe alinea
- *indention*
17 de woordspatie
- *space*
18 **korpsgrootten** (1 punt is 0,376 mm)
- ***type sizes*** *[one typographic point = 0.376 mm (Didot system), 0.351 mm (Pica system)*
19 de twee punten
- *six-to-pica (2 points)*
20 de drie punten (microscoop)
- *half nonpareil (four-to-pica) (3 points)*
21 de vier punten (diamant)
- *brilliant (4 points)*; sim.: *diamond* ($4\frac{1}{2}$ *points)*
22 de vijf punten (parel)
- *pearl (5 points)*; sim.: *ruby (*Am. *agate) ($5\frac{1}{2}$ points)*
23 de zes punten (non-parel)
- *nonpareil (6 points)*; sim.: *minionette ($6\frac{1}{2}$ points)*
24 de zeven punten (colonel)
- *minion (7 points)*
25 de acht punten (galjard)
- *brevier (8 points)*
26 de negen punten (garmond)
- *bourgeois (9 points)*
27 de tien punten (dessendiaan)
- *long primer (10 points)*
28 de twaalf punten (cicero, augustijn)
- *pica (12 points)*
29 de veertien punten (grote augustijn)
- *english (14 points)*
30 de zestien punten (tekst)
- *great primer (two-line brevier,* Am. *Columbian) (16 points)*
31 de twintig punten (grote paragon)
- *paragon (two-line primer) (20 points)*
32-37 **de lettervervaardiging**
- ***typefounding*** *(type casting)*
32 de patrijzenmaker
- *punch cutter*
33 de burijn
- *graver (burin, cutter)*
34 de loep
- *magnifying glass (magnifier)*
35 het stalen blokje
- *punch blank (die blank)*
36 het gestoken letterstempel (de patrijs)
- *finished steel punch (finished steel die)*
37 de gefreesde matrijs
- *punched matrix (stamped matrix, strike, drive)*
38 **de losse gegoten letters**
- ***type*** *(type character, character)*
39 de kopzijde
- *head*
40 het (letter)vlees
- *shoulder*
41 de ponsing
- *counter*
42 het letterbeeld (type)
- *face (type face)*
43 de letterlijn (onderkant van de letter)
- *type line (bodyline)*
44 de letterhoogte
- *height to paper (type height)*
45 de schouderhoogte
- *height of shank (height of shoulder)*
46 de letterkegel (*tevens* korpsgrootte)
- *body size (type size, point size)*
47 de kerf
- *nick*
48 de letterdikte
- *set (width)*
49 **de matrijzenfreesmachine,** een speciale freesmachine
- ***matrix-boring machine*** *(matrix-engraving machine), a special-purpose boring machine*
50 de frees- en boorstandaard
- *stand*
51 de frees
- *cutter (cutting head)*
52 de freestafel
- *cutting table*
53 de stelnok voor de pantograaf
- *pantograph carriage*
54 de geleiderail voor 53
- *V-way*
55 de sjablone, sjabloon
- *pattern*
56 de sjabloontafel
- *pattern table*
57 de kopieerstift
- *follower*
58 de pantograaf
- *pantograph*
59 de matrijzenhouder
- *matrix clamp*
60 de freesspindel
- *cutter spindle*
61 de aandrijfmotor
- *drive motor*

1 2 3

Meyer, **Joseph,** Verlagsbuchhändler, Schriftsteller und Industrieller, *9. 5. 1796 Gotha, †27. 6. 1856 Hildburghausen, erwies sich nach mißglückten Börsen- (1816-20 in London) und industriellen Unternehmungen (1820-23 in Thüringen) als origineller Shakespeare- und Scott-Übersetzer und fand mit seinem „Korrespondenzblatt für Kaufleute" 1825 Anklang. 1826 gründete er den Verlag *„Bibliographisches Institut"* in Gotha (1828 nach Hildburghausen verlegt), den er durch die Vielseitigkeit seiner eigenen Werke (**„Universum", „Das Große Konversationslexikon für die gebildeten Stände", „Meyers Universal-Atlas"** 1830-37) sowie durch die Wohlfeilheit und die gediegene Ausstattung seiner volkstümlichen Verlagswerke („Klassikerausgaben", „Meyers Familien-und Groschenbibliothek", „Volksbibliothek für Naturkunde", „Geschichtsbibliothek", „Meyers Pfennig-Atlas" u. a.) sowie durch die Entwicklung neuer Absatzwege (lieferungsweises Erscheinen auf S u b s k r i p t i o n und Vertrieb durch R e i s e b u c h h a n d e l) zum Welthaus machte. Besonders durch das **„Universum"**, ein historisch-geographisches Bilderwerk, das in 80000 AUFLAGE und in 12 SPRACHEN erschien, wirkte er auf breiteste Kreise. —15

16— Seit Ende der 1830er Jahre trat er unter großen Opfern für ein einheitliches deutsches Eisenbahnnetz ein, doch scheiterten seine Pläne und seine

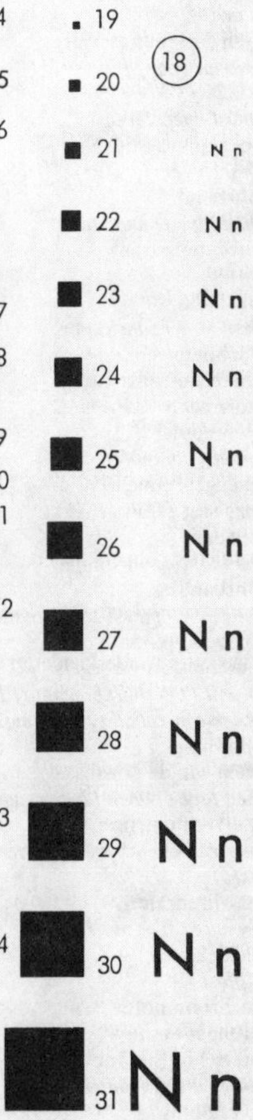

4 5 6 7 8 9 10 11 12 13 14 17

(18)

19 20 21 Nn 22 Nn 23 Nn 24 Nn 25 Nn 26 Nn 27 Nn 28 Nn 29 Nn 30 Nn 31 Nn

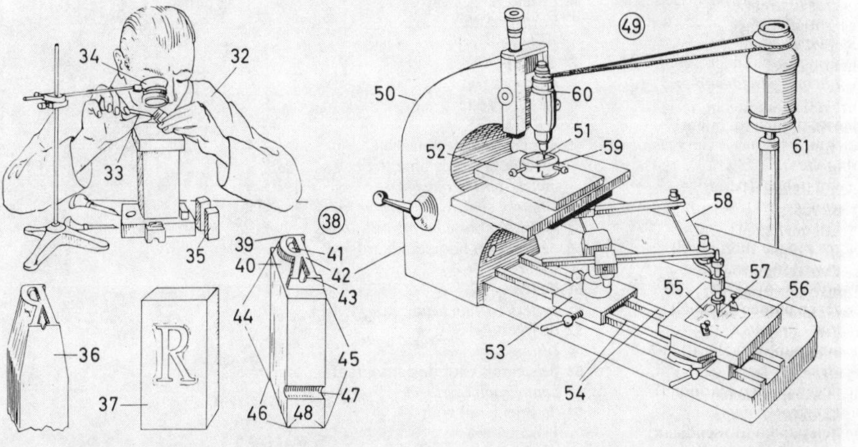

32 33 34 35 36 37 (38) 39 40 41 42 43 44 45 46 47 48 (49) 50 51 52 53 54 55 56 57 58 59 60 61

176 Zetterij III (fotozetten)

1 de apparatuur voor fotozetten
- *keyboard console (keyboard unit) for phototypesetting*
2 het toetsenbord
- *keyboard*
3 de kopij (het manuscript)
- *manuscript (copy)*
4 de tikker
- *keyboard operator*
5 het ponsapparaat
- *tape punch (perforator)*
6 de ponsband
- *punched tape (punch tape)*
7 het fotozetapparaat
- *filmsetter*
8 de ponsband
- *punched tape (punch tape)*
9 de belichtings- en ontwikkelstuurinrichting
- *exposure control device*
10 de zetcomputer
- *typesetting computer*
11 de geheugeneenheid
- *memory unit (storage unit)*
12 de ponsband
- *punched tape (punch tape)*
13 de ponsbandlezer
- *punched tape (punch tape) reader*
14 het fotozetapparaat voor computergestuurde regels
- *photo-unit (photographic unit) for computer-controlled typesetting (composition)*
15 het lezen van de ponsband
- *punched tape (punch tape) reader*
16 de lettertypematrijzen
- *type matrices (matrixes) (letter matrices)*
17 het matrijzenraam
- *matrix case (film matrix case)*
18 de geleideklauw
- *guide block*
19 de synchroonmotor
- *synchronous motor*
20 de letterschijf (het font)
- *type disc (disk) (matrix disc)*
21 het spiegelblok
- *mirror assembly*
22 de optische wig
- *optical wedge*
23 het objectief
- *lens*
24 het reflectorsysteem
- *mirror system*
25 de film
- *film*
26 de flitslampen
- *flash tubes*
27 het diamagazijn
- *matrix drum*
28 het volautomatische filmkopieerapparaat
- *automatic film copier*
29 de fotozetapparatuur voor krantenzetsel
- *central processing unit of a photocomposition system (photosetting system) for newspaper typesetting*
30 de invoer van de ponsband
- *punched tape (punch tape) input (input unit)*
31 het toestel voor zenden en ontvangen van zetsel
- *keyboard send-receive teleprinter (Teletype)*
32 het schijfgeheugen
- *on-line disc (disk) storage unit*
33 het schijfgeheugen voor tekst
- *alphanumeric (alphameric) disc (disk) store (alphanumeric disc file)*
34 het schijvenpakket
- *disc (disk) stack (disc pack)*

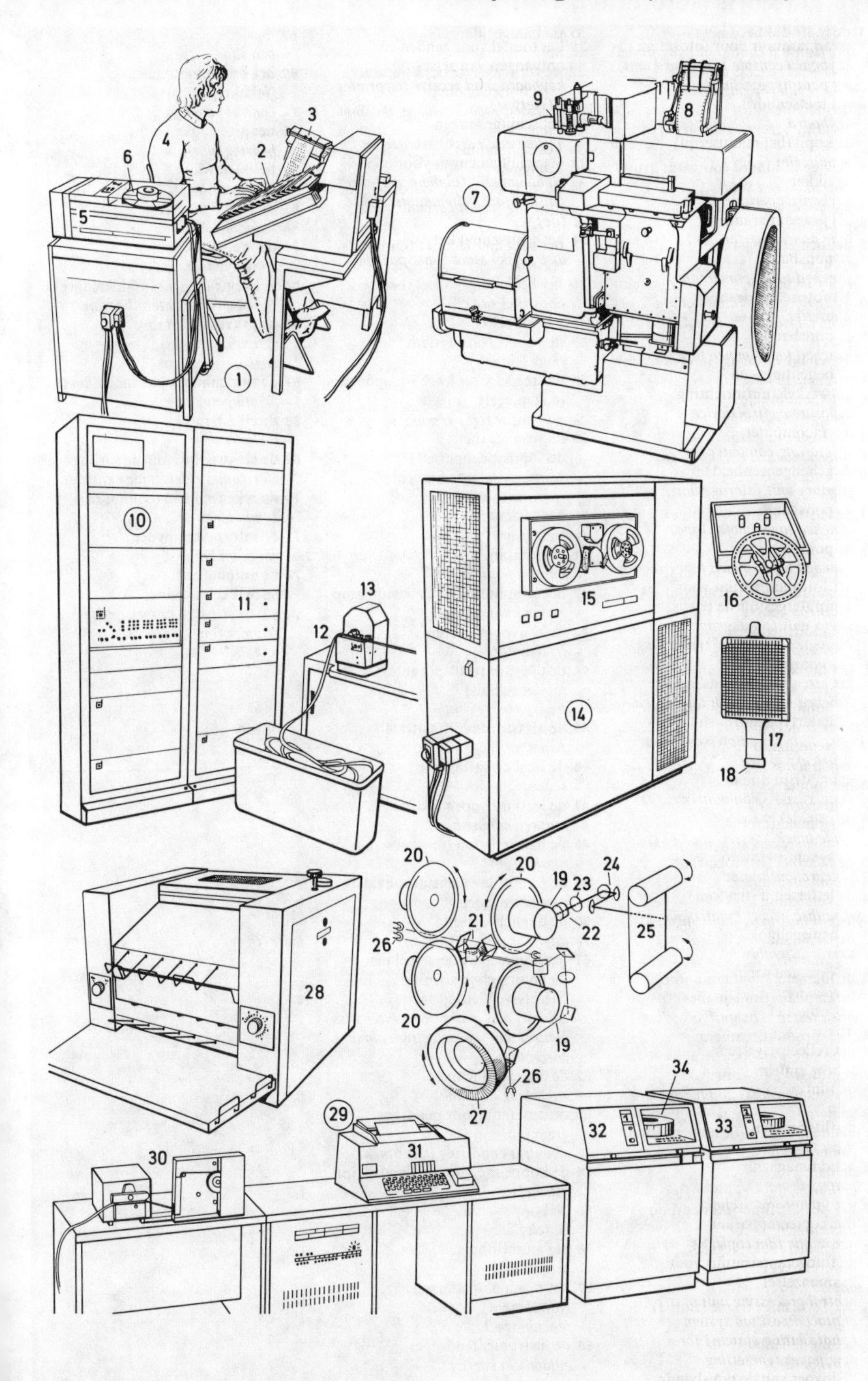
1
2
3
4
5
6
7
8
9
10
11
12
13
14
15
16
17
18
19
20
21
22
23
24
25
26
27
28
29
30
31
32
33
34

1 de reproduktiecamera horizontaal (hang- of brugmodel)
- *overhead process camera (overhead copying camera)*
2 de matruit
- *focusing screen (ground glass screen)*
3 de wegdraaibare voorzetmatruit
- *hinged screen holder*
4 het paskruis (assenkruis)
- *graticule*
5 het bedieningspaneel (schakelpaneel)
- *control console*
6 de beweegbare fijnafstelling
- *hinged bracket-mounted control panel*
7 de schaalverdeling (in procenten)
- *percentage focusing charts*
8 het vacuümblad
- *vacuum film holder*
9 het rastermagazijn
- *screen magazine*
10 de balg
- *bellows*
11 de lenshouder (voorbouw)
- *standard*
12 de registerwagen
- *register device*
13 de stabiliteitsbrug (het statief)
- *overhead gantry*
14 het modellenbord
- *copyboard*
15 het modellenbordframe
- *copyholder*
16 de lamphouder (lampzwenkarm)
- *lamp bracket*
17 de xenonlamp
- *xenon lamp*
18 het model
- *copy (original)*
19 de opmaaktafel
- *retouching and stripping desk*
20 de lichtbak (lichtplaat)
- *illuminated screen*
21 de verstelling
- *height and angle adjustment*
22 de kopijlade
- *copyboard*
23 de loep met maataanduiding (inklapbare dradenteller)
- *linen tester, a magnifying glass*
24 de reproduktiecamera (donkere-kamercamera, standaard „T"-camera)
- *universal process and reproduction camera*
25 het camerahuis (de achterbouw)
- *camera body*
26 de balg
- *bellows*
27 het objectiefhuis (de voorbouw)
- *lens carrier*
28 de spiegel (dakspiegel, omkeerspiegel)
- *angled mirror*
29 het T-vormige frame (statief)
- *stand*
30 het modellenbord
- *copyboard*
31 de halogeenlamp
- *halogen lamp*
32 de verticale reproduktiecamera, een compactcamera
- *vertical process camera, a compact camera*
33 het camerahuis
- *camera body*
34 de matruit
- *focusing screen (ground glass screen)*
35 het vacuümblad met filmhouder
- *vacuum back*
36 het bedieningspaneel (het controlebord)
- *control panel*
37 de voorbelichtingslamp
- *flash lamp*
38 de spiegel voor leesbare opnamen (dakspiegel)
- *mirror for right-reading images*
39 de scanner (het deelopnameapparaat)
- *scanner (colour,* Am. *color, correction unit)*
40 het onderstel
- *base frame*
41 het lamphuis
- *lamp compartment*
42 het lamphuis voor de xenonlamp
- *xenon lamp housing*
43 de aanvoermotoren
- *feed motors*
44 de dia-arm (transparante modellenwals)
- *transparency arm*
45 de aftastdrum (aftastwals)
- *scanning drum*
46 de leeskop (aftastkop)
- *scanning head*
47 de leeskop voor maskers
- *mask-scanning head*
48 de maskerdrum (maskerwals)
- *mask drum*
49 de filmopslag (schrijfeenheid)
- *recording space*
50 de daglichtcassette
- *daylight cassette*
51 het kleurseparatiepaneel met kleurcorrectiebediening (selectieve kleurcorrectie)
- *colour (*Am. *color) computer with control unit and selective colour correction*
52 de graveermachine
- *engraving machine*
53 de instelling voor naadloos graveren
- *seamless engraving adjustment*
54 de koppeling voor de aandrijving
- *drive clutch*
55 de koppelschijf
- *clutch flange*
56 het aandrijfhuis
- *drive unit*
57 het machine-onderstel (fundament)
- *machine bed*
58 de instrumentendrager
- *equipment carrier*
59 de slede
- *bed slide*
60 het bedieningspaneel (schakelpaneel)
- *control panel*
61 het lagerblok
- *bearing block*
62 het klemwiel
- *tailstock*
63 de leeskop
- *scanning head*
64 de modellencilinder
- *copy cylinder*
65 het centraallager (middenlager)
- *centre (*Am. *center) bearing*
66 de graveerinrichting (graveerkoppen)
- *engraving system*
67 de drukcilinder (vormcilinder)
- *printing cylinder*
68 de cilinderarm
- *cylinder arm*
69 de elektrische stuurinrichting
- *electronics (electronic) cabinet*
70 de rekeneenheid (computer)
- *computers*
71 de informatie-invoer
- *program input*
72 de automatische ontwikkelmachine
- *automatic film processor for scanner films*

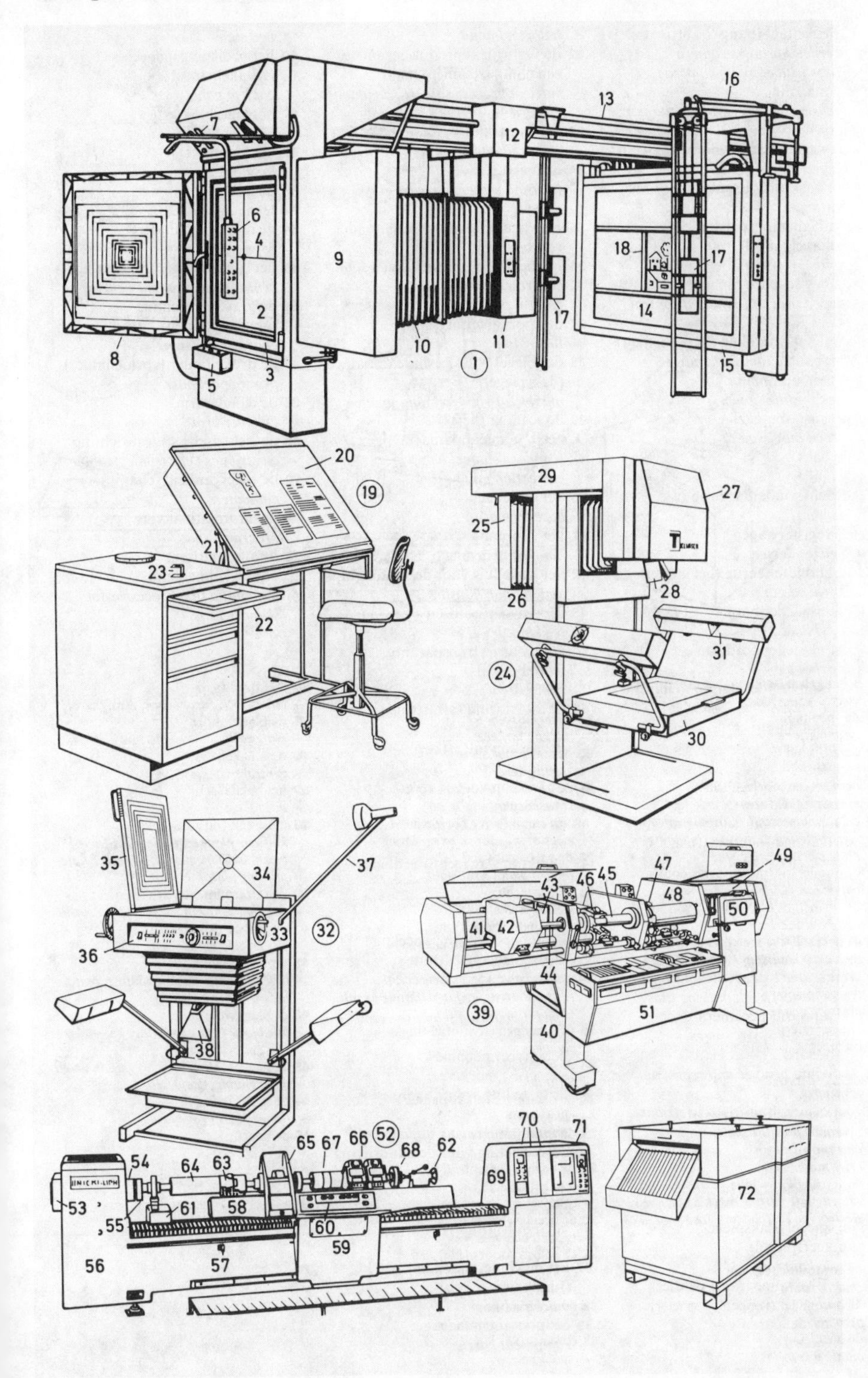
1
2
3
4
5
6
7
8
9
10
11
12
13
14
15
16
17
17
18
19
20
21
22
23
24
25
26
27
28
29
30
31
32
33
34
35
36
37
38
39
40
41
42
43
44
45
46
47
48
49
50
51
52
53
54
55
56
57
58
59
60
61
62
63
64
65
66
67
68
69
70
71
72

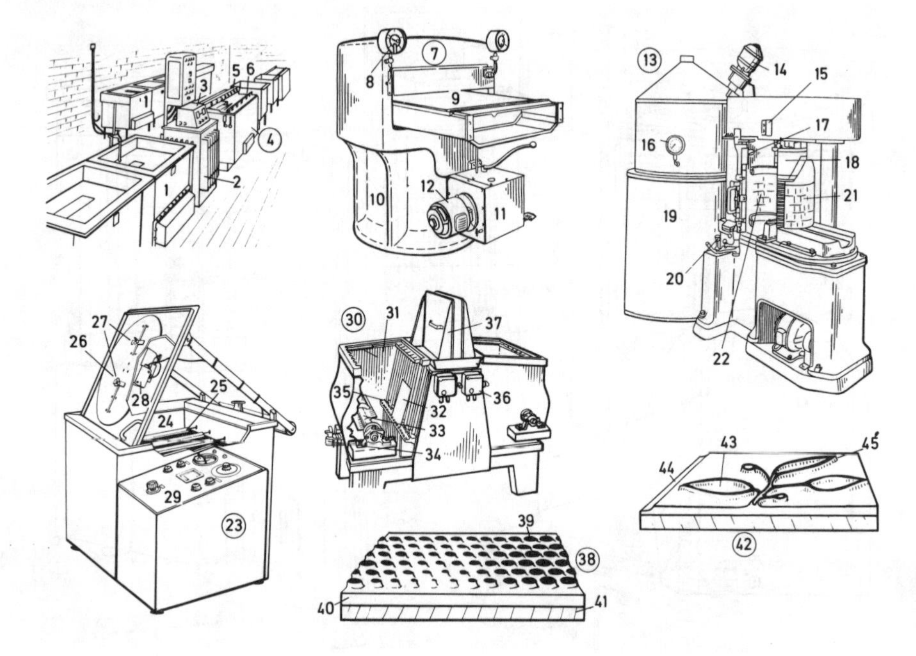

1-6 **het galvaniseren** (galvaniseerproces)
- ***electrotyping plant***

1 de spoeltank
- *cleaning tank*

2 de gelijkrichter
- *rectifier*

3 de meet- en regeleenheid
- *measuring and control unit*

4 de galvaniseerbak (galvaniseertank)
- *electroplating tank (electroplating bath, electroplating vat)*

5 de anodebuis (met koperanode)
- *anode rod [with copper anodes]*

6 de sproeibuis (sproeistang, kathode)
- *plate rod (cathode)*

7 **de hydraulische matrijzenpers**
- ***hydraulic moulding** (*Am. ***molding**) **press***

8 de manometer
- *pressure gauge (*Am. *gage) (manometer)*

9 de preegtafel
- *apron*

10 de cilindervoet
- *round base*

11 de hydraulische drukpomp
- *hydraulic pressure pump*

12 de aandrijfmotor
- *drive motor*

13 **de stypengietmachine**
- ***curved plate casting machine** (curved electrotype casting machine)*

14 de motor
- *motor*

15 de controleschakelaars
- *control knobs*

16 de pyrometer (temperatuurmeter)
- *pyrometer*

17 de gietmond
- *mouth piece*

18 de matrijs
- *core*

19 de smeltoven
- *melting furnace*

20 de startschakelaar
- *starting lever*

21 de gegoten rondplaat voor rotatiedruk
- *cast curved plate (cast curved electrotype) for rotary printing*

22 de vaste gietwand
- *fixed mould (*Am. *mold)*

23 **de etsmachine**
- ***etching machine***

24 de etsbak (etstank) met etsoplosmiddel (etszuur) en opbrengmiddel
- *etching tank with etching solution (etchant, mordant) and filming agent (film former)*

25 de schoepen (roerinrichting)
- *paddles*

26 de draaitafel
- *turntable*

27 de plaatklem (plaatspanner)
- *plate clamp*

28 de aandrijfmotor
- *drive motor*

29 de bedieningseenheid (het schakelpaneel)
- *control unit*

30 **de tweefasenetsmachine**
- ***twin etching machine***

31 de etsbak [doorsnede]
- *etching tank (etching bath) [in section]*

32 de zinkplaatkopie
- *photoprinted zinc plate*

33 de schoep
- *paddle*

34 de aftapkraan
- *outlet cock (drain cock,* Am. *faucet)*

35 de plaathouder
- *plate rack*

36 de schakelaars
- *control switches*

37 het bakdeksel
- *lid*

38 **het cliché** (de autotypie)
- ***halftone photoengraving** (halftone block, halftone plate), a block (plate, printing plate)*

39 de rasterpunt, een drukelement
- *dot (halftone dot), a printing element*

40 de geëtste zinkplaat
- *etched zinc plate*

41 de clichévoet
- *block mount (block mounting, plate mount, plate mounting)*

42 **de lijngravure**
- ***line block** (line engraving, line etching, line plate, line cut)*

43 de niet-drukkende, diep geëtste delen
- *non-printing, deep-etched areas*

44 de facetrand
- *flange (bevel edge)*

45 de baard
- *sidewall*

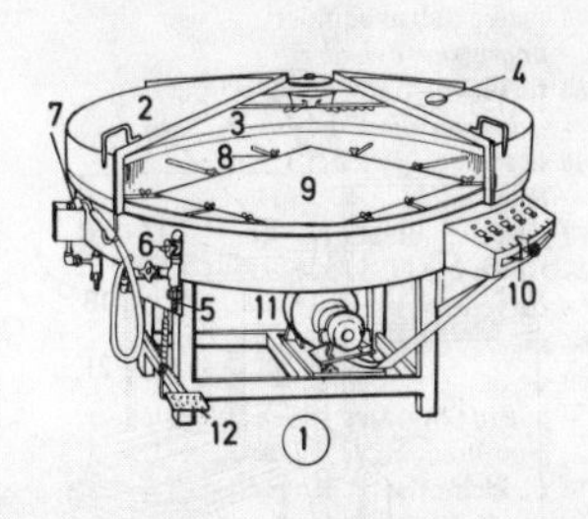

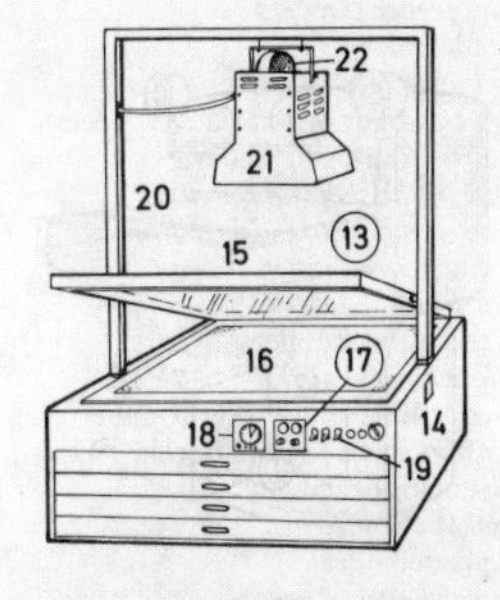

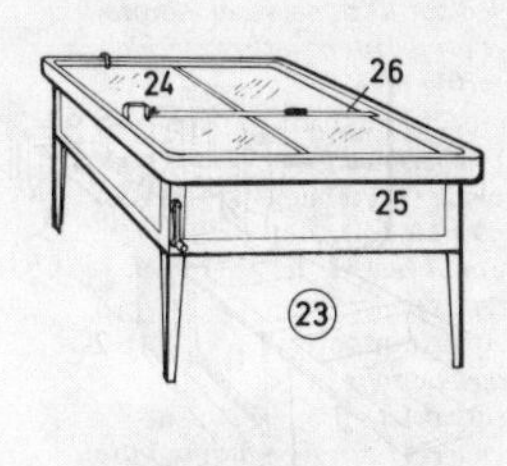

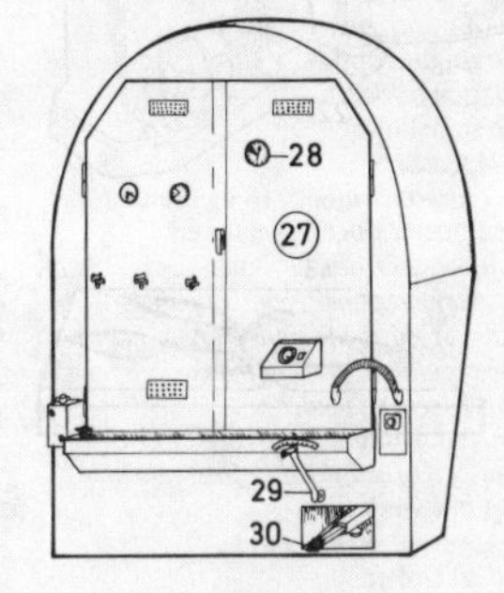

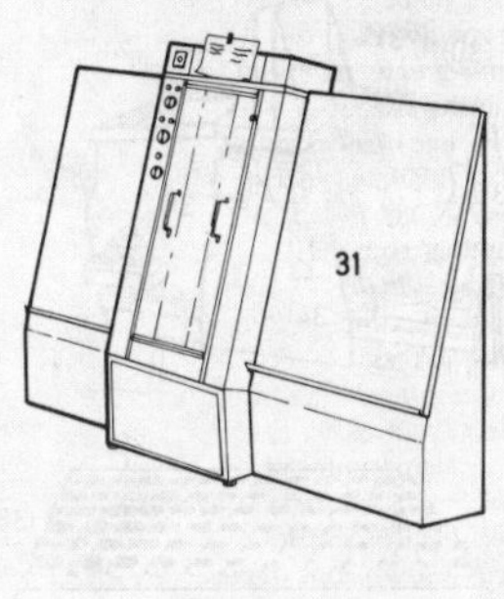

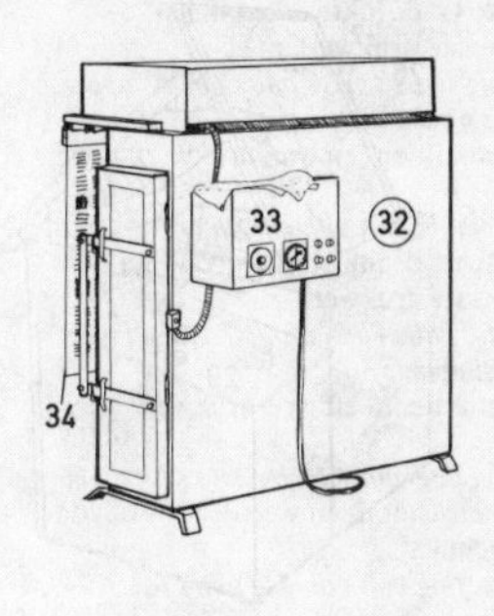

1 het slingerapparaat voor het lichtgevoelig maken van offsetplaten
- *plate whirler (whirler, plate-coating machine) for coating offset plates*

2 het schuifdeksel
- *sliding lid*

3 het elektrische verwarmingselement
- *electric heater*

4 de thermometer
- *temperature gauge* (Am. *gage*)

5 de wateraansluiting voor de sproeiinrichting
- *water connection for the spray unit*

6 de spoelinrichting
- *spray unit*

7 de handsproeier
- *hand spray*

8 de plaatklemmen
- *plate clamps*

9 de dieplegkopie
- *zinc plate;* also: *magnesium plate, copper plate*

10 het bedieningspaneel
- *control panel*

11 de aandrijfmotor
- *drive motor*

12 de voetrem
- *brake pedal*

13 de vacuümkopieerkast
- *vacuum printing frame (vacuum frame, printing-down frame)*

14 het onderstel van de kopieerkast
- *base of the vacuum printing frame (vacuum frame, printing-down frame)*

15 het bovenbladframe met spiegelglasruit
- *plate glass frame*

16 de lichtgevoelige offsetplaat
- *coated offset plate*

17 het bedieningspaneel
- *control panel*

18 de belichtingstijdklok
- *exposure timer*

19 de schakelaar voor vacuümaanzuiging
- *vacuum pump switches*

20 de draagarm
- *support*

21 de puntlichtlamp (het puntlicht), een metaal-halogeenlamp
- *point light exposure lamp, a quartz-halogen lamp*

22 de lampkoeling (lampventilator)
- *fan blower*

23 de montagetafel voor filmmontage
- *stripping table (make-up table) for stripping films*

24 de melkglasruit
- *crystal glass screen*

25 de lichtbak
- *light box*

26 de liniaalinstelling met rechte hoek
- *straightedge rules*

27 de plaatdroogkast
- *vertical plate-drying cabinet*

28 de hygrometer
- *hygrometer*

29 de snelheidsregelaar
- *speed control*

30 het rempedaal
- *brake pedal*

31 de ontwikkelmachine voor gepresensibiliseerde platen
- *processing machine for presensitized plates*

32 de inbrandoven voor diazoplaten
- *burning-in oven for glue-enamel or diazo plates*

33 de schakelkast
- *control box (control unit)*

34 de diazoplaat
- *diazo plate*

1 de vierkleurenrotatie-offsetpers (vierkleurenrollenoffsetpers)
- *four-colour (*Am. *four-color) rotary offset press (rotary offset machine, web-offset press)*

2 de onbedrukte (blanco) papierrol
- *roll of unprinted paper (blank paper)*

3 de rolster (het inhangsysteem voor de onbedrukte rol)
- *reel stand (carrier for the roll of unprinted paper)*

4 de papiertransportrol
- *forwarding rolls*

5 het zijregister
- *side margin control (margin control, side control, side lay control)*

6-13 de inktwerken
- *inking units (inker units)*

6, 8, 10, 12 de inktwerken in het bovenste drukwerk
- *inking units (inker units) in the upper printing unit*

6-7 het schoon- en weerdrukwerk voor geel
- *perfecting unit (double unit) for yellow*

7, 9, 11, 13 de inktwerken voor het onderste drukwerk
- *inking units (inker units) in the lower printing unit*

8-9 het schoon- en weerdrukwerk voor cyaan
- *perfecting unit (double unit) for cyan*

10-11 het schoon- en weerdrukwerk voor magenta
- *perfecting unit (double unit) for magenta*

12-13 het schoon- en weerdrukwerk voor zwart
- *perfecting unit (double unit) for black*

14 de droogeenheid
- *drier*

15 het vouwapparaat
- *folder (folder unit)*

16 het bedieningspaneel (schakelpaneel)
- *control desk*

17 het drukvel
- *sheet*

18 de vierkleurenrotatie-offsetpers (vierkleurenrollenoffsetpers) [schema]
- *four-colour (*Am. *four-color) rotary offset press (rotary offset machine, web-offset press) [diagram]*

19 de rolster
- *reel stand*

20 het zijregister
- *side margin control (margin control, side control, side lay control)*

21 de inktrollen
- *inking rollers (ink rollers, inkers)*

22 de inktbak
- *ink duct (ink fountain)*

23 de vochtrollen
- *damping rollers (dampening rollers, dampers, dampeners)*

24 de rubberdoekcilinder
- *blanket cylinder*

25 de plaatcilinder
- *plate cylinder*

26 de baan van het papier
- *route of the paper (of the web)*

27 de droogeenheid
- *drier*

28 de koelwalsen
- *chilling rolls (cooling rollers, chill rollers)*

29 het vouwapparaat
- *folder (folder unit)*

30 de vierkleurenvellenpers [schema]
- *four-colour (*Am. *four-color) sheet-fed offset machine (offset press) [diagram]*

31 de velleninleg
- *sheet feeder (feeder)*

32 de inlegtafel
- *feed table (feed board)*

33 de weg van de vellen via de grijpers naar de transportcilinder
- *route of the sheets through swing-grippers to the feed drum*

34 de transportcilinder
- *feed drum*

35 de tegendrukcilinder
- *impression cylinder*

36 de overgeefcilinder (keertrommel)
- *transfer drums (transfer cylinders)*

37 de rubberdoekcilinder
- *blanket cylinder*

38 de plaatcilinder
- *plate cylinder*

39 het vochtwerk
- *damping unit (dampening unit)*

40 het inktwerk
- *inking units (inker units)*

41 het drukkende gedeelte
- *printing unit*

42 de uitleg(trommel)
- *delivery cylinder*

43 de uitlegketting
- *chain delivery*

44 de uitlegstapel
- *delivery pile*

45 het uitlegmechanisme
- *delivery unit (delivery mechanism)*

46 de eenkleuroffsetpers
- *single-colour (*Am. *single-color) offset press (offset machine)*

47 de papierstapel
- *pile of paper (sheets, printing paper)*

48 de velleninleg, een automatische stapelinleg
- *sheet feeder (feeder), an automatic pile feeder*

49 de inlegtafel
- *feed table (feed board)*

50 de inktrollen
- *inking rollers (ink rollers, inkers)*

51 het inktwerk
- *inking units (inker units)*

52 de vochtrollen
- *damping rollers (dampening rollers, dampers, dampeners)*

53 de plaatcilinder (drukcilinder), een zinkplaat
- *plate cylinder, a zinc plate*

54 de rubberdoekcilinder, een stalen cilinder met rubberdoek
- *blanket cylinder, a steel cylinder with rubber blanket*

55 de stapeluitleg voor de bedrukte vellen
- *pile delivery unit for the printed sheets*

56 de grijpstang, een kettinggrijper
- *gripper bar, a chain gripper*

57 de papierstapel (met bedrukt papier)
- *pile of printed paper (printed sheets)*

58 de beschermkap voor de V-snaaraandrijving
- *guard for the V-belt (vee-belt) drive*

59 de eenkleuroffsetpers [schema]
- *single-colour (*Am. *single-color) offset press (offset machine) [diagram]*

60 het inktwerk met de inktrollen
- *inking unit (inker unit) with inking rollers (ink rollers, inkers)*

61 het vochtwerk met de vochtrollen
- *damping unit (dampening unit) with damping rollers (dampening rollers, dampers, dampeners)*

62 de plaatcilinder
- *plate cylinder*

63 de rubberdoekcilinder
- *blanket cylinder*

64 de tegendrukcilinder
- *impression cylinder*

65 de uitlegtrommel met grijpers
- *delivery cylinders with grippers*

66 het aandrijfwiel
- *drive wheel*

67 de velleninlegtafel
- *feed table (feed board)*

68 de velleninleg
- *sheet feeder (feeder)*

69 de papierstapel met onbedrukt papier
- *pile of unprinted paper (blank paper, unprinted sheets, blank sheets)*

70 de kleinoffsetvellenpers
- *small sheet-fed offset press*

71 het inktwerk
- *inking unit (inker unit)*

72 de zuigluchtinleg
- *suction feeder*

73 de stapelinleg
- *pile feeder*

74 het instrumentenbord met teller, drukmeter, luchtregelaar en schakelaar voor de velleninleg
- *instrument panel (control panel) with counter, pressure gauge (*Am. *gage), air regulator, and control switch for the sheet feeder (feeder)*

75 de vlakdrukmachine (offsetproefpers)
- *flat-bed offset press (offset machine)*

76 het inktwerk
- *inking unit (inker unit)*

77 de inktrollen
- *inking rollers (ink rollers, inkers)*

78 het drukfundament (plaatfundament)
- *bed (press bed, type bed, forme bed,* Am. *form bed)*

79 de cilinder met rubberdoek
- *cylinder with rubber blanket*

80 de aan- en uitschakelaar voor de drukeenheid
- *starting and stopping lever for the printing unit*

81 de spanningsinstelling
- *impression-setting wheel (impression-adjusting wheel)*

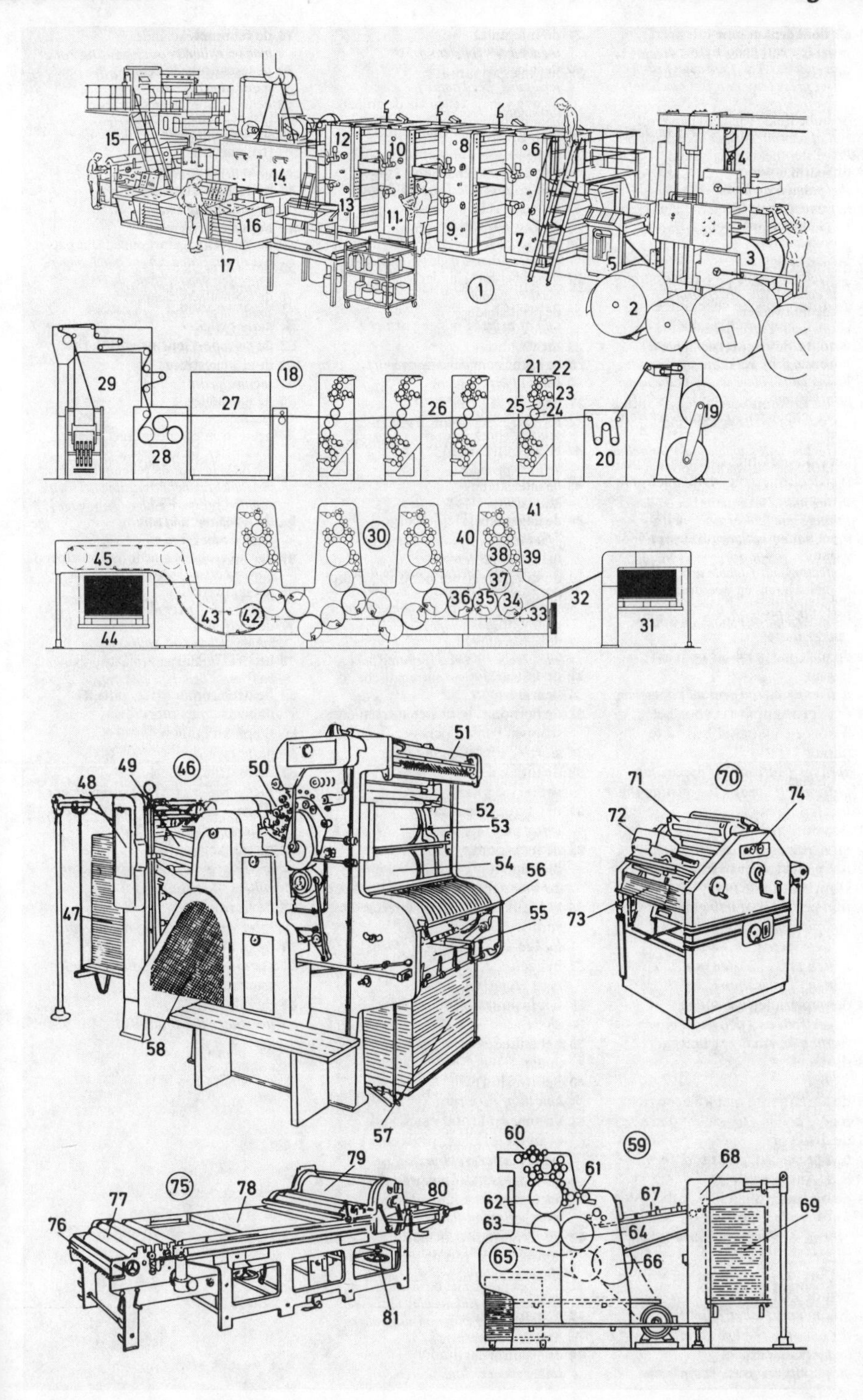

1
2
3
4
5
6
7
8
9
10
11
12
13
14
15
16
17
18
19
20
21
22
23
24
25
26
27
28
29
30
31
32
33
34
35
36
37
38
39
40
41
42
43
44
45
46
47
48
49
50
51
52
53
54
55
56
57
58
59
60
61
62
63
64
65
66
67
68
69
70
71
72
73
74
75
76
77
78
79
80
81

1-65 boekdrukpersen
- ***presses (machines) for letterpress printing*** *(letterpress printing machines)*

1 de tweetoerenpers
- ***two-revolution flat-bed cylinder press***

2 de drukcilinder
- *impression cylinder*

3 het excentriek (de schakelaar)
- *lever for raising or lowering the cylinder*

4 de inlegtafel
- *feed table (feed board)*

5 de automatische velleninleg (m.b.v. zuig- en blaaslucht)
- *automatic sheet feeder (feeder) [operated by vacuum and air blasts]*

6 de luchtpomp voor inleg en uitleg
- *air pump for the feeder and delivery*

7 het inktwerk met distributierollen (verdeelrollen, verwrijfrollen) en opdraagrollen
- *inking unit (inker unit) with distributing rollers (distributor rollers, distributors) and forme rollers (*Am. *form rollers)*

8 het plaatinktwerk
- *ink slab (ink plate) inking unit (inker unit)*

9 de uitlegstapel voor bedrukt papier
- *delivery pile for printed paper*

10 het sproeiapparaat voor het besproeien van het bedrukte papier
- *sprayer (anti set-off apparatus, anti set-off spray) for dusting the printed sheets*

11 de voorlopers
- *interleaving device*

12 het pedaal voor het starten en stoppen van de pers
- *foot pedal for starting and stopping the press*

13 de degelpers [doorsnede]
- ***platen press*** *(platen machine, platen) [in section]*

14 de papierinleg en -uitleg
- *paper feed and delivery (paper feeding and delivery unit)*

15 de degel
- *platen*

16 de aandrijving met kniegewricht
- *toggle action (toggle-joint action)*

17 de drukvorm
- *bed (type bed, press bed, forme bed,* Am. *form bed)*

18 de opdraagrollen
- *forme rollers (*Am. *form rollers) (forme-inking,* Am. *form-inking, rollers)*

19 het inktwerk voor het verwrijven van de inkt
- *inking unit (inker unit) for distributing the ink (printing ink)*

20 de stopcilinderpers
- ***stop-cylinder press*** *(stop-cylinder machine)*

21 de inlegtafel
- *feed table (feed board)*

22 het inlegapparaat
- *feeder mechanism (feeding apparatus, feeder)*

23 de papierstapel (met onbedrukt papier)
- *pile of unprinted paper (blank paper, unprinted sheets, blank sheets)*

24 de beschermkap voor de velleninleg
- *guard for the sheet feeder (feeder)*

25 de papierstapel (met bedrukt papier)
- *pile of printed paper (printed sheets)*

26 het schakelmechanisme
- *control mechanism*

27 de opdraagrollen
- *forme rollers (*Am. *form rollers) (forme-inking,* Am. *form-inking, rollers)*

28 het inktwerk
- *inking unit (inker unit)*

29 de degelpers [Heidelberger]
- *[Heidelberg] platen press (platen machine, platen)*

30 de inlegtafel (met het onbedrukte papier)
- *feed table (feed board) with pile of unprinted paper (blank paper, unprinted sheets, blank sheets)*

31 de uitlegtafel
- *delivery table*

32 de hefboom voor het starten en stoppen van de pers
- *starting and stopping lever*

33 de uitlegblazer
- *delivery blower*

34 het sproeiapparaat
- *spray gun (sprayer)*

35 de luchtpomp, voor zuig- en blaaslucht
- *air pump for vacuum and air blasts*

36 het drukraam met de opgesloten vorm
- ***locked-up forme*** *(*Am. *form)*

37 het zetsel
- *type (type matter, matter)*

38 het insluitraam
- *chase*

39 het sluitstuk
- *quoin*

40 het (opsluit)wit
- *length of furniture*

41 de hoogdrukrotatiepers voor kranten tot max. 16 pagina's
- ***rotary letterpress press*** *(rotary letterpress machine, web-fed letterpress machine) for newspapers of up to 16 pages*

42 de snijwielen voor het langssnijden van de papierbaan
- *slitters for dividing the width of the web*

43 de papierbaan
- *web*

44 de tegendrukcilinder
- *impression cylinder*

45 de trimmer
- *jockey roller (compensating roller, compensator, tension roller)*

46 de papierrol
- *roll of paper*

47 de automatische rollenstop (rollenrem)
- *automatic brake*

48 het schoondrukwerk
- *first printing unit*

49 het weerdrukwerk
- *perfecting unit*

50 het inktwerk
- *inking unit (inker unit)*

51 de drukcilinder
- *plate cylinder*

52 de tweede-kleurinrichting (het satellietsysteem)
- *second printing unit*

53 de geleidewals
- *former*

54 de tachometer met de vellenteller
- *tachometer with sheet counter*

55 het vouwapparaat
- *folder (folder unit)*

56 de gevouwen krant
- *folded newspaper*

57 het inktwerk voor de vellenrotatiepers [doorsnede]
- ***inking unit*** *(inker unit) for the rotary press (web-fed press) [in section]*

58 de papierbaan
- *web*

59 de drukcilinder (tegendruk)
- *impression cylinder*

60 de plaatcilinder
- *plate cylinder*

61 de opdraagrollen
- *forme rollers (*Am. *form rollers) (forme-inking,* Am. *form-inking, rollers)*

62 de inktverwrijfrol
- *distributing rollers (distributor rollers, distributors)*

63 de likrol
- *lifter roller (ductor, ductor roller)*

64 de bakrol
- *duct roller (fountain roller, ink fountain roller)*

65 de inktbak
- *ink duct (ink fountain)*

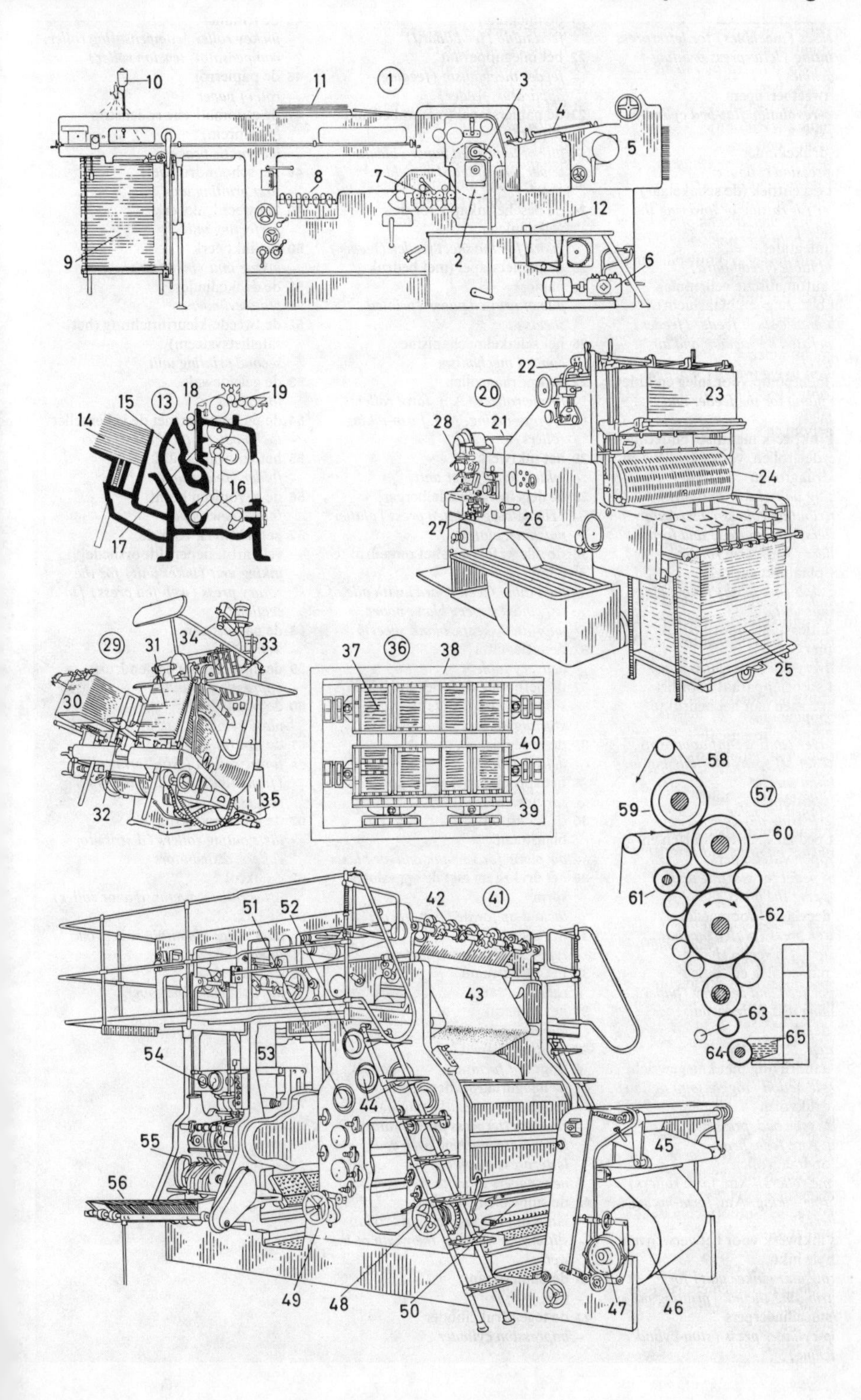
1
2
3
4
5
6
7
8
9
10
11
12
13
14
15
16
17
18
19
20
21
22
23
24
25
26
27
28
29
30
31
32
33
34
35
36
37
38
39
40
41
42
43
44
45
46
47
48
49
50
51
52
53
54
55
56
57
58
59
60
61
62
63
64
65

1 de belichting van het pigmentpapier
- *exposure of the carbon tissue (pigment paper)*

2 de vacuümkast (het vacuümkantelraam)
- *vacuum frame*

3 de belichtingslamp, een serie metaal-halogeenlampen (kwikdamplampen)
- *exposing lamp, a bank of quartz-halogen lamps*

4 de puntlichtlamp (koolspitslamp)
- *point source lamp*

5 de warmteafzuigkap
- *heat extractor*

6 het overdraagsysteem voor pigmentpapier
- *carbon tissue transfer machine (laydown machine, laying machine)*

7 de gepolijste kopercilinder
- *polished copper cylinder*

8 de rubberdrukrol voor het aandrukken van het gekopieerde pigmentpapier
- *rubber roller for pressing on the printed carbon tissue (pigment paper)*

9 de cilinderontwikkelmachine
- *cylinder-processing machine*

10 de diepdrukcilinder met een gevoelige laag pigmentpapier
- *gravure cylinder coated with carbon tissue (pigment paper)*

11 het ontwikkelbad
- *developing tank*

12 de cilindercorrectie (het retoucheren, afdekken)
- *staging*

13 de ontwikkelde cilinder
- *developed cylinder*

14 de retoucheur bij het afdekken
- *retoucher painting out (stopping out)*

15 de etsmachine
- *etching machine*

16 de etsbak met etszuur
- *etching tank with etching solution (etchant, mordant)*

17 de gekopieerde diepdrukcilinder
- *printed gravure cylinder*

18 de diepdruketser
- *gravure etcher*

19 de rekenschijf
- *calculator dial*

20 de tijdklok (etscomputer)
- *timer*

21 het corrigeren van de cilinder
- *revising (correcting) the cylinder*

22 de geëtste diepdrukcilinder
- *etched gravure cylinder*

23 de correctielijst (correctietafel, steunplank)
- *ledge*

24 de meerkleurenrotatiediepdrukpers
- *multicolour (*Am. *multicolor) rotogravure press*

25 de afvoerbuis voor oplosmiddeldampen
- *exhaust pipe for solvent fumes*

26 de omkeerbare drukeenheid
- *reversible printing unit*

27 het vouwapparaat
- *folder (folder unit)*

28 het bedienings- en stuurpaneel
- *control desk*

29 de krantenuitleg
- *newspaper delivery unit*

30 de lopende band (transportband)
- *conveyor belt (conveyor)*

31 de verpakte stapel kranten
- *bundled stack of newspapers*

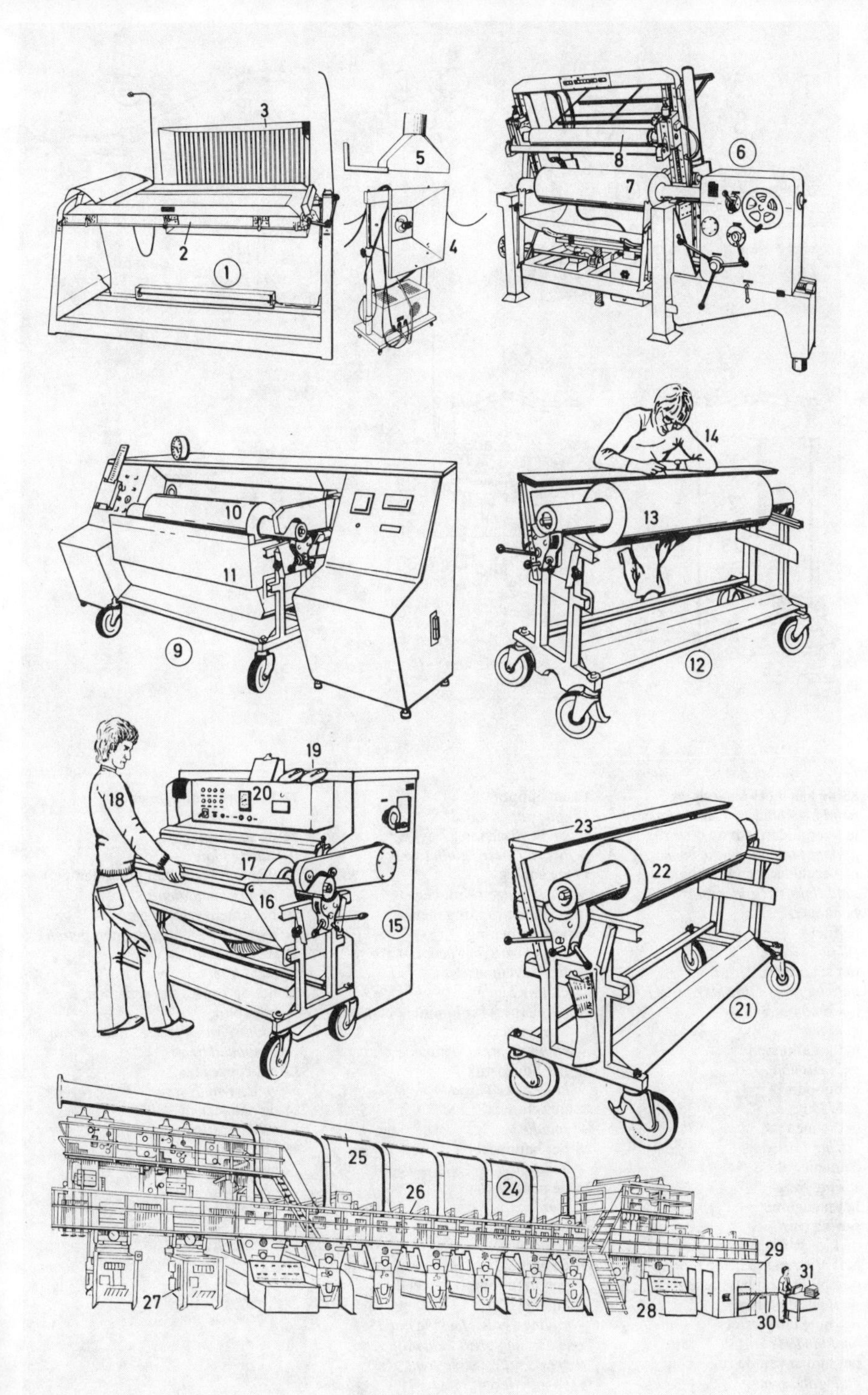
1
2
3
4
5
6
7
8
9
10
11
12
13
14
15
16
17
18
19
20
21
22
23
24
25
26
27
28
29
30
31

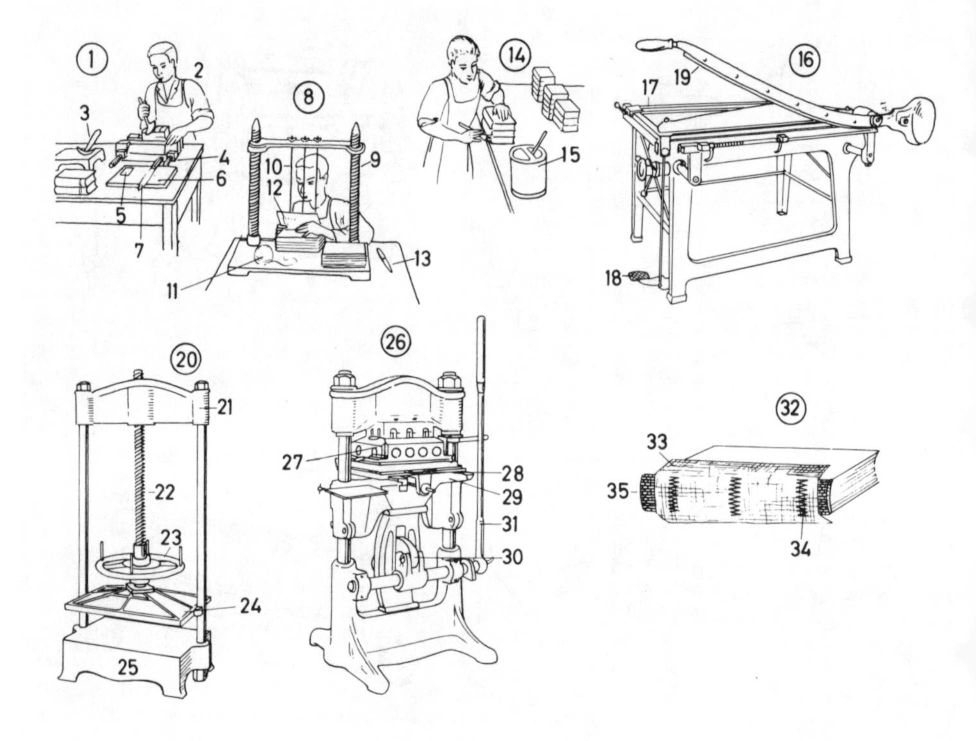

1-35 de handboekbinderij
- ***hand bookbindery** (hand bindery)*

1 het vergulden van de boekrug
- *gilding the spine of the book*

2 de vergulder, een boekbinder
- *gold finisher (gilder), a bookbinder*

3 de filet
- *fillet*

4 het spanraam
- *holding press (finishing press)*

5 het bladgoud
- *gold leaf*

6 het goudkussen
- *gold cushion*

7 het goudmes
- *gold knife*

8 het naaien
- *sewing (stitching)*

9 de naaibank
- *sewing frame*

10 het naaigaren
- *sewing cord*

11 de klos garen (garenklos)
- *ball of thread (sewing thread)*

12 de houding bij het naaien
- *section (signature)*

13 het boekbindersmes
- *bookbinder's knife*

14 het lijmen van de rug
- *gluing the spine*

15 de lijmpot
- *glue pot*

16 de bordschaar
- *board cutter (guillotine)*

17 de aanleg
- *back gauge (*Am.* gage)*

18 de persinrichting met voetbediening
- *clamp with foot pedal*

19 het bovenmes
- *cutting blade*

20 de pletpers (kolommenpers), een boekenpers
- *standing press, a nipping press*

21 het bovenstuk
- *head piece (head beam)*

22 de spindel
- *spindle*

23 het handwiel
- *handwheel*

24 de persplaat
- *platen*

25 het onderstuk
- *bed (base)*

26 de verguld- en preegpers, een pers met hefboom; ook wel met kniehevel
- *gilding (gold blocking) and embossing press, a hand-lever press;* sim.: *toggle-joint press (toggle-lever press)*

27 het verwarmingselement
- *heating box*

28 de schuifplaat
- *sliding plate*

29 de preegplaat (het preegstempel)
- *embossing platen*

30 het kniehevelsysteem
- *toggle action (toggle-joint action)*

31 de hefboom
- *hand lever*

32 het op ruggegaas genaaide boekblok
- *book sewn on gauze (mull, scrim) (unbound book)*

33 het ruggegaas
- *gauze (mull, scrim)*

34 de naaisteken
- *sewing (stitching)*

35 het kapitaalband
- *headband*

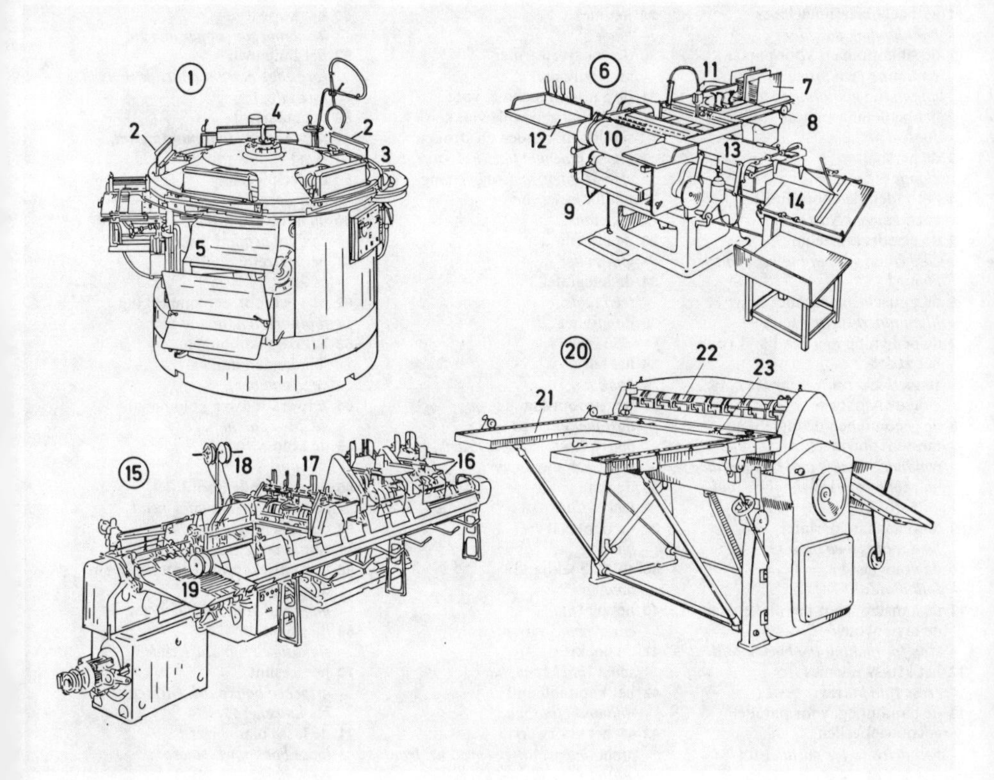

1-23 boekbinderijmachines
- ***bookbinding machines***

1 de garenloze bindmachine voor kleine oplagen
- ***adhesive binder*** *(perfect binder) for short runs*

2 het handinlegstation
- *manual feed station*

3 het frees- en ruwstation
- *cutoff knife and roughing station*

4 het lijmstation
- *gluing mechanism*

5 de uitleg
- *delivery (book delivery)*

6 de boekbandmachine
- ***case maker*** *(case-making machine)*

7 het magazijn voor boekplatten
- *board feed hopper*

8 de platopnemer
- *pickup sucker*

9 de lijmbak
- *glue tank*

10 de lijmcilinder
- *cover cylinder*

11 de zuigarm
- *picker head*

12 de plaats voor het bekledingsmateriaal [linnen, papier, leer]
- *feed table for covering materials [linen, paper, leather]*

13 de persinrichting
- *pressing mechanism*

14 de uitlegtafel
- *delivery table*

15 de verzamelhechtmachine
- ***gang stitcher;*** sim.: *gathering and wire-stitching machine (gatherer and wire stitcher)*

16 de velinleg
- *sheet feeder (sheet-feeding station)*

17 de vouwbladinleg
- *folder-feeding station*

18 het aanvoermechanisme voor de hechtdraad
- *stitching wire feed mechanism*

19 de uitlegtafel
- *delivery table*

20 de rondschaar voor bord
- ***rotary board cutter*** *(rotary board-cutting machine)*

21 de aanlegtafel, met uitsparing
- *feed table with cut-out section*

22 het rondmes
- *rotary cutter*

23 de invoerliniaal
- *feed guide*

1-35 boekbinderijmachines
- ***bookbinding machines***
1 de snijautomaat voor papier
- *guillotine (guillotine cutter, automatic guillotine cutter)*
2 het bedieningspaneel
- *control panel*
3 de persbalk
- *clamp*
4 het zadel (de voorschuif)
- *back gauge (*Am. *gage)*
5 de persdrukinstelling
- *calibrated pressure adjustment [to clamp]*
6 de optische maataanduiding
- *illuminated cutting scale*
7 de bediening met één hand voor het zadel
- *single-hand control for the back gauge (*Am. *gage)*
8 de gecombineerde tassen- en messenvouwmachine
- *combined buckle and knife folding machine (combined buckle and knife folder)*
9 de vellenaanvoertafel
- *feed table (feed board)*
10 de vouwtassen
- *fold plates*
11 de aanslag, voor het maken van de tassenvouw
- *stop for making the buckle fold*
12 het kruisvouwmes
- *cross fold knives*
13 de banduitleg, voor parallel gevouwen vellen
- *belt delivery for parallel-folded signatures*
14 het vouwwerk voor de derde slag
- *third cross fold unit*
15 de uitleg na de derde slag
- *delivery tray for cross-folded signatures*
16 de garennaaimachine
- *sewing machine (book-sewing machine)*
17 de spoelhouder
- *spool holder*
18 de garenspoelen
- *thread cop (thread spool)*
19 de gaasrolhouder
- *gauze roll holder (mull roll holder, scrim roll holder)*
20 het (rugge)gaas
- *gauze (mull, scrim)*
21 de cilinder met de hechtnaalden
- *needle cylinder with sewing needles*
22 het genaaide boekblok
- *sewn book*
23 de uitleg
- *delivery*
24 het heen- en weergaande zadel
- *reciprocating saddle*
25 het inlegapparaat
- *sheet feeder (feeder)*
26 het inlegmagazijn
- *feed hopper*
27 de inhangmachine
- *casing-in machine*
28 het kneeplijmapparaat
- *joint and side pasting attachment*
29 het mes
- *blade*
30 de voorverwarmer
- *preheater unit*
31 de aanlijmmachine, voor belijming van volle vlakken, sjablonen, randen en stroken
- *gluing machine for whole-surface, stencil, edge, and strip gluing*
32 het lijmreservoir
- *glue tank*
33 de lijmcilinder
- *glue roller*
34 de inlegtafel
- *feed table*
35 de uitvoer
- *delivery*
36 het boek
- ***book***
37 het stofomslag
- *dust jacket (dust cover, bookjacket, wrapper), a publisher's wrapper*
38 de flap
- *jacket flap*
39 de flaptekst
- *blurb*
40-42 de boekband
- *binding*
40 het plat
- *cover (book cover, case)*
41 de boekrug
- *spine (backbone, back)*
42 het kapitaalband
- *tailband (footband)*
43-47 het voorwerk
- *preliminary matter (prelims, front matter)*
43 het blad met de voordehandse titel
- *half-title*
44 de voordehandse titel (Franse titel)
- *half-title (bastard title, fly title)*
45 het titelblad
- *title page*
46 de hoofdtitel
- *full title (main title)*
47 de ondertitel
- *subtitle*
48 het uitgeversvignet
- *publisher's imprint (imprint)*
49 het schutblad
- *fly leaf (endpaper, endleaf)*
50 de handgeschreven opdracht
- *handwritten dedication*
51 het ex-libris
- *bookplate (ex libris)*
52 het opgeslagen boek (openliggende boek)
- *open book*
53 de bladzijde (pagina)
- *page*
54 de vouw
- *fold*
55-58 de marge (rand, het wit)
- *margin*
55 het rugwit
- *back margin (inside margin, gutter)*
56 het kopwit
- *head margin (upper margin)*
57 het buitenwit
- *fore edge margin (outside margin, fore edge)*
58 het staartwit
- *tail margin (foot margin, tail, foot)*
59 de zetspiegel
- *type area*
60 de hoofdstuktitel
- *chapter heading*
61 het sterretje
- *asterisk*
62 de voetnoot, een opmerking
- *footnote, a note*
63 het paginanummer (bladzijdenummer)
- *page number*
64 zetwerk in twee kolommen
- *double-column page*
65 de kolom
- *column*
66 de sprekende hoofdtitel
- *running title (running head)*
67 de tussentitel
- *caption*
68 de kanttekening, aantekening in de marge
- *marginal note (side note)*
69 de signatuur
- *signature (signature code)*
70 het leeslint
- *attached bookmark (attached bookmarker)*
71 de losse bladwijzer
- *loose bookmark (loose bookmarker)*

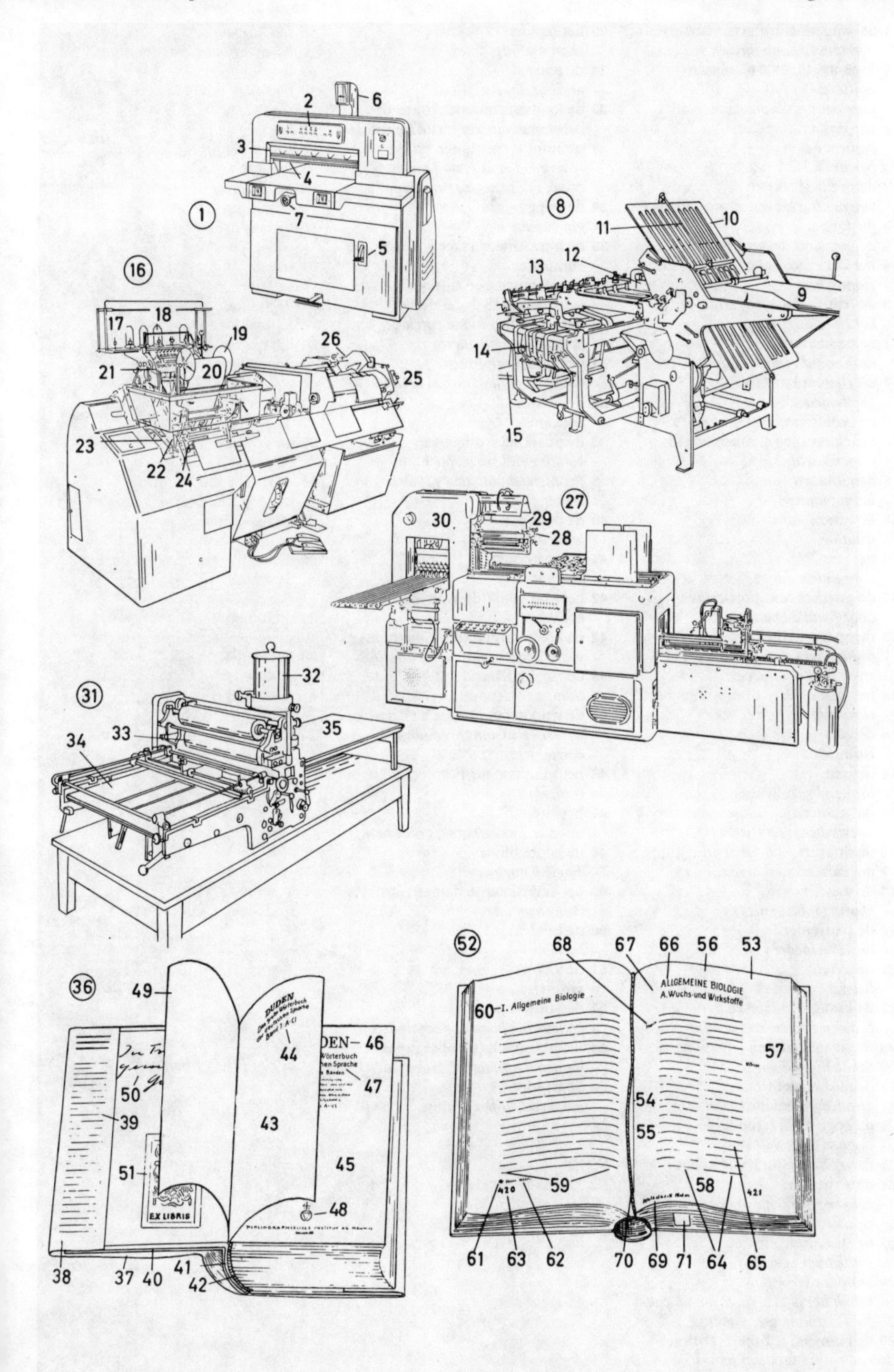
1
2
3
4
5
6
7
8
9
10
11
12
13
14
15
16
17
18
19
20
21
22
23
24
25
26
27
28
29
30
31
32
33
34
35
36
37
38
39
40
41
42
43
44
45
46
47
48
49
50
51
52
53
54
55
56
57
58
59
60
61
62
63
64
65
66
67
68
69
70
71
DUDEN
EX LIBRIS
I. Allgemeine Biologie
ALLGEMEINE BIOLOGIE
A. Wuchs-und Wirkstoffe
420
421

1-54 wagens (rijtuigen, voertuigen)
- *carriages (horse-drawn vehicles)*

1-3, 26-39, 45, 51-54 koetsen (rijtuigen)
- *carriages and coaches (coach wagons)*

1 de berline
- *berlin*

2 de break (brik)
- *wagonette;* larger: *brake (break)*

3 de coupé
- *coupé;* sim.: *brougham*

4 het voorwiel
- *front wheel*

5 de (rijtuig)kast
- *coach body*

6 het spatscherm
- *dashboard (splashboard)*

7 de voetenplank
- *footboard*

8 de (koetsiers)bok
- *coach box (box, coachman's seat, driver's seat)*

9 de lantaarn
- *lamp (lantern)*

10 het raam
- *window*

11 het portier
- *door (coach door)*

12 de portierkruk (portiergreep)
- *door handle (handle)*

13 de opstaptrede
- *footboard (carriage step, coach step, step, footpiece)*

14 het dak
- *fixed top*

15 de veer
- *spring*

16 de rem
- *brake (brake block)*

17 het achterwiel
- *back wheel (rear wheel)*

18 de dogcart, een eenspansrijtuig
- *dogcart, a one-horse carriage*

19 de dissel(boom)
- *shafts (thills, poles)*

20 de palfrenier
- *lackey (lacquey, footman)*

21 de livrei
- *livery*

22 de kraag met tressen
- *braided (gallooned) collar*

23 de jas met tressen
- *braided (gallooned) coat*

24 de mouw met tressen
- *braided (gallooned) sleeve*

25 de hoge hoed (cilinder)
- *top hat*

26 de vigilante (huurkoets, het huurrijtuig)
- *hackney carriage (hackney coach, cab, growler,* Am. *hack)*

27 de stalknecht
- *stableman (groom)*

28 het paard
- *coach horse (carriage horse, cab horse, thill horse, thiller)*

29 de Hansom cab, een cabriolet, een rijtuig met één paard
- *hansom cab (hansom), a cabriolet, a one-horse chaise (one-horse carriage)*

30 het lamoen
- *shafts (thills, poles)*

31 de teugel
- *reins (rein,* Am. *line)*

32 de koetsier, met pelerine
- *coachman (driver) with inverness*

33 de Jan Plezier (lange brik)
- *covered char-a-banc (brake, break), a pleasure vehicle*

34 de buggy
- *gig (chaise)*

35 de barouche; *zonder bok:* calèche
- *barouche*

36 de landauer, een rijtuig met twee paarden; *ook:* de landaulet
- *landau, a two-horse carriage;* sim.: *landaulet, landaulette*

37 de (stads)omnibus
- *omnibus (horse-drawn omnibus)*

38 de faëton
- *phaeton*

39 de postkoets (diligence)
- *Continental stagecoach (mailcoach, diligence);* also: *road coach*

40 de postiljon
- *mailcoach driver*

41 de posthoorn
- *posthorn*

42 het vouwdak (de vouwkap)
- *hood*

43 de postpaarden (relaispaarden)
- *post horses (relay horses, relays)*

44 de zware tilbury
- *tilbury*

45 de troika, het Russische driespan
- *troika (Russian three-horse carriage)*

46 het middenpaard
- *leader*

47 het zijpaard
- *wheeler (wheelhorse, pole horse)*

48 de lichte tilbury
- *English buggy*

49 de Amerikaanse damesfaëton
- *American buggy*

50 de tandem
- *tandem*

51 de victoria
- *vis-à-vis*

52 de vouwkap
- *collapsible hood (collapsible top)*

53 de mailcoach (Engelse postkoets)
- *mailcoach (English stagecoach)*

54 de chariot
- *covered (closed) chaise*

1
2
3
4
5
6
7
8
9
10
11
12
13
14
15
16
17
18
19
20
21
22
23
24
25
26
27
28
29
30
31
32
33
34
35
36
37
38
39
40
41
42
43
44
45
46
47
48
49
50
51
52
53
54

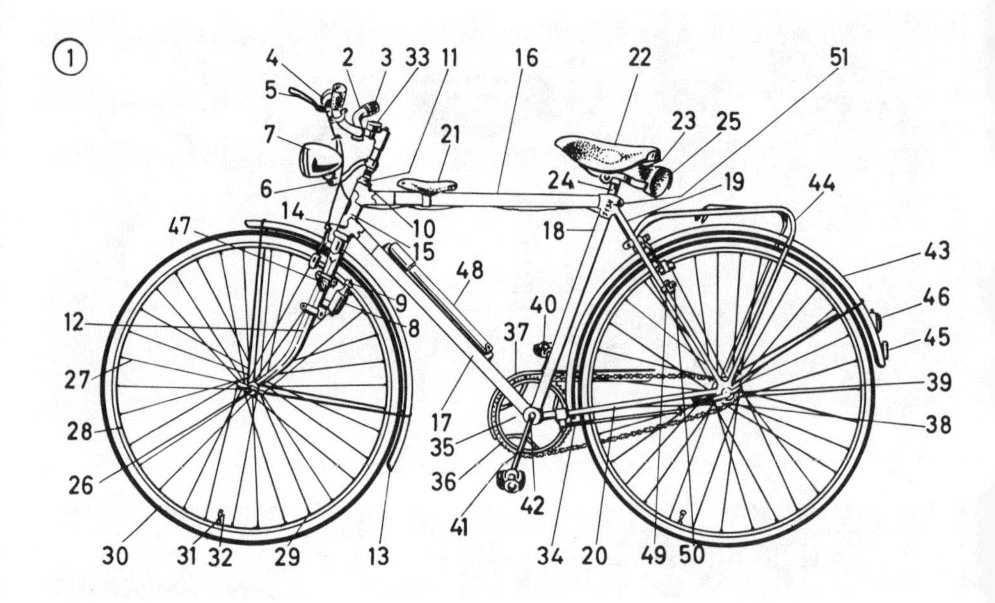

1 de fiets (het rijwiel), een herenfiets, een toerfiets
- *bicycle (cycle,* coll. *bike,* Am. *wheel), a gent's bicycle, a touring bicycle (touring cycle, roadster)*

2 het stuur, een sportstuur
- *handlebar (handlebars), a touring cycle handlebar*

3 het handvat
- *handlebar grip (handgrip, grip)*

4 de fietsbel
- *bicycle bell*

5 de handrem (voorwielrem, velgrem)
- *hand brake (front brake), a rim brake*

6 de lamphaak
- *lamp bracket*

7 het voorlicht (de fietslamp)
- *headlamp, a bicycle lamp*

8 de dynamo
- *dynamo*

9 het aandrijfwieltje
- *pulley*

10-12 de voorvork
- *front forks*

10 de buitenbalhoofdbuis
- *handlebar stem*

11 de bovencup
- *steering head*

12 de vork
- *fork blades (fork ends)*

13 het voorspatbord
- *front mudguard (*Am. *front fender)*

14-20 het frame
- *bicycle frame*

14 de binnenbalhoofdbuis
- *steering tube (fork column)*

15 het merkplaatje
- *head badge*

16 de bovenste framebuis
- *crossbar (top tube)*

17 de onderste framebuis
- *down tube*

18 de zitbuis
- *seat tube*

19 de staande achtervork
- *seat stays*

20 de liggende achtervork
- *chain stays*

21 het kinderzitje
- *child's seat (child carrier seat)*

22 het zadel
- *bicycle saddle*

23 de zadelveren
- *saddle springs*

24 de zadelpen
- *seat pillar*

25 de zadeltas
- *tool bag*

26-32 het wiel (voorwiel)
- *front wheel*

26 de naaf
- *hub*

27 de spaak
- *spoke*

28 de velg
- *rim (wheel rim)*

29 de spaaknippel
- *spoke nipple (spoke flange, spoke end)*

30 de banden (band, luchtband); *binnen:* de binnenband; *buiten:* de buitenband
- *tyres (*Am. *tires)* types: *pneumatic tyre, high-pressure tyre;* inside: *tube (inner tube);* outside: *tyre (outer case, cover)*

31 het ventiel, met ventielslangetje of Blitzventiel met kogel
- *valve, a tube valve with valve tube or a patent valve with ball*

32 het dopje
- *valve sealing cap*

33 de snelheidsmeter met kilometerteller (tachometer)
- *bicycle speedometer with milometer*

34 de standaard
- *kick stand (prop stand)*

35-42 de aandrijving (kettingaandrijving)
- *bicycle drive*

35-39 de kettingaandrijving
- *chain transmission*

35 het kettingwiel (voorste tandwiel)
- *chain wheel*

36 de ketting, een rollenketting
- *chain, a roller chain*

37 de kettingbeschermer
- *chain guard*

38 het achterste kettingtandwiel (kettingwieltje)
- *sprocket wheel (sprocket)*

39 de vleugelmoer
- *wing nut (fly nut, butterfly nut)*

40 het pedaal
- *pedal*

41 de crank
- *crank*

42 de trapaslagering
- *bottom bracket bearing*

43 het achterspatbord
- *rear mudguard (*Am. *rear fender)*

44 de bagagedrager
- *luggage carrier (carrier)*

45 de reflector
- *reflector*

46 het achterlicht
- *rear light (rear lamp)*

47 de voetsteun
- *footrest*

48 het fietspompje
- *bicycle pump*

49 het fietsslot, een spaakslot
- *bicycle lock, a wheel lock*

50 het fietssleuteltje
- *patent key*

51 het framenummer (fabrieksnummer); *ook:* het codenummer
- *cycle serial number (factory number, frame number)*

52 de voorwielnaaf
- *front hub (front hub assembly)*

53 de moer
- *wheel nut*

54 de contramoer (blokkeermoer)
- *locknut (locking nut)*

55 het nokschijfje
- *washer (slotted cone adjusting washer)*

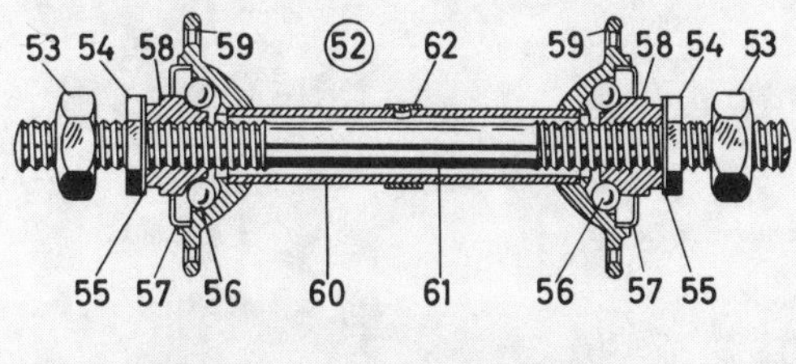

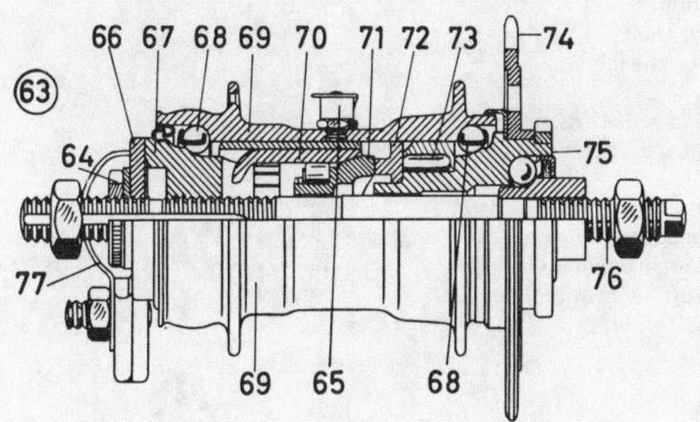

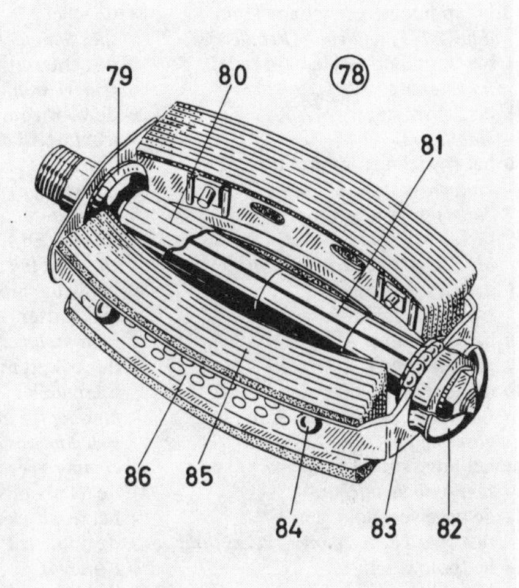

56 de kogel
- *ball bearing*

57 de stofkap
- *dust cap*

58 de conus
- *cone (adjusting cone)*

59 de naaf
- *centre (*Am. *center) hub*

60 de buis
- *spindle*

61 de as
- *axle*

62 het clipje
- *clip covering lubrication hole (lubricator)*

63 de vrijloopnaaf met terugtraprem
- *free-wheel hub with back-pedal brake (with coaster brake)*

64 de borgmoer
- *safety nut*

65 de smeernippel
- *lubricator*

66 de remhevel
- *brake arm*

67 de hevelconus
- *brake arm cone*

68 de kogelring, met kogels in het kogellager
- *bearing cup with ball bearings in ball race*

69 het naafhuis
- *hub shell (hub body, hub barrel)*

70 de remmantel
- *brake casing*

71 de remconus
- *brake cone*

72 de geleidingsring
- *driver*

73 de aandrijfring (het ringwiel)
- *driving barrel*

74 het kettingwieltje
- *sprocket*

75 de drijfkop
- *thread head*

76 de as
- *axle*

77 de bandage
- *bracket*

78 het pedaal met reflector
- *bicycle pedal (pedal, reflector pedal)*

79 de cup
- *cup*

80 de buis
- *spindle*

81 de as
- *axle*

82 de stofkap
- *dust cap*

83 het frame
- *pedal frame*

84 de rubbernok
- *rubber stud*

85 het rubberblok
- *rubber block (rubber tread)*

86 de reflector
- *glass reflector*

1 de vouwfiets
- *folding bicycle*
2 het scharnier
- *hinge;* also: *locking lever*
3 het in hoogte verstelbare stuur
- *adjustable handlebar (handlebars)*
4 het in hoogte verstelbare zadel
- *adjustable saddle*
5 de steunwieltjes
- *stabilizers*
6 het rijwiel met hulpmotor
- *motor-assisted bicycle*
7 de tweetaktmotor met luchtkoeling
- *air-cooled two-stroke engine*
8 de telescoopvork
- *telescopic forks*
9 het buisframe
- *tubular frame*
10 de benzinetank
- *fuel tank (petrol tank,* Am. *gasoline tank)*
11 het hoge stuur
- *semi-rise handlebars*
12 de twee versnellingen
- *two-speed gear-change (gearshift)*
13 het polozadel
- *high-back polo saddle*
14 de achtervork
- *swinging-arm rear fork*
15 de hoogliggende uitlaat
- *upswept exhaust*
16 de beschermkap
- *heat shield*
17 de aandrijfketting
- *drive chain*
18 de valbeugel
- *crash bar (roll bar)*
19 de kilometerteller
- *speedometer (*coll. *speedo)*
20 de snorfiets
- *battery-powered moped, an electrically-powered vehicle*
21 het zweefzadel
- *swivel saddle*
22 de accuhouder
- *battery compartment*
23 het mandje
- *wire basket*
24 de toerbrommer
- *touring moped (moped)*
25 de crank
- *pedal crank (pedal drive, starter pedal)*
26 de tweetakt-eencilindermotor
- *single-cylinder two-stroke engine*
27 de bougiekap
- *spark-plug cap*
28 de benzinetank
- *fuel tank (petrol tank,* Am. *gasoline tank)*
29 de bromfietskoplamp
- *moped headlamp (front lamp)*
30-35 het stuurgarnituur
- *handlebar fittings*
30 het gashandvat
- *twist grip throttle control (throttle twist grip)*
31 het schakelhandvat
- *twist grip (gear-change, gearshift)*
32 de koppelingshevel
- *clutch lever*
33 de handremhevel
- *hand brake lever*
34 de teller
- *speedometer (*coll. *speedo)*
35 de achteruitkijkspiegel
- *rear-view mirror (mirror)*
36 de voortrommelrem
- *front wheel drum brake (drum brake)*
37 de bowdenkabels
- *Bowden cables (brake cables)*
38 de rem- en stoplichtunit
- *stop and tail light unit*
39 het lichte motorrijwiel met kickstarter
- *light motorcycle with kickstarter*
40 de cockpit met snelheidsmeter en toerenteller
- *housing for instruments with speedometer and electronic rev counter (revolution counter)*
41 de telescoopvork met rubberhoes
- *telescopic shock absorber*
42 de dubbelzit
- *twin seat*
43 de kickstarter
- *kickstarter*
44 de duovoetsteun
- *pillion footrest, a footrest*
45 het sportstuur
- *handlebar (handlebars)*
46 de gesloten kettingkast
- *chain guard*
47 de scooter
- *motor scooter (scooter)*
48 het demontabele zijscherm
- *removable side panel*
49 het buisframe
- *tubular frame*
50 het beenschild
- *metal fairings*
51 de zijstandaard
- *prop stand (stand)*
52 de voetrem
- *foot brake*
53 de claxon
- *horn (hooter)*
54 de tassenhaak
- *hook for handbag or briefcase*
55 de voetschakeling
- *foot gear-change control (foot gearshift control)*
56 de high-riser
- *high-riser;* sim.: *Chopper*
57 het tweedelige stuur
- *high-rise handlebar (handlebars)*
58 de fantasietelescoopvork
- *imitation motorcycle fork*
59 het bananezadel
- *banana saddle*
60 de chroombeugel
- *chrome bracket*

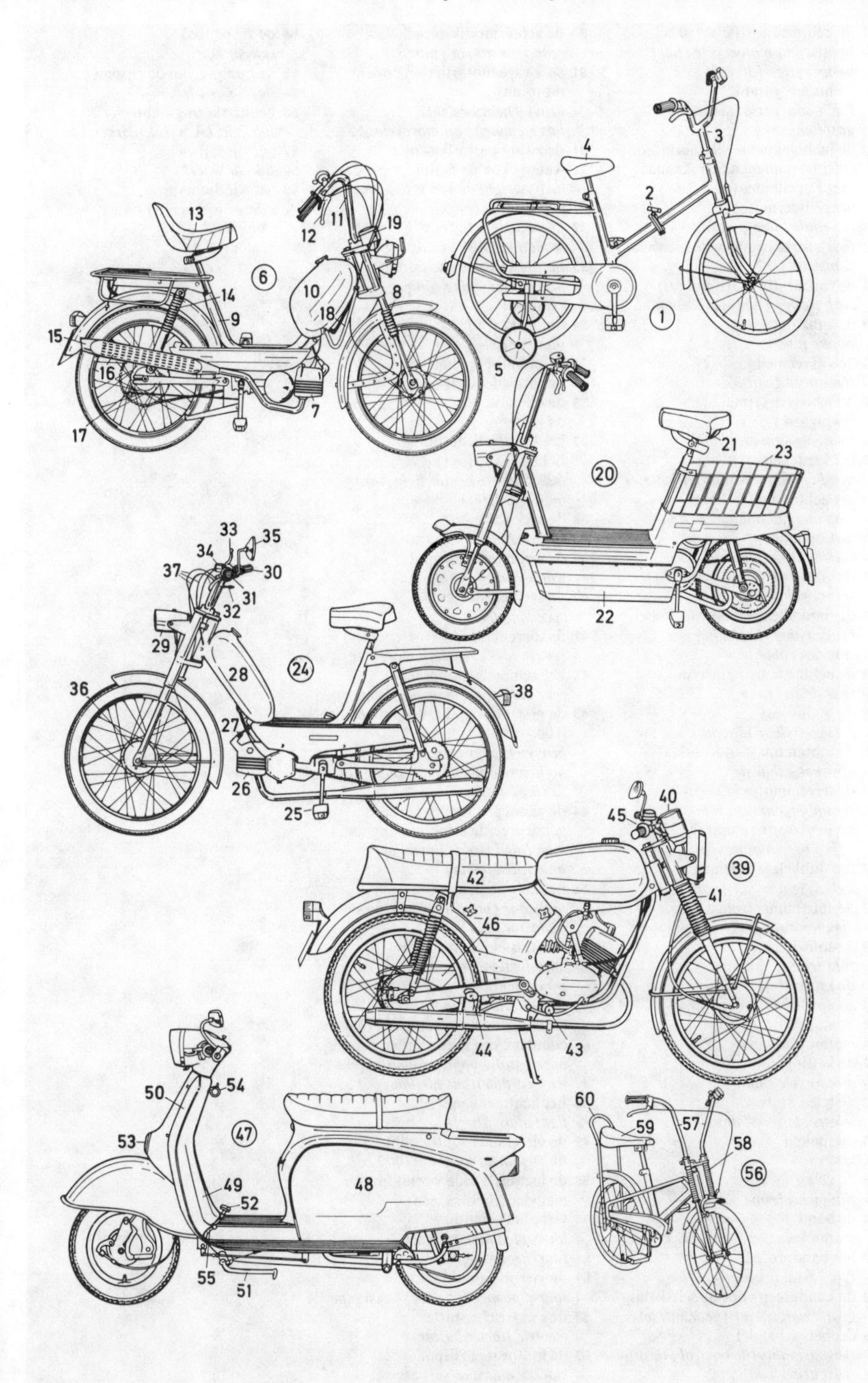
1
2
3
4
5
6
7
8
9
10
11
12
13
14
15
16
17
18
19
20
21
22
23
24
25
26
27
28
29
30
31
32
33
34
35
36
37
38
39
40
41
42
43
44
45
46
47
48
49
50
51
52
53
54
55
56
57
58
59
60

1 de lichte motor(fiets) [50 cc]
- *lightweight motorcycle (light motorcycle) [50 cc]*

2 de brandstoftank
- *fuel tank (petrol tank,* Am. *gasoline tank)*

3 de luchtgekoelde viertaktmotor (met bovenliggende nokkenas) met één cilinder (de eencilindermotor)
- *air-cooled single-cylinder four-stroke engine with overhead camshaft*

4 de carburator (carburateur)
- *carburettor (*Am. *carburetor)*

5 de aanzuigbuis
- *intake pipe*

6 de vijfversnellingsbak
- *five-speed gearbox*

7 de schommelarmachtervork (swingarm)
- *swinging-arm rear fork*

8 het kenteken
- *number plate (*Am. *license plate)*

9 het achter- en remlicht
- *stop and tail light (rear light)*

10 de koplamp
- *headlight (headlamp)*

11 de voorste trommelrem
- *front drum brake*

12 de remkabel, een bowdenkabel
- *brake cable (brake line), a Bowden cable*

13 de achterste trommelrem
- *rear drum brake*

14 de buddyseat
- *racing-style twin seat*

15 de schuin oplopende uitlaat
- *upswept exhaust*

16 de terreinmotor [125 cc]
- *scrambling motorcycle (cross-country motorcycle) [125 cc], a light motorcycle*

17 het dubbele wiegframe
- *lightweight cradle frame*

18 de startnummerplaat
- *number disc (disk)*

19 de solozit
- *solo seat*

20 de koelribben
- *cooling ribs*

21 de standaard
- *motorcycle stand*

22 de ketting
- *motorcycle chain*

23 de telescoopvork
- *telescopic shock absorber*

24 de spaken
- *spokes*

25 de velg
- *rim (wheel rim)*

26 de band
- *motorcycle tyre (*Am. *tire)*

27 het bandprofiel
- *tyre (*Am. *tire) tread*

28 de handgreep voor de schakeling
- *gear-change lever (gearshift lever)*

29 de, hetgashandel
- *twist grip throttle control (throttle twist grip)*

30 de achteruitkijkspiegel
- *rear-view mirror (mirror)*

31-58 zware motorfietsen (zware motoren)
- *heavy (heavyweight, large-capacity) motorcycles*

31 de zware motorfiets met watergekoelde motor
- *heavyweight motorcycle with water-cooled engine*

32 de voorste schijfrem
- *front disc (disk) brake*

33 het zadel van de schijfrem
- *disc (disk) brake calliper (caliper)*

34 de steekas
- *floating axle*

35 de radiator (radiateur)
- *water cooler*

36 de olietank
- *oil tank*

37 het knipperlicht (de richtingaanwijzer)
- *indicator (indicator light, turn indicator light)*

38 de kickstarter
- *kickstarter*

39 de watergekoelde motor
- *water-cooled engine*

40 de snelheidsmeter
- *speedometer*

41 de toerentalmeter (toerenteller)
- *rev counter (revolution counter)*

42 het achterste knipperlicht
- *rear indicator (indicator light)*

43 de gestroomlijnde zware machine [1000 cc]
- *heavy (heavyweight, high-performance) machine with fairing [1000 cc]*

44 de geïntegreerde kuip, een geïntegreerde stroomlijning
- *integrated streamlining, an integrated fairing*

45 het knipperlicht
- *indicator (indicator light, turn indicator light)*

46 het anti-condensscherm
- *anti-mist windscreen (*Am. *windshield)*

47 de boxermotor met cardanaandrijving en twee cilinders, een tweecilindermotor
- *horizontally-opposed twin engine with cardan transmission*

48 het lichtmetalen wiel
- *light alloy wheel*

49 de viercilindermotor [400 cc]
- *four-cylinder machine [400 cc]*

50 de luchtgekoelde viertaktmotor met vier cilinders, een viercilindermotor
- *air-cooled four-cylinder four-stroke engine*

51 de vier-in-een uitlaat
- *four-pipe megaphone exhaust pipe*

52 de elektrische starter
- *electric starter button*

53 de motor met zijspan
- *sidecar machine*

54 de zijspanbak
- *sidecar body*

55 de bumper van de zijspan
- *sidecar crash bar*

56 het markeringslicht
- *sidelight (*Am. *sidemarker lamp)*

57 het zijspanwiel
- *sidecar wheel*

58 het windscherm
- *sidecar windscreen (*Am. *windshield)*

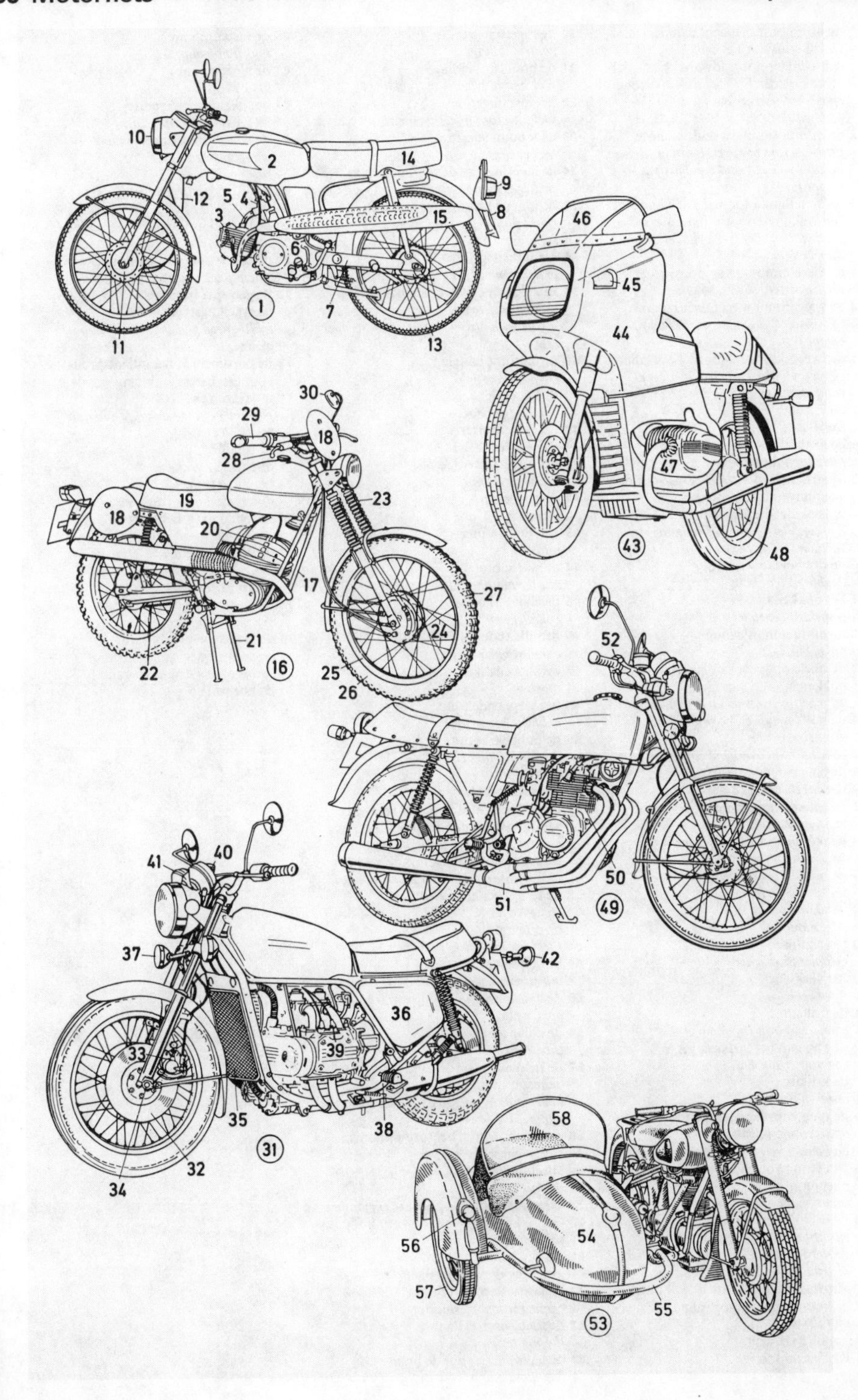
1
2
3
4
5
6
7
8
9
10
11
12
13
14
15
16
17
18
19
20
21
22
23
24
25
26
27
28
29
30
31
32
33
34
35
36
37
38
39
40
41
42
43
44
45
46
47
48
49
50
51
52
53
54
55
56
57
58

1 de ottomotor met acht cilinders en benzine-inspuiting, een achtcilindermotor [dwarsdoorsnede]
- *eight-cylinder V (vee) fuel-injection spark-ignition engine (Otto-cycle engine)*

2 de ottomotor in dwarsdoorsnede
- *cross-section of spark-ignition engine (Otto-cycle internal combustion engine)*

3 de dieselijnmotor met vijf cilinders, een vijfcilindermotor [langsdoorsnede]
- *sectional view of five-cylinder in-line diesel engine*

4 de dieselmotor [dwarsdoorsnede]
- *cross-section of diesel engine*

5 de wankelmotor met twee rotors
- *two-rotor Wankel engine (rotary engine)*

6 de tweetaktottomotor met één cilinder
- *single-cylinder two-stroke internal combustion engine*

7 de ventilator
- *fan*

8 de ventilatorkoppeling
- *fan clutch for viscous drive*

9 de stroomverdeler met doos voor de vacuümverstelling van het ontstekingstijdstip
- *ignition distributor (distributor) with vacuum timing control*

10 de dubbele rollenketting
- *double roller chain*

11 het nokkenaslager
- *camshaft bearing*

12 de ontluchtingsleiding
- *air-bleed duct*

13 de olieleiding voor de smering van de nokkenas
- *oil pipe for camshaft lubrication*

14 de nokkenas, een bovenliggende nokkenas
- *camshaft, an overhead camshaft*

15 de hals van de venturi
- *venturi throat*

16 de geluiddemper van de luchtaanzuigbuis
- *intake silencer (absorption silencer,* Am. *absorption muffler)*

17 de brandstofdrukregelaar
- *fuel pressure regulator*

18 de aanzuigbuis
- *inlet manifold*

19 het cilinderblok
- *cylinder crankcase*

20 het vliegwiel
- *flywheel*

21 de drijfstang
- *connecting rod (piston rod)*

22 de kap van het krukaslager
- *cover of crankshaft bearing*

23 de krukas
- *crankshaft*

24 de plug voor het aftappen van de olie (carterplug, olieaftapstop)
- *oil bleeder screw (oil drain plug)*

25 de ketting voor het aandrijven van de oliepomp
- *roller chain of oil pump drive*

26 de trillingsdemper
- *vibration damper*

27 de verdeleras
- *distributor shaft for the ignition distributor (distributor)*

28 de vulopening voor de olie
- *oil filler neck*

29 het filterelement
- *diaphragm spring*

30 de regelstangen
- *control linkage*

31 de brandstofleiding
- *fuel supply pipe (*Am. *fuel line)*

32 het inspuitventiel
- *fuel injector (injection nozzle)*

33 de schommelarm
- *rocker arm*

34 de lagering van de schommelarm
- *rocker arm mounting*

35 de bougie met ontstoringsdop
- *spark plug (sparking plug) with suppressor*

36 het uitlaatspruitstuk
- *exhaust manifold*

37 de zuiger met zuigerveren en olieschraapveer
- *piston with piston rings and oil scraper ring*

38 de motorophanging
- *engine mounting*

39 de tussenflens
- *dog flange (dog)*

40 het bovencarter
- *crankcase*

41 het ondercarter (de oliepan)
- *oil sump (sump)*

42 de oliepomp
- *oil pump*

43 het, de oliefilter
- *oil filter*

44 de startmotor
- *starter motor (starting motor)*

45 de cilinderkop
- *cylinder head*

46 de uitlaatklep
- *exhaust valve*

47 de oliepeilstok
- *dipstick*

48 het kleppendeksel
- *cylinder head cover*

49 de dubbele ketting
- *double bushing chain*

50 de hotspot
- *warm-up regulator*

51 de bowdenkabel voor het verstellen van het stationaire toerental
- *tapered needle for idling adjustment*

52 de brandstofdrukleiding
- *fuel pressure pipe (fuel pressure line)*

53 de terugvoerleiding voor het terugvoeren van overtollige brandstof naar de tank
- *fuel leak line (drip fuel line)*

54 de verstuiver
- *injection nozzle (spray nozzle)*

55 de aansluiting voor de verwarming
- *heater plug*

56 de balanceerschijf
- *thrust washer*

57 de tussenas voor de aandrijving van de inspuitpomp
- *intermediate gear shaft for the injection pump drive*

58 de inrichting om het inspuitmoment aan te passen
- *injection timer unit*

59 de vacuümpomp
- *vacuum pump (low-pressure regulator)*

60 de nokkenschijf voor de vacuümpomp
- *cam for vacuum pump*

61 de waterpomp
- *water pump (coolant pump)*

62 de koelwaterthermostaat
- *cooling water thermostat*

63 de thermoschakelaar
- *thermo time switch*

64 de handpomp voor de brandstof
- *fuel hand pump*

65 de inspuitpomp
- *injection pump*

66 de gloeispiraal
- *glow plug*

67 het olieoverdrukventiel
- *oil pressure limiting valve*

68 de rotor (draaizuiger) van de wankelmotor
- *rotor*

69 de afdichtstrip
- *seal*

70 de koppelomvormer
- *torque converter*

71 de enkelvoudige plaatkoppeling
- *single-plate clutch*

72 de getrapte transmissie (versnellingsbak)
- *multi-speed gearing (multi-step gearing)*

73 de portliners in het uitlaatspruitstuk voor een betere zuivering van de uitlaatgassen
- *port liners in the exhaust manifold for emission control*

74 de schijfrem
- *disc (disk) brake*

75 het differentieel
- *differential gear (differential)*

76 de dynamo (generator)
- *generator*

77 de voetschakeling
- *foot gear-change control (foot gearshift control)*

78 de meervoudige droge plaatkoppeling
- *dry multi-plate clutch*

79 de vlakstroomcarburator
- *cross-draught (*Am. *cross-draft) carburettor (*Am. *carburetor)*

80 de koelribben
- *cooling ribs*

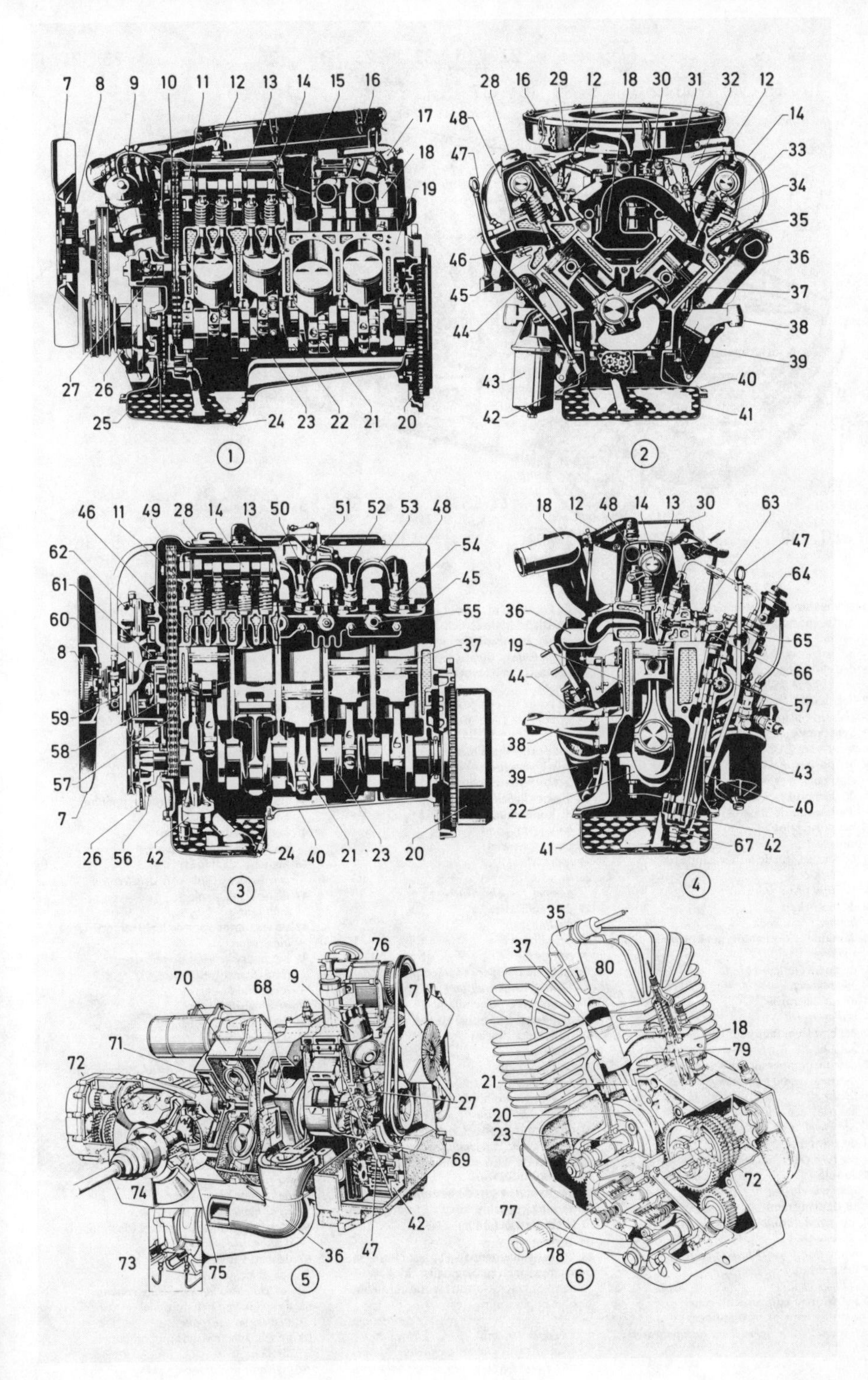
7 8 9 10 11 12 13 14 15 16
17 18 19
27 26 25 24 23 22 21 20
1
28 16 29 12 18 30 31 32 12
14 33 34 35 36 37 38 39 40 41
48 47 46 45 44 43 42
2
46 11 49 28 14 13 50 51 52 53 48
54 45 55 37
62 61 60 8 59 58 57 7
26 56 42 24 40 21 23 20
3
18 12 48 14 13 30 63
47 64 65 66 57 43 40 42 67
36 19 44 38 39 22 41
4
76 70 9 68 7 71 72 27 69 74 42 47 36 73 75
5
35 37 80 18 79 21 20 23 72 77 78
6

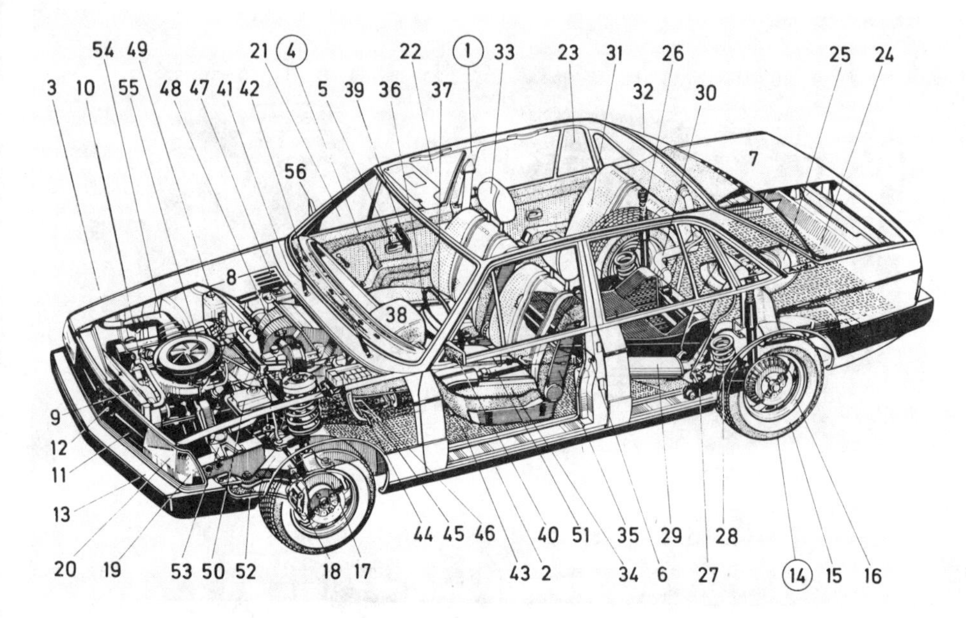

1-56 de auto (het automobiel, motorvoertuig), een personenauto
– *motor car (car,* Am. *automobile, auto), a passenger vehicle*

1 de zelfdragende carrosserie
– *monocoque body (unitary body)*

2 het chassis
– *chassis, the understructure of the body*

3 het voorste spatscherm (spatbord)
– *front wing (*Am. *front fender)*

4 het portier
– *car door*

5 de deurkruk
– *door handle*

6 het portierslot
– *door lock*

7 het deksel van de kofferruimte (de achterklep)
– *boot lid (*Am. *trunk lid)*

8 de motorkap
– *bonnet (*Am. *hood)*

9 de radiator (radiateur, het koelblok)
– *radiator*

10 de koelwaterleiding
– *cooling water pipe*

11 de radiatorgrill
– *radiator grill*

12 het embleem (automerk)
– *badging*

13 de voorbumper met rubberen band
– *rubber-covered front bumper (*Am. *front fender)*

14 het wiel, een schijfwiel
– *car wheel, a disc (disk) wheel*

15 de autoband
– *car tyre (*Am. *automobile tire)*

16 de velg
– *rim (wheel rim)*

17-18 de schijfrem
– *disc (disk) brake*

17 de remschijf
– *brake disc (disk) (braking disc)*

18 het remzadel
– *calliper (caliper)*

19 het voorste knipperlicht, een richtingaanwijzer (clignoteur)
– *front indicator light (front turn indicator light)*

20 de koplamp met groot licht, dimlicht, stadslicht (parkeerlicht)
– *headlight (headlamp) with main beam (high beam), dipped beam (low beam), sidelight (side lamp,* Am. *sidemarker lamp)*

21 de voorruit, een panoramische ruit
– *windscreen (*Am. *windshield), a panoramic windscreen*

22 het portierraam met kruk
– *crank-operated car window*

23 het uitzetbare achterraampje
– *quarter light (quarter vent)*

24 de kofferruimte (kofferbak)
– *boot (*Am. *trunk)*

25 het reservewiel
– *spare wheel*

26 de schokdemper
– *damper (shock absorber)*

27 de stabilisatiearm
– *trailing arm*

28 de schroefveer
– *coil spring*

29 de geluiddemper (knaldemper)
– *silencer (*Am. *muffler)*

30 de geforceerde ventilatie
– *automatic ventilation system*

31 de achterzittingen
– *rear seats*

32 de achterruit
– *rear window*

33 de verstelbare hoofdsteun
– *adjustable headrest (head restraint)*

34 de bestuurdersstoel, een slaapstoel
– *driver's seat, a reclining seat*

35 de neerklapbare rugleuning
– *reclining backrest*

36 de zitplaats naast de bestuurder
– *passenger seat*

37 het stuurwiel (stuur)
– *steering wheel*

38 het instrumentenpaneel (dashboard) met snelheidsmeter, toerenteller, klok, benzinemeter, watertemperatuurmeter, olietemperatuurmeter
– *centre (*Am. *center) console containing speedometer (*coll. *speedo), revolution counter (rev counter, tachometer), clock, fuel gauge (*Am. *gage), water temperature gauge, oil temperature gauge*

39 de achteruitkijkspiegel
– *inside rear-view mirror*

40 de linker buitenspiegel
– *left-hand wing mirror*

41 de ruitewisser
– *windscreen wiper (*Am. *windshield wiper)*

42 de uitstroomopeningen voor de verwarming van de voorruit (voorruitverwarming)
– *defroster vents*

43 de vloerbedekking
– *carpeting*

44 het koppelingspedaal (de koppeling)
– *clutch pedal (*coll. *clutch)*

45 het rempedaal (de rem)
– *brake pedal (*coll. *brake)*

46 het gaspedaal (gas)
– *accelerator pedal (*coll. *accelerator)*

47 de luchtinlaatspleet
– *inlet vent*

48 de ventilator voor de luchtverversing
– *blower fan*

49 het reservoir voor de remvloeistof (remvloeistofreservoir)
– *brake fluid reservoir*

50 de accu
– *battery*

51 de uitlaatpijp
– *exhaust pipe*

52 de voortrein met voorwielaandrijving
– *front running gear with front wheel drive*

53 de motorsteun
– *engine mounting*

54 de geluiddemper van de luchtaanzuigbuis
– *intake silencer (*Am. *intake muffler)*

55 de, het luchtfilter
– *air filter (air cleaner)*

56 de rechter buitenspiegel
– *right-hand wing mirror*

57-90 het instrumentenpaneel (dashboard)
– *dashboard (fascia panel)*

57 de naaf van het stuurwiel, in veiligheidsuitvoering
– *controlled-collapse steering column*

58 de spaak van het stuurwiel
– *steering wheel spoke*

59 de schakelaar voor knipperlicht en dimlicht
– *indicator and dimming switch*

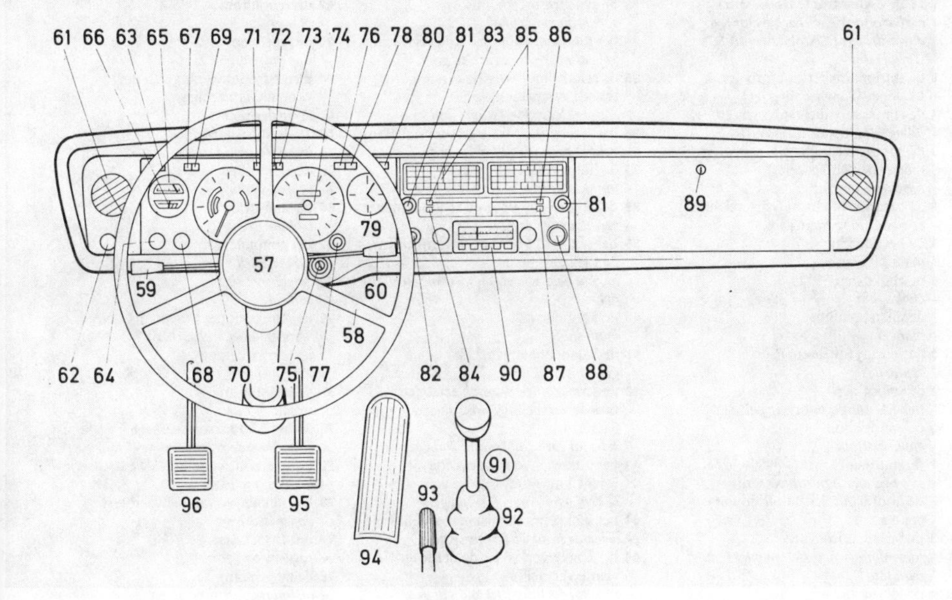

60 de schakelaar voor ruitewisser, ruitesproeier en claxon
– *wiper/washer switch and horn*

61 de luchtmengregelaar voor het zijraam
– *side window blower*

62 de schakelaar voor stadslicht, koplamp en parkeerlicht
– *sidelight, headlight, and parking light switch*

63 het controlelampje voor de mistlampen [voor]
– *fog lamp warning light*

64 de schakelaar voor de mistlampen en het mistachterlicht
– *fog headlamp and rear lamp switch*

65 de benzinemotor
– *fuel gauge (*Am. *gage)*

66 de watertemperatuurmeter
– *water temperature gauge (*Am. *gage)*

67 het controlelampje voor het mistachterlicht
– *warning light for rear fog lamp*

68 de schakelaar voor het alarmknipperlicht
– *hazard flasher switch*

69 het controlelampje voor groot licht
– *main beam warning light*

70 de elektrische toerenteller
– *electric rev counter (revolution counter)*

71 het controlelampje voor de brandstofvoorraad
– *fuel warning light*

72 het controlelampje voor de handrem en het gescheiden remcircuit
– *warning light for the hand brake and dual-circuit brake system*

73 het controlelampje voor de oliedruk
– *oil pressure warning light*

74 de snelheidsmeter met dagteller
– *speedometer (*coll. *speedo) with trip mileage recorder*

75 het contact- en stuurslot
– *starter and steering lock*

76 de controlelampjes voor knipperlichten en alarmknipperlichten
– *warning lights for turn indicators and hazard flashers*

77 de knop voor de binnenverlichting en het terugzetten van de dagteller
– *switch for the courtesy light and reset button for the trip mileage recorder*

78 het controlelampje voor de laadstroom (laadcontrolelampje)
– *ammeter*

79 de elektrische klok
– *electric clock*

80 het controlelampje voor de achterruitverwarming
– *warning light for heated rear window*

81 de schakelaar voor de voetruimteverwarming
– *switch for the leg space ventilation*

82 de schakelaar voor de achterruitverwarming
– *rear window heating switch*

83 de ventilatorinstelling
– *ventilation switch*

84 de temperatuurregeling
– *temperature regulator*

85 de verstelbare uitstroomopeningen voor verse lucht
– *fresh-air inlet and control*

86 de regelaar voor de verse lucht
– *fresh-air regulator*

87 de regelaar voor de verdeling van de warme lucht
– *warm-air regulator*

88 de aansteker
– *cigar lighter*

89 het slot van het handschoenkastje
– *glove compartment (glove box) lock*

90 de autoradio
– *car radio*

91 de schakelhefboom (het, de versnellingshandel, de pook)
– *gear lever (gearshift lever), a floor-type gear-change*

92 de leren manchet
– *leather gaiter*

93 de hefboom van de handrem
– *hand brake lever*

94 het gaspedaal
– *accelerator pedal*

95 het rempedaal
– *brake pedal*

96 het koppelingspedaal
– *clutch pedal*

1-15 de carburator (carburateur)
– ***carburettor*** *(*Am. *carburetor), a down-draught (*Am. *down-draft) carburettor*
1 de stationaire benzinesproeier
– *idling jet (slow-running jet)*
2 de stationaire luchtsproeier
– *idling air jet (idle air bleed)*
3 de compensatiesproeier (correctieluchtsproeier)
– *air correction jet*
4 de compensatielucht (correctielucht)
– *compensating airstream*
5 de hoofdlucht
– *main airstream*
6 de chokeklep
– *choke flap*
7 de uitstroombuis
– *plunger*
8 de venturi (diffuseur)
– *venturi*
9 de smoorklep
– *throttle valve (butterfly valve)*
10 de emulsiebuis
– *emulsion tube*
11 de stationaire mengselstelschroef
– *idle mixture adjustment screw*
12 de hoofdsproeier (hoofddoseur)
– *main jet*
13 de brandstoftoevoer
– *fuel inlet (*Am. *gasoline inlet) (inlet manifold)*
14 de vlotterkamer
– *float chamber*
15 de vlotter
– *float*
16-27 de druksmering
– ***pressure-feed lubricating system***
16 de oliepomp
– *oil pump*
17 de olievoorraad (oliepan, het oliecarter)
– *oil sump*
18 de oliezeef (carterzeef)
– *sump filter*
19 de oliekoeler
– *oil cooler*
20 het, de oliefilter
– *oil filter*
21 het hoofdoliekanaal
– *main oil gallery (drilled gallery)*
22 de olietoevoerleiding van de krukas
– *crankshaft drilling (crankshaft tributary, crankshaft bleed)*
23 het krukaslager
– *crankshaft bearing (main bearing)*
24 het nokkenaslager
– *camshaft bearing*
25 het drijfstanglager
– *connecting-rod bearing*
26 de kruktapboring
– *gudgeon pin (piston pin)*
27 de afvoeropening
– *bleed*
28-47 de gesynchroniseerde vierversnellingsbak
– ***four-speed synchromesh gearbox***
28 het koppelingspedaal
– *clutch pedal*
29 de krukas
– *crankshaft*
30 de aandrijfas
– *drive shaft (propeller shaft)*
31 de starterkrans
– *starting gear ring*
32 de schakelmof voor de derde en vierde versnelling
– *sliding sleeve for 3rd and 4th gear*
33 de synchroniseerconus
– *synchronizing cone*
34 het tandwiel voor de derde versnelling
– *helical gear wheel for 3rd gear*
35 de schakelmof voor de eerste en tweede versnelling
– *sliding sleeve for 1st and 2nd gear*
36 het tandwiel voor de eerste versnelling
– *helical gear wheel for 1st gear*
37 de hulpas (secundaire as)
– *lay shaft*
38 de aandrijving voor de snelheidsmeter
– *speedometer drive*
39 het tandwiel voor het aandrijven van de snelheidsmeter
– *helical gear wheel for speedometer drive*
40 de hoofdas
– *main shaft*
41 de baladeurstangen
– *gearshift rods*
42 de schakelvork voor de eerste en tweede versnelling; *ook: schakelgaffel, baladeur*
– *selector fork for 1st and 2nd gear*
43 het tandwiel voor de tweede versnelling
– *helical gear wheel for 2nd gear*
44 het schakelmechanisme met achteruit
– *selector head with reverse gear*
45 de schakelvork voor de derde en vierde versnelling
– *selector fork for 3rd and 4th gear*
46 de, het schakelhandel (het, de handel, de pook)
– *gear lever (gearshift lever)*
47 het schakelschema
– *gear-change pattern (gearshift pattern, shift pattern)*
48-55 de schijfrem
– ***disc (disk) brake*** *[assembly]*
48 de remschijf
– *brake disc (disk) (braking disc)*
49 het remzadel, een vast zadel, met de remblokken
– *calliper (caliper), a fixed calliper with friction pads*
50 de trommel van de servorem (trommel van de handrem)
– *servo cylinder (servo unit)*
51 de remschoenen
– *brake shoes*
52 de remvoering
– *brake lining*
53 de aansluiting met de remleiding
– *outlet to brake line*
54 de wielremcilinder
– *wheel cylinder*
55 de spanveer
– *return spring*
56-59 de stuurinrichting (met worm en wormwiel)
– ***steering gear*** *(worm-and-nut steering gear)*
56 de stuurkolom
– *steering column*
57 de wormwielsector
– *worm gear sector*
58 de pitmanarm
– *steering drop arm*
59 de worm
– *worm*
60-64 de verwarmingsinstallatie (autoverwarming) met koelwater
– ***water-controlled heater***
60 de inlaat voor de verse lucht
– *air intake*
61 de warmtewisselaar
– *heat exchanger (heater box)*
62 de ventilator
– *blower fan*
63 de regelklep
– *flap valve*
64 de uitstroomopening van de voorruitverwarming
– *defroster vent*
65-71 de stijve aandrijfas
– ***live axle*** *(rigid axle)*
65 de aandrijfas
– *propeller shaft*
66 de langsdrager
– *trailing arm*
67 het gummilager
– *rubber bush*
68 de schroefveer
– *coil spring*
69 de schokdemper
– *damper (shock absorber)*
70 de panhardstang
– *Panhard rod*
71 de stabilisator
– *stabilizer bar*
72-84 het McPherson-veerbeen
– ***MacPherson strut unit***
72 de versterkte steun van de carrosserie
– *body-fixing plate*
73 het steunlager van het veerbeen
– *upper bearing*
74 de schroefveer
– *suspension spring*
75 de zuigerstang
– *piston rod*
76 de veerbeenschokdemper
– *suspension damper*
77 de velg
– *rim (wheel rim)*
78 de astap van de fusee
– *stub axle*
79 de spoorstangarm
– *steering arm*
80 de stuurstangkogel
– *track-rod ball-joint*
81 de stuurstang
– *trailing link arm*
82 het stootrubber
– *bump rubber (rubber bonding)*
83 het aslager
– *lower bearing*
84 de drager van de vooras
– *lower suspension arm*

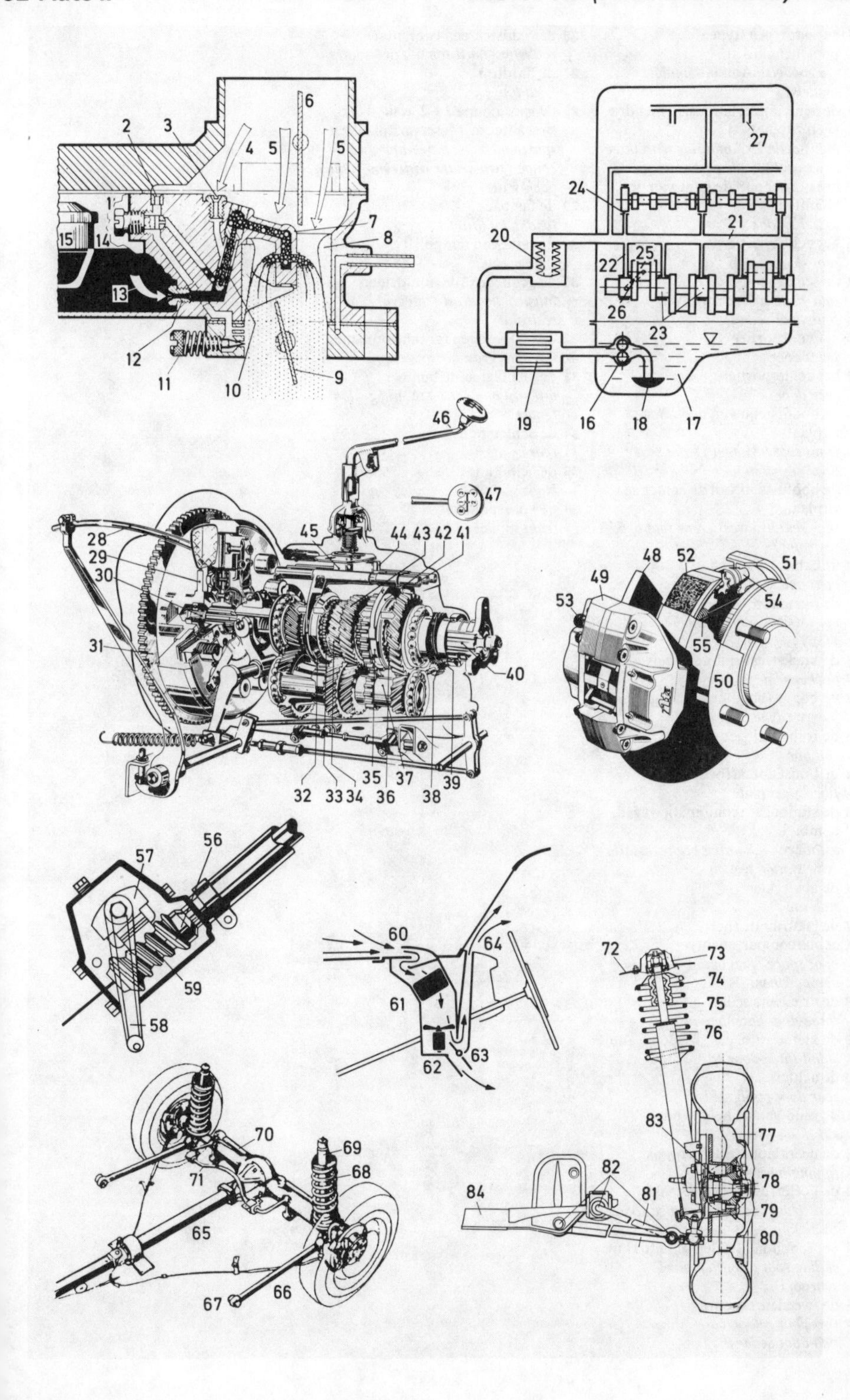
1
2
3
4
5
5
6
7
8
9
10
11
12
13
14
15
16
17
18
19
20
21
22
23
24
25
26
27
28
29
30
31
32
33
34
35
36
37
38
39
40
41
42
43
44
45
46
47
48
49
50
51
52
53
54
55
56
57
58
59
60
61
62
63
64
65
66
67
68
69
70
71
72
73
74
75
76
77
78
79
80
81
82
83
84

1-36 autotypen (typen personenauto's)
- ***car models*** *(*Am. *automobile models)*

1 de achtcilinderlimousine met drie rijen zitplaatsen
- *eight-cylinder limousine with three rows of three-abreast seating*

2 het portier aan de kant van de chauffeur
- *driver's door*

3 het achterportier
- *rear door*

4 de sedan
- *four-door saloon car (*Am. *four-door sedan)*

5 het voorportier
- *front door*

6 het achterportier
- *rear door*

7 de hoofdsteun van de voorste zitplaats
- *front seat headrest (front seat head restraint)*

8 de hoofdsteun van de achterste zitplaats
- *rear seat headrest (rear seat head restraint)*

9 de cabriolet
- *convertible*

10 de open kap
- *convertible (collapsible) hood (top)*

11 de bucketseat (pilotenstoel)
- *bucket seat*

12 de buggy (het duinvoertuig)
- *buggy (dune buggy)*

13 de rolbeugel
- *roll bar*

14 de kunststofcarrosserie
- *fibre glass body*

15 de stationcar (combinatiewagen, combi, break)
- *estate car (shooting brake, estate,* Am. *station wagon)*

16 de achterklep
- *tailgate*

17 de laadruimte (het achtercompartiment)
- *boot space (luggage compartment)*

18 de driedeurs sedan
- *three-door hatchback*

19 de kleine auto, een driedeurs auto
- *small three-door car*

20 de achterklep
- *rear door (tailgate)*

21 de rand van de laadruimte
- *sill*

22 de neerklapbare achterbank
- *folding back seat*

23 de kofferruimte (kofferbak)
- *boot (luggage compartment,* Am. *trunk)*

24 het schuifdak (stalen schuifdak)
- *sliding roof (sunroof, steel sunroof)*

25 de tweedeurs sedan
- *two-door saloon car (*Am. *two-door sedan)*

26 de roadster, een tweezitter
- *roadster (hard-top), a two-seater*

27 de hardtop
- *hard top*

28 de sportcoupé 2+2, een tweezitter met reservezitplaatsen
- *sporting coupé, a two-plus-two coupé (two-seater with removable back seats)*

29 de fastback
- *fastback (liftback)*

30 de rand van de spoiler
- *spoiler rim*

31 de geïntegreerde hoofdsteun
- *integral headrest (integral head restraint)*

32 de G.T.-wagen (grand-tourisme)
- *GT car (gran turismo car)*

33 de geïntegreerde bumper
- *integral bumper (*Am. *integral fender)*

34 de achterspoiler
- *rear spoiler*

35 de achterkant
- *back*

36 de voorspoiler
- *front spoiler*

1
2
3
4
5
6
7
8
9
10
11
12
13
14
15
16
17
18
19
20
21
22
23
24
25
26
27
28
29
30
31
32
33
34
35
36

1 de kleine vrachtwagen voor terreingebruik met aandrijving op alle wielen (vierwielaandrijving)
- *light cross-country lorry (light truck, pickup truck) with all-wheel drive (four-wheel drive)*

2 de bestuurderscabine
- *cab (driver's cab)*

3 de open laadbak
- *loading platform (body)*

4 de reserveband, een terreinband
- *spare tyre (*Am. *spare tire), a cross-country tyre*

5 de kleine vrachtwagen
- *light lorry (light truck, pickup truck)*

6 de uitvoering met open laadbak
- *platform truck*

7 de gesloten uitvoering (de bestelwagen)
- *medium van*

8 de schuifdeur
- *sliding side door [for loading and unloading]*

9 het busje
- *minibus*

10 het vouwdak
- *folding top (sliding roof)*

11 de achterklep
- *rear door*

12 de openslaande deur
- *hinged side door*

13 de bagageruimte
- *luggage compartment*

14 de passagiersplaats
- *passenger seat*

15 de bestuurderscabine
- *cab (driver's cab)*

16 de ventilatieopening (luchtinlaat)
- *air inlet*

17 de touringcar
- *motor coach (coach, bus)*

18 de bagageruimte
- *luggage locker*

19 de handbagage (koffer)
- *hand luggage (suitcase, case)*

20 de aanhangercombinatie (vrachtwagencombinatie)
- *heavy lorry (heavy truck, heavy motor truck)*

21 de trekker
- *tractive unit (tractor, towing vehicle)*

22 de aanhanger
- *trailer (drawbar trailer)*

23 de verwisselbare laadbak (container)
- *swop platform (body)*

24 de driezijdige kipper
- *three-way tipper (three-way dump truck)*

25 de laadbak
- *tipping body (dump body)*

26 de hydraulische cilinder
- *hydraulic cylinder*

27 het containerplatform
- *supported container platform*

28 de trekker met oplegger, een oplegger-aanhangercombinatie met tank
- *articulated vehicle, a vehicle tanker*

29 de trekker van een opleggercombinatie
- *tractive unit (tractor, towing vehicle)*

30-33 de tankoplegger
- *semi-trailer (skeletal)*

30 de tank
- *tank*

31 de koppeling
- *turntable*

32 de hulpwielen
- *undercarriage*

33 het reservewiel
- *spare wheel*

34 de kleine bus in stadsuitvoering
- *midi bus [for short-route town operations]*

35 de naar buiten openslaande deur
- *outward-opening doors*

36 de dubbeldekker (dubbeldeks autobus)
- *double-deck bus (double-decker bus)*

37 het benedendek
- *lower deck (lower saloon)*

38 het bovendek
- *upper deck (upper saloon)*

39 het instapplatform
- *boarding platform*

40 de trolleybus
- *trolley bus*

41 de stroomafnemer (contactarm)
- *current collector*

42 de contactrol (trolley)
- *trolley (trolley shoe)*

43 de bovenleiding met twee draden
- *overhead wires*

44 de aanhanger van de trolleybus
- *trolley bus trailer*

45 het rubber verbindingsstuk
- *pneumatically sprung rubber connection*

1
2
3
4
5
6
7
8
9
10
11
12
13
14
15
16
17
18
19
20
21
22
23
24
25
26
27
28
29
30
31
32
33
34
35
36
37
38
39
40
41
42
43
44
45

1-55 de garage van de dealer
- ***agent's garage*** *(distributor's garage,* Am. *specialty shop)*

1-23 de testinstallatie
- *diagnostic test bay*

1 het diagnoseapparaat, een computer
- *computer*

2 de hoofdstekker
- *main computer socket*

3 de kabel van het testapparaat
- *computer harness (computer cable)*

4 de schakelaar voor automatisch of handmatig meten
- *switch from automatic to manual*

5 de invoer voor de programmakaarten
- *slot for program cards*

6 de printer
- *print-out machine (printer)*

7 het diagnoseformulier
- *condition report, a data print-out*

8 het toestel voor handbediening
- *master selector (hand control)*

9 de indicatielampen [groen: in orde; rood: niet in orde]
- *light read-out [green: OK; red: not OK]*

10 het kastje voor programmakaarten
- *rack for program cards*

11 de drukknop voor de netspanning
- *mains button*

12 de drukknop voor het snelle programma
- *switch for fast readout*

13 de invoer van de kaarten voor de ontstekingshoek
- *firing sequence insert*

14 het aflegvak
- *shelf for used cards*

15 de kabelophanging
- *cable boom*

16 de meetkabel voor de olietemperatuur
- *oil temperature sensor*

17 het apparaat voor de meting van spoor en camber (wielvlucht) aan de rechterkant
- *test equipment for wheel and steering alignment*

18 de optische plaat rechts
- *right-hand optic plate*

19 de activerende transistoren
- *actuating transistors*

20 de schakelaar voor de projector
- *projector switch*

21 de fotostrip voor meting van het camber
- *check light for wheel alignment, a row of photocells*

22 de fotostrip voor meting van het spoor
- *check light for steering alignment, a row of photocells*

23 de elektrische schroevedraaier
- *power screwdriver*

24 het testapparaat voor instelling van de koplampen
- *beam setter*

25 de hydraulische hefbrug
- *hydraulic lift*

26 de verstelbare zwenkarm
- *adjustable arm of hydraulic lift*

27 het steunblok voor de hefbrug
- *hydraulic lift pad*

28 de uitsparing voor de wielen
- *excavation*

29 de persluchtmeter
- *pressure gauge (*Am. *gage)*

30 de doorsmeerpers
- *grease gun*

31 de bak met kleine onderdelen
- *odds-and-ends box*

32 de onderdelenlijst
- *wall chart [of spare parts]*

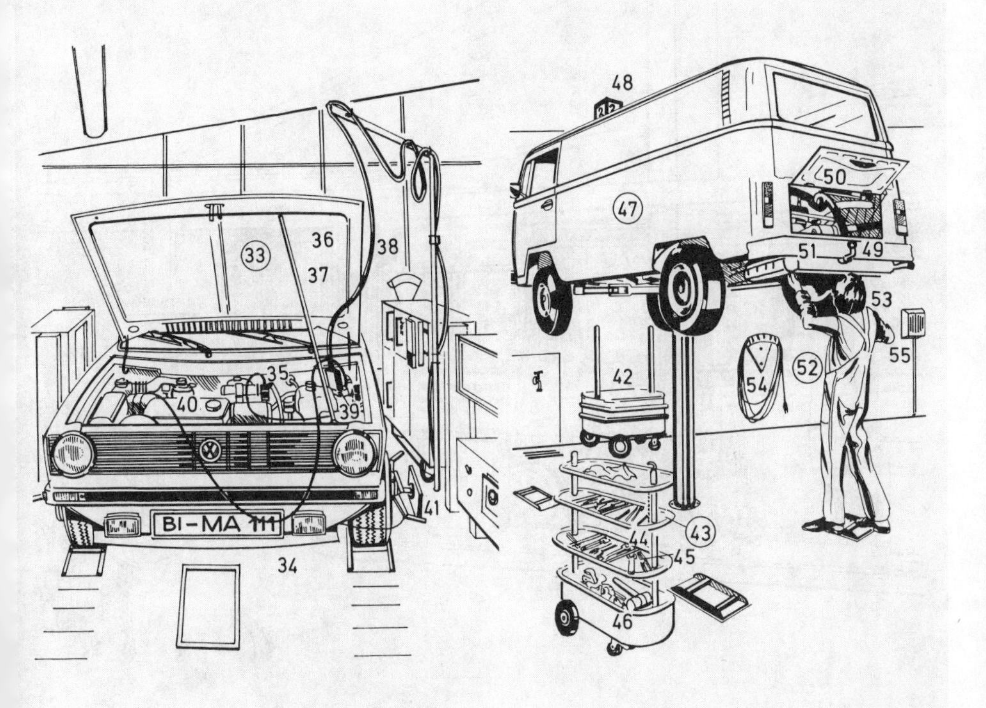

33 de automatische diagnose
- *automatic computer test*

34 het motorvoertuig (de auto, wagen), een personenauto
- *motor car (car,* Am. *automobile, auto), a passenger vehicle*

35 het motorcompartiment (de motorruimte)
- *engine compartment*

36 de motorkap
- *bonnet (*Am. *hood)*

37 de motorkapstang
- *bonnet support (*Am. *hood support)*

38 de diagnosekabel
- *computer harness (computer cable)*

39 de stekkerbus
- *main computer socket;* also: *multi-outlet socket*

40 de kabel van de olietemperatuursensor
- *oil temperature sensor*

41 de spiegel voor de optische meting van spoor en camber
- *wheel mirror for visual wheel and steering alignment*

42 het gereedschapswagentje
- *tool trolley*

43 het gereedschap
- *tools*

44 de schroefsleutel (verstelbare sleutel)
- *impact wrench*

45 de momentsleutel
- *torque wrench*

46 de uitdeukhamer
- *body hammer (roughing-out hammer)*

47 de te repareren wagen, een busje
- *vehicle under repair, a minibus*

48 het reparatienummer
- *car location number*

49 de achterin geplaatste motor
- *rear engine*

50 de klep van de motorruimte
- *tailgate*

51 het uitlaatsysteem
- *exhaust system*

52 de reparatie aan het uitlaatsysteem
- *exhaust repair*

53 de automonteur
- *motor car mechanic (motor vehicle mechanic,* Am. *automotive mechanic)*

54 de persluchtslang
- *air hose*

55 de intercom
- *intercom*

1-29 het benzinestation (een zelfbedieningspomp)
- *service station (petrol station, filling station,* Am. *gasoline station, gas station), a self-service station*

1 de benzinepomp voor super(benzine) en normale benzine; *soms ook:* voor diesel(olie)
- *petrol (*Am. *gasoline) pump, a blending pump for regular and premium grade petrol;* sim.: *for derv*

2 de (vul)slang
- *hose (petrol pump,* Am. *gasoline pump, hose)*

3 de slangkraan (nozzle)
- *nozzle*

4 de aanduiding van het geldbedrag
- *cash readout*

5 de aanduiding van de afgenomen hoeveelheid
- *volume readout*

6 de prijsaanduiding per eenheid
- *price display*

7 het lichtsignaal
- *indicator light*

8 de zelftankende automobilist
- *driver using self-service petrol pump (*Am. *gasoline pump)*

9 de brandblusser (het blusapparaat)
- *fire extinguisher*

10 de houder met papieren handdoekjes
- *paper-towel dispenser*

11 het papieren handdoekje (de tissue)
- *paper towel*

12 de afvalbak (vuilnisbak)
- *litter receptacle*

13 de tweetaktpomp (mengsmeringpomp)
- *two-stroke blending pump*

14 het peilglas
- *meter*

15 de motorolie
- *engine oil*

16 de oliekan
- *oil can*

17 de bandspanningsmeter
- *tyre pressure gauge (*Am. *tire pressure gage)*

18 de persluchtleiding
- *air hose*

19 het luchtreservoir (de luchttank)
- *static air tank*

20 de manometer
- *pressure gauge (*Am. *gage) (manometer)*

21 het ventielaansluitstuk
- *air filler neck*

22 de autowerkplaats (reparatieruimte)
- *repair bay (repair shop)*

23 de slang, een waterslang
- *car-wash hose, a hose (hosepipe)*

24 de autoshop
- *accessory shop*

25 de jerrycan (het benzineblik)
- *petrol can (*Am. *gasoline can)*

26 de regencape
- *rain cape*

27 de autobanden
- *car tyres (*Am. *automobile tires)*

28 de autoaccessoires
- *car accessories*

29 de kassa
- *cash desk (console)*

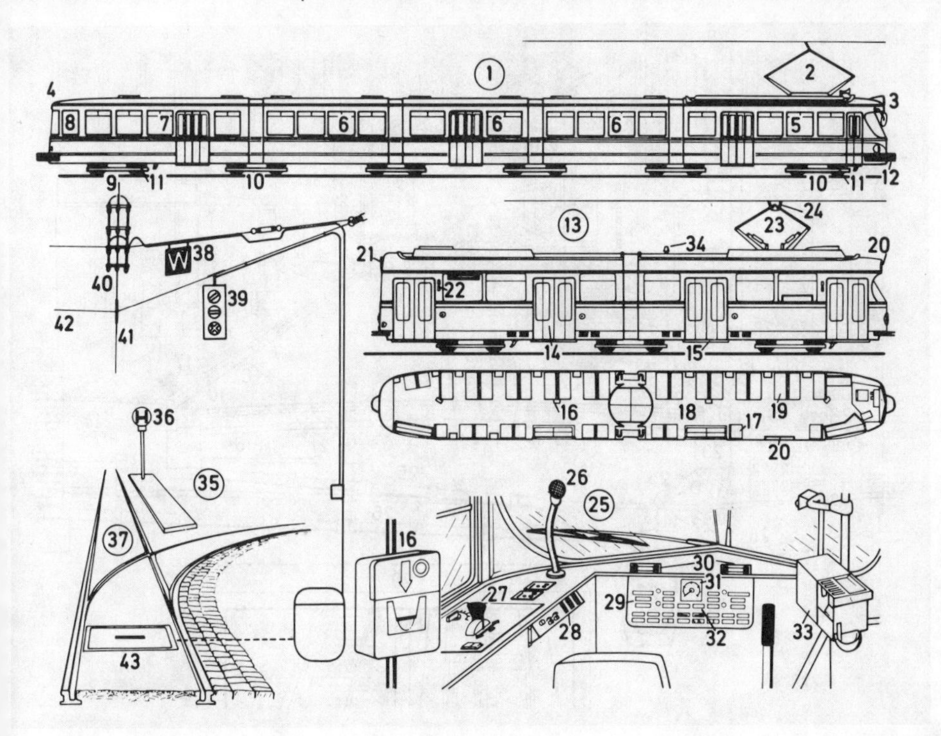

1 de twaalfassige gelede motorwagen van interlokale lijnen
– *twelve-axle articulated railcar for interurban rail service*
2 de stroomafnemer
– *current collector*
3 de kop
– *head of the railcar*
4 de achterzijde
– *rear of the railcar*
5 het A-wagendeel met tractiemotor
– *carriage A containing the motor*
6 het B-wagendeel (*ook:* C-, D-wagendeel)
– *carriage B;* also: *carriages C and D*
7 het E-wagendeel met tractiemotor
– *carriage E containing the motor*
8 de achterste rijschakelaar
– *rear controller*
9 het motordraaistel
– *bogie*
10 het loopdraaistel
– *carrying bogie*
11 de wielbescherming (baanruimer, baanschuiver)
– *wheel guard*
12 de stootrand (bumper)
– *bumper (*Am. *fender)*
13 de zesassige gelede motorwagen, *type „Mannheim"* voor stad en buitenwijk
– *six-axle articulated railcar ('Mannheim' type) for tram (*Am. *streetcar, trolley) and urban rail services*
14 de in- en uitstapdeur, een dubbele vouwdeur
– *entrance and exit door, a double folding door*
15 de (in- en uitstap)trede
– *step*
16 de stempelautomaat
– *ticket-cancelling machine*
17 de enkele zitplaats
– *single seat*
18 de ruimte voor staanplaatsen
– *standing room portion*
19 de dubbele zitplaats
– *double seat*
20 het koers- en lijnnummerbord (de lijnnummerfilmkast)
– *route (number) and destination sign*
21 het koersbord
– *route sign (number sign)*
22 het knipperlicht (de richtingaanwijzer)
– *indicator (indicator light)*
23 de stroomafnemer (pantograaf)
– *pantograph (current collector)*
24 de sleepstukken (van koolstof of een aluminiumlegering)
– *carbon or aluminium (*Am. *aluminum) alloy trolley shoes*
25 de stuurstand
– *driver's position*
26 de microfoon
– *microphone*
27 de rijschakelaar
– *controller*
28 het zend- en ontvangapparaat
– *radio equipment (radio communication set)*
29 het instrumentenpaneel
– *dashboard*
30 de verlichting van het instrumentenpaneel
– *dashboard lighting*
31 de snelheidsmeter
– *speedometer*
32 de drukknoppen voor het openen van de deuren en voor de bediening van de ruitewisser en de binnen- en buitenverlichting
– *buttons controlling doors, windscreen wipers, internal and external lighting*
33 de betaaltafel met geldwisselaar
– *ticket counter with change machine*
34 de mobilofoon
– *radio antenna*
35 de halte
– *tram stop (*Am. *streetcar stop, trolley stop)*
36 het haltebord (de haltepaal)
– *tram stop sign (*Am. *streetcar stop sign, trolley stop sign)*
37 de elektrische wissel
– *electric change points*
38 het wisselsignaal
– *points signal (switch signal)*
39 de richtingaanduiding van de wissel (het wisselrichtingsignaal, de lamp)
– *points change indicator*
40 het bovenleidingcontact
– *trolley wire contact point*
41 de bovenleiding
– *trolley wire (overhead contact wire)*
42 de rijdraaddraagkabel
– *overhead cross wire*
43 de elektromagnetische (*ook:* elektrohydraulische, elektromotorische) wisselsteller
– *electric points mechanism;* sim.: *electrohydraulic points mechanism, electromechanical points mechanism*

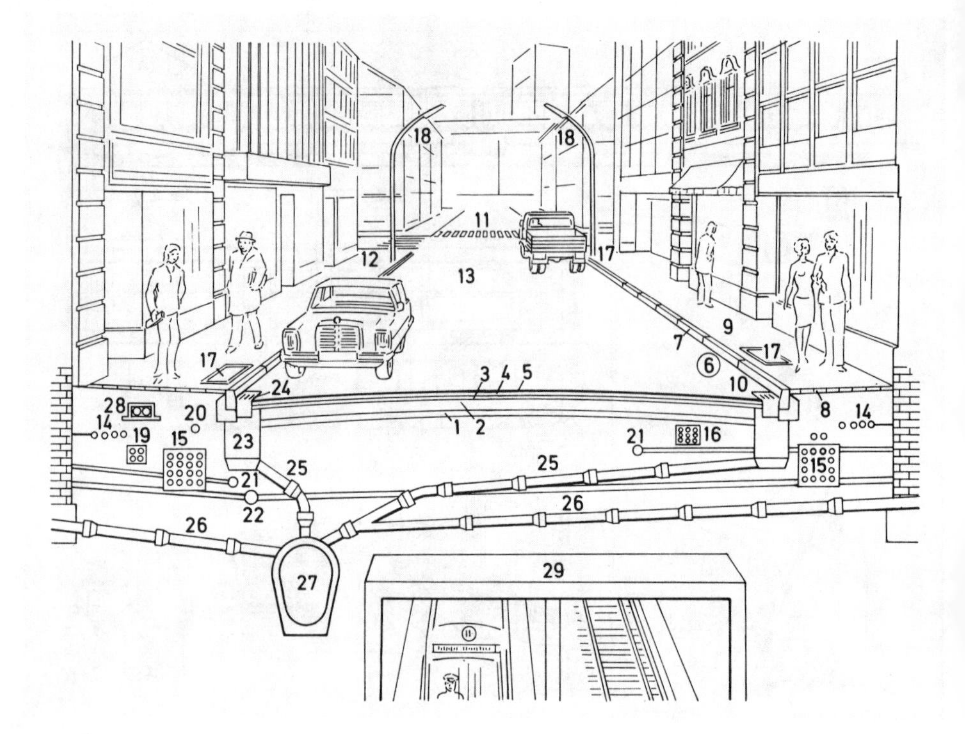

1-5 de verhardingsconstructie
- ***road layers***

1 de vorstvrije laag
- *anti-frost layer*

2 de bitumineuze fundering
- *bituminous sub-base course*

3 de onderste tussenlaag
- *base course*

4 de bovenste tussenlaag
- *binder course*

5 de slijtlaag
- *bituminous surface*

6 de trottoirrand
- *kerb (curb)*

7 de trottoirband
- *kerbstone (curbstone)*

8 het trottoirplaveisel
- *paving (pavement)*

9 het trottoir
- *pavement* (Am. *sidewalk, walkway)*

10 de goot
- *gutter*

11 de voetgangersoversteekplaats (het zebrapad)
- *pedestrian crossing (zebra crossing,* Am. *crosswalk)*

12 de straathoek
- *street corner*

13 de rijbaan
- *street*

14 de elektriciteitskabels voor huisaansluiting
- *electricity cables*

15 de telefoonkabels
- *telephone cables*

16 de hoofdleiding van de telefoonkabels
- *telephone cable pipeline*

17 de leidingenput met deksel
- *cable manhole with cover (with manhole cover)*

18 de lantaarnpaal
- *lamp post with lamp*

19 de elektriciteitskabels voor technische installaties
- *electricity cables for technical installations*

20 de telefoonkabel voor huisaansluiting
- *subscribers'* (Am. *customers') telephone lines*

21 de gasleiding
- *gas main*

22 de waterleiding
- *water main*

23 de straatkolk
- *drain*

24 het putdeksel
- *drain cover*

25 de rioolbuis voor afvoer van de goot
- *drain pipe*

26 de rioolbuis voor huisaansluiting
- *waste pipe*

27 het hoofdriool (gemengd systeem)
- *combined sewer*

28 de stadsverwarmingsleiding
- *district heating main*

29 de metrotunnel
- *underground tunnel*

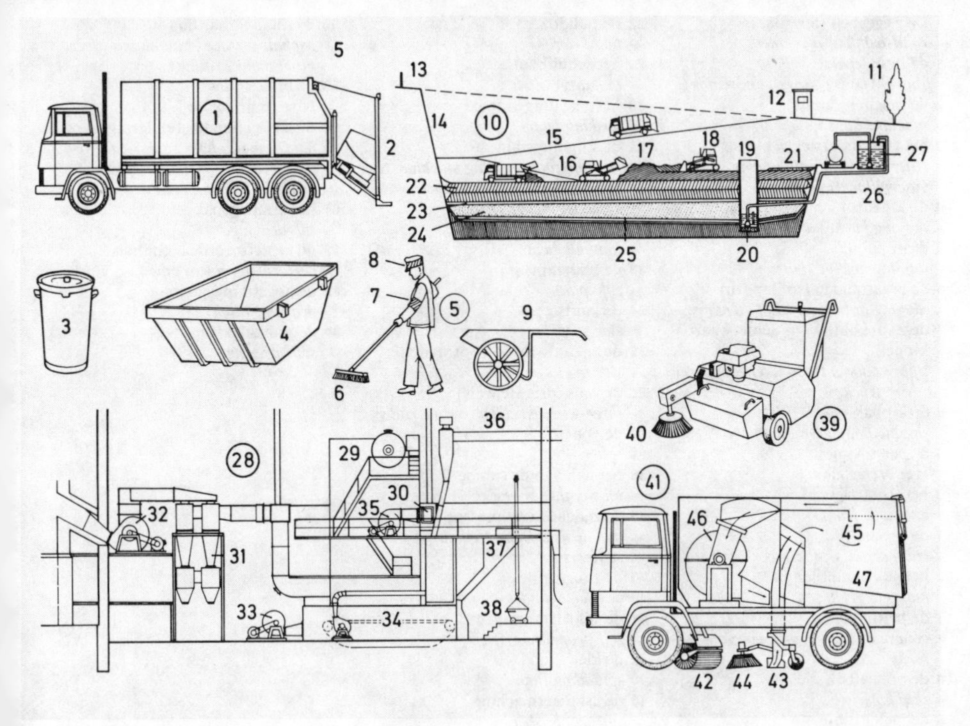

1 de vuilniswagen
– *refuse collection vehicle* (Am. *garbage truck*)
2 het hef- en kipsysteem voor vuilnisemmers (een stofvrij ledigingssysteem)
– *dustbin-tipping device* (Am. *garbage can dumping device*), *a dust-free emptying system*
3 de vuilnisemmer
– *dustbin* (Am. *garbage can, trash can*)
4 de vuilcontainer
– *refuse container* (Am. *garbage container*)
5 de straatveger
– *road sweeper* (Am. *street sweeper*)
6 de bezem
– *broom*
7 de reflecterende armband
– *fluorescent armband*
8 de reflecterende pet
– *cap with fluorescent band*
9 het straatvegerswagentje
– *road sweeper's* (Am. *street sweeper's*) *barrow*
10 de vuilstortplaats
– *controlled tip* (Am. *sanitary landfill, sanitary fill*)
11 het groenscherm
– *screen*
12 de ingangscontrole
– *weigh office*
13 de afrastering
– *fence*
14 de wand van de groeve
– *embankment*
15 de hellingbaan
– *access ramp*
16 de bulldozer
– *bulldozer*
17 het vuilnis
– *refuse* (Am. *garbage*)
18 de bulldozer voor egaliseren en verdichten
– *bulldozer for dumping and compacting*
19 de pompschacht
– *pump shaft*
20 de vuilwaterpomp
– *waste water pump*
21 de poreuze afdekking
– *porous cover*
22 het gecomposteerde afval
– *compacted and decomposed refuse*
23 de, het grindfilter
– *gravel filter layer*
24 de, het grofzandfilter
– *morainic filter layer*
25 de drainlaag
– *drainage layer*
26 de vuilwaterleiding
– *drain pipe*
27 het waterreservoir
– *water tank*
28 de vuilverbrandingsinstallatie
– *refuse* (Am. *garbage*) *incineration unit*
29 de oven
– *furnace*
30 de oliestookinstallatie
– *oil-firing system*
31 de stofafscheider (ontstoffingsinstallatie)
– *separation plant*
32 de stofafzuiging
– *extraction fan*
33 de lagedrukventilator
– *low-pressure fan for the grate*
34 de bodemslaktransporteur
– *continuous feed grate*
35 de aanjager voor brandstoftoevoer
– *fan for the oil-firing system*
36 de transportband voor bijzonder afval
– *conveyor for separately incinerated material*
37 de kolenbunker
– *coal feed conveyor*
38 de transportwagen voor bleekaarde
– *truck for carrying fuller's earth*
39 de gootveegmachine
– *mechanical sweeper*
40 de ronde borstel
– *circular broom*
41 de veegwagen
– *road-sweeping lorry (street-cleaning lorry, street cleaner)*
42 de cilindrische bezem
– *cylinder broom*
43 de zuigkop
– *suction port*
44 de invoerbezem
– *feeder broom*
45 de luchtcirculatie
– *air flow*
46 de ventilator
– *fan*
47 de trommel
– *dust collector*

1-54 wegenbouwmachines
- ***road-building machinery***

1 de hooglepel
- *shovel (power shovel, excavator)*

2 de machineruimte
- *machine housing*

3 het rupsonderstel
- *caterpillar mounting (*Am. *caterpillar tractor)*

4 de knikarm
- *digging bucket arm (dipper stick)*

5 de graafbak
- *digging bucket (bucket)*

6 de graaftanden (snijtanden)
- *digging bucket (bucket) teeth*

7 de zware auto voor achterwaarts kippen
- *tipper (dump truck), a heavy lorry (*Am. *truck)*

8 de kipbak
- *tipping body (*Am. *dump body)*

9 de verstijving
- *reinforcing rib*

10 het frontoverstek
- *extended front*

11 de cabine
- *cab (driver's cab)*

12 het stortmateriaal
- *bulk material*

13 de betonmolen
- *concrete scraper, an aggregate scraper*

14 de ophaalbak
- *skip hoist*

15 de mengtrommel
- *mixing drum (mixer drum), a mixing machine*

16 de egaliseermachine
- *caterpillar hauling scraper*

17 het schraapblad
- *scraper blade*

18 het egaliseerblad
- *levelling (*Am. *leveling) blade (smoothing blade)*

19 de grader (wegschaaf)
- *grader (motor grader)*

20 de gradertand
- *scarifier (ripper, road ripper, rooter)*

21 het graderblad
- *grader levelling (*Am. *leveling) blade (grader ploughshare,* Am. *plowshare)*

22 de draaikrans
- *blade-slewing gear (slew turntable)*

23 het smalspoor
- *light railway (narrow-gauge,* Am. *narrow-gage, railway)*

24 de diesellocomotief voor het smalspoor
- *light railway (narrow-gauge,* Am. *narrow-gage) diesel locomotive*

25 de lorry voor het smalspoor
- *trailer wagon (wagon truck, skip)*

26 de explosiestamper, een stamper
- *tamper (rammer) [with internal combustion engine];* heavier: *frog (frog-type jumping rammer)*

27 de stuurstangen
- *guide rods*

28 de bulldozer
- *bulldozer*

29 het schuifblad
- *bulldozer blade*

30 het geleidingsframe
- *pushing frame*

31 de spreidmachine
- *road-metal spreading machine (macadam spreader, stone spreader)*

32 de drukbalk
- *tamping beam*

33 de bodemplaat
- *sole-plate*

34 de kantstop
- *side stop*

35 de zijkant van de voorraadbak
- *side of storage bin*

36 de wals (driewielwals)
- *three-wheeled roller, a road roller*

37 de voorrol
- *roller*

38 het dak van de cabine
- *all-weather roof*

39 de rijdende compressor
- *mobile diesel-powered air compressor*

40 de zuurstoffles
- *oxygen cylinder*

41 de splitstrooiwagen
- *self-propelled gritter*

42 de klep
- *spreading flap*

43 de asfalteermachine
- *surface finisher*

44 de kantstop
- *side stop*

45 de voorraadbak (bunker)
- *bin*

46 de bitumenroerketel
- *tar-spraying machine (bituminous distributor) with tar and bitumen heater*

47 de bitumenketel
- *tar storage tank*

48 de volautomatische mobiele asfaltinstallatie
- *fully automatic asphalt drying and mixing plant*

49 de emmerketting
- *bucket elevator (elevating conveyor)*

50 de asfaltmenger
- *asphalt-mixing drum (asphalt mixer drum)*

51 de vulschacht
- *filler hoist*

52 de vulopening
- *filler opening*

53 de bindmiddelinjector
- *binder injector*

54 de uitloop voor asfalt
- *mixed asphalt outlet*

55 de dwarsdoorsnede van een wegconstructie
- *typical cross-section of a bituminous road*

56 de grasberm
- *grass verge*

57 de verkanting
- *crossfall*

58 de asfaltverharding
- *asphalt surface (bituminous layer, bituminous coating)*

59 de onderbouw
- *base (base course)*

60 de niet-gebonden fundering
- *hardcore sub-base course (Telford base), an anti-frost layer;* sim.: *gravel sub-base course*

61 het drainagepakket
- *sub-drainage*

62 de geperforeerde betonbuis
- *perforated cement pipe*

63 de afwateringsgoot
- *drainage ditch*

64 de gronddeklaag
- *soil covering*

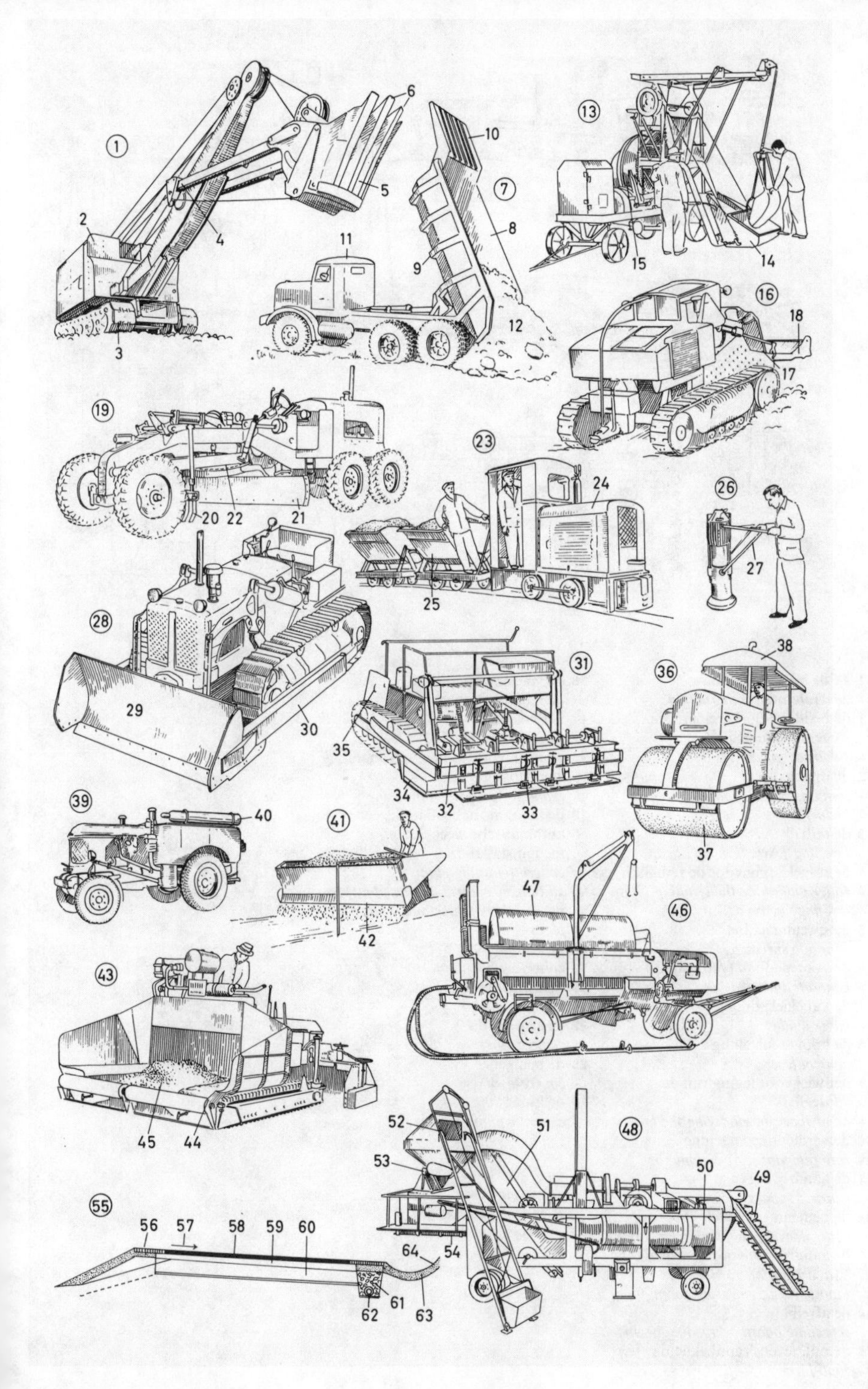
1
2
3
4
5
6
7
8
9
10
11
12
13
14
15
16
17
18
19
20
21
22
23
24
25
26
27
28
29
30
31
32
33
34
35
36
37
38
39
40
41
42
43
44
45
46
47
48
49
50
51
52
53
54
55
56
57
58
59
60
61
62
63
64

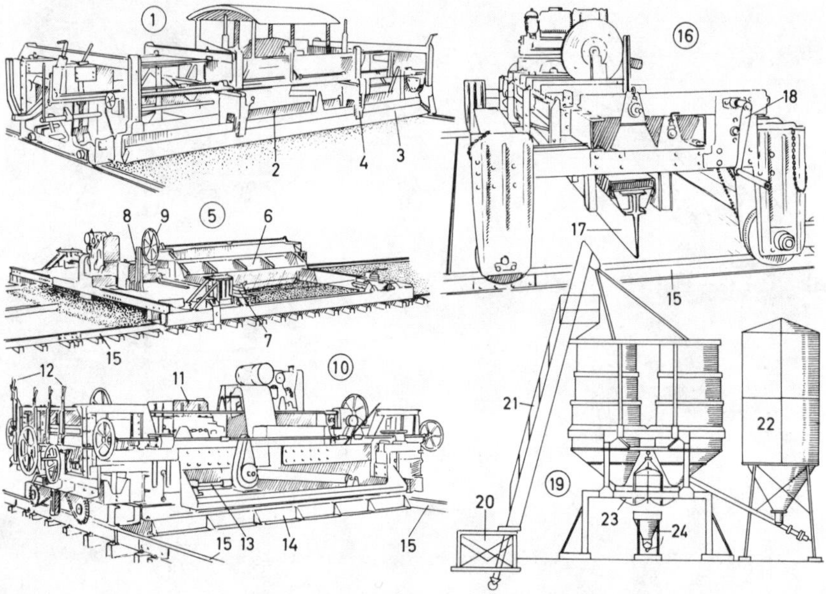

1-24 de betonwegenbouw
- ***concrete road construction***

1 de beddingvoorbereider, een wegenbouwmachine
- *subgrade grader*

2 de drukbalk
- *tamping beam (consolidating beam)*

3 de reibalk
- *levelling (*Am. *leveling) beam*

4 de rolgeleiding voor de reibalk
- *roller guides for the levelling (*Am. *leveling) beam*

5 de spreidmachine
- *concrete spreader*

6 de voorraadbak (verdeelbak)
- *concrete spreader box*

7 de kabelgeleiding
- *cable guides*

8 de hoogte-instelling
- *control levers*

9 het wiel voor leging van de verdeelbak
- *handwheel for emptying the boxes*

10 de verdichtingsmachine
- *concrete-vibrating compactor*

11 de aandrijving
- *gearing (gears)*

12 de bedieningshandels
- *control levers (operating levers)*

13 de aandrijving voor de trilbalk
- *axle drive shaft to vibrators (tampers) of vibrating beam*

14 de afreibalk
- *screeding board (screeding beam)*

15 de rail, tevens randbekisting
- *road form*

16 de voegensnijmachine
- *joint cutter*

17 het voegmes
- *joint-cutting blade*

18 de kruk voor bediening van de aandrijving
- *crank for propelling machine*

19 de betonmortelinstallatie, een automatische weeg- en menginstallatie
- *concrete-mixing plant, a stationary central mixing plant, an automatic batching and mixing plant*

20 de vulbak
- *collecting bin*

21 de emmerketting
- *bucket elevator*

22 de cementsilo
- *cement store*

23 de menger
- *concrete mixer*

24 de kubel
- *concrete pump hopper*

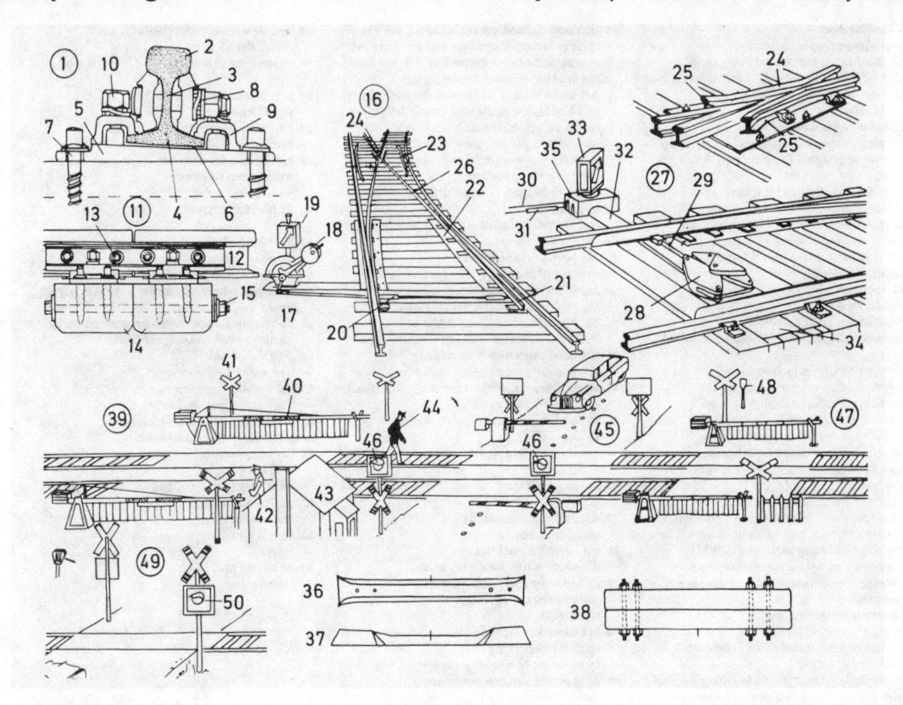

1-38 het spoor (de baan)
– ***line*** *(track)*
1 de rail (spoorstaaf)
– *rail*
2 de kop van de rail
– *rail head*
3 het lijf (de ziel) van de spoorstaaf
– *web (rail web)*
4 de railvoet (spoorstaafvoet)
– *rail foot (rail bottom)*
5 de grondplaat (draagplaat)
– *sole-plate (base plate)*
6 het kussen
– *cushion*
7 de kraagschroef (tire-fond)
– *coach screw (coach bolt)*
8 de veerringen
– *lock washers (spring washers)*
9 de klemplaat
– *rail clip (clip)*
10 de haakbout
– *T-head bolt*
11 de spoorstaaflas
– *rail joint (joint)*
12 de lasplaat
– *fishplate*
13 de lasbout
– *fishbolt*
14 de dubbele dwarsligger (ondersteunde spoorstaaflas)
– *coupled sleeper (*Am. *coupled tie, coupled crosstie)*
15 de koppelbout
– *coupling bolt*
16 de met de hand bediende wissel (handwissel)
– *manually-operated points (switch)*
17 de omzetstoel van de wissel
– *switch stand*
18 het stelgewicht (de tuimelaar); *jargon:* „de kloot"
– *weight*
19 het wisselsein (de wissellantaarn)
– *points signal (switch signal, points signal lamp, switch signal lamp)*
20 de trekstang (bedieningsstang)
– *pull rod*
21 de wisseltong
– *switch blade (switch tongue)*
22 de glijstoel
– *slide chair*
23 de strijkspoorstaaf
– *check rail (guard rail)*
24 het hartstuk
– *frog*
25 de vleugel(rail)
– *wing rail*
26 de tussenspoorstaaf
– *closure rail*
27 de op afstand bediende wissel
– *remote-controlled points (switch)*
28 de tongvergrendeling
– *point lock (switch lock)*
29 de tongverbindingsstang
– *stretcher bar*
30 de trekdraad
– *point wire*
31 de spanschroef
– *turnbuckle*
32 het kanaal
– *channel*
33 het elektrisch verlichte wisselsein
– *electrically illuminated points signal (switch signal)*
34 de wisseltrog
– *trough*
35 de wisselmotor met beschermkast
– *points motor with protective casing*
36 de ijzeren dwarsligger
– *steel sleeper (*Am. *steel tie, steel crosstie)*
37 de betonnen dwarsligger
– *concrete sleeper (*Am. *concrete tie, concrete crosstie)*
38 de dubbele dwarsligger (ondersteunde spoorstaaflas)
– *coupled sleeper (*Am. *coupled tie, coupled crosstie)*
39-50 overwegen
– ***level crossings*** *(*Am. *grade crossings)*
39 de gelijkvloerse beveiligde spoorwegovergang (afsluitbare overweg)
– *protected level crossing (*Am. *protected grade crossing)*
40 de spoorboom (overwegboom)
– *barrier (gate)*
41 het Andreaskruis
– *warning cross (*Am. *crossbuck)*
42 de overwegwachter (baanwachter)
– *crossing keeper (*Am. *gateman)*
43 het overwegwachtershuisje (de wachtpost)
– *crossing keeper's box (*Am. *gateman's box)*
44 de baanschouwer
– *linesman (*Am. *trackwalker)*
45 de overweg met halve bomen, ahob (automatische halve overwegbomen)
– *half-barrier crossing*
46 het knipperlicht
– *warning light*
47 de normaal gesloten overweg
– *intercom-controlled crossing;* sim.: *telephone-controlled crossing*
48 de overwegpraatpaal
– *intercom system*
49 de beveiligde onbewaakte overweg
– *unprotected level crossing (*Am. *unprotected grade crossing)*
50 het knipperlicht
– *warning light*

203 Spoorweg II (seintoestellen)

1-6 hoofdseinen
– ***stop signals*** *(main signals)*
1 het hoofdsein, een armsein op „stop"
– *stop signal (main signal), a semaphore signal in 'stop' position*
2 de seinarm
– *signal arm (semaphore arm)*
3 het elektrische hoofdsein (lichtsein) „stop"
– *electric stop signal (colour light,* Am. *color light, signal) at 'stop'*
4 de seinstand „langzaam rijden"
– *signal position: 'proceed at low speed'*
5 de seinstand „voorbijrijden toegestaan"
– *signal position: 'proceed'*
6 het vervangingssein, een noodsein
– *substitute signal*
7-24 voorseinen
– ***distant signals***
7 het armsein „rekenen op stop"
– *semaphore signal at 'be prepared to stop at next signal'*
8 de extra arm (niet in Nederland)
– *supplementary semaphore arm*
9 het lichtvoorsein „rekenen op stop"
– *colour light (*Am. *color light) distant signal at 'be prepared to stop at next signal'*
10 de seinstand „rekenen op langzaam rijden"
– *signal position: 'be prepared to proceed at low speed'*
11 de seinstand „volgend sein veilig"
– *signal position: 'proceed main signal ahead'*
12 het armvoorsein met extra bord voor remwegverkorting met meer dan 5%
– *semaphore signal with indicator plate showing a reduction in braking distance of more than 5%*
13 het driehoekige seinbord
– *triangle (triangle sign)*
14 het lichtvoorsein met extra licht voor remwegverkorting
– *colour light (*Am. *color light) distant signal with indicator light for showing reduced braking distance*
15 het witte extra licht
– *supplementary white light*
16 het voorsein „rekenen op stop" (geel waarschuwingslicht)
– *distant signal indicating 'be prepared to stop at next signal' (yellow light)*
17 de herhaling van het voorsein (het voorsein met extra licht, zonder bord)
– *second distant signal [distant signal with supplementary light, without indicator plate]*
18 het voorsein met snelheidsaanduiding
– *distant signal with speed indicator*
19 de vooraankondiging van snelheidsaanduiding
– *distant speed indicator*
20 het voorsein met vooraanduiding van de richting
– *distant signal with route indicator*
21 de vooraanduiding van de richting
– *route indicator*
22 het voorsein zonder extra arm „rekenen op stop"
– *distant signal without supplementary arm in position: 'be prepared to stop at next signal'*
23 het voorsein zonder extra arm „rekenen op doorrijden"
– *distant signal without supplementary arm in 'be prepared to proceed' position*
24 het voorseinbord
– *distant signal identification plate*
25-44 de supplementaire seinen (baken en borden)
– ***supplementary signals***
25 het trapezium ter aanduiding van een stopplaats
– *stop board for indicating the stopping point at a control point*
26-29 de voorseinbaken
– ***approach signs***
26 de voorseinbaak op een afstand van 100 meter van het voorsein
– *approach sign 100 m from distant signal*
27 de voorseinbaak op 175 meter afstand
– *approach sign 175 m from distant signal*
28 de voorseinbaak op 250 meter afstand
– *approach sign 250 m from distant signal*
29 de voorseinbaak op een afstand, die 5% minder is dan de remweg van het baanvak
– *approach sign at a distance of 5% less than the braking distance on the section*
30 het „schaakbord", een bord ter aanduiding van hoofdseinen, die niet onmiddellijk rechts van of boven de baan staan
– *chequered sign indicating stop signals (main signals) not positioned immediately to the right of or over the line (track)*
31-32 de H-borden voor de stopplaats van de kop van de trein
– *stop boards to indicate the stopping point of the front of the train*
33 het bord „rekenen op stop"
– *stop board indicating 'be prepared to stop'*
34-35 de sneeuwploegborden
– *snow plough (*Am. *snowplow) signs*
34 het bord „sneeuwschuif omhoog"
– *'raise snow plough (*Am. *snowplow)' sign*
35 het bord „sneeuwschuif omlaag"
– *'lower snow plough (*Am. *snowplow)' sign*
36-44 de L-seinen, seinen voor langzaam rijden
– ***speed restriction signs***
36-38 **het L-bord** (maximumsnelheid 3 × = 30 km/u)
– ***speed restriction sign*** *[maximum speed 3 x 10 = 30 kph]*
36 het daglichtteken
– *sign for day running*
37 de snelheidsaanduiding
– *speed code number*
38 het verlichte nachtteken
– *illuminated sign for night running*
39 de tijdelijke snelheidsbeperking
– *commencement of temporary speed restriction*
40 het einde van de tijdelijke snelheidsbeperking
– *termination of temporary speed restriction*
41 de snelheid van een permanente snelheidsbeperking
– *speed restriction sign for a section with a permanent speed restriction [maximum speed 5 x 10 = 50 kph]*
42 het begin van de permanente snelheidsbeperking
– *commencement of permanent speed restriction*
43 de vooraankondiging van de snelheidsbeperking
– *speed restriction warning sign [only on main lines]*
44 de snelheidsaanduiding [alleen op hoofdlijnen]
– *speed restriction sign [only on main lines]*
45-52 wisselseinen
– ***point signals*** *(switch signals)*
45-48 enkelvoudige wissels
– ***single points*** *(single switches)*
45 het doorgaande spoor
– *route straight ahead (main line)*
46 de naar rechts leidende aftakking
– *[right] branch*
47 de naar links leidende aftakking
– *[left] branch*
48 de aftakking vanuit het hartstuk gezien
– *branch [seen from the frog]*
49-52 dubbele kruiswissels
– ***double crossover***
49 het rechte spoor (doorgaande spoor) van links naar rechts
– *route straight ahead from left to right*
50 het rechte spoor (doorgaande spoor) van rechts naar links
– *route straight ahead from right to left*
51 de aftakking (het kromme spoor) van links naar links
– *turnout to the left from the left*
52 de aftakking (het kromme spoor) van rechts naar rechts
– *turnout to the right from the right*
53 **het seinhuis met mechanische wissel- en seinbediening** (de seinpost)
– ***manually-operated signal box*** *(*Am. *signal tower, switch tower)*
54 de handelinrichting (het bedieningstoestel)
– *lever mechanism*
55 het, de wisselhandel (blauw), een grendelhandel
– *points lever (switch lever) [blue], a lock lever*
56 het, de seinhandel (rood)
– *signal lever [red]*
57 het handvat (de kruk)
– *catch*
58 het, de handel voor het vastleggen van de wisselstraat of rijweg
– *route lever*
59 de blokapparatuur
– *block instruments*
60 het blokpaneel
– *block section panel*
61 **het elektrische bedieningstoestel**
– ***electrically-operated signal box*** *(*Am. *signal tower, switch tower)*
62 de knoppen voor wissel- en seinbediening
– *points (switch) and signal knobs*
63 de linialenkast
– *lock indicator panel*
64 het signaleringstableau
– *track and signal indicator*
65 **de post met bedieningstableau**
– ***track diagram control layout***
66 het bedieningstableau met sporenschema en drukknoppen
– *track diagram control panel (domino panel)*
67 de drukknoppen
– *push buttons*
68 de rijwegen
– *routes*
69 de intercom
– *intercom system*

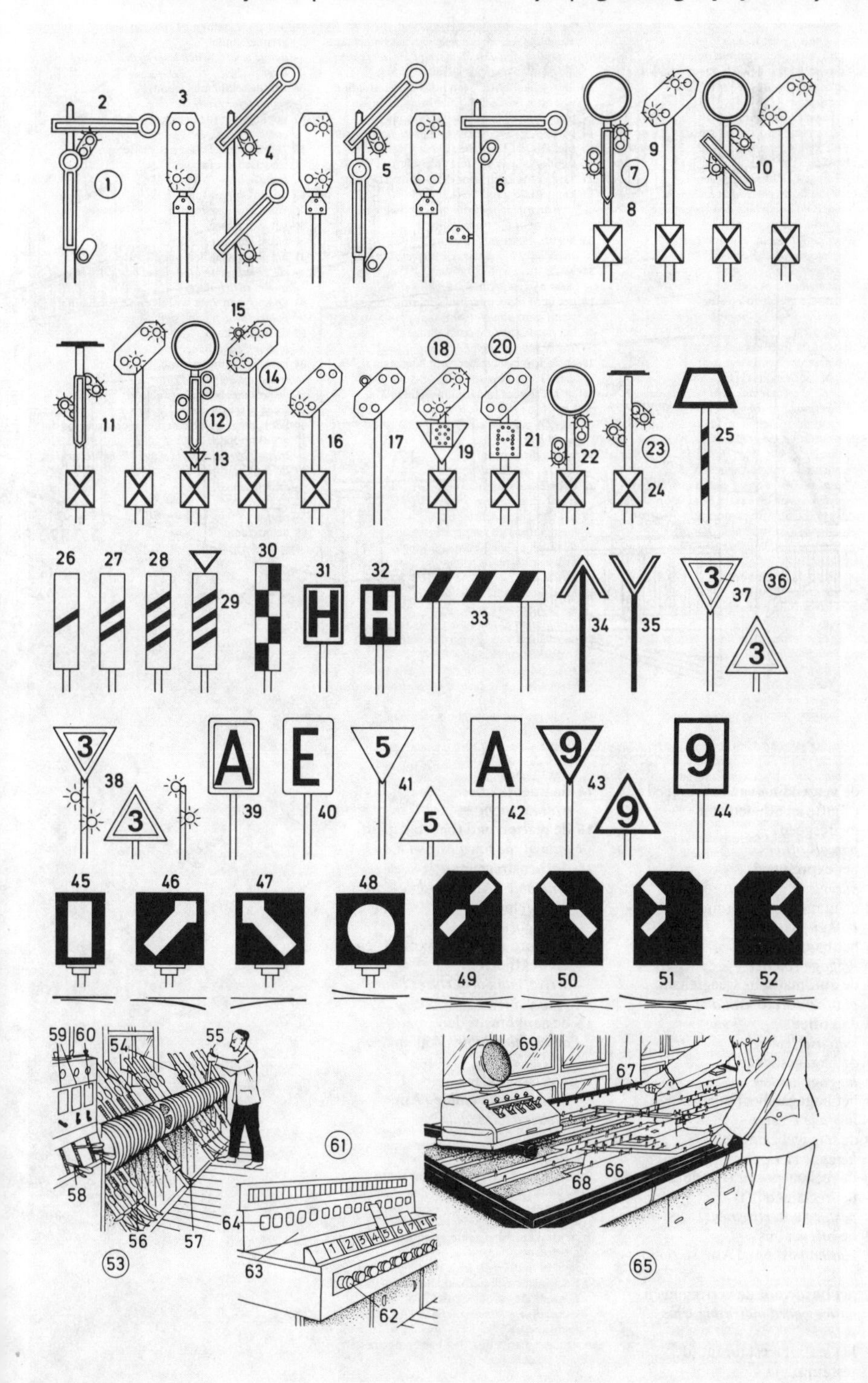

1
2
3
4
5
6
7
8
9
10
11
12
13
14
15
16
17
18
19
20
21
22
23
24
25
26
27
28
29
30
31
32
33
34
35
36
37
38
39
40
41
42
43
44
45
46
47
48
49
50
51
52
53
54
55
56
57
58
59
60
61
62
63
64
65
66
67
68
69

1 de verzending van expresgoed (afgifte en afhalen van expresgoed)
- *parcels office*
2 het expresgoed
- *parcels*
3 de mand (met sluiting)
- *basket [with lock]*
4 het bagageloket
- *luggage counter*
5 de automatische weegschaal
- *platform scale with dial*
6 de koffer
- *suitcase (case)*
7 de bagagesticker
- *luggage sticker*
8 het bagagebiljet (bagagerec?u)
- *luggage receipt*
9 de bagagebeambte
- *luggage clerk*
10 de reclameposter (het de affiche, het reclamebiljet)
- *poster (advertisement)*
11 de brievenbus
- *station post box (*Am. *station mailbox)*
12 het bord voor de vertragingen
- *notice board indicating train delays*
13 het stationsrestaurant (de restauratie)
- *station restaurant*
14 de wachtkamer
- *waiting room*
15 de plattegrond (het stadsplan)
- *map of the town (street map)*
16 de dienstregeling
- *timetable (*Am. *schedule)*
17 de hotelportier
- *hotel porter*
18 het bord met de aankomst- en vertrektijden
- *arrivals and departures board (timetable)*
19 de aankomsttijden
- *arrival timetable (*Am. *arrival schedule)*
20 de vertrektijden
- *departure timetable (*Am. *departure schedule)*

21 de bagagekluizen
- *left luggage lockers*

22 de wisselautomaat
- *change machine*

23 de tunnel naar de perrons
- *tunnel to the platforms*

24 de reizigers
- *passengers*

25 de trap naar de perrons
- *steps to the platforms*

26 de stationsboekhandel (stationskiosk)
- *station bookstall (*Am. *station bookstand)*

27 het, de bagagedepot
- *left luggage office (left luggage)*

28 het reisbureau; *ook:* logiesinformatie
- *travel centre (*Am. *center);* also: *accommodation bureau*

29 het inlichtingenbureau
- *information office (*Am. *information bureau)*

30 de stationsklok
- *station clock*

31 de bank (het wisselkantoor)
- *bank branch with foreign exchange counter*

32 de koerslijst
- *indicator board showing exchange rates*

33 het overzicht van het spoorwegnet (de spoorkaart)
- *railway map (*Am. *railroad map)*

34 de kaartverkoop
- *ticket office*

35 het loket
- *ticket counter*

36 het kaartje (spoorkaartje, treinkaartje)
- *ticket (railway ticket,* Am. *railroad ticket)*

37 het draaiplateau
- *revolving tray*

38 het spreekvenster
- *grill*

39 de loketbeambte (kaartjesverkoper)
- *ticket clerk (*Am. *ticket agent)*

40 de kaartjesautomaat
- *ticket-printing machine (ticket-stamping machine)*

41 het drukapparaat met stationskiezer
- *hand-operated ticket printer*

42 de intercitydienstregeling
- *pocket timetable (*Am. *pocket train schedule)*

43 het bagagebankje
- *luggage rest*

44 eerste-hulppost (E.H.B.O.)
- *first aid station*

45 het stiltecentrum (de hulpdienst, het stationswerk)
- *Travellers' (*Am. *Travelers') Aid*

46 de publieke telefooncel
- *telephone box (telephone booth, telephone kiosk, call box)*

47 de sigarenkiosk
- *cigarettes and tobacco kiosk*

48 de bloemenkiosk
- *flower stand*

49 de informatiebeambte
- *railway information clerk*

50 de dienstregeling
- *official timetable (official railway guide,* Am. *train schedule)*

1 het perron
- *platform*

2 de stationstrap
- *steps to the platform*

3 de loopbrug
- *bridge to the platforms*

4 het nummer van het spoor
- *platform number*

5 de overkapping
- *platform roofing*

6 de reizigers
- *passengers*

7-12 de bagage
- ***luggage***

7 de koffer
- *suitcase (case)*

8 het label
- *luggage label*

9 de hotelsticker (reisbureausticker)
- *hotel sticker*

10 de reistas (weekendtas); *ook:* de citybag
- *travelling (*Am. *traveling) bag*

11 de hoededoos
- *hat box*

12 de paraplu
- *umbrella, a walking-stick umbrella*

13 het dienstgebouw
- *main building;* also: *offices*

14 het eerste perron
- *platform*

15 het overpad
- *crossing*

16 de lectuurwagen
- *news trolley*

17 de krantenverkoper
- *news vendor (*Am. *news dealer)*

18 de treinlectuur
- *reading matter for the journey*

19 de perronrand
- *edge of the platform*

20 de agent van de spoorwegpolitie
- *railway policeman (*Am. *railroad policeman)*

21 het bord voor de centraal gestuurde treinaanduiding
- *destination board*

22 het vak voor de eindbestemming
- *destination indicator*

23 het vak voor de vertrektijd
- *departure time indicator*

24 het vak voor het aangeven van vertragingen
- *delay indicator*

25 de sneltram, een motortreinstel
- *suburban train, a railcar*

26 de speciale coupé
- *special compartment*

27 de perronluidspreker
- *platform loudspeaker*

28 het stationsnaambord
- *station sign*

29 de elektrokar
- *electric trolley (electric truck)*

30 de stationsassistent
- *loading foreman*

31 de kruier (witkiel)
- *porter (*Am. *redcap)*

32 het bagagewagentje (de steekwagen)
- *barrow*

33 het fonteintje
- *drinking fountain*

34 de elektrische TEE-trein, *ook:* intercitytrein
- *electric Trans-Europe Express;* also: *Intercity train*

35 de elektrische locomotief, een sneltreinlocomotief
- *electric locomotive, an express locomotive*

36 de stroomafnemer
- *collector bow (sliding bow)*

37 het treinsecretariaat
- *secretarial compartment*

38 het koersbord
- *destination board*

39 de wagenmeester
- *wheel tapper*

40 de hamer van de wagenmeester
- *wheel-tapping hammer*

41 de stationschef; *ook:* de perronchef
- *station foreman*

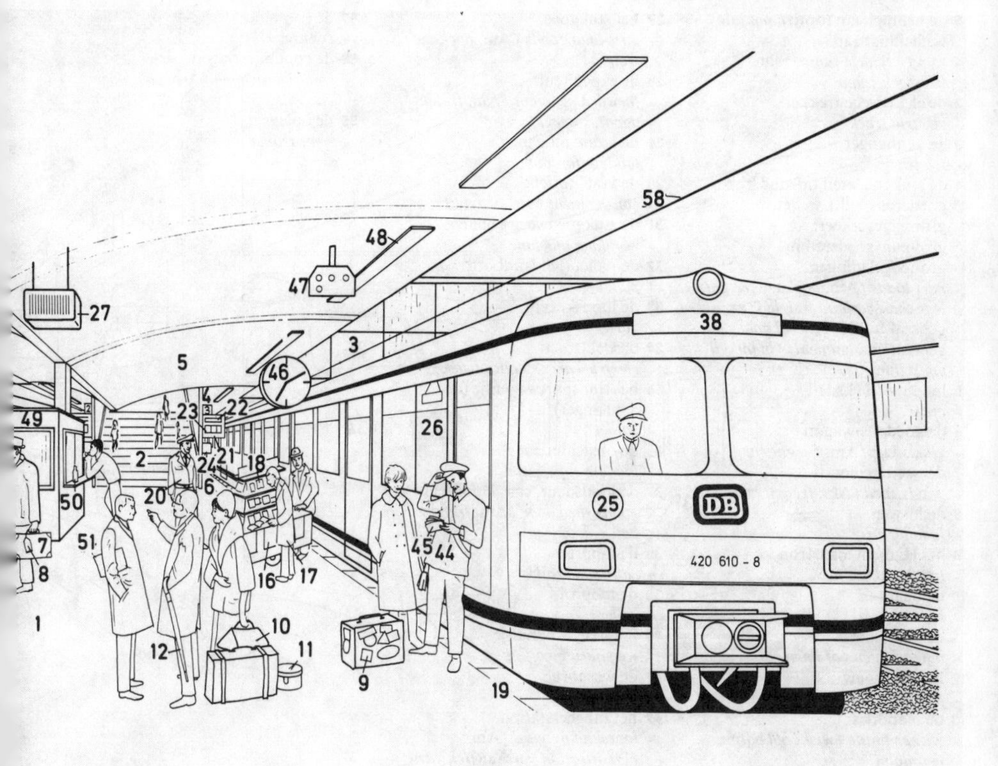

42 het spiegelei
- *signal*

43 de rode pet
- *red cap*

44 de informatiebeambte
- *inspector*

45 het spoorboekje
- *pocket timetable (*Am. *pocket train schedule)*

46 de perronklok
- *platform clock*

47 het vertreksein
- *starting signal*

48 de perronverlichting
- *platform lighting*

49 de perronkiosk
- *refreshment kiosk*

50 het flesje bier
- *beer bottle*

51 de krant
- *newspaper*

52 de afscheidskus
- *parting kiss*

53 de omhelzing
- *embrace*

54 de bank
- *platform seat*

55 de afvalbak
- *litter bin (*Am. *litter basket)*

56 de perronbrievenbus
- *platform post box (*Am. *platform mailbox)*

57 de telefooncel
- *platform telephone*

58 de rijdraad
- *trolley wire (overhead contact wire)*

59-61 het spoor
- *track*

59 de rail
- *rail*

60 de dwarsligger [biel(s)]
- *sleeper (*Am. *tie, crosstie)*

61 de ballast (het ballastbed van steenslag)
- *ballast (bed)*

1 de hellingbaan (oprit); *ook:* de veehellingbaan
- *ramp (vehicle ramp);* sim.: *livestock ramp*
2 de elektrische trekker
- *electric truck*
3 de aanhanger
- *trailer*
4 de stukgoederen (afzonderlijke goederen, colli); in het groupageverkeer: groupagegoederen in groupageladingen
- *part loads (*Am. *package freight, less-than-carload freight);* in general traffic: *general goods in general consignments (in mixed consignments)*
5 het krat (de kist)
- *crate*
6 de goederenwagon
- *goods van (*Am. *freight car)*
7 de goederenloods
- *goods shed (*Am. *freight house)*
8 de losweg
- *loading strip*
9 het laad- en losperron
- *loading dock*
10 de baal turf
- *bale of peat*
11 de baal linnen
- *bale of linen (of linen cloth)*
12 het bindtouw
- *fastening (cord)*
13 de mandfles
- *wicker bottle (wickered bottle, demijohn)*
14 de steekwagen
- *trolley*
15 de vrachtwagen voor stukgoed
- *goods lorry (*Am. *freight truck)*
16 de vork(hef)truck
- *forklift truck (fork truck, forklift)*
17 het laadspoor
- *loading siding*
18 de volumineuze goederen
- *bulky goods*
19 de kleine spoorwegcontainer
- *small railway-owned (*Am. *railroad-owned) container*
20 de kermiswagen (circuswagen, woonwagen)
- *showman's caravan;* sim.: *circus caravan*
21 de platte wagen
- *flat wagon (*Am. *flat freight car)*
22 het laadprofiel
- *loading gauge (*Am. *gage)*
23 de baal stro
- *bale of straw*
24 de rongenwagen
- *flat wagon (*Am. *flatcar) with side stakes*
25 het wagenpark
- *fleet of lorries (*Am. *trucks)*
26-39 de goederenloods
- ***goods shed*** *(*Am. *freight house)*
26 het goederenkantoor
- *goods office (forwarding office,* Am. *freight office)*
27 het stukgoed
- *part-load goods (*Am. *package freight)*
28 de expediteur
- *forwarding agent (*Am. *freight agent, shipper)*
29 de ladingmeester
- *loading foreman*
30 de vrachtbrief
- *consignment note (waybill)*
31 de stukgoedweegschaal
- *weighing machine*
32 de pallet (het laadbord)
- *pallet*
33 de loodsknecht
- *porter*
34 de elektrokar
- *electric cart (electric truck)*
35 het transportwagentje (de aanhanger)
- *trailer*
36 de opzichter
- *loading supervisor*
37 de loodsdeur, een schuifdeur
- *goods shed door (*Am. *freight house door)*
38 de looprail
- *rail (slide rail)*
39 de looprol
- *roller*
40 het weegbrughuisje
- *weighbridge office*
41 de weegbrug
- *weighbridge*
42 het rangeerstation
- *marshalling yard (*Am. *classification yard, switch yard)*
43 de rangeerlocomotief
- *shunting engine (shunting locomotive, shunter,* Am. *switch engine, switcher)*
44 de rangeerpost
- *marshalling yard signal box (*Am. *classification yard switch tower)*
45 de rangeermeester (voorman-rangeerder)
- *yardmaster*
46 de rangeerheuvel
- *hump*
47 het verdeelspoor
- *sorting siding (classification siding, classification track)*
48 de railrem
- *rail brake (retarder)*
49 de remschoen (remslof)
- *slipper brake (slipper)*
50 het opstelspoor
- *storage siding (siding)*
51 het stootblok
- *buffer (buffers,* Am. *bumper)*
52 de wagonlading
- *wagon load (*Am. *carload)*
53 het pakhuis
- *warehouse*
54 het containerstation
- *container station*
55 de portaalkraan
- *gantry crane*
56 het hefwerk
- *lifting gear (hoisting gear)*
57 de container
- *container*
58 de containerwagen
- *container wagon (*Am. *container car)*
59 de oplegger
- *semi-trailer*

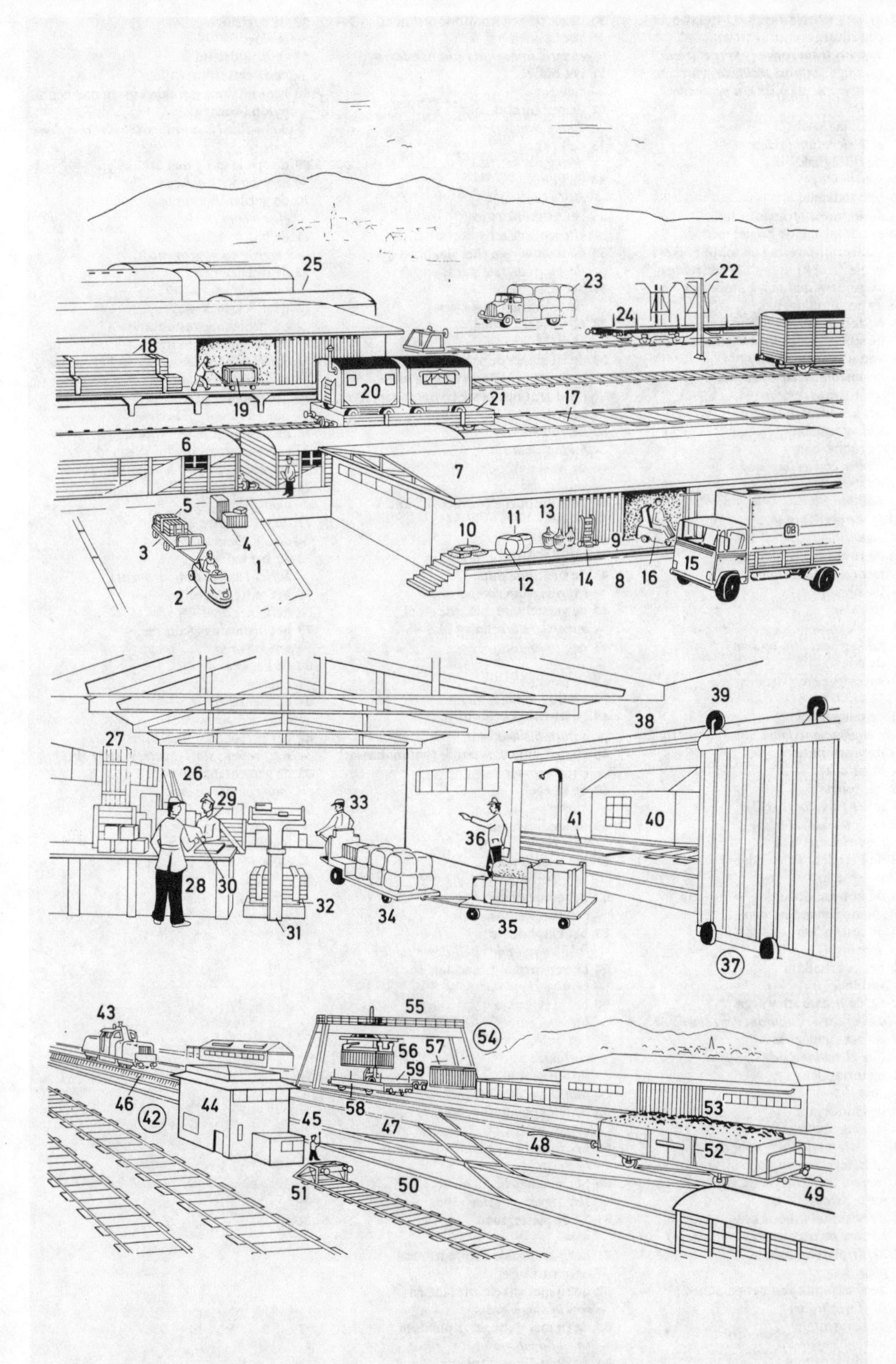
1
2
3
4
5
6
7
8
9
10
11
12
13
14
15
16
17
18
19
20
21
22
23
24
25
26
27
28
29
30
31
32
33
34
35
36
37
38
39
40
41
42
43
44
45
46
47
48
49
50
51
52
53
54
55
56
57
58
59
DB

1-21 de sneltreinwagen (D-treinwagen), een rijtuig
- ***express train coach*** *(express train carriage, express train car, corridor compartment coach), a passenger coach*

1 het zijaanzicht
- *side elevation (side view)*

2 de rijtuigbak
- *coach body*

3 het onderstel
- *underframe (frame)*

4 het draaistel (de bogie) met staal-rubbervering en schokbrekers
- *bogie (truck) with steel and rubber suspension and shock absorbers*

5 de accumulatorbak
- *battery containers (battery boxes)*

6 de stoom- en elektrowarmtewisselaar van de verwarming
- *steam and electric heat exchanger for the heating system*

7 het schuifraam
- *sliding window*

8 de rubberbalg
- *rubber connecting seal*

9 de statische ventilator
- *ventilator*

10-21 de plattegrond
- ***plan***

10 de tweedeklasafdeling
- *second-class section*

11 de zijgang
- *corridor*

12 de klapstoel
- *folding seat (tip-up seat)*

13 de coupé
- *passenger compartment (compartment)*

14 de coupédeur
- *compartment door*

15 de wasruimte
- *washroom*

16 het toilet
- *toilet (lavatory, WC)*

17 de eersteklasafdeling
- *first-class section*

18 de klapdeur (tussendeur)
- *swing door*

19 de kopwanddeur
- *sliding connecting door*

20 de instapdeur
- *door*

21 het voorbalkon
- *vestibule*

22-32 de restauratiewagen
- ***dining car*** *(restaurant car, diner)*

22-25 het zijaanzicht
- ***side elevation*** *(side view)*

22 de instapdeur
- *door*

23 de laaddeur
- *loading door*

24 de stroomafnemer voor de energieverzorging bij stilstand
- *current collector for supplying power during stops*

25 de accumulatorbakken
- *battery boxes (battery containers)*

26-32 de plattegrond
- ***plan***

26 de wasruimte van het personeel
- *staff washroom*

27 de bergruimte
- *storage cupboard*

28 de afwasruimte
- *washing-up area*

29 de keuken
- *kitchen*

30 de elektrisch komfoor met acht kookplaten
- *electric oven with eight hotplates*

31 het buffet
- *counter*

32 de restauratie
- *dining compartment*

33 de keuken
- *dining car kitchen*

34 de kok
- *chef (head cook)*

35 het keukenkastje
- *kitchen cabinet*

36 de slaapwagen (het slaaprijtuig)
- *sleeping car (sleeper)*

37 het zijaanzicht
- *side elevation (side view)*

38-42 de plattegrond
- ***plan***

38 de zit-slaapcoupé voor twee personen
- *two-seat twin-berth compartment (two-seat two-berth compartment,* Am. *bedroom)*

39 de vouwdeur
- *folding doors*

40 de wastafel
- *washstand*

41 het kantoortje (de dienstruimte)
- *office*

42 het toilet
- *toilet (lavatory, WC)*

43 de sneltreincoupé
- *express train compartment*

44 de verstelbare, beklede stoel
- *upholstered reclining seat*

45 de armleuning
- *armrest*

46 de asbak
- *ashtray in the armrest*

47 de verstelbare hoofdsteun
- *adjustable headrest*

48 de, het linnen overtrek (antimakassar)
- *antimacassar*

49 de spiegel
- *mirror*

50 de kledinghaak
- *coat hook*

51 het bagagerek
- *luggage rack*

52 het coupéraam
- *compartment window*

53 het klaptafeltje
- *fold-away table (pull-down table)*

54 de verwarmingsregelaar
- *heating regulator*

55 het afvalbakje
- *litter receptacle*

56 het (schuif)gordijn
- *curtain*

57 de voetsteun
- *footrest*

58 de hoekplaats
- *corner seat*

59 het rijtuig met middendoorloop
- *open car*

60 het zijaanzicht
- *side elevation (side view)*

61-72 de plattegrond
- ***plan***

61 het ongedeelde compartiment
- *open carriage*

62 de rij met enkele zitplaatsen
- *row of single seats*

63 de rij met dubbele zitplaatsen
- *row of double seats*

64 de verstelbare zitplaats
- *reclining seat*

65 de bekleding
- *seat upholstery*

66 de rugleuning
- *backrest*

67 de hoofdsteun
- *headrest*

68 het met dons gevulde kussen met een nylon overtrek
- *down-filled headrest cushion with nylon cover*

69 de armleuning met asbak
- *armrest with ashtray*

70 de garderoberuimte
- *cloakroom*

71 de bagageruimte
- *luggage compartment*

72 de toiletruimte
- *toilet (lavatory, WC)*

73 de quick-pick-wagen, een zelfbedieningsrestauratie (zelfbedieningsbuffet)
- *buffet car (quick-service buffet car), a self-service restaurant car*

74 het zijaanzicht
- *side elevation (side view)*

75 de stroomafnemer voor de energieverzorging bij stilstand
- *current collector for supplying power*

76 de plattegrond
- *plan*

77 de restauratie
- *dining compartment*

78-79 het buffet
- ***buffet*** *(buffet compartment)*

78 het gastengedeelte
- *customer area*

79 het bedieningsgedeelte
- *serving area*

80 de keuken
- *kitchen*

81 de dienstruimte
- *staff compartment*

82 het personeelstoilet
- *staff toilet (staff lavatory, staff WC)*

83 de gerechtenkast
- *food compartments*

84 de borden
- *plates*

85 het bestek
- *cutlery*

86 de kassa
- *till (cash register)*

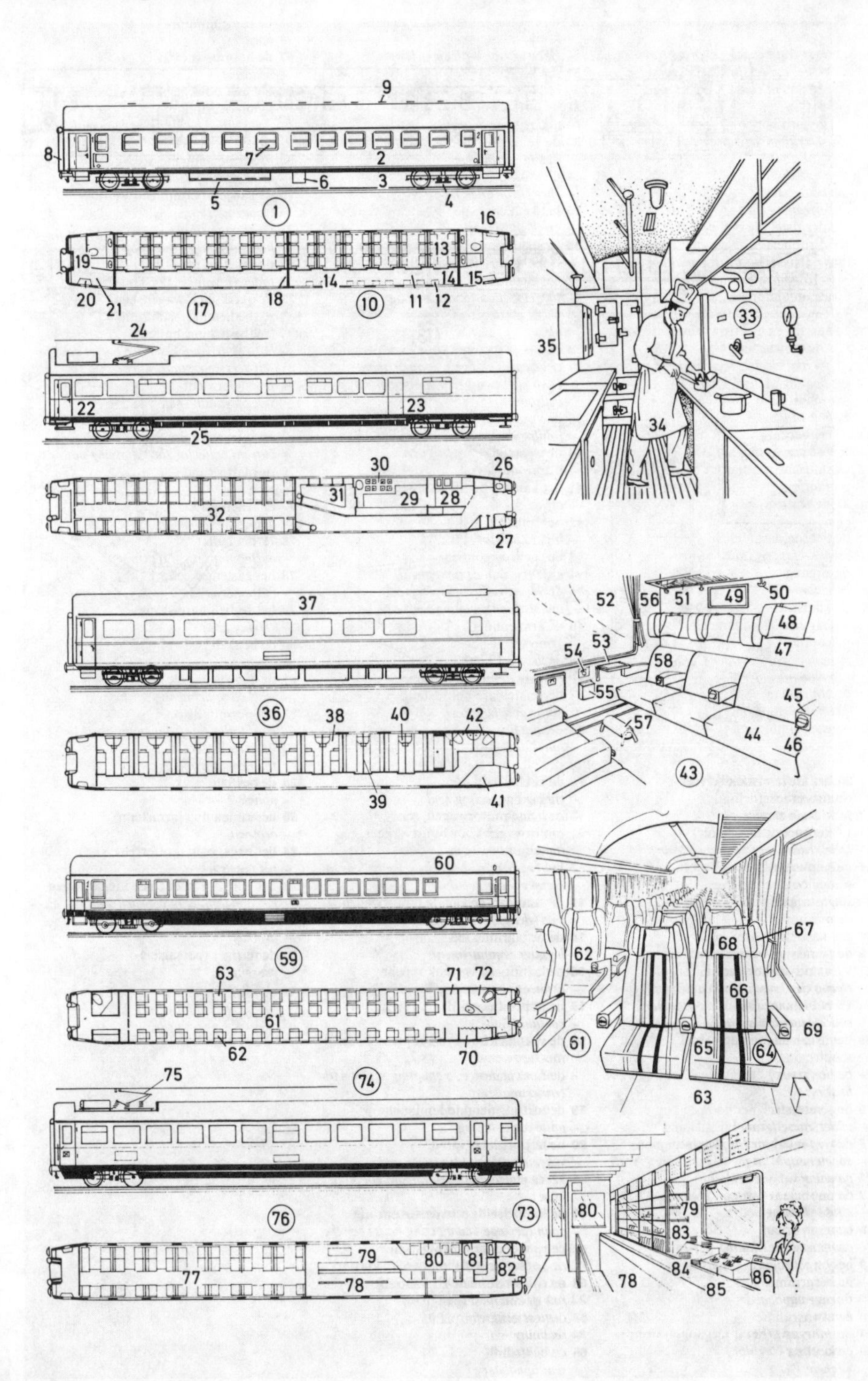
1
2
3
4
5
6
7
8
9
10
11
12
13
14
15
16
17
18
19
20
21
22
23
24
25
26
27
28
29
30
31
32
33
34
35
36
37
38
39
40
41
42
43
44
45
46
47
48
49
50
51
52
53
54
55
56
57
58
59
60
61
62
63
64
65
66
67
68
69
70
71
72
73
74
75
76
77
78
79
80
81
82
83
84
85
86

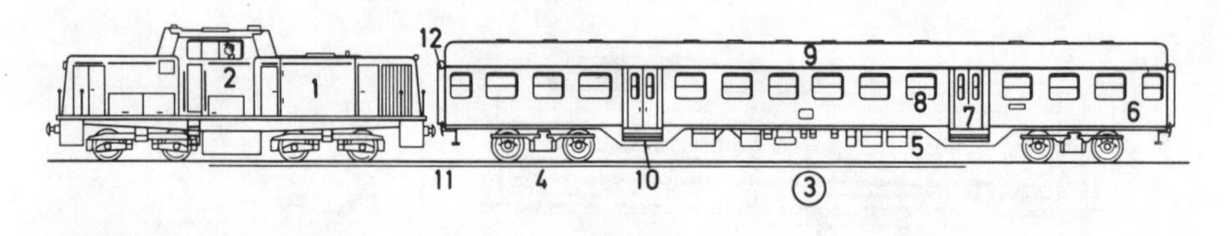

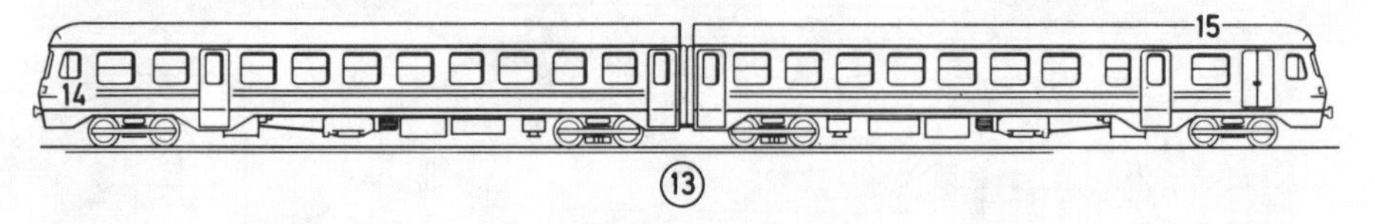

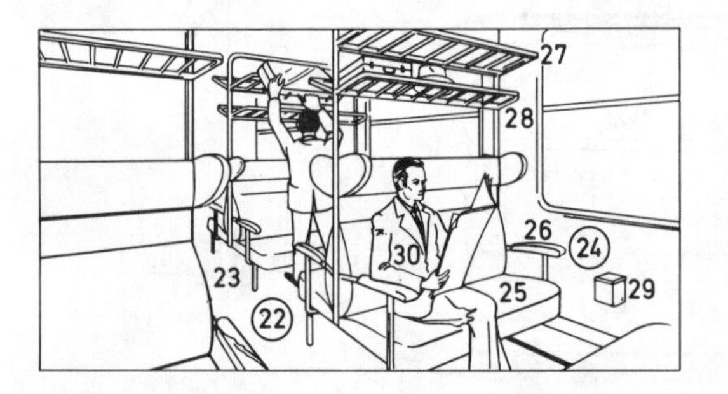

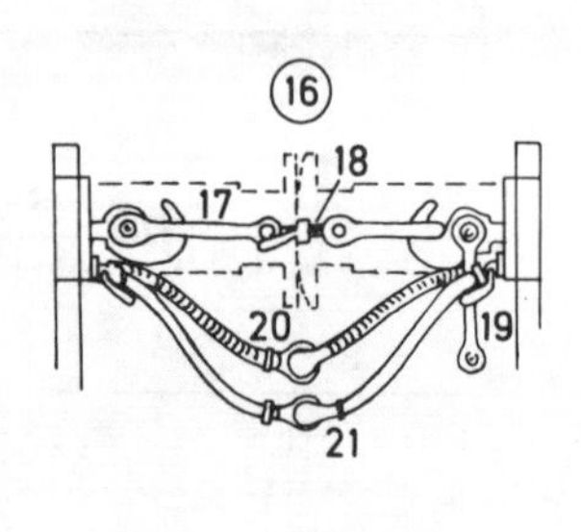

1-30 het korte-afstandvervoer (buurtverkeer)
- ***local train service***

1-12 het voorstadsverkeer
- ***local train*** *(short-distance train)*

1 de eenmotorige diesellocomotief (dieselloc)
- *single-engine diesel locomotive*

2 de machinist
- *engine driver (*Am. *engineer)*

3 de vierassige wagen voor voorstadsverkeer, een rijtuig
- *four-axled coach (four-axled car) for short-distance routes, a passenger coach (passenger car)*

4 het draaistel (de bogie) met schijfremmen
- *bogie (truck) [with disc (disk) brakes]*

5 het onderstel
- *underframe (frame)*

6 de wagenbak met de beplating
- *coach body with metal panelling (*Am. *paneling)*

7 de dubbele vouwdeur
- *double folding doors*

8 het coupéraam
- *compartment window*

9 het ongedeelde compartiment
- *open carriage*

10 de ingang
- *entrance*

11 de overgang (het doorgangssysteem)
- *connecting corridor*

12 de rubberbalg
- *rubber connecting seal*

13 de lichte motorwagen, een motorwagen voor buurtverkeer, een dieselmotorwagen
- *light railcar, a short-distance railcar, a diesel railcar*

14 de stuurcabine van de motorwagen
- *cab (driver's cab,* Am. *engineer's cab)*

15 de bagageafdeling
- *luggage compartment*

16 de leiding- en wagenkoppeling
- *connecting hoses and coupling*

17 de koppelbeugel
- *coupling link*

18 de spaninrichting (de koppelschroef met de zwengel)
- *tensioning device, a coupling screw with tensioning lever*

19 de niet-ingehaakte koppeling
- *unlinked coupling*

20 de koppelslang van de verwarmingsleiding
- *heating coupling hose (steam coupling hose)*

21 de koppelslang van de remleiding
- *coupling hose (connecting hose) for the compressed-air braking system*

22 de passagiersafdeling tweede klas(se)
- *second-class section*

23 het middenpad (gangpad)
- *central gangway*

24 de coupé
- *compartment*

25 de beklede bank
- *upholstered seat*

26 de armleuning (armsteun)
- *armrest*

27 het bagagerek (kofferrek)
- *luggage rack*

28 het rek voor hoeden en kleine bagage
- *hat and light luggage rack*

29 de kantelbare asbak
- *ashtray*

30 de reiziger (passagier)
- *passenger*

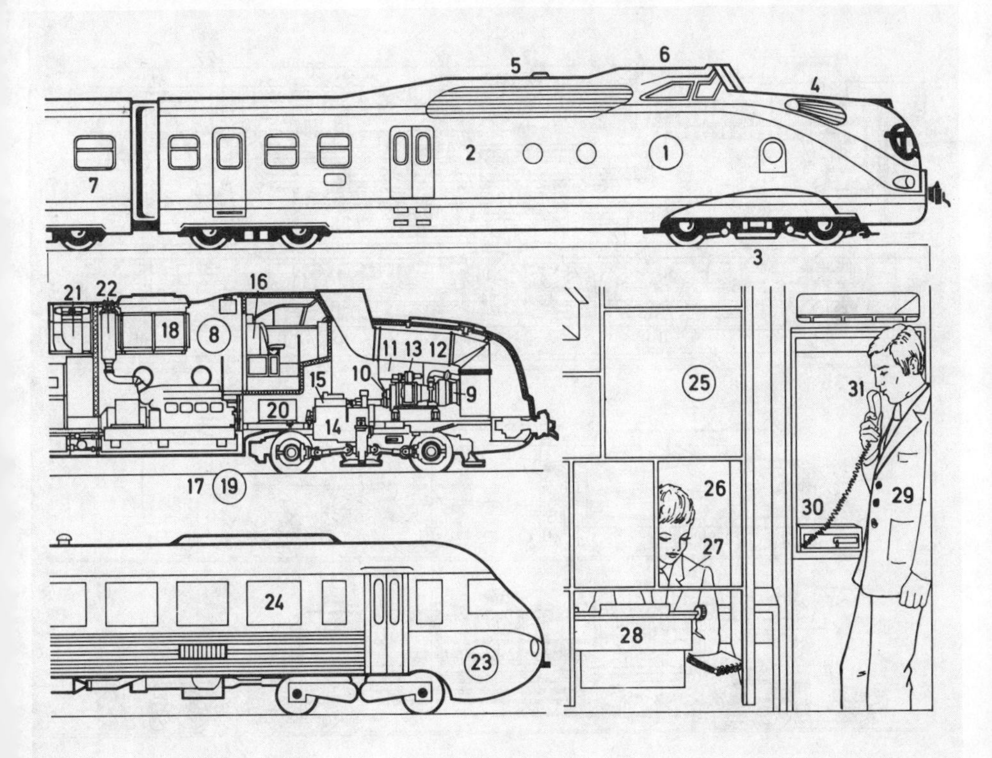

1-22 de Trans-Europa-Express (TEE)
- ***Trans-Europe Express** (Intercity train)*

1 het motortreinstel van de Deutsche Bundesbahn, een dieselmotortrein of gasturbinetrein
- *German Federal Railway trainset, a diesel trainset or gas turbine trainset*

2 de motorwagen
- *driving unit*

3 het stel drijfwielen
- *drive wheel unit*

4 de dieselmotor
- *main engine*

5 de dieselgenerator
- *diesel generator unit*

6 de stuurstand
- *cab (driver's cab,* Am. *engineer's cab)*

7 het middenrijtuig
- *second coach*

8 het gasturbinemotorrijtuig [doorsnede]
- *gas turbine driving unit [diagram]*

9 de gasturbine
- *gas turbine*

10 de turbinetransmissie
- *turbine transmission*

11 het luchtaanzuigkanaal
- *air intake*

12 de uitlaatgasleiding met geluiddemper
- *exhaust with silencers (*Am. *mufflers)*

13 de elektrische starter
- *dynastarter*

14 de Voithtransmissie
- *Voith transmission*

15 de warmtewisselaar voor de transmissie-olie
- *heat exchanger for the transmission oil*

16 de gasturbineregelkast
- *gas turbine controller*

17 het brandstofreservoir voor de gasturbine
- *gas turbine fuel tank*

18 de olie-luchtkoelinstallatie voor transmissie en turbine
- *oil-to-air cooling unit for transmission and turbine*

19 de hulpdieselmotor
- *auxiliary diesel engine*

20 de brandstoftank
- *fuel tank*

21 de koelinstallatie
- *cooling unit*

22 de uitlaatleiding met geluiddemper
- *exhaust with silencers (*Am. *mufflers)*

23 het experimentele motortreinstel van de Société Nationale des Chemins de Fer Français (SNCF), met een verzonken zescilinderdieselmotor en een tweeassige gasturbine
- ***experimental trainset** of the Societe Nationale des Chemins de Fer Francais (SNCF) with six-cylinder underfloor diesel engine and twin-shaft gas turbine*

24 de turbine met geluiddemper
- *turbine unit with silencers (*Am. *mufflers)*

25 het treinsecretariaat
- *secretarial compartment*

26 het schrijfcompartiment
- *typing compartment*

27 de treinsecretaresse
- *secretary*

28 de schrijfmachine
- *typewriter*

29 de reizende zakenman
- *travelling (*Am. *traveling) salesman (businessman on business trip)*

30 het dicteerapparaat (de dictafoon)
- *dictating machine*

31 de microfoon
- *microphone*

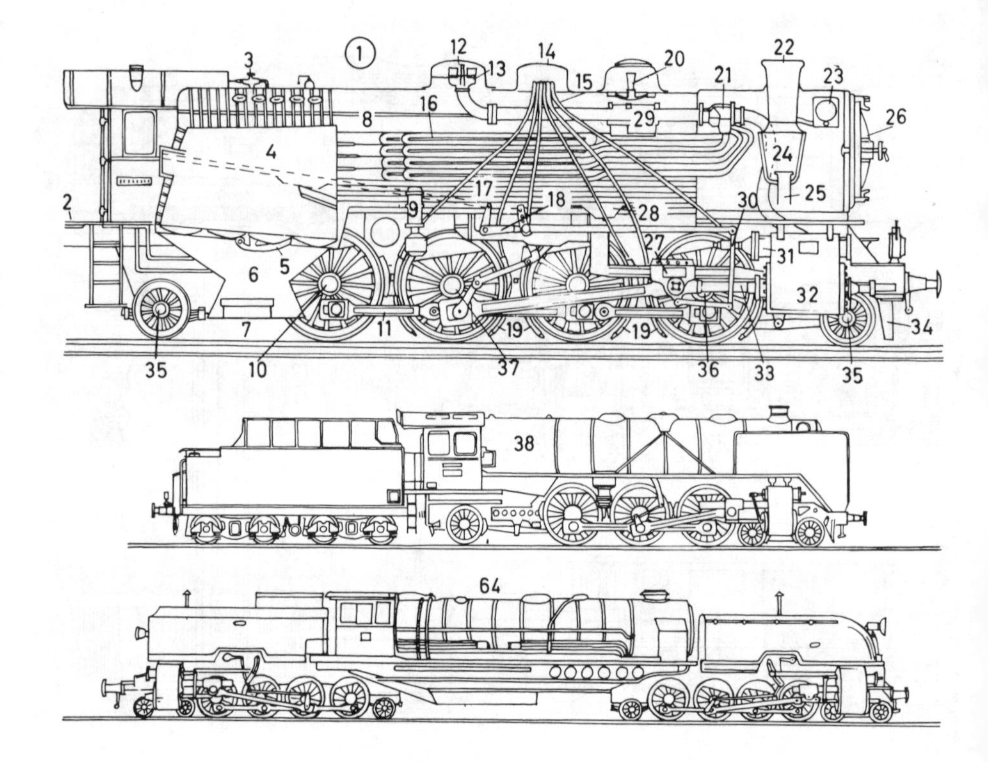

1-69 stoomlocomotieven
- ***steam locomotives***

2-37 de ketel en de aandrijving van de locomotief
- ***locomotive boiler and driving gear***

2 de tenderbrug met koppeling
- *tender platform with coupling*

3 de veiligheidsklep voor stoomoverdruk
- *safety valve for excess boiler pressure*

4 de vuurkist
- *firebox*

5 de, het valrooster (tuimelrooster)
- *drop grate*

6 de asbak met luchtkleppen
- *ashpan with damper doors*

7 de bodemklep van de asbak
- *bottom door of the ashpan*

8 de vlambuizen (vlampijpen)
- *smoke tubes (flue tubes)*

9 de voedingspomp (pomp voor het voedingswater)
- *feed pump*

10 het aslager
- *axle bearing*

11 de koppelstang
- *connecting rod*

12 de stoomdom
- *steam dome*

13 de regulateurklep
- *regulator valve (regulator main valve)*

14 de zanddom
- *sand dome*

15 de zandpijpen
- *sand pipes (sand tubes)*

16 de langsketel
- *boiler (boiler barrel)*

17 de vlambuizen (vlampijpen)
- *fire tubes or steam tubes*

18 het stoomverdelingsmechaniek
- *reversing gear (steam reversing gear)*

19 de zandstrooipijpen
- *sand pipes*

20 de voedingsklep
- *feed valve*

21 de stoomverzamelkast (oververhitterkast)
- *steam collector*

22 de schoorsteen voor rook en uitlaatstoom
- *chimney (smokestack, smoke outlet and waste steam exhaust)*

23 de voorverwarmer voor het voedingswater
- *feedwater preheater (feedwater heater, economizer)*

24 de vonkenvanger
- *spark arrester*

25 de blaaspijp
- *blast pipe*

26 de rookkastdeur
- *smokebox door*

27 het kruishoofd
- *cross head*

28 de slijkvanger (slibvanger)
- *mud drum*

29 de stoomzeef
- *top feedwater tray*

30 de schuifstang
- *combination lever*

31 de schuifkast
- *steam chest*

32 de stoomcilinder
- *cylinder*

33 de zuigerstang met stopbus
- *piston rod with stuffing box (packing box)*

34 de baanruimer
- *guard iron (rail guard,* Am. *pilot, cowcatcher)*

35 de loopwielas
- *carrying axle (running axle, dead axle)*

36 de koppelas
- *coupled axle*

37 de drijfas
- *driving axle*

38 de sneltreinlocomotief met tender
- *express locomotive with tender*

39-63 de stuurcabine van de stoomlocomotief
- ***cab*** *(driver's cab,* Am. *engineer's cab)*

39 de zitplaats van de stoker
- *fireman's seat*

40 de slinger van het valrooster (tuimelrooster)
- *drop grate lever*

41 de straalpomp (injecteur)
- *line steam injector*

42 de automatische smeerpomp
- *automatic lubricant pump (automatic lubricator)*

43 de drukmeter van de voorverwarmer
- *preheater pressure gauge (*Am. *gage)*

44 de verwarmingsdrukmeter
- *carriage heating pressure gauge (*Am. *gage)*

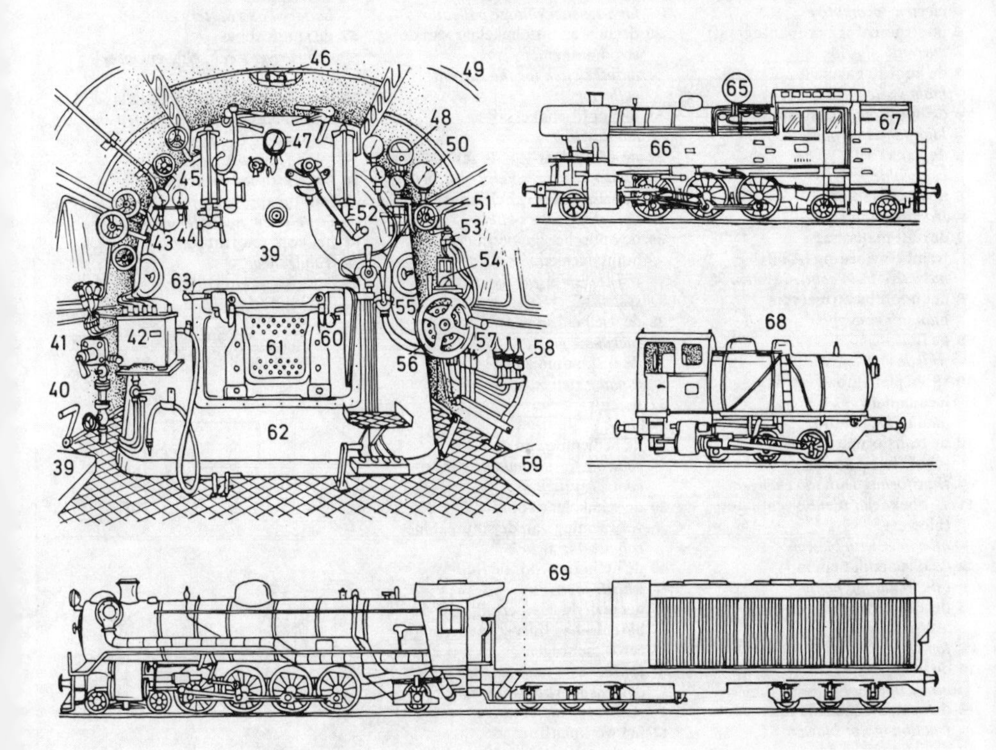

45 het peilglas
– *water gauge (*Am. *gage)*
46 de verlichting
– *light*
47 de manometer voor de keteldruk
– *boiler pressure gauge (*Am. *gage)*
48 de afstandsthermometer, een pyrometer
– *distant-reading temperature gauge (*Am. *gage)*
49 de plaats van de machinist
– *cab (driver's cab,* Am. *engineer's cab)*
50 de remdrukmeter
– *brake pressure gauge (*Am. *gage)*
51 de hefboom van de stoomfluit
– *whistle valve handle*
52 het rijschema
– *driver's timetable (*Am. *engineer's schedule)*
53 de remkraan
– *driver's brake valve (*Am. *engineer's brake valve)*
54 de tachograaf
– *speed recorder (tachograph)*
55 de kraan van de zandstrooier
– *sanding valve*
56 het stuurwiel
– *reversing wheel*
57 de noodremkraan (noodremklep)
– *emergency brake valve*
58 de losklep
– *release valve*
59 de zitplaats van de machinist
– *driver's seat (*Am. *engineer's seat)*
60 de dimmer (het antiverblindingsscherm)
– *firehole shield*
61 de vuurdeur
– *firehole door*
62 de buiten(vuur)kist
– *vertical boiler*
63 de handgreep van de vuurdeur
– *firedoor handle handgrip*
64 de gelede locomotief (Garrattlocomotief)
– *articulated locomotive (Garratt locomotive)*
65 de tenderlocomotief
– *tank locomotive*
66 de watertank
– *water tank*
67 de brandstoftender
– *fuel tender*
68 de locomotief zonder vuurkist, de vuurloze locomotief
– *steam storage locomotive (fireless locomotive)*
69 de condensatielocomotief
– *condensing locomotive (locomotive with condensing tender)*

1 **de elektrische locomotief**
- ***electric locomotive***
2 de stroomafnemer (pantograaf)
- *current collector*
3 de hoofdschakelaar
- *main switch*
4 de hoogspanningstransformator
- *high-tension transformer*
5 de dakkabel
- *roof cable*
6 de tractiemotor
- *traction motor*
7 de automatische treinbeïnvloeding (ATB)
- *inductive train control system*
8 het hoofdluchtreservoir
- *main air reservoir*
9 de fluit
- *whistle*
10-18 **de plattegrond van de locomotief**
- ***plan of locomotive***
10 de transformator met het schakelmechanisme
- *transformer with tap changer*
11 de oliekoeler met de ventilator (blower)
- *oil cooler with blower*
12 de oliecirculatiepomp
- *oil-circulating pump*
13 de aandrijving van de aftapschakelaar
- *tap changer driving mechanism*
14 de luchtcompressor
- *air compressor*
15 de ventilator van de tractiemotor
- *traction motor blower*
16 de klemmenkast
- *terminal box*
17 de condensatoren voor de hulpmotoren
- *capacitors for auxiliary motors*
18 het deksel van de commutator
- *commutator cover*
19 de stuurcabine voor de machinist
- *cab (driver's cab,* Am. *engineer's cab)*
20 de rijcontroller
- *controller handwheel*
21 de dodemansknop (dodemansinrichting)
- *dead man's handle*
22 de remkraan
- *driver's brake valve (*Am. *engineer's brake valve)*
23 de kraan van de hulprem
- *ancillary brake valve (auxiliary brake valve)*
24 de luchtdrukmeter
- *pressure gauge (*Am. *gage)*
25 de overbruggingsschakelaar van de dodemansinrichting
- *bypass switch for the dead man's handle*
26 de trekkrachtmeter
- *tractive effort indicator*
27 de spanningsmeter van de treinverwarming
- *train heating voltage indicator*
28 de rijdraadspanningsmeter
- *contact wire voltage indicator (overhead wire voltage indicator)*
29 de hoogspanningsmeter
- *high-tension voltage indicator*
30 de aan- en uitschakelaar van de stroomafnemer
- *on/off switch for the current collector*
31 de hoofdschakelaar
- *main switch*
32 de schakelaar van de zandstrooier
- *sander switch (sander control)*
33 de schakelaar van de antisliprem
- *anti-skid brake switch*
34 de optische signalering van de hulpsystemen
- *visual display for the ancillary systems*
35 de snelheidsmeter
- *speedometer*
36 de rijstandindicator
- *running step indicator*
37 de klok
- *clock*
38 de bediening van de ATB
- *controls for the inductive train control system*
39 de schakelaar voor de verwarming van de stuurcabine
- *cab heating switch*
40 de hefboom voor de fluit
- *whistle lever*
41 **het onderhoudsvoertuig voor de bovenleiding** (inspectievoertuig), een dieselwagen
- ***contact wire maintenance vehicle*** *(overhead wire maintenance vehicle), a diesel railcar*
42 het werkplatform
- *work platform (working platform)*
43 de ladder
- *ladder*
44-54 **het motoraggregaat van het onderhoudsvoertuig**
- ***mechanical equipment of the contact wire maintenance vehicle***
44 de luchtcompressor
- *air compressor*
45 de ventilator van de oliepomp
- *blower oil pump*
46 de generator
- *generator*
47 de dieselmotor
- *diesel engine*
48 de inspuitpomp
- *injection pump*
49 de geluiddemper
- *silencer (*Am. *muffler)*
50 de tandwielkast (versnellingsbak)
- *change-speed gear*
51 de cardanas
- *cardan shaft*
52 de smeerpot voor flenssmering
- *wheel flange lubricator*
53 de keerkoppeling
- *reversing gear*
54 de draagsteun van de koppelomvormer
- *torque converter bearing*
55 **het accumulatormotorvoertuig**
- ***accumulator railcar*** *(battery railcar)*
56 de accumulator
- *battery box (battery container)*
57 de stuurcabine
- *cab (driver's cab,* Am. *engineer's cab)*
58 de indeling van de tweede klasse
- *second-class seating arrangement*
59 het toilet
- *toilet (lavatory, WC)*
60 **de elektrische sneltrein** (motorexprestrein)
- ***fast electric multiple-unit train***
61 het kopmotorrijtuig
- *front railcar*
62 het tussenmotorrijtuig
- *driving trailer car*

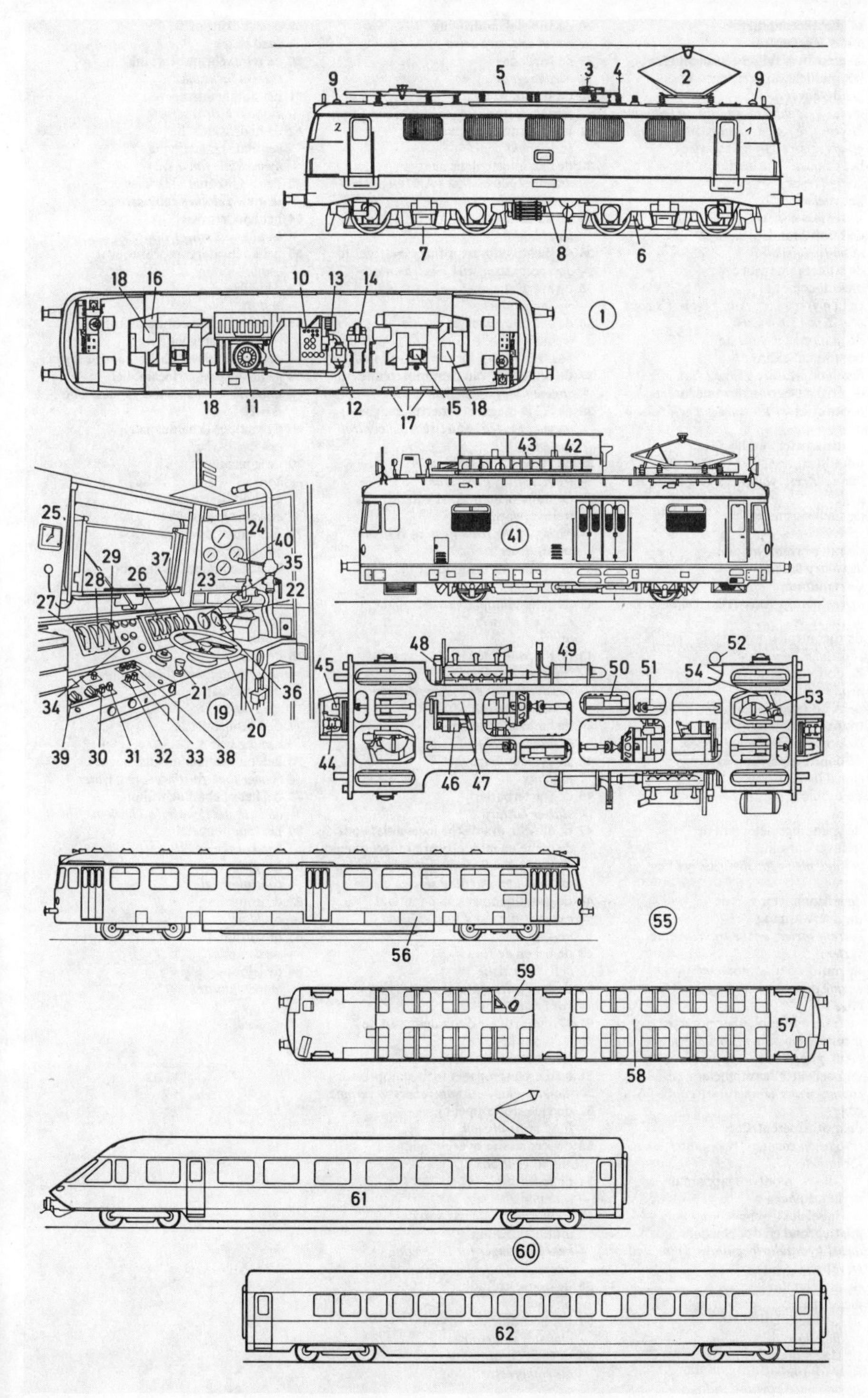
1
2
3
4
5
6
7
8
9
10
11
12
13
14
15
16
17
18
19
20
21
22
23
24
25
26
27
28
29
30
31
32
33
34
35
36
37
38
39
40
41
42
43
44
45
46
47
48
49
50
51
52
53
54
55
56
57
58
59
60
61
62

1-84 diesellocomotieven
- ***diesel locomotives***

1 de dieselhydraulische locomotief, voor het middelzware reizigers- en goederenvervoer
- ***diesel-hydraulic locomotive,*** *a mainline locomotive for medium passenger and goods service (freight service)*

2 het draaistel (de bogie)
- *bogie (truck)*

3 het wielstel
- *wheel and axle set*

4 de hoofdbrandstoftank
- *main fuel tank*

5 de stuurcabine van een diesellocomotief
- *cab (driver's cab,* Am. *engineer's cab) of a diesel locomotive*

6 de manometer voor de hoofdluchtleiding
- *main air pressure gauge (*Am. *gage)*

7 de drukmeter van de remcilinders
- *brake cylinder pressure gauge (*Am. *gage)*

8 de drukmeter van het hoofdluchtreservoir
- *main air reservoir pressure gauge (*Am. *gage)*

9 de snelheidsmeter
- *speedometer*

10 de rangeerrem (hulprem)
- *auxiliary brake*

11 de remkraan
- *driver's brake valve (*Am. *engineer's brake valve)*

12 de rijcontroller
- *controller handwheel*

13 de dodemansknop
- *dead man's handle*

14 de ATB (automatische treinbeïnvloeding)
- *inductive train control system*

15 de controlelampen
- *signal lights*

16 de tijdklok
- *clock*

17 de spanningsmeter van de treinverwarming
- *voltage meter for the train heating system*

18 de stroommeter van de treinverwarming
- *current meter for the train heating system*

19 de motoroliethermometer
- *engine oil temperature gauge (*Am. *gage)*

20 de transmissie-oliethermometer
- *transmission oil temperature gauge (*Am. *gage)*

21 de koelwaterthermometer
- *cooling water temperature gauge (*Am. *gage)*

22 de motortoerenteller
- *revolution counter (rev counter, tachometer)*

23 het zend- en ontvangapparaat
- *radio telephone*

24 de dieselelektrische locomotief [plattegrond en doorsnede]
- *diesel-hydraulic locomotive [plan and elevation]*

25 de dieselmotor
- *diesel engine*

26 de koelinstallatie
- *cooling unit*

27 de vloeistofkoppeling
- *fluid transmission*

28 de wielstelaandrijving
- *wheel and axle drive*

29 de cardanas
- *cardan shaft*

30 de startmotor
- *starter motor*

31 het instrumentenpaneel
- *instrument panel*

32 de machinistenlessenaar
- *driver's control desk (*Am. *engineer's control desk)*

33 de handrem
- *hand brake*

34 de luchtcompressor met elektromotor
- *air compressor with electric motor*

35 de apparatenkast
- *equipment locker*

36 de warmtewisselaar van de transmissie-olie
- *heat exchanger for transmission oil*

37 de ventilator van de motorruimte
- *engine room ventilator*

38 de ATB-magneet (voertuigmagneet)
- *magnet for the inductive train control system*

39 de verwarmingsgenerator
- *train heating generator*

40 de transformatorkast van de treinverwarming
- *casing of the train heating system transformer*

41 het voorverwarmingstoestel
- *preheater*

42 de geluiddemper van de uitlaat
- *exhaust silencer (*Am. *exhaust muffler)*

43 de hulpwarmtewisselaar van de transmissie-olie
- *auxiliary heat exchanger for the transmission oil*

44 de hydraulische rem
- *hydraulic brake*

45 de gereedschapskast
- *tool box*

46 de starterbatterij
- *starter battery*

47 de dieselhydraulische locomotief voor de lichte en middelzware rangeerdienst
- ***diesel-hydraulic locomotive*** *for light and medium shunting service*

48 de geluiddemper van de uitlaat
- *exhaust silencer (*Am. *exhaust muffler)*

49 de bel en de fluit
- *bell and whistle*

50 de rangeermobilofoon
- *yard radio*

51-67 de verticale doorsnede van de locomotief
- *elevation of locomotive*

51 de dieselmotor met turbocompressor
- *diesel engine with supercharged turbine*

52 de vloeistofkoppeling
- *fluid transmission*

53 de secundaire overbrenging
- *output gear box*

54 de radiator
- *radiator*

55 de warmtewisselaar van de motorsmeerolie
- *heat exchanger for the engine lubricating oil*

56 de brandstoftank
- *fuel tank*

57 het hoofdluchtreservoir
- *main air reservoir*

58 de luchtcompressor
- *air compressor*

59 de zandkasten
- *sand boxes*

60 de reservebrandstoftank
- *reserve fuel tank*

61 het hulpluchtreservoir
- *auxiliary air reservoir*

62 de hydrostatische ventilatoraandrijving
- *hydrostatic fan drive*

63 de zitbank met kleerkast
- *seat with clothes compartment*

64 het handremwiel
- *hand brake wheel*

65 het koelwatercompensatievat
- *cooling water*

66 de ballast
- *ballast*

67 het stuurwiel voor de motor- en versnellingsregeling
- *engine and transmission control wheel*

68 de kleine rangeerlocomotief
- ***small diesel locomotive*** *for shunting service*

69 de knalpot (knaldemper)
- *exhaust casing*

70 de signaalhoorn
- *horn*

71 het hoofdluchtreservoir
- *main air reservoir*

72 de luchtcompressor
- *air compressor*

73 de achtcilinderdieselmotor
- *eight-cylinder diesel engine*

74 de Voithtransmissie met keerkoppeling
- *Voith transmission with reversing gear*

75 de olietank
- *heating oil tank (fuel oil tank)*

76 de zandkast
- *sand box*

77 de koelinstallatie
- *cooling unit*

78 het koelwatercompensatievat
- *header tank for the cooling water*

79 de, het oliebadluchtfilter
- *oil bath air cleaner (oil bath air filter)*

80 het handremwiel
- *hand brake wheel*

81 het stuurwiel
- *control wheel*

82 de koppeling
- *coupling*

83 de cardanas
- *cardan shaft*

84 de jaloezie
- *louvred shutter*

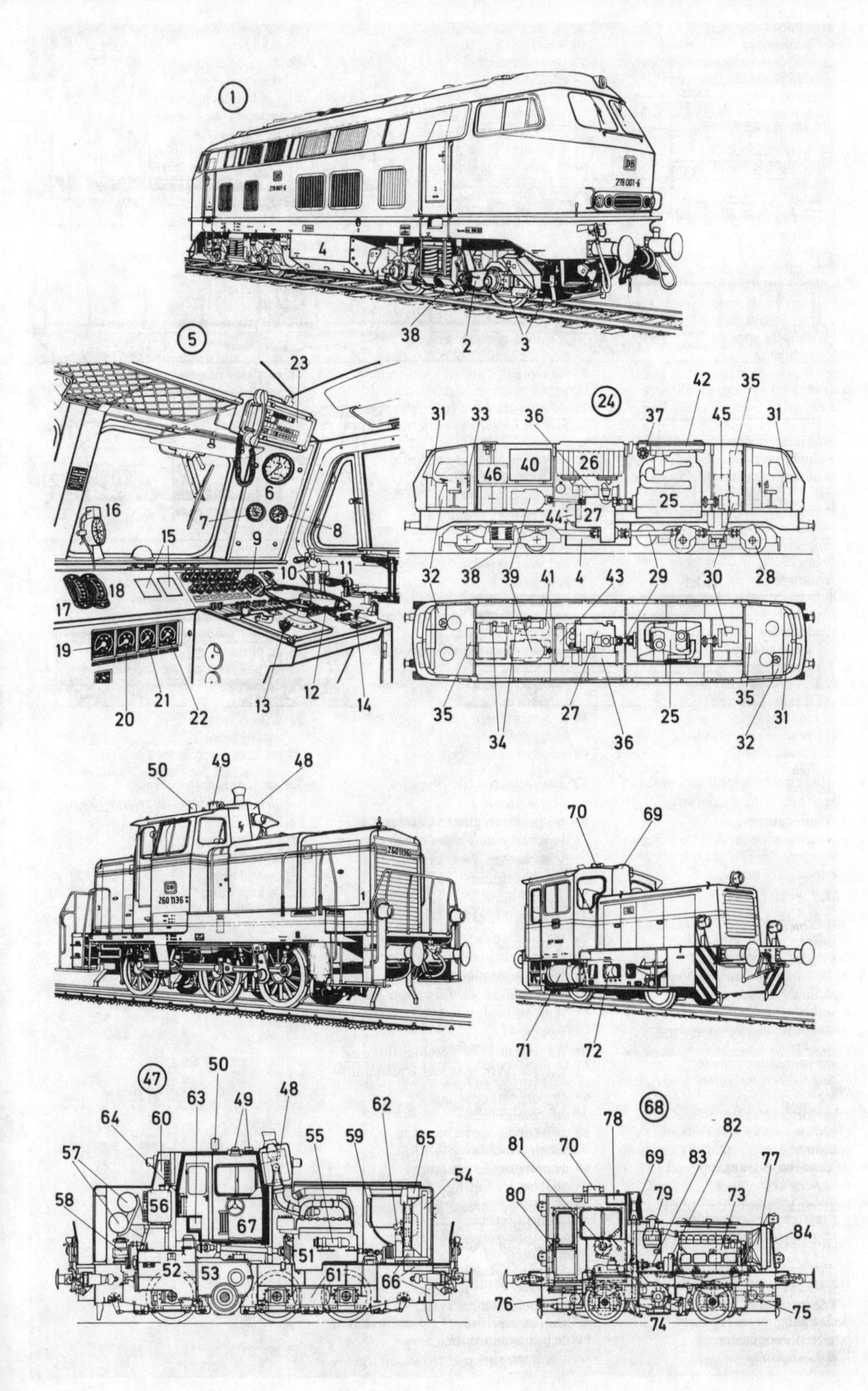
1
4
38
2
3
5
23
16
6
7
8
15
9
10
11
18
17
19
21
20
22
13
12
14
24
31
33
36
37
42
35
45
31
40
46
26
25
44
27
32
38
39
41
4
43
29
30
28
35
34
27
36
25
35
31
32
50
49
48
70
69
71
72
47
50
63
49
48
64
60
57
58
56
67
52
53
51
61
66
55
59
62
65
54
68
78
82
81
70
69
83
77
80
79
73
84
76
74
75

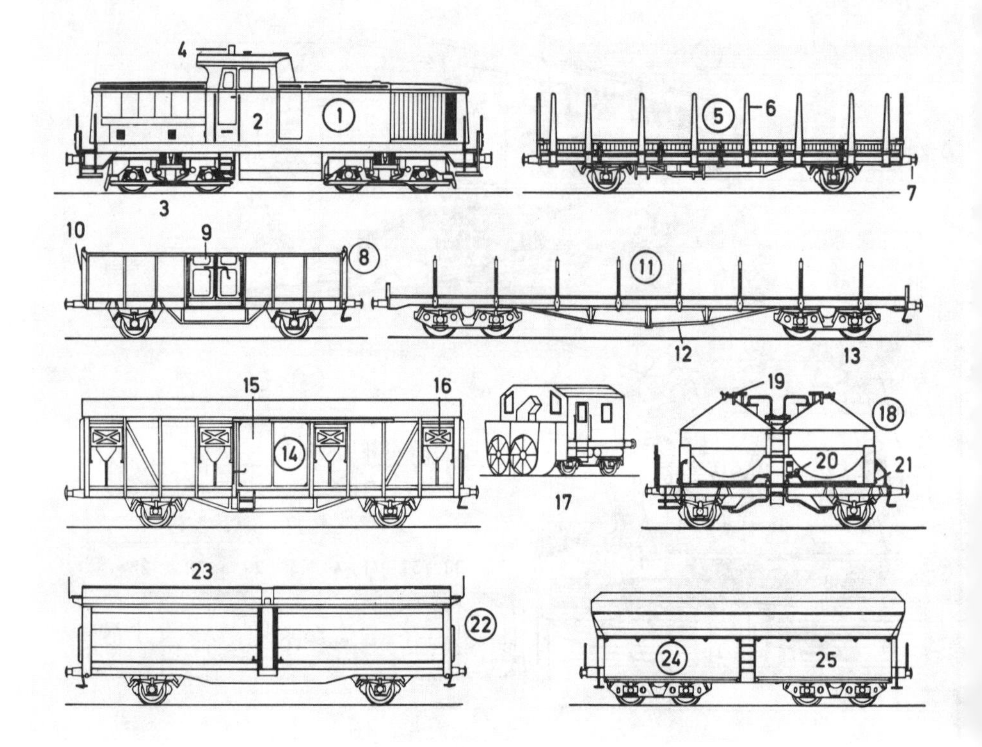

1 de dieselhydraulische locomotief
- *diesel-hydraulic locomotive*

2 de stuurcabine
- *cab (driver's cab,* Am. *engineer's cab)*

3 het wielstel
- *wheel and axle set*

4 de antenne voor de rangeermobilofoon
- *aerial for the yard radio*

5 de normale platte wagen
- *standard flat wagon (*Am. *standard flatcar)*

6 de neerklapbare stalen rong
- *hinged steel stanchion (stanchion)*

7 de buffers
- *buffers*

8 de normale open wagen
- *standard open goods wagon (*Am. *standard open freight car)*

9 de draaibare zijdeuren
- *revolving side doors*

10 het neerklapbare kopschot
- *hinged front*

11 de normale platte wagen op draaistellen
- *standard flat wagon (*Am. *standard flatcar) with bogies*

12 de langsliggerverstijving (stelbalkverspanning)
- *sole bar reinforcement*

13 het draaistel (de bogie)
- *bogie (truck)*

14 de gesloten goederenwagen
- *covered goods van (covered goods wagon,* Am. *boxcar)*

15 de schuifdeur
- *sliding door*

16 de ventilatieklep
- *ventilation flap*

17 de sneeuwcentrifuge, een baanruimmachine
- *snow blower (rotary snow plough,* Am. *snowplow), a track-clearing vehicle*

18 de wagen voor persluchtlossing
- *wagon (*Am. *car) with pneumatic discharge*

19 de vulopening
- *filler hole*

20 de persluchtaansluiting
- *compressed-air supply*

21 de losaansluiting
- *discharge connection valve*

22 de schuifdakwagen
- *goods van (*Am. *boxcar) with sliding roof*

23 de dakopening
- *roof opening*

24 de open zelflosser op draaistellen
- *bogie open self-discharge wagon (*Am. *bogie open self-discharge freight car)*

25 de losklep
- *discharge flap (discharge door)*

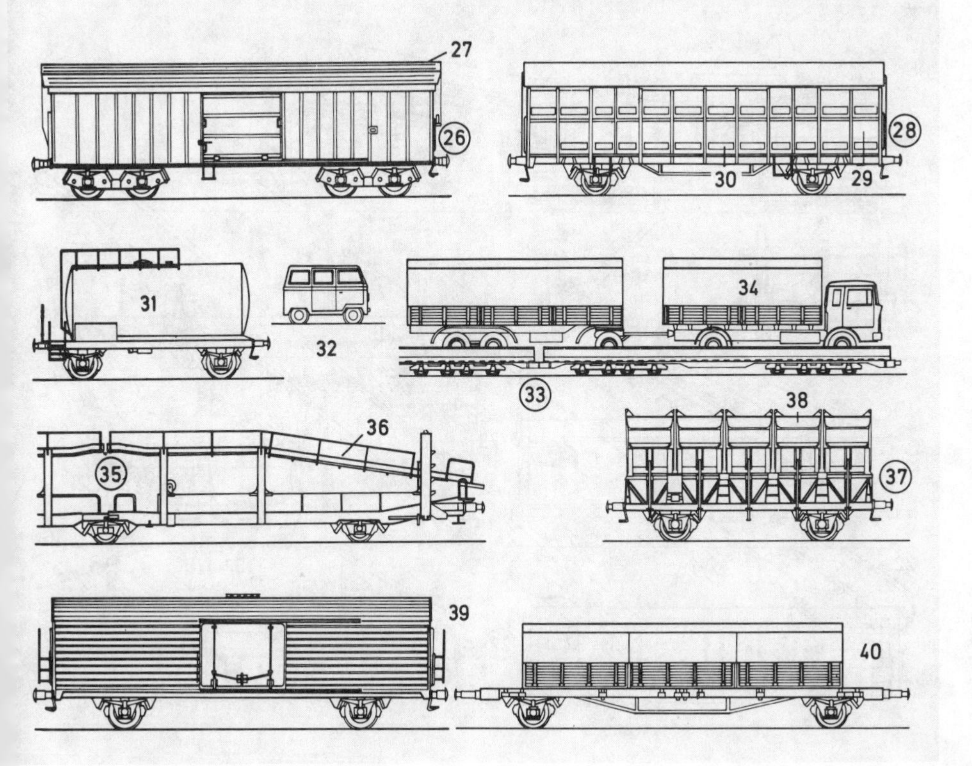

26 de zwenkdakwagen met draaistellen
- *bogie wagon with swivelling (*Am. *swiveling) roof*

27 het zwenkdak
- *swivelling (*Am. *swiveling) roof*

28 de grote wagen met traliewerk voor het vervoer van kleinvee
- *large-capacity wagon (*Am. *large-capacity car) for small livestock*

29 de zijwand met ventilatiekleppen
- *sidewall with ventilation flaps (slatted wall)*

30 de ventilatieklep
- *ventilation flap*

31 de ketelwagen
- *tank wagon (*Am. *tank car)*

32 de motorlorrie (draisine)
- *track inspection railcar*

33 de speciale platte wagen
- *open special wagons (*Am. *open special freight cars)*

34 de vrachtwagencombinatie
- *lorry (*Am. *truck) with trailer*

35 de dubbeldekwagen voor autovervoer
- *two-tier car carrier (double-deck car carrier)*

36 het oprijstuk
- *hinged upper deck*

37 de wagen met kipbakken
- *tipper wagon (*Am. *dump car) with skips*

38 de kipbak
- *skip*

39 de universele koelwagen
- *general-purpose refrigerator wagon (refrigerator van,* Am. *refrigerator car)*

40 de verwisselbare opbouw voor platte wagens
- *interchangeable bodies for flat wagons (*Am. *flatcars)*

214 Bergtreinen en kabelbanen

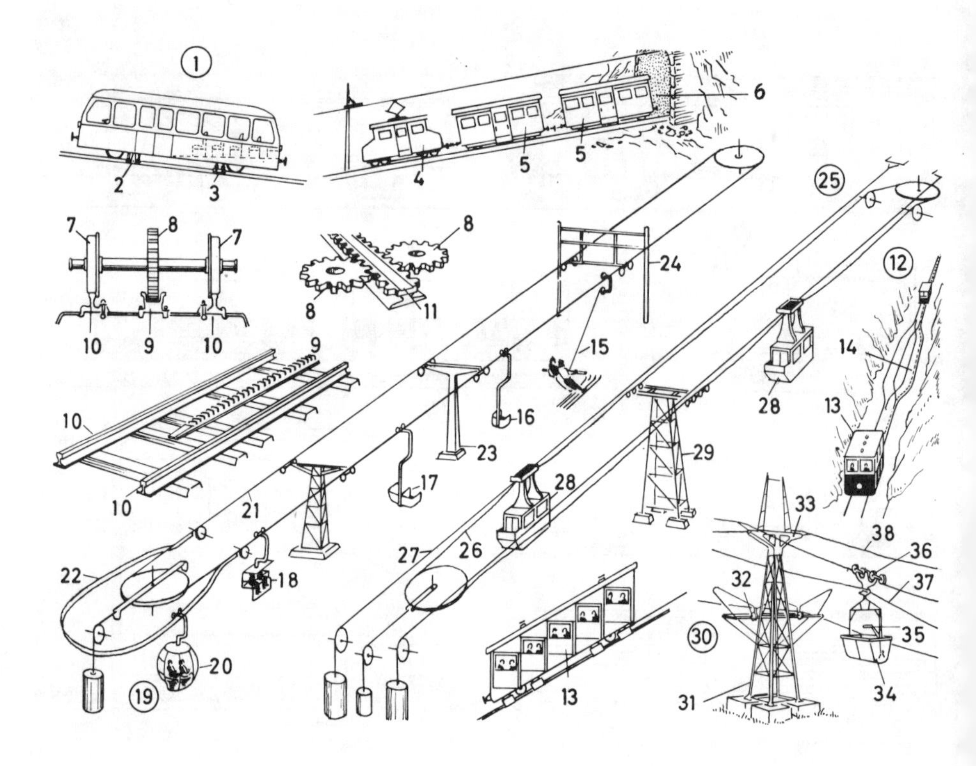

1-14 bergspoorwegen
- ***mountain railways*** *(*Am. *mountain railroads)*

1 de motorwagen, met geforceerde adhesie
- *adhesion railcar*

2 de aandrijving (tractie)
- *drive*

3 de noodrem
- *emergency brake*

4-5 de tandradbaan
- *rack mountain railway (rack-and-pinion railway, cog railway,* Am. *cog railroad, rack railroad)*

4 de elektrische tandradlocomotief
- *electric rack railway locomotive (*Am. *electric rack railroad locomotive)*

5 de wagon
- *rack railway coach (rack railway trailer,* Am. *rack railroad car)*

6 de tunnel
- *tunnel*

7-11 tandreepsporen [systemen]
- *rack railways (rack-and-pinion railways,* Am. *rack railroads) [systems]*

7 het loopwiel
- *running wheel (carrying wheel)*

8 het aandrijftandwiel
- *driving pinion*

9 de tandheugel
- *rack [with teeth machined on top edge]*

10 de rail
- *rail*

11 de tandreep met dubbele vertanding
- *rack [with teeth on both outer edges]*

12 de kabelspoorweg (funiculaire)
- *funicular railway (funicular, cable railway)*

13 de wagon
- *funicular railway car*

14 de trekkabel
- *haulage cable*

15-38 kabelbanen
- ***cableways*** *(ropeways, cable suspension lines)*

15-24 banen met een rondlopende kabel
- *single-cable ropeways (single-cable suspension lines, endless cableways, endless ropeways)*

15 de ski(sleep)lift
- *drag lift*

16-18 de stoeltjeslift
- *chair lift*

16 het liftstoeltje, een eenpersoonsstoeltje
- *lift chair, a single chair*

17 de dubbele stoeltjeslift, een tweepersoonsstoeltje
- *double lift chair, a two-seater chair*

18 het koppelbare dubbele stoeltje
- *double chair (two-seater chair) with coupling*

19 de cabinelift
- *gondola cableway, an endless cableway*

20 de kleine cabine
- *gondola (cabin)*

21 de rondlopende kabel, een draag- en trekkabel
- *endless cable, a suspension (supporting) and haulage cable*

22 de omloopleidingsrail
- *U-rail*

23 de maststeun (mast met dubbele ophanging)
- *single-pylon support*

24 de portaalsteun(mast)
- *gantry support*

25 de pendelbaan met twee kabels
- *double-cable ropeway (double-cable suspension line), a suspension line with balancing cabins*

26 de trekkabel
- *haulage cable*

27 de draagkabel
- *suspension cable (supporting cable)*

28 de passagierscabine
- *cabin*

29 de mast
- *intermediate support*

30 de kabelzweefbaan met twee kabels
- *cableway (ropeway, suspension line), a double-cable ropeway (double-cable suspension line)*

31 de vakwerkmast
- *pylon*

32 de rol van de trekkabel
- *haulage cable roller*

33 de kabelschoen (het looplager van de draagkabel)
- *cable guide rail (suspension cable bearing)*

34 de bak, een kipbak
- *skip, a tipping bucket (*Am. *dumping bucket)*

35 de kipaanslag
- *stop*

36 het loopwerk
- *pulley cradle*

37 de trekkabel
- *haulage cable*

38 de draagkabel
- *suspension cable (supporting cable)*

39 het dalstation
- ***valley station*** *(lower station)*

40 de schacht voor het spangewicht
- *tension weight shaft*

41 het spangewicht voor de draagkabel
- *tension weight for the suspension cable (supporting cable)*

42 het spangewicht voor de trekkabel
- *tension weight for the haulage cable*

43 de poelie van de spankabel
- *tension cable pulley*

44 de draagkabel
- *suspension cable (supporting cable)*

45 de trekkabel
- *haulage cable*

46 de tegenkabel (onderkabel)
- *balance cable (lower cable)*

47 de hulpkabel
- *auxiliary cable (emergency cable)*

48 de spaninrichting van de hulpkabel
- *auxiliary-cable tensioning mechanism (emergency-cable tensioning mechanism)*

49 de rollen van de trekkabel
- *haulage cable rollers*

50 de veerbuffer
- *spring buffer (*Am. *spring bumper)*

51 het perron van het dalstation
- *valley station platform (lower station platform)*

52 de passagierscabine (kabelbaangondel), een grote cabine
- *cabin (cableway gondola, ropeway gondola, suspension line gondola), a large-capacity cabin*

53 het loopwerk
- *pulley cradle*

54 de ophanging
- *suspension gear*

55 de stabilisator
- *stabilizer*

56 de afhouder (afwijsbalk)
- *guide rail*

57 het bergstation
- ***top station** (upper station)*

58 de draagkabelschoen
- *suspension cable guide (supporting cable guide)*

59 de verankering van de draagkabel (bolder)
- *suspension cable anchorage (supporting cable anchorage)*

60 de rollenbatterij van de trekkabel
- *haulage cable rollers*

61 de keerschijf van de trekkabel
- *haulage cable guide wheel*

62 de aandrijfpoelie van de trekkabel
- *haulage cable driving pulley*

63 de hoofdaandrijving
- *main drive*

64 de hulpaandrijving (reserveaandrijving)
- *standby drive*

65 de controlekamer
- *control room*

66 het loopwerk van de cabine
- ***cabin pulley cradle***

67 de hoofddrager
- *main pulley cradle*

68 de dubbele wieg
- *double cradle*

69 de wieg met twee rollen
- *two-wheel cradle*

70 de rollen
- *running wheels*

71 de draagkabelrem, een noodrem bij breuk van de trekkabel
- *suspension cable brake (supporting cable brake), an emergency brake in case of haulage cable failure*

72 de ophangbout
- *suspension gear bolt*

73 de mof van de trekkabel
- *haulage cable sleeve*

74 de mof van de ballastkabel
- *balance cable sleeve (lower cable sleeve)*

75 de beveiliging tegen ontsporing
- *derailment guard*

76 kabelbaanmasten
- ***cable supports** (ropeway supports, suspension line supports, intermediate supports)*

77 de stalen vakwerkmast
- *pylon, a framework support*

78 de stalen-buizenmast
- *tubular steel pylon, a tubular steel support*

79 de mastschoen
- *suspension cable guide rail (supporting cable guide rail, support guide rail)*

80 de galg, een constructie voor werkzaamheden aan de kabel
- *support truss, a frame for work on the cable*

81 de fundering
- *base of the support*

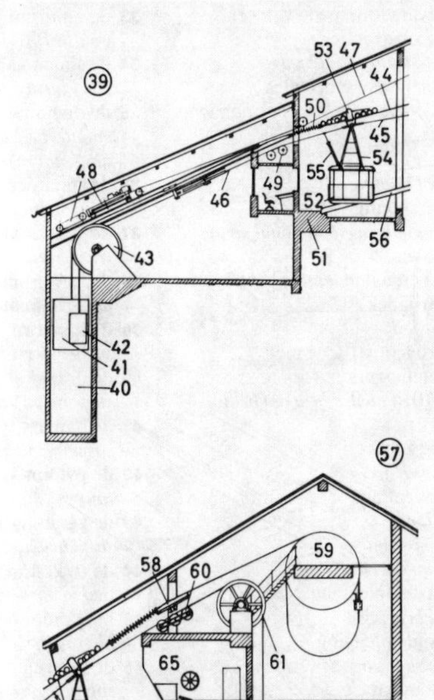

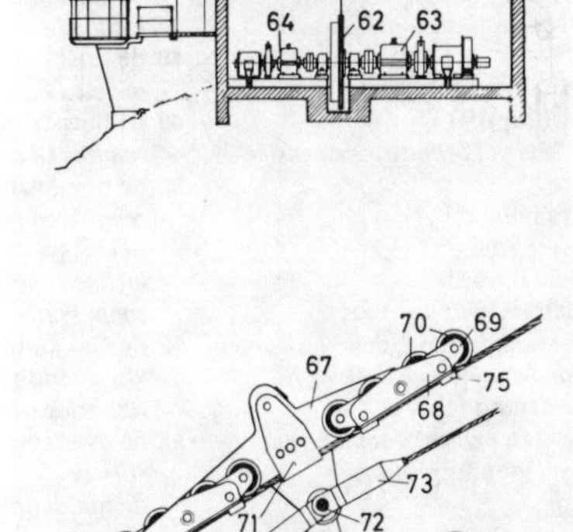

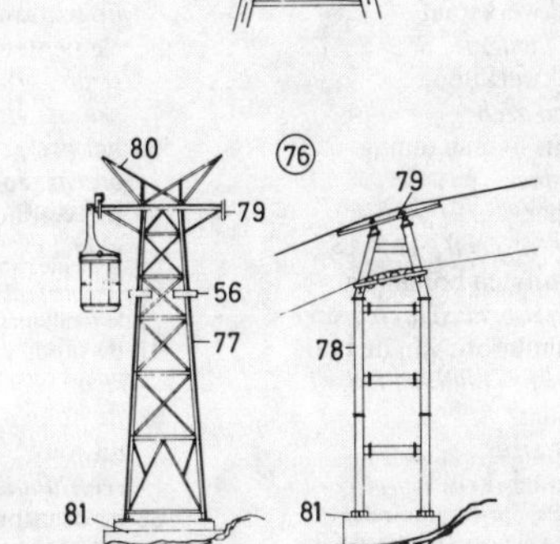

1 de dwarsdoorsnede van een brugconstructie
- *cross-section of a bridge*
2 het orthotrope brugdek
- *orthotropic roadway (orthotropic deck)*
3 de schoren
- *truss (bracing)*
4 de verstijving
- *diagonal brace (diagonal strut)*
5 de koker
- *hollow tubular section*
6 het brugdek
- *deck slab*
7 de brugconstructie met contactliggers
- *solid-web girder bridge (beam bridge)*
8 het wegdek
- *road surface*
9 de bovenflens
- *top flange*
10 de onderflens
- *bottom flange*
11 de vaste oplegging
- *fixed bearing*
12 de vrije oplegging
- *movable bearing*
13 de dagmaat
- *clear span*
14 de overspanning
- *span*
15 de primitieve hangbrug (touwbrug)
- *rope bridge (primitive suspension bridge)*
16 de draagkabel
- *carrying rope*
17 het hangkoord
- *suspension rope*
18 het gevlochten brugdek
- *woven deck (woven decking)*
19 de stenen boogbrug
- *stone arch bridge, a solid bridge*
20 de overspanningsboog
- *arch*
21 de pijler
- *pier*
22 de sculptuur
- *statue of saint on bridge*
23 de stalen vakwerkboogbrug
- *trussed arch bridge*
24 de vakwerkstaaf
- *truss element*
25 de vakwerkboog
- *trussed arch*
26 de vrije overspanning
- *arch span*
27 de pijler
- *abutment (end pier)*
28 de betonnen boogbrug
- *spandrel-braced arch bridge*
29 het landhoofd van de boog
- *abutment (abutment pier)*
30 de pijler
- *bridge strut*
31 de sleutel (kruin)
- *crown*
32 de middeleeuwse stadsbrug met huizen (Ponte Vecchio, Florence)
- *covered bridge of the Middle Ages;* here: *the* Ponte Vecchio *in Florence*
33 de goudsmidsateliers
- *goldsmiths' shops*
34 de stalen vakwerkbrug
- *steel lattice bridge*
35 de diagonale vakwerkstaaf
- *counterbrace (crossbrace, diagonal member)*
36 de staander
- *vertical member*
37 de vakwerkknoop
- *truss joint*
38 de bovenrandstaaf in het eindveld
- *portal frame*
39 de hangbrug
- *suspension bridge*
40 de draagkabel
- *suspension cable*
41 de hanger
- *suspender (hanger)*
42 de pyloon
- *tower*
43 de verankering van de draagkabel
- *suspension cable anchorage*
44 de trekband (met brugdek)
- *tied beam [with roadway]*
45 het landhoofd
- *abutment*
46 de tuibrug
- *cable-stayed bridge*
47 de tui
- *inclined tension cable*
48 de tuiverankering
- *inclined cable anchorage*
49 de bowstring-brug
- *reinforced concrete bridge*
50 de boog van gewapend beton
- *reinforced concrete arch*
51 het tuisysteem
- *inclined cable system, a multiple cable system*
52 de vlakke-plaatbrug met vollewandliggers
- *flat bridge, a plate girder bridge*
53 de dwarsverstijving
- *stiffener*
54 de middenpijler (rivierpijler)
- *pier*
55 de oplegging
- *bridge bearing*
56 de ijsbreker
- *cutwater*
57 de brug over de zeearm, opgebouwd uit geprefabriceerde elementen
- *straits bridge, a bridge built of precast elements*
58 het prefab element
- *precast construction unit*
59 het viaduct (de dalbrug)
- *viaduct*
60 het dal
- *valley bottom*
61 de pijler van gewapend beton
- *reinforced concrete pier*
62 de hulpconstructie voor vrije uitbouw
- *scaffolding*
63 de draaibrug van stalen vakwerk
- *lattice swing bridge*
64 de draaikrans
- *turntable*
65 het landhoofd onder het draaipunt
- *pivot pier*
66 de beweegbare brughelft
- *pivoting half (pivoting section, pivoting span, movable half) of bridge*
67 de vlakke-plaatbrug met draaibaar gedeelte
- *flat swing bridge*
68 het draaibare middendeel
- *middle section*
69 het draaipunt (de spil)
- *pivot*
70 de brugleuning
- *parapet (handrailing)*

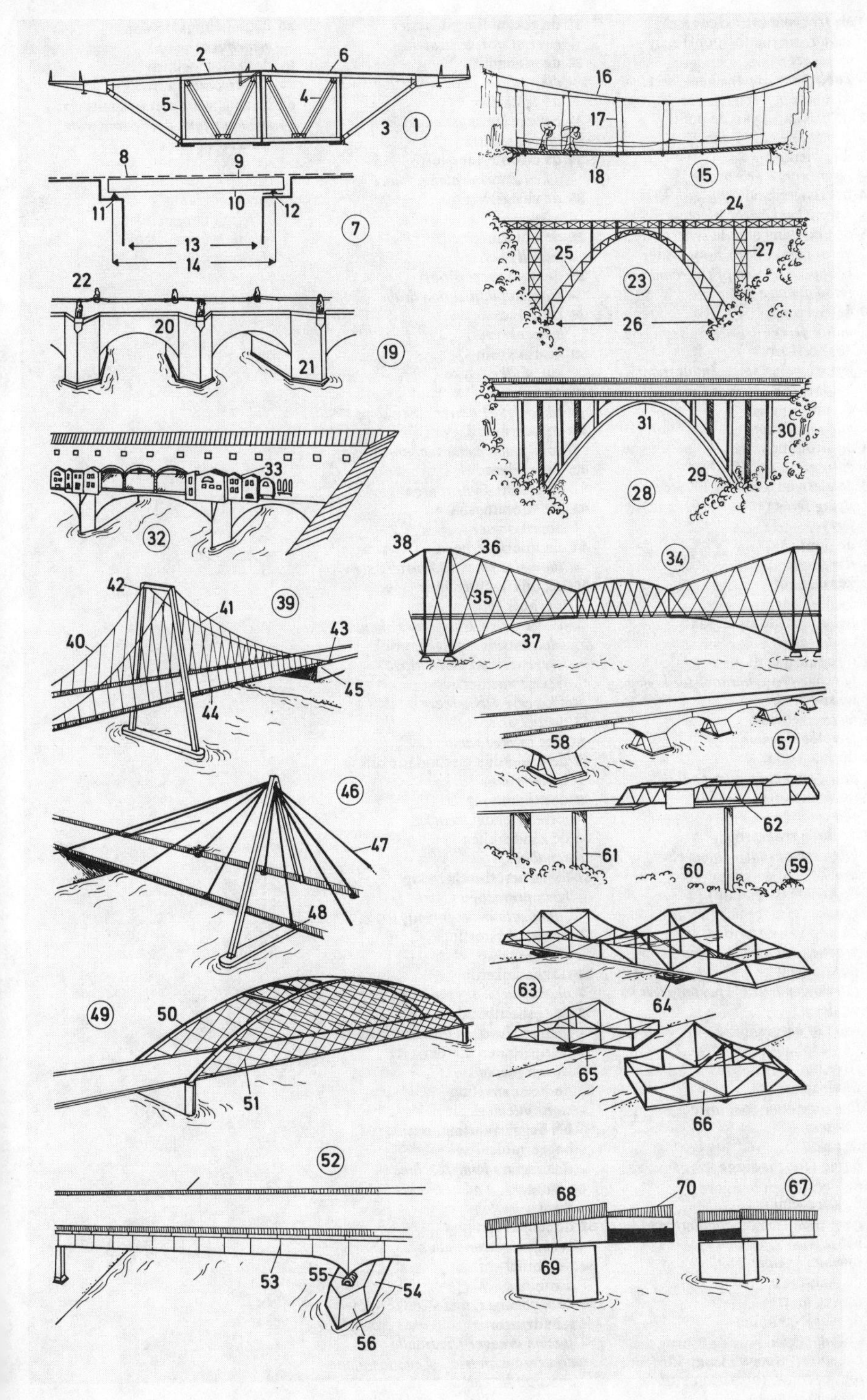
1
2
3
4
5
6
7
8
9
10
11
12
13
14
15
16
17
18
19
20
21
22
23
24
25
26
27
28
29
30
31
32
33
34
35
36
37
38
39
40
41
42
43
44
45
46
47
48
49
50
51
52
53
54
55
56
57
58
59
60
61
62
63
64
65
66
67
68
69
70

1 **de trekpont** (*met eigen aandrijving:* kabelpont), een voetveer
- ***cable ferry,*** *a passenger ferry;* also: *chain ferry*

2 de trekkabel van de pont
- *ferry rope (ferry cable)*

3 de rivierarm
- *river branch (river arm)*

4 het riviereiland
- *river island (river islet)*

5 de afkalving aan de rivieroever, veroorzaakt door hoog water
- *collapsed section of riverbank, flood damage*

6 **de veerpont**
- ***motor ferry***

7 de veerstoep
- *ferry landing stage (motorboat landing stage)*

8 de steigerpalen
- *pile foundations*

9 de stroming
- *current*

10 **de gierpont**, een wagenveer
- ***flying ferry*** *(river ferry), a car ferry*

11 de pont
- *ferry boat*

12 de roeiboot
- *buoy (float)*

13 het anker (de ankerpaal)
- *anchorage*

14 de aanlegplaats
- *harbour (*Am. *harbor) for laying up river craft*

15 **de overzetboot**
- ***ferry boat*** *(punt)*

16 de vaarboom
- *pole (punt pole, quant pole)*

17 de veerman
- *ferryman*

18 de dode rivierarm
- *blind river branch (blind river arm)*

19 de kribbe (strekdam)
- *groyne (*Am. *groin)*

20 de kop van de kribbe
- *groyne (*Am. *groin) head*

21 de vaargeul
- *fairway (navigable part of river)*

22 **de sleep**
- ***train of barges***

23 de sleepboot (riviersleper)
- *river tug*

24 de sleeptros
- *tow rope (tow line, towing hawser)*

25 de aak
- *barge (freight barge, cargo barge, lighter)*

26 de sleepschipper
- *bargeman (bargee, lighterman)*

27 **het jagen**
- ***towing*** *(hauling, haulage)*

28 de jaagstut
- *towing mast*

29 de jaaglocomotief
- *towing engine*

30 het spoor; *vroeger:* jaagpad
- *towing track;* form.: *tow path (towing path)*

31 de gekanaliseerde rivier
- *river after river training*

32 **de winterdijk**
- ***dike*** *(dyke, main dike, flood wall), a winter dike*

33 het afwateringskanaal
- *drainage ditch*

34 de uitwateringssluis
- *dike (dyke) drainage sluice*

35 de vleugelwand
- *wing wall*

36 de waterloop
- *outfall*

37 de sloot (bermsloot)
- *drain, an infiltration drain*

38 het talud
- *berm (berme)*

39 de dijkkruin
- *top of dike (dyke)*

40 het binnendijkse land
- *dike (dyke) batter (dike slope)*

41 de uiterwaard
- *flood bed (inundation area)*

42 de overlaat
- *flood containment area*

43 het stromingsbaken
- *current meter*

44 het kilometerbord
- *kilometre (*Am. *kilometer) sign*

45 het dijkwachtershuis; *ook:* veerhuis
- *dikereeve's (dykereeve's) house (dikereeve's cottage);* also: *ferryman's house (cottage)*

46 de dijkwachter
- *dikereeve (dykereeve)*

47 de dijkstoep
- *dike (dyke) ramp*

48 de zomerdijk (secundaire dijk)
- *summer dike (dyke)*

49 de afdamming
- *levee (embankment)*

50 de zandzakken
- *sandbags*

51-55 **de oeverbescherming**
- ***bank protection*** *(bank stabilization, revetment)*

51 de steenbestorting
- *riprap*

52 de zandafzetting
- *alluvial deposit (sand deposit)*

53 de rijshoutbundels
- *fascine (bundle of wooden sticks)*

54 de rijshouten matten
- *wicker fences*

55 de steenbezetting
- *stone pitching*

56 **het baggervaartuig,** een baggermolen
- ***floating dredging machine*** *(dredger), a multi-bucket ladder dredge*

57 de emmerketting
- *bucket elevator chain*

58 de emmer
- *dredging bucket*

59 **de zandzuiger,** met sleepkop- of schuitzuiger
- ***suction dredger*** *(hydraulic dredger) with trailing suction pipe or barge sucker*

60 de centrifugaalpomp
- *centrifugal pump*

61 de terugspoelklep
- *back scouring valve*

62 de zuigpomp met opspuitkop
- *suction pump, a jet pump with scouring nozzles*

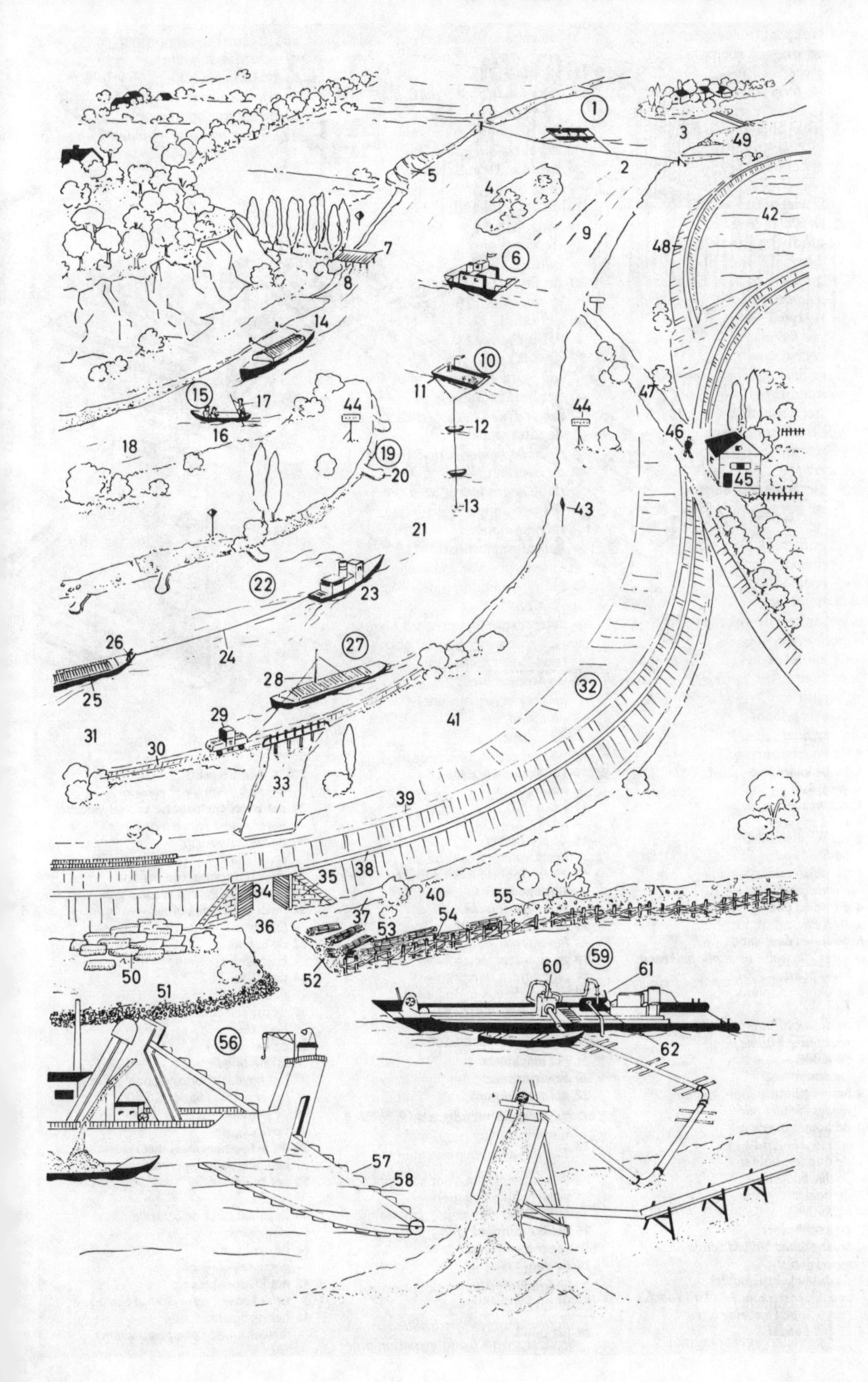

1
2
3
4
5
6
7
8
9
10
11
12
13
14
15
16
17
18
19
20
21
22
23
24
25
26
27
28
29
30
31
32
33
34
35
36
37
38
39
40
41
42
43
44
44
45
46
47
48
49
50
51
52
53
54
55
56
57
58
59
60
61
62

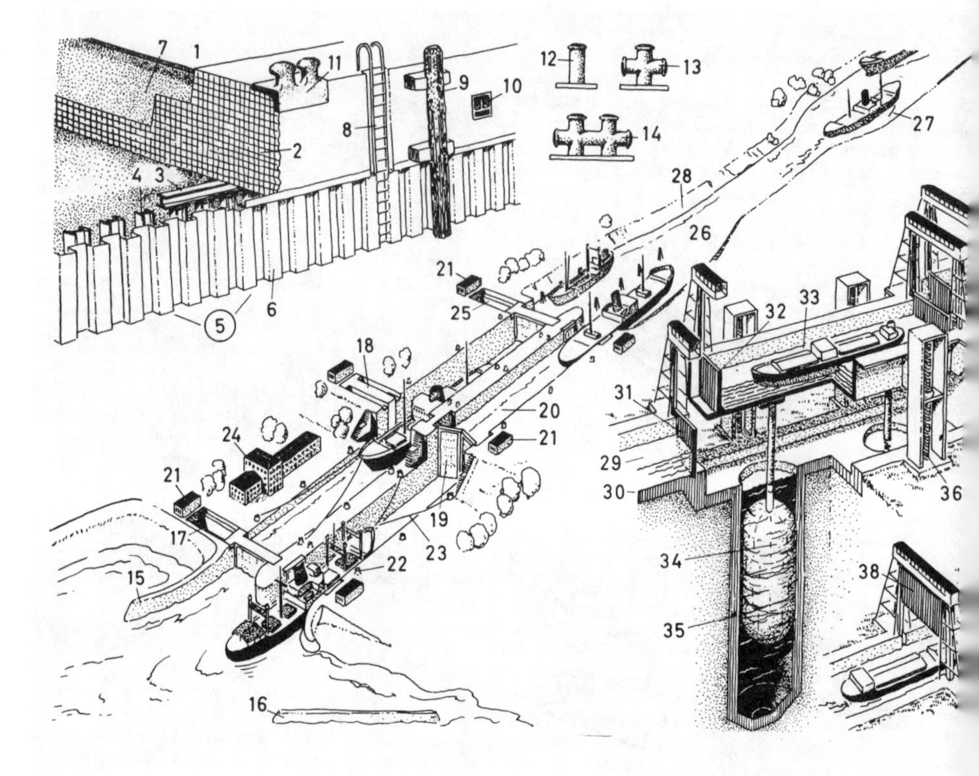

1-14 de kademuur
- ***quay wall***

1 het wegdek
- *road surface*

2 het wandmassief
- *body of wall*

3 de stalen onderslagbalk
- *steel sleeper*

4 de stalen paal
- *steel pile*

5 de stalen damwand
- *sheet pile wall (sheet pile bulkhead, sheet piling)*

6 de damwandplank
- *box pile*

7 de achtervulling
- *backfilling (filling)*

8 de ladder
- *ladder*

9 het wrijfhout
- *fender (fender pile)*

10 de bolder in een nis
- *recessed bollard*

11 de dubbele bolder
- *double bollard*

12 de bolder
- *bollard*

13 de kruisbolder
- *cross-shaped bollard (cross-shaped mooring bitt)*

14 de dubbele kruisbolder
- *double cross-shaped bollard (double cross-shaped mooring bitt)*

15-28 het kanaal
- ***canal***

15-16 de kanaaltoegang
- *canal entrance*

15 het hoofd
- *mole*

16 de golfbreker
- *breakwater*

17-25 de dubbele schutsluis, een sluizencomplex
- *staircase of locks*

17 het benedenhoofd
- *lower level*

18 de sluisdeur, een roldeur
- *lock gate, a sliding gate*

19 de sluisdeur, een draaideur
- *mitre* (Am. *miter) gate*

20 de schutkolk (sluiskolk)
- *lock (lock chamber)*

21 het machinehuis
- *power house*

22 het verhaalpunt
- *warping capstan (hauling capstan), a capstan*

23 de tros
- *warp*

24 de kantoren (b.v. voor kanaalbeheer, waterpolitie, douane)
- *offices,* e.g. *river police, customs*

25 het bovenhoofd
- *upper level (head)*

26 de voorhaven
- *lock approach*

27 de uitwijkplaats
- *lay-by*

28 het talud
- *bank slope*

29-38 de scheepslift
- ***boat lift*** (Am. *boat elevator)*

29 het benedenstroomse kanaalgedeelte
- *lower pound (lower reach)*

30 de kanaalbodem
- *canal bed*

31 de waterkering, een hefdeur
- *pound lock gate, a vertical gate*

32 de deur van de hefbak
- *lock gate*

33 de hefbak
- *boat tank (caisson)*

34 de drijver
- *float*

35 de drijverschacht
- *float shaft*

36 de hefspindel
- *lifting spindle*

37 het bovenstroomse kanaalgedeelte
- *upper pound (upper reach)*

38 de hefdeur
- *vertical gate*

39-46 het pompgemaal met reservoir
- ***pumping plant and reservoir***

39 het reservoir
- *forebay*

40 de inlaat naar de centrale
- *surge tank*

41 de drukleiding
- *pressure pipeline*

42 het kleppenhuis
- *valve house (valve control house)*

43 het turbinehuis
- *turbine house (pumping station)*

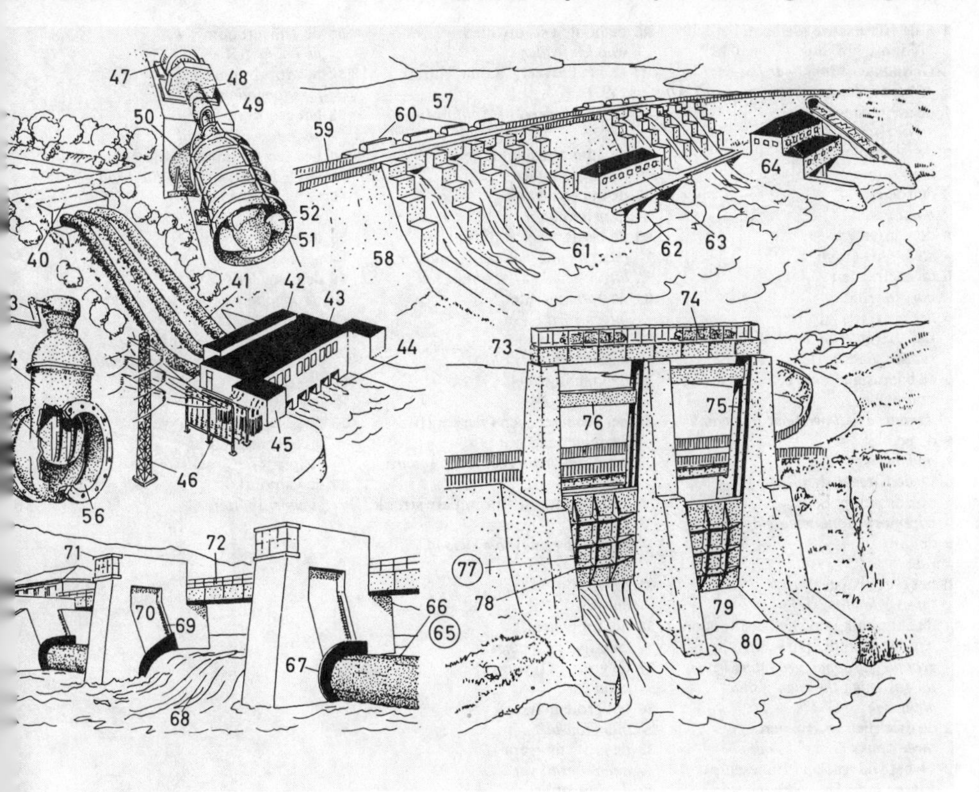

44 de uitstroomconstructie
- *discharge structure (outlet structure)*

45 het schakelstation
- *control station*

46 het transformatorstation
- *transformer station*

47-52 de axiaalpomp
- ***axial-flow pump*** *(propeller pump)*

47 de aandrijving (motor)
- *drive motor*

48 de koppeling
- *gear*

49 de drijfas
- *drive shaft*

50 de persleiding
- *pressure pipe*

51 de zuigmond
- *suction head*

52 het schroefblad
- *impeller wheel*

53-56 de klep (sluitklep)
- ***sluice valve*** *(sluice gate)*

53 de slinger
- *crank drive*

54 het klephuis
- *valve housing*

55 de klep
- *sliding valve (sliding gate)*

56 de doorstroomopening
- *discharge opening*

57-64 de stuwdam
- ***dam*** *(barrage)*

57 het stuwmeer
- *reservoir (storage reservoir, impounding reservoir, impounded reservoir)*

58 de dam
- *masonry dam*

59 de kruin van de dam
- *crest of dam*

60 de overstort (overloop)
- *spillway (overflow spillway)*

61 het uitstroombassin
- *stilling basin (stilling box, stilling pool)*

62 de wateruitlaat
- *scouring tunnel (outlet tunnel, waste water outlet)*

63 het kleppenhuis
- *valve house (valve control house)*

64 de krachtcentrale (elektrische centrale)
- *power station*

65-72 de stuwinstallatie
- ***rolling dam,*** *a barrage;* also: *shutter weir*

65 de stuw
- *roller, a barrier*

66 de bovenzijde van de stuw
- *roller top*

67 de flens
- *flange*

68 de wegneembare stuw
- *submersible roller*

69 de vertanding (heugel)
- *rack track*

70 de negge (nis)
- *recess*

71 het machinehuis (van het windwerk)
- *hoisting gear cabin*

72 de servicebrug
- *service bridge (walkway)*

73-80 de spuisluis
- ***sluice dam***

73 de brug met windwerk
- *hoisting gear bridge*

74 het windwerk
- *hoisting gear (winding gear)*

75 de geleiding (sponning)
- *guide groove*

76 het tegengewicht (contragewicht)
- *counterweight (counterpoise)*

77 het keerschot (de kering)
- *sluice gate (floodgate)*

78 de verstijvingsrib
- *reinforcing rib*

79 de sluisbodem
- *dam sill (weir sill)*

80 de vleugelwand
- *wing wall*

1-6 de Germaanse roeiboot; het Nydamschip [ong. 400 n. Chr.]
- ***Germanic rowing boat** [ca. AD 400], the Nydam boat*

1 de achtersteven
- *stern post*

2 de stuurman
- *steersman*

3 de roeiers
- *oarsman*

4 de voorsteven
- *stem post (stem)*

5 de roeiriemen
- *oar, for rowing*

6 het roer, een zijroer
- *rudder (steering oar), a side rudder, for steering*

7 de boomstamkano, een uitgeholde boomstam
- ***dugout, a hollowed-out tree trunk***

8 de peddel
- *paddle*

9-12 de trireem, een Romeins oorlogsschip
- ***trireme, a Roman warship***

9 de ram
- *ram*

10 het (voor)kasteel
- *forecastle (fo'c'sle)*

11 de enterbalk voor het vasthouden van het vijandelijke schip
- *grapple (grapnel, grappling iron), for fastening the enemy ship alongside*

12 de drie rijen roeiriemen
- *three banks (tiers) of oars*

13-17 het vikingschip (drakeschip)
- ***Viking longship,** a dragon ship [Norse]*

13 de helm (helmstok)
- *helm (tiller)*

14 de tentschaar, met gebeeldhouwde paardekoppen
- *awning crutch with carved horses' heads*

15 de (dek)tent
- *awning*

16 de drakekop
- *dragon figurehead*

17 het schild
- *shield*

18-26 de kogge (het Hanzeschip)
- ***cog,** a Hansa cog (Hansa ship)*

18 de ankertros (ankerlijn)
- *anchor cable (anchor rope, anchor hawser)*

19 het voorkasteel
- *forecastle (fo'c'sle)*

20 de boegspriet
- *bowsprit*

21 het vastgegorde zeil
- *furled (brailed-up) square sail*

22 de stadsbanier
- *town banner (city banner)*

23 het achterkasteel
- *aftercastle (sterncastle)*

24 het roer, een aangehangen roer
- *rudder, a stem rudder*

25 het spitsgat
- *elliptical stern (round stern)*

26 de houten stootwillen
- *wooden fender*

27-43 het karveel [„Santa Maria" 1492]
- ***caravel** (carvel) ['Santa Maria' 1492]*

27 de admiraalskajuit
- *admiral's cabin*

28 de papegaaistok
- *spanker boom*

29 de bezaan, een latijnzeil
- *mizzen (mizen, mutton spanker, lateen spanker), a lateen sail*

30 de bezaanroede
- *lateen yard*

31 de bezaanmast
- *mizzen (mizen) mast*

32 de takeling
- *lashing*

33 het grootzeil, een (vierkant) dwarsgetuigd zeil
- *mainsail (main course), a square sail*

34 de bonnet, een afneembare strook zeil
- *bonnet, a removable strip of canvas*

35 de boelijn
- *bowline*

36 het toppenend
- *bunt line (martinet)*

37 de grote ra (grootra)
- *main yard*

38 het grote marszeil
- *main topsail*

39 de grote marsera
- *main topsail yard*

40 de grote mast
- *mainmast*

41 de fok
- *foresail (fore course)*

42 de fokkemast
- *foremast*

43 het blinde zeil
- *spritsail*

44-50 de galei, een slavengalei [15e - 18e eeuw]
- ***galley** [15th to 18th century], a slave galley*

44 de lantaarn
- *lantern*

45 de kajuit
- *cabin*

46 het middenpad
- *central gangway*

47 de slavenopzichter met zweep
- *slave driver with whip*

48 de galeislaven
- *galley slaves*

49 het overdekte platform op het voorschip
- *covered platform in the forepart of the ship*

50 het geschut
- *gun*

51-60 het linieschip [18e - 19e eeuw], een driedekker
- ***ship of the line** (line-of-battle ship) [18th to 19th century], a three-decker*

51 de kluiverboom
- *jib boom*

52 het voorbramzeil
- *fore topgallant sail*

53 het grootbramzeil
- *main topgallant sail*

54 het kruisbramzeil
- *mizzen (mizen) topgallant sail*

55-57 het pronkhek
- *gilded stern*

55 de bovenspiegel
- *upper stern*

56 de hekgalerij
- *stern gallery*

57 het zijkasteel
- *quarter gallery, a projecting balcony with ornamental portholes*

58 de spiegel
- *lower stern*

59 de geschutspoorten, voor breedzijdig vuur
- *gunports for broadside fire*

60 de valpoort
- *gunport shutter*

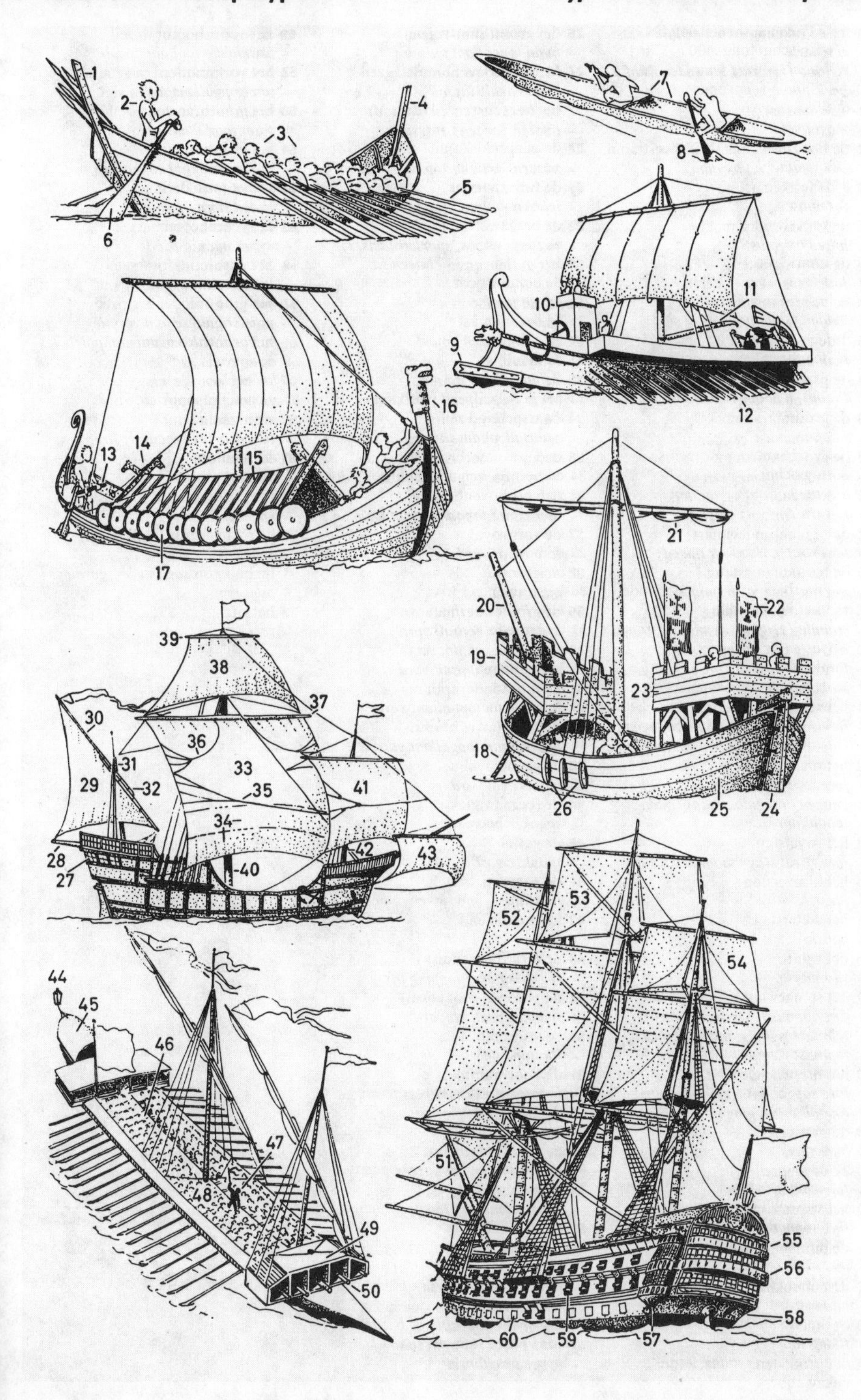
1
2
3
4
5
6
7
8
9
10
11
12
13
14
15
16
17
18
19
20
21
22
23
24
25
26
27
28
29
30
31
32
33
34
35
36
37
38
39
40
41
42
43
44
45
46
47
48
49
50
51
52
53
54
55
56
57
58
59
60

1-72 de takeling en het zeilplan van een bark
- ***rigging (rig, tackle) and sails of a bark (barque)***

1-9 de masten
- ***masts***

1 de boegspriet met de kluiverboom
- *bowsprit with jib boom*

2-4 de fokkemast
- *foremast*

2 de fokke(onder)mast
- *lower foremast*

3 de voormarssteng
- *fore topmast*

4 de voorbramsteng
- *fore topgallant mast*

5-7 de grote mast
- *mainmast*

5 de grote (onder)mast
- *lower mainmast*

6 de grootmarssteng
- *main topmast*

7 de grootbramsteng
- *main topgallant mast*

8-9 de bezaan
- *mizzen (mizen) mast*

8 de bezaan(onder)mast
- *lower mizzen (lower mizen)*

9 de bezaanmarssteng
- *mizzen (mizen) topmast*

10-19 het staande want
- ***standing rigging***

10 het stag (voorstag)
- *forestay, mizzen (mizen) stay, mainstay*

11 het stengestag
- *fore topmast stay, main topmast stay, mizzen (mizen) topmast stay*

12 het bramstag
- *fore topgallant stay, mizzen (mizen) topgallant stay, main topgallant stay*

13 het royalstag
- *fore royal stay (main royal stay)*

14 het kluiverstag
- *jib stay*

15 het waterstag
- *bobstay*

16 het want
- *shrouds*

17 het stengewant
- *fore topmast rigging (main topmast rigging, mizzen (mizen) topmast rigging)*

18 het bramstengewant
- *fore topgallant rigging (main topgallant rigging)*

19 de pardoen
- *backstays*

20-31 de stagzeilen
- ***fore-and-aft sails***

20 het voorstengestagzeil
- *fore topmast staysail*

21 de binnenkluiver
- *inner jib*

22 de buitenkluiver (voorkluiver)
- *outer jib*

23 de jager
- *flying jib*

24 het grootstengestagzeil (de dekzwabber)
- *main topmast staysail*

25 het grootbramstagzeil
- *main topgallant staysail*

26 het grootbovenbramstagzeil
- *main royal staysail*

27 het bezaanstagzeil (de aap)
- *mizzen (mizen) staysail*

28 de vlieger
- *mizzen (mizen) topmast staysail*

29 de bovenvlieger
- *mizzen (mizen) topgallant staysail*

30 de bezaan
- *mizzen (mizen, spanker, driver)*

31 het gaffeltopzeil
- *gaff topsail*

32-45 de rondhouten
- ***spars***

32 de fokkera
- *foreyard*

33 de voorondermarsra
- *lower fore topsail yard*

34 de voorbovenmarsra
- *upper fore topsail yard*

35 de vooronderbramra
- *lower fore topgallant yard*

36 de voorbovenbramra
- *upper fore topgallant yard*

37 de voorroyalra
- *fore royal yard*

38 de grootra
- *main yard*

39 de grootondermarsra
- *lower main topsail yard*

40 de grootbovenmarsra
- *upper main topsail yard*

41 de grootonderbramra
- *lower main topgallant yard*

42 de grootbovenbramra
- *upper main topgallant yard*

43 de grootroyalra
- *main royal yard*

44 de (bezaan)giek
- *spanker boom*

45 de gaffel
- *spanker gaff*

46 de paarden
- *footrope*

47 het toppenend
- *lifts*

48 de dirk (bezaandirk)
- *spanker boom topping lift*

49 de piekeval (nokkeval)
- *spanker peak halyard*

50 de voormars
- *foretop*

51 de voorbrammars
- *fore topmast crosstrees*

52 de grootmars
- *maintop*

53 de grootbrammars
- *main topmast crosstrees*

54 de bezaanmars
- *mizzen (mizen) top*

55-66 de razeilen
- ***square sails***

55 de fok
- *foresail (fore course)*

56 het voorondermarszeil
- *lower fore topsail*

57 het voorbovenmarszeil
- *upper fore topsail*

58 het vooronderbramzeil
- *lower fore topgallant sail*

59 het voormiddenbramzeil
- *upper fore topgallant sail*

60 het voorbovenbramzeil
- *fore royal*

61 het grootzeil
- *mainsail (main course)*

62 het grootondermarszeil
- *lower main topsail*

63 het grootbovenmarszeil
- *upper main topsail*

64 het grootonderbramzeil
- *lower main topgallant sail*

65 het grootmiddenbramzeil
- *upper main topgallant sail*

66 het grootbovenbramzeil
- *main royal sail*

67-71 het lopende want
- ***running rigging***

67 de brassen
- *braces*

68 de schoten
- *sheets*

69 de bezaanschoot
- *spanker sheet*

70 de gaffelgeerde (gaffelgei)
- *spanker vangs*

71 de buikgording [*meerv. gordings*]
- *bunt line*

72 het rif
- *reef*

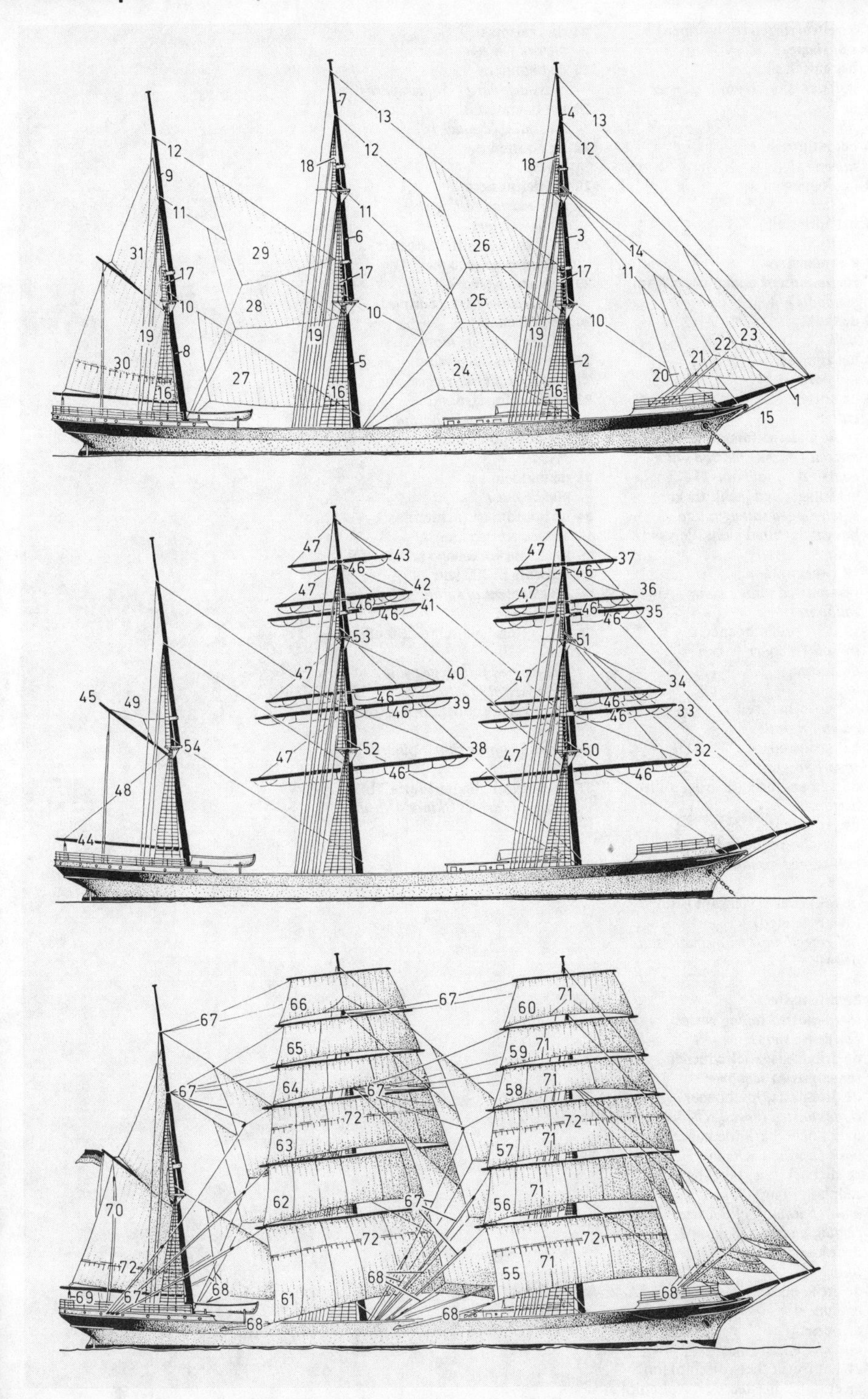
1
2
3
4
5
6
7
8
9
10
11
12
13
14
15
16
17
18
19
20
21
22
23
24
25
26
27
28
29
30
31
32
33
34
35
36
37
38
39
40
41
42
43
44
45
46
47
48
49
50
51
52
53
54
55
56
57
58
59
60
61
62
63
64
65
66
67
68
69
70
71
72

1-5 zeilvoeringen (zeilvormen)
- ***sail shapes***
1 het gaffelzeil
- *gaffsail;* sim.: *trysail, spencer*
2 de fok
- *jib*
3 het latijnzeil
- *lateen sail*
4 het loggerzeil
- *lugsail*
5 het sprietzeil
- *spritsail*
6-8 eenmasters
- ***single-masted sailing boats*** *(*Am. *sailboats)*
6 de tjalk
- *tjalk*
7 het zijzwaard
- *leeboard*
8 de kotter
- *cutter*
9-10 de anderhalfmasters
- ***mizzen (mizen) masted sailing boats*** *(*Am. *sailboats)*
9 het kitsgetuigd jacht (de kits)
- *ketch-rigged sailing barge*
10 het yawlgetuigd jacht (de yawl)
- *yawl*
11-17 tweemasters
- ***two-masted sailing boats*** *(*Am. *sailboats)*
11-13 de topzeilschoener
- *topsail schooner*
11 de bezaan
- *mainsail*
12 het grootbarkzeil
- *boom foresail*
13 het grootzeil
- *square foresail*
14 de schoenerbrik (de brigantijn)
- *brigantine*
15 de grote mast, langsscheepsgetuigd
- *half-rigged mast with fore-and-aft sails*
16 de fokkemast, vierkant getuigd (dwarsgetuigd)
- *full-rigged mast with square sails*
17 de brik
- *brig*
18-27 driemasters
- ***three-masted sailing vessels*** *(three-masters)*
18 de driemastsgaffelschoener
- *three-masted schooner*
19 de driemaststopschoener
- *three-masted topsail schooner*
20 de schoenerbark (de barkentijn)
- *bark (barque) schooner*
21-23 de bark *[zie:* takeling en zeilplan, ill.nr. 219]
- *bark (barque) [cf. illustration of rigging and sails in plate 219]*
21 de fokkemast
- *foremast*
22 de grote mast
- *mainmast*
23 de bezaan
- *mizzen (mizen) mast*
24-27 het fregat (het volschip) [bij meer dan 3 masten uitsl. volschip]
- *full-rigged ship*
24 de kruismast
- *mizzen (mizen) mast*
25 de bagijnera
- *crossjack yard (crojack yard)*
26 het bagijnezeil
- *crossjack (crojack)*
27 de poorten
- *ports*
28-31 viermasters
- ***four-masted sailing ships*** *(four-masters)*
28 de viermastsgaffelschoener
- *four-masted schooner*
29 de viermastsbark
- *four-masted bark (barque)*
30 de kruismast
- *mizzen (mizen) mast*
31 het viermastsvolschip
- *four-masted full-rigged ship*
32-34 de vijfmastsbark
- ***five-masted bark*** *(barque)*
32 het bovenbramzeil
- *skysail*
33 de middelmast
- *middle mast*
34 de hoofdmast (achtermast)
- *mizzen (mizen) mast*
35-37 de ontwikkeling van het zeilschip in 400 jaar
- ***development of sailing ships*** *over 400 years*
35 het vijfmastsvolschip „Preußen" 1902-1910
- *five-masted full-rigged ship 'Preussen' 1902-10*
36 de Engelse klipper „Spindrift" 1867
- *English clipper ship 'Spindrift' 1867*
37 het karveel „Santa Maria" 1492
- *caravel (carvel) 'Santa Maria' 1492*

1
2
3
4
5
6
7
8
9
10
11
12
13
14
15
16
17
18
19
20
21
22
23
24
25
26
27
28
29
30
31
32
33
34
35
36
37

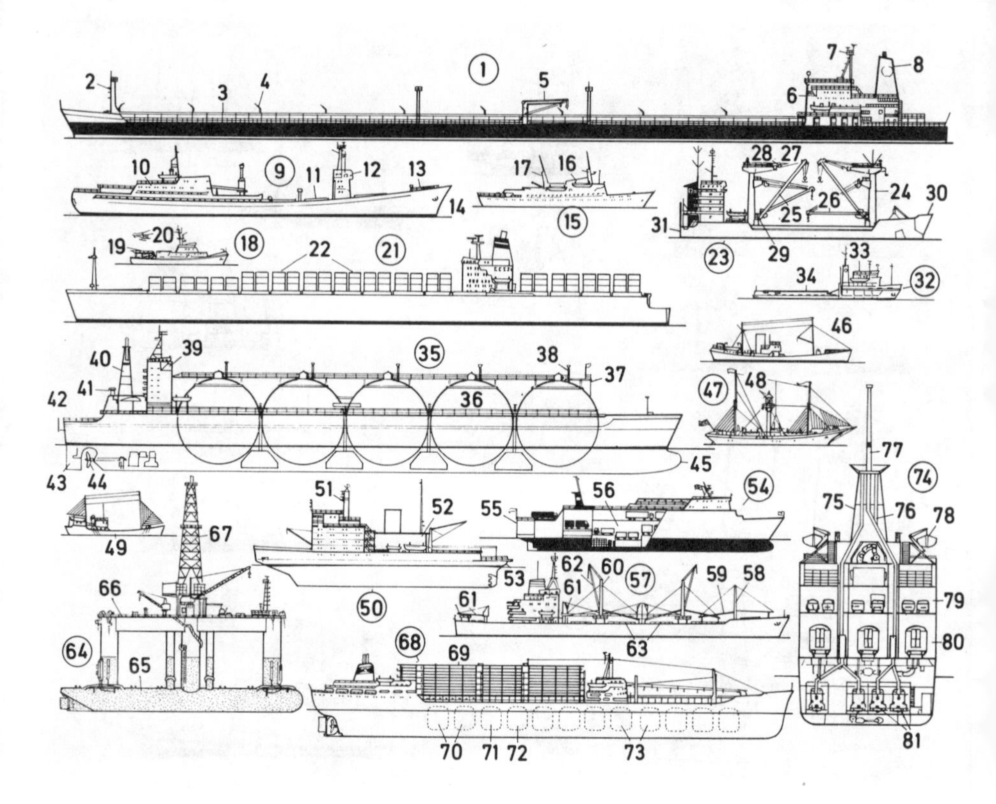

1 **de mammoettanker**
- ***ULCC*** *(ultra large crude carrier) of the 'all-aft' type*

2 de voormast
- *foremast*

3 de loopbrug met pijpleidingen
- *catwalk with the pipes*

4 de brandbluskanonnen (hogedrukspuiten)
- *fire gun (fire nozzle)*

5 de dekkraan
- *deck crane*

6 het dekhuis met de brug
- *deckhouse with the bridge*

7 de signaal- en radarmast
- *aft signal (signalling) and radar mast*

8 de schoorsteen
- *funnel*

9 **het nucleaire proefschip** „*Otto Hahn*", een schip voor massagoederen
- ***nuclear research ship*** *'Otto Hahn', a bulk carrier*

10 de opbouw achter (met machinekamer)
- *aft superstructure;* here: *engine room*

11 het luik voor stortgoederen
- *cargo hatchway for bulk goods (bulk cargoes)*

12 de brug
- *bridge*

13 het voordek
- *forecastle (fo'c'sle)*

14 de steven
- *stem*

15 **het zeegaande jacht**
- ***seaside pleasure boat***

16 de blinde schoorsteen
- *dummy funnel*

17 de mastuitlaat
- *exhaust mast*

18 **de zware redding(s)boot** (het hospitaalschip)
- ***rescue cruiser***

19 het helikopterplatform (werkdek)
- *helicopter platform;* also: *working deck*

20 de vliegende ambulance
- *rescue helicopter*

21 **het containervaartuig**
- ***all-container ship***

22 de deklading
- *containers stowed on deck*

23 **het vrachtschip**
- ***cargo ship***

24-29 het laadgerei
- *cargo gear (cargo-handling gear)*

24 de laadmast
- *bipod mast*

25 de zware spier
- *jumbo derrick boom (heavy-lift derrick boom)*

26 de laadboom
- *derrick boom (cargo boom)*

27 het hijstuig (hangergijn)
- *tackle*

28 het hangerblok
- *block*

29 de lummel en de lummelpot
- *thrust bearing*

30 de boegdeur
- *bow doors*

31 de hekdeur
- *stern loading door*

32 **het bevoorradingsschip**
- ***offshore drilling rig supply vessel***

33 de compacte opbouw
- *compact superstructure*

34 het laaddek (werkdek)
- *loading deck;* also: *working deck*

35 **het tankschip (de tanker) voor vloeibare gassen**
- ***liquefied-gas tanker***

36 de bolvormige tank
- *spherical tank*

37 de navigatiemast met t.v.-camera
- *navigational television receiver mast*

38 de ontluchtingsmast
- *vent mast*

39 het dekhuis
- *deckhouse*

40 de schoorsteen
- *funnel*

41 de ventilator
- *ventilator*

42 de platte achtersteven
- *transom stern (transom)*

43 het roer
- *rudder blade (rudder)*

44 de scheepsschroef
- *ship's propeller (ship's screw)*

45 de bolsteven
- *bulbous bow*

46 het vissersvaartuig (de treiler, trawler)
- *steam trawler*

47 **het lichtschip**
- ***lightship*** *(light vessel)*

48 de lantaarn
- *lantern (characteristic light)*

49 de motorkotter
- *smack*

50 **de ijsbreker**
- ***ice breaker***

51 de torenmast (het kraaienest)
- *steaming light mast*

52 de helikopterhangar
- *helicopter hangar*

53 de aangepaste achtersteven voor de geleiding van de boeg van een volgend schip
- *stern towing point, for gripping the bow of ships in tow*

54 **de veerboot voor rij-op-rij-af-verkeer (roll-on-roll-off-verkeer)**
- ***roll-on-roll-off (ro-ro) trailer ferry***

55 de hekopening met hekklep
- *stern port (stern opening) with ramp*

56 de lift voor vrachtauto's
- *heavy vehicle lifts* (Am. *heavy vehicle elevators)*

57 **de alleslader** (het multi-purpose-vaartuig)
- ***multi-purpose freighter***

58 de laadpaal met ontluchtingsmogelijkheid
- *ventilator-type samson (sampson) post (ventilator-type king post)*

59 de laadboom (het laadgerei)
- *cargo gear (cargo handling gear), a derrick boom (cargo boom)*

60 de zware laadpaal
- *derrick mast*

61 de dekkraan
- *deck crane*

62 de zware spier
- *jumbo derrick boom (heavy-lift derrick boom)*

63 het luikhoofd
- *cargo hatchway*

64 **het drijvende booreiland**
- ***semisubmersible drilling vessel***

65 de drijver met de machinekamer
- *floating vessel with machinery*

66 het werkdek
- *drilling platform*

67 de boortoren
- *derrick*

68 **het veetransportschip**
- ***cattleship*** *(cattle vessel)*

69 het dierenverblijf
- *superstructure for transporting livestock*

70 de zoetwatertanks
– *fresh water tanks*
71 de brandstoftank
– *fuel tank*
72 de mesttank
– *dung tank*
73 de veevoedertanks
– *fodder tanks*
74 **het spoorwegveer** [doorsnede]
– ***train ferry*** *[cross section]*
75 de schoorsteen
– *funnel*
76 de rookkanalen
– *exhaust pipes*
77 de mast
– *mast*
78 de sloep in de davit
– *ship's lifeboat hanging at the davit*
79 het autodek
– *car deck*
80 het spoorwegdek
– *main deck (train deck)*
81 de hoofdmotoren
– *main engines*
82 **het passagiersschip**
– ***passenger liner*** *(liner, ocean liner)*
83 de scherpe steven
– *stem*
84 de schoorsteen met roostermantel
– *funnel with lattice casing*
85 de pavoisering
– *flag dressing (rainbow dressing, string of flags extending over mastheads, e.g., on the maiden voyage)*
86 **de hektreiler,** een schip voor visvangst en visverwerking
– ***trawler,*** *a factory ship*
87 de galg (het portaal)
– *gallows*
88 de sleephelling op het achterschip
– *stern ramp*
89 **het containerschip**
– ***container ship***
90 de boordkraan
– *loading bridge (loading platform)*
91 de loodsladder (touwladder)
– *sea ladder (jacob's ladder, rope ladder)*
92 **het duwkonvooi,** twee vaartuigen voor de binnenwateren
– ***barge and push tug assembly***
93 de duwboot
– *push tug*
94 de duwbak, hier ingericht voor gastransport
– *tug-pushed dumb barge (tug-pushed lighter)*
95 de loodsboot
– *pilot boat*
96 **het vrachtschip met passagiersaccommodatie**
– ***combined cargo and passenger liner***
97 de ontscheping van de passagiers per boot
– *passengers disembarking by boat*
98 de staatsietrap (valreep)
– *accommodation ladder*
99 de kustvaarder
– *coaster (coasting vessel)*
100 de douane- of politieboot
– *customs* or *police launch*
101-128 **het cruise-schip**
– ***excursion steamer*** *(pleasure steamer)*
101-106 de ophanging van de redding(s)boot
– *lifeboat launching gear*
101 de davit
– *davit*
102 de middenleider (middengei)
– *wire rope span*
103 het maneind
– *lifeline*
104 de bootstakel
– *tackle*
105 de schijf (geleiderol)
– *block*
106 de loper
– *fall*
107 de sloep, afgedekt met zeildoek (presenning)
– *ship's lifeboat covered with tarpaulin*
108 de steven
– *stem*
109 de passagier
– *passenger*
110 de steward
– *steward*
111 de dekstoel
– *deck-chair*
112 de dekknecht
– *deck hand*
113 de puts
– *deck bucket*
114 de bootsman
– *boatswain (bo's'n, bo'sun, bosun)*
115 de tuniek
– *tunic*
116 het zonnescherm
– *awning*
117 de schermtang
– *stanchion*
118 de schermlat
– *ridge rope (jackstay)*
119 het bindwerk (de sjorring)
– *lashing*
120 de verschansing
– *bulwark*
121 de reling
– *guard rail*
122 de handleuning
– *handrail (top rail)*
123 de trap
– *companion ladder (companionway)*
124 de redding(s)boei
– *lifebelt (lifebuoy)*
125 het zelfontbrandende boeilicht
– *lifebuoy light (lifebelt light, signal light)*
126 de officier van de wacht
– *officer of the watch (watchkeeper)*
127 de uniformjas
– *reefer (Am. pea jacket)*
128 de verrekijker
– *binoculars*

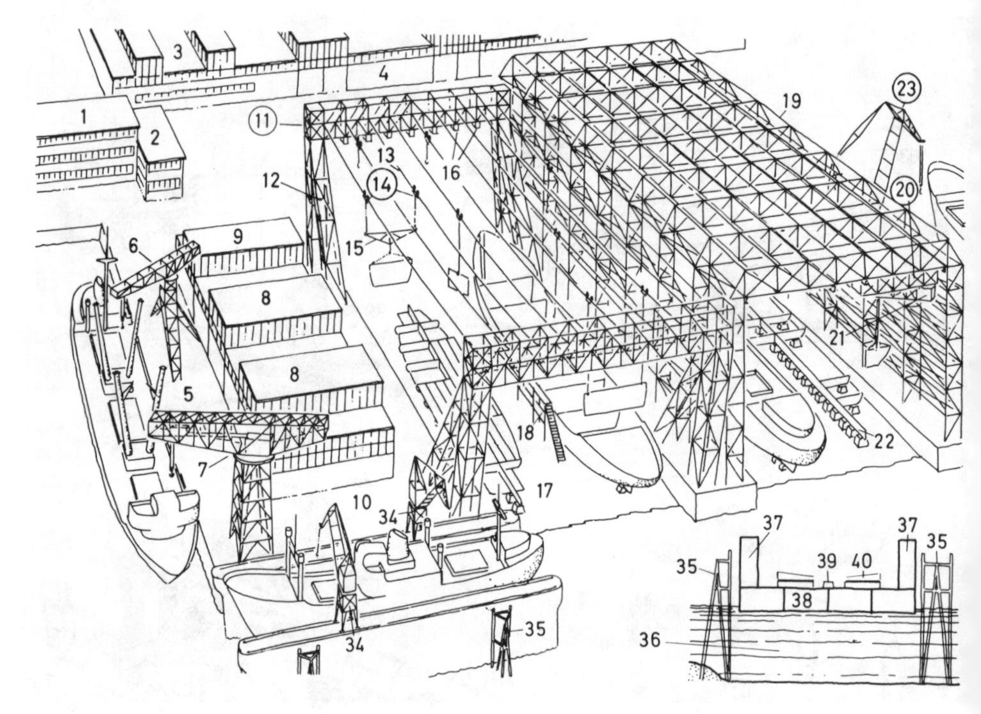

1-43 de scheepswerf
- ***shipyard*** *(shipbuilding yard, dockyard,* Am. *navy yard)*

1 het hoofdkantoor
- *administrative offices*

2 de ontwerpafdeling
- *ship-drawing office*

3-4 de scheepsbouwhallen
- *shipbuilding sheds*

3 de mallenvloer (mallenzolder)
- *mould (*Am. *mold) loft*

4 de constructiehal
- *erection shop*

5-9 de afbouwkade
- *fitting-out quay*

5 de kade
- *quay*

6 de driepootkraan
- *tripod crane*

7 de draaikraan
- *hammer-headed crane*

8 de machinefabriek
- *engineering workshop*

9 de ketelmakerij (ketelsmederij)
- *boiler shop*

10 de reparatiekade
- *repair quay*

11-26 de scheepshellingen
- *slipways (slips, building berths, building slips, stocks)*

11-18 de langshelling uitgerust met kabelkranen
- *cable crane berth, a slipway (building berth)*

11 het hellingportaal
- *slipway portal*

12 de portaaldragers
- *bridge support*

13 de kraankabel
- *crane cable*

14 de kabelkat
- *crab (jenny)*

15 de dwarsdrager
- *cross piece*

16 het kraandrijvershuis
- *crane driver's cabin (crane driver's cage)*

17 de hellingvloer
- *slipway floor*

18 de stelling, een hulpmiddel bij de bouw
- *staging, a scaffold*

19-21 de aanbouwhelling
- *frame slipway*

19 de portaalvormige draagconstructie
- *slipway frame*

20 de bovenloopkraan
- *overhead travelling (*Am. *traveling) crane (gantry crane)*

21 de loopkat
- *slewing crab*

22 de kiel, gelegd
- *keel in position*

23 de draaibare wipkraan, een hellingkraan
- *luffing jib crane, a slipway crane*

24 de kraanbaan
- *crane rails (crane track)*

25 de brugkraan
- *gantry crane*

26 de ligger (rijbrug)
- *gantry (bridge)*

27 de kraanpoten
- *trestles (supports)*

28 de loopkat
- *crab (jenny)*

29 de spanten van het schip
- *hull frames in position*

30 het scheepscasco
- *ship under construction*

31-33 het bouwdok
- *dry dock*

31 de dokvloer
- *dock floor (dock bottom)*

32 de dokdeur (sluitponton)
- *dock gates (caisson)*

33 de pompkamer (machinekamer)
- *pumping station;* also: *power house*

34-43 het drijvende dok
- *floating dock (pontoon dock)*

34 de dokkraan, een topkraan
- *dock crane (dockside crane), a jib crane*

35 de meerpalen (het geleidewerk)
- *fender pile*

36-43 het dokbedrijf
- *working of docks*

36 de dokhaven
- *dock basin*

37-38 de dokconstructie
- *dock structure*

37 de zijkast
- *side tank (side wall)*

38 de ponton
- *bottom tank (bottom pontoon)*

39 het dokblok (kielblok)
- *keel block*

40 het kimblok (de kimbeer)
- *bilge block (bilge shore, side support)*

41-43 het dokken van een schip
- *docking a ship*

41 het afgezonken (volgepompte) dok
- *flooded floating dock*

42 de sleepboot bij het manoeuvreren (slepen)
- *tug towing the ship*

43 het gelensde (leeggepompte) dok
- *emptied (pumped-out) dock*

44-61 de onderdelen van de constructie
- ***structural parts of the ship***

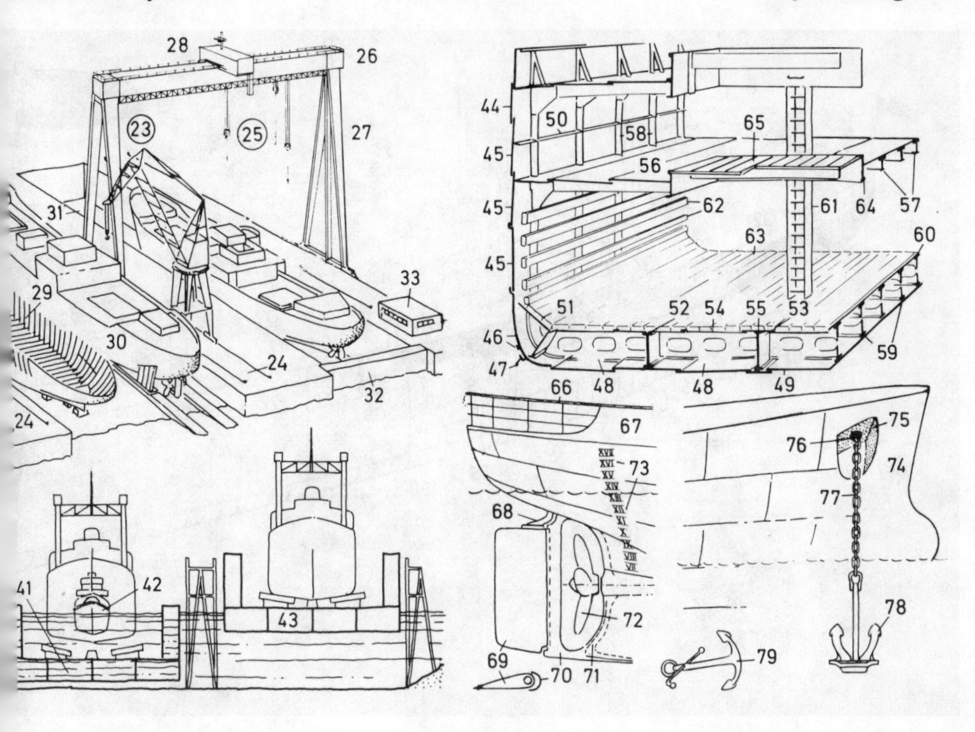

44-56 het langsverband
– *longitudinal structure*
44-49 de scheepshuid
– *shell (shell plating, skin)*
44 de berghoutsgang (ragang)
– *sheer strake*
45 de boordgang (tussengang)
– *side strake*
46 de kimgang
– *bilge strake*
47 de slingerkiel (kimkiel)
– *bilge keel*
48 de vlakgang
– *bottom plating*
49 de horizontale kiel
– *flat plate keel (keel plate)*
50 de stringer
– *stringer (side stringer)*
51 de kantplaat
– *tank margin plate*
52 het zijlangsspant
– *longitudinal side girder*
53 het middenlangsspant
– *centre (Am. center) plate girder (centre girder, kelson, keelson, vertical keel)*
54 de tanktop
– *tank top plating (tank top, inner bottom plating)*
55 de midscheeps
– *centre (Am. center) strake*
56 de dekbeplating
– *deck plating*
57 de dekbalk
– *deck beam*
58 het spant
– *frame (rib)*
59 de wrang
– *floor plate*
60 de dubbele bodem
– *cellular double bottom*
61 de kolomstut
– *hold pillar (pillar)*
62 en 63 de garnering
– *dunnage*
62 de wegering
– *side battens (side ceiling, spar ceiling)*
63 de buikdenning
– *ceiling (floor ceiling)*
64-65 de luikopening
– *hatchway*
64 het luikhoofd
– *hatch coaming*
65 het luik
– *hatch cover (hatchboard)*
66-72 het achterschip
– *stern*
66 de reling
– *guard rail*
67 de verschansing
– *bulwark*
68 de roerkoning
– *rudder stock*
69-70 het oertzroer
– *Oertz rudder*
69 het roerblad
– *rudder blade (rudder)*
70-71 de achtersteven
– *stern frame*
70 de roersteven
– *rudder post*
71 de schroefsteven
– *propeller post (screw post)*
72 de scheepsschroef
– *ship's propeller (ship's screw)*
73 het diepgangsmerk
– *draught (draft) marks*
74-79 de boeg
– *bow*
74 de voorsteven, een bolsteven
– *stem, a bulbous stem (bulbous bow)*
75 de ankernis
– *hawse*
76 de ankerkluis
– *hawse pipe*
77 de ankerketting
– *anchor cable, a chain cable*
78 het scheepsanker
– *stockless anchor (patent anchor)*
79 het stokanker
– *stocked anchor*

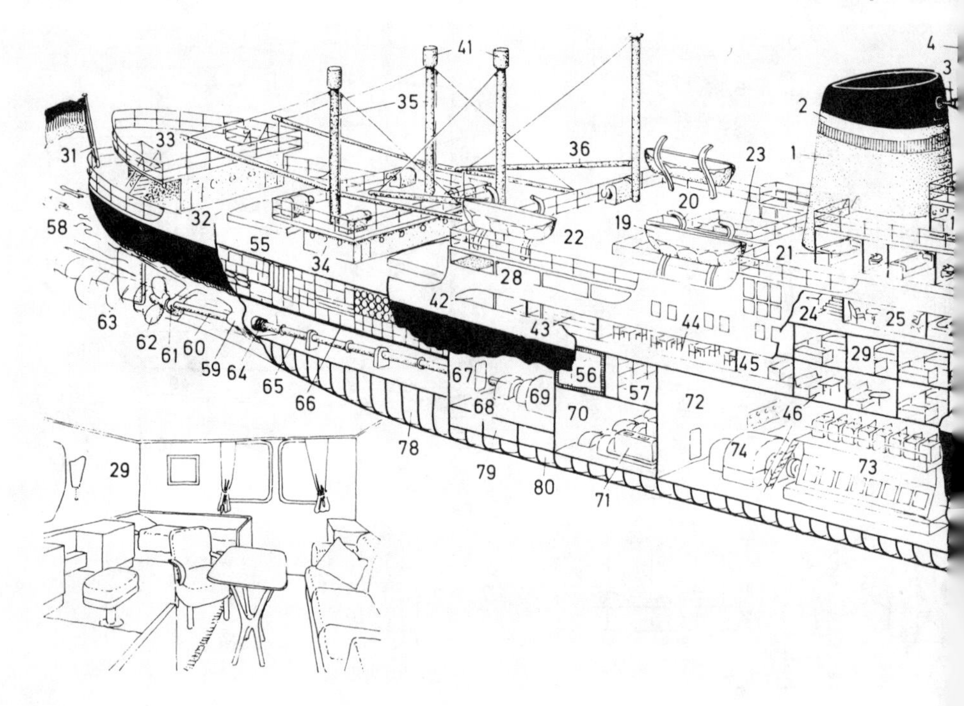

1-71 het vrachtschip met passagiersaccommodatie [ouder type]
- ***combined cargo and passenger ship*** *[of the older type]*

1 de schoorsteen
- *funnel*

2 de maatschappijkleuren
- *funnel marking*

3 de scheepsfluit (misthoorn)
- *siren (fog horn)*

4-11 het schavotje
- ***compass platform*** *(compass bridge, compass flat, monkey bridge)*

4 de antenne-invoer
- *antenna lead-in (antenna down-lead)*

5 de antenne van het radiopeiltoestel
- *radio direction finder (RDF) antenna, a rotatable antenna;* also: *aural null loop antenna*

6 het magneetkompas
- *magnetic compass (mariner's compass)*

7 de morselamp
- *morse lamp (signalling,* Am. *signaling, lamp)*

8 de radarantenne
- *radar antenna (radar scanner)*

9 de seinvlaggen
- *code flag signal*

10 de vlaggelijn
- *code flag halyards*

11 de vlaggera
- *triatic stay (signal stay)*

12-18 de brug
- ***bridge deck*** *(bridge)*

12 de radiokamer
- *radio room*

13 de kapiteinshut
- *captain's cabin*

14 de kaartenkamer
- *navigating bridge*

15 het stuurboordlicht [groen; het bakboordlicht: rood]
- *starboard sidelight [green; port sidelight red]*

16 de brugvleugel
- *wing of bridge*

17 het schanskleed (windscherm)
- *shelter (weather cloth, dodger)*

18 het stuurhuis
- *wheelhouse*

19-21 het sloependek
- ***boat deck***

19 de sloep
- *ship's lifeboat*

20 de davit
- *davit*

21 het officiersverblijf
- *officer's cabin*

22-27 het promenadedek
- ***promenade deck***

22 het zonnedek
- *sun deck (lido deck)*

23 het zwembad
- *swimming pool*

24 de kajuitstrap
- *companion ladder (companionway)*

25 de scheepsbibliotheek
- *library (ship's library)*

26 het dagverblijf (de salon)
- *lounge*

27 het flaneerdek
- *promenade*

28-30 het A-dek
- ***A-deck***

28 het halfopen dek
- *semi-enclosed deck space*

29 de tweepersoonshut, een hut
- *double-berth cabin, a cabin*

30 de luxe hut
- *de luxe cabin*

31 de stok voor de natievlag
- *ensign staff*

32-42 het B-dek (hoofddek)
- ***B-deck*** *(main deck)*

32 het achterdek
- *after deck*

33 de campagne
- *poop*

34 het dekhuis
- *deckhouse*

35 de laadmast
- *samson (sampson) post (king post)*

36 de laadboom
- *derrick boom (cargo boom)*

37 de zaling
- *crosstrees (spreader)*

38 het kraaienest (de uitkijkpost)
- *crow's nest*

39 de steng
- *topmast*

40 het voorste toplicht
- *forward steaming light*

41 de luchtkoker
- *ventilator lead*

42 de kombuis
- *galley (caboose, cookroom, ship's kitchen)*

43 de aanrechtkamer (serveerkamer)
- *ship's pantry*

44 de eetzaal
- *dining room*

45 het kantoor van de administrateur
- *purser's office*

46 de eenpersoonshut
- *single-berth cabin*

47 het voordek
- *foredeck*

48 de bak
- *forecastle (fo'c'sle)*

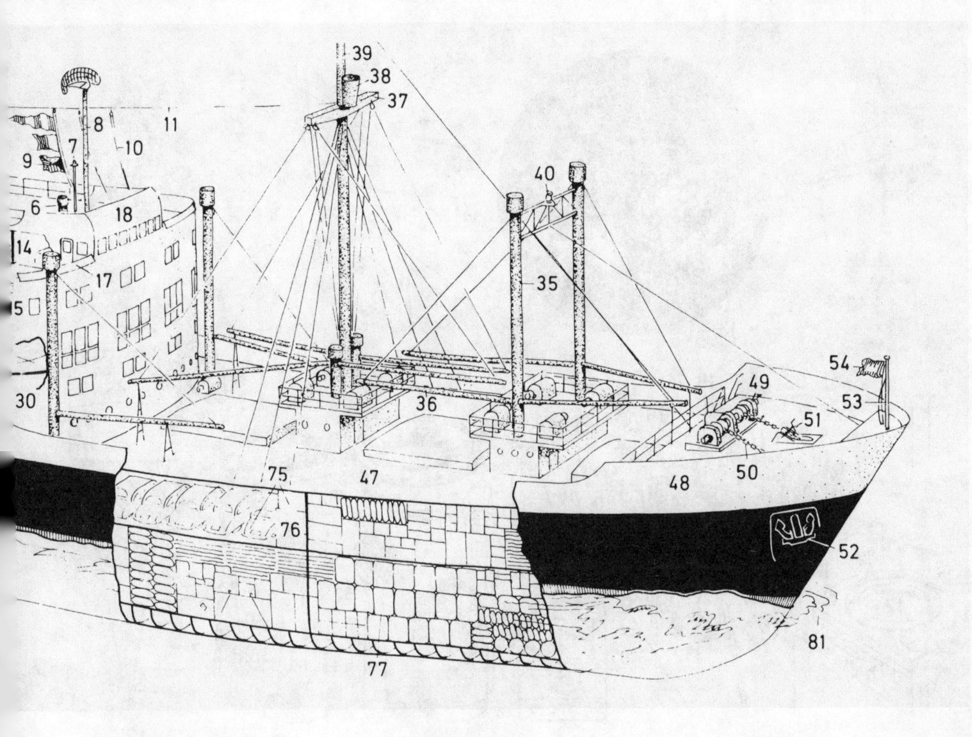

49-51 het ankergerei
– ***ground tackle***
49 de ankerspil
– *windlass*
50 de ankerketting
– *anchor cable, a chain cable*
51 de kettingstopper
– *compressor (chain compressor)*
52 het anker
– *anchor*
53 de geusstok
– *jackstaff*
54 de geus
– *jack*
55 de laadruimen in het achterschip
– *after holds*
56 de koelruimte
– *cold storage room (insulated hold)*
57 de proviandkamer
– *store room*
58 het schroefwater
– *wake*
59 de asbroek (hoos)
– *shell bossing (shaft bossing)*
60 de schroefaskoker
– *tail shaft (tail end shaft)*
61 de schroefasuithouder
– *shaft strut (strut, spectacle frame, propeller strut, propeller bracket)*
62 de driebladige scheepsschroef
– *three-blade ship's propeller (ship's screw)*
63 het roer
– *rudder blade (rudder)*
64 de schroefasafdichting
– *stuffing box*
65 de asleiding
– *propeller shaft*
66 de schroefastunnel
– *shaft alley (shaft tunnel)*
67 het druklager
– *thrust block*
68-74 de dieselelektrische voortstuwing
– ***diesel-electric drive***
68 de elektroruimte
– *electric engine room*
69 de elektromotor
– *electric motor*
70 de ruimte voor de hulpmotoren
– *auxiliary engine room*
71 de hulpmotoren
– *auxiliary engines*
72 de machinekamer
– *main engine room*
73 de hoofdmotor, een dieselmotor
– *main engine, a diesel engine*
74 de generator
– *generator*
75 de laadruimen in het voorschip
– *forward holds*
76 het tussendek
– *tween deck*
77 de lading
– *cargo*
78 de ballasttank, voor waterballast
– *ballast tank (deep tank) for water ballast*
79 de zoetwatertank
– *fresh water tank*
80 de brandstoftank
– *fuel tank*
81 de boeggolf
– *bow wave*

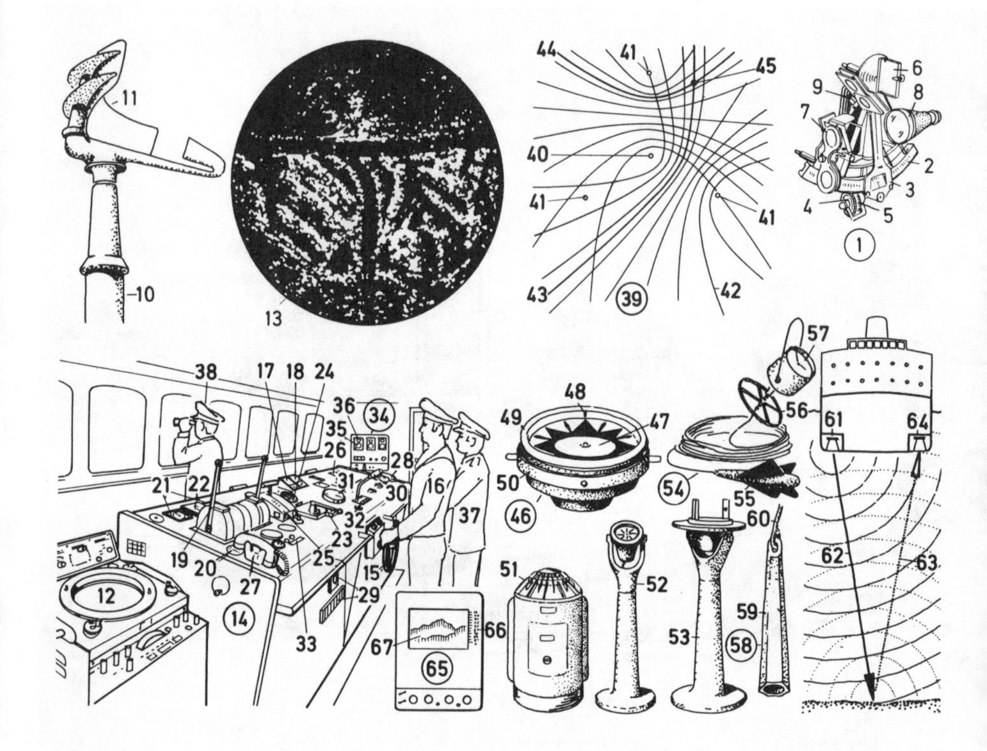

1 de sextant
– ***sextant***
2 de gradenboog
– *graduated arc*
3 de wijzer
– *index bar (index arm)*
4 de meettrommel
– *decimal micrometer*
5 de nonius
– *vernier*
6 de grote spiegel
– *index mirror*
7 de kimspiegel
– *horizon glass (horizon mirror)*
8 de kijker
– *telescope*
9 de handgreep
– *grip (handgrip)*
10-13 het radarapparaat (de radar)
– ***radar equipment*** *(radar apparatus)*
10 de radarmast
– *radar pedestal*
11 de draaibare radarreflector
– *revolving radar reflector*
12 het radarbeeldscherm
– *radar display unit (radar screen)*
13 het radarbeeld
– *radar image (radar picture)*
14-38 de brug (stuurhut)
– ***wheelhouse***
14 de stuur- en commandopost
– *steering and control position*
15 het stuurrad voor de bediening van het roermechanisme
– *ship's wheel for controlling the rudder mechanism*
16 de roerganger (stuurman)
– *helmsman (Am. wheelsman)*
17 de wijzer voor de roerhoek
– *rudder angle indicator*
18 de automatische piloot
– *automatic pilot (autopilot)*
19 de handel voor de verstelbare schroef
– *control lever for the variable-pitch propeller (reversible propeller, feathering propeller, feathering screw)*
20 de wijzer voor de verstelhoek
– *propeller pitch indicator*
21 de toerentalwijzer voor de hoofdmachine
– *main engine revolution indicator*
22 het log
– *ship's speedometer (log)*
23 de boegschroefschakelaar
– *control switch for bow thruster (bow-manoeuvring,* Am. *maneuvering, propeller)*
24 de echoloodweergever
– *echo recorder (depth recorder, echograph)*
25 de scheepstelegraaf
– *engine telegraph (engine order telegraph)*
26 de controleapparatuur voor de stabilatoren (slingerdempingsinstallatie)
– *controls for the anti-rolling system (for the stabilizers)*
27 de boordtelefoon
– *local-battery telephone*
28 de marifoon
– *shipping traffic radio telephone*
29 de indicatorverlichting van de navigatielichten
– *navigation light indicator panel (running light indicator panel)*
30 de microfoon voor scheepscommando's
– *microphone for ship's address system*
31 het gyrokompas
– *gyro compass (gyroscopic compass), a compass repeater*
32 de bedieningsknop voor de misthoorn
– *control button for the ship's siren (ship's fog horn)*
33 de (over)belastingsmeter voor de hoofdmotoren
– *main engine overload indicator*
34 de Decca-navigator
– *detector indicator unit for fixing the ship's position*
35 de grofafstemming
– *rough focusing indicator*
36 de fijnafstemming
– *fine focusing indicator*
37 de navigator (navigatieofficier)
– *navigating officer*
38 de kapitein (gezagvoerder)
– *captain*
39 het Decca-navigatiesysteem
– ***Decca navigation system***
40 het hoofdstation
– *master station*
41 het onderstation
– *slave station*
42 de nulhyperbool
– *null hyperbola*
43 de hyperboolstandlijn 1
– *hyperbolic position line 1*
44 de hyperboolstandlijn 2
– *hyperbolic position line 2*
45 de positie
– *position (fix, ship fix)*
46-53 kompassen
– ***compasses***
46 het vloeistofkompas, een magneetkompas
– *liquid compass (fluid compass, spirit compass, wet compass), a magnetic compass*
47 de kompasroos
– *compass card*
48 de zeilstreep
– *lubber's line (lubber's mark, lubber's point)*
49 de kompaskoepel (kompasbol)
– *compass bowl*
50 de cardanische ophanging
– *gimbal ring*
51-53 het gyrokompas (gyrokompasstelsel)
– *gyro compass (gyroscopic compass, gyro compass unit)*
51 het moederkompas
– *master compass (master gyro compass)*
52 het dochterkompas
– *compass repeater (gyro repeater)*
53 het dochterkompas met peilinstallatie
– *compass repeater with pelorus*
54 het patentlog, een log
– ***patent log*** *(screw log, mechanical log, towing log, taffrail log, speedometer), a log*
55 de propeller
– *rotator*
56 de draaiingsregulator
– *governor*
57 het telmechanisme
– *log clock*
58-67 loden
– ***leads***

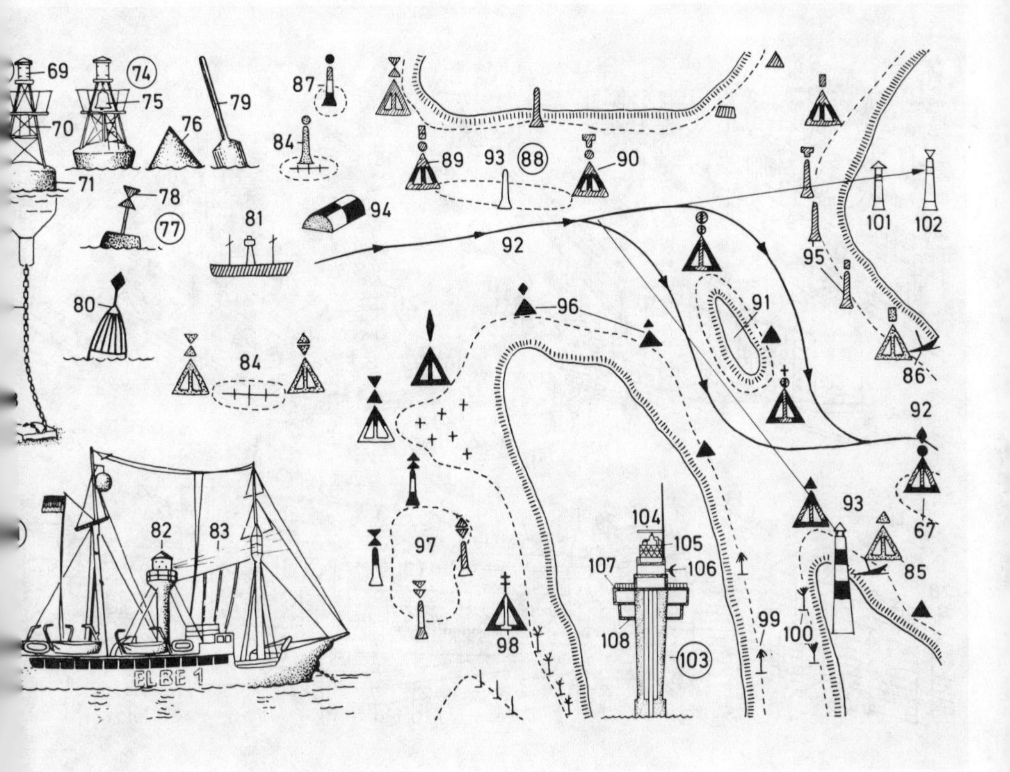

58 het handlood
– *hand lead*
59 het loodlichaam (zinkstuk)
– *lead (lead sinker)*
60 de loodlijn
– *leadline*
61-67 het echolood (de dieptemeter)
– *echo sounder (echo sounding machine)*
61 de geluidsgolvenzender
– *sound transmitter*
62 de geluidsimpuls
– *sound wave (sound impulse)*
63 de echo
– *echo (sound echo, echo signal)*
64 de geluidsgolvendetector
– *echo receiver (hydrophone)*
65 de echograaf
– *echograph (echo sounding machine recorder)*
66 de diepteschaal
– *depth scale*
67 het echogram
– *echogram (depth recording, depth reading)*
68-108 zeenavigatietekens voor betonnings- en lichtenstelsel
– ***sea marks** (floating navigational marks)* ***for buoyage and lighting systems***
68-83 de routebetonning (geulbetonning)
– *fairway marks (channel marks)*
68 de licht- en huilboei
– *light and whistle buoy*
69 het licht (de lantaarn)
– *light (warning light)*
70 de huilsirene
– *whistle*
71 het drijflichaam
– *buoy*
72 de ankerketting
– *mooring chain*
73 het zinkstuk
– *sinker (mooring sinker)*
74 de licht- en klokboei (licht- en belboei)
– *light and bell buoy*
75 de klok
– *bell*
76 de spitse ton
– *conical buoy*
77 de stompe ton (stompe boei)
– *can buoy*
78 het topteken (de opstand)
– *topmark*
79 de sparboei (spar)
– *spar buoy*
80 de boei
– *topmark buoy*
81 het lichtschip (vuurschip)
– *lightship (light vessel)*
82 het lichtbaken
– *lantern mast (lantern tower)*
83 de lichtbundel
– *beam of light*
84-102 de vaarwaterbetonning
– *fairway markings (channel markings) [German type]*
84 het wrak [groene betonning]
– *wreck [green buoys]*
85 wrak aan stuurboord
– *wreck to starboard*
86 wrak aan bakboord
– *wreck to port*
87 de ondiepte
– *shoals (shallows, shallow water,* Am. *flats)*
88 de zandbank (plaat) aan bakboord van het vaarwater
– *middle ground to port*
89 de splitsing [het begin van de zandbank; topteken: een rode cilinder boven een rode bol]
– *division (bifurcation) [beginning of the middle ground; topmark: red cylinder above red ball]*
90 de samenkomst [het einde van de zandbank; topteken: een rood Sint-Antoniuskruis boven een rode bol]
– *convergence (confluence) [end of the middle ground; topmark: red St. Antony's cross above red ball]*
91 de (drooggevallen) zandbank
– *middle ground*
92 het hoofdvaarwater
– *main fairway (main navigable channel)*
93 het nevenvaarwater
– *secondary fairway (secondary navigable channel)*
94 het vat
– *can buoy*
95 de bakboordtonnen [rood]
– *port hand buoys (port hand marks) [red]*
96 de stuurboordtonnen [zwart]
– *starboard hand buoys (starboard hand marks) [black]*
97 de ondiepte buiten het vaarwater
– *shoals (shallows, shallow water,* Am. *flats) outside the fairway*
98 het vaarwatermidden [topteken: dubbel kruis]
– *middle of the fairway (mid-channel)*
99 stuurboordstaken [de bezem naar beneden gericht]
– *starboard markers [inverted broom]*
100 bakboordstaken [de bezem naar boven gericht]
– *port markers [upward-pointing broom]*
101-102 de lichtenlijn
– *range lights (leading lights)*
101 het onderste geleidelicht
– *lower range light (lower leading light)*
102 het bovenste geleidelicht
– *higher range light (higher leading light)*
103 de vuurtoren
– *lighthouse*
104 de radarantenne
– *radar antenna (radar scanner)*
105 de lantaarn
– *lantern (characteristic light)*
106 de radiorichtantenne (radiorichtingzoeker)
– *radio direction finder (RDF) antenna*
107 het instrumenten- en observatieplateau
– *machinery and observation platform (machinery and observation deck)*
108 de woonruimte
– *living quarters*

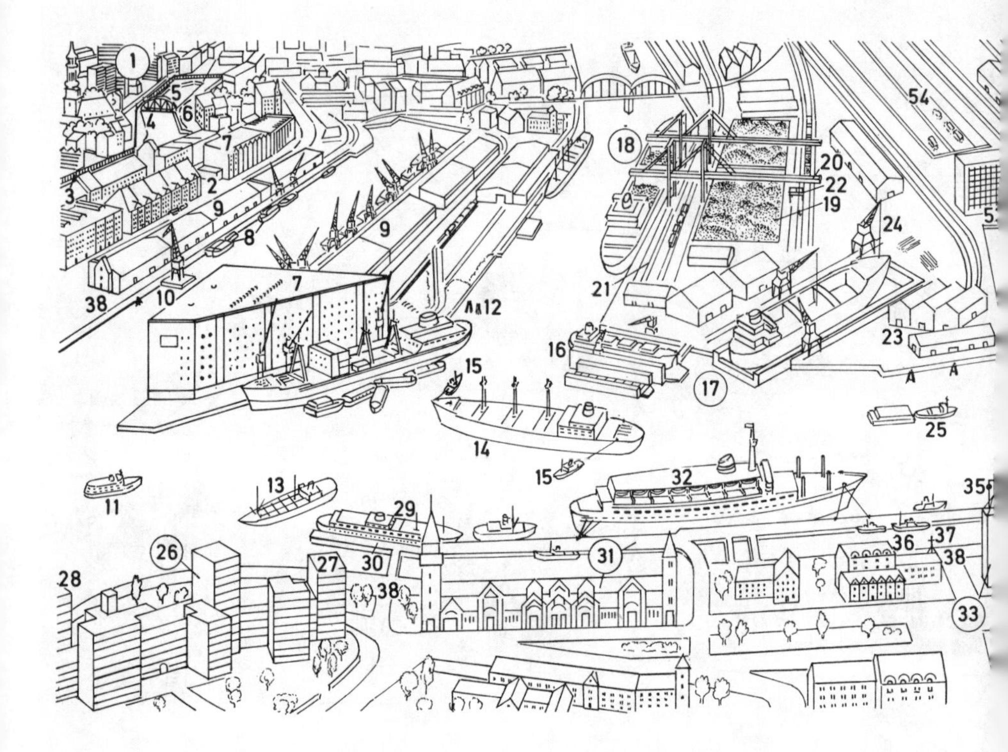

1 de havenwijk (het scheepvaartkwartier)
- *dock area*

2 de douanevrije zone (vrijhaven)
- *free port (foreign trade zone)*

3 de douanegrens (tolmuur)
- *free zone frontier (free zone enclosure)*

4 de tolboom
- *customs barrier*

5 de toegang tot de vrijhaven
- *customs entrance*

6 het douanekantoor
- *port custom house*

7 het entrepot (de tolvrije opslagplaats)
- *entrepôt*

8 de dekschuit
- *barge (dumb barge, lighter)*

9 de stukgoedloods
- *break-bulk cargo transit shed (general cargo transit shed, package cargo transit shed)*

10 de drijvende kraan
- *floating crane*

11 de veerboot
- *harbour* (Am. *harbor*) *ferry (ferryboat)*

12 de meerpaal (dukdalf)
- *fender (dolphin)*

13 de bunkerboot
- *bunkering boat*

14 het stukgoedschip
- *break-bulk carrier (general cargo ship)*

15 de havensleepboot (havensleper)
- *tug*

16 het drijvende dok
- *floating dock (pontoon dock)*

17 het droogdok
- *dry dock*

18 het kolenoverslagbedrijf (de kolenterminal)
- *coal wharf*

19 de terreinen voor kolenopslag
- *coal bunker*

20 de laad- en losinstallatie
- *transporter loading bridge*

21 het havenspoor (de spooraansluiting, het raccordement)
- *quayside railway*

22 de weeginstallatie
- *weighing bunker*

23 de werfloods
- *warehouse*

24 de werfkraan
- *quayside crane*

25 de barkas met lichter
- *launch and lighter*

26 het havenziekenhuis
- *port hospital*

27 de quarantaine-inrichting
- *quarantine wing*

28 het instituut voor tropische geneeskunde
- *Institute of Tropical Medicine*

29 de rondvaartboot (excursieboot)
- *excursion steamer (pleasure steamer)*

30 de landingsbrug
- *jetty*

31 de passagiersterminal
- *passenger terminal*

32 het lijnschip voor de passagiersdienst
- *liner (passenger liner, ocean liner)*

33 de meteorologische dienst, een weerstation
- *meteorological office, a weather station*

34 de seinmast
- *signal mast (signalling mast)*

35 de stormbal
- *storm signal*

36 de kantoren van de havenbeheerder
- *port administration offices*

37 de peilschaal
- *tide level indicator*

38 de kadebestrating
- *quayside road (quayside roadway)*

39 het rij-op-rij-af-verkeer (roll-on-roll-off-verkeer)
- *roll-on roll-off (ro-ro) system (roll-on roll-off operation)*

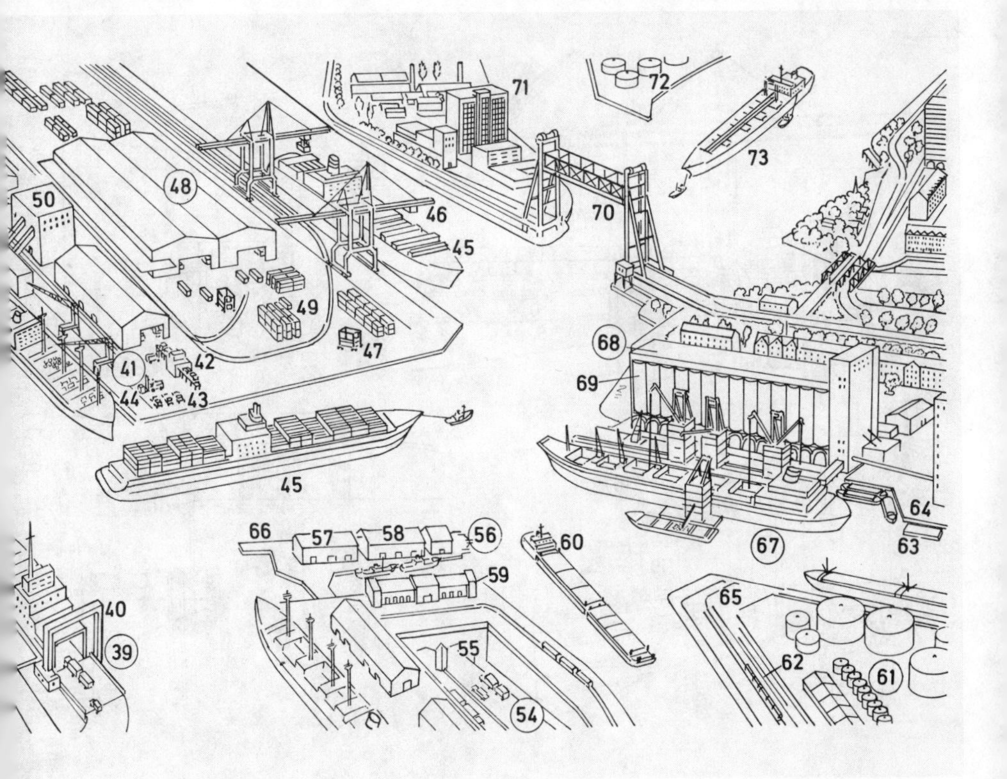

40 de beweegbare oprit
- *gantry*

41 het vork(hef)truckverkeer
- *truck-to-truck system (truck-to-truck operation)*

42 de in krimpfolie verpakte eenheidslading
- *foil-wrapped unit loads*

43 de laadborden (pallets)
- *pallets*

44 de vork(hef)truck
- *forklift truck (fork truck, forklift)*

45 het containerschip
- *container ship*

46 de containerbrug (containerkraan)
- *transporter container-loading bridge*

47 de containerhefwagen (straddle carrier)
- *container carrier truck*

48 het containeroverslagbedrijf (de containerterminal)
- *container terminal (container berth)*

49 de gestapelde containers
- *unit load*

50 het koelhuis
- *cold store*

51 de transportband
- *conveyor belt (conveyor)*

52 de fruitloods
- *fruit storage shed (fruit warehouse)*

53 het kantoorgebouw
- *office building*

54 de hoofdverkeersweg door de stad
- *urban motorway* (Am. *freeway)*

55 de verkeerstunnel
- *harbour* (Am. *harbor) tunnels*

56 de visafslag
- *fish dock*

57 de overdekte vismarkt
- *fish market*

58 de veilinghal (het verkooplokaal)
- *auction room*

59 de visconservenfabriek
- *fish-canning factory*

60 het duwkonvooi
- *push tow*

61 het tankpark
- *tank farm*

62 het spooremplacement
- *railway siding*

63 de ponton, een drijvende aanlegplaats
- *landing pontoon (landing stage)*

64 de kade
- *quay*

65 het hoofd, een landtong
- *breakwater (mole)*

66 de pier, een kade-uitloper
- *pier (jetty), a quay extension*

67 het massagoedschip
- *bulk carrier*

68 het silogebouw
- *silo*

69 de opslagcel
- *silo cylinder*

70 de hefbrug
- *lift bridge*

71 de havenindustrie
- *industrial plant*

72 de opslagplaats voor vloeibare goederen
- *storage tanks*

73 het tankschip (de tanker)
- *tanker*

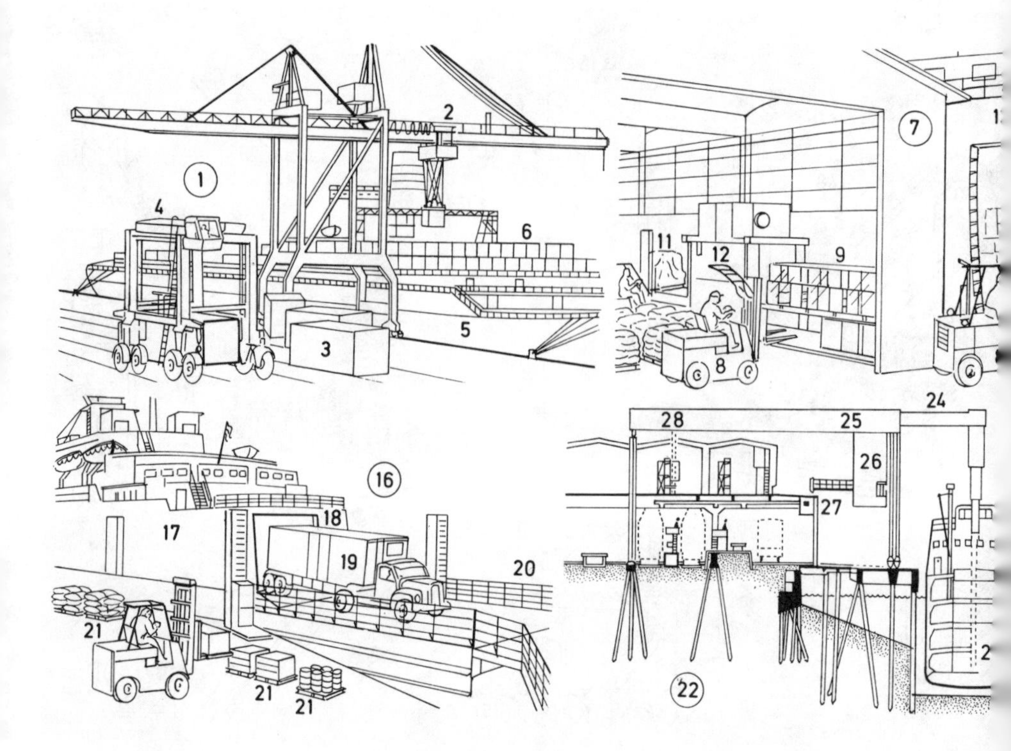

1 de containerterminal, een modern overslagbedrijf
- *container terminal (container berth), a modern cargo-handling berth*

2 de containerkraan (containerbrug)
- *transporter container-loading bridge (loading bridge);* sim.: *transtainer crane (transtainer)*

3 de container
- *container*

4 de containerhefwagen (straddle carrier)
- *truck (carrier)*

5 het containerschip
- *all-container ship*

6 de lading, bestaande uit containers
- *containers stowed on deck*

7 het vork(hef)truckverkeer (de horizontale overslag met behulp van pallets)
- *truck-to-truck handling (horizontal cargo handling with pallets)*

8 de vork(hef)truck
- *forklift truck (fork truck, forklift)*

9 de gehomogeniseerde, in krimpfolie verpakte lading (de eenheidslading)
- *unitized foil-wrapped load (unit load)*

10 de pallet, een genormaliseerd laadbord
- *flat pallet, a standard pallet*

11 het gehomogeniseerde stukgoed
- *unitized break-bulk cargo*

12 de krimpfolieverpakkingsmachine
- *heat sealing machine*

13 het stukgoedschip
- *break-bulk carrier (general cargo ship)*

14 de laad- en losopening (het flankluik)
- *cargo hatchway*

15 de ontvangende vork(hef)truck in het scheepsruim
- *receiving truck on board ship*

16 het veelzijdige overslagbedrijf (de multi-purpose-terminal)
- *multi-purpose terminal*

17 het rij-op-rij-af-schip (roll-on-roll-off-schip)
- *roll-on roll-off ship (ro-ro-ship)*

18 de hekdeur (hekopening)
- *stern port (stern opening)*

19 de zichzelf verplaatsende lading, een vrachtauto
- *driven load, a lorry (*Am. *truck)*

20 de rij-op-rij-af-aanlegplaats
- *ro-ro depot*

21 de gepalletiseerde stukgoederen
- *unitized load (unitized package)*

22 het bananenoverslagbedrijf
- *banana-handling terminal [section]*

23 de zeetransporteur
- *seaward tumbler*

24 de ophaalbare klap
- *jib*

25 de transportbrug
- *elevator bridge*

26 de kettinginrichting
- *chain sling*

27 de verlichtingsinstallatie
- *lighting station*

28 de landtransporteur (voor de belading van spoorwagons en vrachtauto's)
- *shore-side tumbler for loading trains and lorries (*Am. *trucks)*

29 het schud- en zuigbedrijf (de overslag van massagoederen)
- *bulk cargo handling*

30 het vrachtschip voor droge massagoederen (bulkschip, de bulk carrier)
- *bulk carrier*

31 de drijvende elevator (pneumaat)
- *floating bulk-cargo elevator*

32 de zuigbuizen
- *suction pipes*

33 de ontvanginstallatie
- *receiver*

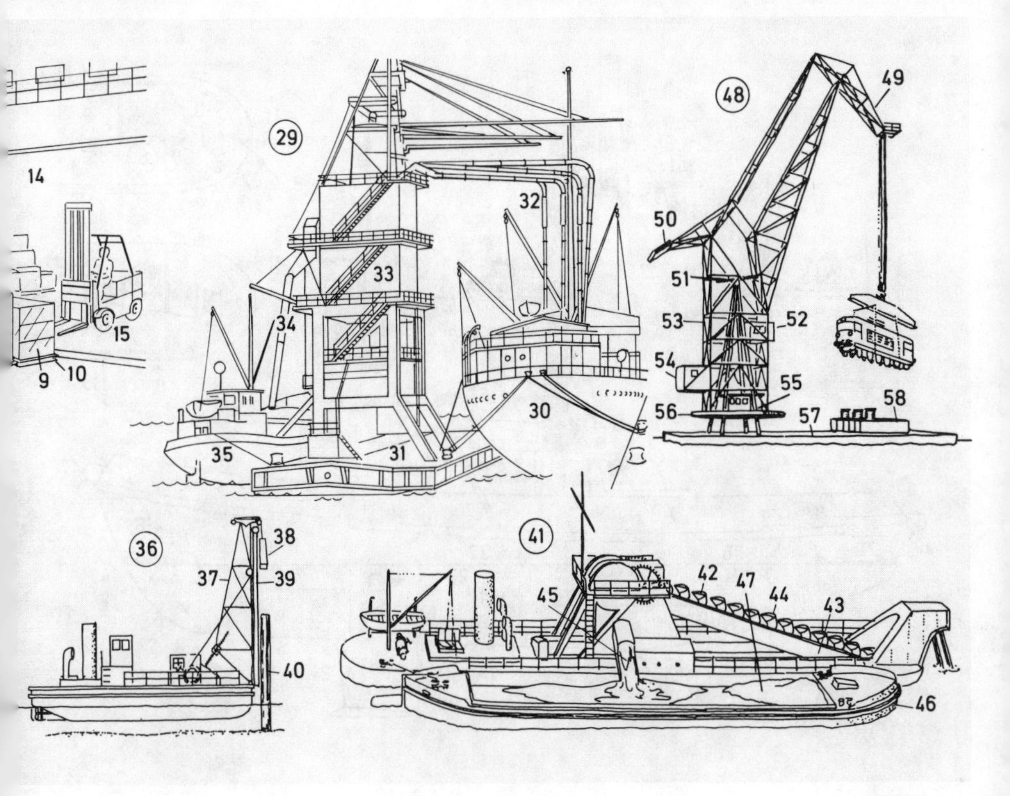

34 de laadbuis
- *delivery pipe*

35 het binnenschip voor massagoederen
- *bulk transporter barge*

36 de drijvende hei-installatie
- *floating pile driver*

37 de heistelling
- *pile driver frame*

38 het heiblok
- *pile hammer*

39 de blokgeleider
- *driving guide rail*

40 de centreerinrichting
- *pile*

41 de emmerbaggermolen
- *bucket dredger, a dredger*

42 de emmerketting
- *bucket chain*

43 de emmerladder
- *bucket ladder*

44 de baggeremmer
- *dredger bucket*

45 de stortgoot
- *chute*

46 de baggerschuit
- *hopper barge*

47 de baggerspecie (het havenslib)
- *spoil*

48 de drijvende kraan
- *floating crane*

49 de kraanarm (giek)
- *jib (boom)*

50 het contragewicht
- *counterweight (counterpoise)*

51 de spil
- *adjusting spindle*

52 het kraandrijvershuis
- *crane driver's cabin (crane driver's cage)*

53 de dragende vakwerkconstructie
- *crane framework*

54 het liertrommelhuis
- *winch house*

55 de commandobrug
- *control platform*

56 de draaischijf
- *turntable*

57 de ponton
- *pontoon, a pram*

58 het motorhuis
- *engine superstructure (engine mounting)*

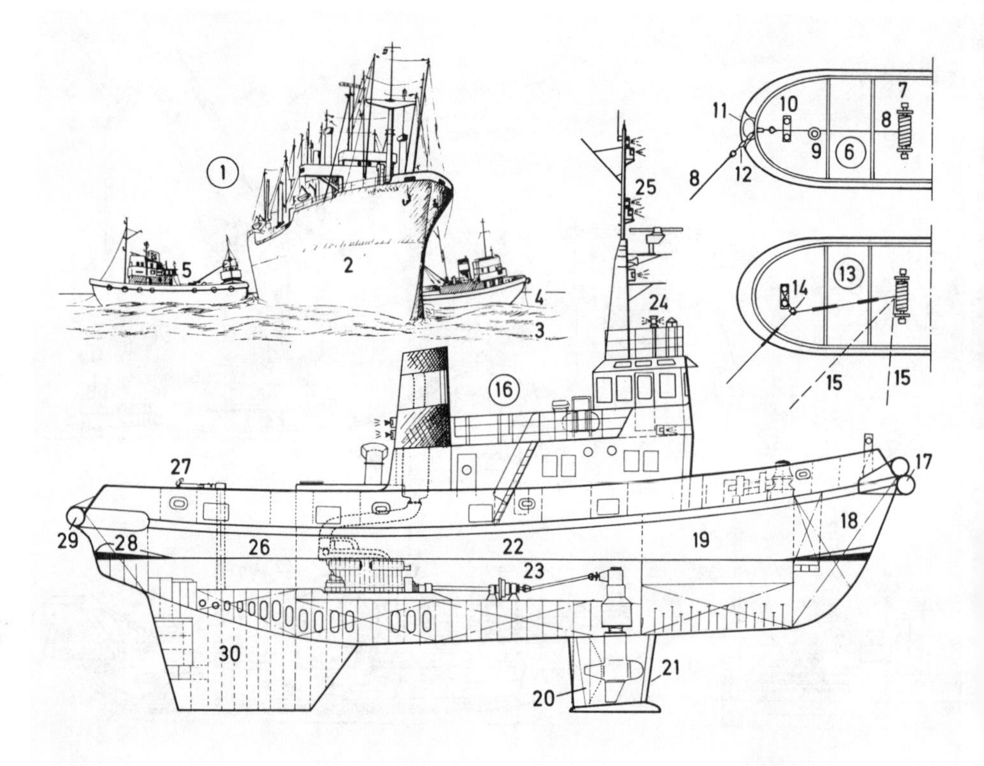

1 de berging van een aan de grond gelopen schip
- *salvaging (salving) of a ship run aground*

2 het omhoog gelopen schip (averijschip)
- *ship run aground (damaged vessel)*

3 de zandbank (modderbank; *ook:* het drijfzand)
- *sandbank;* also: *quicksand*

4 het open water (de open zee)
- *open sea*

5 de sleepboot
- *tug (salvage tug)*

6-15 de sleepmaterialen
- *towing gear*

6 de sleepmaterialen voor het slepen op zee
- *towing gear for towing at sea*

7 de sleeplier
- *towing winch (towing machine, towing engine)*

8 de sleepkabel (tros)
- *tow rope (tow line, towing hawser)*

9 de trosgeleider
- *tow rope guide*

10 de sleepbeting
- *cross-shaped bollard*

11 de troskluis
- *hawse hole*

12 de ankerketting
- *anchor cable, a chain cable*

13 het sleepmateriaal voor het havenbedrijf
- *towing gear for work in harbours (*Am. *harbors)*

14 de bijstopper
- *guest rope*

15 de positie van de tros indien de bijstopper zou breken
- *position of the tow rope (tow line, towing hawser)*

16 de sleepboot [doorsnede]
- *tug (salvage tug) [vertical elevation]*

17 het stootkussen op de boeg (boegkussen, de boegfender)
- *bow fender (pudding fender)*

18 de voorpiek
- *forepeak*

19 het bemanningsverblijf
- *living quarters*

20 de Schottelpropeller
- *Schottel propeller*

21 de Kortstraalbuis
- *Kort vent*

22 de machine- en propellerkamer
- *engine and propeller room*

23 de klauwkoppeling
- *clutch coupling*

24 het schavotje (kompasdek)
- *compass platform (compass bridge, compass flat, monkey bridge)*

25 de brandblusapparatuur
- *fire-fighting equipment*

26 het bergruim
- *stowage*

27 de sleephaak
- *tow hook*

28 de achtersteven
- *afterpeak*

29 de hekfender
- *stern fender*

30 de manoeuvreerkiel
- *main manoeuvring (*Am. *maneuvering) keel*

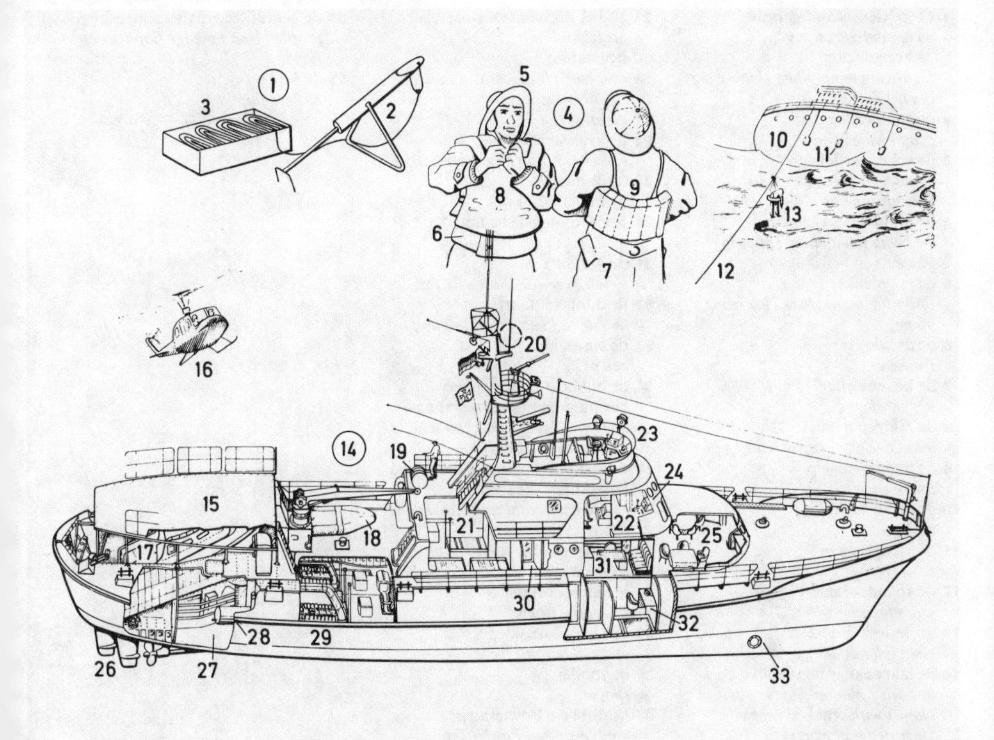

1 de lijnwerper (het lijnwerptoestel)
- *rocket apparatus (rocket gun, line-throwing gun)*

2 het projectiel
- *life rocket (rocket)*

3 de schietlijn
- *rocket line (whip line)*

4 het oliegoed
- *oilskins*

5 de zuidwester
- *sou'wester (southwester)*

6 de oliejekker
- *oilskin jacket*

7 de oliejas
- *oilskin coat*

8 het opblaasbare zwemvest
- *inflatable life jacket*

9 de kurken redding(s)gordel
- *cork life jacket (cork life preserver)*

10 het gestrande schip
- *stranded ship;* also: *damaged vessel*

11 de oliezak, sprenkelt golfstillende olie op het wateroppervlak
- *oil bag, for trickling oil on the water surface*

12 de wippertros
- *lifeline*

13 de redding(s)broek
- *breeches buoy*

14 het hospitaalschip
- *rescue cruiser*

15 het helikopterdek
- *helicopter landing deck*

16 de redding(s)helikopter
- *rescue helicopter*

17 de strandredding(s)boot (het dochterschip)
- *daughter boat*

18 de opblaasboot
- *inflatable boat (inflatable dinghy)*

19 het opblaasbare redding(s)vlot
- *life raft*

20 de blusapparatuur ter bestrijding van scheepsbranden
- *fire-fighting equipment for fires at sea*

21 het hospitaal met operatieruimte en badinrichting voor drenkelingen met onderkoelingsverschijnselen
- *hospital unit with operating cabin and exposure bath*

22 het stuurhuis
- *navigating bridge*

23 de topmanoeuvreerstand
- *upper tier of navigating bridge*

24 de bedieningsstand op de brug
- *lower tier of navigating bridge*

25 het eet- en dagverblijf (de mess)
- *messroom*

26 de roer- en schroefinrichting
- *rudders and propeller (screw)*

27 het bergruim
- *stowage*

28 de schuimmiddeltank
- *foam can*

29 de zijmotoren
- *side engines*

30 de stortbadcel
- *shower*

31 de stuurmanshut
- *coxswain's cabin*

32 de eenpersoonshut van een opvarende
- *crew member's single-berth cabin*

33 de boegschroef
- *bow propeller*

1-14 de vleugelconfiguratie
- ***wing configurations***
1 de hoogdekker
- *high-wing monoplane (high-wing plane)*
2 de spanwijdte
- *span (wing span)*
3 de schouderdekker
- *shoulder-wing monoplane (shoulder-wing plane)*
4 de middendekker
- *midwing monoplane (midwing plane)*
5 de laagdekker
- *low-wing monoplane (low-wing plane)*
6 de driedekker
- *triplane*
7 de bovenvleugel
- *upper wing*
8 de middenvleugel
- *middle wing (central wing)*
9 de ondervleugel
- *lower wing*
10 de dubbeldekker
- *biplane*
11 de vleugelsteun
- *strut*
12 de spandraden
- *cross bracing wires*
13 de anderhalfdekker
- *sesquiplane*
14 de laagdekker met knikvleugel
- *low-wing monoplane (low-wing plane) with cranked wings (inverted gull wings)*

15-22 de vleugelvormen
- ***wing shapes***
15 de elliptische vleugel
- *elliptical wing*
16 de rechte vleugel
- *rectangular wing*
17 de tapse vleugel
- *tapered wing*
18 de sikkelvormige vleugel
- *crescent wing*
19 de deltavleugel
- *delta wing*
20 de pijlvleugel met geringe pijlstelling
- *swept-back wing with semi-positive sweepback*
21 de pijlvleugel met sterke pijlstelling
- *swept-back wing with positive sweepback*
22 de ogivalvleugel
- *ogival wing (ogee wing)*

23-36 de staartvormen
- ***tail shapes*** *(tail unit shapes, empennage shapes)*
23 de normale staart
- *normal tail (normal tail unit)*
24-25 het verticale staartvlak
- *vertical tail (vertical stabilizer and rudder)*
24 het kielvlak
- *vertical stabilizer (vertical fin, tail fin)*
25 het richtingsroer
- *rudder*
26-27 het horizontale staartvlak
- *horizontal tail*
26 het stabilo
- *tailplane (horizontal stabilizer)*
27 het hoogteroer
- *elevator*
28 de kruisstaart
- *cruciform tail (cruciform tail unit)*
29 de T-staart
- *T-tail (T-tail unit)*
30 het stromingslichaam
- *lobe*
31 de V-staart
- *V-tail (vee-tail, butterfly tail)*
32 de dubbele staart
- *double tail unit (twin tail unit)*
33 de eindschijf
- *end plate*
34 de dubbele staart van een vliegtuig met twee staartbomen
- *double tail unit (twin tail unit) of a twin-boom aircraft*
35 de dubbele staart met verhoogd horizontaal staartvlak
- *raised horizontal tail with double booms*
36 de drievoudige staart
- *triple tail unit*

37 het kleppensysteem
- ***system of flaps***
38 de vleugelneusklep
- *extensible slat*
39 de spoiler
- *spoiler*
40 de dubbele Fowlerklep
- *double-slotted Fowler flap*
41 het buitenste rolroer (de aileron, het lagesnelheidsrolroer)
- *outer aileron (low-speed aileron)*
42 de binnenste stoorklep (liftdumper)
- *inner spoiler (landing flap, lift dump)*
43 het binnenste rolroer (de aileron, het hogesnelheidsrolroer)
- *inner aileron (all-speed aileron)*
44 de remklep
- *brake flap (air brake)*
45 het basisprofiel
- *basic profile*
46-48 de gewone kleppen
- *plain flaps (simple flaps)*
46 de enkelvoudige gewone klep
- *normal flap*
47 de enkele spleetklep
- *slotted flap*
48 de dubbele spleetklep
- *double-slotted flap*
49-50 de splijtkleppen
- *split flaps*
49 de gewone splijtklep
- *plain split flap (simple split flap)*
50 de zapklep
- *zap flap*
51 de uitwendige klep
- *extending flap*
52 de Fowlerklep
- *Fowler flap*
53 de vleugelneusklep
- *slat*
54 de geprofileerde vleugelneusklep
- *profiled leading-edge flap (droop flap)*
55 de Krügerklep
- *Krüger flap*

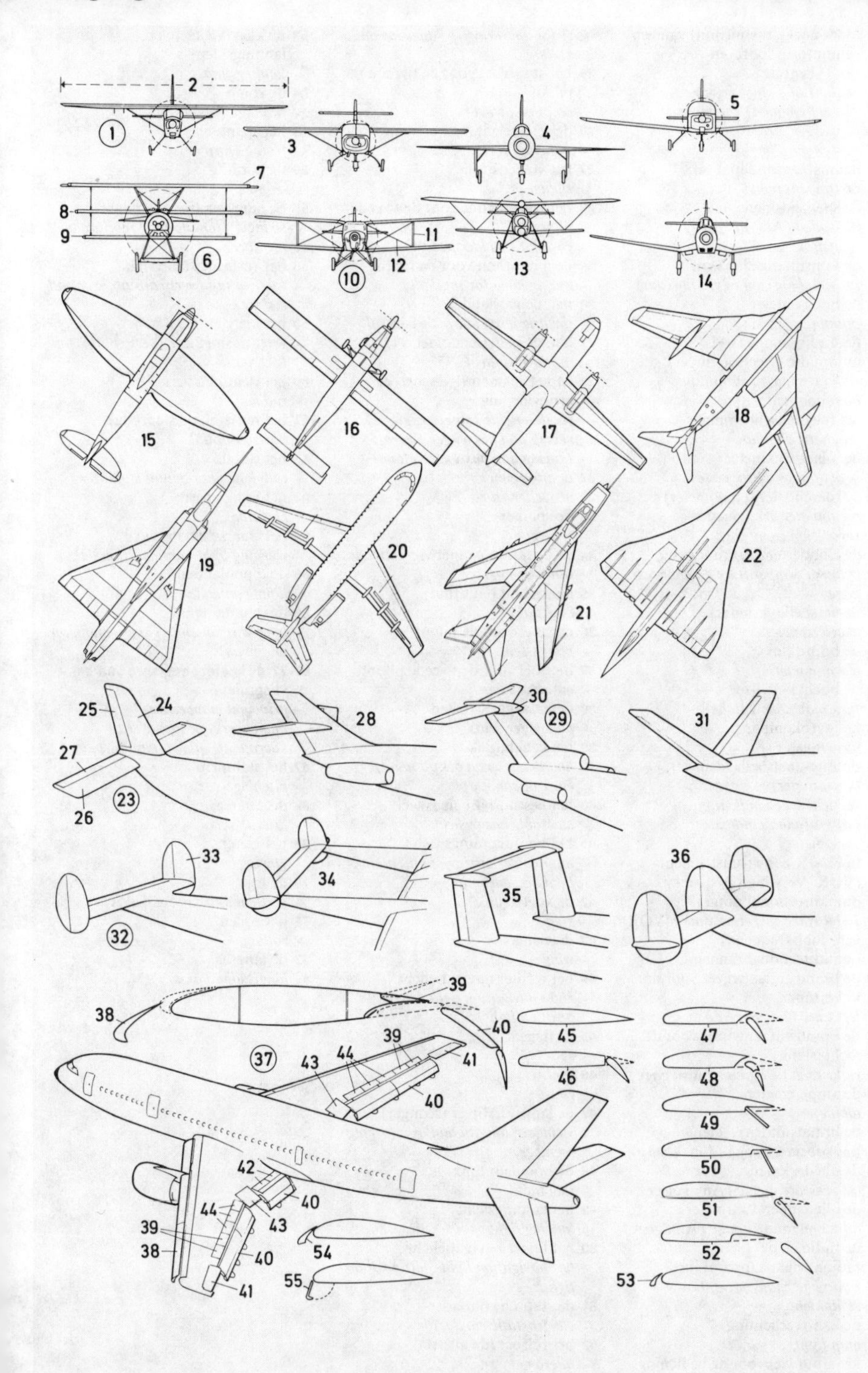
1
2
3
4
5
6
7
8
9
10
11
12
13
14
15
16
17
18
19
20
21
22
23
24
25
26
27
28
29
30
31
32
33
34
35
36
37
38
39
40
41
42
43
44
45
46
47
48
49
50
51
52
53
54
55

1-31 **de cockpit** (stuurhut) van een eenmotorig sport- en privévliegtuig
- ***cockpit*** *of a single-engine (single-engined) racing and passenger aircraft (racing and passenger plane)*
1 het instrumentenpaneel
- *instrument panel*
2 de snelheidsmeter
- *air-speed (*Am. *airspeed) indicator*
3 de kunstmatige horizon
- *artificial horizon (gyro horizon)*
4 de hoogtemeter
- *altimeter*
5 het radiokompas (ADF: automatic direction finder)
- *radio compass (automatic direction finder)*
6 het magnetische kompas
- *magnetic compass*
7 de inlaatdrukmeter
- *boost gauge (*Am. *gage)*
8 de toerenteller (tachometer)
- *tachometer (rev counter, revolution counter)*
9 de cilindertemperatuurmeter
- *cylinder temperature gauge (*Am. *gage)*
10 de versnellingsmeter
- *accelerometer*
11 de boordklok
- *chronometer*
12 de bochtaanwijzer
- *turn indicator with ball*
13 het gyrokompas
- *directional gyro*
14 de stijg-daalsnelheidsmeter (variometer)
- *vertical speed indicator (rate-of-climb indicator, variometer)*
15 het VOR-aanwijsinstrument (VOR: Very high frequency omnidirectional range)
- *VOR radio direction finder* [VOR: very high frequency omnidirectional range]
16 de brandstofaanwijzer voor de linkertank
- *left tank fuel gauge (*Am. *gage)*
17 de brandstofaanwijzer voor de rechtertank
- *right tank fuel gauge (*Am. *gage)*
18 de ampèremeter
- *ammeter*
19 de brandstofdrukmeter
- *fuel pressure gauge (*Am. *gage)*
20 de oliedrukmeter
- *oil pressure gauge (*Am. *gage)*
21 de olietemperatuurmeter
- *oil temperature gauge (*Am. *gage)*
22 de radio en de radionavigatieapparatuur
- *radio and radio navigation equipment*
23 de kaartverlichting
- *map light*
24 het stuurwiel voor de bediening van het hoogteroer en de rolroeren
- *wheel (control column, control stick) for operating the ailerons and elevators*
25 het stuurwiel voor de tweede piloot
- *co-pilot's wheel*
26 de schakelaars
- *switches*
27 het voetenstuur
- *rudder pedals*
28 het voetenstuur voor de tweede piloot
- *co-pilot's rudder pedals*
29 de microfoon voor de radio
- *microphone for the radio*
30 het, de gashandel
- *throttle lever (throttle control)*
31 het, de mengselhandel
- *mixture control*

32-66 **het eenmotorige sport- en privévliegtuig**
- ***single-engine (single-engined) racing and passenger aircraft (racing and passenger plane)***
32 de propeller
- *propeller (airscrew)*
33 de spinner
- *spinner*
34 de boxermotor met vier cilinders
- *flat four engine*
35 de cockpit (stuurhut)
- *cockpit*
36 de stoel voor de piloot
- *pilot's seat*
37 de stoel voor de tweede piloot
- *co-pilot's seat*
38 de passagiersstoelen
- *passenger seats*
39 het cockpitdak
- *hood (canopy, cockpit hood, cockpit canopy)*
40 het bestuurbare neuswiel
- *steerable nose wheel*
41 het hoofdlandingsgestel
- *main undercarriage unit (main landing gear unit)*
42 de voetsteun
- *step*
43 de vleugel
- *wing*
44 het rechter navigatielicht
- *right navigation light (right position light)*
45 de ligger
- *spar*
46 de rib
- *rib*
47 de langsverstijver (stringer)
- *stringer (longitudinal reinforcing member)*
48 de brandstoftank
- *fuel tank*
49 het landingslicht
- *landing light*
50 het linker navigatielicht
- *left navigation light (left position light)*
51 de statische ontlader
- *electrostatic conductor*
52 het rolroer (de aileron)
- *aileron*
53 de klep (vleugelklep, landingsklep)
- *landing flap*
54 de romp
- *fuselage (body)*
55 het spant
- *frame (former)*
56 de gording
- *chord*
57 de langsverstijver (stringer)
- *stringer (longitudinal reinforcing member)*
58 het verticale staartvlak
- *vertical tail (vertical stabilizer and rudder)*
59 het kielvlak
- *vertical stabilizer (vertical fin, tail fin)*
60 het richtingsroer
- *rudder*
61 het horizontale staartvlak
- *horizontal tail*
62 het stabilo
- *tailplane (horizontal stabilizer)*
63 het hoogteroer
- *elevator*
64 het waarschuwingslicht
- *warning light (anticollision light)*
65 de dipoolantenne
- *dipole antenna*
66 de draadantenne
- *long-wire antenna (long-conductor antenna)*

67-72 **de hoofdbewegingen** van het vliegtuig
- ***principal manoeuvres*** *(*Am. *maneuvers) of the aircraft (aeroplane, plane,* Am. *airplane)*
67 het stampen
- *pitching*
68 de dwarsas
- *lateral axis*
69 het gieren
- *yawing*
70 de topas
- *vertical axis (normal axis)*
71 het rollen
- *rolling*
72 de langsas
- *longitudinal axis*

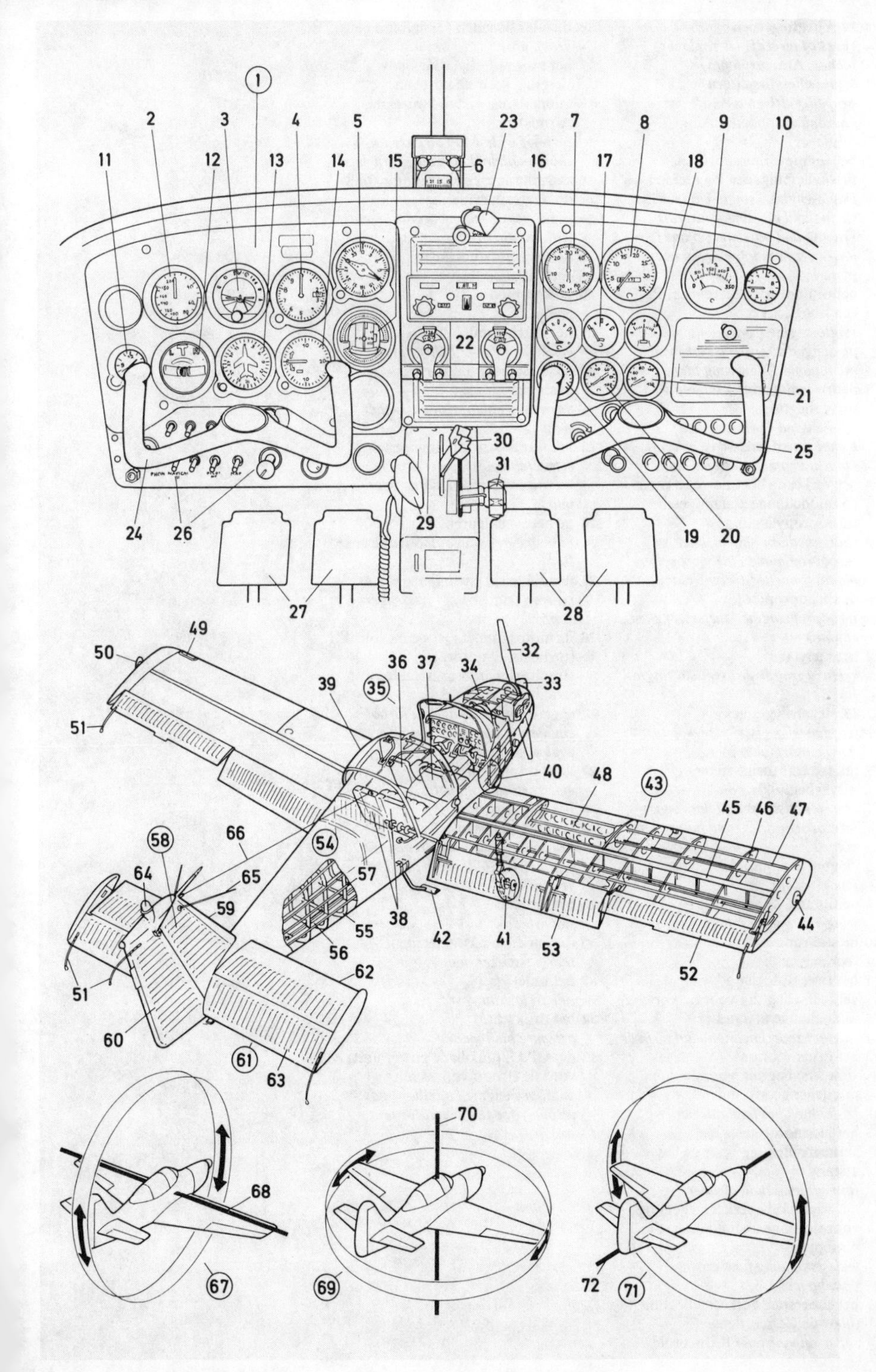
1
2
3
4
5
6
7
8
9
10
11
12
13
14
15
16
17
18
19
20
21
22
23
24
25
26
27
28
29
30
31
32
33
34
35
36
37
38
39
40
41
42
43
44
45
46
47
48
49
50
51
52
53
54
55
56
57
58
59
60
61
62
63
64
65
66
67
68
69
70
71
72

1-33 Vliegtuigtypen
- ***types of aircraft*** *(aeroplanes, planes,* Am. *airplanes)*

1-6 propellervliegtuigen
- ***propeller-driven aircraft*** *(aeroplanes, planes,* Am. *airplanes)*

1 het eenmotorige sport- en privévliegtuig, een laagdekker
- *single-engine (single-engined) racing and passenger aircraft (racing and passenger plane), a low-wing monoplane (low-wing plane)*

2 het eenmotorige privévliegtuig, een hoogdekker
- *single-engine (single-engined) passenger aircraft, a high-wing monoplane (high-wing plane)*

3 het tweemotorige zaken- en privévliegtuig
- *twin-engine (twin-engined) business and passenger aircraft (business and passenger plane)*

4 het verkeersvliegtuig voor korte en middellange afstand, een turbopropvliegtuig
- *short/medium haul airliner, a turboprop plane (turbopropeller plane, propeller-turbine plane)*

5 de turbopropmotor
- *turboprop engine (turbopropeller engine)*

6 het kielvlak
- *vertical stabilizer (vertical fin, tail fin)*

7-33 straalvliegtuigen
- ***jet planes*** *(jet aeroplanes, jets,* Am. *jet airplanes)*

7 het tweemotorige zaken- en privévliegtuig
- *twin-jet business and passenger aircraft (business and passenger plane)*

8 de grenslaaggeleider
- *fence*

9 de tiptank
- *wing-tip tank (tip tank)*

10 de staartmotor
- *rear engine*

11 het tweemotorige verkeersvliegtuig voor de korte en middellange afstand
- *twin-jet short/medium haul airliner*

12 het driemotorige verkeersvliegtuig voor de middellange afstand
- *tri-jet medium haul airliner*

13 het viermotorige verkeersvliegtuig voor de lange afstand
- *four-jet long haul airliner*

14 het wide-body verkeersvliegtuig voor de lange afstand (*hier:* de jumbojet)
- *wide-body long haul airliner (jumbo jet)*

15 het supersone verkeersvliegtuig (*hier:* de Concorde)
- *supersonic airliner* [Concorde]

16 de naar beneden verstelbare neus
- *droop nose*

17 **het tweemotorige wide-body vliegtuig** voor de korte en middellange afstand (*hier:* de Airbus)
- ***twin-jet wide-body airliner*** *for short/medium haul routes (airbus)*

18 de radarneuskegel (radome) met de weerradarantenne
- *radar nose (radome, radar dome) with weather radar antenna*

19 de cockpit (stuurhut)
- *cockpit*

20 de kombuis
- *galley*

21 het vrachtruim
- *underfloor cargo hold (hold)*

22 de passagiersruimte met de passagiersstoelen
- *passenger cabin with passenger seats*

23 het intrekbare landingsgestel
- *retractable nose undercarriage unit (retractable nose landing gear unit)*

24 de neuswieldeuren
- *nose undercarriage flap (nose gear flap)*

25 de middelste passagiersdeur
- *centre (*Am. *center) passenger door*

26 de motorgondel met de motor (turbostraalmotor, straalturbinemotor, straalmotor, straalturbine)
- *engine pod with engine (turbojet engine, jet turbine engine, jet engine, jet turbine)*

27 de statische ontlader
- *electrostatic conductors*

28 het intrekbare hoofdlandingsgestel
- *retractable main undercarriage unit (retractable main landing gear unit)*

29 het zijraam
- *side window*

30 de achterste passagiersdeur
- *rear passenger door*

31 het toilet
- *toilet (lavatory, WC)*

32 het drukschot
- *pressure bulkhead*

33 de A.P.U. (auxiliary power unit) voor de stroomvoorziening
- *auxiliary engine (auxiliary gas turbine) for the generator unit*

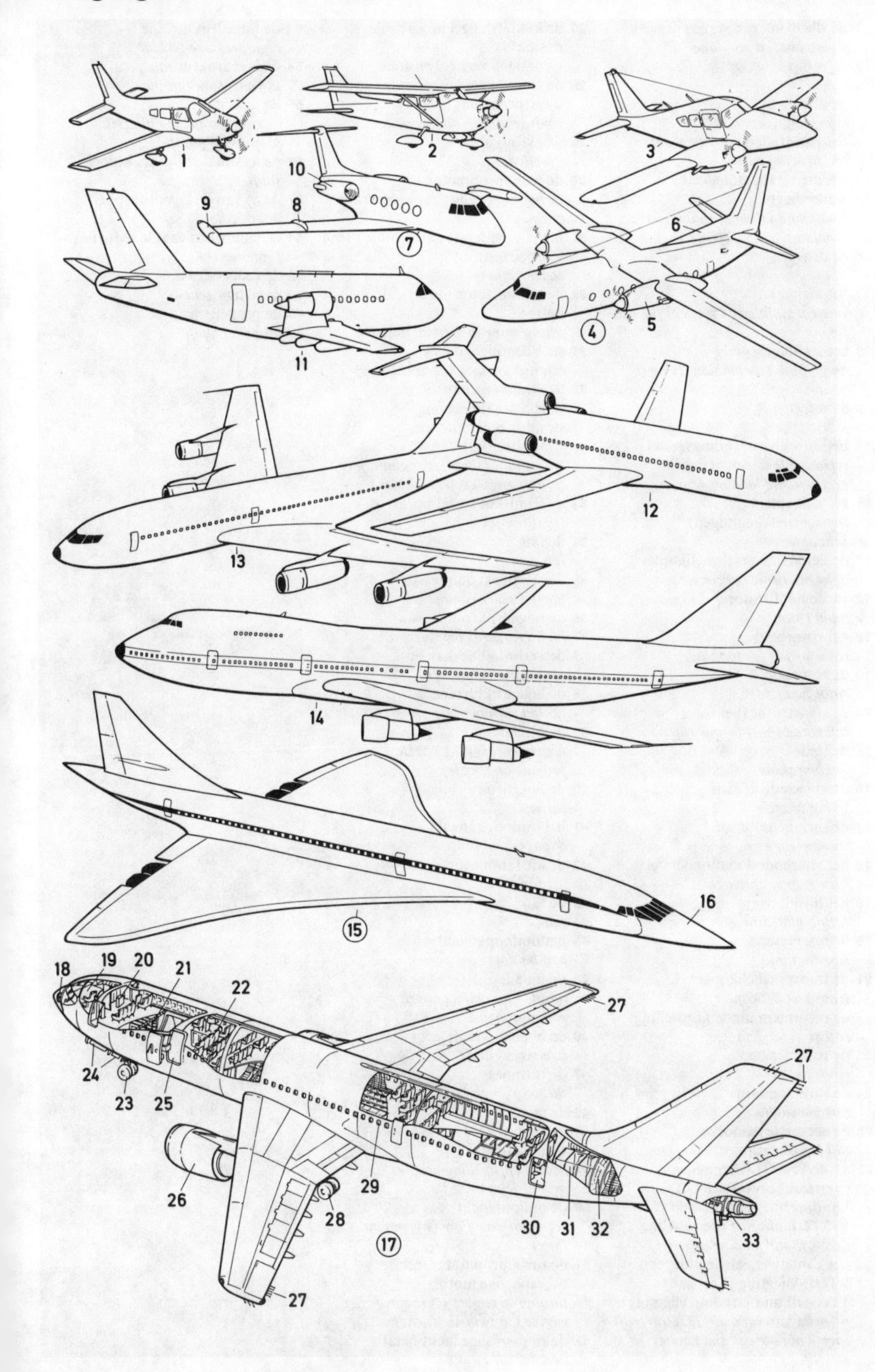
1
2
3
4
5
6
7
8
9
10
11
12
13
14
15
16
17
18
19
20
21
22
23
24
25
26
27
28
29
30
31
32
33

1 **de vliegboot,** een watervliegtuig
- ***flying boat, a seaplane***

2 de romp
- *hull*

3 de drijver
- *stub wing (sea wing)*

4 de spandraden voor de staart
- *tail bracing wires*

5 het drijvervliegtuig, een watervliegtuig
- *floatplane (float seaplane), a seaplane*

6 de drijver
- *float*

7 het kielvlak
- *vertical stabilizer (vertical fin, tail fin)*

8 **het amfibievliegtuig**
- ***amphibian*** *(amphibian flying boat)*

9 de romp
- *hull*

10 het intrekbare landingsgestel
- *retractable undercarriage (retractable landing gear)*

11-25 **helikopters** (hefschroefvliegtuigen)
- ***helicopters***

11 de lichte universele helikopter
- *light multirole helicopter*

12-13 de hoofdrotor
- *main rotor*

12 het rotorblad
- *rotary wing (rotor blade)*

13 de rotorkop
- *rotor head*

14 de staartrotor (hekrotor)
- *tail rotor (anti-torque rotor)*

15 de slede
- *landing skids*

16 de vliegende kraan
- *flying crane*

17 de turbinemotoren
- *turbine engines*

18 het vliegende-kraanonderstel
- *lifting undercarriage*

19 het hijsplatform
- *lifting platform*

20 de reservetank
- *reserve tank*

21 de transporthelikopter
- *transport helicopter*

22 de rotoren in tandemopstelling
- *rotors in tandem*

23 de rotordrager
- *rotor pylon*

24 de turbinemotor
- *turbine engine*

25 de achterste laaddeur
- *tail loading gate*

26-32 **de VSTOL-vliegtuigen** (Vertical/Short Take-Off and Landing vliegtuigen)
- ***V/STOL aircraft*** *(vertical/short take-off and landing aircraft)*

26 het kantelvleugelvliegtuig, een VTOL-vliegtuig (Vertical Take-Off and Landing vliegtuig)
- *tilt-wing aircraft, a VTOL aircraft (vertical take-off and landing aircraft)*

27 de kantelvleugel in verticale positie
- *tilt wing in vertical position*

28 de tegengesteld draaiende staartpropellers
- *contrarotating tail propellers*

29 de gyrodyne
- *gyrodyne*

30 de turbopropmotor
- *turboprop engine (turbopropeller engine)*

31 het vliegtuig met kantelmotor en schroefrotor
- *convertiplane*

32 de schroefrotor in verticale positie
- *tilting rotor in vertical position*

33-60 **Vliegtuigmotoren**
- ***aircraft engines*** *(aero engines)*

33-50 straalmotoren (turbostraalmotoren, straalturbinemotoren, straalturbines)
- *jet engines (turbojet engines, jet turbine engines, jet turbines)*

33 de front-fan-straalmotor
- *front fan-jet*

34 de fan
- *fan*

35 de lagedrukcompressor
- *low-pressure compressor*

36 de hogedrukcompressor
- *high-pressure compressor*

37 de verbrandingskamer
- *combustion chamber*

38 de lagedrukturbine
- *fan-jet turbine*

39 de uitlaat
- *nozzle (propelling nozzle, propulsion nozzle)*

40 de hogedrukturbine
- *turbines*

41 het omloopkanaal
- *bypass duct*

42 de aft-fan-motor
- *aft fan-jet*

43 de fan
- *fan*

44 het omloopkanaal
- *bypass duct*

45 de uitlaat
- *nozzle (propelling nozzle, propulsion nozzle)*

46 de bypass-straalmotor
- *bypass engine*

47 de turbines
- *turbines*

48 de mixer
- *mixer*

49 de uitlaat
- *nozzle (propelling nozzle, propulsion nozzle)*

50 de omlooplucht
- *secondary air flow (bypass air flow)*

51 de turbopropmotor, een tweespoelige motor
- *turboprop engine (turbopropeller engine), a twin-shaft engine*

52 de ringvormige luchtinlaat
- *annular air intake*

53 de hogedrukturbine
- *high-pressure turbine*

54 de lagedrukturbine
- *low-pressure turbine*

55 de uitlaat
- *nozzle (propelling nozzle, propulsion nozzle)*

56 de as van de hogedrukspoel
- *shaft*

57 de as van de lagedrukspoel
- *intermediate shaft*

58 de aandrijfas van de reductiekast
- *gear shaft*

59 de reductiekast
- *reduction gear*

60 de propelleras
- *propeller shaft*

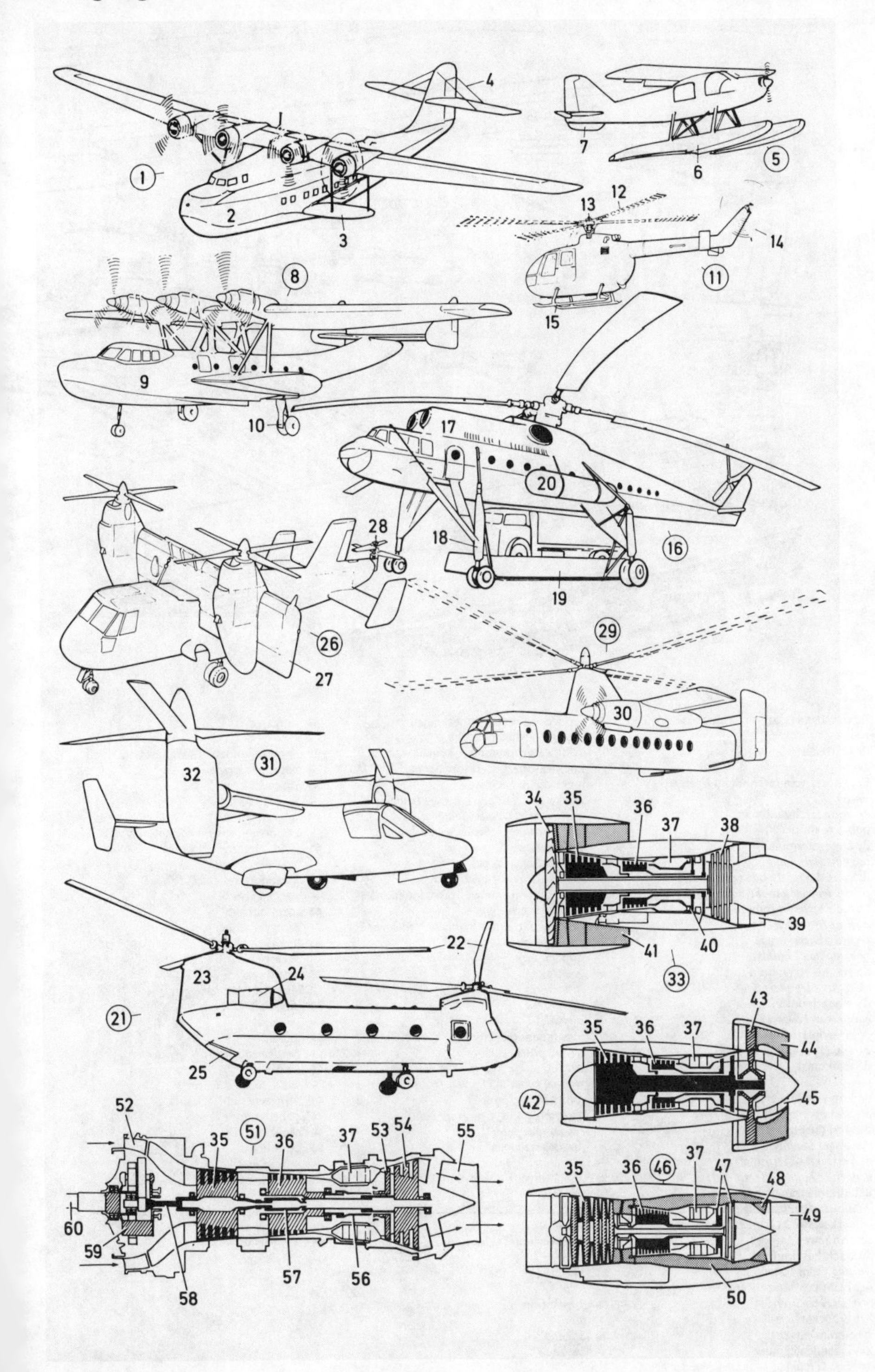
1
2
3
4
5
6
7
8
9
10
11
12
13
14
15
16
17
18
19
20
21
22
23
24
25
26
27
28
29
30
31
32
33
34
35
36
37
38
39
40
41
42
43
44
45
46
47
48
49
50
51
52
53
54
55
56
57
58
59
60

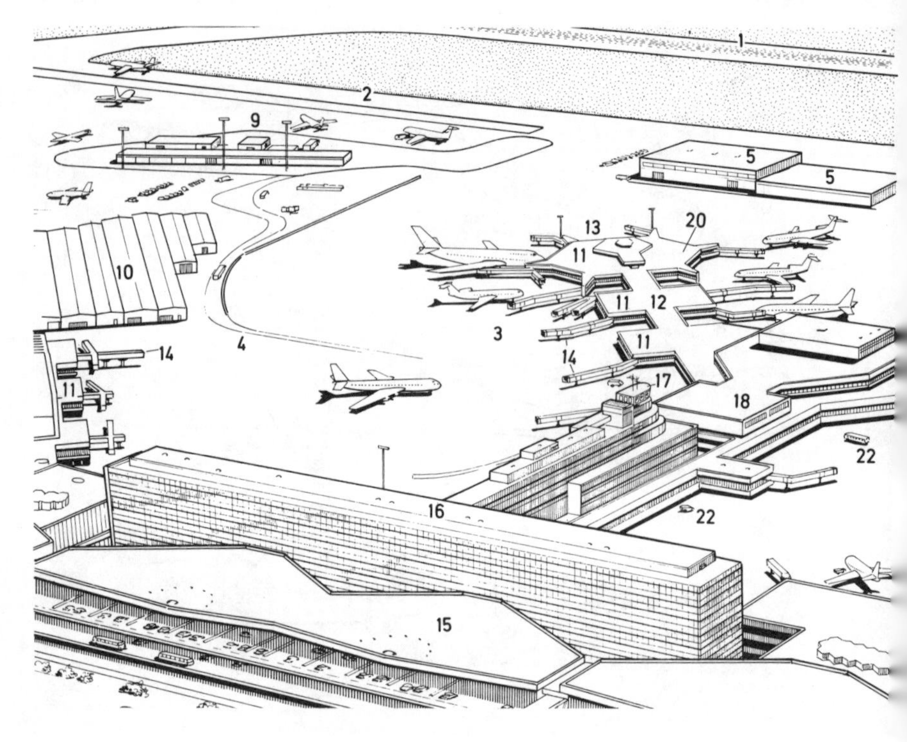

1 de startbaan (start- en landingsbaan)
- *runway*

2 de taxibaan
- *taxiway*

3 het voorterrein (afhandelingsgebied)
- *apron*

4 de voorterreintaxibaan
- *apron taxiway*

5 de bagageterminal
- *baggage terminal*

6 de tunnel naar de bagageterminal
- *tunnel entrance to the baggage terminal*

7 de luchthavenbrandweer
- *airport fire service*

8 de brandweergarage
- *fire appliance building*

9 de vracht- en postterminal
- *mail and cargo terminal*

10 de vrachtloodsen
- *cargo warehouse*

11 de opstelplatforms
- *assembly point*

12 de aankomst- of vertrekpier
- *pier*

13 de kop van de pier
- *pierhead*

14 de slurf (airobrug)
- *passenger loading bridge*

15 de vertrekhal (terminal)
- *departure building (terminal)*

16 het administratiegebouw
- *administration building*

17 de verkeerstoren (controletoren)
- *control tower (tower)*

18 de wachthal (lounge)
- *waiting room (lounge)*

19 het luchthavenrestaurant
- *airport restaurant*

20 het bezoekersterras
- *spectators' terrace*

21 het ladende vliegtuig
- *aircraft in loading position (nosed in)*

22 service- en bevrachtingsvoertuigen, b.v. bagagetransportwagens, drinkwatertankauto's, keukenwagens, toiletwagens, generatorwagens, tankwagens
- *service vehicles, e.g. baggage loaders, water tankers, galley loaders, toilet-cleaning vehicles, ground power units, tankers*

23 de vliegtuigtrekker
- *aircraft tractor (aircraft tug)*

24-53 de pictogrammen (informatieborden voor luchthavens)
- *airport information symbols [pictographs]*

24 „luchthaven" („vliegveld")
- *'airport'*

25 „vertrek"
- *'departures'*

26 „aankomst"
- *'arrivals'*

27 „doorgaande reizigers"
- *'transit passengers'*

28 „wachtruimte"
- *'waiting room' ('lounge')*

29 „ontmoetingspunt"
- *'assembly point' ('meeting point', 'rendezvous point')*

30 „bezoekersterras"
- *'spectators' terrace'*

31 „inlichtingen" („informatie")
- *'information'*

32 „taxi"
- *'taxis'*

33 „autoverhuur" („huurauto's")
- *'car hire'*

34 „spoorwegstation"
- *'trains'*

35 „busstation"
- *'buses'*

36 „ingang"
- *'entrance'*

37 „uitgang"
- *'exit'*

38 „bagagebanden" („bagageclaimafdeling")
- *'baggage retrieval'*

39 „bagagekluizen"
- *'luggage lockers'*

40 „alarmtelefoon"
- *telephone - 'emergency calls only'*

41 „nooduitgang"
- *'emergency exit'*

42 „paspoortcontrole"
- *'passport check'*

43 „perscentrum"
- *'press facilities'*

44 „medische hulp"
- *'doctor'*

45 „apotheek"
- *'chemist'* (Am. *druggist')*

46 „douches"
- *'showers'*

47 „herentoilet"
- *'gentlemen's toilet' ('gentlemen')*

48 „damestoilet"
- *'ladies toilet' ('ladies')*

49 „stiltecentrum" („kapel", „gebedsruimte")
- *'chapel'*

50 „restaurant"
- *'restaurant'*

51 „wisselkantoor"
- *'change'*

52 „belastingvrije winkel" („taxfree shop")
- *'duty free shop'*

53 „kapper"
- *'hairdresser'*

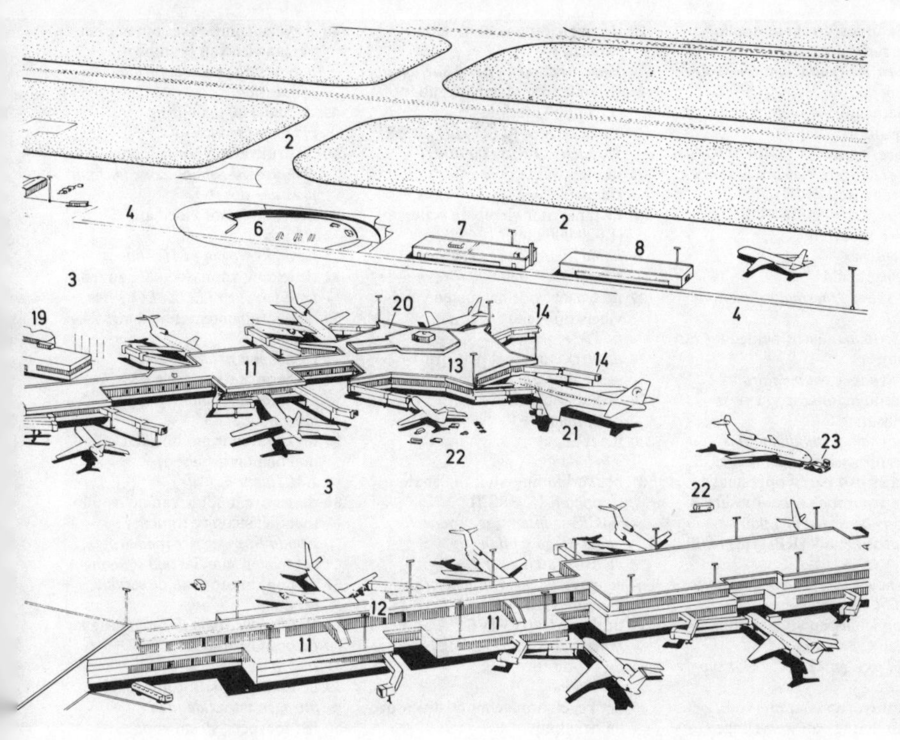
2
2
2
4
6
7
8
3
19
20
14
14
4
11
13
21
23
22
3
22
12
11
11

24
25
26
27
28
29
30
31
32
TAXI
33
34
DB
35
BUS
36
37
38
39
40
41
42
43
press
44
45
46
47
48
49
50
51
100
5
2
52
53

1 **de Saturnus V-raket „Apollo"** [overzicht]
- ***Saturn V 'Apollo' booster*** *(booster rocket) [overall view]*

2 de Saturnus V-raket „Apollo" [langsdoorsnede]
- *Saturn V 'Apollo' booster (booster rocket) [overall sectional view]*

3 de eerste trap (S-IC)
- *first rocket stage (S-IC)*

4 de F-1-motoren
- *F-1 engines*

5 het hitteschild
- *heat shield (thermal protection shield)*

6 de aërodynamische bekleding van de motor
- *aerodynamic engine fairings*

7 de aërodynamische vin voor stabilisatie
- *aerodynamic stabilizing fins*

8 de trappenscheidingsraketjes, 8 raketjes in 4 paren opgesteld
- *stage separation retro-rockets, 8 rockets arranged in 4 pairs*

9 de kerosinetank (RP-1) [811.000 liter]
- *kerosene (RP-1) tank [capacity: 811,000 litres]*

10 de pijpleidingen voor vloeibare zuurstof, *5 in totaal*
- *liquid oxygen (LOX, LO_2) supply lines*

11 het antivortexsysteem (voor verhindering van wervelingen in de brandstof)
- *anti-vortex system [device for preventing the formation of vortices in the fuel]*

12 de tank voor vloeibare zuurstof [1.315.000 liter]
- *liquid oxygen (LOX, LO_2) tank [capacity: 1,315,000 litres]*

13 de klotsdempers
- *anti-slosh baffles*

14 de drukvaten voor helium
- *compressed-helium bottles (helium pressure bottles)*

15 de verdeler voor gasvormige zuurstof
- *diffuser for gaseous oxygen*

16 het verbindingsstuk tussen twee tanks
- *inter-tank connector (inter-tank section)*

17 de instrumenten- en systeembewakingsapparatuur
- *instruments and system-monitoring devices*

18 de tweede trap (S-II)
- *second rocket stage (S-II)*

19 J-2-motoren
- *J-2 engines*

20 het hitteschild
- *heat shield (thermal protection shield)*

21 de ophanging van motoren en straalpijpen
- *engine mounts and thrust structure*

22 de versnellingsraketjes voor het verzamelen van de brandstof
- *acceleration rockets for fuel acquisition*

23 de zuigleiding voor vloeibare waterstof
- *liquid hydrogen (LH_2) suction line*

24 de tank voor vloeibare zuurstof [1.315.000 liter]
- *liquid oxygen (LOX, LO_2) tank [capacity: 1,315,000 litres]*

25 de standpijp
- *standpipe*

26 de tank voor vloeibare waterstof [1.020.000 liter]
- *liquid hydrogen (LH_2) tank [capacity: 1,020,000 litres]*

27 de sensor voor het meten van het vloeistofniveau
- *fuel level sensor*

28 de werkvloer (het platform)
- *work platform (working platform)*

29 de kabelschacht
- *cable duct*

30 het mangat
- *manhole*

31 het verbindingsstuk tussen de trappen S-IC en S-II
- S-IC/S-II *inter-stage connector (inter-stage section)*

32 de drukvaten voor gas
- *compressed-gas container (gas pressure vessel)*

33 de derde trap (S-IVB)
- *third rocket stage* (S-IVB)

34 de J-2-motor
- *J-2 engine*

35 het kegelvormige mondstuk van de straalpijp
- *nozzle (thrust nozzle)*

36 het verbindingsstuk tussen de trappen S-II en S-IVB
- S-II/S-IVB *inter-stage connector (inter-stage section)*

37 het trappenscheidingsraketje voor de S-II, 4 raketten
- *four second-stage* (S-II) *separation retro-rockets*

38 de standregelingsraketjes
- *attitude control rockets*

39 de tank voor vloeibare zuurstof [77.200 liter]
- *liquid oxygen (LOX, LO_2) tank [capacity: 77,200 litres]*

40 de schacht voor de brandstofleiding
- *fuel line duct*

41 de tank voor vloeibare waterstof [253.000 liter]
- *liquid hydrogen (LH_2) tank [capacity: 253,000 litres]*

42 de meetsondes
- *measuring probes*

43 de drukvaten voor helium
- *compressed-helium tanks (helium pressure vessels)*

44 het tankventiel
- *tank vent*

45 de bovenste tussenring
- *forward frame section*

46 de werkvloer (het platform)
- *work platform (working platform)*

47 de kabelschacht
- *cable duct*

48 de versnellingsraketjes voor het verzamelen van brandstof
- *acceleration rockets for fuel acquisition*

49 de onderste tussenring
- *aft frame section*

50 de drukvaten voor helium
- *compressed-helium tanks (helium pressure vessels)*

51 de leiding voor vloeibare waterstof
- *liquid hydrogen (LH_2) line*

52 de leiding voor vloeibare zuurstof
- *liquid oxygen (LOX, LO_2) line*

53 de instrumenteneenheid met 24 panelen
- *24-panel instrument unit*

54 de bergplaats voor de LM
- *LM hangar (lunar module hangar)*

55 de LM (lunar module, het maanlandingstoestel)
- *LM (lunar module)*

56 de service module van de Apollo (het dienstcompartiment)
- *Apollo SM (service module), containing supplies and equipment*

57 de hoofdmotor van de service module
- *SM (service module) main engine*

58 de brandstoftank
- *fuel tank*

59 de tank voor stikstoftetroxide
- *nitrogen tetroxide tank*

60 het toevoersysteem voor gecomprimeerd gas
- *pressurized gas delivery system*

61 de zuurstoftanks
- *oxygen tanks*

62 de brandstofcellen
- *fuel cells*

63 de stuurraketjes
- *manoeuvring (*Am. *maneuvering) rocket assembly*

64 de richtantennes
- *directional antenna assembly*

65 de ruimtecapsule (het besturingscompartiment)
- *space capsule (command section)*

66 de ontsnappingstoren voor de startfase
- *launch phase escape tower*

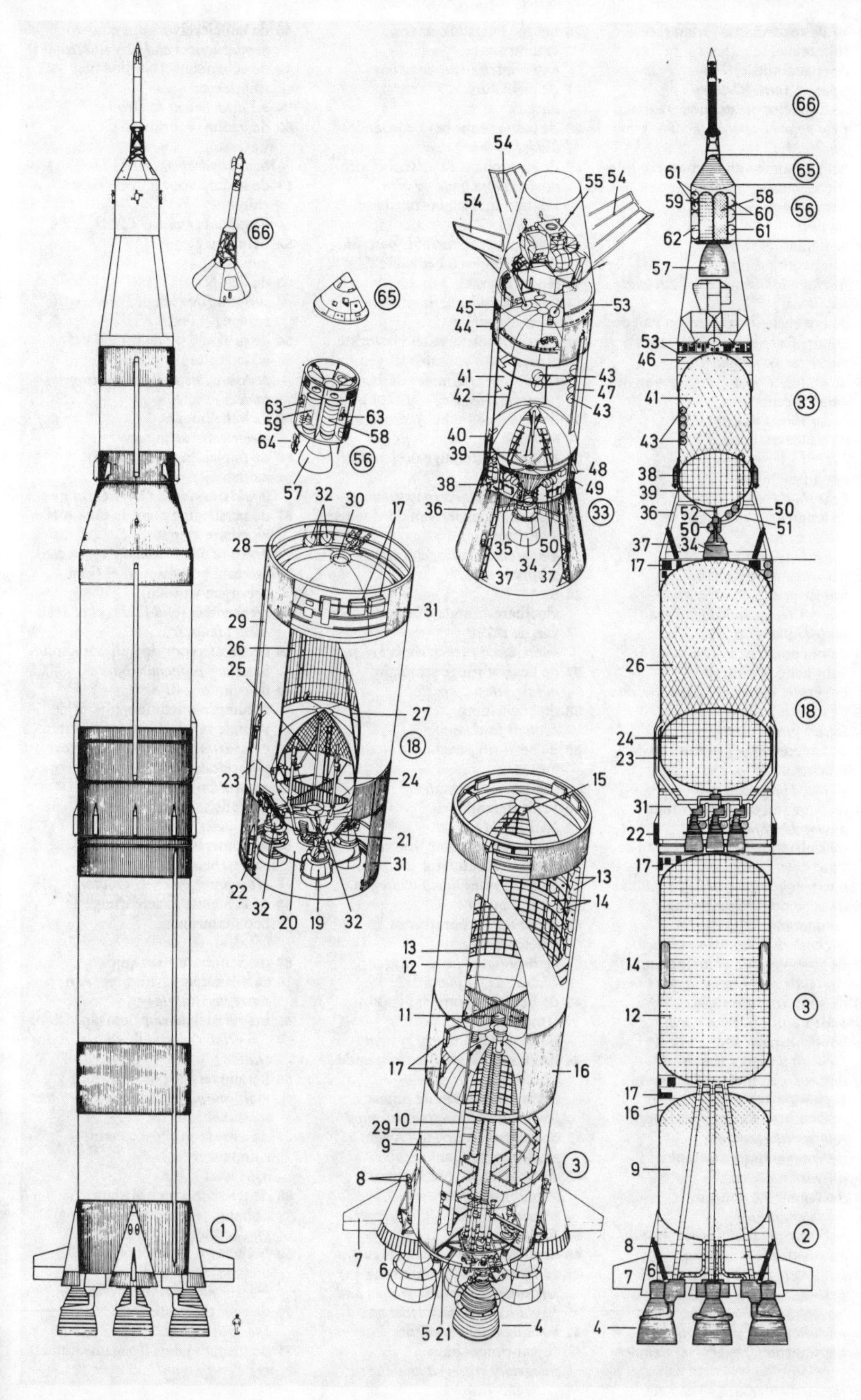
66
65
63
59
63
64
58
56
57
32
30
17
28
31
29
26
25
27
18
23
24
21
31
22
32
20
19
32
54
55
54
54
53
45
44
41
43
42
47
43
40
39
48
38
49
36
33
35
50
34
37
37
15
13
14
13
12
11
17
16
10
29
9
3
8
7
6
5
21
4
1
61
65
58
59
60
56
61
62
57
53
46
41
33
43
38
39
36
52
50
50
51
37
34
17
26
18
24
23
31
22
17
14
12
3
17
16
9
2
8
7
6
4

1-45 **de spaceshuttle Orbiter,** een ruimtevliegtuig (het ruimteveer, de spaceshuttle)
- ***Space Shuttle-Orbiter***
1 de dubbelondersteunde staartvin
- *twin-spar (two-spar, double-spar) vertical fin*
2 het geraamte van de motorruimte
- *engine compartment structure*
3 de zijstang
- *fin post*
4 de beplating van de rompverbinding
- *fuselage attachment [of payload bay doors]*
5 de bovenste draagstangen van de aandrijfeenheid
- *upper thrust mount*
6 de onderste draagstangen van de aandrijfeenheid
- *lower thrust mount*
7 de kielbevestiging
- *keel*
8 het hitteschild
- *heat shield*
9 de lengtedraagbalk van de middenromp
- *waist longeron*
10 het integraal gefreesde hoofdspant
- *integrally machined (integrally milled) main rib*
11 de integraal verstijfde lichtmetalen omhulling
- *integrally stiffened light alloy skin*
12 de roosterbalken
- *lattice girder*
13 de isolerende bekleding van de vrachtruimte
- *payload bay insulation*
14 de deur van de vrachtruimte
- *payload bay door*
15 de isolerende bekleding tegen de kou
- *low-temperature surface insulation*
16 de accommodatie voor de bemanning
- *flight deck (crew compartment)*
17 de stoel voor de commandant
- *captain's seat (commander's seat)*
18 de stoel voor de vlieger
- *pilot's seat (co-pilot's seat)*
19 het drukspant voor
- *forward pressure bulkhead*
20 de neus, een met koolstofvezel versterkte kegel
- *nose-section fairings, carbon fibre reinforced nose cone*
21 de voorste brandstoftanks
- *forward fuel tanks*
22 de avionische consoles
- *avionics consoles*
23 het instrumentenpaneel voor de automatische besturing
- *automatic flight control panel*
24 het waarnemingsvenster aan de bovenkant
- *upward observation windows*
25 het waarnemingsvenster aan de voorkant
- *forward observation windows*
26 het toegangsluik naar de vrachtruimte
- *entry hatch to payload bay*
27 de luchtsluis
- *air lock*
28 de ladder naar het benedendek
- *ladder to lower deck*
29 de manipulatorarm (robotarm)
- *payload manipulator arm*
30 het hydraulisch bestuurbare neuswiel
- *hydraulically steerable nose wheel*
31 het hydraulisch bediende landingsgestel
- *hydraulically operated main landing gear*
32 de met koolstofvezel versterkte, afneembare voorste vleugelrand
- *removable (reusable) carbon fibre reinforced leading edge [of wing]*
33 de beweegbare hoogteroeren
- *movable elevon sections*
34 het hittebestendige deel van het hoogteroer
- *heat-resistant elevon structure*
35 de hoofdtoevoer van de vloeibare waterstof
- *main liquid hydrogen (LH_2) supply*
36 de vloeibare-brandstofhoofdmotor van de raket
- *main liquid-fuelled rocket engine*
37 de kegelvormige straalpijp
- *nozzle (thrust nozzle)*
38 de koelleiding
- *coolant feed line*
39 de besturingseenheid van de motor
- *engine control system*
40 het hitteschild
- *heat shield*
41 de hogedrukpomp voor de vloeibare waterstof
- *high-pressure liquid hydrogen (LH_2) pump*
42 de hogedrukpomp voor de vloeibare zuurstof
- *high-pressure liquid oxygen (LOX, LO_2) pump*
43 de besturingseenheid voor de straalpijp
- *thrust vector control system*
44 de elektromagnetisch bediende hoofdmotor voor het manoeuvreren in de ruimte
- *electromechanically controlled orbital manoeuvring (*Am. *maneuvering) main engine*
45 de brandstoftanks voor de straalpijpen
- *nozzle fuel tanks (thrust nozzle fuel tanks)*
46 **de afstootbare waterstof- en zuurstoftanks** (brandstoftanks)
- ***jettisonable liquid hydrogen and liquid oxygen tank*** *(fuel tank)*
47 het integraal verstijfde ringvormige spant
- *integrally stiffened annular rib (annular frame)*
48 de halfcirkelvormige eindrib
- *hemispherical end rib (end frame)*
49 de achterste verbinding met het ruimteveer
- *aft attachment to Orbiter*
50 de leiding voor de vloeibare waterstof
- *liquid hydrogen (LH_2) line*
51 de leiding voor de vloeibare zuurstof
- *liquid oxygen (LOX, LO_2) line*
52 het mangat
- *manhole*
53 de demper
- *surge baffle system (slosh baffle system)*
54 de drukleiding naar de waterstoftank
- *pressure line to liquid hydrogen tank*
55 de kabelboom
- *electrical system bus*
56 de pijpleiding voor vloeibare zuurstof
- *liquid oxygen (LOX, LO_2) line*
57 de persleiding naar de tank met vloeibare zuurstof
- *pressure line to liquid oxygen tank*
58 **de vaste-brandstofraket** (kan geborgen worden)
- ***recoverable solid-fuel rocket*** *(solid rocket booster)*
59 de ruimte voor de hulpparachutes
- *auxiliary parachute bay*
60 de ruimte voor de reddingsparachutes en voor de voorste raketscheidingsmotoren
- *compartment housing the recovery parachutes and the forward separation rocket motors*
61 de kabelschacht
- *cable duct*
62 de achterste raketscheidingsmotoren
- *aft separation rocket motors*
63 de achterste kegelvormige beschermrand
- *aft skirt*
64 de wendbare straalpijp
- *swivel nozzle (swivelling,* Am. *swiveling, nozzle)*
65 **het ruimtelaboratorium** (spacelab)
- ***Spacelab*** *(space laboratory, space station)*
66 het universele laboratorium
- *multi-purpose laboratory (orbital workshop)*
67 de astronaut (kosmonaut, ruimtevaarder)
- *astronaut*
68 de telescoop met cardanische ophanging (cardanophanging)
- *gimbal-mounted telescope*
69 het platform met meetinstrumenten
- *measuring instrument platform*
70 de ruimtemodule
- *spaceflight module*
71 de toegangssluis (toegangstunnel)
- *crew entry tunnel*

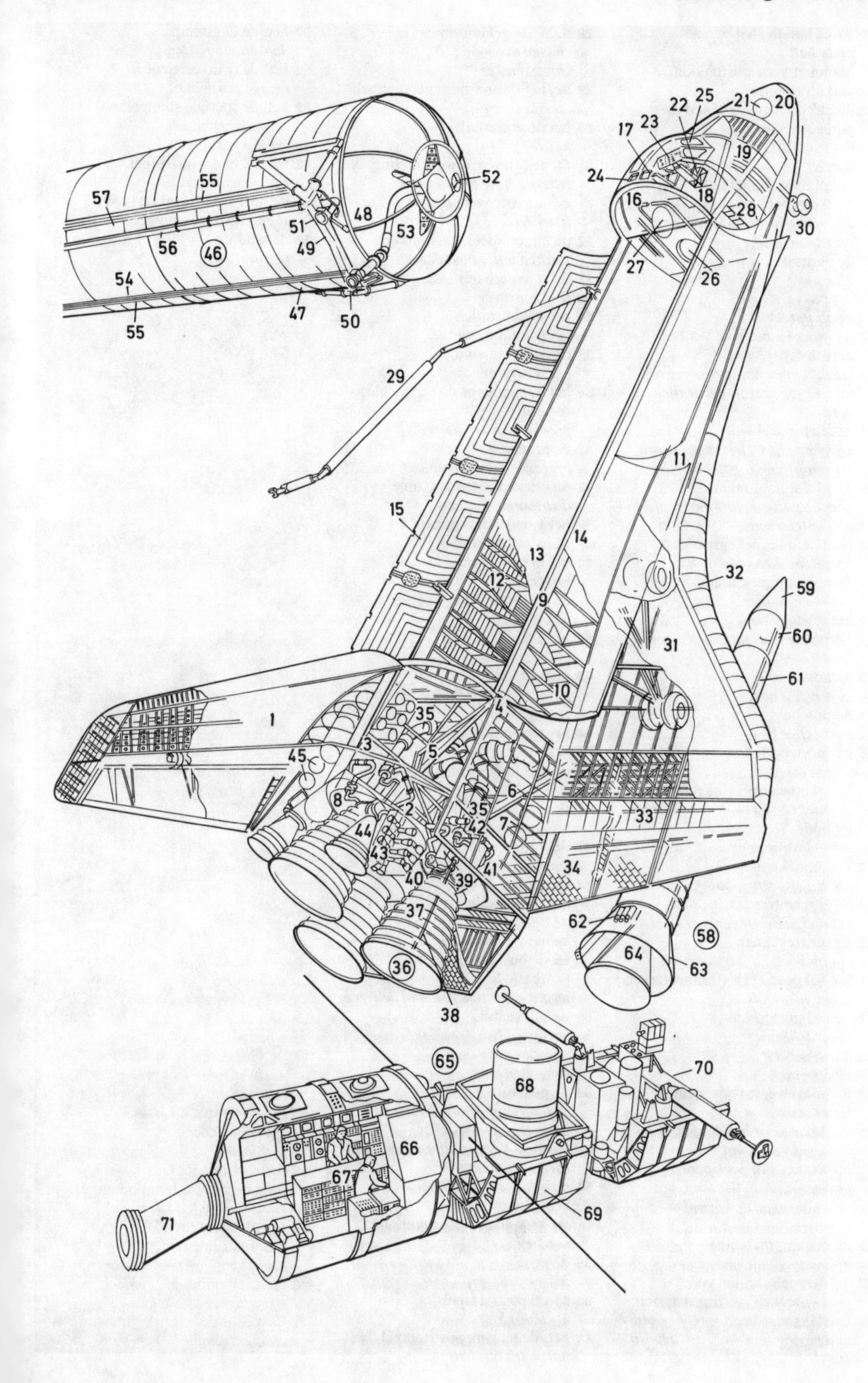
25
21
20
22
23
17
19
24
18
16
28
30
27
26
52
55
57
48
51
53
56
46
49
54
47
50
55
29
11
15
14
13
32
12
59
9
60
31
61
10
1
4
35
45
3
5
6
8
2
35
33
44
42
7
43
41
34
40
39
37
62
58
64
63
36
38
65
70
68
66
67
69
71

1-30 de lokettenhal
- ***main hall***
1 het loket voor postpakketten
- *parcels counter*
2 de pakkettenweegschaal
- *parcels scales*
3 het (post)pakket
- *parcel*
4 het plakadres met het pakketnummerstrookje
- *stick-on address label with parcel registration slip*
5 de lijmpot
- *glue pot*
6 het pakje
- *small parcel*
7 de frankeermachine voor adreskaarten
- *franking machine (*Am. *postage meter) for parcel registration cards*
8 de telefooncel
- *telephone box (telephone booth, telephone kiosk, call box)*
9 de telefoonautomaat
- *coin-box telephone (pay phone, public telephone)*
10 het telefoonboekenrek
- *telephone directory rack*
11 de telefoonboekhouder
- *directory holder*
12 het telefoonboek
- *telephone directory (telephone book)*
13 de postbussen
- *post office boxes*
14 de postbus
- *post office box*
15 het postzegelloket
- *stamp counter*
16 de loketbeambte (lokettist)
- *counter clerk (counter officer)*
17 de bode
- *company messenger*
18 het aantekenboekje
- *record of posting book*
19 de zegelautomaat
- *counter stamp machine*
20 de postzegelmap
- *stamp book*
21 het vel postzegels (frankeerzegels)
- *sheet of stamps*
22 de veiligheidslade
- *security drawer*
23 de wisselkas
- *change rack*
24 de brieveweger (briefweger)
- *letter scales*
25 het loket voor betalingen, inleggen van spaargelden en uitbetalen van pensioenen
- *paying-in (*Am. *deposit), post office savings, and pensions counter*
26 de boekingsmachine
- *accounting machine*
27 de stempelmachine voor postwissels en stortingskaarten
- *franking machine for money orders and paying-in slips (*Am. *deposit slips)*
28 de wisselgeldautomaat
- *change machine (*Am. *changemaker)*
29 de, het datum-nummerstempel
- *receipt stamp*
30 het doorgeefluik
- *hatch*
31-44 de brievensorteerafdeling
- *letter-sorting installation*
31 de aanvoer van post
- *letter feed*
32 de opgestapelde postbakken
- *stacked letter containers*
33 de aanvoerband
- *feed conveyor*
34 het tussenstation
- *intermediate stacker*
35 de coderingsruimte
- *coding station*
36 het kanaal voor de eerste, globale sortering
- *pre-distributor channel*
37 de procescomputer
- *process control computer*
38 de brievensorteermachine
- *distributing machine*
39 het videocodeerstation
- *video coding station*
40 het beeldscherm
- *screen*
41 de adresprojectie
- *address display*
42 het adres
- *address*
43 de postcode
- *post code (postal code,* Am. *zip code)*
44 het toetsenbord
- *keyboard*
45 de, het handstempel
- *handstamp*
46 de, het handrolstempel
- *roller stamp*
47 de frankeermachine
- *franking machine*
48 de aanleg
- *feed mechanism*
49 de uitleg
- *delivery mechanism*
50-55 de buslichting en de postbestelling
- *postal collection and and delivery*
50 de brievenbus
- *postbox (*Am. *mailbox)*
51 de brievenopvangtas
- *collection bag*
52 de postauto
- *post office van (mail van)*
53 de postbode (besteller)
- *postman (*Am. *mail carrier, letter carrier, mailman)*
54 de bestellerstas op het bestellerswagentje
- *delivery pouch (postman's bag, mailbag)*
55 de post
- *letter-rate item*
56-60 de poststempels
- *postmarks*
56 het, de reclamepoststempel
- *postmark advertisement*
57 het, de dagstempel
- *date stamp postmark*
58 het, de frankeerstempel
- *charge postmark*
59 het, de speciale stempel; *ook* eerstedagstempel
- *special postmark*
60 het, de handrolstempel
- *roller postmark*
61 de postzegel (frankeerzegel)
- *stamp (postage stamp)*
62 de tanding
- *perforations*

1 2 3 4 5 6 7 8 9 10 11 12 13 14 15 16 17 18 19 20 21 22 23 24 25 26 27 28 29 30
31 32 33 34 35 36 37 38 39 40 41 42 43 44 45 46 47 48 49 50 51 52 53 54 55 56 57 58 59 60 61 62
6720 Speyer
BERLIN ist eine Reise wert
Come and see BERLIN
METTMANN 1
ma
4020
020
ROTARY
INTERNATIONAL
LUXEMBOURG
BITTE AUCH IN DER ABSENDERANGABE
VERGISS MEIN NICHT:
DIE POSTLEITZAHL
GUMMERSBACH 31
me
5270
DEUTSCHE BUNDESPOST

237 Post II (telefoon en telegrafie)

1 **de telefooncel,** een publieke telefooncel, een muntautomaat
- ***telephone box*** *(telephone booth, telephone kiosk, call box), a public telephone*

2 de telefoongebruiker; (*met eigen aansluiting:* telefoonabonnee)
- *telephone user;* with own telephone: *telephone subscriber (telephone customer)*

3 het munttelefoontoestel voor lokale en interlokale gesprekken
- *coin-box telephone (pay phone, public telephone) for local and long-distance calls (trunk calls)*

4 het automatisch kiezende alarmapparaat
- *emergency telephone*

5 de telefoongids (het telefoonboek)
- *telephone directory (telephone book)*

6-26 **telefoontoestellen** (telefoonapparaten)
- ***telephone instruments*** *(telephones)*

6 het standaardmodel tafeltoestel
- *standard table telephone*

7 de hoorn
- *telephone receiver (handset)*

8 de telefoon (het oorstuk)
- *earpiece*

9 de microfoon (het mondstuk)
- *mouthpiece (microphone)*

10 de kiesschijf
- *dial;* sim.: *push-button keyboard*

11 de nummerschijf
- *finger plate (dial finger plate, dial wind-up plate)*

12 de stuitnok
- *finger stop (dial finger stop)*

13 de haak (het haakcontact)
- *cradle (handset cradle, cradle switch)*

14 het telefoonsnoer (microtelefoonsnoer)
- *receiver cord (handset cord)*

15 de toestelkap
- *telephone casing (telephone cover)*

16 de kostenteller
- *subscriber's (customer's) private meter*

17 het lijnkiezertoestel
- *switchboard (exchange) for a system of extensions*

18 de netlijntoets
- *push button for connecting main exchange lines*

19 de huislijntoetsen
- *push buttons for calling extensions*

20 het druk(toets)toestel
- *push-button telephone*

21 de ruggespraaktoets
- *earthing button for the extensions*

22-26 de telefooninstallatie, bestaande uit een hoofdtoestel en neventoestellen
- *switchboard with extensions*

22 de centraalpost
- *exchange*

23 het arbitragepaneel
- *switchboard operator's set*

24 de netlijnaansluiting
- *main exchange line*

25 de schakelkast
- *switching box (automatic switching system, automatic connecting system, switching centre,* Am. *center)*

26 het neventoestel
- *extension*

27-41 **het telefoonkantoor**
- ***telephone exchange***

27 de radiocontroledienst
- *radio interference service*

28 de storingstechnicus
- *maintenance technician*

29 de meetpost (meettafel)
- *testing board (testing desk)*

30 de telegrafie
- *telegraphy*

31 het telexapparaat
- *teleprinter (teletypewriter)*

32 de ponsband
- *paper tape*

33 de inlichtingen
- *directory enquiries*

34 de informatiepost
- *information position (operator's position)*

35 de telefoniste
- *operator*

36 het microfilmleesapparaat
- *microfilm reader*

37 het microfilmbestand
- *microfilm file*

38 de microfilm met telefoonnummers geprojecteerd op het scherm
- *microfilm card with telephone numbers*

39 de datummelder
- *date indicator display*

40 de meet- en observatietafel
- *testing and control station*

41 de schakelapparatuur (centrale) voor de telefoon-, telex- en dataverbindingen
- *switching centre (*Am. *center) for telephone, telex, and data transmission services*

42 **de kiezer** (motorkiezer met toepassing van zilver-palladium op de contactplaatsen); *tegenwoordig:* elektronische apparatuur
- ***selector*** *(motor uniselector made of noble metals;* in the future: *electronic selector)*

43 de contactring
- *contact arc (bank)*

44 de contactarm (borstel)
- *contact arm (wiper)*

45 de contactenbank
- *contact field*

46 de borstelwagen
- *contact arm tag*

47 de elektromagneet
- *electromagnet*

48 de kiezermotor
- *selector motor*

49 de terugstelveer
- *restoring spring (resetting spring)*

50 **communicatiewegen**
- ***communication links***

51-52 de satellietverbinding
- *satellite radio link*

51 het grondstation met telescoopantenne
- *earth station with directional antenna*

52 de communicatiesatelliet met gerichte antenne
- *communications satellite with directional antenna*

53 het kustradiostation
- *coastal station*

54-55 de intercontinentale radioverbinding
- *intercontinental radio link*

54 het kortegolfstation
- *short-wave station*

55 de ionosfeer
- *ionosphere*

56 de zeekabel
- *submarine cable (deep-sea cable)*

57 de onderwaterversterker
- *underwater amplifier*

58 **de datatransmissie**
- ***data transmission***

59 het in- en uitvoerorgaan voor informatiedragers
- *input/output device for data carriers*

60 de processor
- *data processor*

61 de printer
- *teleprinter*

62-64 de informatiedragers
- *data carriers*

62 de ponsband
- *punched tape (punch tape)*

63 de magneetband
- *magnetic tape*

64 de ponskaart
- *punched card (punch card)*

65 de telexaansluiting
- *telex link*

66 de telex
- *teleprinter (page printer)*

67 de kieseenheid
- *dialling (*Am. *dialing) unit*

68 de ponsband voor het verzenden van het bericht op maximumsnelheid
- *telex tape [punched tape (punch tape) for transmitting the text at maximum speed]*

69 het telexbericht
- *telex message*

70 het toetsenbord
- *keyboard*

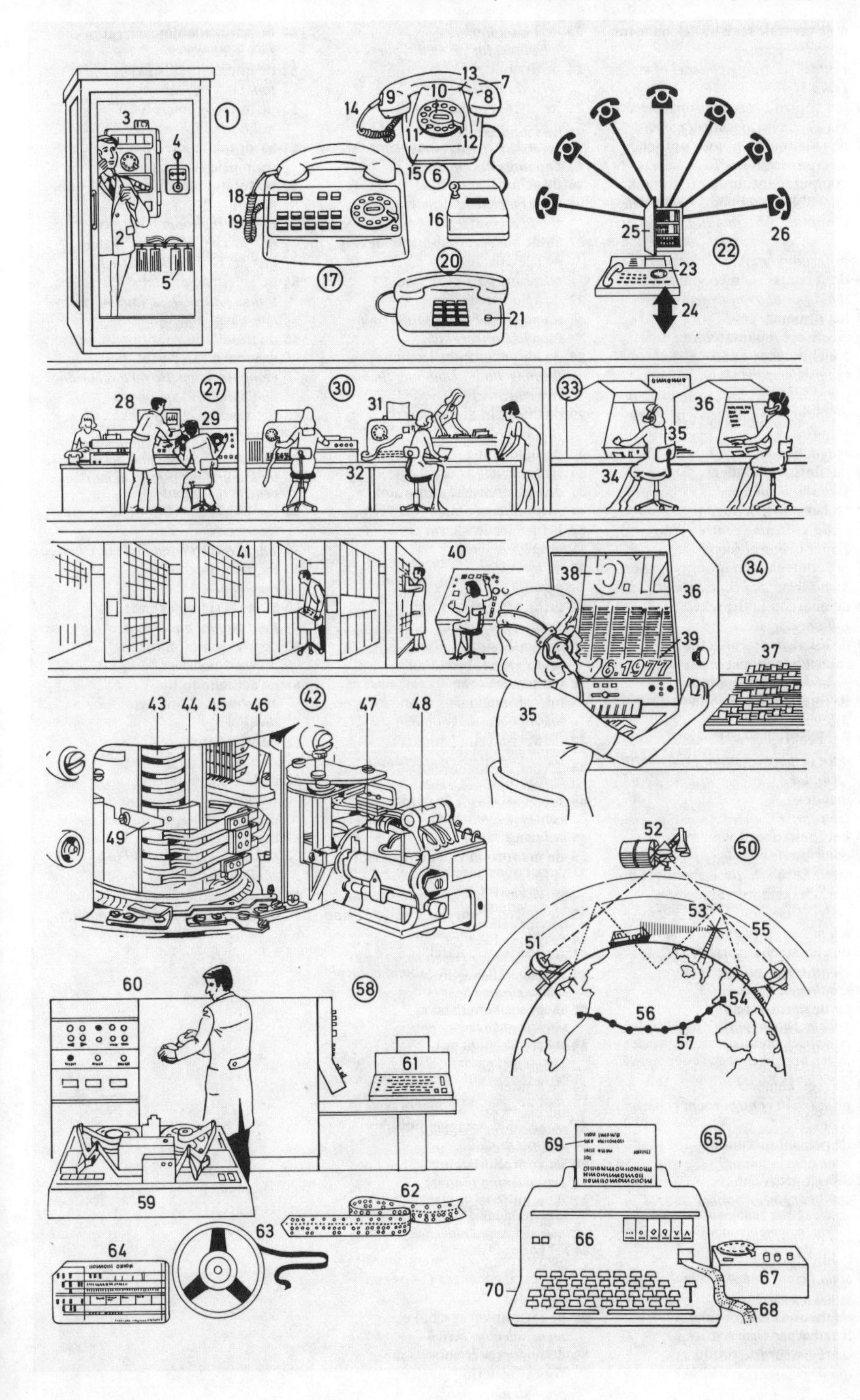
1
2
3
4
5
6
7
8
9
10
11
12
13
14
15
16
17
18
19
20
21
22
23
24
25
26
27
28
29
30
31
32
33
34
35
36
37
38
39
40
41
42
43
44
45
46
47
48
49
50
51
52
53
54
55
56
57
58
59
60
61
62
63
64
65
66
67
68
69
70
6.1977

1-6 de centrale registratiekamer van de radio-omroep
- ***central recording channel of a radio station***

1 het controle- en monitorpaneel
- *monitoring and control panel*

2 de videomonitor voor optische weergave van het computergestuurde programma
- *data display terminal (video data terminal, video monitor) for visual display of computer-controlled programmes (*Am. *programs)*

3 de versterker- en voedingskast
- *amplifier and mains power unit*

4 het opname- en weergaveapparaat voor $\frac{1}{4}$-inchmagneetband
- *magnetic sound recording and playback deck for $\frac{1}{4}''$ magnetic tape*

5 de magneetband, een $\frac{1}{4}$-inchband (tape)
- *magnetic tape, a $\frac{1}{4}''$ tape*

6 de filmspoelhouder
- *film spool holder*

7-15 het schakelcentrum
- ***radio switching centre** (*Am. *center) control room*

7 het controle(- en monitor)paneel
- *monitoring and control panel*

8 de intercomluidspreker
- *talkback speaker*

9 de lokale batterijtelefoon (huistelefoon met eigen voeding)
- *local-battery telephone*

10 de intercommicrofoon
- *talkback microphone*

11 het beeldscherm
- *data display terminal (video data terminal)*

12 de telex
- *teleprinter*

13 het toetsenbord voor computerinvoer
- *input keyboard for computer data*

14 het schakelbord van de bedrijfstelefoon
- *telephone switchboard panel*

15 de controleluidspreker
- *monitoring speaker (control speaker)*

16-26 de omroepstudio
- ***broadcasting centre** (*Am. *center)*

16 de opnameruimte
- *recording room*

17 de regiekamer
- *production control room (control room)*

18 de presentatieruimte
- *studio*

19 de geluidstechnicus
- *sound engineer (sound control engineer)*

20 het mengpaneel (de geluidslessenaar)
- *sound control desk (sound control console)*

21 de nieuwslezer (presentator)
- *newsreader (newscaster)*

22 de regisseur (de producer)
- *duty presentation officer*

23 de buitenlijn
- *telephone for phoned reports*

24 de draaitafel
- *record turntable*

25 het mengpaneel voor de afspeelapparatuur
- *recording room mixing console (mixing desk, mixer)*

26 de geluidstechnicus
- *sound technician (sound mixer, sound recordist)*

27-53 de nasynchronisatiestudio bij de televisie
- ***television post-sync studio***

27 de geluidsregiekamer
- *sound production control room (sound control room)*

28 de nasynchronisatiestudio
- *dubbing studio (dubbing theatre,* Am. *theater)*

29 de tafel van de spreker
- *studio table*

30 de signalering
- *visual signal*

31 de elektronische stopwatch
- *electronic stopclock*

32 het projectiescherm
- *projection screen*

33 de monitor
- *monitor*

34 de inspreekmicrofoon
- *studio microphone*

35 de synthesizer
- *sound effects box*

36 het paneel voor microfoonaansluitingen
- *microphone socket panel*

37 de weergaveluidspreker
- *recording speaker (recording loudspeaker)*

38 het venster van de controlekamer
- *control room window (studio window)*

39 de microfoon van de regisseur (producer)
- *producer's talkback microphone*

40 de huistelefoon met eigen voeding
- *local-battery telephone*

41 de geluidsregietafel
- *sound control desk (sound control console)*

42 de groepsschakelaars
- *group selector switch*

43 de visuele indicator
- *visual display*

44 de limiter
- *limiter display (clipper display)*

45 de schakel- en regelmodulen
- *control modules*

46 de voorafluistertoetsen
- *pre-listening buttons*

47 de schuif(regelaar)
- *slide control*

48 de universele vervormingscorrectiekring
- *universal equalizer (universal corrector)*

49 de ingangskeuzeschakelaar
- *input selector switch*

50 de luidspreker voor voorafluistering
- *pre-listening speaker*

51 de referentietoongenerator
- *tone generator*

52 de intercomluidspreker
- *talkback speaker*

53 de intercommicrofoon
- *talkback microphone*

54-59 de mixkamer voor het overspelen en mixen van perfotape van 16 mm, 17,5 mm, 35 mm
- ***pre-mixing room** for transferring and mixing 16 mm, 17,5 mm, 35 mm perforated magnetic film*

54 de geluidsregietafel
- *sound control desk (sound control console)*

55 de installatie voor opname en weergave van perfotapes
- *compact magnetic tape recording and playback equipment*

56 het weergaveloopwerk
- *single playback deck*

57 de centrale aandrijving (aandrijfeenheid)
- *central drive unit*

58 het loopwerk voor opname en weergave
- *single recording and playback deck*

59 de terugspoeltafel
- *rewind bench*

60-65 de beeldregiekamer
- ***final picture quality checking room***

60 de preview-monitor
- *preview monitor*

61 de actualmonitor
- *programme (*Am. *program) monitor*

62 de stopwatch
- *stopclock*

63 de beeldmengtafel
- *vision mixer (vision-mixing console, vision-mixing desk)*

64 het intercomsysteem
- *talkback system (talkback equipment)*

65 de cameramonitor
- *camera monitor (picture monitor)*

1
1
2
3
4
5
6
7
8
9
10
11
12
13
14
15
16
17
18
19
20
21
22
23
24
25
26
27
28
29
30
31
32
32
33
34
35
36
37
38
39
40
41
42
43
44
45
46
47
48
49
50
51
52
53
54
55
56
56
57
58
59
60
61
62
63
64
65
65
65

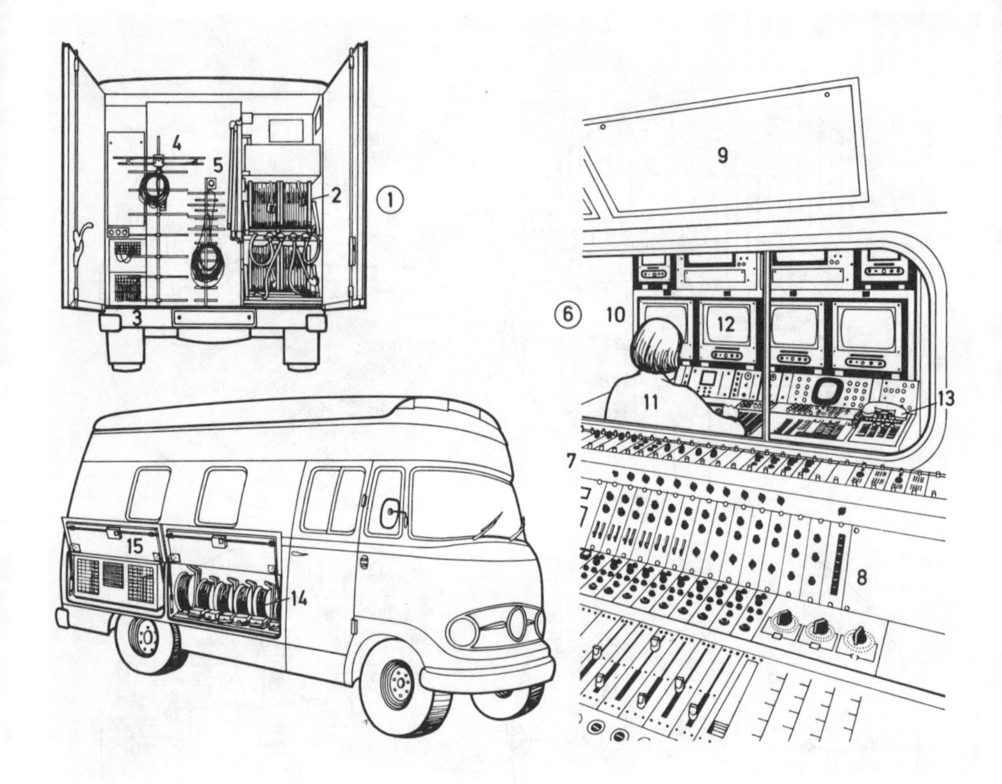

1-15 **de reportagewagen** (televisiereportagewagen; *ook: geluidsreportagewagen)*
- ***outside broadcast (OB) vehicle,*** e.g. *television OB van, sound OB van (radio OB van)*

1 **de materiaalbergruimte van de reportagewagen**
- ***rear equipment section of the OB vehicle***

2 de camerakabel
- *camera cable*

3 het kabelaansluitingspaneel
- *cable connection panel*

4 de televisieantenne voor het eerste net
- *television (TV) reception aerial (receiving aerial) for Channel I*

5 de televisieantenne voor het tweede net
- *television (TV) reception aerial (receiving aerial) for Channel II*

6 **het interieur van de reportagewagen**
- ***interior equipment (on-board equipment) of the OB vehicle***

7 de geluidsregieruimte
- *sound production control room (sound control room)*

8 de geluidsregietafel
- *sound control desk (sound control console)*

9 de monitorluidspreker
- *monitoring loudspeaker*

10 de beeldregieruimte
- *vision control room (video control room)*

11 de beeldtechnicus
- *video controller (vision controller)*

12 de cameramonitor
- *camera monitor (picture monitor)*

13 de telefoon
- *on-board telephone (intercommunication telephone)*

14 de microfoonkabel
- *microphone cable*

15 de air-conditioning
- *air-conditioning equipment*

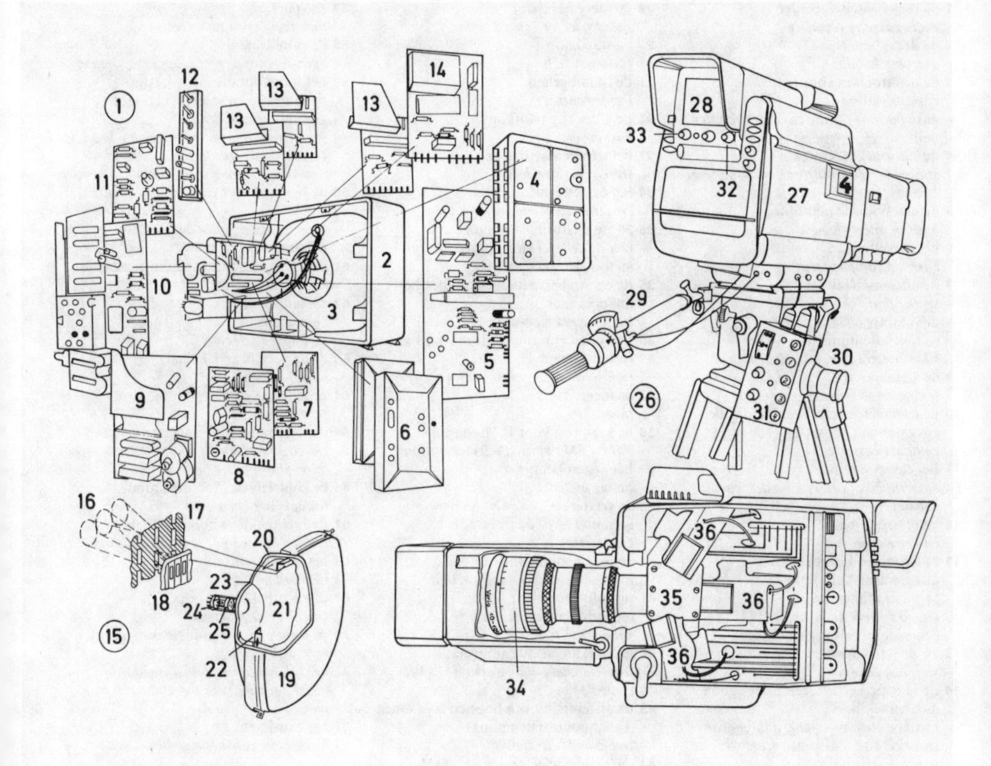

1 **de kleurentelevisie** (KTV-ontvanger, kleuren-t.v. in modulen)
- ***colour (*** Am. ***color) television (TV) receiver*** *(colour television set) of modular design*

2 de kast
- *television cabinet*

3 de beeldbuis
- *television tube (picture tube)*

4 de versterkermodule van de middelfrequentversterker
- *IF (intermediate frequency) amplifier module*

5 de module voor de kleurdecodering
- *colour (* Am. *color) decoder module*

6 de VHF- en UHF-tuners
- *VHF and UHF tuner*

7 de module voor de horizontale synchronisatie
- *horizontal synchronizing module*

8 de module voor de verticale afbuiging
- *vertical deflection module*

9 de horizontale-lineariteitsmodule
- *horizontal linearity control module*

10 de module voor de horizontale afbuiging
- *horizontal deflection module*

11 de regelmodule
- *control module*

12 de convergentiemodule
- *convergence module*

13 de kleurenbalk
- *colour (* Am. *color) output stage module*

14 de geluidsmodule (audiomodule)
- *sound module*

15 het kleurenbeeldscherm
- *colour (* Am. *color) picture tube*

16 de elektronenstralen
- *electron beams*

17 het schaduwmasker met langwerpige openingen
- *shadow mask with elongated holes*

18 de fluorescerende strip
- *strip of fluorescent (luminescent, phosphorescent) material*

19 de fluorescerende laag
- *coating (film) of fluorescent material*

20 de inwendige magnetische afscherming
- *inner magnetic screen (screening)*

21 het vacuüm
- *vacuum*

22 de temperatuurgecompenseerde maskerophanging
- *temperature-compensated shadow mask mount*

23 de justeerring voor het afbuigsysteem
- *centring (centering) ring for the deflection system*

24 het elektronenkanon
- *electron gun assembly*

25 de snel-warmkathode
- *rapid heat-up cathode*

26 **de televisiecamera**
- ***television (TV) camera***

27 de camerakop
- *camera head*

28 de viewer
- *camera monitor*

29 de pook
- *control arm (control lever)*

30 de scherpteknop
- *focusing adjustment*

31 het bedieningspaneel
- *control panel*

32 de contrastregeling
- *contrast control*

33 de helderheidsregeling
- *brightness control*

34 de zoomlens
- *zoom lens*

35 het prisma
- *beam-splitting prism (beam splitter)*

36 de (beeld)opnamebuis (kleurenbuis)
- *pickup unit (colour,* Am. *color, pickup tube)*

1 **de radiocassetterecorder**
- ***radio cassette recorder***
2 de draagbeugel
- *carrying handle*
3 de druktoetsen voor het cassettegedeelte
- *push buttons for the cassette recorder unit*
4 de stationskeuzetoetsen
- *station selector buttons (station preset buttons)*
5 de ingebouwde microfoon
- *built-in microphone*
6 het cassettevak
- *cassette compartment*
7 de afstemschaal
- *tuning dial*
8 de schuifregelaar (schuifpotentiometer)
- *slide control [for volume or tone]*
9 de afstemknop
- *tuning knob (tuning control, tuner)*
10 **de compactcassette** (het bandje, de cassetteband, cassette)
- ***compact cassette***
11 het cassettedoosje
- *cassette box (cassette holder, cassette cabinet)*
12 de (cassette)band
- *cassette tape*
13-48 **de stereo-installatie** (*ook:* quadro-installatie) met hi-fi-componenten
- ***stereo system*** *made up of Hi-Fi components;* also: *quadrophonic system*
13-14 **de (stereo)boxen**
- ***stereo speakers***
14 de luidsprekerbox, een driewegbox met wisselfilters
- *speaker (loudspeaker), a three-way speaker with crossover (crossover network)*
15 de hoge-tonenluidspreker (tweeter)
- *tweeter*
16 de luidspreker voor het middengebied (squawker)
- *mid-range speaker*
17 de lage-tonenluidspreker (woofer)
- *woofer*
18 **de platenspeler**
- ***record player***
19 de kast
- *record player housing (record player base)*
20 de draaitafel
- *turntable*
21 de toonarm
- *tone arm*
22 het contragewicht
- *counterbalance (counterweight)*
23 de cardanische ophanging (cardanophanging)
- *gimbal suspension*
24 de naalddrukinstelling
- *stylus pressure control (stylus force control)*
25 de dwarsdrukcompensatie (anti-skatinginrichting)
- *anti-skate control*
26 het magnetische element met de (conische of biradiale) aftastnaald), een diamant
- *magnetic cartridge with (conical or elliptical) stylus, a diamond*
27 de toonarmvergrendeling
- *tone arm lock*
28 de toonarmlift
- *tone arm lift*
29 de toerentalkiezer
- *speed selector (speed changer)*
30 de startknop
- *starter switch*
31 de toonregelaar
- *treble control*
32 de afdekkap (stofkap)
- *dust cover*
33 **het stereocassettedeck**
- ***stereo cassette deck***
34 het cassettevak
- *cassette compartment*
35-36 de uitsturingsniveaumeters
- *recording level meters (volume unit meters, VU meters)*
35 de opnameniveauregelaar voor het linkerkanaal
- *left-channel recording level meter*
36 de opnameniveauregelaar voor het rechterkanaal
- *right-channel recording level meter*
37 **de tuner**
- ***tuner***
38 de knoppen voor F.M.-stations
- *VHF (FM) station selector buttons*
39 het afstemlampje
- *tuning meter*
40 **de versterker** *;tuner en versterker gecombineerd:* de receiver (de ontvanger)
- ***amplifier;*** tuner and amplifier together: *receiver (control unit)*
41 de volumeregelaar (geluidssterkteregelaar)
- *volume control*
42 de vierkanaalsniveauregelaar
- *four-channel balance control (level control)*
43 de afstemming van hoge en lage tonen (toonhoogteafstemming)
- *treble and bass tuning*
44 de ingangsselector
- *input selector*
45 **de vierkanaalsdemodulator** voor CD4 grammofoonplaten (quadrofonisch systeem voor 4 gescheiden kanalen)
- ***four-channel demodulator*** *for CD4 records*
46 de quadro-stereoschakelaar
- *quadra/stereo converter*
47 de cassetteopbergdoos
- *cassette box (cassette holder, cassette cabinet)*
48 de platenvakken
- *record storage slots (record storage compartments)*
49 **de microfoon**
- ***microphone***
50 de, het microfoonrooster
- *microphone screen*
51 de microfoonstandaard
- *microphone base (microphone stand)*
52 **de stereocombinatie** van tuner, platenspeler en cassetterecorder
- ***three-in-one stereo component system*** *[automatic record changer, cassette deck, and stereo receiver]*
53 de toonarmbalans
- *tone arm balance*
54 de schuifregelaar voor regeling van geluidssterkte
- *tuning meters*
55 het lampje voor de automatische omschakeling van chroom-ferrocassettes
- *indicator light for automatic FeO/CrO_2 tape switch-over*
56 **de bandrecorder** (spoelenrecorder), een twee- of viersporenapparaat
- ***open-reel-type recorder, a two or four-track unit***
57 de spoel
- *tape reel (open tape reel)*
58 de geluidsband
- *open-reel tape (recording tape, $\frac{1}{4}''$ tape)*
59 het toonkophuis met wiskop, opnamekop en weergavekop (of gecombineerde kop)
- *sound head housing with erasing head (erase head), recording head, and reproducing head;* also: *combined head*
60 de bandgeleider en eindschakelaar (eindstop)
- *tape deflector roller and end switch (limit switch)*
61 de VU-meter (peak-readingmeter)
- *recording level meter (VU meter)*
62 de keuzeschakelaar voor de bandsnelheid
- *tape speed selector*
63 de aan- en uitschakelaar
- *on/off switch*
64 de teller
- *tape counter*
65 de stereomicrofooningangen
- *stereo microphone sockets (stereo microphone jacks)*
66 **de koptelefoon** (hoofdtelefoon)
- ***headphones*** *(headset)*
67 de zachtbeklede hoofdband
- *padded headband (padded headpiece)*
68 het membraan
- *membrane*
69 de zachtbeklede schelp
- *earcups (earphones)*
70 de steker van de koptelefoon (plug); *ook:* de klink
- *headphone cable plug, a standard multi-pin plug (not the same as a phono plug)*
71 het aansluitsnoer
- *headphone cable (headphone cord)*

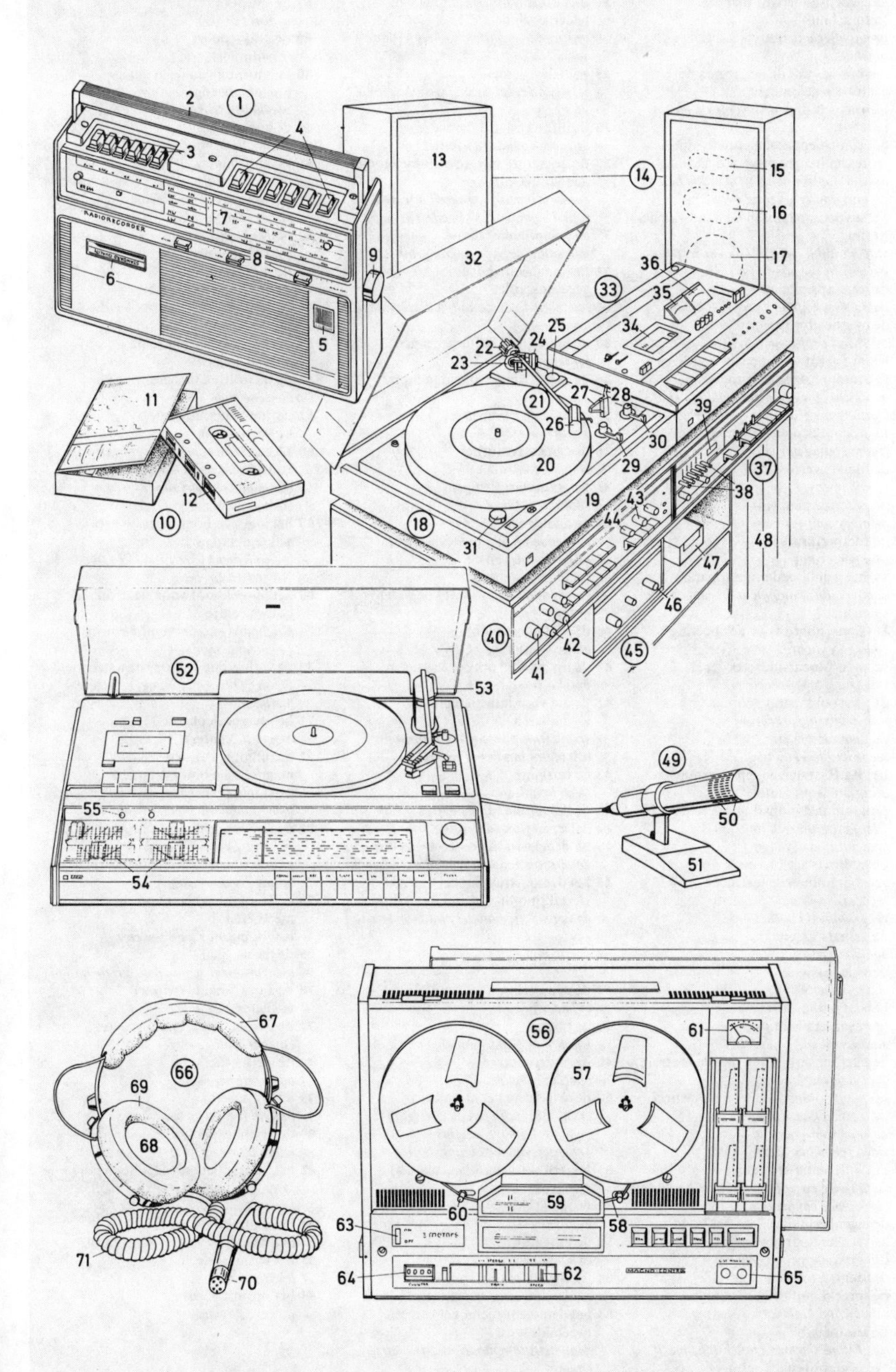
1
2
3
4
5
6
7
8
9
RADIORECORDER
10
11
12
13
14
15
16
17
18
19
20
21
22
23
24
25
26
27
28
29
30
31
32
33
34
35
36
37
38
39
40
41
42
43
44
45
46
47
48
49
50
51
52
53
54
55
56
57
58
59
60
61
62
63
64
65
66
67
68
69
70
71

1 het groepsonderwijs met een leermachine
- *group instruction using a teaching machine*

2 het bureau van de leraar met de centrale regeleenheid
- *instructor's desk with central control unit*

3 het controlepaneel met individuele scores en het groepsgemiddelde
- *master control panel with individual diplays and cross total counters*

4 het invoerapparaat in de hand van de leerling
- *student input device (student response device) in the hand of a student*

5 de leerstappenteller
- *study step counter (progress counter)*

6 de overheadprojector
- *overhead projector*

7 het apparaat voor het vervaardigen van audiovisuele leerprogramma's
- *apparatus for producing audio-visual learning programmes (*Am.* programs)*

8-10 het beeldcodeerapparaat
- *frame coding device*

8 de filmviewer
- *film viewer*

9 de geheugeneenheid
- *memory unit (storage unit)*

10 de filmperforator
- *film perforator*

11-14 het geluidscoderingsapparaat
- *audio coding equipment (sound coding equipment)*

11 het toetsenbord voor de codering
- *coding keyboard*

12 de tweesporenbandrecorder
- *two-track tape recorder*

13 de viersporenbandrecorder
- *four-track tape recorder*

14 de niveauregelaar
- *recording level meter*

15 het P.I.P.-systeem (geprogrammeerde individuele presentatie) [P.I.P. = programmed individual presentation]
- *PIP (programmed individual presentation) system*

16 de audiovisuele projector voor geprogrammeerde instructie
- *AV (audio-visual) projector for programmed instruction*

17 de geluidscassette
- *audio cassette*

18 de videocassette
- *video cassette*

19 het data-eindstation (gegevenseindstation)
- *data terminal*

20 de telefoonverbinding met de centrale gegevensverzameling
- *telephone connection with the central data collection station*

21 **de videofoon** (beeldtelefoon)
- ***video telephone***

22 de conferentieschakeling
- *conference circuit (conference hook-up, conference connection)*

23 de eigenbeeldknop (om het beeld van de spreker door te seinen)
- *camera tube switch (switch for transmitting speaker's picture)*

24 de spreekknop
- *talk button (talk key, speaking key)*

25 de kiestoetsen
- *touch-tone buttons (touch-tone pad)*

26 het telefoonbeeldscherm
- *video telephone screen*

27 de infraroodoverbrenging van televisiegeluid
- *infrared transmission of television sound*

28 het televisietoestel
- *television receiver (television set, TV set)*

29 de infraroodgeluidszender
- *infrared sound transmitter*

30 de draadloze infraroodkoptelefoon met accuvoeding
- *cordless battery-powered infrared sound headphones (headset)*

31 **de microfilminstallatie**
- ***microfilming system** [diagram]*

32 het magneetbandstation (de gegevensopslag)
- *magnetic tape station, a data storage unit*

33 de buffer (het buffergeheugen)
- *buffer storage*

34 de aanpassingseenheid (adapter)
- *adapter unit*

35 de digitale besturing
- *digital control*

36 de camerabesturing
- *camera control*

37 het karaktergeheugen
- *character storage*

38 de analoge besturing
- *analogue (*Am.* analog) control*

39 de correctie van de beeld(buis)geometrie
- *correction (adjustment) of picture tube geometry*

40 de kathodestraalbuis
- *cathode ray tube (CRT)*

41 de optiek (het optische systeem)
- *optical system*

42 de dia voor inmenging van formulieren
- *slide (transparency) of a form for mixing-in images of forms*

43 de flitslamp
- *flash lamp*

44 de universele filmcassettes
- *universal film cassettes*

45-84 **demonstratie- en leertoestellen**
- ***demonstration and teaching equipment***

45 het demonstratiemodel van een viertaktmotor
- *demonstration model of a four-stroke engine*

46 de zuiger
- *piston*

47 de cilinderkop
- *cylinder head*

48 de bougie
- *spark plug (sparking plug)*

49 de onderbreker
- *contact breaker*

50 de krukas met contragewicht
- *crankshaft with balance weights (counterbalance weights) (counterbalanced crankshaft)*

51 het krukascarter (de krukkast)
- *crankcase*

52 de inlaatklep
- *inlet valve*

53 de uitlaatklep
- *exhaust valve*

54 de koelwaterkanalen
- *coolant bores (cooling water bores)*

55 het demonstratiemodel van een tweetaktmotor
- *demonstration model of a two-stroke engine*

56 de neuszuiger
- *deflector piston*

57 de spoelpoort
- *transfer port*

58 de uitlaatpoort
- *exhaust port*

59 de spoeling van de krukkast (carterspoeling)
- *crankcase scavenging*

60 de koelribben
- *cooling ribs*

61-67 molecuulmodellen
- *models of molecules*

61 de, het ethyleenmolecule
- *ethylene molecule*

62 het waterstofatoom
- *hydrogen atom*

63 het koolstofatoom
- *carbon atom*

64 de, het formaldehydemolecule
- *formaldehyde atom*

65 de, het zuurstofmolecule
- *oxygen molecule*

66 de benzolring (benzeenring)
- *benzene ring*

67 de, het watermolecule
- *water molecule*

68-72 elektronische schakelingen van bouwsteentjes (modulen)
- *electronic circuits made up of modular elements*

68 het logische bouwsteentje, een geïntegreerde schakeling
- *logic element (logic module), an integrated circuit*

69 het insteekbord voor elektronische bouwsteentjes
- *plugboard for electronic elements (electronic modules)*

70 de verbinding van de bouwsteentjes
- *linking (link-up, joining, connection) of modules*

71 het magneetcontact
- *magnetic contact*

72 de opbouw van een schakeling met magnetische bouwsteentjes
- *assembly (construction) of a circuit, using magnetic modules*

73 de universele meter voor stroom, spanning en weerstand
- *multiple meter for measuring current, voltage and resistance*

74 de keuzeschakelaar voor het meetbereik
- *measurement range selector*

75 de meetschaal
- *measurement scale (measurement dial)*

76 de aanwijsnaald (wijzer)
- *indicator needle (pointer)*

77 de stroom- en spanningsmeter
- *current/voltage meter*

78 de stelschroef
- *adjusting screw*

79 de optische bank
- *optical bench*

80 de driehoekige rail
- *triangular rail*

81 het laserapparaat (de schoollaser)
- *laser, a teaching laser (instruction laser)*

82 het diafragma
- *diaphragm*

83 het lenzensysteem
- *lens system*

84 het opvangscherm
- *target (screen)*

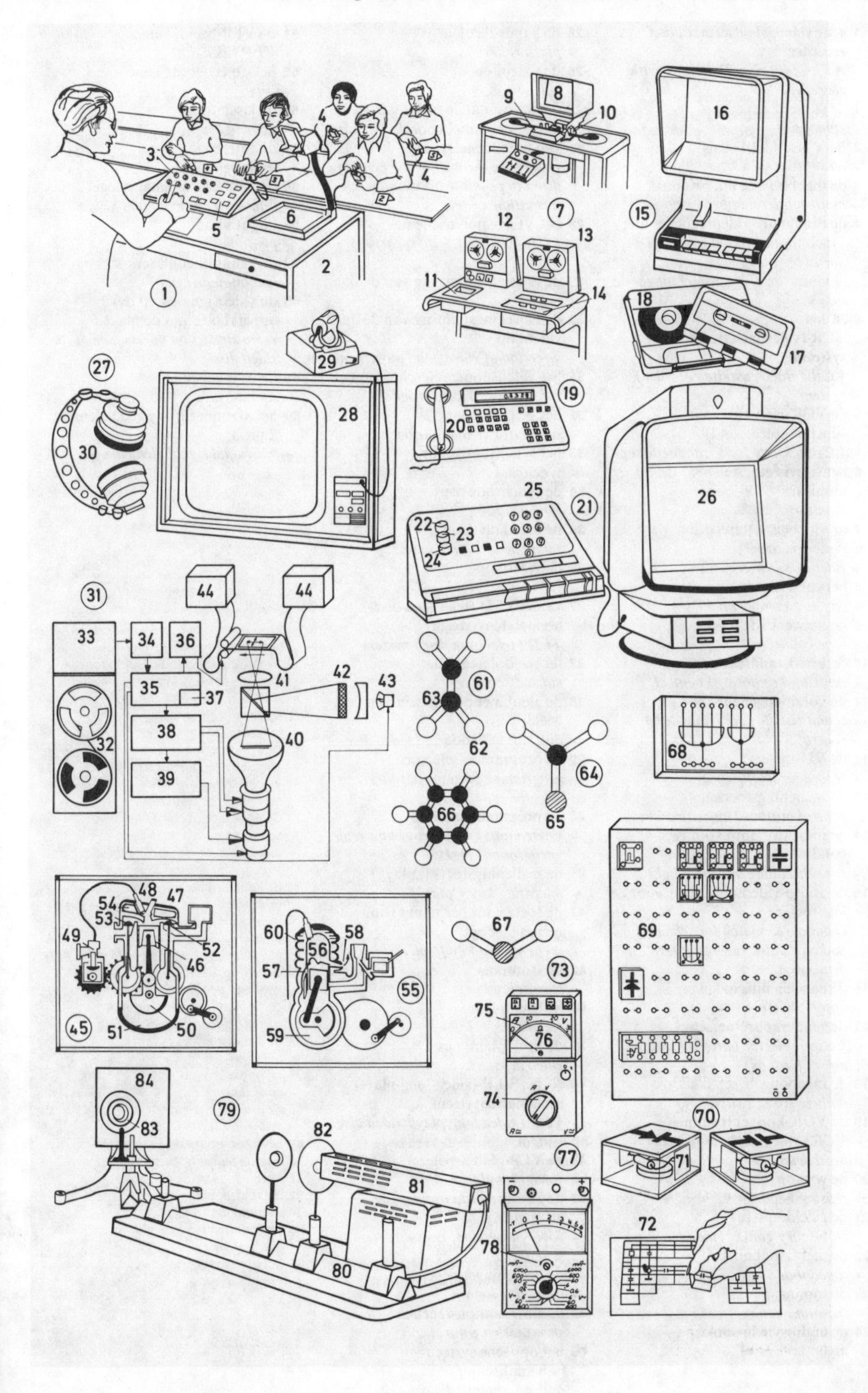

1
2
3
4
5
6
7
8
9
10
11
12
13
14
15
16
17
18
19
20
21
22
23
24
25
26
27
28
29
30
31
32
33
34
35
36
37
38
39
40
41
42
43
44
45
46
47
48
49
50
51
52
53
54
55
56
57
58
59
60
61
62
63
64
65
66
67
68
69
70
71
72
73
74
75
76
77
78
79
80
81
82
83
84

1-4 de videogeluidscamera met recorder
- ***AV (audio-visual) camera with recorder***

1 de camera
- *camera*

2 het objectief (de lens)
- *lens*

3 de ingebouwde microfoon
- *built-in microphone*

4 de draagbare videorecorder met ¼-inchmagneetband op spoel
- *portable video (videotape) recorder for ½" open-reel magnetic tape*

5-36 het VCR-(videocassetterecorder) systeem
- ***VCR (video cassette recorder) system***

5 de VCR-cassette (voor ½-inchmagneetband)
- *VCR cassette for ½" magnetic tape*

6 het televisietoestel; *ook:* de monitor
- *monitor*

7 de videocassetterecorder (videorecorder)
- *video cassette recorder*

8 het cassettevak
- *cassette compartment*

9 het telwerk (de teller)
- *tape counter*

10 de beeldstandregelaar
- *centring (centering) control*

11 de volumeregelaar
- *sound (audio) recording level control*

12 de VU-meter
- *recording level indicator*

13 de bedieningstoetsen
- *control buttons (operating keys)*

14 de indicatorlamp voor de bandinleg
- *tape threading indicator light*

15 de audio-videoschakelaar voor de VU-meter
- *changeover switch for selecting audio or video recording level display*

16 de aan- en uitschakelaar
- *on/off switch*

17 de zenderkeuzetoetsen
- *station selector buttons (station preset buttons)*

18 de ingebouwde schakelklok
- *built-in timer switch*

19 de VCR-koppentrommel
- *VCR (video cassette recorder) head drum*

20 de wiskop
- *erasing head (erase head)*

21 de geleidingsstift
- *stationary guide (guide pin)*

22 de, het bandliniaal
- *tape guide*

23 de toonas
- *capstan*

24 de audiosynchroonkop
- *audio sync head*

25 de aandrukrol
- *pinch roller*

26 de videokop
- *video head*

27 de groeven in de wand van de koppentrommel voor de vorming van luchtkussens
- *grooves in the wall of the head drum to promote air cushion formation*

28 het VCR-sporenschema
- *VCR (video cassette recorder) track format*

29 de bewegingsrichting van de band
- *tape feed*

30 de bewegingsrichting van de videokop
- *direction of video head movement*

31 het videospoor, een schuin spoor
- *video track, a slant track*

32 het geluidsspoor
- *sound track (audio track)*

33 het synchroonspoor
- *sync track*

34 de synchroonkop
- *sync head*

35 de toonkop
- *sound head (audio head)*

36 de videokop
- *video head*

37-45 het TED-(television-disc-) beeldplatensysteem
- ***TED (television disc) system***

37 de beeldplatenspeler
- *video disc player*

38 de gleuf met de ingeschoven beeldplaat
- *disc slot with inserted video disc*

39 de programmaselector
- *programme (*Am. *program) selector*

40 de programmaschaal
- *programme (*Am. *program) scale (programme dial)*

41 de bedieningstoets („play")
- *operating key ['play']*

42 de toets voor herhaling van scènes („select")
- *scene-repeat key ['select']*

43 de stoptoets
- *stop key*

44 de beeldplaat
- *video disc*

45 de beeldplaathoes
- *video disc jacket*

46-60 het VLP-(video-long-play-) beeldplatensysteem
- ***VLP (video long play) video disc system***

46 de VLP-platenspeler
- *video disc player*

47 de hoestong (*daaronder:* de aftastzone)
- *cover projection;* below it: *scanning zone*

48 de bedieningstoetsen
- *operating keys*

49 de slow motion-regelaar
- *slow motion control*

50 het optische systeem [schematisch]
- *optical system [diagram]*

51 de VLP-beeldplaat
- *VLP video disc*

52 het objectief (de lens)
- *lens*

53 de laserstraal
- *laser beam*

54 de roterende spiegel
- *rotating mirror*

55 de halfreflecterende spiegel
- *semi-reflecting mirror*

56 de fotodiode
- *photodiode*

57 de helium-neonlaser
- *helium-neon laser*

58 de videosignalen op de oppervlakte van de plaat
- *video signals on the surface of the video disc*

59 het signaalspoor
- *signal track*

60 het afzonderlijke signaalelement („pit")
- *individual signal element ('pit')*

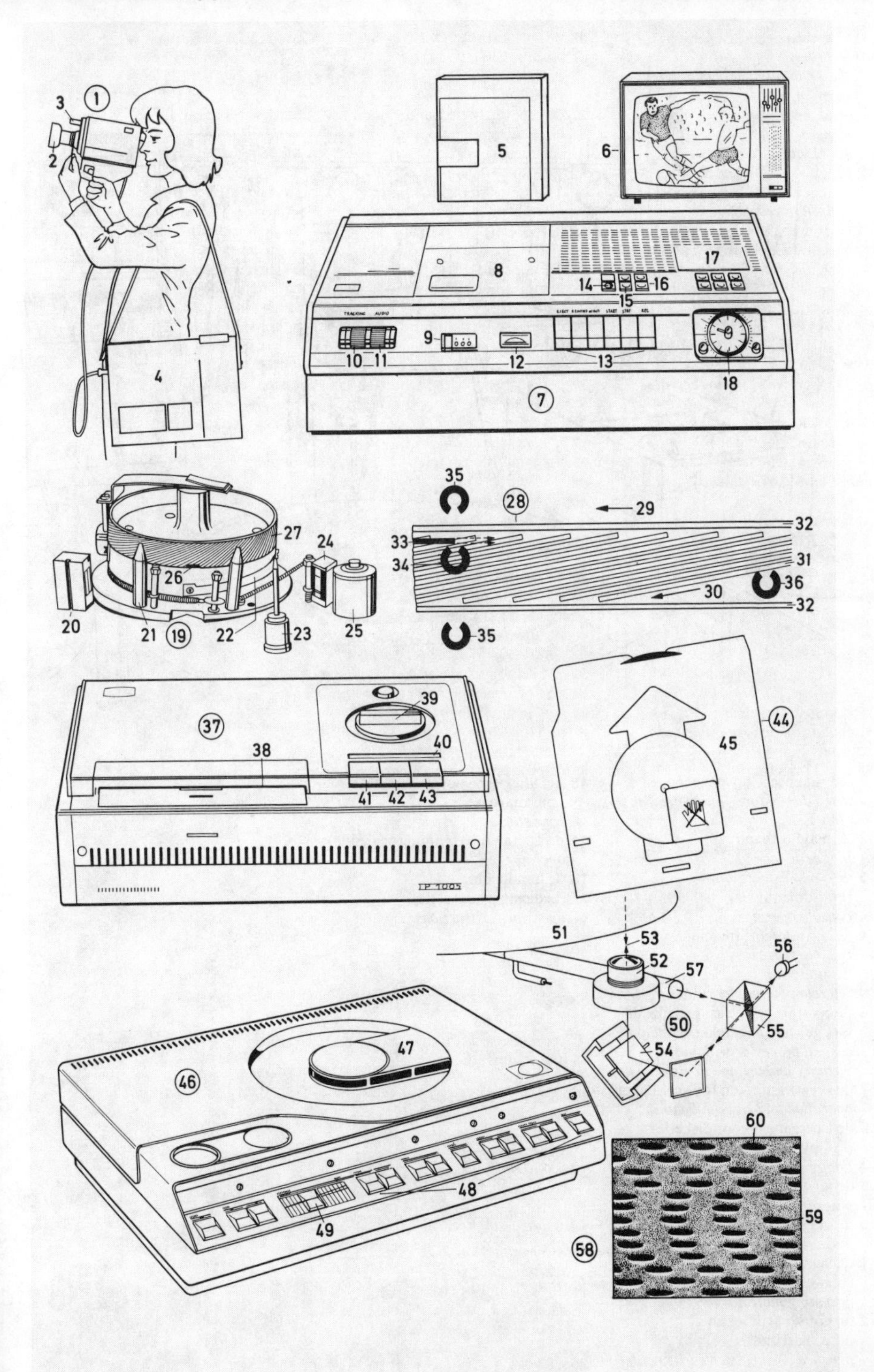
TRACKING
AUDIO
EJECT
START
STOP
REC

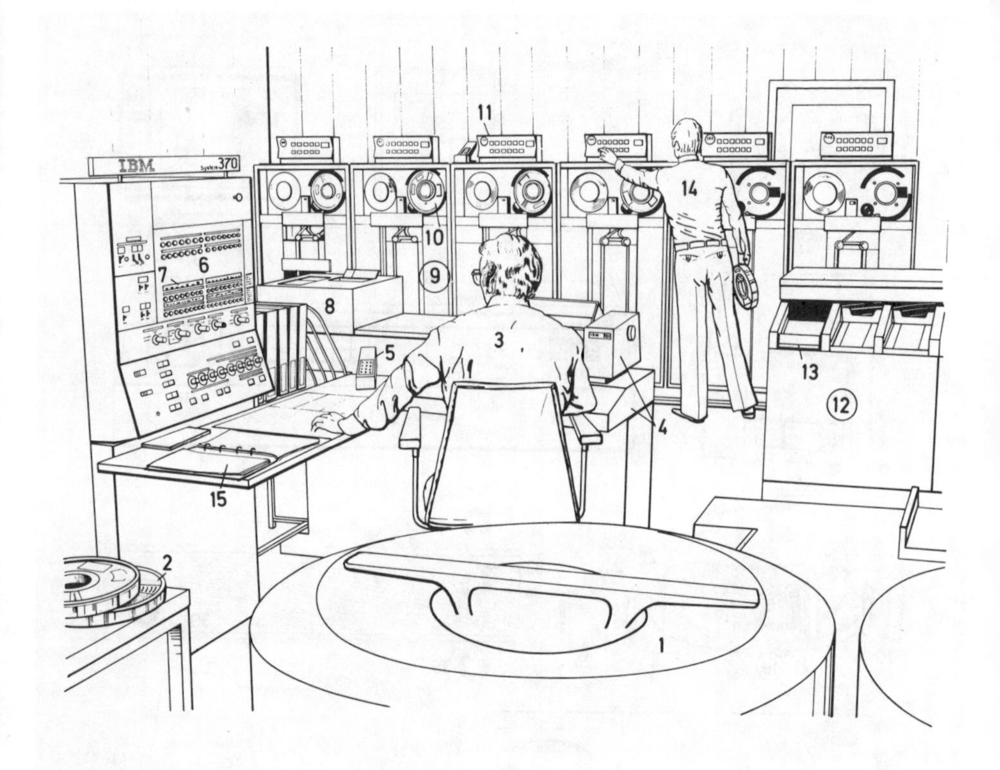

1 het magneetschijvengeheugen
- *disc (disk) store (magnetic disc store)*

2 de magneetband
- *magnetic tape*

3 de consoleoperateur (hoofdoperateur)
- *console operator*

4 de consoleschrijfmachine
- *console typewriter*

5 de intercom
- *intercom (intercom system)*

6 de centrale verwerkingseenheid met geheugen en rekeneenheid
- *central processor with main memory and arithmetic unit*

7 de verwerkings- en foutmeldingen
- *operation and error indicators*

8 de leeseenheid voor diskettes (floppy disks)
- *floppy disc (disk) reader*

9 de magneetbandeenheid
- *magnetic tape unit*

10 de magneetbandspoel
- *magnetic tape reel*

11 de verwerkingsaanduidingen (verwerkingsgegevens)
- *operating indicators*

12 de ponskaartlezer en ponskaartstanser
- *punched card (punch card) reader and punch*

13 het aflegvak voor verwerkte ponskaarten
- *card stacker*

14 de operateur (computerbediende)
- *operator*

15 de handleiding (bedieningsinstructies)
- *operating instructions*

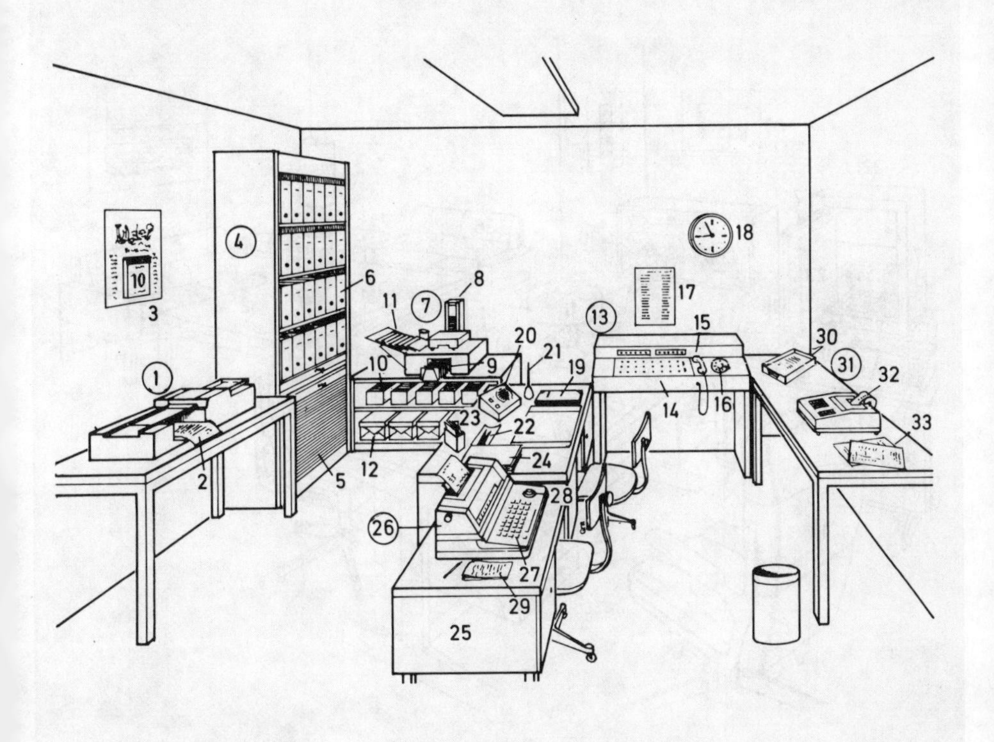

1-33 de ontvangstruimte (secretaressekamer)
- ***secretary's office***

1 het facsimile-apparaat (telekopieerapparaat, de telefax)
- *facsimile telegraph*

2 de telekopie (ontvangen kopie)
- *transmitted or received copy*

3 de wandkalender (scheurkalender)
- *wall calendar*

4 de dossierkast
- *filing cabinet*

5 de jaloeziedeur (roldeur)
- *tambour door (roll-up door)*

6 de ord(e)ner
- *file (document file)*

7 de adresseermachine met clichéplaatjes
- *transfer-type addressing machine*

8 het adresplaatjesmagazijn
- *vertical stencil magazine*

9 de adresplaatjesuitvoer
- *stencil ejection*

10 de adresplaatjeslade
- *stencil storage drawer*

11 de papiertoevoer
- *paper feed*

12 de voorraad briefpapier
- *stock of notepaper*

13 de huiscentrale (interne telefooncentrale)
- *switchboard (internal telephone exchange)*

14 het druktoetsenbord voor de interne aansluitingen
- *push-button keyboard for internal connections*

15 de hoorn
- *handset*

16 de kiesschijf
- *dial*

17 de lijst met interne nummers (aansluitingen)
- *internal telephone list*

18 de moederklok
- *master clock (main clock)*

19 het postboek
- *folder containing documents, correspondence, etc. for signing (to be signed)*

20 de intercom
- *intercom (office intercom)*

21 het potlood; *of:* de viltstift
- *pen*

22 het pennenbakje
- *pen and pencil tray*

23 het kaartenbakje
- *card index*

24 de stapel formulieren
- *stack (set) of forms*

25 de typetafel (tiktafel)
- *typing desk*

26 de schrijfmachine met geheugen
- *memory typewriter*

27 het toetsenbord
- *keyboard*

28 de draaischakelaar voor het werkgeheugen en de magneetbandlus
- *rotary switch for the main memory and the magnetic tape loop*

29 het stenoblok
- *shorthand pad (*Am.* steno pad)*

30 het aflegbakje
- *letter tray*

31 de telmachine
- *office calculator*

32 het drukmechanisme
- *printer*

33 de zakenbrief
- *business letter*

1-36 **de directiekamer**
- ***executive's office***

1 de directiefauteuil
- *swivel chair*

2 het bureau
- *desk*

3 het (schrijf)blad
- *desk top*

4 de bureaulade
- *desk drawer*

5 het hangmappenkastje
- *cupboard (storage area) with door*

6 de onderlegger (sousmain, het vloeiblad)
- *desk mat (blotter)*

7 de zakenbrief
- *business letter*

8 de afsprakenagenda
- *appointments diary*

9 het pennenbakje
- *desk set*

10 de intercom
- *intercom (office intercom)*

11 de bureaulamp
- *desk lamp*

12 de zakrekenmachine
- *pocket calculator (electronic calculator)*

13 de telefoon, een chef-secretaresseschakeling
- *telephone, an executive-secretary system*

14 de kiesschijf; *soms:* de druktoetsen
- *dial;* also: *push-button keyboard*

15 de toetsen voor verkort oproepen
- *call buttons*

16 de hoorn
- *receiver (telephone receiver)*

17 het dicteerapparaat (de dictafoon)
- *dictating machine*

18 de tijdschaal met lengtemarkering
- *position indicator*

19 de bedieningstoetsen
- *control buttons (operating keys)*

20 de lage bergkast
- *cabinet*

21 de bezoekersfauteuil
- *visitor's chair*

22 de brandkast (safe, kluis)
- *safe*

23 de vergrendeling (het slot)
- *bolts (locking mechanism)*

24 de (be)pantsering
- *armour (*Am. *armor) plating*

25 de vertrouwelijke stukken
- *confidential documents*

26 het octrooi
- *patent*

27 het contante geld (de kas)
- *petty cash*

28 de wandversiering
- *picture*

29 het barmeubel
- *bar (drinks cabinet)*

30 de glazen
- *bar set*

31-36 de vergaderhoek (conferentiehoek)
- *conference grouping*

31 de conferentietafel
- *conference table*

32 het zakdicteerapparaat
- *pocket-sized dictating machine, a micro-cassette recorder*

33 de asbak
- *ashtray*

34 de hoektafel
- *corner table*

35 de tafellamp
- *table lamp*

36 de tweezitsbank
- *two-seater sofa [part of the conference grouping]*

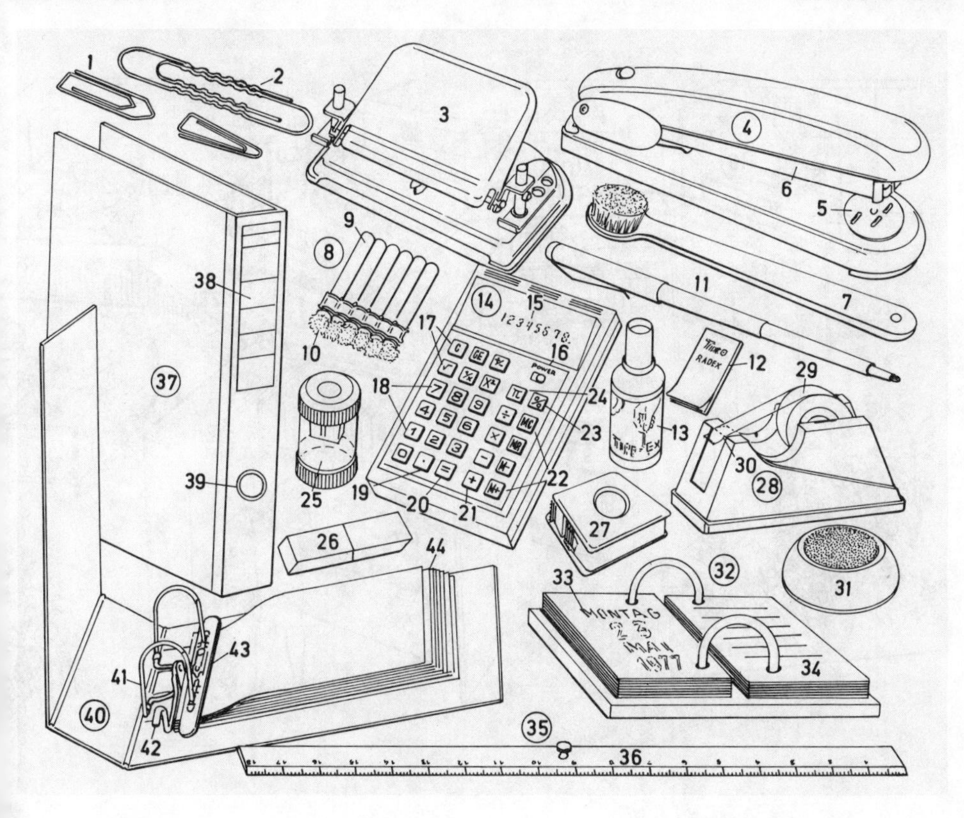

1-44 kantoorbehoeften
– ***office equipment*** *(office supplies, office materials)*
1 de kleine paperclip
– *[small] paper clip*
2 de grote paperclip
– *[large] paper clip*
3 de perforator
– *punch*
4 de nietmachine
– *stapler (stapling machine)*
5 de onderplaat (slagplaat)
– *anvil*
6 het nietjesmagazijn
– *spring-loaded magazine*
7 de schrijfmachineborstel
– *type-cleaning brush for typewriters*
8 de letterreiniger
– *type cleaner (type-cleaning kit)*
9 de vloeistofhouder
– *fluid container (fluid reservoir)*
10 de reinigingsborstel
– *cleaning brush*
11 de viltstift
– *felt tip pen*
12 het correctievelletje (voor het verwijderen van tikfouten)
– *correcting paper [for typing errors]*
13 de correctievloeistof (voor het verwijderen van tikfouten)
– *correcting fluid [for typing errors]*
14 de elektronische zakrekenmachine
– *electronic pocket calculator*
15 het beeldvenster met acht posities
– *eight-digit fluorescent display*
16 de aan- en uitschakelaar
– *on/off switch*
17 de functietoetsen
– *function keys*
18 de cijfertoetsen
– *number keys*
19 de decimaaltoets
– *decimal key*
20 de gelijktoets
– *equals' key*
21 de instructietoetsen
– *instruction keys (command keys)*
22 de geheugentoetsen
– *memory keys*
23 de procenttoets
– *percent key (percentage key)*
24 de π-toets (pi-toets) voor het berekenen van cirkels
– *π-key (pi-key) for mensuration of circles*
25 de punteslijper
– *pencil sharpener*
26 de, het schrijfmachinegom
– *typewriter rubber*
27 de plakbandhouder
– *adhesive tape dispenser*
28 de plakbandautomaat
– *adhesive tape holder (roller-type adhesive tape dispenser)*
29 de rol plakband
– *roll of adhesive tape*
30 de afscheurrand (het mesje)
– *tear-off edge*
31 de bevochtiger
– *moistener*
32 de bureaukalender (omlegkalender, dagkalender)
– *desk diary*
33 het datumblaadje
– *date sheet (calendar sheet)*
34 het notitieblaadje
– *memo sheet*
35 de, het liniaal
– *ruler*
36 de centimeter- en millimeterverdeling
– *centimetre and millimetre (*Am. *centimeter and millimeter) graduations*
37 de ord(e)ner
– *file (document file)*
38 het rugetiket
– *spine label (spine tag)*
39 het vingergat
– *finger hole*
40 de ord(e)ner voor bewijsstukken
– *arch board file*
41 het mechaniek
– *arch unit*
42 het, de open- en sluithandel
– *release lever (locking lever, release/lock lever)*
43 de klembeugel
– *compressor*
44 het afschrift
– *bank statement (statement of account)*

1-48 de kantoortuin (grote kantoorruimte)
- ***open plan office***

1 de scheidingswand (het tussenschot)
- *partition wall (partition screen)*

2 de archiefladenkast met archief in hangmappen
- *filing drawer with suspension file system*

3 de hangmap
- *suspension file*

4 het kaartruitertje
- *file tab*

5 de ord(e)ner
- *file (document file)*

6 de archiefmedewerkster
- *filing clerk*

7 de administratief medewerkster
- *clerical assistant*

8 de aantekening (notitie) in een dossier (het stuk)
- *note for the files*

9 de telefoon
- *telephone*

10 het ord(e)nerrek
- *filing shelves*

11 het bureau van de administratief medewerkster
- *clerical assistant's desk*

12 de kantoorkast
- *office cupboard*

13 de plantenbak
- *plant stand (planter)*

14 de kamerplanten
- *indoor plants (houseplants)*

15 de programmeuse
- *programmer*

16 het beeldscherm met gegevens (de monitor)
- *data display terminal (visual display unit)*

17 de medewerker van de klantenservice
- *customer service representative*

18 de cliënt (klant)
- *customer*

19 het computerkunstwerk
- *computer-generated design*

20 de geluiddempende (geluidabsorberende) scheidingswand
- *sound-absorbing partition*

21 de typiste
- *typist*

22 de schrijfmachine
- *typewriter*

23 de kaartenlade
- *filing drawer*

24 de klantencartot(h)eek
- *customer card index*

25 de bureaustoel, een draaistoel; *ook:* typestoel
- *office chair, a swivel chair*

26 het typebureau (de tiktafel)
- *typing desk*

27 de kaartenbak (kaartsysteem)
- *card index box*

28 het kantoorrek
- *multi-purpose shelving*

29 het afdelingshoofd (de afdelingschef)
- *proprietor*

30 de zakenbrief
- *business letter*

31 de afdelingssecretaresse
- *proprietor's secretary*

32 het stenoblok
- *shorthand pad (Am. steno pad)*

33 de dictafoniste
- *audio typist*

34 het dicteerapparaat
- *dictating machine*

35 de koptelefoon (hoofdtelefoon)
- *earphone*

36 de statistiek, een staafdiagram
- *statistics chart*

37 het bureaukastje
- *pedestal containing a cupboard or drawers*

38 de kast met schuifdeuren
- *sliding-door cupboard*

39 het onder een hoek geplaatste kantoormeubilair
- *office furniture arranged in an angular configuration*

40 het hangkastje
- *wall-mounted shelf*

41 het aflegbakje
- *letter tray*

42 de wandkalender
- *wall calendar*

43 de gegevenscentrale
- *data centre (Am. center)*

44 het vragen van informatie op het beeldscherm
- *calling up information on the data display terminal (visual display unit)*

45 de prullenbak, papiermand
- *waste paper basket*

46 de omzetstatistiek
- *sales statistics*

47 het blad met de computerinformatie, een kettingformulier
- *EDP print-out, a continuous fan-fold sheet*

48 het verbindingselement
- *connecting element*

1 **de elektrische schrijfmachine,** een machine met verwisselbare letterbolletjes
- ***electric typewriter,*** *a golf ball typewriter*

2-6 het toetsenbord (de toetsen)
- *keyboard*

2 de spatiebalk
- *space bar*

3 de wisseltoets
- *shift key*

4 de regelversteltoets
- *line space and carrier return key*

5 de wisselslot
- *shift lock*

6 de kantlijnopheffer
- *margin release key*

7 de tabulatortoets
- *tabulator key*

8 de tabulatoropheffer
- *tabulator clear key*

9 de aan- en uitschakelaar
- *on/off switch*

10 de aanslagregelaar
- *striking force control (impression control)*

11 de lintstelknop
- *ribbon selector*

12 de kantlijn- en spatieschaal, schaalverdeling
- *margin scale*

13 de voorkantlijnstop
- *left margin stop*

14 de achterkantlijnstop
- *right margin stop*

15 de (verwisselbare) letterbol (het bolletje, de kop) met karakters letterbol, verwisselbare
- *golf ball (spherical typing element) bearing the types*

16 de lintcassette
- *ribbon cassette*

17 de papierliniaal met de geleidingsrollen
- *paper bail with rollers*

18 de schrijfrol (schrijfwals)
- *platen*

19 de kaarthouder
- *typing opening (typing window)*

20 de papiervrijmaker
- *paper release lever*

21 de wagenvrijmaker
- *carrier return lever*

22 de schrijfrolknop
- *platen knob*

23 de regelzoeker
- *line space adjuster*

24 de rolpalvrijmaker
- *variable platen action lever*

25 de steekwalsknop
- *push-in platen variable*

26 de radeerplaat (papierafleider)
- *erasing table*

27 de transparante afdekkap (stofkap)
- *transparent cover*

28 het verwisselbare (letter)bolletje
- *exchange golf ball (exchange typing element)*

29 het karakter (schriftteken, letterteken)
- *type*

30 het deksel
- *golf ball cap (cap of typing element)*

31 de tandsegmenten
- *teeth*

32 **de rolkopieerautomaat**
- ***web-fed automatic copier***

33 het rolmagazijn
- *magazine for paper roll*

34 de formaatinstelling
- *paper size selection (format selection)*

35 de knop voor het kopieënaantal
- *print quantity selection*

36 de contrastregelaar
- *contrast control*

37 de hoofdschakelaar
- *main switch (on/off switch)*

38 de bedieningsschakelaar
- *start print button*

39 de glasplaat
- *document glass*

40 de transportband
- *transfer blanket*

41 de tonercilinder
- *toner roll*

42 het belichtingssysteem
- *exposure system*

43 de kopie-uitvoer
- *print delivery (copy delivery)*

44 **de brievenvouwmachine**
- ***letter-folding machine***

45 de papierinvoer
- *paper feed*

46 het vouwmechanisme
- *folding mechanism*

47 de opvangtafel
- *receiving tray*

48 **de kantooroffsetpers**
- ***small offset press***

49 de papierinvoer
- *paper feed*

50 het, de handel voor het inkten van de drukplaat
- *lever for inking the plate cylinder*

51-52 het inktwerk
- *inking unit (inker unit)*

51 de verdeelrol
- *distributing roller (distributor)*

52 de inktrol (opbrengrol)
- *ink roller (inking roller, fountain roller)*

53 de drukhoogte-instelling
- *pressure adjustment*

54 de papieruitleg
- *sheet delivery (receiving table)*

55 de instelling van de druksnelheid
- *printing speed adjustment*

56 het trilapparaat voor gelijkstoten van het papier
- *jogger for aligning the piles of sheets*

57 de stapel papier
- *pile of paper (pile of sheets)*

58 de vouwmachine
- *folding machine*

59 de vellenvergaarmachine voor kleine oplagen
- *gathering machine (collating machine, assembling machine) for short runs*

60 het vergaarstation
- *gathering station (collating station, assembling station)*

61 het apparaat voor garenloos binden
- *adhesive binder (perfect binder) for hot adhesives*

62 **het dicteerapparaat (de dictafoon)**
- ***magnetic tape dictating machine***

63 de koptelefoon (hoofdtelefoon)
- *headphones (headset, earphones)*

64 de aan- en uitschakelaar
- *on/off switch*

65 de microfoonbeugel
- *microphone cradle*

66 de aansluitbus voor de voetschakelaar
- *foot control socket*

67 de aansluitbus voor de telefoon
- *telephone adapter socket*

68 de aansluitbus voor de koptelefoon
- *headphone socket (earphone socket, headset socket)*

69 de aansluitbus voor de microfoon
- *microphone socket*

70 de ingebouwde luidspreker
- *built-in loudspeaker*

71 het controlelampje (indicatielampje)
- *indicator lamp (indicator light)*

72 het cassettevakje
- *cassette compartment*

73 de toetsen voor snel voorwaarts, snel terugspoelen en stoppen
- *forward wind, rewind, and stop buttons*

74 de tijdschaal met lengtemarkering
- *time scale with indexing marks*

75 de tijdschaalstop
- *time scale stop*

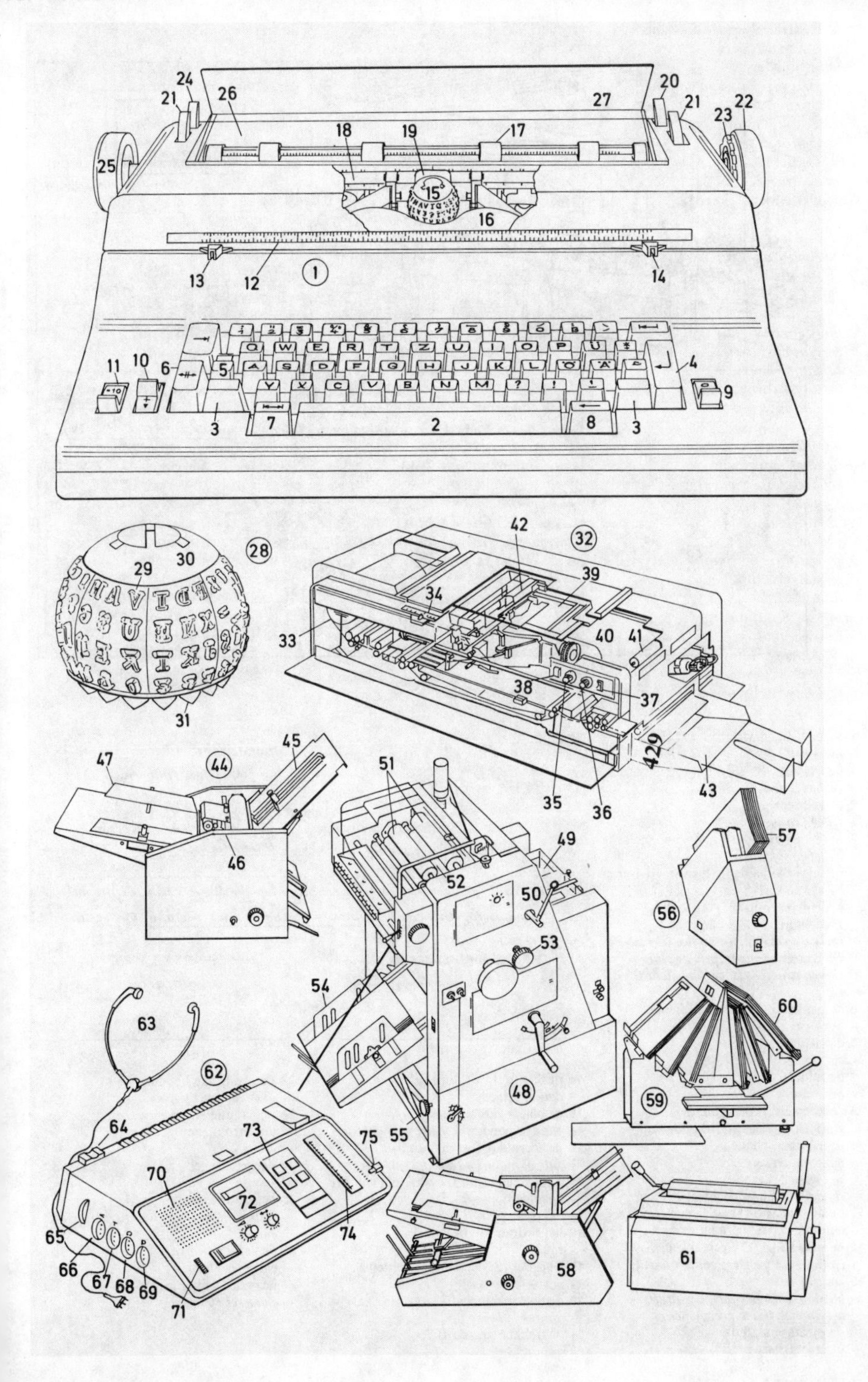
24
21
26
27
20
21
22
23
25
18
19
17
15
16
13
12
1
14
11
10
6
5
4
9
3
7
2
8
3
28
29
30
31
32
42
39
34
33
40
41
38
37
35
36
42
43
44
45
47
46
51
49
50
52
53
57
56
54
60
63
62
48
59
55
64
73
75
70
72
74
65
66
67
68
69
71
58
61

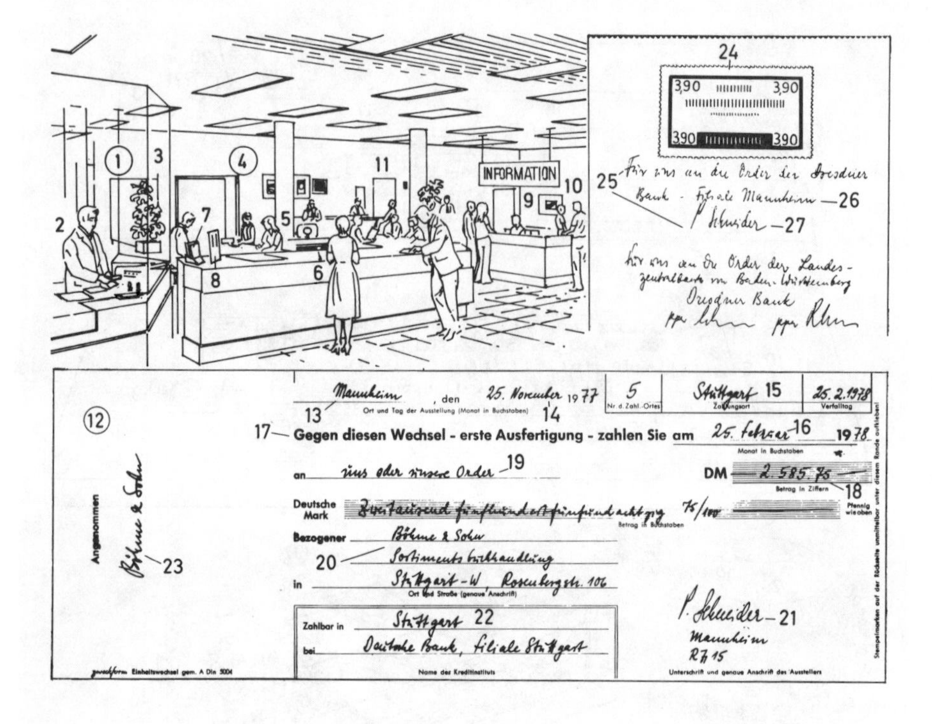

in Britain:

£ 75.– ⑫ London, 182, High Holborn, W.C.1.

Thirty days after sight of this Sole of Exchange pay to our Order the sum of Twenty Five pounds

(payable at current rate of exchange for the Bank's sight drafts on London together with commission stamps and postage) for value received.

Messrs John Jones & Co. Pty. Ltd. 174, Wollonga Road, Wagga Wagga, N.S.W. Australia

p.p. GEORGE G. HARRAP & COMPANY LTD.

Accountant.

1-11 de balieruimte
- ***main hall***

1 de kassa
- *cashier's desk (cashier's counter)*

2 de kassier
- *teller (cashier)*

3 het kogelvrije glas
- *bullet-proof glass*

4 de serviceafdeling (helpen en adviseren bij spaar-, privé- en bedrijfsrekeningen, persoonlijke kredieten)
- *service counters [for service and advice on savings accounts, private and company accounts, personal loans, etc.]*

5 de bankemployé (bankbediende)
- *bank clerk*

6 de cliënte
- *customer*

7 de folders
- *brochures*

8 de koerslijst (koersnotering)
- *stock list (price list, list of quotations)*

9 de informatiebalie
- *information counter*

10 het wisselloket
- *foreign exchange counter*

11 de deur naar de kluis
- *entrance to strong room*

12 de wissel; *hier:* een getrokken wissel (traite), een geaccepteerde wissel (het accept)
- ***bill of exchange*** *(bill), e.g. draft, acceptance (bank acceptance)*

13 de plaats van afgifte
- *place of issue*

14 de dag (datum) van afgifte
- *date of issue*

15 de plaats van betaling
- *place of payment*

16 de vervaldag (vervaldatum)
- *date of maturity (due date)*

17 de wisselclausule (aanduiding van het document als wissel)
- *bill clause (draft clause)*

18 het bedrag van de wissel
- *value*

19 de order (wisselnemer, remittent)
- *payee (remittee)*

20 de betrokkene (adressaat, trassaat)
- *drawee (payer)*

21 de trekker (trassant)
- *drawer*

22 de plaats van betaling
- *domicilation (paying agent)*

23 de handtekening van acceptatie door de betrokkene
- *acceptance*

24 de wisselzegel
- *stamp*

25 het endossement
- *endorsement (indorsement, transfer entry)*

26 de geëndosseerde
- *endorsee (indorsee)*

27 de endossant (girant)
- *endorser (indorser)*

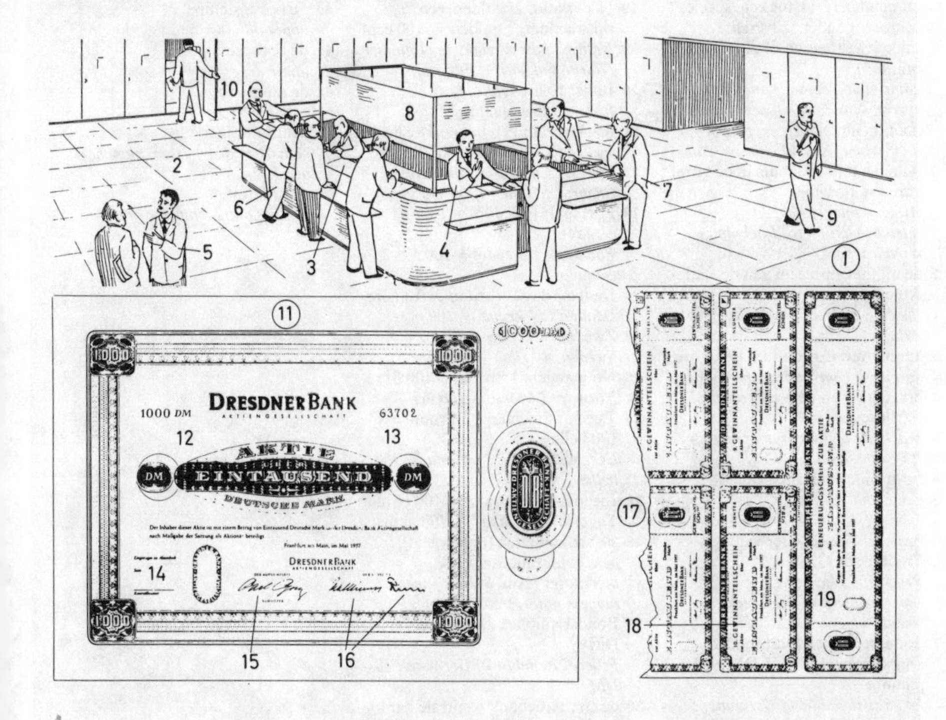

1-10 de beurs (effectenbeurs)
- ***stock exchange***

1 de beurszaal
- *exchange hall (exchange floor)*

2 de markt voor waardepapieren
- *market for securities*

3 de makelaarsbalie (ring)
- *broker's post*

4 de beëdigde beursmakelaar (hoekman, effectenmakelaar), een handelsmakelaar
- *sworn stockbroker (exchange broker, stockbroker,* Am. *specialist), an inside broker*

5 de vrije beursmakelaar (agent), voor de vrije markt (bijbeurs, buitenbeurs, niet-officiële effectenbeurs)
- *kerbstone broker (kerbstoner, curbstone broker, curbstoner, outside broker), a commercial broker dealing in unlisted securities*

6 het beurslid, een tot de beurshandel toegelaten particulier
- *member of the stock exchange (stockjobber,* Am. *floor trader, room trader)*

7 de beursvertegenwoordiger (effectenhandelaar), een bankemployé (bankbediende)
- *stock exchange agent (boardman), a bank employee*

8 de koerslijst (koersnotering)
- *quotation board*

9 de beursemployé (beursbediende)
- *stock exchange attendant (waiter)*

10 de telefooncel
- *telephone box (telephone booth, telephone kiosk, call box)*

11-19 waardepapieren (effecten); *soorten:* aandeel, vastrentend waardepapier, lijfrente, lening, pandbrief, gemeenteobligatie, industrieobligatie, converteerbare obligatie
- ***securities;*** kinds: *share (*Am. *stock), fixed-income security, annuity, bond, debenture bond, municipal bond (corporation stock), industrial bond, convertible bond*

11 het aandeelbewijs (de mantel); *hier:* het aandeel aan toonder
- *share certificate (*Am. *stock certificate);* here: *bearer share (share warrant)*

12 de nominale waarde van het aandeel
- *par (par value, nominal par, face par) of the share*

13 het volgnummer (serienummer)
- *serial number*

14 het bladnummer van de inschrijving in het aandelenregister van de bank
- *page number of entry in bank's share register (bank's stock ledger)*

15 de handtekening van de voorzitter van de raad van toezicht (raad van commissarissen)
- *signature of the chairman of the board of governors*

16 de handtekening van de voorzitter van de raad van bestuur (directie)
- *signature of the chairman of the board of directors*

17 het couponblad
- *sheet of coupons (coupon sheet, dividend coupon sheet)*

18 het dividendbewijs
- *dividend warrant (dividend coupon)*

19 de talon (het bewijs ter verkrijging van een nieuw couponblad)
- *talon*

1-28 **munten** (geldstukken, specie; *soorten:* gouden, zilveren, nikkelen, koperen of aluminium munten)
- ***coins*** *(coin, coinage, metal money, specie,* Am. *hard money);* kinds: *gold, silver, nickel, copper, or aluminium,* Am. *aluminum, coins*

1 Athene: tetradrachme in de vorm van een klompje
- *Athens: nugget-shaped tetradrachm (tetradrachmon, tetradrachma)*

2 de uil (het embleem van de stad Athene)
- *the owl, emblem of the city of Athens*

3 aureus van Constantijn de Grote
- *aureus of Constantine the Great*

4 bracteaat van keizer Frederik I Barbarossa
- *bracteate of Emperor Frederick I Barbarossa*

5 Frankrijk: louis d'or van Lodewijk XIV
- *Louis XIV louis-d'or*

6 Pruisen: 1 reichstaler van Frederik de Grote
- *Prussia: 1 reichstaler (speciestaler) of Frederick the Great*

7 Bondsrepubliek Duitsland: 5 Duitse mark (DM); 1 DM = 100 pfennig
- *Federal Republic of Germany: 5 Deutschmarks (DM); 1 DM = 100 pfennigs*

8 de voorzijde (beeldzijde, avers, het kruis, de kop)
- *obverse*

9 de achterzijde (keerzijde, rugzijde, revers, munt(zijde))
- *reverse (subordinate side)*

10 het muntmeestersteken
- *mint mark (mintage, exergue)*

11 het randschrift (omschrift, de legende)
- *legend (inscription on the edge of a coin)*

12 het, de muntstempel (de beeldenaar); *vaak:* een staatswapen
- *device (type), a provincial coat of arms*

13 Oostenrijk: 25 schilling; 1 schilling = 100 groschen
- *Austria: 25 schillings; 1 sch = 100 groschen*

14 de wapens van de provincies
- *provincial coats of arms*

15 Zwitserland: 5 frank; 1 frank = 100 rappen (centime)
- *Switzerland: 5 francs; 1 franc = 100 centimes*

16 Frankrijk: 1 frank = 100 centime
- *France: 1 franc = 100 centimes*

17 België: 100 frank
- *Belgium: 100 francs*

18 Luxemburg: 1 frank
- *Luxembourg (Luxemburg): 1 franc*

19 Nederland: $2\frac{1}{2}$ gulden, een rijksdaalder; 1 gulden = 100 cent
- *Netherlands: $2\frac{1}{2}$ guilders; 1 guilder (florin, gulden) = 100 cents*

20 Italië: 10 lire (*enkv.* lira)
- *Italy: 10 lire (*sg. *lira)*

21 het Vaticaan: 10 lire (*enkv.:* lira)
- *Vatican City: 10 lire (*sg. *lira)*

22 Spanje: 1 peseta = 100 céntimo
- *Spain: 1 peseta = 100 céntimos*

23 Portugal: 1 escudo = 100 centavo
- *Portugal: 1 escudo = 100 centavos*

24 Denemarken: 1 kroon = 100 öre
- *Denmark: 1 krone = 100 öre*

25 Zweden: 1 kroon = 100 öre
- *Sweden: 1 krona = 100 öre*

26 Noorwegen: 1 kroon = 100 öre
- *Norway: 1 krone = 100 öre*

27 Tsjecho-Slowakije: 1 kroon = 100 heller
- *Czechoslovakia: 1 koruna = 100 heller*

28 Joegoslavië: 1 dinar = 100 para
- *Yugoslavia: 1 dinar = 100 paras*

29-39 **bankbiljetten** (papiergeld); *ook:* muntbiljetten
- ***banknotes*** *(*Am. *bills) (paper money, notes, treasury notes)*

29 Bondsrepubliek Duitsland: 20 DM
- *Federal Republic of Germany: 20 DM*

30 de circulatiebank (centrale bank)
- *bank of issue (bank of circulation)*

31 het watermerk; *hier:* een portret
- *watermark [a portrait]*

32 de waardeaanduiding
- *denomination*

33 USA (VS): 1 dollar ($) = 100 cent
- *USA: 1 dollar ($ 1) = 100 cents*

34 de facsimile-ondertekening
- *facsimile signatures*

35 het, de controlestempel
- *impressed stamp*

36 het serienummer
- *serial number*

37 het Verenigd Koninkrijk (Groot-Brittannië en Noord-Ierland): 1 pond sterling (£) = 100 nieuwe pennies
- *United Kingdom of Great Britain and Northern Ireland: 1 pound sterling (£ 1) = 100 new pence (100p.),* sg. *new penny (new p)*

38 de guilloches
- *guilloched pattern*

39 Griekenland: 1000 drachme; 1 drachme = 100 lepta (*enkv.:* lepton)
- *Greece: 1,000 drachmas (drachmae); 1 drachma = 100 lepta (*sg. *lepton)*

40-44 **het slaan van munten** (de muntslag, het aanmunten)
- ***striking of coins*** *(coinage, mintage)*

40-41 de muntstempels
- *coining dies (minting dies)*

40 de bovenstempel
- *upper die*

41 de onderstempel
- *lower die*

42 de muntring
- *collar*

43 het muntplaatje
- *coin disc (disk) (flan, planchet, blank)*

44 de munttafel
- *coining press (minting press)*

1 2 3 4 5 6
EIN REICHSTHALER
17 A 85
7 8 9 10 11 12 13 14
BUNDESREPUBLIK DEUTSCHLAND
5
DEUTSCHE MARK
1975
REPUBLIK ÖSTERREICH
25
SCHILLING
5FR
1968
15
LIBERTÉ · EGALITÉ · FRATERNITÉ
1
FRANC
1960
16
100 FR
BELGIË
17
1 F
18
19 70
2½ G
NEDERLAND
19
10
20
CITTÀ DEL VATICANO
L. 100
21
UNA PESETA
22
1
ESCUDO
23
19 75
1 KRONE
24
19 73
1 KR
PLIKTEN FRAMFÖR ALLT
25
NORGE
19 54
1 KRONE
26
J 7743002 Y
Banknote
ZWANZIG
DEUTSCHE MARK
20
DEUTSCHE
BUNDESBANK
ZWANZIG DEUTSCHE MARK
29 30 31 32
1
DINAR
28
CERTIFICATE
STATES OF AMERICA
A 37400134 B
ONE DOLLAR
WASHINGTON DC
36 35 34 33
100
REPUBLIKA ČESKOSLOVENSKÁ
27
One Pound
LONDON
For the Gov. and Comp. of
the BANK of ENGLAND
Chief Cashier
ES47 994350
37 38
ΔΡΑΧΜΑΙ
ΧΙΛΙΑΙ
09 Α 788763
1000
39
40 41 42 43 44

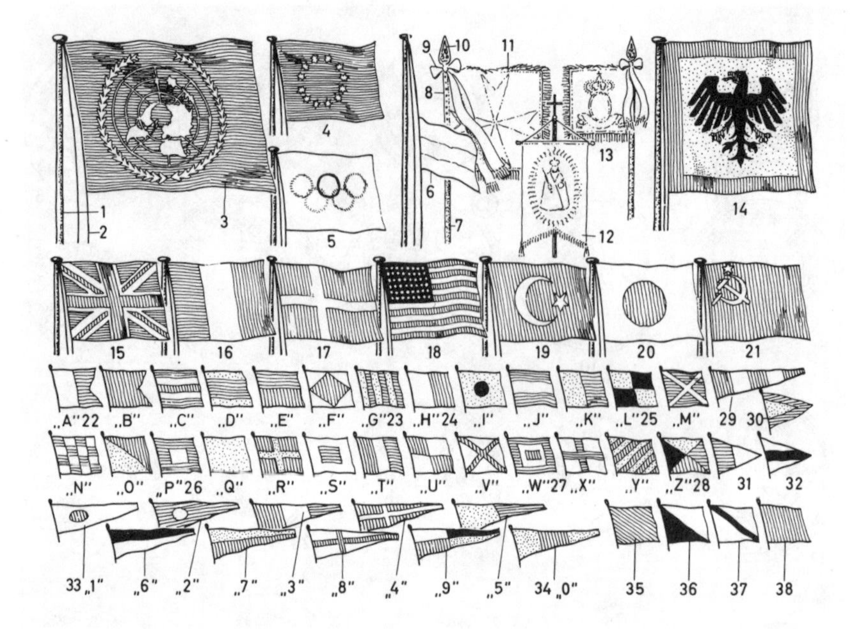

1-3 de vlag van de Verenigde Naties
- *flag of the United Nations*

1 de vlaggestok (vlaggemast) met knop
- *flagpole (flagstaff) with truck*

2 de vlaggelijn (het de vlaggekoord, het vlaggetouw)
- *halyard (halliard, haulyard)*

3 het, de vlaggendoek (het dundoek)
- *bunting*

4 de vlag van de Raad van Europa
- *flag of the Council of Europe*

5 de Olympische vlag
- *Olympic flag*

6 de vlag halfstok (als teken van rouw)
- *flag at half-mast (*Am. *at half-staff) [as a token of mourning]*

7-11 het vaandel (de standaard)
- *flag*

7 de vlaggestok (vlaggemast)
- *flagpole (flagstaff)*

8 de sierspijker (sierknop, siernagel)
- *ornamental stud*

9 de wimpel (het lint)
- *streamer*

10 de spits van de vlaggestok
- *pointed tip of the flagpole*

11 het, de vlaggendoek
- *bunting*

12 de banier (het vaandel)
- *banner (gonfalon)*

13 de ruiterstandaard (het veldteken, de legerstandaard, vaan van de cavalerie)
- *cavalry standard (flag of the cavalry)*

14 de standaard van de Duitse Bondsrepubliek [het ereteken van een staatshoofd]
- *standard of the German Federal President [ensign of head of state]*

15-21 nationale vlaggen
- *national flags*

15 de Union Jack, de Britse vlag (Verenigd Koninkrijk)
- *the Union Jack [Great Britain]*

16 de tricolore (Frankrijk)
- *the Tricolour (*Am. *Tricolor) [France]*

17 de Danebrog (Denemarken)
- *the Danebrog (Dannebrog) [Denmark]*

18 de Stars and Stripes (Verenigde Staten)
- *the Stars and Stripes (Star-Spangled Banner) [USA]*

19 de Halve Maan (Turkije)
- *the Crescent [Turkey]*

20 de Rijzende Zon (Japan)
- *the Rising Sun [Japan]*

21 de Hamer en Sikkel (Sovjetunie)
- *the Hammer and Sickle [USSR]*

22-34 seinvlaggen (signaalvlaggen, seinwimpels), een reeks vlaggen
- *signal flags, a hoist*

22-28 lettervlaggen
- *letter flags*

22 letter A, een vlag met zwaluwstaart
- *letter A, a burgee (swallow-tailed flag)*

23 G („loods gevraagd")
- *G, pilot flag*

24 H („loods aan boord")
- *H ['pilot on board']*

25 L („stop, heb belangrijk bericht")
- *L ['you should stop, I have something important to communicate']*

26 P, de Blauwe Peter, een vertrekvlag
- *P, the Blue Peter ['about to set sail']*

27 W („heb dokter nodig")
- *W ['I require medical assistance']*

28 Z, een rechthoekige signaalvlag (seinvlag)
- *Z, an oblong pennant (oblong pendant)*

29 de seinboekwimpel, een wimpel uit het internationale seinboek
- *code pennant (code pendant), used in the International Signals Code*

30-32 vervangwimpels (driehoekige vlaggen)
- *substitute flags (repeaters), triangular flags (pennants, pendants)*

33-34 cijferwimpels
- *numeral pennants (numeral pendants)*

33 het cijfer 1
- *number 1*

34 het cijfer 0
- *number 0*

35-38 douanevlaggen
- *customs flags*

35 de douanevlag van douaneschepen (douaneboten)
- *customs boat pennant (customs boat pendant)*

36 „schip afgehandeld"
- *'ship cleared through customs'*

37 het oproepsein voor douane
- *customs signal flag*

38 de kruitvlag (brandbare lading)
- *powder flag ['inflammable (flammable) cargo']*

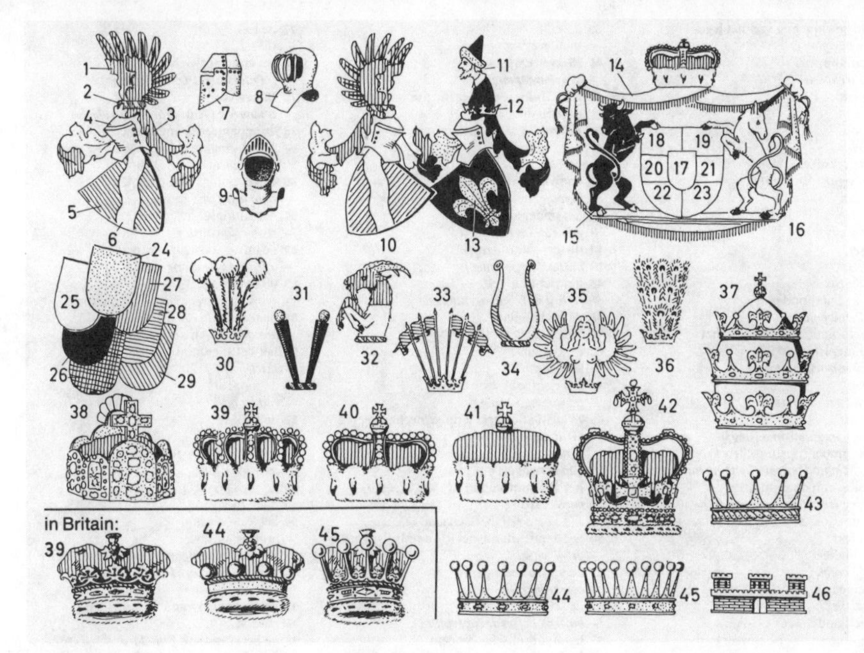

1-36 heraldiek (wapenkunde)
- *heraldry (blazonry)*
1, 11, 30-36 helmtekens
- *crests*
1-6 het wapen
- *coat-of-arms (achievement of arms, hatchment, achievement)*
1 het helmteken
- *crest*
2 de helmwrong
- *wreath of the colours* (Am. *colors*)
3 het dekkleed
- *mantle (mantling)*
4, 7-9 helmen
- *helmets (helms)*
4 de steekhelm
- *tilting helmet (jousting helmet)*
5 het schild
- *shield*
6 de golvende linker schuinbalk
- *bend sinister wavy*
7 de pothelm
- *pot-helmet (pot-helm, heaume)*
8 de traliehelm
- *barred helmet (grilled helmet)*
9 de geopende aanziende helm
- *helmet affronty with visor open*
10-13 het alliantiewapen
- *marital achievement (marshalled,* Am. *marshaled, coat-of-arms)*
10 het wapen van de man
- *arms of the baron (of the husband)*
11-13 het wapen van de vrouw
- *arms of the family of the femme (of the wife)*
11 het mansborstbeeld
- *demi-man;* also: *demi-woman*
12 de helmkroon
- *crest coronet*
13 de lelie
- *fleur-de-lis*
14 de wapenmantel
- *heraldic tent (mantling)*
15-16 schildhouders
- *supporters;* here: *heraldic beasts*
15 de stier
- *bull*
16 de eenhoorn
- *unicorn*
17-23 de schildindeling
- *blazon*
17 het hartschild
- *inescutcheon (heart-shield)*
18-23 de zes kwartieren
- *quarterings one to six*
18, 20, 22 de rechter schildzijde
- *dexter (right)*
18-19 het schildhoofd
- *chief*
19, 21, 23 de linker schildzijde
- *sinister (left)*
22-23 de schildvoet
- *base*
24-29 de heraldische kleuren
- *tinctures*
24-25 metalen
- *metals*
24 goud (geel)
- *or (gold)*
25 zilver (wit)
- *argent (silver)*
26 zwart (sabel)
- *sable*
27 rood (keel)
- *gules*
28 blauw (azuur)
- *azure*
29 groen (sinopel)
- *vert*
30 de struisveren
- *ostrich feathers (treble plume)*
31 de maarschalkstaven
- *truncheon*
32 de uitkomende bok
- *demi-goat*
33 de toernooivaantjes
- *tournament pennons*
34 de olifantstrompen
- *buffalo horns*
35 de harpij
- *harpy*
36 een bos pauweveren
- *plume of peacock's feathers*
37, 38, 42-46 kronen
- *crowns ans coronets [continental type]*
37 de tiara
- *tiara (papal tiara)*
38 de keizerskroon [Duitsland, tot 1806]
- *Imperial Crown [German, until 1806]*
39 de hertogshoed
- *ducal coronet (duke's coronet)*
40 de prinsenhoed [niet in Nederland]
- *prince's coronet*
41 de keurvorstenhoed [niet in Nederland]
- *elector's coronet*
42 de Engelse koningskroon
- *English Royal Crown*
43-45 rangkronen
- *coronets of rank*
43 de jonkerskroon
- *baronet's coronet*
44 de baronnenkroon
- *baron's coronet (baronial coronet)*
45 de gravenkroon
- *count's coronet*
46 de muurkroon van een stadswapen [niet in Nederland]
- *mauerkrone (mural crown) of a city crest*

1-98 de bewapening van het leger
- *army weaponry*

1-39 handwapens
- ***hand weapons***

1 het pistool P1
- *P1 pistol*

2 de loop
- *barrel*

3 de vizierkorrel
- *front sight (foresight)*

4 de haan
- *hammer*

5 de trekker
- *trigger*

6 de greep
- *pistol grip*

7 de magazijnhouder
- *magazine holder*

8 de pistoolmitrailleur MP2 (het machinepistool MP2)
- *MP 2 sub-machine gun*

9 de kolf
- *shoulder rest (butt)*

10 het huis
- *casing (mechanism casing)*

11 de loopmoer (opsluitschroef)
- *barrel clamp (barrel-clamping nut)*

12 de knop van de spangreep
- *cocking lever (cocking handle)*

13 de lade
- *palm rest*

14 de veiligheid
- *safety catch*

15 het magazijn
- *magazine*

16 het zelflaadgeweer G3-A3 (semi-automatische geweer)
- *G3-A3 self-loading rifle*

17 de loop
- *barrel*

18 de mondingsvlamdemper
- *flash hider (flash eliminator)*

19 de lade
- *palm rest*

20 de pistoolgreep met afvuurmechanisme
- *trigger mechanism*

21 het magazijn
- *magazine*

22 het vizier
- *notch (sighting notch, rearsight)*

23 de vizierkorrel
- *front sight block (foresight block) with front sight (foresight)*

24 de kolf
- *rifle butt (butt)*

25 de pantservuist 44
- *44 mm anti-tank rocket launcher*

26 de granaat
- *rocket (projectile)*

27 de lanceerbuis
- *buffer*

28 de richtkijker
- *telescopic sight (telescope sight)*

29 het afvuurmechanisme
- *firing mechanism*

30 de gezichtsbeschermer
- *cheek rest*

31 de schoudersteun
- *shoulder rest (butt)*

32 het machinegeweer MG3
- *MG3 machine gun (Spandau)*

33 de loophouder
- *barrel casing*

34 de mondingsvlamdemper, tevens gasdrukregelaar
- *gas regulator*

35 de pal voor de loopwisseling
- *belt-changing flap*

36 het vizier
- *rearsight*

37 de vizierkorrel
- *front sight block (foresight block) with front sight (foresight)*

38 de pistoolgreep met afvuurmechanisme
- *pistol grip*

39 de kolf
- *shoulder rest (butt)*

40-95 zware wapens
- ***heavy weapons***

40 het 120-mm-mortier (de granaatwerper) AM 50
- *120 mm AM 50 mortar*

41 de schietbuis
- *barrel*

42 de tweepoot
- *bipod*

43 het onderstel
- *gun carriage*

44 de terugstootdemper
- *buffer (buffer ring)*

45 het richtmiddel
- *sight (sighting mechanism)*

46 de bodemplaat
- *base plate*

47 de kogelmof
- *striker pad*

48 het richthandwiel
- *traversing handle*

49-74 artilleriewapens op gemechaniseerde affuiten
- *artillery weapons mounted on self-propelled gun carriages*

49 het 175-mm-kanon SF M 107, een rupsvoertuig
- *175 mm SFM 107 cannon*

50 het aandrijftandwiel (de aandrijfsprocket)
- *drive wheel*

51 de vooruitbrengveer
- *elevating piston*

52 de schietbuisrem
- *buffer (buffer recuperator)*

53 het hydraulische systeem
- *hydraulic system*

54 de kulas
- *breech ring*

55 de schop
- *spade*

56 de schopcilinder
- *spade piston*

57 de gemechaniseerde 125-mm-houwitser M 109 G
- *155 mm M 109 G self-propelled gun*

58 de mondingsvlamrem
- *muzzle*

59 de rookafzuiger
- *fume extractor*

60 de wieg van de schietbuis
- *barrel cradle*

61 de vooruitbrengveer
- *barrel recuperator*

62 de transportbeugel
- *barrel clamp*

63 de luchtdoelmitrailleur
- *light anti-aircraft (AA) machine gun*

64 de raketwerper *Honest John* M 386
- *Honest John M 386 rocket launcher*

65 de raket, met springlading
- *rocket with warhead*

66 de rail
- *launching ramp*

67 het elevatierichtmiddel
- *elevating gear*

68 de stempel
- *jack*

69 de lier
- *cable winch*

70 de raketwerper 110 SF
- *110 SF rocket launcher*

71 de meervoudige raketwerper
- *disposable rocket tubes*

72 de bepantsering
- *tube bins*

73 het draaiende onderstel
- *turntable*

74 het vuurgeleidingssysteem
- *fire control system*

75 de laadschop, 2,5 t
- *2.5 tonne construction vehicle*

76 de hefinrichting
- *lifting arms (lifting device)*

77 de bak
- *shovel*

78 het contragewicht
- *counterweight (counterpoise)*

79-95 tanks
- ***armoured** (Am. armored) **vehicles***

79 de gepantserde ambulance M 113
- *M113 armoured (Am. armored) ambulance*

80 de gevechtstank Leopard 1 A 3
- *Leopard 1 A 3 tank*

81 het kanonschild
- *protection device*

82 de infraroodschijnwerper
- *infrared laser rangefinder*

83 de nevelbus
- *smoke canisters (smoke dispensers)*

84 de toren
- *armoured (Am. armored) turret*

85 het kettingschild
- *skirt*

86 de looprol
- *road wheel*

87 de ketting
- *track*

88 het anti-tankvoertuig
- *anti-tank tank*

89 de rookafzuiger
- *fume extractor*

90 het kanonschild
- *protection device*

91 het gepantserde infanterierupsvoertuig
- Marder *armoured (Am. armored) personnel carrier*

92 het snelvuurkanon
- *cannon*

93 de bergingstank *Standard*
- Standard *armoured (Am. armored) recovery vehicle*

94 het steunblad
- *levelling (Am. leveling) and support shovel*

95 de giek
- *jib*

96 de jeep, 0,25 t
- *.25 tonne all-purpose vehicle*

97 de neerklapbare voorruit
- *drop windscreen (Am. drop windshield)*

98 de zeildoeken kap
- *canvas cover*

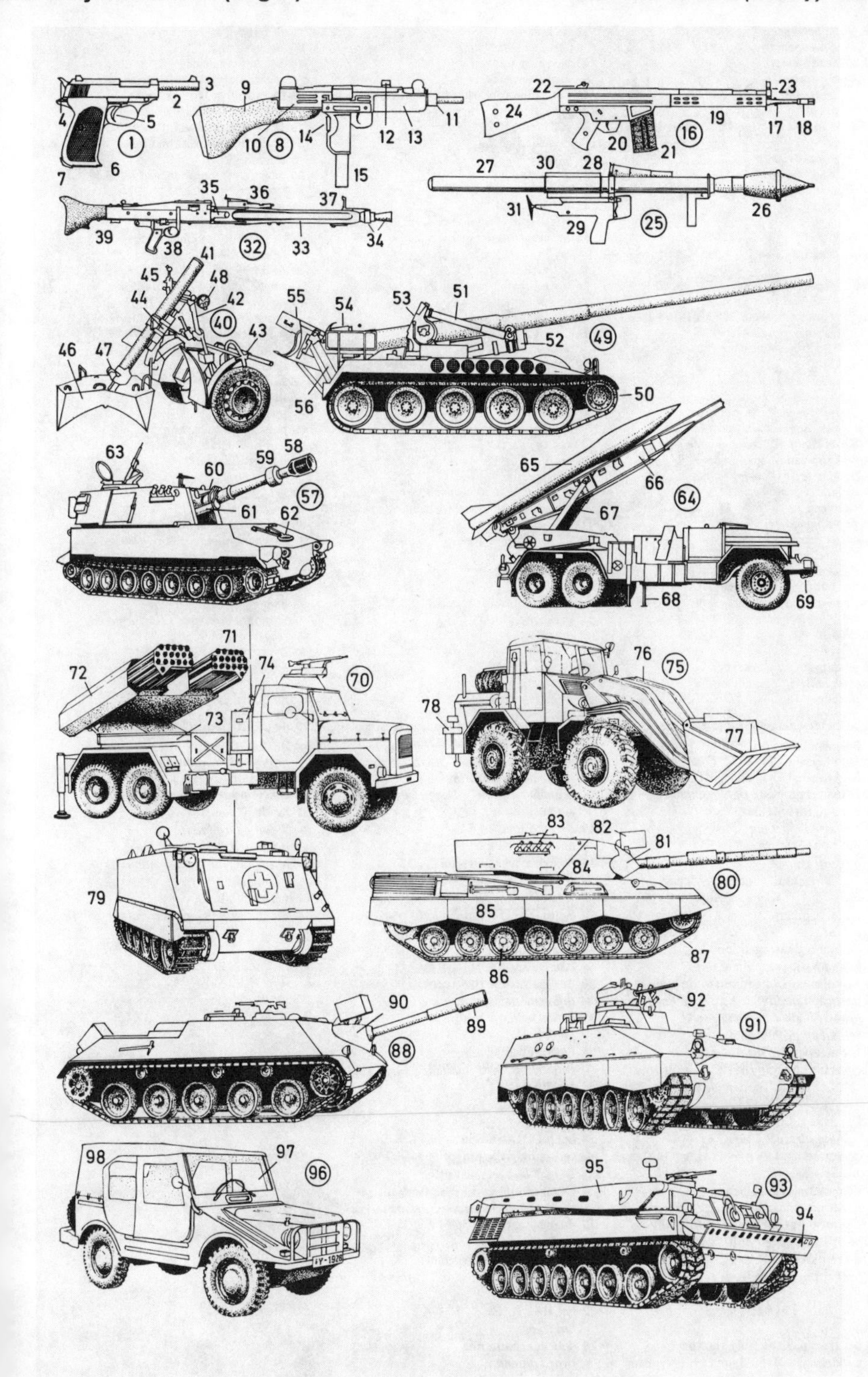
1
2
3
4
5
6
7
8
9
10
11
12
13
14
15
16
17
18
19
20
21
22
23
24
25
26
27
28
29
30
31
32
33
34
35
36
37
38
39
40
41
42
43
44
45
46
47
48
49
50
51
52
53
54
55
56
57
58
59
60
61
62
63
64
65
66
67
68
69
70
71
72
73
74
75
76
77
78
79
80
81
82
83
84
85
86
87
88
89
90
91
92
93
94
95
96
97
98
Y-1926

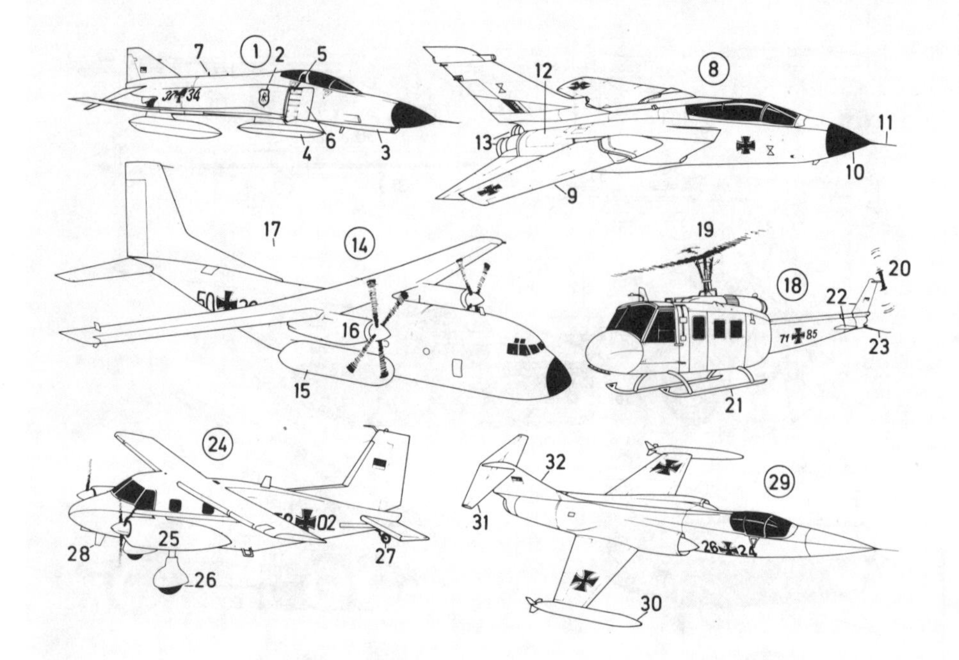

1 **de onderscheppingsjager en jachtbommenwerper;** *hier: de Mc Donnell-Douglas F-4F Phantom II*
- McDonnell-Douglas F-4F Phantom II ***interceptor and fighter-bomber***

2 het squadronteken
- *squadron marking*

3 het boordkanon
- *aircraft cannon*

4 de vleugeltank (onder de vleugel)
- *wing tank (underwing tank)*

5 de luchtinlaat
- *air intake*

6 de luchtinlaatregelklep
- *boundary layer control flap*

7 de vulbuis voor tanken in de lucht
- *in-flight refuelling (*Am. *refueling) probe (flight refuelling probe, air refuelling probe)*

8 **het meervoudig inzetbare gevechtsvliegtuig** (MRCA: multirole combat aircraft), *hier: de Panavia 200 Tornado*
- Panavia 2000 Tornado ***multirole combat aircraft*** *(MRCA)*

9 de verstelbare vleugel (swing wing)
- *swing wing*

10 de radarneuskegel (radome)
- *radar nose (radome, radar dome)*

11 de pitot-statische buis (pitotbuis)
- *pitot-static tube (pitot tube)*

12 de remkleppen
- *brake flap (air brake)*

13 de motoruitlaat
- *afterburner exhaust nozzles of the engines*

14 **het transportvliegtuig voor de middellange afstand,** *de C 160 Transall*
- C160 Transall ***medium-range transport aircraft***

15 de gondel voor het landingsgestel
- *undercarriage housing (landing gear housing)*

16 de turbopropmotor
- *propeller-turbine engine (turboprop engine)*

17 de antenne
- *antenna*

18 **de lichte transport- en redding(s)helikopter** *hier: de Bell UH-ID Iroquois*
- Bell UH-ID Iroquois ***light transport and rescue helicopter***

19 de hoofdrotor
- *main rotor*

20 de staartrotor (hekrotor)
- *tail rotor*

21 de slede
- *landing skids*

22 de stabilisatieroeren
- *stabilizing fins (stabilizing surfaces, stabilizers)*

23 de staartslof
- *tail skid*

24 **het STOL-transport- en verbindingsvliegtuig,** *hier: de Dornier DO 28 D-2 Skyservant*
- Dornier DO 28 D-2 Skyservant ***transport and communications aircraft***

25 de motorgondel
- *engine pod*

26 het hoofdlandingsgestel
- *main undercarriage unit (main landing gear unit)*

27 het staartwiel
- *tail wheel*

28 de zwaardantenne
- *sword antenna*

29 **de jachtbommenwerper,** *hier: de F-104 G Starfighter*
- F-104 G Starfighter ***fighter-bomber***

30 de tiptank
- *wing-tip tank (tip tank)*

31-32 de T-staart
- *T-tail (T-tail unit)*

31 het horizontale staartvlak
- *tailplane (horizontal stabilizer, stabilizer)*

32 het kielvlak
- *vertical stabilizer (vertical fin, tail fin)*

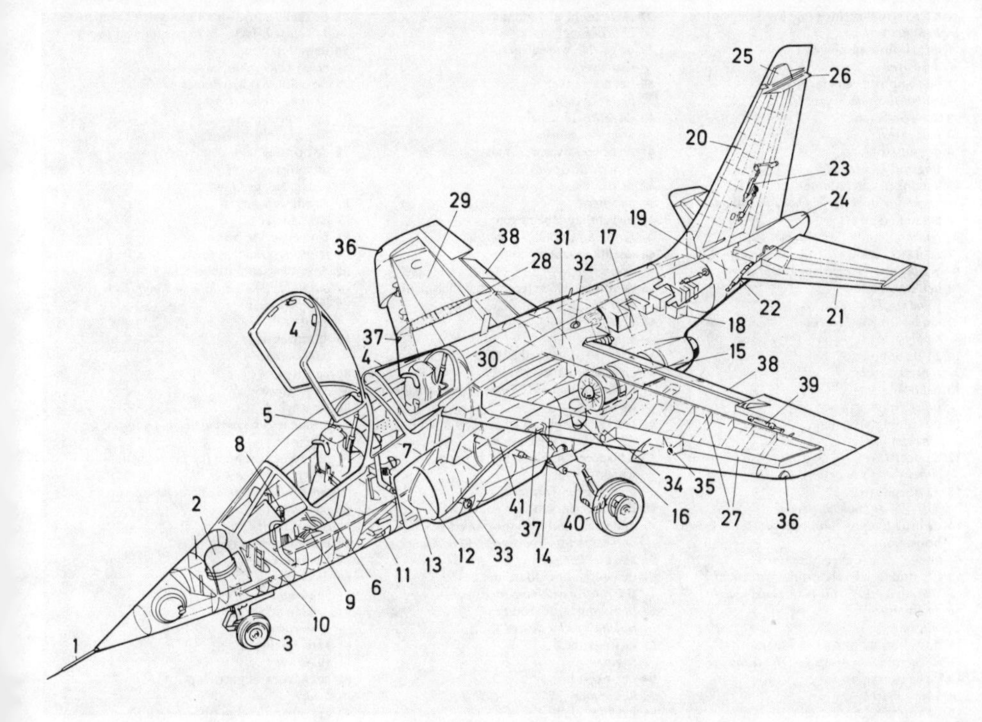

1-41 het Duits-Franse lesstraalvliegtuig, *de Dornier-Dassault-Breguet Alpha*
- Dornier-Dassault-Breguet Alpha Jet *Franco-German jet trainer*

1 de pitot-statische buis (pitotbuis)
- *pitot-static tube (pitot tube)*

2 de zuurstoftank
- *oxygen tank*

3 het naar voren intrekbare neuswiel
- *forward-retracting nose wheel*

4 het cockpitdak
- *cockpit canopy (cockpit hood)*

5 de cilinder voor het cockpitdak
- *canopy jack*

6 de stoel van de piloot (leerlingpiloot), een schietstoel
- *pilot's seat (student pilot's seat), an ejector seat (ejection seat)*

7 de stoel van de waarnemer (instructeur), een schietstoel
- *observer's seat (instructor's seat), an ejector seat (ejection seat)*

8 de stuurknuppel
- *control column (control stick)*

9 het, de vermogenshandel
- *thrust lever*

10 het voetenstuur met de remmen
- *rudder pedals with brakes*

11 het voorste avionicsruim
- *front avionics bay*

12 de motorluchtinlaat
- *air intake to the engine*

13 de luchtinlaatregelklep
- *boundary layer control flap*

14 het luchtinlaatkanaal
- *air intake duct*

15 de straalmotor
- *turbine engine*

16 het reservoir voor het hydraulische systeem
- *reservoir for the hydraulic system*

17 de accuruimte
- *battery housing*

18 het achterste avionicsruim
- *rear avionics bay*

19 het bagageruim
- *baggage compartment*

20 de kielvlakconstructie met drie liggers
- *triple-spar tail construction*

21 het stabilo
- *horizontal tail*

22 de stuurmachine voor het hoogteroer
- *servo-actuating mechanism for the elevator*

23 de stuurmachine voor het richtingsroer
- *servo-actuating mechanism for the rudder*

24 het huis voor de remparachute
- *brake chute housing (drag chute housing)*

25 de VHF-antenne (Very High Frequency: ultra korte golf)
- *VHF (very high frequency) antenna (UHF antenna)*

26 de VOR-antenne (VHF omnidirectional range)
- *VOR (very high frequency omnidirectional range) antenna*

27 de vleugelconstructie met twee liggers
- *twin-spar wing construction*

28 het vormspant met geïntegreerde ligger
- *former with integral spars*

29 de integrale vleugeltanks
- *integral wing tanks*

30 de romptank in het middenstuk
- *centre-section (*Am. *center-section) fuel tank*

31 de romptanks
- *fuselage tanks*

32 de brandstofvulopening
- *gravity fuelling (*Am. *fueling) point*

33 de drukvulopening onder de brandstoftank
- *pressure fuelling (*Am. *fueling) point*

34 het binnenste vleugelophangpunt
- *inner wing suspension*

35 het buitenste vleugelophangpunt
- *outer wing suspension*

36 de navigatielichten
- *navigation lights (position lights)*

37 het landingslicht
- *landing lights*

38 de landingsklep
- *landing flap*

39 de bedieningscilinder voor het rolroer
- *aileron actuator*

40 het naar voren intrekbare hoofdlandingsgestel
- *forward-retracting main undercarriage unit (main landing gear unit)*

41 de hydraulische cilinder voor het hoofdlandingsgestel
- *undercarriage hydraulic cylinder (landing gear hydraulic cylinder)*

1-63 zeestrijdkrachten (oorlogsschepen)
- ***light battleships***
1 de geleide-wapenjager
- ***destroyer***
2 de romp van een gladdekschip
- *hull of flush-deck vessel*
3 de voorsteven
- *bow (stem)*
4 de geusstok
- *flagstaff (jackstaff)*
5 het anker, een patentanker
- *anchor, a stockless anchor (patent anchor)*
6 het ankerspil
- *anchor capstan (windlass)*
7 de waterkering
- *breakwater (*Am. *manger board)*
8 het knikspant
- *chine strake*
9 het hoofddek (H-dek)
- *main deck*
10-28 de opbouw
- *superstructures*
10 het dek
- *superstructure deck*
11 de redding(s)vlotten
- *life rafts*
12 de sloep
- *cutter (ship's boat)*
13 de sloepdavit
- *davit (boat-launching crane)*
14 de brug (commandobrug, het brugcomplex)
- *bridge (bridge superstructure)*
15 het stuur- en bakboordnavigatielicht
- *side navigation light (side running light)*
16 de antenne
- *antenna*
17 de radiorichtingzoekerantenne
- *radio direction finder (RDF) frame*
18 de vakwerkmast
- *lattice mast*
19 de voorste schoorsteen
- *forward funnel*
20 de achterste schoorsteen
- *aft funnel*
21 de schoorsteenkap
- *cowl*
22 de achteropbouw (kampanje)
- *aft superstructure (poop)*
23 het spil
- *capstan*
24 het luik
- *companion ladder (companionway, companion hatch)*
25 de vlaggestok
- *ensign staff*
26 het hek, een spiegelhek
- *stern, a transom stern*
27 de waterlijn
- *waterline*
28 het zoeklicht
- *searchlight*
29-37 de bewapening
- *armament*
29 de 100 mm-geschutstoren
- *100 mm gun turret*
30 de vierloopsraketwerper voor onderzeebootbestrijding
- *four-barrel anti-submarine rocket launcher (missile launcher)*
31 de 40 mm-dubbelloopsluchtdoel geschutopstelling
- *40 mm twin anti-aircraft (AA) gun*
32 de geleide-wapenlanceerinstallatie MM 38 (tegen zeedoelen) in lanceercontainer
- *MM 38 anti-aircraft (AA) rocket launcher (missile launcher) in launching container*
33 de lanceerbuis voor de onderzeebootbestrijdingstorpedo
- *anti-submarine torpedo tube*
34 de lanceerrails voor dieptebommen
- *depth-charge thrower*
35 de vuurleidingradar
- *weapon system radar*
36 de radarantenne
- *radar antenna (radar scanner)*
37 de optische afstandmeter
- *optical rangefinder*
38 de geleide-wapenjager
- ***destroyer***
39 het boeganker
- *bower anchor*
40 de schroefbeschermer
- *propeller guard*
41 de driepootvakwerkmast
- *tripod lattice mast*
42 de paalmast
- *pole mast*
43 de ventilatieopeningen
- *ventilator openings (ventilator grill)*
44 de uitlaatgassenpijp
- *exhaust pipe*
45 de officierssloep (commandantssloep)
- *ship's boat*
46 de antenne
- *antenna*
47 het op afstand bedienbare 127 mm-lucht- en zeedoelkanon in toren
- *radar-controlled 127 mm all-purpose gun in turret*
48 het 127 mm-lucht- en zeedoelgeschut
- *127 mm all-purpose gun*
49 de lanceeropstelling van het geleide wapen Tartar
- *launcher for Tartar missiles*
50 de lanceerinrichting voor de onderzeebootbestrijdingsraket ASROC
- *anti-submarine rocket (ASROC) launcher (missile launcher)*
51 de vuurleidingradarantennes
- *fire control radar antennas*
52 de radome (radardome)
- *radome (radar dome)*
53 de fregatten
- ***frigate***
54 de ankerkluis
- *hawse pipe*
55 het stoomlicht
- *steaming light*
56 de navigatielichten
- *navigation light (running light)*
57 de luchtaanzuigschacht
- *air extractor duct*
58 de schoorsteen
- *funnel*
59 de schoorsteenkap
- *cowl*
60 de staafantenne
- *whip antenna (fishpole antenna)*
61 de sloep
- *cutter*
62 het heklicht
- *stern light*
63 de schroefbeschermer
- *propeller guard boss*
64-91 zeestrijdkrachten
- ***fighting ships***
64 de onderzeeboot
- ***submarine***
65 het voordek (de bak) buiten de drukhuid
- *flooded foredeck*
66 het druklichaam
- *pressure hull*
67 de toren
- *turret*
68 de uitschuifbare masten
- *retractable instruments*
69 de snelle aanvalsboot met geleide wapens
- *E-boat (torpedo boat)*
70 het 76 mm-lucht- en zeedoelgeschut in toren
- *76 mm all-purpose gun with turret6 mm all-purpose gun with turret*
71 de startcontainer voor geleide wapens
- *missile-launching housing*
72 het dekhuis
- *deckhouse*
73 het 40 mm-luchtdoelgeschut
- *40 mm anti-aircraft (AA) gun*
74 de schroefbeschermer
- *propeller guard moulding (*Am. *molding)*
75 de snelle aanvalsboot met geleide wapens
- *143 class E-boat (143 class torpedo boat)*
76 de waterkering
- *breakwater (*Am. *manger board)*
77 de radome (radardome)
- *radome (radar dome)*
78 de torpedobuis
- *torpedo tube*
79 de opening voor de afvoer van uitlaatgassen
- *exhaust escape flue*
80 de mijnenjager
- ***mine hunter***
81 het versterkte berghout
- *reinforced rubbing strake*
82 de opblaasbare rubberboot
- *inflatable boat (inflatable dinghy)*
83 de sloepdavit
- *davit*
84 de mijnenveger
- ***minesweeper***
85 de kabelrol
- *cable winch*
86 de veeglier
- *towing winch (towing machine, towing engine)*
87 het mijnenveegtuig (de paravanen, drijvers)
- *mine-sweeping gear;* here; *paravanes*
88 de laadboom
- *crane (davit)*
89 het landingsvaartuig
- ***landing craft***
90 de klep in de boeg
- *bow ramp*
91 de klep achteruit
- *stern ramp*
92-97 hulpschepen
- ***auxiliaries***
92 het bevoorradingsschip
- *tender*
93 het reparatieschip (moederschip)
- *servicing craft*
94 de mijnenlegger
- *minelayer*
95 het opleidingsschip
- *training ship*
96 de zeesleper
- *deep-sea salvage tug*
97 de olietanker
- *fuel tanker (replenishing ship)*

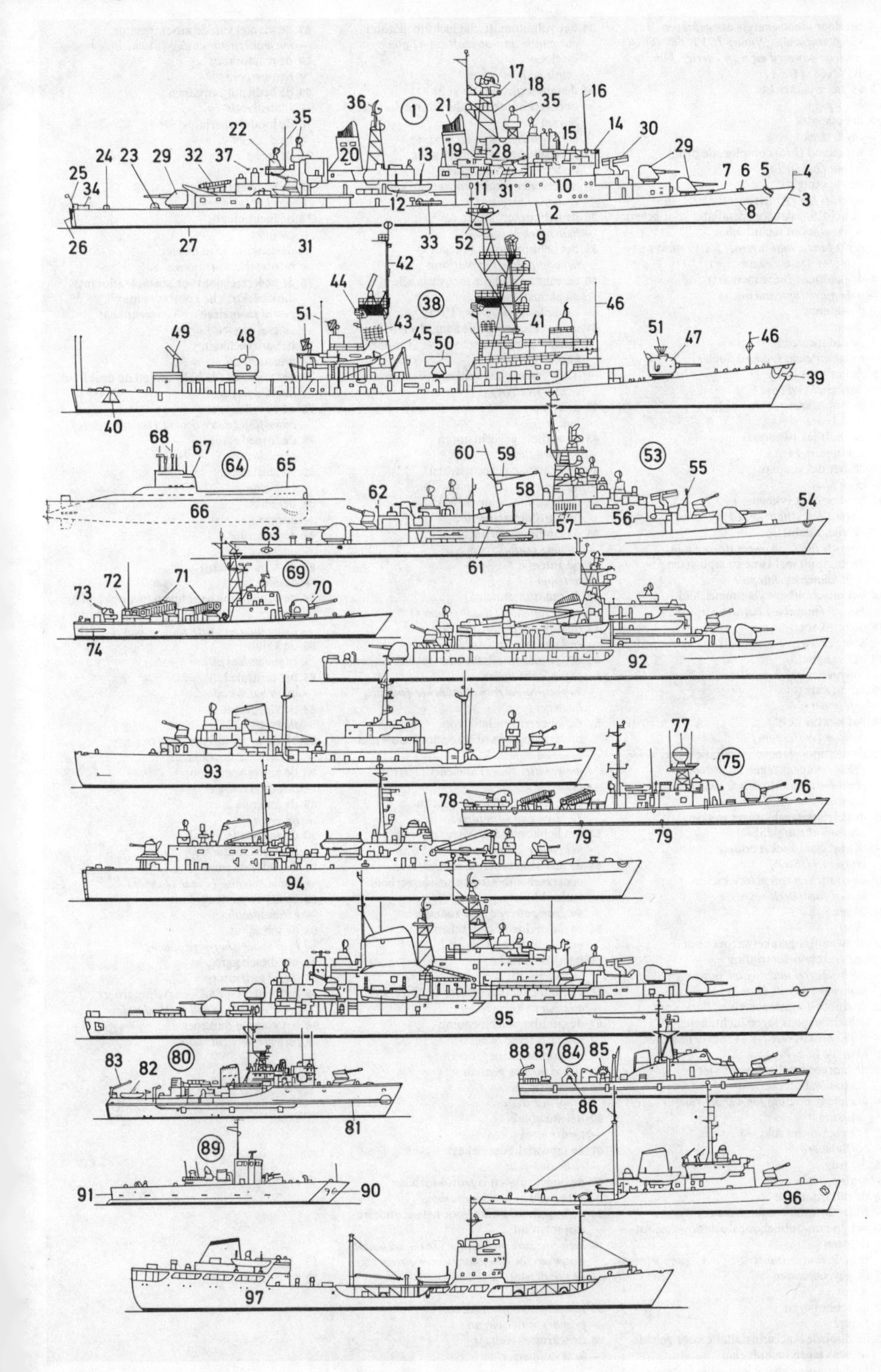
1
2
3
4
5
6
7
8
9
10
11
12
13
14
15
16
17
18
19
20
21
22
23
24
25
26
27
28
29
30
31
32
33
34
35
36
37
38
39
40
41
42
43
44
45
46
47
48
49
50
51
52
53
54
55
56
57
58
59
60
61
62
63
64
65
66
67
68
69
70
71
72
73
74
75
76
77
78
79
80
81
82
83
84
85
86
87
88
89
90
91
92
93
94
95
96
97

1 **het door atoomenergie aangedreven vliegkampschip** *„Nimitz ICVN 68"* (USA)
– ***nuclear-powered aircraft carrier*** 'Nimitz ICVN68' *(USA)*
2-11 het zijaanzicht
– *body plan*
2 het vliegdek
– *flight deck*
3 het eiland (brugcomplex, de brug)
– *island (bridge)*
4 de vliegtuiglift
– *aircraft lift (Am. aircraft elevator)*
5 de achtloopslanceerinstallatie voor geleide wapens tegen luchtdoelen
– *eight-barrel anti-aircraft (AA) rocket launcher (missile launcher)*
6 de paalmast (antennemast)
– *pole mast (antenna mast)*
7 de antenne
– *antenna*
8 de radarantenne
– *radar antenna (radar scanner)*
9 de gesloten boeg
– *fully enclosed bow*
10 de boordkraan
– *deck crane*
11 het halfdek (waaigat)
– *transom stern*
12-20 het dekkenplan
– *deck plan*
12 het hoekdek (vliegdek)
– *angle deck (flight deck)*
13 de vliegtuiglift
– *aircraft lift (Am. aircraft elevator)*
14 de katapult met twee startplaatsen
– *twin launching catapult*
15 het uitschuifbare vlammenschild
– *hinged (movable) baffle board*
16 de remkabel
– *arrester wire*
17 het vangnet
– *emergency crash barrier*
18 de catwalk
– *safety net*
19 het zwaluwnest
– *caisson (cofferdam)*
20 de achtloopslanceerinstallatie voor geleide wapens tegen luchtdoelen
– *eight-barrel anti-aircraft (AA) rocket launcher (missile launcher)*
21 **de geleide-wapenkruiser** *van de „Kara"-klasse* (USSR)
– 'Kara' class ***rocket cruiser*** *(missile cruiser) (USSR)*
22 de romp van een gladdekschip
– *hull of flush-deck vessel*
23 de zeeg
– *sheer*
24 de twaalfloopsraketwerper voor onderzeebootbestrijding
– *twelve-barrel underwater salvo rocket launcher (missile launcher)*
25 de dubbelloopslanceerinstallatie voor geleide wapens tegen luchtdoelen
– *twin anti-aircraft (AA) rocket launcher (missile launcher)*
26 de lanceerinstallatie voor vier korte-afstandraketten
– *launching housing for 4 short-range rockets (missiles)*
27 het vlammenschild
– *baffle board*
28 de brug
– *bridge*
29 de radarantenne
– *radar antenna (radar scanner)*
30 het 76 mm-dubbelloopsluchtdoelgeschut in toren
– *twin 76 mm anti-aircraft (AA) gun turret*
31 de gevechtstoren
– *turret*
32 de schoorsteen
– *funnel*
33 de dubbele lanceerinstallatie voor geleide wapens tegen luchtdoelen
– *twin anti-aircraft (AA) rocket launcher (missile launcher)*
34 het volautomatische luchtdoelkanon
– *automatic anti-aircraft (AA) gun*
35 de sloep
– *ship's boat*
36 de lanceerinstallatie voor onderzeebootbestrijdingstorpedo's met 5 buizen
– *underwater 5-torpedo housing*
37 de zesloopsraketwerper voor onderzeebootbestrijding
– *underwater 6-salvo rocket launcher (missile launcher)*
38 de helikopterhangar
– *helicopter hangar*
39 het helikopterdek (vliegdek)
– *helicopter landing platform*
40 de sonarinstallatie met variabele diepteïnstelling
– *variable depth sonar (VDS)*
41 **de met atoomenergie aangedreven geleide-wapenkruiser** *van de „California" klasse* (USA)
– 'California' class ***rocket cruiser*** *(missile cruiser) (USA)*
42 de romp
– *hull*
43 de voorste gevechtstoren
– *forward turret*
44 de achterste gevechtstoren
– *aft turret*
45 de dekopbouw op de bak
– *forward superstructure*
46 de landingsvaartuigen
– *landing craft*
47 de antenne
– *antenna*
48 de radarantenne
– *radar antenna (radar scanner)*
49 de radome (radardome)
– *radome (radar dome)*
50 de lanceerinstallatie voor geleide wapens tegen luchtdoelen
– *surface-to-air rocket launcher (missile launcher)*
51 de lanceerinstallatie voor onderzeebootbestrijdingstorpedo's met raketstart
– *underwater rocket launcher (missile launcher)*
52 de toren met 127 mm-geschut
– *127 mm gun with turret*
53 het helikopterdek (vliegdek)
– *helicopter landing platform*
54 **de met atoomenergie aangedreven onderzeebootbestrijdingsonderzeeboot** (subsubkiller)
– ***nuclear-powered fleet submarine***
55-74 de middensectie [schema]
– *middle section [diagram]*
55 het druklichaam
– *pressure hull*
56 de hulpmachinekamer
– *auxiliary engine room*
57 de circulatieturbinepomp
– *rotary turbine pump*
58 de stoomturbinegenerator
– *steam turbine generator*
59 de schroefas
– *propeller shaft*
60 het stuwblok
– *thrust block*
61 de tandwielreductiekast
– *reduction gear*
62 de hogedruk- en lagedrukturbine
– *high and low pressure turbine*
63 de hogedrukleiding voor het secundaire stoomcircuit
– *high-pressure steam pipe for the secondary water circuit (auxiliary water circuit)*
64 de condensor
– *condenser*
65 het primaire stoomcircuit
– *primary water circuit*
66 de warmtewisselaar
– *heat exchanger*
67 de mantel van de atoomreactor
– *nuclear reactor casing (atomic pile casing)*
68 de reactorkern
– *reactor core*
69 de bedieningsorganen
– *control rods*
70 de loodafscherming
– *lead screen*
71 de toren
– *turret*
72 de snuiver (snorkel)
– *snorkel (schnorkel)*
73 de luchtinlaat
– *air inlet*
74 de uitschuifbare masten
– *retractable instruments*
75 **de onderzeeboot voor kustoperaties** met dieselelektrische voortstuwing
– ***patrol submarine*** *with conventional (diesel-electric) drive*
76 het druklichaam
– *pressure hull*
77 het voordek (de bak) buiten de drukhuid
– *flooded foredeck*
78 de voordeksels
– *outer flap (outer doors) [for torpedoes]*
79 de torpedobuis
– *torpedo tube*
80 de lenstank
– *bow bilge*
81 het anker
– *anchor*
82 de ankerlier
– *anchor winch*
83 de accu (batterij)
– *battery*
84 de bemanningsverblijven met opklapbare kooien
– *living quarters with folding bunks*
85 de kajuit
– *commanding officer's cabin*
86 het centrale luik
– *main hatchway*
87 de vlaggestok
– *flagstaff*
88-91 de uitschuifbare masten
– *retractable instruments*
88 de aanvalsperiscoop
– *attack periscope*
89 de antenne
– *antenna*
90 de snuiver (snorkel)
– *snorkel (schnorkel)*
91 de radarantenne
– *radar antenna (radar scanner)*
92 de afvoergassenuitlaat
– *exhaust outlet*
93 de schuilhut
– *heat space (hot-pipe space)*
94 het dieselaggregaat
– *diesel generators*
95 het achterste duik- en richtingroer
– *aft diving plane and vertical rudder*
96 het voorste duikroer
– *forward vertical rudder*

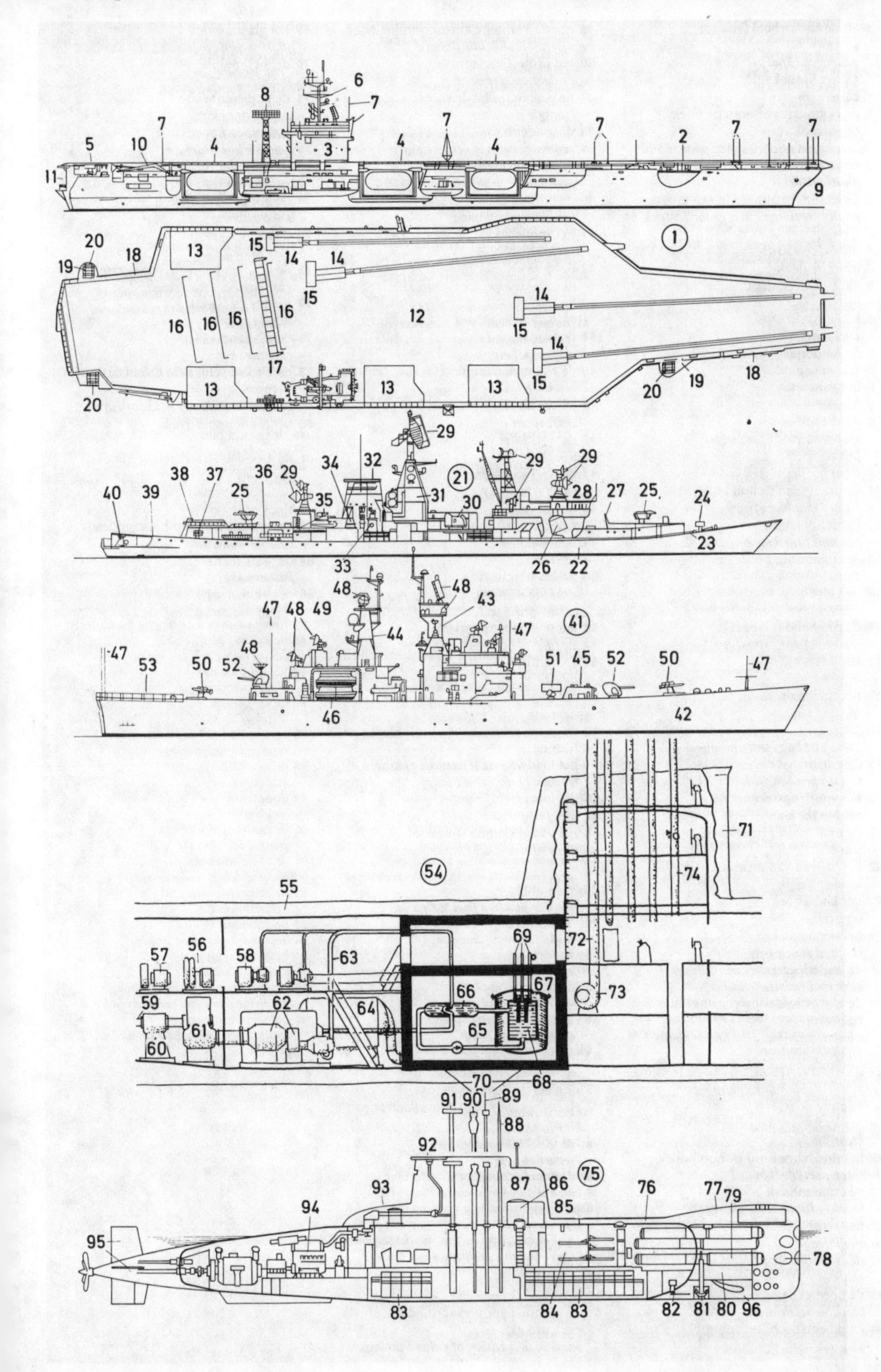
1
2
3
4
5
6
7
8
9
10
11
12
13
14
15
16
17
18
19
20
21
22
23
24
25
26
27
28
29
30
31
32
33
34
35
36
37
38
39
40
41
42
43
44
45
46
47
48
49
50
51
52
53
54
55
56
57
58
59
60
61
62
63
64
65
66
67
68
69
70
71
72
73
74
75
76
77
78
79
80
81
82
83
84
85
86
87
88
89
90
91
92
93
94
95
96

1-85 de basisschool (*vroeger:* lagere school)
- ***primary school***

1-45 het klaslokaal
- ***classroom***

1 de rangschikking van de tafels in hoefijzervorm
- *arrangement of desks in a horseshoe*

2 de tafel voor twee leerlingen
- *double desk*

3 de leerlingen zittend in een groep
- *pupils (children) in a group (sitting in a group)*

4 het oefenschrift
- *exercise book*

5 het (teken)potlood
- *pencil*

6 het waskrijt
- *wax crayon*

7 de schooltas
- *school bag*

8 het hengsel
- *handle*

9 de schooltas
- *school satchel (satchel)*

10 het voorvak
- *front pocket*

11 de draagriem (schouderriem)
- *strap (shoulder strap)*

12 het schooletui
- *pen and pencil case*

13 de ritssluiting
- *zip*

14 de vulpen
- *fountain pen (pen)*

15 de ringband (klapper)
- *loose-leaf file (ring file)*

16 het leesboek
- *reader*

17 het spellingboek
- *spelling book*

18 het schrift
- *exercise book;* sim.: *notebook*

19 de viltstift
- *felt tip pen*

20 het vingeropsteken
- *raising the hand*

21 de onderwijzer (meester)
- *teacher*

22 het bureau van de onderwijzer
- *teacher's desk*

23 het klasseboek
- *register*

24 het pennenbakje
- *pen and pencil tray*

25 de onderlegger
- *desk mat (blotter)*

26 de raamschildering gemaakt met vingerverf
- *window painting with finger paints (finger painting)*

27 de waterverftekening van de leerlingen
- *pupils' (children's) paintings (watercolours)*

28 het kruis
- *cross*

29 het driedelige bord (schoolbord)
- *three-part blackboard*

30 de kaartenhaak
- *bracket for holding charts*

31 het krijtbakje
- *chalk ledge*

32 het schoolkrijt
- *chalk*

33 de bordtekening
- *blackboard drawing*

34 de schematische tekening
- *diagram*

35 het omklapbare zijstuk van het bord
- *reversible side blackboard*

36 het projectiescherm
- *projection screen*

37 de geometrische driehoek
- *triangle*

38 de gradenboog
- *protractor*

39 de graadverdeling
- *divisions*

40 de bordpasser
- *blackboard compass*

41 het sponsbakje
- *sponge tray*

42 de spons
- *blackboard sponge (sponge)*

43 de kast
- *classroom cupboard*

44 de landkaart
- *map (wall map)*

45 de bakstenen muur
- *brick wall*

46-85 het handarbeidlokaal
- ***craft room***

46 de werktafel
- *workbench*

47 de werkstukklem
- *vice (*Am. *vise)*

48 de knevel
- *vice (*Am. *vise) bar*

49 de schaar
- *scissors*

50-52 het plakwerk
- *working with glue (sticking paper, cardboard, etc.)*

50 het te lijmen oppervlak
- *surface to be glued*

51 de lijmtube
- *tube of glue*

52 het dopje
- *tube cap*

53 de figuurzaag
- *fretsaw*

54 het blad van de figuurzaag (zaagblad)
- *fretsaw blade (saw blade)*

55 de houtvijl
- *wood rasp (rasp)*

56 het vastgeklemde stuk hout
- *piece of wood held in the vice (*Am. *vise)*

57 de lijmpot
- *glue pot*

58 de kruk
- *stool*

59 de stoffer
- *brush*

60 het blik
- *pan (dust pan)*

61 de scherven
- *broken china*

62 het emailleren
- *enamelling (*Am. *enameling)*

63 de elektrische emailleeroven
- *electric enamelling (*Am. *enameling) stove*

64 het onbewerkte koper
- *unworked copper*

65 het emailleerpoeder
- *enamel powder*

66 het zeefje
- *hair sieve*

67-80 de werkstukken van leerlingen
- *pupils' (children's) work*

67 de kleifiguren
- *clay models (models)*

68 de raamhanger vervaardigd uit gekleurd glas
- *window decoration of coloured (*Am. *colored) glass*

69 het glasmozaïek
- *glass mosaic picture (glass mosaic)*

70 de, het mobile
- *mobile*

71 de papieren vlieger
- *paper kite (kite)*

72 de houten constructie
- *wooden construction*

73 de polyeder (het veelvlak)
- *polyhedron*

74 de poppenkastfiguren
- *hand puppets*

75 de kleimaskers
- *clay masks*

76 de gegoten kaarsen (waskaarsen)
- *cast candles (wax candles)*

77 het houtsnijwerk
- *wood carving*

78 de aardewerkkan
- *clay jug*

79 de uit klei gemaakte geometrische vormen
- *geometrical shapes made of clay*

80 het houten speelgoed
- *wooden toys*

81 de grondstoffen (het materiaal)
- *materials*

82 de houtvoorraad
- *stock of wood*

83 de drukinkten voor houtsnijden
- *inks for wood cuts*

84 de verfkwast
- *paintbrushes*

85 de zak met gips
- *bag of plaster of Paris*

Wasserkreislauf und Kondensation
Glas
Eiswürfel
Wasser
DUDEN

261 School II (middelbare school)

1-45 het gymnasium, *ook:* de gymnasiumafdeling van een scholengemeenschap
- ***grammar school;*** also: *upper band of a comprehensive school (*Am. *alternative school)*

1-13 het scheikundeonderwijs
- ***chemistry***

1 het scheikundelokaal met oplopende rijen zitplaatsen
- *chemistry lab (chemistry laboratory) with tiered rows of seats*

2 de scheikundeleraar
- *chemistry teacher*

3 de experimenteertafel
- *demonstration bench (teacher's bench)*

4 de wateraansluiting
- *water pipe*

5 het betegelde werkblad
- *tiled working surface*

6 de gootsteen
- *sink*

7 de monitor, een beeldscherm voor onderwijsprogramma's
- *television monitor, a screen for educational programmes (*Am. *programs)*

8 de overheadprojector
- *overhead projector*

9 het oplegvlak
- *projector top for skins*

10 de projectielens met hoekspiegel
- *projection lens with right-angle mirror*

11 de leerlingentafel met experimenteerapparatuur
- *pupils' (*Am. *students') bench with experimental apparatus*

12 de stroomaansluiting (het stopcontact)
- *electrical point (socket)*

13 de projectietafel
- *projection table*

14-34 het kabinet (de amanuensisruimte)
- ***biology preparation room*** *(biology prep room)*

14 het skelet (geraamte)
- *skeleton*

15 de verzameling schedels, afgietsels van schedels
- *collection of skulls, models (casts) of sculls*

16 de schedelkap (het schedeldak) van de Pithecanthropus erectus
- *calvarium of Pithecanthropus Erectus*

17 de schedel van de Homo steinheimensis
- *skull of Steinheim man*

18 de schedelkap (het schedeldak) van de Sinanthropus (Pekingmens)
- *calvarium of Peking man (of Sinanthropus)*

19 de schedel van een Neanderthaler, de schedel van een oermens
- *skull of Neanderthal man, a skull of primitive man*

20 de schedel van een Australopithecus
- *Australopithecine skull (skull of Australopithecus)*

21 de schedel van de huidige mens
- *skull of present-day man*

22 de prepareertafel
- *dissecting bench*

23 de flessen met chemicaliën
- *chemical bottles*

24 de gaskraan
- *gas tap*

25 de petrischaal
- *petri dish*

26 de meetcilinder
- *measuring cylinder*

27 het werkboek (leermateriaal)
- *work folder containing teaching material*

28 het leerboek
- *textbook*

29 de bacteriologische kweken
- *bacteriological cultures*

30 de incubator (broedstoof)
- *incubator*

31 het droogrek voor reageerbuizen
- *test tube rack*

32 de gaswasfles
- *washing bottle*

33 de waterbak
- *water tank*

34 de gootsteen
- *sink*

35 het talenpracticum
- ***language laboratory***

36 het bord
- *blackboard*

37 het centrale bedieningspaneel
- *console*

38 de koptelefoon (hoofdtelefoon)
- *headphones (headset)*

39 de microfoon
- *microphone*

40 de oorschelp
- *earcups*

41 de beugel van de koptelefoon, met kussentjes
- *padded headband (padded headpiece)*

42 de programmarecorder, een cassetterecorder
- *programme (*Am. *program) recorder, a cassette recorder*

43 de volumeknop voor de stem van de leerlingen
- *pupil's (*Am. *student's) volume control*

44 de volumeknop voor het programma
- *master volume control*

45 de bedieningstoetsen
- *control buttons (operating keys)*

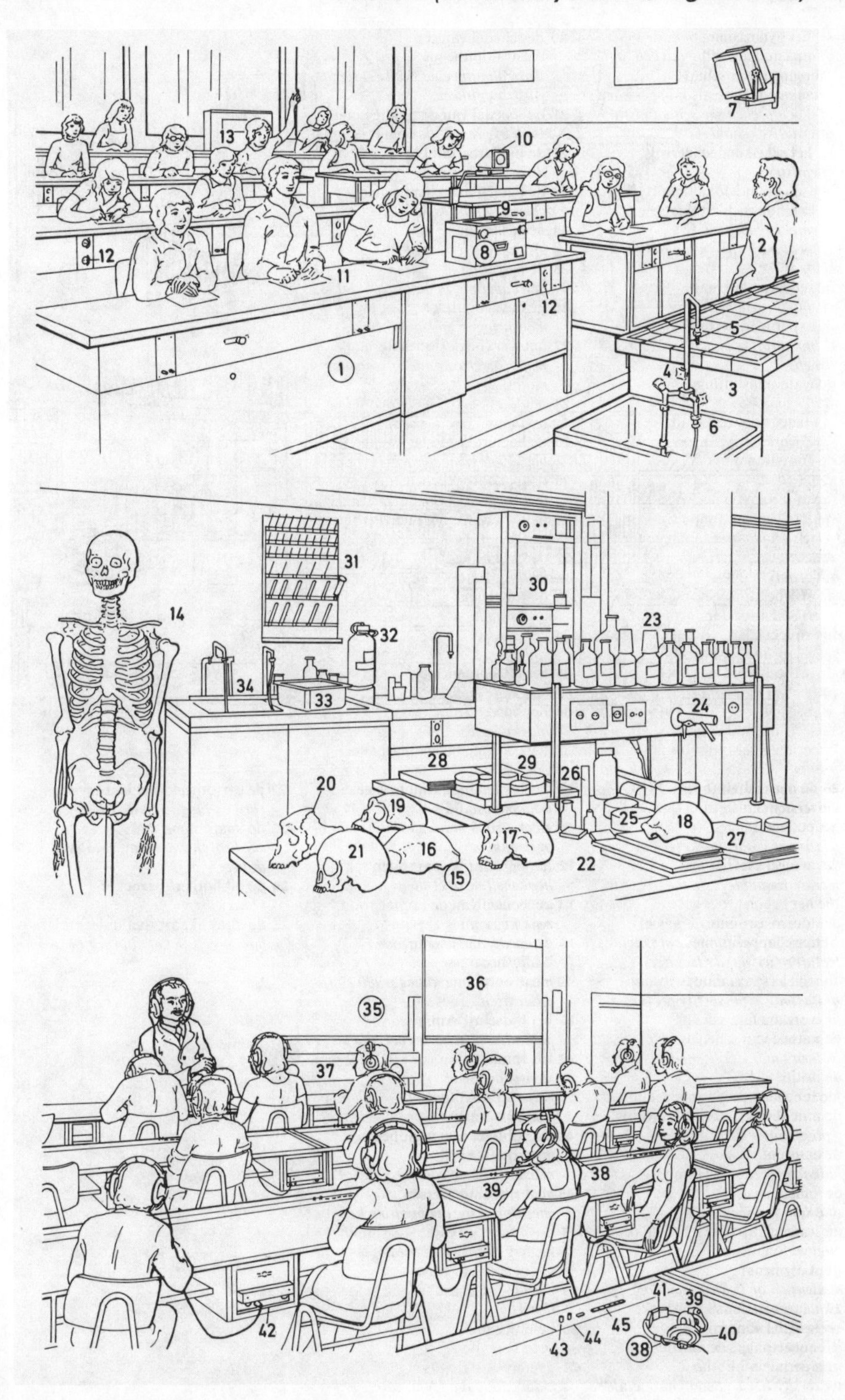
1
2
3
4
5
6
7
8
9
10
11
12
13
14
15
16
17
18
19
20
21
22
23
24
25
26
27
28
29
30
31
32
33
34
35
36
37
38
39
40
41
42
43
44
45

1-25 de universiteit (hogeschool)
- ***university*** *(college)*

1 het college
- *lecture*

2 de collegezaal (het auditorium)
- *lecture room (lecture theatre,* Am. *theater)*

3 de docent, een hoogleraar of wetenschappelijk medewerker
- *lecturer (university lecturer, college lecturer,* Am. *assistant professor), a university professor or assistant lecturer*

4 de katheder
- *lectern*

5 de notities
- *lecture notes*

6 de amanuensis
- *demonstrator*

7 de assistent
- *assistant*

8 de kaart
- *diagram*

9 de student
- *student*

10 de studente
- *student*

11-25 de universiteitsbibliotheek; *vergelijkb.:* Koninklijke Bibliotheek, regionale of provinciale bibliotheek
- ***university library;*** sim.: *national library, regional or municipal scientific library*

11 het boekenmagazijn met het boekenbestand
- *stack (book stack) with the stock of books*

12 het boekenrek, een stalen rek
- *bookshelf, a steel shelf*

13 de leeszaal
- *reading room*

14 de leeszaalassistente, een bibliothecaresse
- *member of the reading room staff, a librarian*

15 het tijdschriftenrek
- *periodicals rack with periodicals*

16 het krantenrek
- *newspaper shelf*

17 de handbibliotheek (handboekerij) met naslagwerken (handboeken, encyclopedieën, woordenboeken)
- *reference library with reference books,* e.g. *handbooks, encyclopedias, dictionaries*

18 de uitleen- en catalogusruimte
- *lending library and catalogue (*Am. *catalog) room*

19 de bibliothecaris
- *librarian*

20 de uitleenbalie
- *issue desk*

21 de hoofdcatalogus
- *main catalogue (*Am. *catalog)*

22 de cartotheek (het kaartsysteem)
- *card catalogue (*Am. *catalog)*

23 de kaartenbak
- *card catalogue (*Am. *catalog) drawer*

24 de bibliotheekbezoeker
- *library user*

25 de uitleenkaart (het uitleenbriefje)
- *borrower's ticket (library ticket)*

1-15 de verkiezingsbijeenkomst, een openbare bijeenkomst
- *election meeting, a public meeting*

1-2 het verkiezingsforum
- *committee*

1 de voorzitter
- *chairman*

2 het forumlid
- *committee member*

3 de forumtafel
- *committee table*

4 de bel
- *bell*

5 de spreker
- *election speaker (speaker)*

6 het spreekgestoelte
- *rostrum*

7 de microfoon
- *microphone*

8 de vergadering (toehoorders)
- *meeting (audience)*

9 de pamflettenverspreider
- *man distributing leaflets*

10 de ordebewaarder
- *stewards*

11 de armband
- *armband (armlet)*

12 het spandoek
- *banner*

13 het verkiezingsbord
- *placard*

14 de bekendmaking
- *proclamation*

15 de interpellant
- *heckler*

16-30 de verkiezingen
- *election*

16 het stemlokaal (stembureau)
- *polling station (polling place)*

17 de verkiezingsassistent
- *election officer*

18 het kiesregister
- *electoral register*

19 de oproepkaart met het kiesnummer
- *polling card with registration number (polling number)*

20 het stembiljet met de namen van de partijen en hun kandidaten
- *ballot paper with the names of the parties and candidates*

21 de stemenvelop
- *ballot envelope*

22 de vrouwelijke kiezer
- *voter*

23 het stemhokje
- *polling booth*

24 de stemgerechtigde
- *elector (qualified voter)*

25 het kiesreglement
- *election regulations*

26 het stembureaulid
- *clerk*

27 het stembureaulid met de controlelijst
- *clerk with the duplicate list*

28 de voorzitter van het stembureau
- *election supervisor*

29 de stembus
- *ballot box*

30 de sleuf
- *slot*

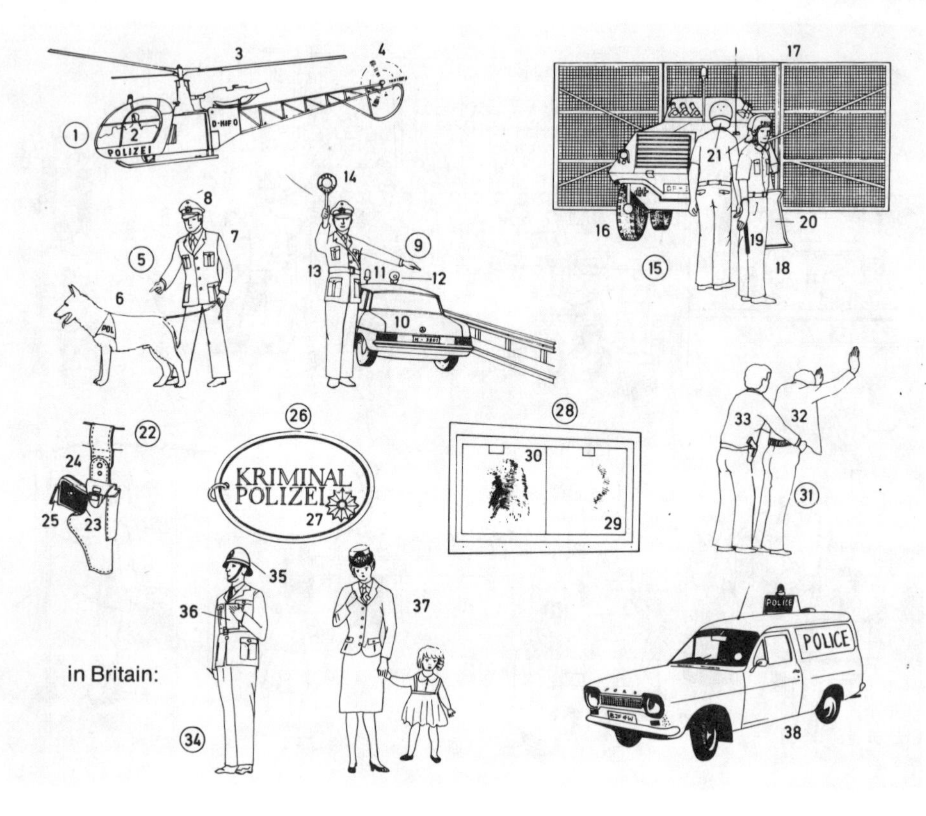

1-33 de politiediensten
– ***police duties***
1 de politiehelikopter, voor verkeerstoezicht vanuit de lucht
– ***police helicopter,*** e.g. *traffic helicopter for controlling traffic from the air*
2 de cockpit
– *cockpit*
3 de rotor
– *rotor (main rotor)*
4 de staartrotor
– *tail rotor*
5 de hondenbrigade
– ***use of police dogs***
6 de politiehond
– *police dog*
7 het uniform (de dienstkleding)
– *uniform*
8 de uniformpet, een pet met kokarde
– *uniform cap, a peaked cap with cockade*
9 de verkeerscontrole door een agent met surveillancewagen
– ***traffic control*** *by a mobile traffic patrol*
10 de surveillancewagen
– *patrol car*
11 het zwaailicht
– *blue light*
12 de luidspreker
– *loud hailer (loudspeaker)*
13 de surveillerende agent
– *patrolman (police patrolman)*
14 het spiegelei (stopteken) van de politie
– *police signalling (*Am. *signaling) disc (disk)*
15 de Mobiele Eenheid (M.E.)
– ***riot duty***
16 de gepantserde wagen
– *special armoured (*Am. *armored) car*
17 het afzethek
– *barricade*
18 de agent in rellenuitrusting
– *policeman (police officer) in riot gear*
19 de wapenstok
– *truncheon (baton)*
20 het schild
– *riot shield*
21 de helm
– *protective helmet (helmet)*
22 het dienstpistool
– ***service pistol***
23 de greep
– *pistol grip*
24 de open holster
– *quick-draw holster*
25 het magazijn
– *magazine*
26 de politiepenning
– ***police identification disc (disk)***
27 het politie-insigne
– *police badge*
28 het vergelijken van vingerafdrukken (de dactyloscopie)
– ***fingerprint identification*** *(dactyloscopy)*
29 de vingerafdruk
– *fingerprint*
30 het beeldscherm met verlichting
– *illuminated screen*
31 het fouilleren
– ***search***
32 de verdachte
– *suspect*
33 de rechercheur in burger
– *detective (plainclothes policeman)*
34 de bobby
– *English policeman*
35 de helm
– *helmet*
36 het notitieboekje
– *pocket book*
37 de politieagente
– *policewoman*
38 de politieauto
– *police van*

1-26 het café (de coffeeshop); *of:* de tearoom
- ***café,*** sim.: *espresso bar, tea room*

1 het buffet
- *counter (cake counter)*

2 de koffiezetmachine
- *coffee urn*

3 het schaaltje voor geld
- *tray for the money*

4 de taart
- *gateau*

5 de meringue, schuimgebak met slagroom
- *meringue with whipped cream*

6 de leerling
- *trainee pastry cook*

7 de buffetjuffrouw
- *girl (lady) at the counter*

8 het krantenrek
- *newspaper shelves (newspaper rack)*

9 de wandverlichting
- *wall lamp*

10 de hoekbank, een beklede bank
- *corner seat, an upholstered seat*

11 de cafétafel
- *café table*

12 het marmeren tafelblad
- *marble top*

13 de serveerster
- *waitress*

14 het dienblad (presenteerblad)
- *tray*

15 het flesje limonade
- *bottle of lemonade*

16 het limonadeglas
- *lemonade glass*

17 de schaker
- *chess players playing a game of chess*

18 het dienblad met koffie, melk en suiker
- *coffee set*

19 de kop koffie
- *cup of coffee*

20 het suikerschaaltje
- *small sugar bowl*

21 het roomkannetje
- *cream jug (*Am. *creamer)*

22-24 gasten (bezoekers)
- *café customers*

22 de heer
- *gentleman*

23 de dame
- *lady*

24 de krantelezer
- *man reading a newspaper*

25 de krant
- *newspaper*

26 de krantehouder
- *newspaper holder*

1-29 het restaurant
- ***restaurant***

1-11 het buffet
- *bar (counter)*

1 de biertap
- *beer pump (beerpull)*

2 de lekplaat
- *drip tray*

3 het bierglas
- *beer glass, a tumbler*

4 het schuim (de kraag)
- *froth (head)*

5 de bolvormige asbak op standaard
- *spherical ashtray for cigarette and cigar ash*

6 de bierpul
- *beer glass (beer mug)*

7 de bierwarmer
- *beer warmer*

8 de buffetbediende
- *bartender (barman,* Am. *barkeeper, barkeep)*

9 het glazenrek
- *shelf for glasses*

10 het flessenrek
- *shelf for bottles*

11 de stapel borden
- *stack of plates*

12 de staande kapstok
- *coat stand*

13 de hoedehaak
- *hat peg*

14 de jashaak
- *coat hook*

15 de wandventilator
- *wall ventilator*

16 de fles
- *bottle*

17 het opgediende gerecht
- *complete meal*

18 de serveerster
- *waitress*

19 het dienblad (presenteerblad)
- *tray*

20 de lotenverkoper
- *lottery ticket seller*

21 de menukaart
- *menu (menu card)*

22 het peper- en zoutstel
- *cruet stand*

23 de tandenstokerhouder
- *toothpick holder*

24 de luciferdooshouder
- *matchbox holder*

25 de gast (bezoeker)
- *customer*

26 de onderzetter (het bierviltje)
- *beer mat*

27 het couvert
- *meal of the day*

28 de bloemenverkoopster (het bloemenmeisje)
- *flower seller (flower girl)*

29 de bloemenmand
- *flower basket*

30-44 het wijnlokaal
- ***wine restaurant*** *(wine bar)*

30 de wijnkelner, een ober
- *wine waiter, a head waiter*

31 de wijnkaart
- *wine list*

32 de wijnkaraf
- *wine carafe*

33 het wijnglas
- *wineglass*

34 de betegelde kachel
- *tiled stove*

35 de kacheltegel
- *stove tile*

36 de kachelbank
- *stove bench*

37 de lambrizering
- *wooden panelling (*Am. *paneling)*

38 de hoekbank
- *corner seat*

39 de stamtafel
- *table reserved for regular customers*

40 de stamgast
- *regular customer*

41 de bestekkast
- *cutlery chest*

42 de wijnkoeler
- *wine cooler*

43 de wijnfles
- *bottle of wine*

44 de ijsklontjes
- *ice cubes (ice, lumps of ice)*

45-78 het zelfbedieningsrestaurant
- ***self-service restaurant***

45 de stapel dienbladen
- *stack of trays*

46 de rietjes
- *drinking straws (straws)*

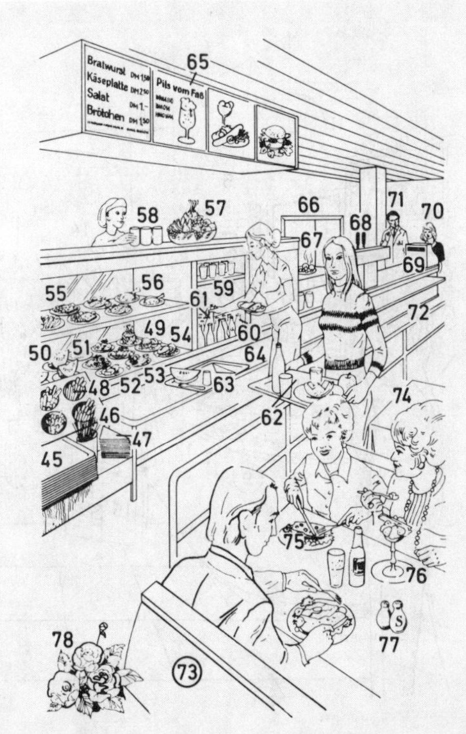

47 de servetten
– *serviettes (napkins)*
48 de bestekbakken
– *cutlery holders*
49 de koelvitrine voor koude gerechten
– *cool shelf*
50 het stuk honingmeloen
– *slice of honeydew melon*
51 het schaaltje met salade
– *plate of salad*
52 het schaaltje met kaas
– *plate of cheeses*
53 het visgerecht
– *fish dish*
54 het belegde broodje
– *filled roll*
55 het vleesgerecht met garnituur
– *meat dish with trimmings*
56 het halve haantje
– *half chicken*
57 de fruitmand
– *basket of fruit*
58 het vruchtesap
– *fruit juice*
59 de drankenvitrine
– *drinks shelf*
60 de melkfles
– *bottle of milk*
61 de fles mineraalwater
– *bottle of mineral water*
62 de vegetarische maaltijd
– *vegetarian meal (diet meal)*
63 het dienblad (presenteerblad)
– *tray*
64 de trayrail
– *tray counter*
65 de prijslijst
– *food price list*
66 het doorgeefluik naar de keuken
– *serving hatch*
67 de warme maaltijd
– *hot meal*
68 de biertap
– *beer pump (beerpull)*
69 de kassa
– *cash desk*
70 de cassière
– *cashier*
71 de eigenaar (chef)
– *proprietor*
72 het hek
– *rail*
73 de eetzaal
– *dining area*
74 de eettafel
– *table*
75 het broodje kaas
– *open sandwich*
76 de coupe met ijs
– *ice-cream sundae*
77 het peper- en zoutstel
– *salt cellar and pepper pot*
78 de tafeldecoratie (het bloemstukje)
– *table decoration*

1-26 de receptiehal
- ***vestibule** (foyer, reception hall)*

1 de portier
- *doorman (commissionaire)*

2 het postrek met de postvakjes
- *letter rack with pigeon holes*

3 het sleutelbord
- *key rack*

4 de lamp, een matglazen bol
- *globe lamp, a frosted glass globe*

5 de nummerkast (telefooncentrale)
- *indicator board*

6 de indicatielamp
- *indicator light*

7 de chef-receptionist
- *chief receptionist*

8 het gastenboek
- *register (hotel register)*

9 de kamersleutel
- *room key*

10 het nummerplaatje met het kamernummer
- *number tag (number tab) showing room number*

11 de hotelrekening
- *hotel bill*

12 het blok met registratieformulieren
- *block of registration forms*

13 het paspoort (de pas)
- *passport*

14 de hotelgast
- *hotel guest*

15 de vliegtuigkoffer, een lichtgewicht koffer
- *lightweight suitcase*

16 de lessenaar
- *wall desk*

17 de hotelbediende
- *porter* (Am. *baggage man*)

18-26 de lobby (lounge)
- *lobby (hotel lobby)*

18 de piccolo
- *page (pageboy,* Am. *bell boy)*

19 de hotelmanager
- *hotel manager*

20 de eetzaal (het restaurant)
- *dining room (hotel restaurant)*

21 de kroonluchter
- *chandelier*

22 de zithoek met open haard
- *fireside*

23 de open haard
- *fireplace*

24 de schoorsteenmantel
- *mantelpiece (mantelshelf)*

25 het haardvuur
- *fire*

26 de clubfauteuil
- *armchair*

27-38 de hotelkamer, een tweepersoonskamer met bad
- ***hotel room, a double room with bath***

27 de dubbele deur
- *double door*

28 het belpaneel
- *service bell panel*

29 de kastkoffer
- *wardrobe trunk*

30 het hanggedeelte
- *clothes compartment*

31 de legplanken
- *linen compartment*

32 de dubbele wastafel
- *double washbasin*

33 de roomservice
- *room waiter*

34 de telefoon
- *room telephone*

35 het velourstapijt
- *velour (velours) carpet*

36 het bloementafeltje
- *flower stand*

37 het bloemstukje
- *flower arrangement*

38 het tweepersoonsbed
- *double bed*

39 de feestzaal
- ***banquet room***

40-43 het gezelschap (besloten gezelschap) bij het feestmaal (banket)
- *party (private party) at table (at a banquet)*

40 de spreker die een toast uitbrengt
- *speaker proposing a toast*

41 de buurman van 42
- *42's neighbour* (Am. *neighbor)*

42 de tafelheer van 43
- *43's partner*

43 de tafeldame van 42
- *42's partner*

44-46 het thé dansant in de foyer
- ***thé dansant** (tea dance) in the foyer*

44 het trio
- *bar trio*

45 de violist
– *violinist*
46 het danspaar
– *couple dancing (dancing couple)*
47 de ober (kelner)
– *waiter*
48 het servet
– *napkin*
49 de sigaren- en sigarettenjongen
– *cigar and cigarette boy*
50 de draagbak
– *cigarette tray*
51 de hotelbar
– ***hotel bar***
52 de voetrail
– *foot rail*
53 de barkruk
– *bar stool*
54 de bar
– *bar*
55 de bargast
– *bar customer*
56 het cocktailglas
– *cocktail glass (*Am. *highball glass)*
57 het whiskyglas
– *whisky (whiskey) glass*
58 de champagnekurk
– *champagne cork*
59 de champagnekoeler
– *champagne bucket (champagne cooler)*
60 het maatglas
– *measuring beaker (measure)*
61 de cocktailshaker
– *cocktail shaker*
62 de barkeeper
– *bartender (barman,* Am. *barkeeper, barkeep)*
63 de bardame
– *barmaid*
64 het flessenrek
– *shelf for bottles*
65 de plank met glazen
– *shelf for glasses*
66 de spiegelwand
– *mirrored panel*
67 het ijsemmertje
– *ice bucket*

1 de parkeermeter
- *parking meter*

2 de stadsplattegrond
- *map of the town (street map)*

3 het verlichte bord
- *illuminated board*

4 de legenda
- *key*

5 de afvalbak
- *litter bin (*Am. *litter basket)*

6 de straatlantaarn
- *street lamp (street light)*

7 het straatnaambord
- *street sign showing the name of the street*

8 de rioolput
- *drain*

9 de kledingzaak
- *clothes shop;* also: *fashion house*

10 het etalageraam
- *shop window*

11 de etalage
- *window display (shop window display)*

12 de etalagedecoratie
- *window decoration (shop window decoration)*

13 de ingang
- *entrance*

14 het raam
- *window*

15 de bloembak
- *window box*

16 de lichtreclame
- *neon sign*

17 het kleermakersatelier
- *tailor's workroom*

18 de voetganger
- *pedestrian*

19 de boodschappentas
- *shopping bag*

20 de straatveger
- *road sweeper (*Am. *street sweeper)*

21 de straatbezem
- *broom*

22 het straatvuil
- *rubbish (litter)*

23 de tramrails (trambaan)
- *tramlines (*Am. *streetcar tracks)*

24 het zebrapad (de voetgangersoversteekplaats)
- *pedestrian crossing (zebra crossing,* Am. *crosswalk)*

25 de tramhalte
- *tram stop (*Am. *streetcar stop, trolley stop)*

26 het haltebord
- *tram stop sign (*Am. *streetcar stop sign, trolley stop sign)*

27 de dienstregeling
- *tram timetable (*Am. *streetcar schedule)*

28 de kaartjesautomaat
- *ticket machine*

29 het verkeersbord „voetgangersoversteekplaats"
- *'pedestrian crossing' sign*

30 de verkeersagent
- *traffic policeman on traffic duty (point duty)*

31 de witte mouw
- *traffic control cuff*

32 de witte pet
- *white cap*

33 het teken met de hand
- *hand signal*

34 de motorrijder
- *motorcyclist*

35 de motor
- *motorcycle*

36 de duopassagiere
- *pillion passenger (pillion rider)*

37 de boekwinkel
- *bookshop*

38 de hoedenwinkel
- *hat shop (hatter's shop);* for ladies' hats: *milliner's shop*

39 het uithangbord
- *shop sign*

40 het verzekeringskantoor
- *insurance company office*

41 het warenhuis
- *department store*

42 de winkelpui
- *shop front*

43 het reclamebord
- *advertisement*

44 de vlaggen
- *flags*

45 de dakreclame, bestaande uit verlichte letters
- *illuminated letters*

46 de tram
- *tram (*Am. *streetcar, trolley)*

47 de verhuiswagen
– *furniture lorry (*Am. *furniture truck)*
48 het viaduct
– *flyover*
49 de straatverlichting, opgehangen
– *suspended street lamp*
50 de stopstreep
– *stop line*
51 de voetgangersoversteekplaats
– *pedestrian crossing (*Am. *crosswalk)*
52 het verkeerslicht
– *traffic lights*
53 de paal voor verkeerslichten
– *traffic light post*
54 de lichtinstallatie
– *set of lights*
55 de voetgangerslichten
– *pedestrian lights*
56 de telefooncel
– *telephone box (telephone booth, telephone kiosk, call box)*
57 de bioscoopreclame
– *cinema advertisement (film poster)*
58 het voetgangersgebied (voetgangerszone)
– *pedestrian precinct (paved zone)*
59 het caféterras
– *street café*
60 de terrasbezoekers
– *group seated (sitting) at a table*
61 de parasol
– *sunshade*
62 de trap naar de openbare toiletten
– *steps to the public lavatories (public conveniences)*
63 de taxistandplaats
– *taxi rank (taxi stand)*
64 de taxi
– *taxi (taxicab, cab)*
65 het taxiteken
– *taxi sign*
66 het verkeersbord „taxistandplaats"
– *'taxi rank' ('taxi stand') sign*
67 de taxitelefoon
– *taxi telephone*
68 het postkantoor
– *post office*
69 de sigarettenautomaat
– *cigarette machine*
70 de aanplakzuil (reclamezuil)
– *advertising pillar*
71 het aanplakbiljet (het de reclameaffiche)
– *poster (advertisement)*
72 de middenstreep
– *white line*
73 de voorsorteerpijl „linksaf"
– *lane arrow for turning left*
74 de voorsorteerpijl „rechtuit"
– *lane arrow for going straight ahead*
75 de krantenverkoper
– *news vendor (*Am. *news dealer)*

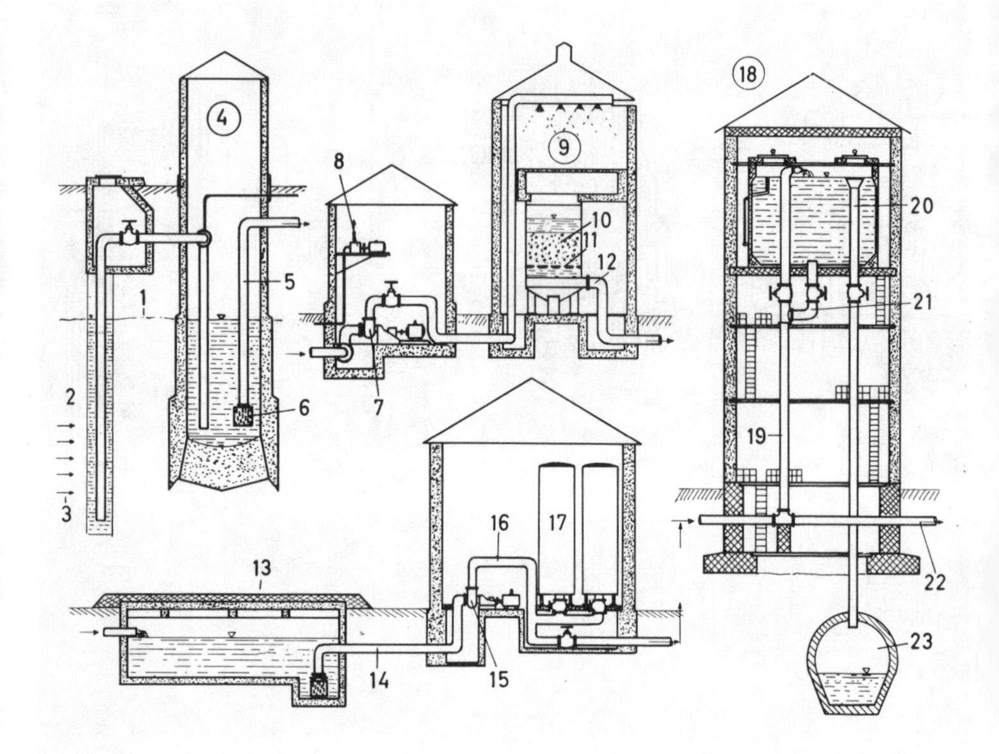

1-66 de drinkwatervoorziening
- ***drinking water supply***

1 de grondwaterspiegel
- *water table (groundwater level)*

2 de watervoerende laag
- *water-bearing stratum (aquifer, aquafer)*

3 de stroming van het grondwater
- *groundwater stream (underground stream)*

4 de verzamelput voor ongezuiverd water
- *collector well for raw water*

5 de zuigleiding
- *suction pipe*

6 de zuigkorf met klep
- *pump strainer (with foot valve)*

7 de zuigpomp met motor
- *bucket pump with motor*

8 de vacuümpomp met motor
- *vacuum pump with motor*

9 de snelfilterinstallatie
- *rapid-filter plant*

10 het filterbed
- *filter gravel (filter bed)*

11 de geperforeerde filterbodem, een rooster
- *filter bottom, a grid*

12 de filtraatleiding
- *filtered water outlet*

13 het drinkwaterreservoir
- *purified water tank*

14 de aanzuigleiding met zuigkorf en voetklep
- *suction pipe with pump strainer and foot valve*

15 de hoofdpomp met motor
- *main pump with motor*

16 de persleiding
- *delivery pipe*

17 het drukvat
- *compressed-air vessel (air vessel, air receiver)*

18 de watertoren
- *water tower*

19 de stijgleiding
- *riser pipe (riser)*

20 de overloopleiding
- *overflow pipe*

21 de valpijp
- *outlet*

22 de distributieleiding
- *distribution main*

23 de afvoerleiding
- *excess water conduit*

24-39 de opvang van bronwater
- *tapping a spring*

24 de put
- *chamber*

25 de grondkering
- *chamber wall*

26 de ingang van de put
- *manhole*

27 de ontluchting
- *ventilator*

28 de klimijzers
- *step irons*

29 de grondaanvulling
- *filling (backing)*

30 de afsluiter
- *outlet control valve*

31 de afsluiter in de leegloop
- *outlet valve*

32 de, het filter
- *strainer*

33 de overloopleiding
- *overflow pipe (overflow)*

34 de leegloop
- *bottom outlet*

35 de gresbuisjes
- *earthenware pipes*

36 de afsluitende laag
- *impervious stratum (impermeable stratum)*

37 het grindbed
- *rough rubble*

38 de watervoerende laag
- *water-bearing stratum (aquifer, aquafer)*

39 de aangestampte kleilaag
- *loam seal (clay seal)*

40-52 de watervoorziening voor de individuele verbruiker
- *individual water supply*

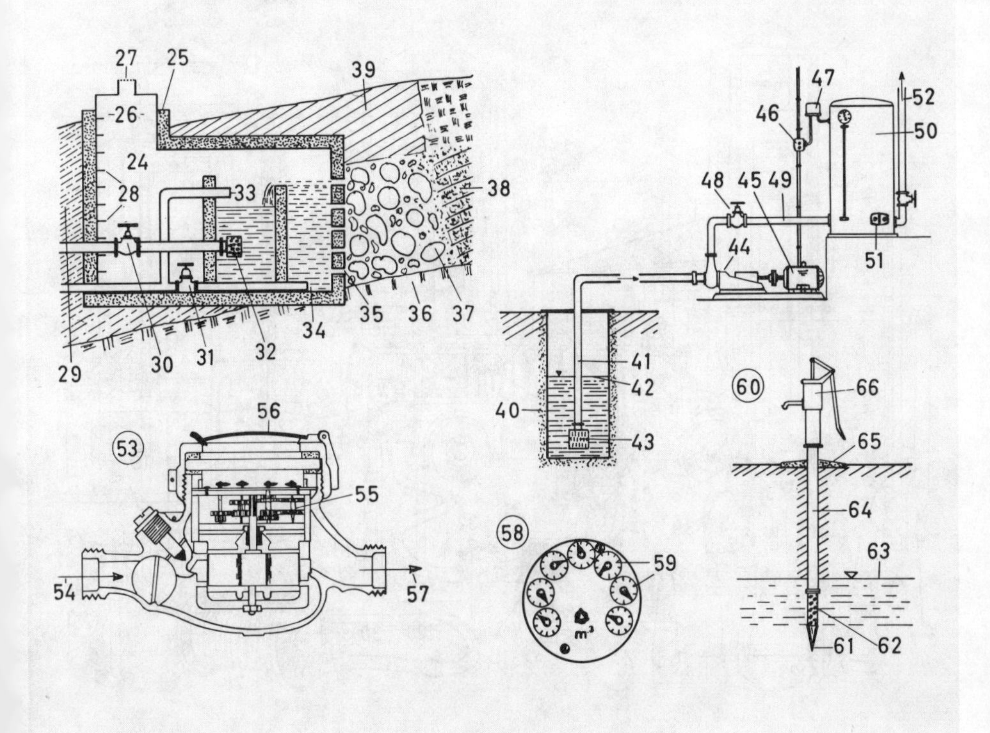

40 de put
- *well*

41 de zuigleiding
- *suction pipe*

42 de grondwaterspiegel
- *water table (groundwater level)*

43 de zuigkorf met voetklep
- *pump strainer with foot valve*

44 de centrifugaalpomp
- *centrifugal pump*

45 de motor
- *motor*

46 de veiligheidsschakelaar
- *motor safety switch*

47 de drukschakelaar, een schakeltoestel
- *manostat, a switching device*

48 de afsluiter
- *stop valve*

49 de persleiding
- *delivery pipe*

50 het drukvat
- *compressed-air vessel (air vessel, air receiver)*

51 de inspectie-opening
- *manhole*

52 de leiding naar de verbruiker
- *delivery pipe*

53 de watermeter
- *water meter, a rotary meter*

54 de inlaat
- *water inlet*

55 het telwerk
- *counter gear assembly*

56 het deksel met kijkglas
- *cover with glass lid*

57 de uitlaat
- *water outlet*

58 de wijzerplaat met watermeter
- *water-meter dial*

59 de eenhedentellers
- *counters*

60 de geslagen put
- *driven well (tube well, drive well)*

61 het puntstuk
- *pile shoe*

62 de, het filter
- *filter*

63 de grondwaterspiegel
- *water table (groundwater level)*

64 de stijgleiding
- *well casing*

65 de putrandafwerking
- *well head*

66 de handpomp
- *hand pump*

1-46 de brandweeroefening (blus-, klim-, ladder-, reddingsoefening)
- ***fire service drill*** *(extinguishing, climbing, ladder, and rescue work)*

1-3 de brandweerkazerne
- *fire station*

1 de garage en de ruimte voor apparatuur
- *engine and appliance room*

2 het manschappenverblijf
- *firemen's quarters*

3 de oefentoren
- *drill tower*

4 de brandweersirene (alarmsirene)
- *fire alarm (fire alarm siren, fire siren)*

5 de bluswagen
- *fire engine*

6 het blauwe zwaailicht
- *blue light (warning light), a flashing light (*Am. *flashlight)*

7 de sirene
- *horn (hooter)*

8 de motorpomp, een centrifugaalpomp
- *motor pump, a centrifugal pump*

9 de gemotoriseerde brandweerladder
- *motor turntable ladder (*Am. *aerial ladder)*

10 de ladder, een stalen ladder (uitschuifbare ladder)
- *automatic extending ladder, a steel ladder*

11 het laddermechanisme
- *ladder mechanism*

12 de stempel
- *jack*

13 de ladderbediener
- *ladder operator*

14 de schuifladder
- *extension ladder*

15 de omhaalhaak
- *ceiling hook (*Am. *preventer)*

16 de haakladder
- *hook ladder (*Am. *pompier ladder)*

17 de vangploeg
- *holding squad*

18 het springzeil (vangzeil)
- *jumping sheet (sheet)*

19 de ziekenwagen (ambulance)
- *ambulance car (ambulance)*

20 het reanimatieapparaat, een zuurstofapparaat
- *resuscitator (resuscitation equipment), oxygen apparatus*

21 de ziekenverpleger
- *ambulance attendant (ambulance man)*

22 de armband
- *armband (armlet, brassard)*

23 de draagbaar (brancard)
- *stretcher*

24 de bewusteloze
- *unconscious man*

25 de ondergrondse brandkraan (hydrant)
- *pit hydrant*

26 de standpijp
- *standpipe (riser, vertical pipe)*

27 de kraansleutel
- *hydrant key*

28 de verrijdbare slanghaspel
- *hose reel (*Am. *hose cart, hose wagon, hose truck, hose carriage)*

29 de slangkoppeling
- *hose coupling*

30 de zuigleiding
- *soft suction hose*

31 de drukleiding
- *delivery hose*

32 het verdeelstuk
- *dividing breeching*

33 de straalpijp
- *branch*

34 de waterploeg (blusploeg)
- *branchmen*

35 de bovengrondse brandkraan (hydrant)
- *surface hydrant (fire plug)*

36 de brandmeester
- *officer in charge*

37 de brandweerman (brandwacht)
- *fireman (*Am. *firefighter)*

38 de brandweerhelm met nekbescherming
- *helmet (fireman's helmet,* Am. *fire hat) with neck guard (neck flap)*

39 de ademhalingsapparatuur
- *breathing apparatus*

40 het gasmasker
- *face mask*

41 de mobilofoon (walkie-talkie)
- *walkie-talkie set*

42 de handlamp
- *hand lamp*

43 de brandweerbijl
- *small axe (*Am. *ax, pompier hatchet)*

44 de redgordel
- *hook belt*

45 de reddingslijn
- *beltline*

46 de beschermende kleding, gemaakt van asbest (het asbestpak)
- *protective clothing of asbestos (asbestos suit) or of metallic fabric*

47 de bergingskraanwagen
- *breakdown lorry (*Am. *crane truck, wrecking crane)*

48 de bergingskraan
- *lifting crane*

49 de hijshaak
- *load hook (draw hook,* Am. *drag hook)*

50 de opvangsteun
- *support roll*

51 de tankautospuit (T.A.S.)
- *water tender*

52 de draagbare brandspuit
- *portable pump*

53 de slangen- en gereedschapswagen
- *hose layer*

54 de opgerolde slangen
- *flaked lengths of hose*

55 de kabeltrommel
- *cable drum*

56 de lier
- *winch*

57 de, het filter voor het gasmasker
- *face mask filter*

58 de actieve kool
- *active carbon (activated carbon, activated charcoal)*

59 de, het stoffilter
- *dust filter*

60 de luchttoevoer
- *air inlet*

61 de brandblusser
- *portable fire extinguisher*

62 het ventiel met pistoolhandel
- *trigger valve*

63 het verrijdbare blusapparaat
- *large mobile extinguisher (wheeled fire extinguisher)*

64 het schuim- en waterkanon
- *foam-making branch (*Am. *foam gun)*

65 de blusboot
- *fireboat*

66 het waterkanon
- *monitor (water cannon)*

67 de zuigslang
- *suction hose*

1 de cassière
- *cashier*

2 de elektrische kassa
- *electric cash register (till)*

3 de cijfertoetsen
- *number keys*

4 de herstelknop
- *cancellation button*

5 de geldla
- *cash drawer (till)*

6 de vakjes voor munten en bankbiljetten
- *compartments (money compartments) for coins and notes* (Am. *bills)*

7 de kassabon
- *receipt (sales check)*

8 het te betalen bedrag
- *amount [to be paid]*

9 het telmechanisme
- *adding mechanism*

10 de gekochte artikelen
- *goods*

11 de vide
- *glass-roofed well*

12 de afdeling herenkleding
- *men's wear department*

13 de vitrine
- *showcase (display case, indoor display window)*

14 de paktafel
- *wrapping counter*

15 het boodschappenmandje
- *tray for purchases*

16 de klant
- *customer*

17 de kousenafdeling
- *hosiery department*

18 de verkoopster
- *shop assistant (*Am. *salesgirl, saleslady)*

19 de prijskaart
- *price card*

20 de handschoenstandaard
- *glove stand*

21 de duffel, een driekwartjas
- *duffle coat, a three-quarter length coat*

22 de roltrap
- *escalator*

23 de T.L.-buis
- *fluorescent light (fluorescent lamp)*

24 het kantoor (b.v. kredietbureau, reisbureau, directiekantoor)
- *office*, e.g. *customer accounts office, travel agency, manager's office*

25 het, de reclameaffiche
- *poster (advertisement)*

26 de voorverkoop van schouwburg- en concertkaartjes
- *theatre (*Am. *theater) and concert booking office (advance booking office)*

27 het rek
- *shelves*

28 de afdeling dameskleding
- *ladies' wear department*

29 de confectiejurk
- *ready-made dress (ready-to-wear dress,* coll. *off-the-peg dress)*

30 de stofhoes
- *dust cover*

31 het kledingrek
- *clothes rack*

32 de paskamer
- *changing booth (fitting booth)*

33 de hoofdverkoper
- *shop walker (*Am. *floorwalker, floor manager)*

34 de etalagepop
- *dummy*

35 de fauteuil
- *seat (chair)*

36 het modetijdschrift
- *fashion journal (fashion magazine)*

37 de kleermaker bezig met het afspelden
- *tailor marking a hemline*

38 de centimeter
- *measuring tape (tape measure)*

39 het kleermakerskrijt
- *tailor's chalk (French chalk)*

40 de rokkenspuit
- *hemline marker*

41 de wijde mantel
- *loose-fitting coat*

42 de toonbank
- *sales counter*

43 het warmeluchtgordijn
- *warm-air curtain*

44 de portier
- *doorman (commissionaire)*

45 de personenlift
- *lift (*Am. *elevator)*

46 de liftcabine
- *lift cage (lift car,* Am. *elevator car)*

47 de liftboy
- *lift operator (*Am. *elevator operator)*

48 het bedieningspaneel
- *controls (lift controls,* Am. *elevator controls)*

49 de etageaanduiding
- *floor indicator*

50 de schuifdeur
- *sliding door*

51 de liftschacht
- *lift shaft (*Am. *elevator shaft)*

52 de draagkabel
- *bearer cable*

53 de stuurkabel
- *control cable*

54 de geleidingsrail
- *guide rail*

55 de klant
- *customer*

56 het ondergoed
- *hosiery*

57 het linnengoed (tafellinnen en beddegoed)
- *linen goods (table linen and bed linen)*

58 de afdeling stoffen
- *fabric department*

59 de rol stof
- *roll of fabric (roll of material, roll of cloth)*

60 het afdelingshoofd
- *head of department (department manager)*

61 de toonbank
- *sales counter*

62 de bijouterieafdeling
- *jewellery (*Am. *jewelry) department*

63 de nouveauté-verkoopster
- *assistant (*Am. *salesgirl, saleslady), selling new lines (new products)*

64 de extra toonbank
- *special counter (extra counter)*

65 het plakkaat met de speciale aanbieding
- *placard advertising special offers*

66 de afdeling gordijnen
- *curtain department*

67 de geëtaleerde artikelen (op de afdeling)
- *display on top of the shelves*

1-40 **de Franse tuin** (tuin in barokstijl), een kasteelpark
- ***formal garden*** *(French Baroque garden), palace gardens*

1 de grot
- *grotto (cavern)*

2 het stenen beeld, een riviernimf
- *stone statue, a river nymph*

3 de orangerie
- *orangery (orangerie)*

4 het bosschage
- *boscage (boskage)*

5 de doolhof (het labyrint, bestaande uit heggen en paden)
- *maze (labyrinth of paths and hedges)*

6 het openluchttheater
- *open-air theatre (*Am. *theater)*

7 het in barokstijl gebouwde paleis
- *Baroque palace*

8 de waterpartijen
- *fountains*

9 de waterval (kunstmatige trapvormige waterval)
- *cascade (broken artificial waterfall, artificial falls)*

10 het standbeeld, een gedenkteken
- *statue, a monument*

11 het voetstuk
- *pedestal*

12 de als bol geknipte boom
- *globe-shaped tree*

13 de als kegel geknipte boom
- *conical tree*

14 de sierstruik
- *ornamental shrub*

15 de muurfontein
- *wall fountain*

16 de parkbank
- *park bench*

17 de pergola
- *pergola (bower, arbour,* Am. *arbor)*

18 het grindpad
- *gravel path (gravel walk)*

19 de als piramide geknipte boom
- *pyramid tree (pyramidal tree)*

20 de cupido
- *cupid (cherub, amoretto, amorino)*

21 de fontein
- *fountain*

22 de waterstraal
- *fountain (jet of water)*

23 het overloopbekken
- *overflow basin*

24 het bassin
- *basin*

25 de rand van de fontein
- *kerb (curb)*

26 de wandelaar
- *man out for a walk*

27 de rondleidster (gids)
- *tourist guide*

28 de groep toeristen
- *group of tourists*

29 het parkreglement
- *park by-laws (bye-laws)*

30 de parkwachter
- *park keeper*

31 het toegangshek, een smeedijzeren hek
- *garden gates made of wrought iron*

32 de ingang
- *park entrance*

33 het hek
- *park railings*

34 de tralie
- *railing (bar)*

35 de stenen vaas
- *stone vase*

36 het grasveld (gazon)
- *lawn*

37 de omranding van het pad, een in vorm gesnoeide heg
- *border, a trimmed (clipped) hedge*

38 het pad
- *park path*

39 het bloemperk
- *parterre*

40 de berk
- *birch (birch tree)*

41-72 het Engelse park (de Engelse tuin, het landschapspark)
– ***landscaped park*** *(jardin anglais)*
41 de border
– *flower bed*
42 de tuinbank
– *park bench (garden seat)*
43 de afvalbak
– *litter bin (*Am. *litter basket)*
44 de speelweide
– *play area*
45 de waterloop
– *stream*
46 de vlonder
– *jetty*
47 het bruggetje
– *bridge*
48 de parkstoel
– *park chair*
49 de geitenkamp
– *animal enclosure*
50 de vijver
– *pond*
51-54 de watervogels
– *waterfowl*
51 de wilde eend met jongen
– *wild duck with young*
52 de gans
– *goose*
53 de flamingo
– *flamingo*
54 de zwaan
– *swan*
55 het eiland
– *island*
56 de waterlelie
– *water lily*
57 het terras
– *open-air café*
58 de parasol
– *sunshade*
59 de boom
– *park tree (tree)*
60 de boomkruin
– *treetop (crown)*
61 de groep bomen
– *group of trees*
62 de fontein
– *fountain*
63 de treurwilg
– *weeping willow*
64 het moderne plastiek
– *modern sculpture*
65 de tropische kas
– *hothouse*
66 de tuinman
– *park gardener*
67 de rijsbezem
– *broom*
68 de midgetgolfbaan
– *minigolf course*
69 de midgetgolfspeler
– *minigolf player*
70 de midgetgolfhole
– *minigolf hole*
71 de moeder met kinderwagen
– *mother with pram (baby carriage)*
72 het verliefde stel (paartje)
– *courting couple*

1 het tafeltennisspel
- *table tennis game*

2 de tafel
- *table*

3 het tafeltennisnet
- *table tennis net*

4 het tafeltennisbat
- *table tennis racket (raquet) (table tennis bat)*

5 de tafeltennisbal
- *table tennis ball*

6 het badmintonspel
- *badminton game (shuttlecock game)*

7 de shuttle
- *shuttlecock*

8 de zweefmolen
- *maypole swing*

9 het kinderfietsje
- *child's bicycle*

10 het voetballen
- *football game (soccer game)*

11 het doel
- *goal (goalposts)*

12 de voetbal
- *football*

13 de doelpuntmaker
- *goal scorer*

14 de keeper
- *goalkeeper*

15 het touwtjespringen
- *skipping (*Am. *jumping rope)*

16 het springtouw
- *skipping rope (*Am. *skip rope, jump rope, jumping rope)*

17 de klimtoren
- *climbing tower*

18 de autobandschommel
- *rubber tyre (*Am. *tire) swing*

19 de vrachtwagenband
- *lorry tyre (*Am. *truck tire)*

20 de skippybal (kangoeroebal)
- *bouncing ball*

21 het houten fort
- *adventure playground*

22 de rondhouten trap
- *log ladder*

23 het uitkijkplatform
- *lookout platform*

24 de glijbaan
- *slide*

25 de afvalbak
- *litter bin (*Am. *litter basket)*

26 de teddybeer
- *teddy bear*

27 de houten speelgoedtrein
- *wooden train set*

28 het pierenbad
- *paddling pool*

29 de zeilboot
- *sailing boat (yacht,* Am. *sailboat)*

30 de speelgoedeend
- *toy duck*

31 de kinderwagen
- *pram (baby carriage)*

32 de rekstok
- *high bar (bar)*

33 de skelter (de zeepkist)
- *go-cart (soap box)*

34 de startvlag
- *starter's flag*

35 de wip
- *seesaw*

36 de robot
- *robot*

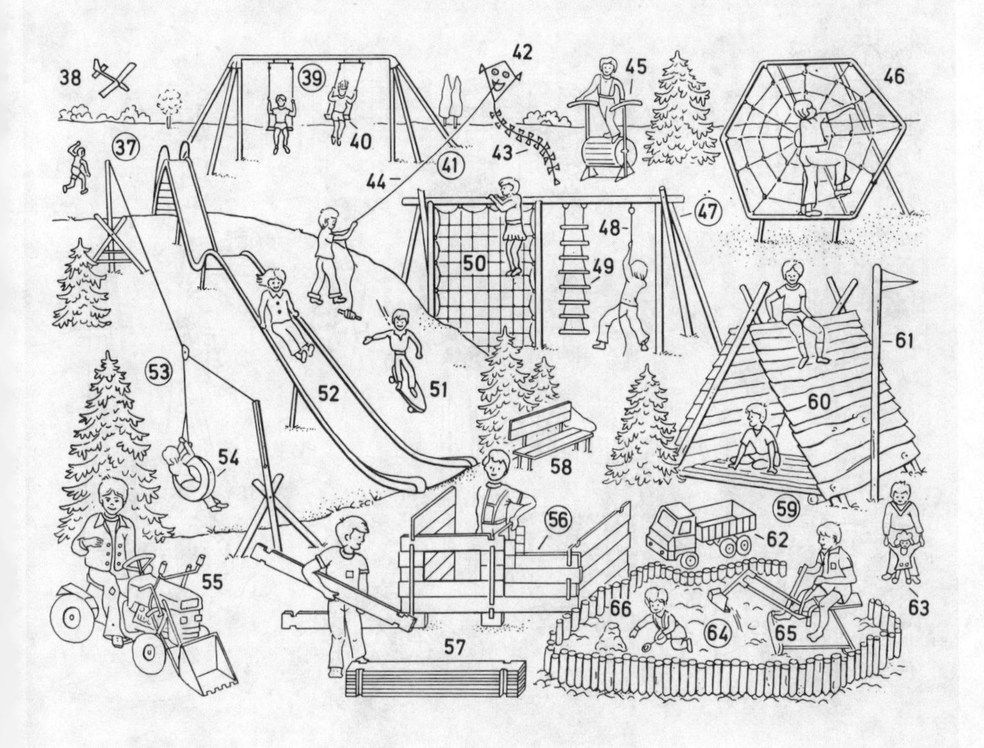

37 het spelen met modelvliegtuigjes
- *flying model aeroplanes (*Am. *airplanes)*

38 het modelvliegtuigje
- *model aeroplane (*Am. *airplane)*

39 de dubbele schommel
- *double swing*

40 de schommelplank
- *swing seat*

41 het oplaten van een vlieger (vliegeren)
- *flying kites*

42 de vlieger
- *kite*

43 de vliegerstaart
- *tail of the kite*

44 het vliegertouw
- *kite string*

45 de looptrommel
- *revolving drum*

46 het spinneweb
- *spider's web*

47 het klimrek
- *climbing frame*

48 het klimtouw
- *climbing rope*

49 de touwladder
- *rope ladder*

50 het klimnet
- *climbing net*

51 het skateboard
- *skateboard*

52 de op en neergaande glijbaan
- *up-and-down slide*

53 de kabelbaan met rubberband
- *rubber tyre (*Am. *tire) cable car*

54 de autoband
- *rubber tyre (*Am. *tire)*

55 de tractor, een trapauto
- *tractor, a pedal car*

56 de hut
- *den*

57 de planken met inkepingen
- *presawn boards*

58 de bank
- *seat (bench)*

59 de indianenhut
- *Indian hut*

60 het klimdak
- *climbing roof*

61 de vlaggestok
- *flagpole (flagstaff)*

62 de speelgoedauto
- *toy lorry (*Am. *toy truck)*

63 de looppop
- *walking doll*

64 de zandbak
- *sandpit (*Am. *sandbox)*

65 de speelgoedgraafmachine
- *toy excavator (toy digger)*

66 de zandhoop
- *sandhill*

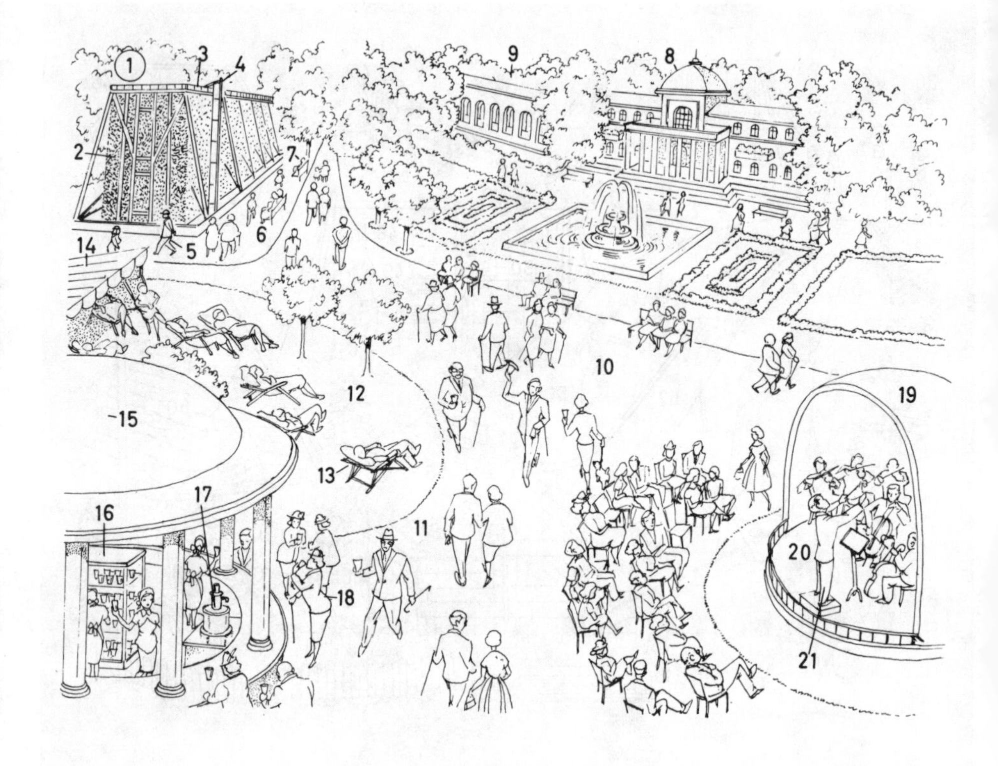

1-21 het park
- *spa gardens*
1-7 de saline
- *salina (salt works)*
1 het gradeerwerk
- *thorn house (graduation house)*
2 het doornhout
- *thorns (brushwood)*
3 de verdeelpijp voor het zoute bronwater
- *brine channels*
4 de toevoer van zout bronwater vanuit het pompstation
- *brine pipe from the pumping station*
5 de opzichter
- *salt works attendant*
6-7 de inhaleerkuur
- *inhalational therapy*
6 het openluchtinhalatorium
- *open-air inhalatorium (outdoor inhalatorium)*
7 de patiënt bij het inhaleren
- *patient inhaling (taking an inhalation)*
8 het kurhaus, met de kurzaal (het casino)
- *hydropathic (pump room) with kursaal (casino)*
9 de wandelgang (zuilengang, colonnade)
- *colonnade*
10 de promenade
- *spa promenade*
11 de laan naar de bron
- *avenue leading to the mineral spring*
12-14 de rustkuur
- *rest cure*
12 de ligweide
- *sunbathing area (lawn)*
13 de ligstoel
- *deck-chair*
14 het zonnescherm
- *sun canopy*
15 het bronpaviljoen
- *pump room*
16 het glazenrek
- *rack for glasses*
17 de tap
- *tap*
18 de gast, die bronwater drinkt
- *patient taking the waters*
19 het concertpaviljoen
- *bandstand*
20 het orkest
- *spa orchestra giving a concert*
21 de dirigent
- *conductor*

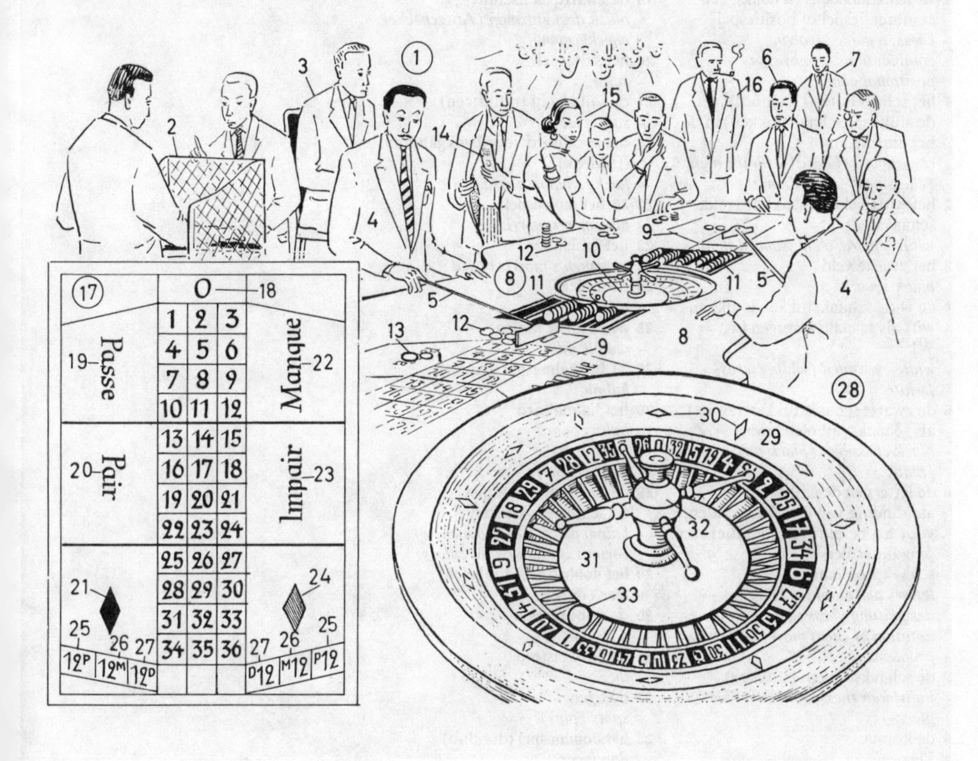

1-33 het roulettespel, een hazardspel
- ***roulette,*** *a game of chance (gambling game)*

1 de roulettezaal in het casino (de speelbank)
- *gaming room in the casino (in the gambling casino)*

2 de kas
- *cash desk*

3 de chef de partie
- *tourneur (dealer)*

4 de croupier
- *croupier*

5 het geldharkje
- *rake*

6 de hoofdcroupier
- *head croupier*

7 de zaalchef
- *hall manager*

8 de roulettetafel
- *roulette table (gaming table, gambling table)*

9 het speelbord
- *roulette layout*

10 de roulette
- *roulette wheel*

11 de bank
- *bank*

12 de, het fiche (plaque, jeton)
- *chip (check, plaque)*

13 de inzet
- *stake*

14 de lidmaatschapskaart
- *membership card*

15 de roulettespeler
- *roulette player*

16 de privé-detective (huisdetective)
- *private detective (house detective)*

17 het speelbord
- *roulette layout*

18 zero (nul, 0)
- *zero (nought, 0)*

19 passe (groot) [getallen van 19 tot 36]
- *passe (high) [numbers 19 to 36]*

20 pair [even getallen]
- *pair (even numbers)*

21 noir (zwart)
- *noir (black)*

22 manque (klein) [getallen van 1 tot 18]
- *manque (low) [numbers 1 to 18]*

23 inpair [oneven getallen]
- *impair [odd numbers]*

24 rouge (rood)
- *rouge (red)*

25 douze premier (eerste dozijn) [getallen van 1 tot 12]
- *douze premier (first dozen) [numbers 1 to 12]*

26 douze milieu (tweede dozijn) [getallen van 13 tot 24]
- *douze milieu (second dozen) [numbers 13 to 24]*

27 douze dernier (derde dozijn) [getallen van 25 tot 36]
- *douze dernier (third dozen) [numbers 25 to 36]*

28 de roulette
- *roulette wheel (roulette)*

29 de roulettekom
- *roulette bowl*

30 de hindernis
- *fret (separator)*

31 de draaischijf met de nummers van 0 t/m 36
- *revolving disc (disk) showing numbers 0 to 36*

32 het draaikruis
- *spin*

33 de roulettebal
- *roulette ball*

1-16 het schaakspel (schaak), een combinatiespel of positiespel
- ***chess,** a game involving combinations of moves, a positional game*

1 het schaakbord (speelbord) met de stukken (schaakstukken) in de beginopstelling
- *chessboard (board) with the men (chessmen) in position*

2 het witte veld (schaakbordveld, schaakveld)
- *white square, a chessboard square*

3 het zwarte veld
- *black square*

4 de witte schaakstukken (stukken, wit) als schaaksymbolen [wit = W]
- *white chessmen (white pieces) [white = W]*

5 de zwarte schaakstukken (zwart) als schaaksymbolen [zwart = Z]
- *black chessmen (black pieces) [black = B]*

6 de letters en de cijfers ter aanduiding van de schaakvelden, voor het beschrijven (notatie) van schaakpartijen en schaakproblemen
- *letters and numbers for designating chess squares in the notation of chess moves and chess problems*

7 de schaakstukken (stukken)
- *individual chessmen (individual pieces)*

8 de koning
- *king*

9 de dame (koningin)
- *queen*

10 de loper
- *bishop*

11 het paard
- *knight*

12 de toren
- *rook (castle)*

13 de pion
- *pawn*

14 de loop van de stukken
- *moves of the individual pieces*

15 mat (schaakmat), mat door het paard (p f3)
- *mate (checkmate), a mate by knight*

16 de schaakklok, een dubbele klok voor schaaktoernooien (schaakkampioenschappen)
- *chess clock, a double clock for chess matches (chess championships)*

17-19 het damspel (dammen)
- ***draughts** (*Am. *checkers)*

17 het dambord
- *draughtboard (*Am. *checkerboard)*

18 de witte damschijf (damsteen); *ook:* speelschijf voor backgammon (triktrak) en het molenspel
- *white draughtsman (*Am. *checker, checkerman);* also: *piece for backgammon and nine men's morris*

19 de zwarte damschijf
- *black draughtsman (*Am. *checker, checkerman)*

20 het saltaspel
- ***salta***

21 de saltaschijf (saltasteen)
- *salta piece*

22 het speelbord voor backgammon (triktrak)
- *backgammon board*

23-25 het molenspel
- ***nine men's morris***

23 het molenbord
- *nine men's morris board*

24 de molen
- *mill*

25 de dubbele molen
- *double mill*

26-28 het halmaspel (halma)
- ***halma***

26 het halmabord
- *halma board*

27 de thuisbasis
- *yard (camp, corner)*

28 de halmapionnen met verschillende kleuren
- *halma pieces (halma men) of various colours (*Am. *colors)*

29 het dobbelspel (dobbelen)
- ***dice** (dicing)*

30 de dobbelbeker
- *dice cup*

31 de dobbelsteen
- *dice*

32 de ogen
- *spots (pips)*

33 het dominospel (domino)
- ***dominoes***

34 de dominosteen
- *domino (tile)*

35 dubbelzes
- *double*

36 speelkaarten
- ***playing cards***

37 de Franse speelkaart (de speelkaart)
- *French playing card (card)*

38-45 de kleuren (serietekens)
- *suits*

38 klaveren
- *clubs*

39 schoppen
- *spades*

40 harten
- *hearts*

41 ruiten
- *diamonds*

42-45 de Duitse kleuren
- *German suits*

42 eikels (klaveren)
- *acorns*

43 groen (bladeren, schoppen)
- *leaves*

44 rood (harten)
- *hearts*

45 bellen
- *bells (hawkbells)*

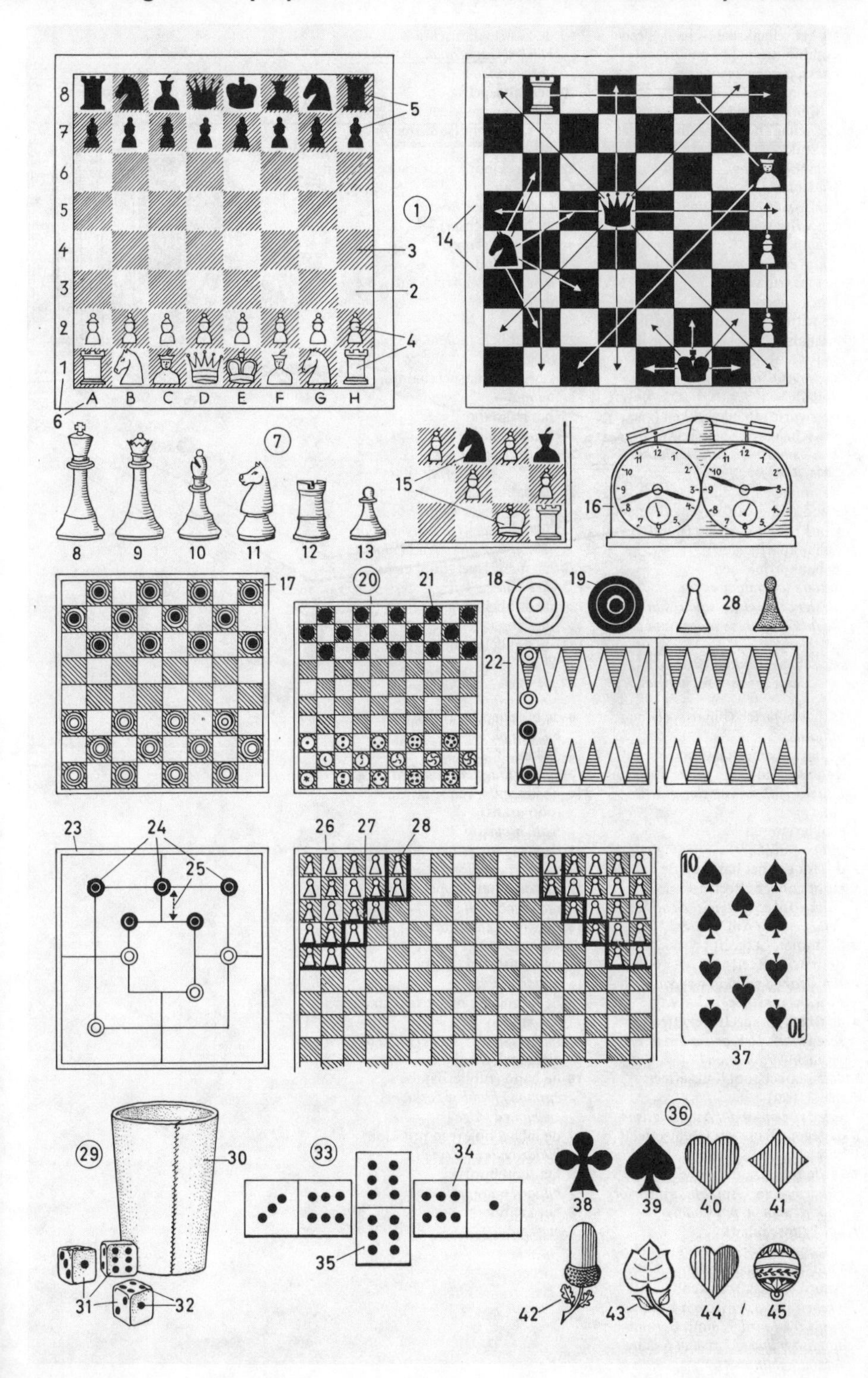

8
7
6
5
4
3
2
1
A B C D E F G H
1
2
3
4
5
6
7
8 9 10 11 12 13
14
15
16
17
18
19
20
21
22
23
24
25
26
27
28
29
30
31
32
33
34
35
36
37
38
39
40
41
42
43
44
45

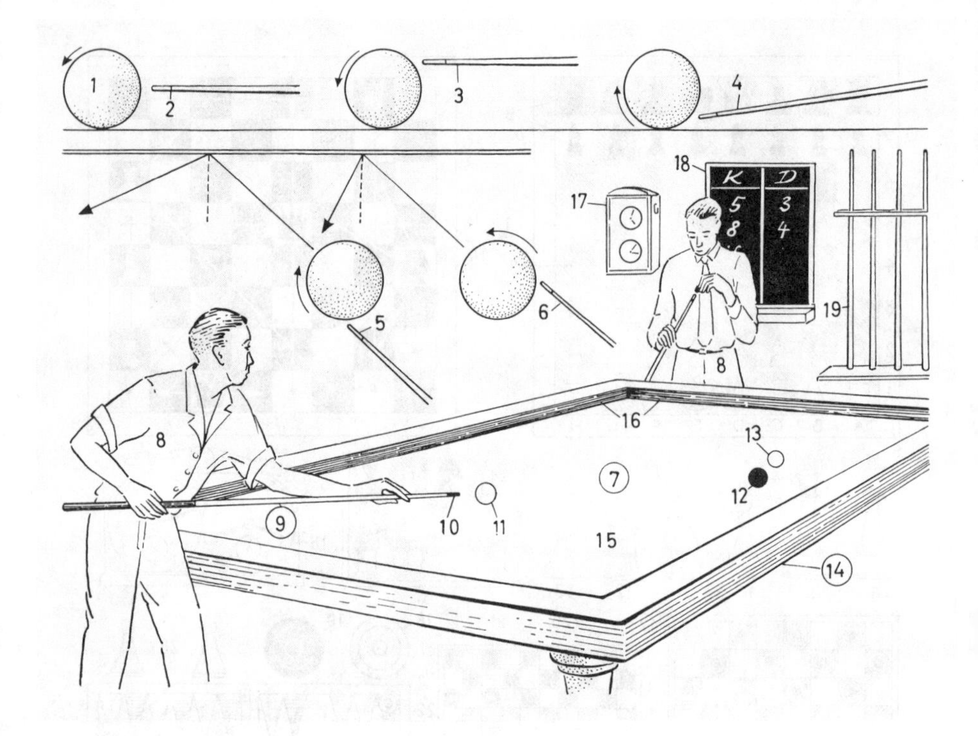

1-19 het biljarten (biljartspel)
- *billiards*

1 de biljartbal, een ivoren of kunststofbal
- *billiard ball, an ivory or plastic ball*

2-6 biljartstoten
- *billiard strokes*

2 de stoot in het hart van de bal (de stoot zonder effect)
- *plain stroke [hitting the cue ball dead centre (*Am. *center)]*

3 de doorstoot [geeft doorstooteffect]
- *top stroke [promotes extra forward rotation]*

4 de trekstoot [geeft trekeffect]
- *screw-back [imparts a direct recoil or backward motion]*

5 de zij-effectstoot [linkseffect, mee-effect]
- *side (running side,* Am. *English)*

6 de tegeneffectstoot [rechtseffect]
- *check side*

7-19 de biljartzaal
- *billiard room (*Am. *billiard parlor, billiard saloon, poolroom)*

7 het Franse biljart (carambolebiljart); *ongev.:* het Duitse of Engelse biljart (snooker, pool) zakkenbiljart
- *French billiards (carom billiards, carrom billiards);* sim.: *German or English billiards (pocket billiards,* Am. *poolbilliards)*

8 de biljartspeler (biljarter)
- *billiard player*

9 de keu
- *cue (billiard cue, billiard stick)*

10 de keuspits, een stukje leer (pomerans)
- *leather cue tip*

11 de witte (ongemerkte) speelbal
- *white cue ball*

12 de rode (aan te spelen) bal
- *red object ball*

13 de witte gemerkte bal
- *white spot ball (white dot ball)*

14 de biljarttafel (het biljart)
- *billiard table*

15 het speelvlak met groen laken bespannen
- *table bed with green cloth (billiard cloth, green baize covering)*

16 de band (rubberband)
- *cushions (rubber cushions, cushioned ledge)*

17 de biljartklok (een prikklok)
- *billiard clock, a timer*

18 het scorebord
- *billiard marker*

19 het keurek
- *cue rack*

1-59 de camping (het kampeerterrein)
– ***camp site*** *(camping site,* Am. *campground)*
1 de receptie (het kantoor)
– *reception (office)*
2 de campingbeheerder
– *camp site attendant*
3 de vouwcaravan (vouwwagen)
– *folding trailer (collapsible caravan, collapsible trailer)*
4 de hangmat
– *hammock*
5-6 de sanitaire voorzieningen
– *washing and toilet facilities*
5 de toiletten en wasgelegenheden
– *toilets and washrooms (*Am. *lavatories)*
6 de wastafels en gootstenen
– *washbasins and sinks*
7 de bungalow
– *bungalow (chalet)*
8-11 het padvinderskamp
– ***scout camp***
8 de ronde tent
– *bell tent*
9 de trekkerswimpel
– *pennon*
10 het kampvuur
– *camp fire*
11 de padvinder (scout)
– *boy scout (scout)*
12 de zeilboot (jol)
– *sailing boat (yacht,* Am. *sailboat)*
13 de aanlegsteiger
– *landing stage (jetty)*
14 de rubberboot
– *inflatable boat (inflatable dinghy)*
15 de buitenboordmotor
– *outboard motor (outboard)*
16 de trimaran
– *trimaran*
17 het bankje
– *thwart (oarsman's bench)*
18 de dol
– *rowlock (oarlock)*
19 de riem
– *oar*
20 de boottrailer
– *boat trailer (boat carriage)*
21 de tent
– ***ridge tent***
22 het tentdak
– *flysheet*
23 de scheerlijn
– *guy line (guy)*
24 de (tent)haring
– *tent peg (peg)*
25 de (tent)hamer
– *mallet*
26 de spanring
– *groundsheet ring*
27 de bagagepunt
– *bell end*
28 de uitgezette luifel
– *erected awning*
29 de kampeerlamp, een petroleumlamp
– *storm lantern, a paraffin lamp*
30 de slaapzak
– *sleeping bag*
31 het luchtbed
– *air mattress (inflatable air-bed)*
32 de waterzak (drinkwaterzak)
– *water carrier (drinking water carrier)*
33 het tweepits gasstel voor propaangas of butagas
– *double-burner gas cooker for propane gas or butane gas*
34 de propaangasfles (butagasfles)
– *propane or butane gas bottle*
35 de snelkookpan
– *pressure cooker*
36 de bungalowtent
– ***frame tent***
37 de luifel
– *awning*
38 de tentstok
– *tent pole*
39 de boogvormige ingang
– *wheelarch doorway*
40 het ventilatievenster
– *mesh ventilator*
41 het doorzichtige venster
– *transparent window*
42 het plaatsnummer
– *pitch number*
43 de kampeerstoel, een klapstoel
– *folding camp chair*
44 de kampeertafel
– *folding camp table*
45 het kampeerservies
– *camping eating utensils*
46 de kampeerder
– *camper*
47 de houtskoolgrill
– *charcoal grill (barbecue)*
48 de houtskool
– *charcoal*
49 de blaasbalg
– *bellows*
50 de, het imperiaal
– *roof rack*
51 de bagagespin
– *roof lashing*
52 de (toer)caravan
– ***caravan*** *(*Am. *trailer)*
53 de disselkast
– *box for gas bottle*
54 het neuswiel
– *jockey wheel*
55 de aanhangerkoppeling
– *drawbar coupling*
56 de dakventilatie
– *roof ventilator*
57 de voortent
– *caravan awning*
58 de opblaasbare iglotent
– *inflatable igloo tent*
59 de stretcher
– *camp bed (*Am. *camp cot)*

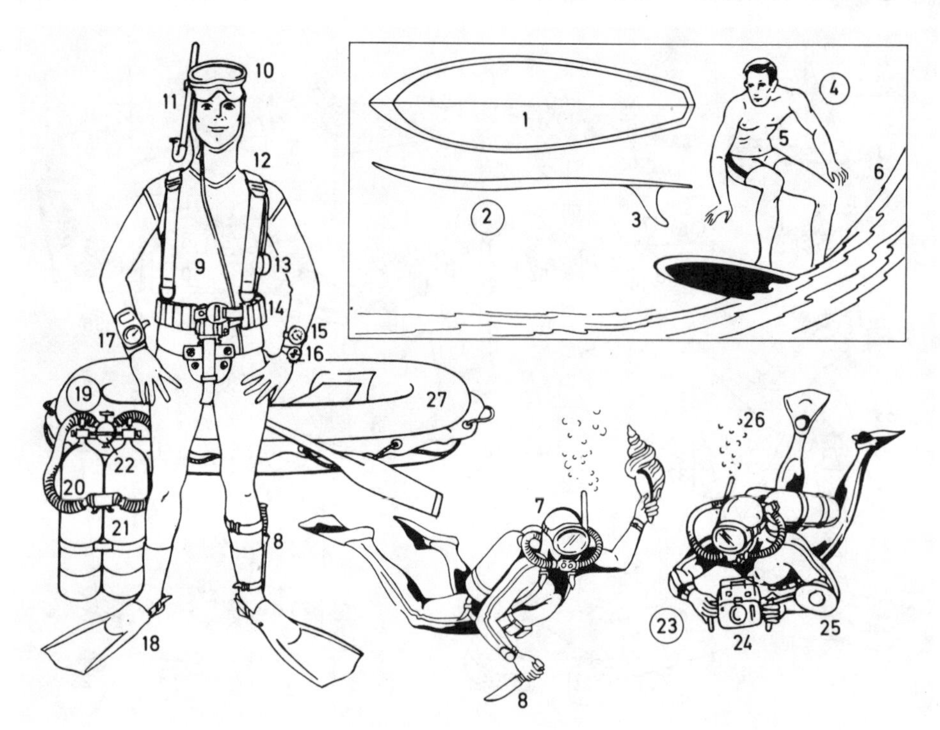

1-6 het surfen (surf-riding)
- *surf riding (surfing)*
1 de surfplank [bovenaanzicht]
- *plan view of surfboard*
2 de surfplank [zijaanzicht]
- *section of surfboard*
3 het zwaard
- *skeg (stabilizing fin)*
4 het big-wave-riding (surfen in hoge golven)
- *big wave riding*
5 de surfer
- *surfboarder (surfer)*
6 de brandingsgolf
- *breaker*
7-27 het duiken
- *skin diving (underwater swimming)*
7 de duiker
- *skin diver (underwater swimmer)*
8-22 de duikuitrusting
- *underwater swimming set*
8 het duikersmes
- *knife*
9 het neopreen duikpak, beschermend tegen kou
- *neoprene wetsuit*
10 het duikmasker (de duikbril), een masker voor opheffing van het drukverschil
- *diving mask (face mask, mask), a pressure-equalizing mask*
11 de snorkel
- *snorkel (schnorkel)*
12 de bevestigingsriemen van het zuurstofapparaat
- *harness of diving apparatus*
13 de drukmeter voor de flesinhoud
- *compressed-air pressure gauge* (Am. *gage*)
14 de zware gordel
- *weight belt*
15 de dieptemeter
- *depth gauge* (Am. *gage*)
16 het duikershorloge (voor controle van de duiktijd)
- *waterproof watch for checking duration of dive*
17 de decometer voor het meten van de decompressietrappen
- *decometer for measuring stages of ascent*
18 het zwemvlies
- *fin (flipper)*
19 de duikapparatuur (*ook* : de aqualong), een apparaat met twee cilinders
- *diving apparatus (aqualung, scuba) with two cylinders (bottles)*
20 de tweeslangs longautomaat
- *two-tube demand regulator*
21 de fles met samengeperste lucht
- *compressed-air cylinder (compressed-air bottle)*
22 het ventiel
- *on/off valve*
23 de onderwaterfotografie
- *underwater photography*
24 het huis van de onderwatercamera
- *underwater camera housing (underwater camera case)*; sim.: *underwater camera*
25 de onderwaterflitser
- *underwater flashlight*
26 de uitgeademde lucht
- *exhaust bubbles*
27 de rubberboot
- *inflatable boat (inflatable dinghy)*

1 de strandwacht (lifeguard)
– *lifesaver (lifeguard)*
2 de redding(s)lijn
– *lifeline*
3 de redding(s)boei
– *lifebelt (lifebuoy)*
4 de stormbal
– *storm signal*
5 de tijdbal
– *time ball*
6 het waarschuwingsbord
– *warning sign*
7 het getijdenbord
– *tide table, a notice board showing times of low tide and high tide*
8 het bord waarop de water- en luchttemperatuur worden aangegeven
– *board showing water and air temperature*
9 de strandsteiger
– *bathing platform*
10 de vlaggenmast
– *pennon staff*
11 de wimpel
– *pennon*
12 de waterfiets
– *paddle boat (peddle boat)*
13 het surfen achter een motorboot
– *surf riding (surfing) behind motorboat*
14 de surfer
– *surfboarder (surfer)*
15 de surfplank
– *surfboard*
16 de waterski
– *water ski*
17 het drijvende luchtbed
– *inflatable beach mattress*
18 de strandbal
– *beach ball*
19-23 strandkleding
– *beachwear*
19 het strandpak
– *beach suit*
20 de strandhoed
– *beach hat*
21 het strandjasje
– *beach jacket*
22 de strandbroek
– *beach trousers*
23 de strandschoen
– *beach shoe (bathing shoe)*
24 de strandtas (badtas)
– *beach bag*
25 de badmantel
– *bathing gown (bathing wrap)*
26 de bikini (het tweedelige badpak)
– *bikini (ladies' two-piece bathing suit)*
27 het bikinislipje
– *bikini bottom*
28 het bovenstukje
– *bikini top*
29 de badmuts
– *bathing cap (swimming cap)*
30 de badgast
– *bather*
31 het dektennis
– *deck tennis (quoits)*
32 de rubberen (werp)ring
– *rubber ring (quoit)*
33 het opblaasdier
– *inflatable rubber animal*
34 de strandwacht
– *beach attendant*
35 het zandkasteel
– *sand den [built as a wind-break]*
36 de strandstoel (badstoel)
– *roofed wicker beach chair*
37 de onderwaterzwemmer
– *underwater swimmer*
38 de duikbril
– *diving goggles*
39 de snorkel
– *snorkel (schnorkel)*
40 de handharpoen
– *hand harpoon (fish spear, fish lance)*
41 het zwemvlies voor het sportduiken
– *fin (flipper) for diving (for underwater swimming)*
42 de zwemkleding
– *bathing suit (swimsuit)*
43 de zwembroek
– *bathing trunks (swimming trunks)*
44 de badmuts
– *bathing cap (swimming cap)*
45 de strandtent
– *beach tent, a ridge tent*
46 het redding(s)station
– *lifeguard station*

1-9 het golfslagbad, een overdekt zwembad
- *swimming pool with artificial waves, an indoor pool*

1 de kunstmatige branding
- *artificial waves*

2 het strand
- *beach area*

3 de rand van het bassin
- *edge of the pool*

4 de badmeester
- *swimming pool attendant (pool attendant, swimming bath attendant)*

5 de ligstoel
- *sun bed*

6 de zwemband
- *lifebelt*

7 de zwemmouwtjes
- *water wings*

8 de badmuts
- *bathing cap*

9 de doorgang naar de whirlpool in de open lucht
- *channel to outdoor mineral bath*

10 het solarium
- *solarium*

11 de ligvloer
- *sunbathing area*

12 de zonnebaders
- *sun bather*

13 de UV-lampen
- *sun ray lamp*

14 het badlaken
- *bathing towel*

15 het nudistengedeelte
- *nudist sunbathing area*

16 de nudist (naturist)
- *nudist (naturist)*

17 de schutting
- *screen (fence)*

18 de sauna, een gemengde sauna
- *mixed sauna*

19 de betimmering
- *wood panelling (*Am. *paneling)*

20 de zit- en ligbanken
- *tiered benches*

21 de saunaoven
- *sauna stove*

22 de keien
- *stones*

23 de hygrometer (vochtigheidsmeter)
- *hygrometer*

24 de thermometer
- *thermometer*

25 de handdoek
- *towel*

26 de kuip voor het natmaken van de stenen in de oven
- *water tub for moistening the stones in the stove*

27 de berketwijgjes voor het slaan op de huid
- *birch rods (birches) for beating the skin*

28 de afkoelruimte
- *cooling room for cooling off (cooling down) after the sauna*

29 de lauwwarme douche
- *lukewarm shower*

30 het koude bad
- *cold bath*

31 de hot whirlpool (het onderwatermassagebad, bubbelbad)
- *hot whirlpool (underwater massage bath)*

32 het trapje
- *step into the bath*

33 het massagebad
- *massage bath*

34 de straalventilator
- *jet blower*

35 de hot whirlpool [schema]
- *hot whirlpool [diagram]*

36 de dwarsdoorsnede
- *section of the bath*

37 het trapje
- *step*

38 de rondlopende zitbank
- *circular seat*

39 de waterafzuiging
- *water extractor*

40 de waterstraalpijp
- *water jet pipe*

41 de luchtstraalpijp
- *air jet pipe*

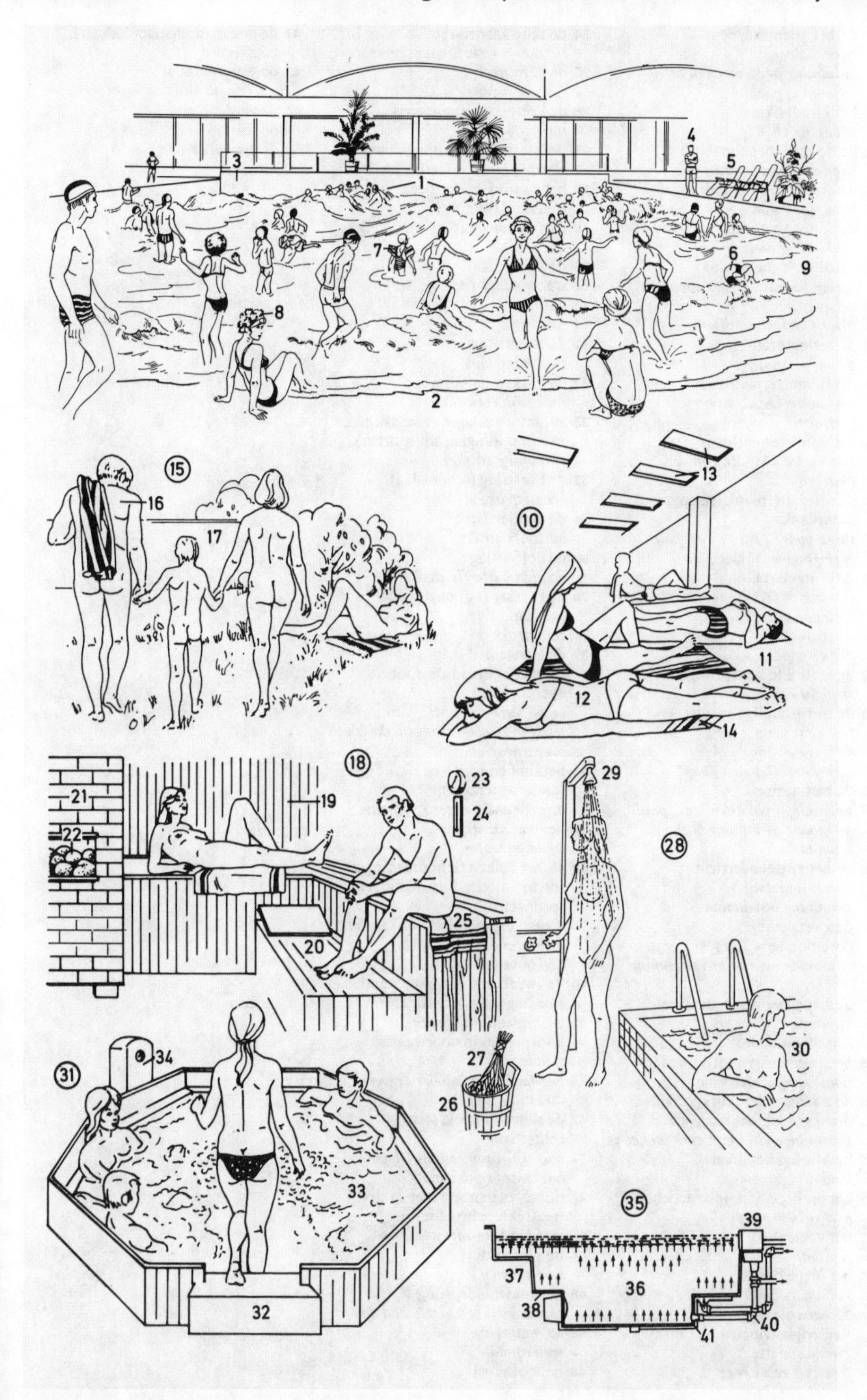
1
2
3
4
5
6
7
8
9
10
11
12
13
14
15
16
17
18
19
20
21
22
23
24
25
26
27
28
29
30
31
32
33
34
35
36
37
38
39
40
41

1-32 het zwembad, een openluchtbad
- ***swimming pool,*** *an open-air swimming pool*

1 het kleedhokje
- *changing cubicle*

2 de douche (het stortbad)
- *shower (shower bath)*

3 de kleedkamer (kleedruimte)
- *changing room*

4 de zonneweide
- *sunbathing area*

5-10 de springinstallatie
- ***diving boards*** *(diving apparatus)*

5 de springer
- *diver (highboard diver)*

6 de springtoren
- *diving platform*

7 het tienmeterplatform
- *ten-metre (*Am. *ten-meter) platform*

8 het vijfmeterplatform
- *five-metre (*Am. *five-meter) platform*

9 de driemeterplank (springplank, duikplank)
- *three-metre (*Am. *three-meter) springboard (diving board)*

10 de eenmeterplank
- *one-metre (*Am. *one-meter) springboard*

11 de springkuil
- *diving pool*

12 de gestrekte kopsprong
- *straight header*

13 de rechtstandige sprong
- *feet-first jump*

14 de hurksprong
- *tuck jump (haunch jump)*

15 de badmeester
- *swimming pool attendant (pool attendant, swimming bath attendant)*

16-20 het zwemonderricht (zwemonderwijs)
- ***swimming instruction***

16 de zwemleraar (zwemonderwijzer)
- *swimming instructor (swimming teacher)*

17 de zwemleerling, tijdens het zwemmen
- *learner-swimmer*

18 het zwemkussen (drijfmiddel)
- *float;* sim.: *water wings*

19 de zwemgordel (kurkgordel, draaggordel, het kurkvest)
- *swimming belt;* here: *cork jacket*

20 het droogzwemmen
- *land drill*

21 het ondiepe bad (instructiebad)
- *non-swimmers' pool*

22 het voetenbad
- *footbath*

23 het diepe bassin
- *swimmers' pool*

24-32 het vrije slag wedstrijdzwemmen bij een zwemestafette
- ***freestyle relay race***

24 de tijdwaarnemer
- *timekeeper (lane timekeeper)*

25 de kamprechter
- *placing judge*

26 de keerpuntcommissaris
- *turning judge*

27 het startblok (de startplaats)
- *starting block (starting place)*

28 het aantikken door een wedstrijdzwemmer
- *competitor touching the finishing line*

29 de startduik
- *starting dive (racing dive)*

30 de starter
- *starter*

31 de zwembaan
- *swimming lane*

32 de kurken baanlijn
- *rope with cork floats*

33-39 de zwemslagen (zwemstijlen, zwemhoudingen, stijlsoorten)
- ***swimming strokes***

33 de borstslag (schoolslag)
- *breaststroke*

34 de vlinderslag
- *butterfly stroke*

35 de dolfijnslag
- *dolphin butterfly stroke*

36 de rugslag (samengestelde rugslag)
- *side stroke*

37 de borstcrawl (het crawlen);*ongev.*: de dubbele overarmslag)
- *crawl stroke (crawl);* sim.: *trudgen stroke (trudgen, double overarm stroke)*

38 het duiken (onderwaterzwemmen)
- *diving (underwater swimming)*

39 het watertrappen
- *treading water*

40-45 het duiken (schoonspringen, torenspringen, kunstspringen, de sprongen)
- ***diving,*** e.g. *acrobatic diving, fancy diving, competitive diving, highboard diving*

40 de zweefsprong vanuit stand
- *standing take-off pike dive*

41 de contraduik (gestrekte kopsprong) in voorwaartse richting
- *one-half twist isander (reverse dive)*

42 de salto (dubbele salto) achterover
- *backward somersault (double backward somersault)*

43 de schroefsprong met aanloop (gestrekte schroefduik)
- *running take-off twist dive*

44 de schroefduik
- *screw dive*

45 de handstandsprong
- *armstand dive (handstand dive)*

46-50 waterpolo
- ***water polo***

46 het polodoel
- *goal*

47 de doelman (doelverdediger)
- *goalkeeper*

48 de waterpolobal
- *water polo ball*

49 de verdediger
- *back*

50 de aanvaller
- *forward*

1
2
3
4
5
6
7
8
9
10
11
12
13
14
15
16
17
18
19
20
21
22
23
24
25
26
27
28
29
30
31
32
33
34
35
36
37
38
39
40
41
42
43
44
45
46
47
48
49
50

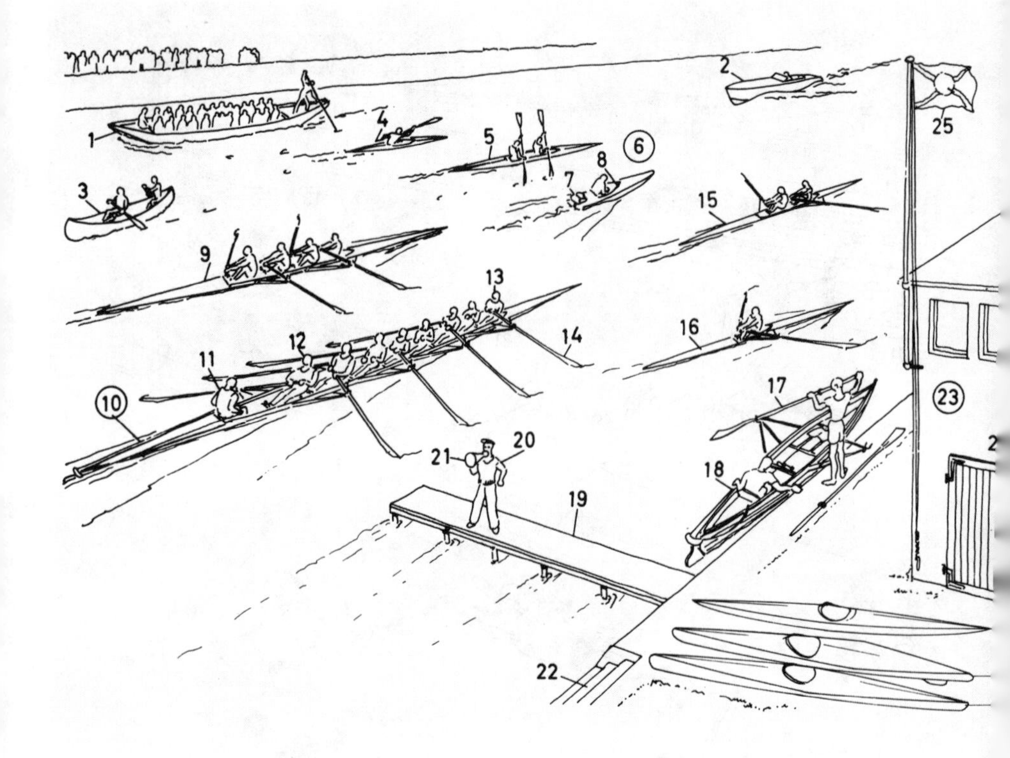

1-18 het oproeien bij de roeiwedstrijd (regatta)
- *taking up positions for the regatta*

1 de punter, voor rondvaarten
- *punt, a pleasure boat*

2 de motorboot
- *motorboat*

3 de Canadese kano
- *Canadian canoe*

4 de kajak, een kano
- *kayak (Alaskan canoe, slalom canoe), a canoe*

5 de dubbele kajak
- *tandem kayak*

6 de boot met buitenboordmotor (speedboot)
- *outboard motorboat (outboard speedboat, outboard)*

7 de buitenboordmotor
- *outboard motor (outboard)*

8 de plecht
- *cockpit*

9-16 wedstrijdboten (gladde boten)
- *racing boats (sportsboats, outriggers)*

9-15 de boordroeiboten
- *shells (rowing boats,* Am. *rowboats)*

9 de vier zonder stuurman (vier zonder), een boot met karveelnaad
- *coxless four, a carvel-built boat*

10 de acht
- *eight (eight-oared racing shell)*

11 de stuurman
- *cox*

12 de slagman, slag, een roeier
- *stroke, an oarsman*

13 de boeg („nummer een")
- *bow ('number one')*

14 de paal (riem)
- *oar*

15 de twee zonder stuurman (twee zonder)
- *coxless pair*

16 de skiff
- *single sculler (single skuller, racing sculler, racing skuller, skiff)*

17 de (roei)riem
- *scull (skull)*

18 de één met stuurman (één met), een overnaadse boot
- *coxed single, a clinker-built single*

19 de (aanleg)steiger
- *jetty (landing stage);* also: *mooring*

20 de (roei)coach
- *rowing coach*

21 de megafoon (*jargon:* het smoeltje)
- *megaphone*

22 het trapje
- *quayside steps*

23 het botenhuis (clubhuis)
- *clubhouse (club)*

24 de botenloods
- *boathouse*

25 de clubvlag
- *club's flag*

26-33 de vierpersoonsgiek
- *four-oared gig, a touring boat*

26 de (roei)riem
- *oar*

27 de stuurmansplaats
- *cox's seat*

28 het bankje (de docht)
- *thwart (seat)*

29 de dol
- *rowlock (oarlock)*

30 het boord
- *gunwale (gunnel)*

31 de (emplacement)weger
- *rising*

32 de kiel
- *keel*

33 de huid [overnaads]
- *skin (shell, outer skin) [clinker-built]*

34 de paal (riem)
- *single-bladed paddle (paddle)*

35-38 de (roei)riem
- *oar (scull, skull)*

35 de greep
- *grip*

36 de krimpkous
- *leather sheath*

37 de hals van de paal
- *shaft (neck)*

38 het blad
- *blade*

39 de dubbele peddel
- *double-bladed paddle (double-ended paddle)*

40 de druipring
- *drip ring*

41-50 de sliding
- *sliding seat*

41 de dol
- *rowlock (oarlock)*

42 de rigger (outrigger, uitlegger)
- *outrigger*

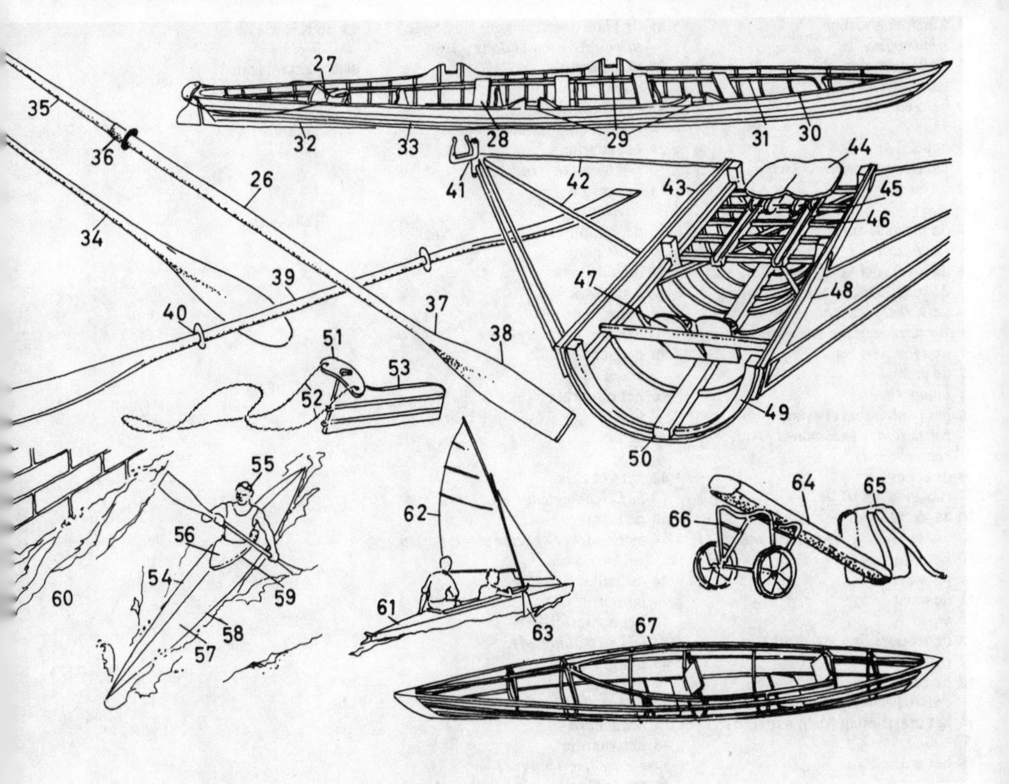

43 het zetbord
- *saxboard*

44 het rolbankje
- *sliding seat*

45 de rail
- *runner*

46 de verstijvingsbalk
- *strut*

47 het voetbord
- *stretcher*

48 de huid
- *skin (shell, outer skin)*

49 het spant
- *frame (rib)*

50 de kielbak
- *kelson (keelson)*

51-53 het roer
- *rudder (steering rudder)*

51 het roerjuk (stuurjuk)
- *yoke*

52 het stuurtouw
- *lines (steering lines)*

53 het roerblad
- *blade (rudder blade, rudder)*

54-66 vouwkano's (vouwboten)
- *folding boats (foldboats, canoes)*

54 de eenmanskajak, een sportkano
- *one-man kayak*

55 de kajakvaarder
- *canoeist*

56 het spatzeil
- *spraydeck*

57 het voordek
- *deck*

58 de rubberhuid (buitenhuid)
- *rubber-covered canvas hull*

59 de spatzeilrand
- *cockpit coaming (coaming)*

60 de glijgoot langs een stuw
- *channel for rafts alongside weir*

61 de tweepersoonszeilkano, een toerboot
- *two-seater folding kayak, a touring kayak*

62 het vouwbootzeil
- *sail of folding kayak*

63 het zijzwaard
- *leeboard*

64 de lange paktas
- *bag for the rods*

65 de rugzak
- *rucksack*

66 het kanokarretje
- *boat trailer (boat carriage)*

67 het geraamte van een kajak
- *frame of folding kayak*

68-70 kajaks
- *kayaks*

68 de eskimokajak
- *Eskimo kayak*

69 de wildwaterkajak
- *wild-water racing kayak*

70 de toerkajak
- *touring kayak*

1-9 het windsurfen
- ***windsurfing***
1 de windsurfer
- *windsurfer*
2 het zeil
- *sail*
3 het zeilvenster
- *transparent window (window)*
4 de mast
- *mast*
5 de plank (romp)
- *surfboard*
6 de mastvoet voor verstelling van de masthoek en voor besturing
- *universal joint (movable bearing) for adjusting the angle of the mast and for steering*
7 de giek
- *boom*
8 het (ophaalbare) zwaard
- *retractable centreboard (*Am. *centerboard)*
9 de scheg
- *rudder*
10-48 de zeilboot
- ***yacht** (sailing boat,* Am. *sailboat)*
10 het voordek
- *foredeck*
11 de mast
- *mast*
12 de trapeze (het zweefrek)
- *trapeze*
13 de zaling
- *crosstrees (spreader)*
14 het mastbeslag (de mastband)
- *hound*
15 het voorstag
- *forestay*
16 de fok (genua)
- *jib (Genoa jib)*
17 de fokspanner
- *jib downhaul*
18 het want (zijstag)
- *side stay (shroud)*
19 de wantspanner (spanschroef)
- *lanyard (bottlescrew)*
20 de mastvoet
- *foot of the mast*
21 de giekneerhaler (giekneerhouder)
- *kicking strap (vang)*
22 de fokkeklem (fokkeschootklem)
- *jam cleat*
23 de fokkeschoot
- *foresheet (jib sheet)*
24 de zwaardkast
- *centreboard (*Am. *centerboard) case*
25 de zwaardophaler
- *bitt*
26 het midzwaard
- *centreboard (*Am. *centerboard)*
27 de overloop
- *traveller (*Am. *traveler)*
28 de grootschoot
- *mainsheet*
29 het lijoog
- *fairlead*
30 de hangbanden
- *toestraps (hiking straps)*
31 de helmstokverlenger (joy-stick)
- *tiller extension (hiking stick)*
32 de helmstok
- *tiller*
33 het roerhuis
- *rudderhead (rudder stock)*
34 het roerblad
- *rudder blade (rudder)*
35 de spiegel
- *transom*
36 de loospijp
- *drain plug*
37 de halsdoek
- *gooseneck*
38 het zeilvenster
- *window*
39 de giek
- *boom*
40 het onderlijk
- *foot*
41 de nok
- *clew*
42 het voorlijk
- *luff (leading edge)*
43 de latzak
- *leech pocket (batten cleat, batten pocket)*
44 de zeillat
- *batten*
45 het achterlijk
- *leech (trailing edge)*
46 het grootzeil
- *mainsail*
47 de top (het topplankje)
- *headboard*
48 het vaantje
- *racing flag (burgee)*
49-65 de klassen
- ***yacht classes***
49 de Flying Dutchman
- *Flying Dutchman*
50 de Olympiajol
- *O-Joller*
51 de Finn(klasse)
- *Finn dinghy (Finn)*
52 de Piraat [niet gelijk aan een Nederlandse Piraat]
- *pirate*
53 de 12-m²-Sharpie
- *12.00 m² sharpie*
54 de Tempest
- *tempest*
55 de Star(klasse)
- *star*
56 de Soling
- *soling*
57 de Draak (Drakenklasse)
- *dragon*
58 de 5,5-m-klasse
- *5.5-metre (*Am. *5.5-meter) class*
59 de 6-m-klasse (R(ating)klasse)
- *6-metre (*Am. *6-meter) R-class*
60 de 30-m²-scherenkruiser
- *30.00 m² cruising yacht (coastal cruiser)*
61 de 30-m²-jollenkruiser
- *30.00 m² dinghy cruiser*
62 het 25-m²-kieljacht uit de eenheidsklasse
- *25.00 m² one-design keelboat*
63 de KR-klasse
- *KR-class*
64 de katamaran
- *catamaran*
65 de dubbelromp
- *twin hull*

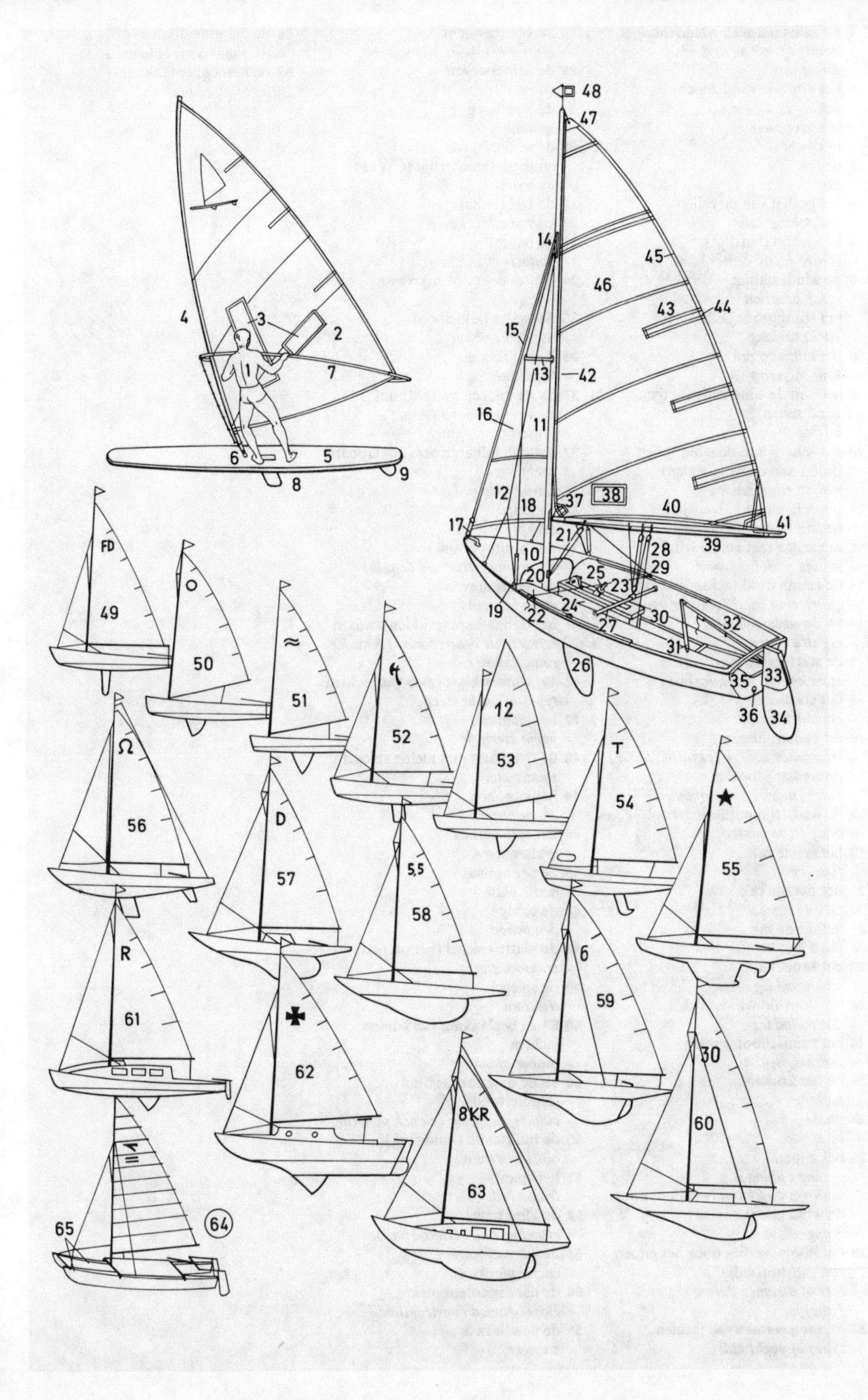

1
2
3
4
5
6
7
8
9
10
11
12
13
14
15
16
17
18
19
20
21
22
23
24
25
26
27
28
29
30
31
32
33
34
35
36
37
38
39
40
41
42
43
44
45
46
47
48
FD
49
O
50
≈
51
52
12
53
T
54
★
55
Ω
56
D
57
5,5
58
6
59
30
60
R
61
62
8KR
63
64
65

1-13 zeilstanden en windrichtingen
- ***points of sailing and wind directions***

1 het voor de wind zeilen
- *sailing downwind*

2 het grootzeil
- *mainsail*

3 de fok
- *jib*

4 het bollen van de zeilen
- *ballooning sails*

5 de kiellijn (hartlijn)
- *centre (*Am. *center) line*

6 de windrichting
- *wind direction*

7 het stilliggende jacht
- *yacht tacking*

8 het killende zeil
- *sail, shivering*

9 het aan de wind zeilen (bij de wind zeilen)
- *luffing*

10 het scherp aan de wind zeilen (hoog aan de wind zeilen)
- *sailing close-hauled*

11 het zeilen met halve wind
- *sailing with wind abeam*

12 het zeilen met ruime wind
- *sailing with free wind*

13 de ruime wind (achterlijke wind)
- *quartering wind (quarter wind)*

14-24 de wedstrijdbaan
- ***regatta course***

14 de start- en finish-boei
- *starting and finishing buoy*

15 het startschip
- *committee boat*

16 de wedstrijdbaan
- *triangular course (regatta course)*

17 de wedstrijdboei
- *buoy (mark) to be rounded*

18 de wedstrijdmarkeringsboei
- *buoy to be passed*

19 het eerste rak
- *first leg*

20 het tweede rak
- *second leg*

21 het derde rak
- *third leg*

22 het kruisrak
- *windward leg*

23 het voor-de-windse rak
- *downwind leg*

24 het ruimschootse rak
- *reaching leg*

25-28 het kruisen
- ***tacking***

25 de slag
- *tack*

26 het gijpen
- *gybing (jibing)*

27 het overstag gaan (wenden, door de wind gaan)
- *going about*

28 het hoogteverlies door het gijpen, een „stormrondje"
- *loss of distance during the gybe (jibe)*

29-41 rompvormen van jachten
- ***types of yacht hull***

29-34 het toerjacht
- *cruiser keelboat*

29 de achtersteven
- *stern*

30 de lepelboeg
- *spoon bow*

31 de waterlijn (de constructiewaterlijn (CWL))
- *waterline*

32 de kiel (ballastkiel)
- *keel (ballast keel)*

33 de ballast
- *ballast*

34 het (doorgestoken) roer
- *rudder*

35 de wedstrijdkielboot
- *racing keelboat*

36 de ballastkiel
- *lead keel*

37-41 de jol, een zwaardboot
- *keel-centreboard (*Am. *centerboard) yawl*

37 het ophaalbare roer (opklapbare roer)
- *retractable rudder*

38 de kuip
- *cockpit*

39 de kajuitopbouw
- *cabin superstructure (cabin)*

40 de rechte steven
- *straight stem*

41 het ophaalbare (midden)zwaard
- *retractable centreboard (*Am. *centerboard)*

42-49 achterschipvormen van jachten
- ***types of yacht stern***

42 het jachthek
- *yacht stern*

43 de overhang met kleine spiegel
- *square stern*

44 het kanohek
- *canoe stern*

45 het spitsgathek
- *cruiser stern*

46 de naamplaat
- *name plate*

47 de scheg
- *deadwood*

48 de platte spiegel (het platgat)
- *transom stern*

49 de spiegel
- *transom*

50-57 de beplanking van houten jachten
- ***timber planking***

50-52 de overnaadse huid (klinkerhuid)
- *clinker planking (clench planking)*

50 de huidplank (huidgang)
- *outside strake*

51 het spant
- *frame (rib)*

52 de klinknagel
- *clenched nail (riveted nail)*

53 de karveelbouw
- *carvel planking*

54 de naadspantenbouw
- *close-seamed construction*

55 de naadlatten
- *stringer*

56 de diagonaalbouw
- *diagonal carvel planking*

57 de binnenbeplanking
- *inner planking*

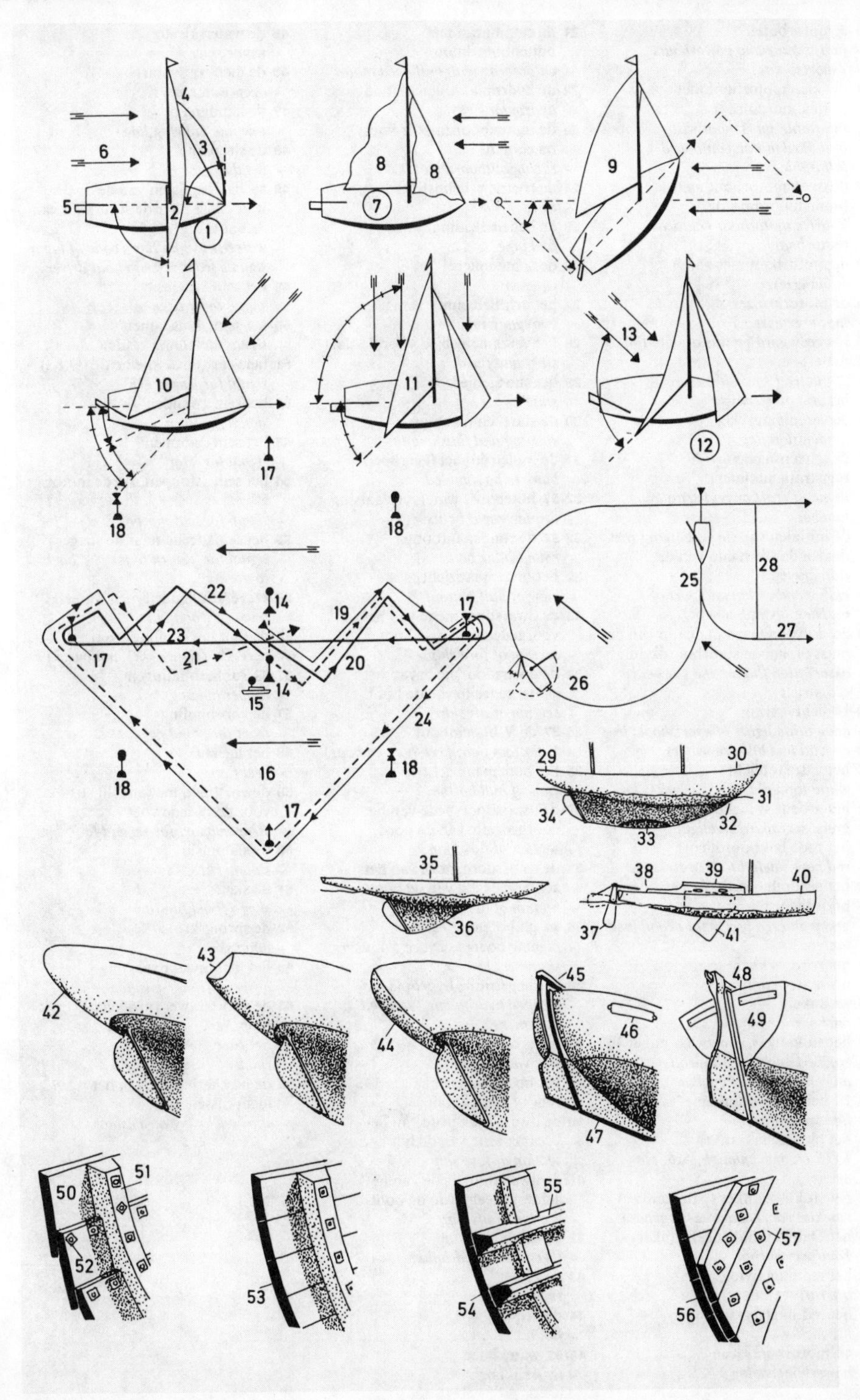
1
2
3
4
5
6
7
8
8
9
10
11
12
13
14
14
15
16
17
17
17
17
18
18
18
18
19
20
21
22
23
24
25
26
27
28
29
30
31
32
33
34
35
36
37
38
39
40
41
42
43
44
45
46
47
48
49
50
51
52
53
54
55
56
57

1-5 motorboten
- *motorboats and powerboats (sportsboats)*

1 de open motorboot met buitenboordmotor
- *inflatable sportsboat with outboard motor (outboard inflatable)*

2 de open motorboot met binnenboordmotor
- *Z-drive motorboat (outdrive motorboat)*

3 de motorboot met kajuit
- *cabin cruiser*

4 de motorkruiser
- *motor cruiser*

5 het zeewaardige motorjacht [30 meter]
- *30-metre (*Am. *30-meter) ocean-going cruiser*

6 de verenigingsvlag
- *association flag*

7 de scheepsnaam (*of:* het registratienummer)
- *name of craft or registration number*

8 de initialen van de vereniging met daaronder de naam van de thuishaven
- *club membership and port of registry (*Am. *home port)*

9 de clubstandaard in de top van de mast of aan de stuurboordzaling
- *association flag on the starboard crosstrees*

10-14 lichtvoering
- *navigation lights of sportsboats in coastal and inshore waters*

10 het witte toplicht
- *white top light*

11 het groene stuurboordlicht
- *green starboard sidelight*

12 het rode bakboordlicht
- *red port sidelight*

13 het gecombineerde groen/rode boordlicht
- *green and red bow light (combined lantern)*

14 het witte heklicht
- *white stern light*

15-18 ankers
- *anchors*

15 het stokanker, een zwaar anker
- *stocked anchor (Admiralty anchor), a bower anchor*

16-18 lichtgewichtankers
- *lightweight anchor*

16 het ploegschaaranker
- *CQR anchor (plough,* Am. *plow, anchor)*

17 het stokloze anker (patentanker)
- *stockless anchor (patent anchor)*

18 het Danforthanker (klipanker)
- *Danforth anchor*

19 het redding(s)vlot
- *life raft*

20 het redding(s)vest
- *life jacket*

21-44 motorbootracen
- *powerboat racing*

21 de catamaran met buitenboordmotor
- *catamaran with outboard motor*

22 de hydroplaan, een glijboot
- *hydroplane*

23 de buitenboordmotor voor raceboten
- *racing outboard motor*

24 de roerpen (helmstok)
- *tiller*

25 de benzineleiding
- *fuel pipe*

26 de achterspiegel
- *transom*

27 het drijflichaam
- *buoyancy tube*

28 het verzamelgebied voor de start
- *start and finish*

29 het startgebied
- *start*

30 de start- en finishlijn
- *starting and finishing line*

31 de wedstrijdboei (keerboei)
- *buoy to be rounded*

32-37 boten met waterverplaatsing
- *displacement boats*

32-34 de rondspantboot
- *round-bilge boat*

32 het bodemaanzicht
- *view of hull bottom*

33 de dwarsdoorsnede van het voorgedeelte van de boot
- *section of fore ship*

34 de dwarsdoorsnede van het achtergedeelte van de boot
- *section of aft ship*

35-37 de V-bodemboot
- *V-bottom boat (vee-bottom boat)*

35 het bodemaanzicht
- *view of hull bottom*

36 de dwarsdoorsnede van het voorgedeelte van de boot
- *section of fore ship*

37 de dwarsdoorsnede van het achtergedeelte van de boot
- *section of aft ship*

38-44 glijboten
- *planing boats (surface skimmers, skimmers)*

38-41 de getrapte hydroplaan
- *stepped hydroplane (stepped skimmer)*

38 het zijaanzicht
- *side view*

39 het bodemaanzicht
- *view of hull bottom*

40 de dwarsdoorsnede van het voorgedeelte van de boot
- *section of fore ship*

41 de dwarsdoorsnede van het achtergedeelte van de boot
- *section of aft ship*

42 de driepuntsboot
- *three-point hydroplane*

43 de kiel
- *fin*

44 de drijver
- *float*

45-62 waterskiën
- *water skiing*

45 de waterskiester
- *water skier*

46 de diep-waterstart
- *deep-water start*

47 de handgreep
- *tow line (towing line)*

48 de sleeplijn
- *handle*

49-55 handsignalen van de waterskiër naar de stuurman van de boot
- *water-ski signalling (code of hand signals from skier to boat driver)*

49 het sein „sneller"
- *signal for 'faster'*

50 het sein „langzamer"
- *signal for 'slower' ('slow down')*

51 het sein „juiste snelheid" (O.K.)
- *signal for 'speed OK'*

52 het sein „wenden"
- *signal for 'turn'*

53 het sein „stoppen"
- *signal for 'stop'*

54 het sein „stoppen, zet de motor af"
- *signal for 'cut motor'*

55 het sein „terug naar de steiger"
- *signal for 'return to jetty' ('back to dock')*

56-62 verschillende typen waterski's
- *types of water ski*

56 de figurenski of monoski
- *trick ski (figure ski), a monoski*

57-58 rubberbindingen
- *rubber binding*

57 de voorbinding
- *front foot binding*

58 het hielstuk
- *heel flap*

59 de voetband met antislipstrook voor de tweede voet
- *strap support for second foot*

60 de slalomski
- *slalom ski*

61 de skeg
- *skeg (fixed fin, fin)*

62 de springski
- *jump ski*

63 het luchtkussenvaartuig
- *hovercraft (air-cushion vehicle)*

64 de voortstuwer (propeller)
- *propeller*

65 het roer
- *rudder*

66 de beschermrand van het luchtkussen
- *skirt enclosing air cushion*

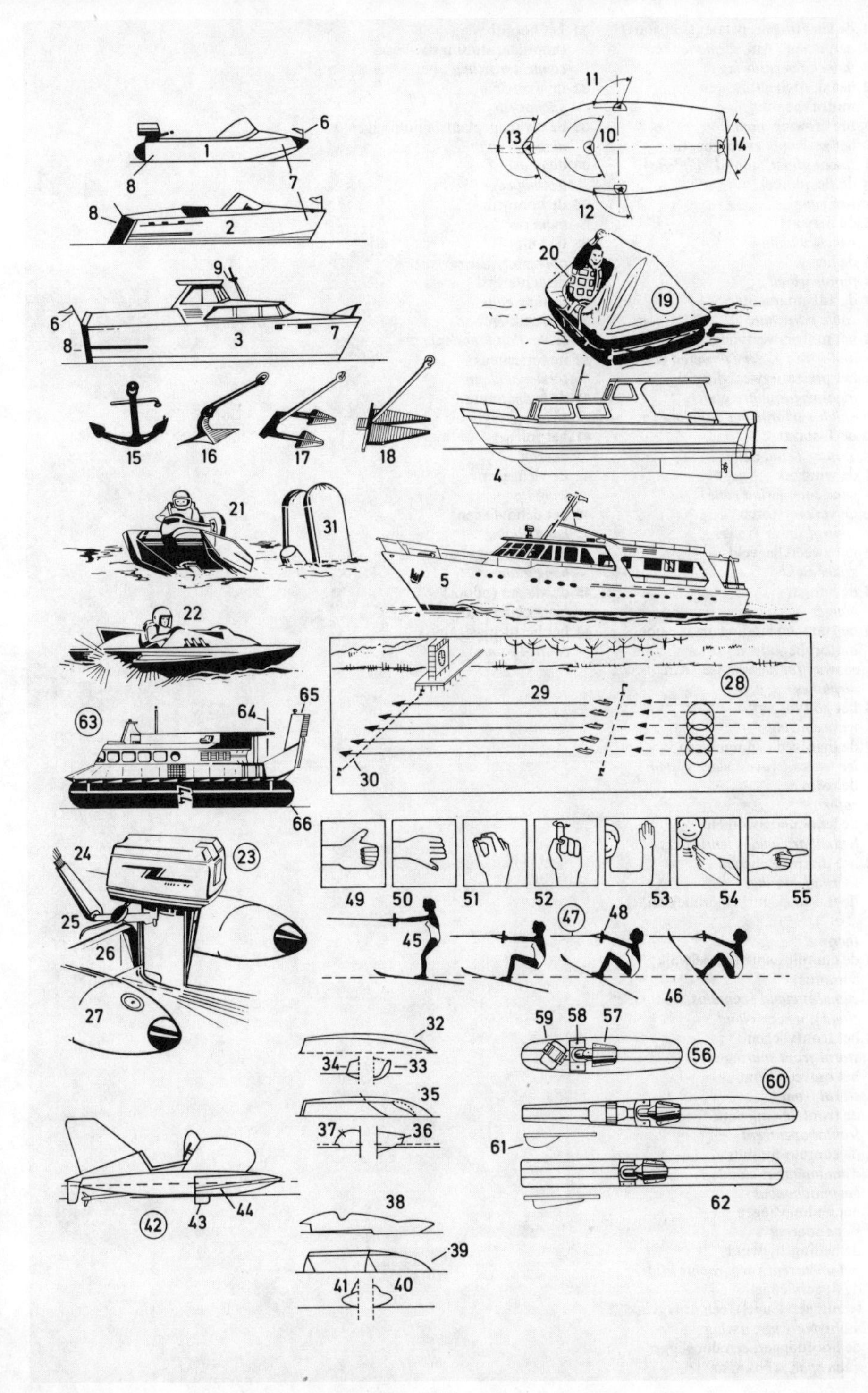
1
2
3
4
5
6
7
8
9
10
11
12
13
14
15
16
17
18
19
20
21
22
23
24
25
26
27
28
29
30
31
32
33
34
35
36
37
38
39
40
41
42
43
44
45
46
47
48
49
50
51
52
53
54
55
56
57
58
59
60
61
62
63
64
65
66

1 de vliegtuigsleepstart (sleepstart)
- *aeroplane (*Am. *airplane) tow launch (aerotowing)*

2 het sleepvliegtuig, een motorvliegtuig
- *tug (towing plane)*

3 het gesleepte zweefvliegtuig
- *towed glider (towed sailplane)*

4 de sleepkabel
- *tow rope*

5 de lierstart
- *winched launch*

6 de lier
- *motor winch*

7 de kabelparachute
- *cable parachute*

8 het motorzweefvliegtuig
- *motorized glider (powered glider)*

9 het prestatiezweefvliegtuig
- *high-performance glider (high-performance sailplane)*

10 de T-staart
- *T-tail (T-tail unit)*

11 de windzak
- *wind sock (wind cone)*

12 de verkeerstoren
- *control tower (tower)*

13 het zweefvliegveld
- *glider field*

14 de hangar
- *hangar*

15 de start- en landingsbaan voor motorvliegtuigen
- *runway for aeroplanes (*Am. *airplanes)*

16 het golfvliegen
- *wave soaring*

17 de lijgolven (föhngolven)
- *lee waves (waves, wave system)*

18 de rotor
- *rotor*

19 de lenticulariswolken
- *lenticular clouds (lenticulars)*

20 het thermiekvliegen
- *thermal soaring*

21 de thermiekslurf (thermiekbel, „bel")
- *thermal*

22 de cumuluswolk (stapelwolk, cumulus)
- *cumulus cloud (cumulus, woolpack cloud), a heap cloud*

23 het frontvliegen
- *storm-front soaring*

24 het onweersfront
- *storm front*

25 de frontale stijgwind
- *frontal upcurrent*

26 de cumulo-nimbus
- *cumulonimbus cloud (cumulonimbus)*

27 het hellingvliegen
- *slope soaring*

28 de hellingstijgwind
- *hill upcurrent (orographic lift)*

29 de liggervleugel (eenliggervleugel), een draagvlak
- *multispar wing, a wing*

30 de hoofdligger, een doosligger
- *main spar, a box spar*

31 het hoofdbeslag (hoofdaansluitingsbeslag)
- *connector fitting*

32 de wortelrib
- *anchor rib*

33 de dwars geplaatste hulpligger
- *diagonal spar*

34 de neuslijst
- *leading edge*

35 de hoofdrib
- *main rib*

36 de hulprib
- *nose rib (false rib)*

37 de achterlijst
- *trailing edge*

38 de remklep
- *brake flap (spoiler)*

39 de torsieneus
- *torsional clamp*

40 de bespanning
- *covering (skin)*

41 het rolroer
- *aileron*

42 de vleugeltip
- *wing tip*

43 het deltavliegen
- *hang gliding*

44 de deltavleugel
- *hang glider*

45 de vlieger (piloot)
- *hang glider pilot*

46 het besturingsframe
- *control frame*

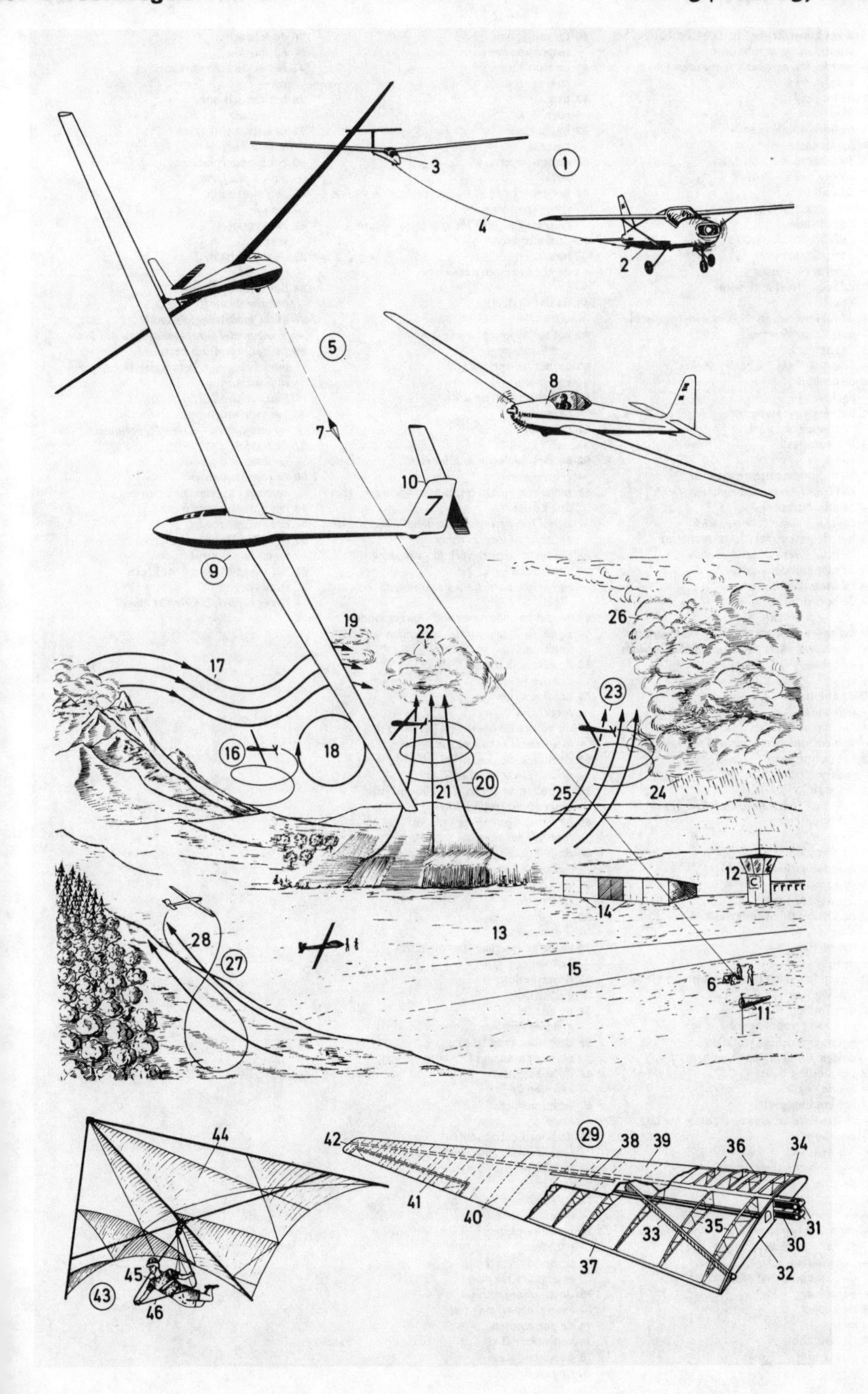
1
2
3
4
5
6
7
8
9
10
11
12
13
14
15
16
17
18
19
20
21
22
23
24
25
26
27
28
29
30
31
32
33
34
35
36
37
38
39
40
41
42
43
44
45
46

1-9 het kunstvliegen (de luchtacrobatiek, het stuntvliegen, aerobatics)
- ***aerobatics, aerobatic manoeuvres*** (Am. *maneuvers)*
1 de looping
- *loop*
2 de horizontale acht
- *horizontal eight*
3 360° bocht met vier rols
- *rolling circle*
4 de stall turn
- *stall turn (hammer head)*
5 de tail slide
- *tail slide (whip stall)*
6 de verticale rol
- *vertical flick spin*
7 de vrille (tolvlucht, spin)
- *spin*
8 de rol (hesitation roll), een vierpuntsrol
- *horizontal slow roll*
9 de rugvlucht
- *inverted flight (negative flight)*
10 de cockpit
- ***cockpit***
11 het instrumentenpaneel
- *instrument panel*
12 het kompas
- *compass*
13 de radionavigatieapparatuur
- *radio and navigation equipment*
14 de stuurknuppel
- *control column (control stick)*
15 het, de gashandel (de gasmanette)
- *throttle lever (throttle control)*
16 de mengselregelaar
- *mixture control*
17 de boordradio
- *radio equipment*
18 het sport- en stuntvliegtuig, een tweezitter
- ***two-seater plane for racing and aerobatics***
19 de cabine
- *cabin*
20 de antenne
- *antenna*
21 het verticale staartvlak
- *vertical stabilizer (vertical fin, tail fin)*
22 het richtingroer
- *rudder*
23 het stabilo
- *tailplane (horizontal stabilizer)*
24 het hoogteroer
- *elevator*
25 de trimklep
- *trim tab (trimming tab)*
26 de romp
- *fuselage (body)*
27 de vleugel (het draagvlak)
- *wing*
28 het rolroer
- *aileron*
29 de landingsklep (vleugelklep)
- *landing flap*
30 de trimklep
- *trim tab (trimming tab)*
31 het navigatielicht [rood]
- *navigation light (position light) [red]*
32 het landingslicht
- *landing light*
33 het landingsgestel
- *main undercarriage unit (main landing gear unit)*
34 het neuswiel
- *nose wheel*
35 de motor
- *engine*
36 de propeller (schroef)
- *propeller (airscrew)*
37-62 het parachutespringen
- ***parachuting***
37 de parachute (het valscherm)
- *parachute*
38 de koepel
- *canopy*
39 de pilotchute
- *pilot chute*
40 de vanglijnen
- *suspension lines*
41 de stuurlijn
- *steering line*
42 de riser
- *riser*
43 het harnas
- *harness*
44 de container
- *pack*
45 het geheel van stuw- en stuurgaten van de sportparachute
- *system of slots of the sports parachute*
46 de stuurgaten
- *turn slots*
47 de apex (schoorsteen)
- *apex*
48 de basis (skirt)
- *skirt*
49 het stabilisatiepaneel
- *stabilizing panel*
50-51 het stijlspringen
- *style jump*
50 de achterwaartse salto
- *back loop*
51 de draai
- *spiral*
52-54 de uitgelegde seinpanelen
- *ground signals*
52 het teken „toestemming tot springen" (het doelkruis)
- *signal for 'permission to jump' ('conditions are safe') (target cross)*
53 het teken „springverbod - opnieuw aanvliegen"
- *signal for 'parachuting suspended – repeat flight'*
54 het teken „springverbod - direct landen"
- *signal for 'parachuting suspended – aircraft must land'*
55 de precisiesprong
- *accuracy jump*
56 het doelkruis
- *target cross*
57 de binnenste doelcirkel [25-m-lijn]
- *inner circle [radius 25 m]*
58 de middelste doelcirkel [50-m-lijn]
- *middle circle [radius 50 m]*
59 de buitenste doelcirkel [100-m-lijn]
- *outer circle [radius 100 m]*
60-62 houdingen bij de vrije val
- *free-fall positions*
60 de X-houding
- *full spread position*
61 de kikvorshouding
- *frog position*
62 de T-houding
- *T position*
63-84 de ballonsport (ballonvaart)
- ***ballooning***
63 de gasballon
- *gas balloon*
64 de gondel
- *gondola (balloon basket)*
65 de ballast (zandzakken)
- *ballast [sandbags]*
66 de ankerlijn
- *mooring line*
67 de mandring
- *hoop*
68 de boordinstrumenten
- *flight instruments (instruments)*
69 het sleeptouw
- *trail rope*
70 de vulslurf
- *mouth (neck)*
71 de uitlooplijnen
- *neck line*
72 de noodscheurbaan
- *emergency rip panel*
73 de noodscheurlijn
- *emergency ripping line*
74 de ganzepoten
- *network (net)*
75 de scheurbaan
- *rip panel*
76 de scheurlijn
- *ripping line*
77 het ventiel (de gasklep)
- *valve*
78 het ventielkoord
- *valve line*
79 de hete-luchtballon
- *hot-air balloon*
80 het branderplatform
- *burner platform*
81 de vulopening
- *mouth*
82 het ventiel
- *vent*
83 de scheurbaan
- *rip panel*
84 de ballonopstijging
- *balloon take-off*
85-91 de modelvliegtuigsport
- ***flying model aeroplanes*** (Am. *airplanes)*
85 het radiografisch bestuurde modelvliegtuig, het modelvliegtuig met radiobesturing
- *radio-controlled model flight*
86 het vrije-vluchtmodel
- *remote-controlled free flight model*
87 de zender
- *remote control radio*
88 de (zend)antenne
- *antenna (transmitting antenna)*
89 het lijnbestuurde model
- *control line model*
90 de lijnbesturing
- *mono-line control system*
91 het vliegende hondehok, een showvliegmodel
- *flying kennel, a K9-class model*

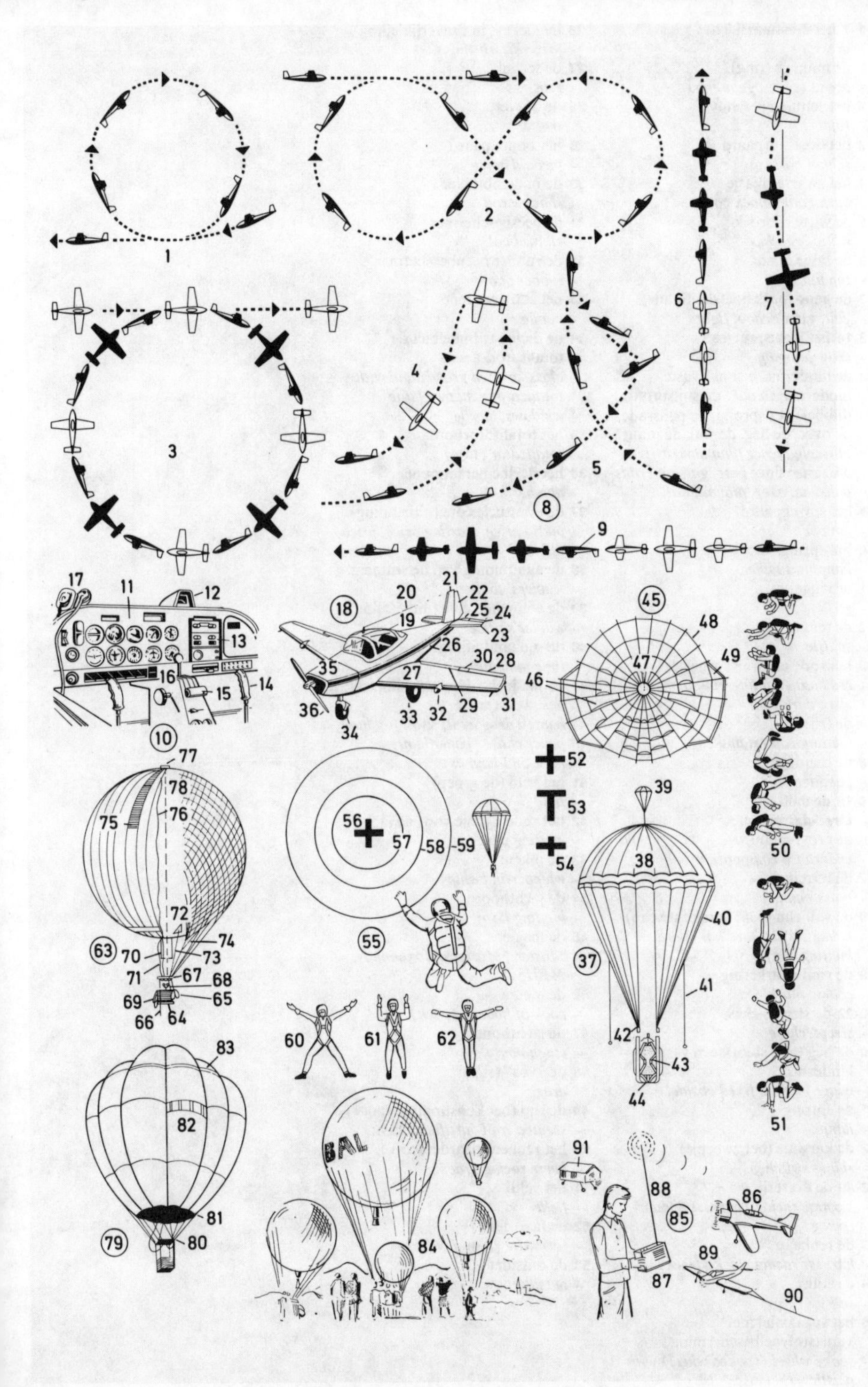
1
2
3
4
5
6
7
8
9
10
11
12
13
14
15
16
17
18
19
20
21
22
23
24
25
26
27
28
29
30
31
32
33
34
35
36
37
38
39
40
41
42
43
44
45
46
47
48
49
50
51
52
53
54
55
56
57
58
59
60
61
62
63
64
65
66
67
68
69
70
71
72
73
74
75
76
77
78
79
80
81
82
83
84
85
86
87
88
89
90
91
BAL

1-7 het dressuurrijden
- ***dressage***

1 de manege (ring)
- *arena (dressage arena)*

2 het schuine beschot
- *rail*

3 het dressuurpaard
- *school horse*

4 het zwarte rijjasje
- *dark coat (black coat)*

5 de witte rijbroek
- *white breeches*

6 de hoge hoed
- *top hat*

7 de gang (*ook:* hoefslagfiguur)
- *gait;* also: *school figure*

8-14 het jachtspringen
- ***show jumping***

8 de hindernis, een halfvaste hindernis; *zo ook:* de stijlsprong, dubbele stijlsprong, de palissade, de oxer, de heg, de wal, de muur
- *obstacle (fence), an almost-fixed obstacle;* sim.: *gate, gate and rails, palisade, oxer, mound, wall*

9 het springpaard
- *jumper*

10 het springzadel
- *jumping saddle*

11 de singel
- *girth*

12 de teugel
- *snaffle*

13 het rode of zwarte rijjasje
- *red coat (hunting pink, pink);* also: *dark coat*

14 de (rij)cap
- *hunting cap (riding cap)*

15 de bandage
- *bandage*

16-19 de military
- ***three-day event***

16 de cross-country
- *endurance competition*

17 de terreinrit
- *cross-country*

18 de valhelm (*ook:* versterkte cap)
- *helmet;* also: *hard hat (hard hunting cap)*

19 de routemarkering
- *course markings*

20-22 de steeple-chase
- ***steeplechase***

20 de heg (met sloot), een vaste hindernis
- *water jump, a fixed obstacle*

21 de sprong
- *jump*

22 de karwats (het zweepje)
- *riding switch*

23-40 de draverij
- ***harness racing*** *(harness horse racing)*

23 de renbaan
- *harness racing track (track)*

24 de sulky
- *sulky*

25 het spaakwiel met kunststofwielbescherming
- *spoke wheel (spoked wheel) with plastic wheel disc (disk)*

26 de jockey, in draverijkleding
- *driver in trotting silks*

27 de teugel
- *rein*

28 de draver
- *trotter*

29 het bonte paard
- *piebald horse*

30 de bodemblinker
- *shadow roll*

31 de peesbeschermer
- *elbow boot*

32 de rubber beenbeschermer
- *rubber boot*

33 het startnummer
- *number*

34 de dichte tribune met de totalisatorkassa's
- *glass-covered grandstand with totalizator windows (tote windows) inside*

35 het totalisatorbord
- *totalizator (tote)*

36 het deelnemersnummer
- *number*

37 de eventuele cote (uitbetaling)
- *odds (price, starting price, price offered)*

38 de aanduiding van de winnaar
- *winners' table*

39 de winnende cote (uitbetaling)
- *winner's price*

40 de tijdaanduiding
- *time indicator*

41-49 het jachtrijden, een slipjacht; *zo ook:* vossejacht
- ***hunt, a drag hunt;*** sim.: *fox hunt, paper chase (paper hunt, hare-and-hounds)*

41 het veld (de groep)
- *field*

42 het rode rijjasje voor de jacht
- *hunting pink*

43 de pikeur
- *whipper-in (whip)*

44 de jachthoorn
- *hunting horn*

45 de master
- *Master (Master of foxhounds, MFH)*

46 de meute
- *pack of hounds (pack)*

47 de jachthond
- *staghound*

48 de „vos" (slip)
- *drag*

49 de slip (het kunstmatige spoor)
- *scented trail (artificial scent)*

50 het rennen (paarderaces)
- ***horse racing*** *(racing)*

51 het veld
- *field*

52 de favoriet
- *favourite* (Am. *favorite)*

53 de outsider
- *outsider*

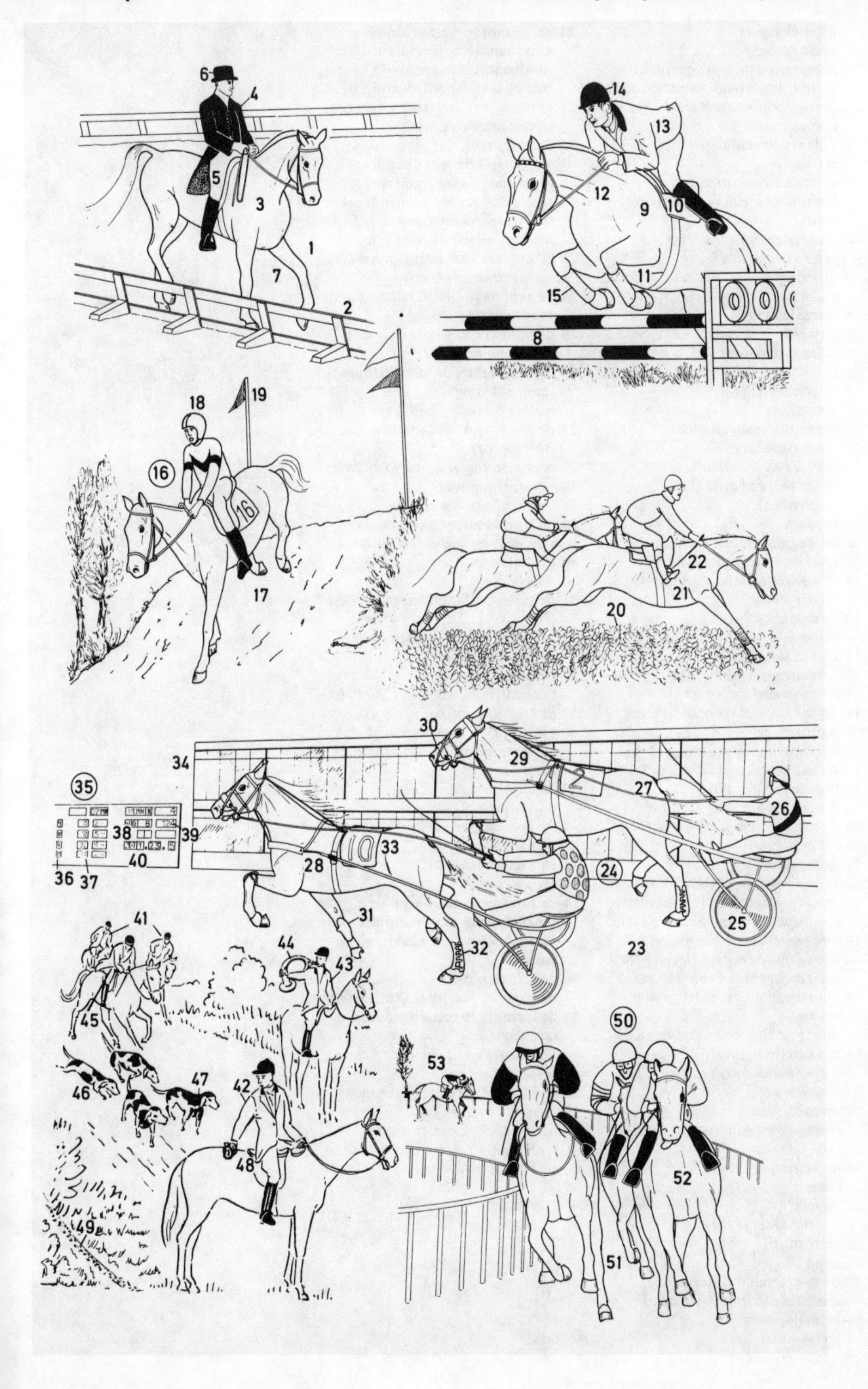
1
2
3
4
5
6
7
8
9
10
11
12
13
14
15
16
16
17
18
19
20
21
22
23
24
25
26
27
28
29
30
31
32
33
34
35
36
37
38
39
40
41
42
43
44
45
46
47
48
49
50
51
52
53

1-23 wielersport
- ***cycle racing***

1 de wielerbaan: *hier:* overdekte baan (indoorbaan, winterbaan)
- *cycling track (cycle track);* here: *indoor track*

2-7 de wielerzesdaagse
- *six-day race*

2 de zesdaagserenner, een baanrenner, een renner op de baan
- *six-day racer, a track racer (track rider) on the track*

3 de valhelm
- *crash hat*

4 de renleiding
- *stewards*

5 de aankomstjury
- *judge*

6 de rondenteller
- *lap scorer*

7 het rennerskwartier (de rennerscabine)
- *rider's box (racer's box)*

8-10 de wegwedstrijd (het wegrennen)
- *road race*

8 de wegrenner, een wielrenner
- *road racer, a racing cyclist*

9 de wielrennerstrui (het tricot)
- *racing jersey*

10 de drinkfles
- *water bottle*

11-15 het stayeren
- *long-distance racing,* e.g. *motor-paced racing*

11 de gangmaker (voorrijder), een motorrijder
- *pacer, a motorcyclist*

12 de gangmaakmotor (gangmaakmachine)
- *pacer's motorcycle*

13 de rol, een veiligheidsconstructie
- *roller, a safety device*

14 de stayer
- *stayer (motor-paced track rider)*

15 de stayersfiets, een (wiel)renfiets
- *motor-paced cycle, a racing cycle*

16 de racefiets voor het wegrennen
- *racing cycle (racing bicycle) for road racing (road race bicycle)*

17 het renzadel, een zadel zonder vering
- *racing saddle, an unsprung saddle*

18 het (wiel)renstuur
- *racing handlebars (racing handlebar)*

19 de tube
- *racing tyre (*Am. *tire), a tubular tyre*

20 de ketting
- *chain*

21 de toeclips
- *toe clip (racing toe clip)*

22 de riem
- *strap*

23 de reserveband (reservetube)
- *spare tubular tyre (*Am. *tire)*

24-38 motorsport
- ***motorsports***

24-28 de motorsport; *disciplines:* grasbaanracen, wegracen, zandbaanracen, speedway op betonbanen, speedway op gravelbanen, bergracen, ijsracen, terreinwedstrijd, trial, moto(r)cross
- *motorcycle racing;* disciplines: *grasstrack racing, road racing, sand track racing, cement track racing, speedway [on ash or shale tracks], mountain racing, ice racing (ice speedway), scramble racing, trial, moto cross*

24 de zandbaan (het zandparcours)
- *sand track*

25 de motorracer (motorcrosser)
- *racing motorcyclist (rider)*

26 de beschermende leren kleding (motorkleding)
- *leather overalls (leathers)*

27 de racemotor, een solomachine (solomotor)
- *racing motorcycle, a solo machine*

28 het startnummer
- *number (number plate)*

29 de zijspanmotor, in de bocht
- *sidecar combination on the bend*

30 de, het zijspan
- *sidecar*

31 de gestroomlijnde racemachine (500 cc)
- *streamlined racing motorcycle [500 cc.]*

32 het gymkhana, een behendigheidswedstrijd; *hier:* de motorrijder, bij het springen
- *gymkhana, a competition of skill;* here: *motorcyclist performing a jump*

33 de terreinwedstrijd, een prestatieproef
- *cross-country race, a test in performance*

34-38 racewagens
- *racing cars*

34 de formule-I-racewagen (een eenzitsrenwagen, een monoposto)
- *Formula One racing car, a mono posto*

35 de achterspoiler
- *rear spoiler (aerofoil,* Am. *airfoil)*

36 de formule-II-racewagen (een racewagen)
- *Formula Two racing car (a racing car)*

37 de formule super V-racewagen
- *Super-Vee racing car*

38 het prototype, een raceauto
- *prototype, a racing car*

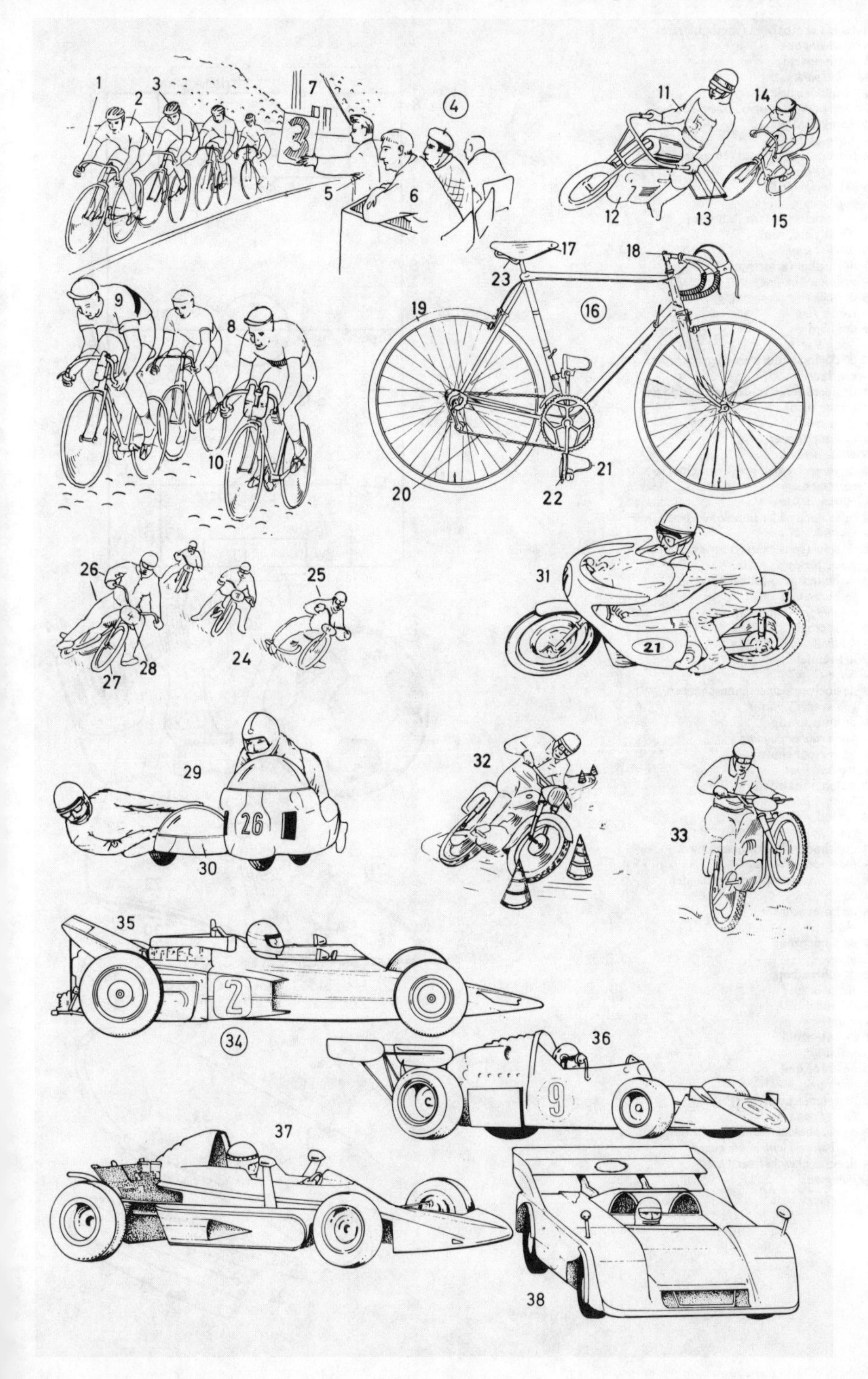
1
2
3
4
5
6
7
8
9
10
11
12
13
14
15
16
17
18
19
20
21
22
23
24
25
26
27
28
29
30
31
32
33
34
35
36
37
38

291 Balspelen I (voetbal)

1-16 het voetbalveld (voetbalterrein)
- *football pitch*

1 het speelveld
- *field (park)*

2 de middencirkel
- *centre (Am. center) circle*

3 de middenlijn
- *half-way line*

4 het strafschopgebied (16-metergebied)
- *penalty area*

5 het doelgebied
- *goal area*

6 de elfmeterstip (strafschopstip, penaltystip, stip)
- *penalty spot*

7 de doellijn (achterlijn)
- *goal line (by-line)*

8 de hoekvlag (cornervlag)
- *corner flag*

9 de zijlijn
- *touch line*

10 de doelman (doelverdediger, keeper)
- *goalkeeper*

11 de libero (vrije verdediger, ausputzer, laatste man)
- *spare man*

12 de voorstopper
- *inside defender*

13 de vleugelverdediger (linksachter + rechtsachter)
- *outside defender*

14 de middenvelder (middenveldspeler)
- *midfield players*

15 de spits (spitsspeler, centrumspits)
- *inside forward (striker)*

16 de buitenspeler (linksbuiten + rechtsbuiten)
- *outside forward (winger)*

17 de voetbal
- *football*

18 het ventiel
- *valve*

19 de doelverdedigershandschoenen
- *goalkeeper's gloves*

20 de antislipstrip
- *foam rubber padding*

21 de voetbalschoen
- *football boot*

22 de leren bekleding
- *leather lining*

23 het hakstuk
- *counter*

24 de schuimrubber schoentong
- *foam rubber tongue*

25 de gewrichtsverstevigingsbanden
- *bands*

26 de bovenschacht
- *shaft*

27 de binnenzool
- *insole*

28 de schroefnop
- *screw-in stud*

29 de ribbel
- *groove*

30 de nylonzool
- *nylon sole*

31 de brandzool
- *inner sole*

32 de veter (schoenveter)
- *lace (bootlace)*

33 de beenbeschermer met enkelbescherming
- *football pad with ankle guard*

34 de scheenbeschermer
- *shin guard*

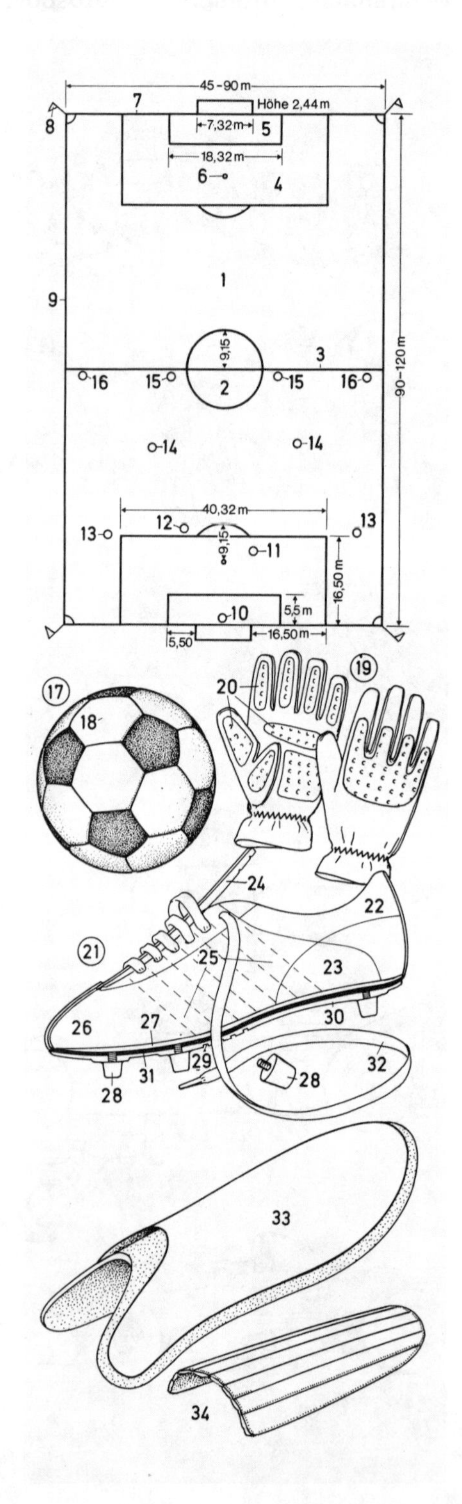

35 het doel
– *goal*
36 de dwarslat (lat)
– *crossbar*
37 de doelpaal (paal)
– *post (goalpost)*
38 de doelschop (doeltrap)
– *goal kick*
39 het redden met de vuist
– *save with the fists*
40 de strafschop (penalty, elfmetertrap)
– *penalty (penalty kick)*
41 de hoekschop (corner)
– *corner (corner kick)*
42 het buitenspel
– *offside*
43 de vrije schop (vrije trap)
– *free kick*
44 de muur (het muurtje)
– *wall*
45 de vallende omhaal
– *bicycle kick (overhead bicycle kick)*
46 de kopbal (kopstoot)
– *header*
47 het afspelen (de bal overspelen, passen)
– *pass (passing the ball)*
48 het aannemen (de bal ontvangen)
– *receiving the ball (taking a pass)*
49 de korte pass (een-twee-combinatie, het een-tweetje)
– *short pass (one-two)*
50 de overtreding
– *foul (infringement)*
51 de obstructie (versperren van de doorgang)
– *obstruction*
52 het dribbelen (de doorbraak)
– *dribble*
53 de inworp
– *throw-in*
54 de invaller
– *substitute*
55 de oefenmeester, de trainer
– *coach*
56 het voetbalshirt (sportshirt)
– *shirt (jersey)*
57 de voetbalbroek
– *shorts*
58 de voetbalkous
– *sock (football sock)*
59 de grensrechter
– *linesman*
60 de grensvlag
– *linesman's flag*
61 het uit het veld sturen (eruitsturen)
– *sending-off*
62 de scheidsrechter
– *referee*
63 de rode kaart; als waarschuwing *ook:* gele kaart
– *red card; as a caution* also: *yellow card*
64 de middenvlag
– *centre (*Am. *center) flag*

1 **het handbal** (zaalhandbal)
- ***handball;*** here: *indoor handball*
2 de handbalspeler, een veldspeler
- *handball player, a field player*
3 de cirkelspeler bij een sprongschot
- *attacker, making a jump throw*
4 de verdediger
- *defender*
5 de vrije-worplijn
- *penalty line*
6 **het hockey**
- ***hockey***
7 het doel
- *goal*
8 de keeper
- *goalkeeper*
9 de beenbeschermer
- *pad (shin pad, knee pad)*
10 de keepersklomp
- *kicker*
11 het gezichtsmasker
- *face guard*
12 de handschoen
- *glove*
13 de hockeystick
- *hockey stick*
14 de hockeybal
- *hockey ball*
15 de hockeyspeler
- *hockey player*
16 de doelcirkel
- *striking circle*
17 de zijlijn
- *sideline*
18 de hoek
- *corner*
19 **het rugby**
- ***rugby*** *(rugby football)*
20 de scrum
- *scrum (scrummage)*
21 de rugbybal
- *rugby ball*
22 **het Amerikaans voetbal**
- ***American football*** *(*Am. *football)*
23 de speler met de bal
- *player carrying the ball, a football player*
24 de helm
- *helmet*
25 het gezichtsmasker
- *face guard*
26 het opgevulde jack
- *padded jersey*
27 de bal
- *ball (pigskin)*
28 **het basketbal**
- ***basketball***
29 de basketbal
- *basketball*
30 het (doel)bord
- *backboard*
31 de basketstaander
- *basket posts*
32 de basket
- *basket*
33 de ring
- *basket ring*
34 de mikvlakmarkering
- *target rectangle*
35 de speler die een doelpunt maakt
- *basketball player shooting*
36 de achterlijn
- *end line*
37 het vrije-worpgebied, de bucket
- *restricted area*
38 de vrije-worplijn
- *free-throw line*
39 de wisselspelers
- *substitute*
40-69 **het honkbal**
- ***baseball***
40-58 het speelveld
- *field (park)*
40 de toeschouwersgrens
- *spectator barrier*
41 de verrevelder
- *outfielder*
42 de korte stop
- *short stop*
43 de tweede honkman
- *second base*
44 de honkman
- *baseman*
45 de honkloper
- *runner*
46 het eerste honk
- *first base*
47 het derde honk
- *third base*
48 de foutlijn
- *foul line (base line)*
49 de werpheuvel
- *pitcher's mound*
50 de werper (pitcher)
- *pitcher*
51 het slagperk
- *batter's position*
52 de slagman
- *batter*
53 de slagplaat
- *home base (home plate)*
54 de achtervanger (catcher)
- *catcher*
55 de hoofdscheidsrechter
- *umpire*
56 de coachbox
- *coach's box*
57 de coach
- *coach*
58 de rij slagmannen
- *batting order*
59-60 honkbalhandschoenen
- *baseball gloves (baseball mitts)*
59 de handschoen van de veldspeler
- *fielder's glove (fielder's mitt)*
60 de handschoen van de catcher
- *catcher's glove (catcher's mitt)*
61 de honkbal
- *baseball*
62 de honkbalknuppel (het slaghout)
- *bat*
63 de slagman bij een slagpoging
- *batter at bat*
64 de achtervanger (catcher)
- *catcher*
65 de scheidsrechter
- *umpire*
66 de honkloper
- *runner*
67 het honkkussen
- *base plate*
68 de werper (pitcher)
- *pitcher*
69 de werpplaat
- *pitcher's mound*
70-76 **het cricket**
- ***cricket***
70 de wicket met het dwarshoutje
- *wicket with bails*
71 de bowlingcrease
- *back crease (bowling crease)*
72 de battingcrease
- *crease (batting crease)*
73 de wicketkeeper
- *wicket keeper of the fielding side*
74 de batsman
- *batsman*
75 het slaghout (bat)
- *bat (cricket bat)*
76 de verrevelder
- *fielder;* here: *bowler*
77-82 **het croquet**
- ***croquet***
77 de winning peg
- *winning peg*
78 het croquetpoortje
- *hoop*
79 het keerpaaltje
- *corner peg*
80 de croquetspeler
- *croquet player*
81 de croquethamer
- *croquet mallet*
82 de croquetbal
- *croquet ball*

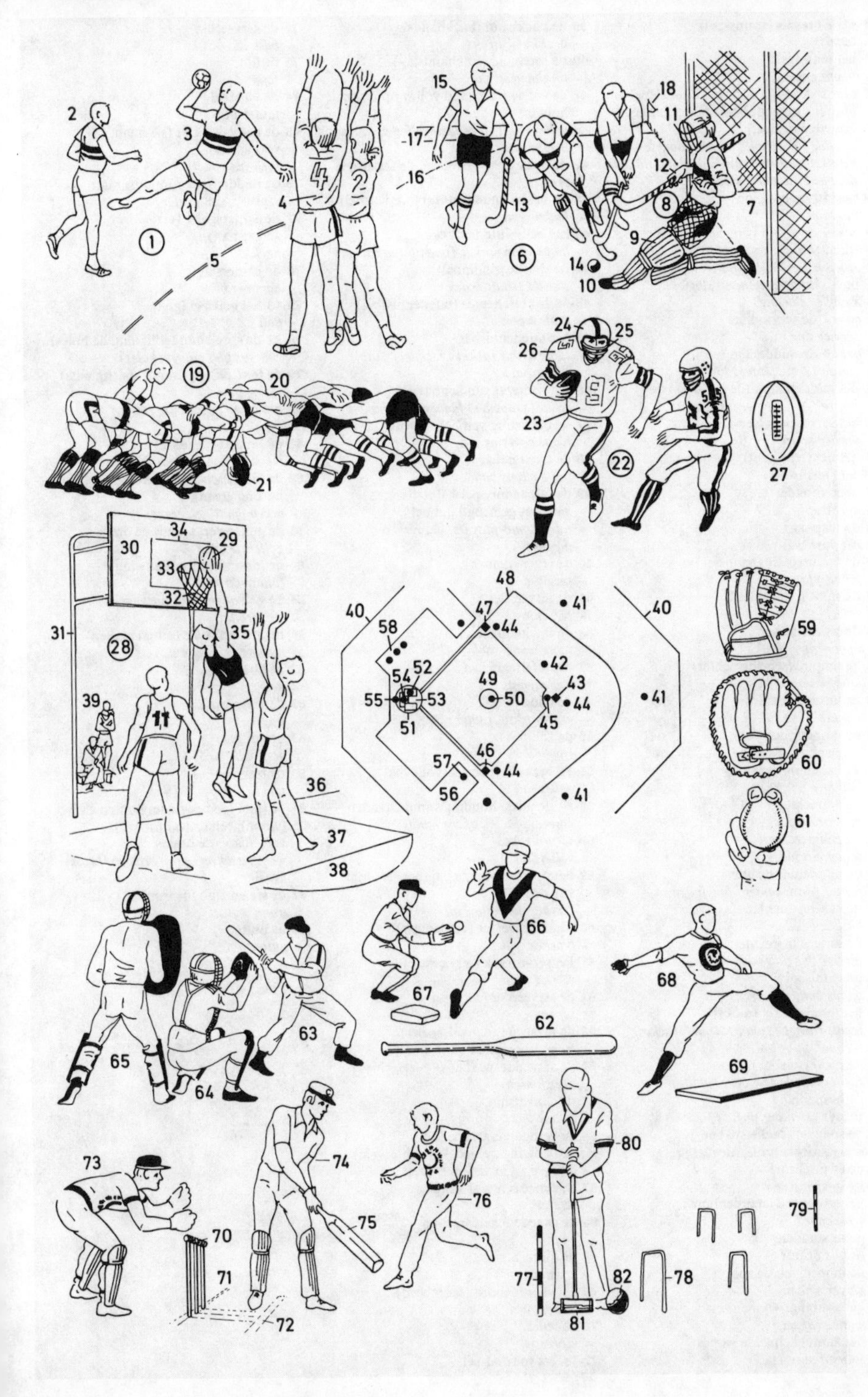
1
2
3
4
5
6
7
8
9
10
11
12
13
14
15
16
17
18
19
20
21
22
23
24
25
26
27
28
29
30
31
32
33
34
35
36
37
38
39
40
41
42
43
44
45
46
47
48
49
50
51
52
53
54
55
56
57
58
59
60
61
62
63
64
65
66
67
68
69
70
71
72
73
74
75
76
77
78
79
80
81
82

1-42 het tennis (tennisspel)
- ***tennis***

1 het tennisveld
- *tennis court*

2 naar 3 de zijlijn voor het dubbelspel (dubbel, herendubbel, damesdubbel, gemengd dubbel)
- *sideline for doubles match (doubles; men's doubles, women's doubles, mixed doubles) (doubles sideline)*

3 naar 10 de baseline
- *base line*

4 naar 5 de zijlijn voor het enkelspel (damesenkel, herenenkel)
- *sideline for singles match (singles; men's singles, women's singles) (singles sideline)*

6 naar 7 de serviceline
- *service line*

8 naar 9 de middenlijn
- *centre (*Am. *center) line*

11 het middenmerk (de middenstreep)
- *centre (*Am. *center) mark*

12 het serveervak (servicevak)
- *service court*

13 het net (tennisnet)
- *net (tennis net)*

14 de nethouder
- *net strap*

15 de netpaal
- *net post*

16 de tennisspeler (tennisser)
- *tennis player*

17 de smash, smash(bal)
- *smash*

18 de tegenstander
- *opponent*

19 de umpire (scheidsrechter)
- *umpire*

20 de umpirestoel
- *umpire's chair*

21 de umpiremicrofoon
- *umpire's microphone*

22 de ballenjongen
- *ball boy*

23 de netrechter
- *net-cord judge*

24 de zijlijnrechter
- *foot-fault judge*

25 de middenlijnrechter
- *centre (*Am. *center) line judge*

26 de baselinerechter
- *base line judge*

27 de servicelinerechter
- *service line judge*

28 de tennisbal
- *tennis ball*

29 het tennisracket (racket)
- *tennis racket (tennis racquet, racket, racquet)*

30 de racketsteel
- *racket handle (racquet handle)*

31 de bespanning
- *strings (striking surface)*

32 de spanner (racketspanner)
- *press (racket press, racquet press)*

33 de spanschroef
- *tightening screw*

34 het scorebord (standenbord)
- *scoreboard*

35 de setstanden
- *results of sets*

36 de namen van de spelers
- *player's name*

37 het aantal gewonnen sets
- *number of sets*

38 het aantal behaalde games
- *state of play*

39 de backhand (backhandslag)
- *backhand stroke*

40 de forehand (forehandslag)
- *forehand stroke*

41 de volley (forehand volley op normale hoogte)
- *volley;* here: *forehand volley at normal height*

42 de opslag (het serveren, de service)
- *service*

43-44 het badmintonspel (pluimbalspel)
- ***badminton***

43 het badmintonracket
- *badminton racket (badminton racquet)*

44 de shuttle (pluimbal)
- *shuttle (shuttlecock)*

45-55 het tafeltennis (tafeltennisspel)
- ***table tennis***

45 het tafeltennisbat
- *table tennis racket (racquet) (table tennis bat)*

46 het handvat van het bat
- *racket (racquet) handle (bat handle)*

47 de bekleding van het slagvak
- *blade covering*

48 de tafeltennisbal
- *table tennis ball*

49 de tafeltennisspeler (tafeltennisser); *hier:* het gemengd dubbel
- *table tennis players;* here: *mixed doubles*

50 de tegenstander
- *receiver*

51 de serveerder
- *server*

52 de tafeltennistafel
- *table tennis table*

53 het tafeltennisnet
- *table tennis net*

54 de middenlijn
- *centre (*Am. *center) line*

55 de zijlijn
- *sideline*

56-71 het volleybalspel (volleybal)
- ***volleyball***

56-57 de juiste houding van de handen
- *correct placing of the hands*

58 de volleybal
- *volleyball*

59 het opslaan van de bal (het serveren van de bal)
- *serving the volleyball*

60 de achtervelder (verdediger)
- *blocker*

61 het serveervak (servicevak)
- *service area*

62 de serveerder
- *server*

63 de netspeler (aanvalsspeler)
- *front-line player*

64 de aanvalszone (het aanvalsgebied)
- *attack area*

65 de aanvalslijn
- *attack line*

66 de verdedigingszone (het verdedigingsgebied, het achterveld)
- *defence (*Am. *defense) area*

67 de eerste scheidsrechter
- *referee*

68 de tweede scheidsrechter
- *umpire*

69 de lijnrechter
- *linesman*

70 het standenbord (scorebord)
- *scoreboard*

71 de teller
- *scorer*

72-78 het vuistbalspel
- ***faustball***

72 de serveerlijn
- *base line*

73 de lijn
- *tape*

74 de vuistbal
- *faustball*

75 de aanvalsspeler (slagman, voorspeler)
- *forward*

76 de middenspeler (middenman)
- *centre (*Am. *center)*

77 de achterspeler (verdediger, achterman)
- *back*

78 de hamerslag
- *hammer blow*

79-93 het golfspel (golf)
- ***golf***

79-82 de speelbaan (golfbaan, de holes)
- *course (golf course, holes)*

79 de tee (teeing ground, afslagplaats)
- *teeing ground*

80 het ruwe terrein (de rough)
- *rough*

81 de bunker (zandkuil)
- *bunker (*Am. *sand trap)*

82 de kortgeschoren grasvlakte (green, putting green)
- *green (putting green)*

83 de golfspeler, tijdens de drive
- *golfer, driving*

84 het doorzwaaien (de swing)
- *follow-through*

85 de golfwagen (caddiewagen)
- *golf trolley*

86 het putten (hole (putje) maken)
- *putting (holing out)*

87 de hole
- *hole*

88 de vlaggestok
- *flagstick*

89 de golfbal
- *golf ball*

90 de tee
- *tee*

91 de (met lood gevulde) houten club (wood), een drijver (driver); *vergelijkb.:* de brassy
- *wood, a driver;* sim.: *brassie (brassy, brassey)*

92 de stalen club (de iron)
- *iron*

93 de putter
- *putter*

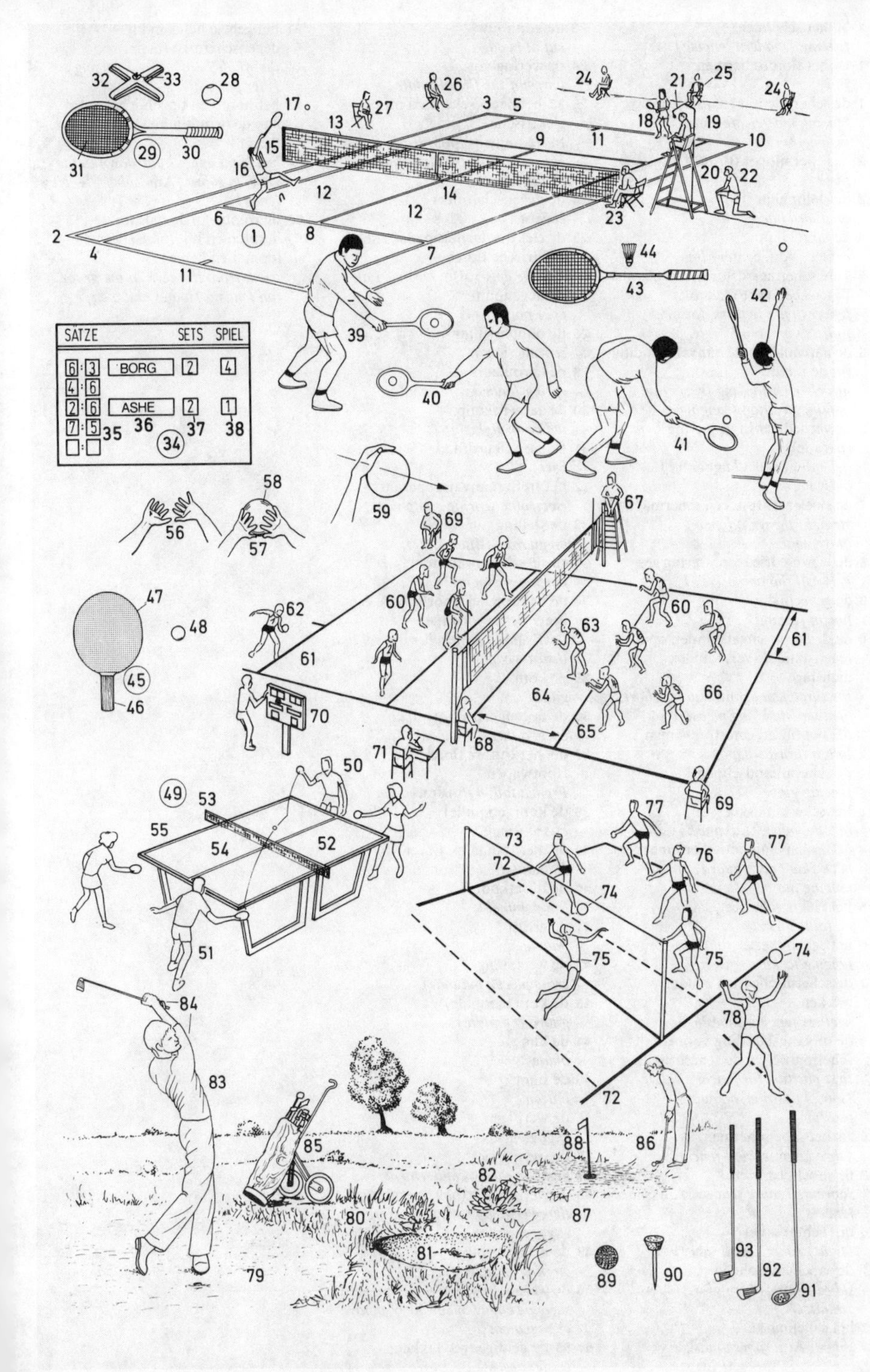
SÄTZE
SETS
SPIEL
BORG
ASHE

1-33 het schermen
- ***fencing** (modern fencing)*

1-18 het floretschermen
- *foil*

1 de schermleraar (maître)
- *fencing master (fencing instructor)*

2 de schermloper (piste)
- *piste*

3 de stellinglijn
- *on guard line*

4 de middellijn
- *centre (*Am. *center) line*

5-6 de schermers (floretschermers) tijdens een partij (assaut)
- *fencers (foil fencers, foilsmen, foilists) in a bout*

5 de aanvaller in de aanvalshouding (in de uitval)
- *attacker (attacking fencer) in lunging position (lunging)*

6 de verdediger in de wering (parade)
- *defender (defending fencer), parrying*

7 de steek rechtuit, een schermactie
- *straight thrust, a fencing movement*

8 de wering drie resp. wering zes
- *parry of the tierce*

9 de gevechtslijn
- *line of fencing*

10 de drie gevechtsafstanden op de tegenstander (ver, middel, dichtbij)
- *the three fencing measures (short, medium, and long measure)*

11 de, het floret, een stootwapen
- *foil, a thrust weapon*

12 de schermhandschoen
- *fencing glove*

13 het schermmasker
- *fencing mask (foil mask)*

14 de keellap aan het schermmasker
- *neck flap (neck guard) on the fencing mask*

15 het elektrische vest
- *metallic jacket*

16 het schermvest
- *fencing jacket*

17 de schermschoenen zonder hakken
- *heelless fencing shoes*

18 de uitgangshouding voor de schermgroet en de schermstelling
- *first position for fencer's salute (initial position, on guard position)*

19-24 het sabelschermen
- *sabre (*Am. *saber) fencing*

19 de sabelschermer
- *sabreurs (sabre fencers,* Am. *saber fencers)*

20 de (lichte) sabel
- *(light) sabre (*Am. *saber)*

21 de sabelhandschoen
- *sabre (*Am. *saber) glove (sabre gauntlet)*

22 het sabelmasker
- *sabre (*Am. *saber) mask*

23 de kophouw
- *cut at head*

24 de wering vijf
- *parry of the fifth (quinte)*

25-33 het degenschermen met elektrische trefferaanwijsapparatuur
- *épée, with electrical scoring equipment*

25 de degenschermers
- *épéeist*

26 de elektrische degen; *ook:* het elektrische floret
- *electric épée;* also: *electric foil*

27 de degenpunt
- *épée point*

28 de puntentelling
- *scoring lights*

29 de enrouleur
- *spring-loaded wire spool*

30 de aanwijslamp
- *indicator light*

31 de enrouleurdraad
- *wire*

32 het trefferaanwijsapparaat
- *electronic scoring equipment*

33 de stelling
- *on guard position*

34-45 de schermwapens
- ***fencing weapons***

34 de lichte sabel (sportsabel), een houw- en stootwapen
- *light sabre (*Am. *saber), a cut and thrust weapon*

35 de kom
- *guard*

36 de degen, een stootwapen
- *épée, a thrust weapon*

37 de, het Franse floret, een stootwapen
- *French foil, a thrust weapon*

38 de kom (coquille)
- *guard (coquille)*

39 de, het Italiaanse floret
- *Italian foil*

40 de floretknop
- *foil pommel*

41 de greep
- *handle*

42 de weerstang
- *cross piece (quillons)*

43 de kom (coquille)
- *guard (coquille)*

44 de kling
- *blade*

45 de punt
- *button*

46 de weringen
- *engagements*

47 de wering vier
- *quarte (carte) engagement*

48 de wering drie (*ook:* wering zes)
- *tierce engagement;* also: *sixte engagement*

49 de kringwering
- *circling engagement*

50 de wering twee (*ook:* wering acht)
- *seconde engagement:* also: *octave engagement*

51-53 de geldige trefvlakken
- *target areas*

51 het gehele lichaam bij degenschermen (heren)
- *the whole body in épée fencing [men]*

52 het hoofd en bovenlichaam tot aan de heuplijn bij sabelschermen (heren)
- *head and upper body down to the groin in sabre (*Am. *saber) fencing [men]*

53 de romp van de hals tot de liesplooien bij floretschermen (dames en heren)
- *trunk from the neck to the groin in foil fencing [ladies and men]*

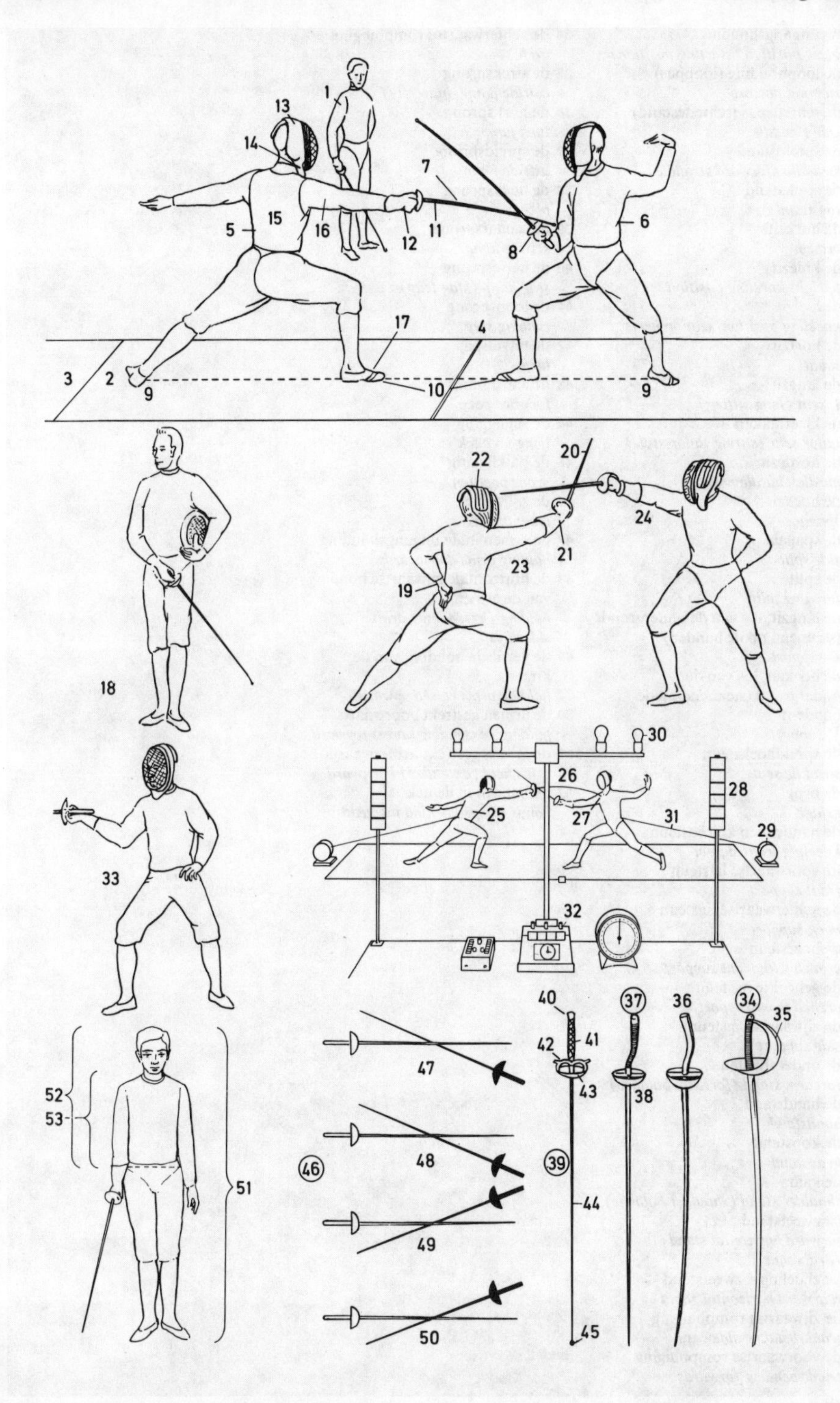
1
13
14
7
5
15
16
12
11
8
6
17
4
3
2
9
10
9
20
22
24
21
23
19
18
30
26
28
25
27
31
29
33
32
40
37
36
34
35
42
41
43
38
47
52
53
48
46
39
51
44
49
50
45

1 de uitgangshouding
- *basic position (starting position)*
2 de loophouding (looppas)
- *running posture*
3 de schredepas (schredestand)
- *side straddle*
4 de spreidstand
- *straddle (forward straddle)*
5 de strekstand
- *toe stand*
6 de hurkzit
- *crouch*
7 de kniezit
- *upright kneeling position*
8 de hielzit
- *kneeling position, seat on heels*
9 de kortzit
- *squat*
10 de langzit
- *L seat (long sitting)*
11 de kleermakerszit
- *tailor seat (sitting tailor-style)*
12 de hordezit
- *hurdle (hurdle position)*
13 de hoekzit
- *V-seat*
14 de spagaat
- *side split*
15 de split
- *forward split*
16 de langzit, los van de ondergrond (steunend op de handen)
- *L-support*
17 de hoekzit, los van de ondergrond (steunend op de handen)
- *V-support*
18 de spreidhoeksteun
- *straddle seat*
19 de brug
- *bridge*
20 de handen- en knieënsteun
- *kneeling front support*
21 de voorwaartse ligsteun
- *front support*
22 de achterwaartse ligsteun
- *back support*
23 de hazesteun
- *crouch with front support*
24 de gehoekte ligsteun
- *arched front support*
25 de zijwaartse ligsteun
- *side support*
26 de onderarmsteun
- *forearm stand (forearm balance)*
27 de handstand
- *handstand*
28 de kopstand
- *headstand*
29 de kaars
- *shoulder stand (shoulder balance)*
30 de zweefstand
- *forward horizontal stand (arabesque)*
31 de zijdelingse zweefstand
- *rearward horizontal stand*
32 de zijwaartse rompbuiging
- *trunk-bending sideways*
33 de voorwaartse rompbuiging
- *trunk-bending forwards*
34 de achterwaartse rompbuiging
- *arch*
35 de streksprong
- *astride jump (butterfly)*
36 de hurksprong
- *tuck jump*
37 de spreidsprong
- *astride jump*
38 de hoeksprong
- *pike*
39 de schaarsprong
- *scissor jump*
40 de hertesprong
- *stag jump (stag leap)*
41 de loopsprong
- *running step*
42 de uitvalspas
- *lunge*
43 de aansluitpas
- *forward pace*
44 de rugligging
- *lying on back*
45 de buikligging
- *prone position*
46 de zijligging
- *lying on side*
47 de armen in de uitgangshouding
- *holding arms downwards*
48 de horizontale zijwaartse houding van de armen
- *holding (extending) arms sideways*
49 de verticale houding van de armen
- *holding arms raised upward*
50 de armen gestrekt voorwaarts
- *holding (extending) arms forward*
51 de armen gestrekt achterwaarts
- *arms held (extended) backward*
52 de handen in de nek
- *hands clasped behind the head*

47
48
49
50
51
52
1
2
3
4
5
6
7
8
9
10
11
12
13
14
15
16
17
18
19
20
21
22
23
24
25
26
27
28
29
30
31
32
33
34
35
36
37
38
39
40
41
42
43
44
45
46

1-11 de turntoestellen bij het olympische turnen voor heren
- ***gymnastics apparatus in men's Olympic gymnastics***
1 het paard zonder beugels (springpaard)
- *long horse (horse, vaulting horse)*
2 de brug (gelijke brug, brug met gelijke leggers)
- *parallel bars*
3 de legger
- *bar*
4 de ringen
- *rings (stationary rings)*
5 het paard met beugels (voltigepaard)
- *pommel horse (side horse)*
6 de beugel
- *pommel*
7 de rekstok (het spanrek)
- *horizontal bar (high bar)*
8 de rekstokstang (de stok, de rekstok)
- *bar*
9 de rekstokpaal
- *upright*
10 de spankabels
- *stay wires*
11 de mat (matoppervlakte van 12 × 12 m)
- *floor [12 × 12 m floor area]*
12-21 hulptoestellen en toestellen voor het school- en verenigingsturnen
- ***auxiliary apparatus and apparatus for school and club gymnastics***
12 de springplank (Reutherplank)
- *springboard (Reuther board)*
13 de valmat (landingsmat, kleine mat, turnmat)
- *landing mat*
14 de bank
- *bench*
15 de kast (springkast)
- *box*
16 de kleine kast
- *small box*
17 de bok
- *buck*
18 de landingsmat (de grote mat, dikke valmat)
- *mattress*
19 het touw (klimtouw)
- *climbing rope (rope)*
20 het Zweedse wandrek
- *wall bars*
21 het wandrek
- *window ladder*
22-39 de houdingen ten opzichte van het toestel (houdingen, posities)
- ***positions in relation to the apparatus***
22 de zijstand voorlings
- *side, facing*
23 de zijstand ruggelings
- *side, facing away*
24 de dwarsstand voorlings
- *end, facing*
25 de dwarsstand ruggelings
- *end, facing away*
26 de buitenzijstand voorlings
- *outside, facing*
27 de binnendwarsstand
- *inside, facing*
28 het voorlings steunen
- *front support*
29 het ruggelings steunen
- *back support*
30 de spreidzit
- *straddle position*
31 de buitenzit
- *seated position outside*
32 de buitendwarszit
- *riding seat outside*
33 de voorlingse strekhang
- *hang*
34 de ruggelingse strekhang
- *reverse hang*
35 de buighang
- *hang with elbows bent*
36 de vouwhang
- *piked reverse hang*
37 de omgekeerde strekhang
- *straight inverted hang*
38 de streksteun
- *straight hang*
39 de buigsteun
- *bent hang*
40-46 de grepen
- ***grasps** (kinds of grasp)*
40 de bovengreep aan de rekstok
- *overgrasp on the horizontal bar*
41 de ondergreep aan de rekstok
- *undergrasp on the horizontal bar*
42 de gemengde greep aan de rekstok
- *combined grasp on the horizontal bar*
43 de kruisgreep aan de rekstok
- *cross grasp on the horizontal bar*
44 de ellegreep (binnengreep) aan de rekstok
- *rotated grasp on the horizontal bar*
45 de spaakgreep (buitengreep) aan de brug
- *outside grip on the parallel bars*
46 de ellegreep (binnengreep) aan de brug
- *rotated grasp on the parallel bars*
47 de leren turnriem
- *leather handstrap*
48-60 toesteloefeningen
- ***exercises***
48 de zweefsprong (hechtsprong) over het paard
- *long-fly on the horse*
49 het overspreiden aan de brug
- *rise to straddle on the parallel bars*
50 de breedtestand aan de ringen
- *crucifix on the rings*
51 het scharen op het voltigepaard
- *scissors (scissors movement) on the pommel horse*
52 het heffen tot handstand op de mat
- *legs raising into a handstand on the floor*
53 het hoeken bij het springpaard
- *squat vault on the horse*
54 het kringflanken op het voltigepaard
- *double leg circle on the pommel horse*
55 het disloqueren aan de ringen
- *hip circle backwards on the rings*
56 de voorwaartse plank aan de ringen
- *lever hang on the rings*
57 de achteropzet aan de brug
- *rearward swing on the parallel bars*
58 de bovenarmkip
- *forward kip into upper arm hang on the parallel bars*
59 de voorlingse ondersprong achterover aan de rekstok
- *backward underswing on the horizontal bar*
60 de voorlingse reuzenzwaai achterover aan de rekstok
- *backward grand circle on the horizontal bar*
61-63 de turnkleding
- ***gymnastics kit***
61 het turnhemd
- *singlet (vest,* Am. *undershirt)*
62 de turnbroek
- *gym trousers*
63 de turnschoenen (gymnastiekschoenen)
- *gym shoes*
64 de bandage
- *wristband*

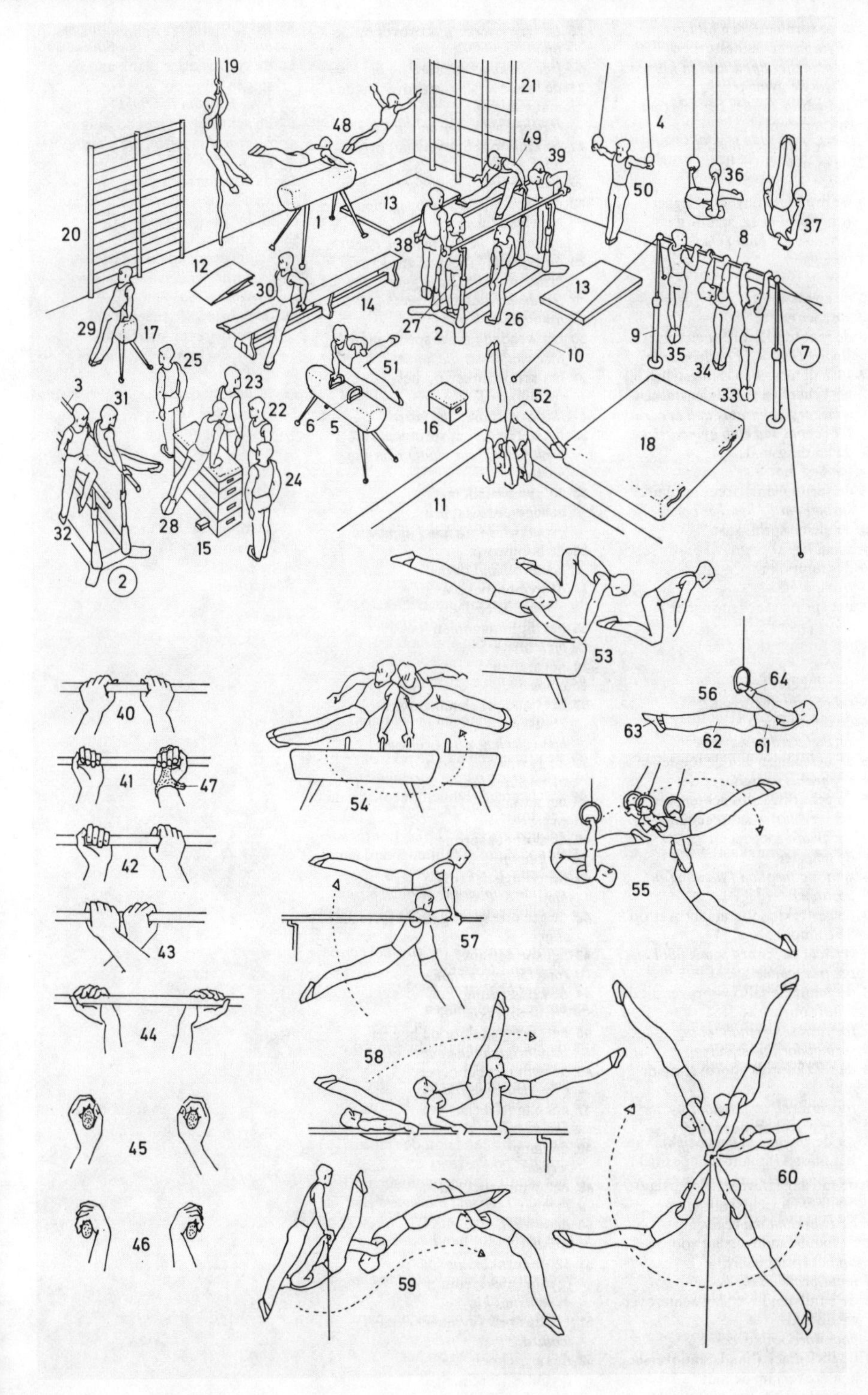

1
2
3
4
5
6
7
8
9
10
11
12
13
14
15
16
17
18
19
20
21
22
23
24
25
26
27
28
29
30
31
32
33
34
35
36
37
38
39
40
41
42
43
44
45
46
47
48
49
50
51
52
53
54
55
56
57
58
59
60
61
62
63
64

1-6 **de turntoestellen** bij het olympische damesturnen
- ***gymnastics apparatus in women's Olympic gymnastics***
1 het paard zonder beugels (het springpaard)
- *horse (vaulting horse)*
2 de evenwichtsbalk
- *beam*
3 de brug met ongelijke leggers (ongelijke brug, spanbrug)
- *asymmetric bars (uneven bars)*
4 de legger
- *bar*
5 de spankabels
- *stay wires*
6 de mat (de 12 × 12-metermat)
- *floor [12 m × 12 m floor area]*
7-14 **hulptoestellen en toestellen bij het school-en verenigingsturnen**
- ***auxiliary apparatus and apparatus for school and club gymnastics***
7 de landingsmat
- *landing mat*
8 de springplank (Reutherplank)
- *springboard (Reuther board)*
9 de kleine springkast
- *small box*
10 de trampoline
- *trampoline*
11 het springdoek (springdek)
- *sheet (web)*
12 het raamwerk (frame)
- *frame*
13 de rubberkabel
- *rubber springs*
14 de minitramp
- *springboard trampoline*
15-32 **oefeningen** aan de toestellen
- ***apparatus exercises***
15 de gehurkte salto achterover, achterwaartse salto gehurkt
- *backward somersault*
16 de helpster
- *spotting position (standing-in position)*
17 de gestrekte salto achterover op de trampoline
- *vertical backward somersault on the trampoline*
18 de gehurkte salto voorover uit de minitramp
- *forward somersault on the springboard trampoline*
19 de rol (koprol) voorover op de mat
- *forward roll on the floor*
20 de zweefrol op de mat
- *long-fly to forward roll on the floor*
21 de radslag (zijwaartse overslag) op de evenwichtsbalk
- *cartwheel on the beam*
22 de handstandoverslag voorover op het springpaard
- *handspring on the horse*
23 de handstandoverslag achterover op de mat
- *backward walkover*
24 de flick-flack (handstandoverslag achterover) op de mat
- *back flip (flik-flak) on the floor*
25 de vrije overslag voorover op de mat
- *free walkover forward on the floor*
26 de loopoverslag voorover op de mat
- *forward walkover on the floor*
27 de kipkop (kopoverslag) op de mat
- *headspring on the floor*
28 de zweefkip aan de brug met ongelijke liggers
- *upstart on the asymmetric bars*
29 de „los om" (het steken) aan de brug met ongelijke liggers
- *free backward circle on the asymmetric bars*
30 het wenden op het springpaard
- *face vault over the horse*
31 het kringflanken op het springpaard
- *flank vault over the horse*
32 het keren op het springpaard
- *back vault (rear vault) over the horse*
33-50 **gymnastiek met handgereedschappen**
- ***gymnastics with hand apparatus***
33 de boogworp
- *hand-to-hand throw*
34 de gymnastiekbal
- *gymnastic ball*
35 het omhooggooien
- *high toss*
36 het stuiten
- *bounce*
37 het handcirkelen met twee knotsen
- *hand circling with two clubs*
38 de gymnastiekknots
- *gymnastic club*
39 het zwaaien
- *swing*
40 de slothoeksprong
- *tuck jump*
41 de gymnastiekstok
- *bar*
42 de gewone sprong (touwspringen)
- *skip*
43 het springtouw
- *rope (skipping rope)*
44 de kruissprong
- *criss-cross skip*
45 het springen door de hoepel
- *skip through the hoop*
46 de gymnastiekhoepel
- *gymnastic hoop*
47 het handcirkelen
- *hand circle*
48 de slang
- *serpent*
49 het gymnastieklint
- *gymnastic ribbon*
50 de spiraal
- *spiral*
51-52 de turnkleding (gynmastiekkleding)
- *gymnastics kit*
51 het turnpak (gymnastiekpak)
- *leotard*
52 de turnschoen (gymnastiekschoen)
- *gym shoes*

1
2
3
4
5
6
7
8
9
10
11
12
13
14
15
16
17
18
19
20
21
22
23
24
25
26
27
28
29
30
31
32
33
34
35
36
37
38
39
40
41
42
43
44
45
46
47
48
49
50
51
52

1-8 het lopen (hardlopen)
- ***running***
1-6 de start
- *start*
1 het startblok
- *starting block*
2 de verstelbare voetsteun
- *adjustable block (pedal)*
3 de startplaats
- *start*
4 de geknielde start
- *crouch start*
5 de hardloper, een sprinter (korte-afstandloper); *zo ook:* middenafstand loper, middellange-afstandloper
- *runner, a sprinter;* also: *middle-distance runner, long-distance runner*
6 de atletiekbaan, een sintelbaan of kunststofbaan
- *running track (track), a cinder track or synthetic track*
7-8 het hordenlopen (de hordenloop); *ongev.:* het hindernislopen (de hindernisloop)
- *hurdles (hurdle racing);* sim.: *steeplechase*
7 het passeren van de horde
- *clearing the hurdle*
8 de horde
- *hurdle*
9-41 het springen
- ***jumping and vaulting***
9-27 het hoogspringen
- *high jump*
9 de fosburyflop
- *Fosbury flop (Fosbury, flop)*
10 de hoogspringer
- *high jumper*
11 de draaiing om de longitudinale en transversale lichaamsas
- *body rotation (rotation on the body's longitudinal and latitudinal axes)*
12 de schouderlanding
- *shoulder landing*
13 de springstandaard
- *upright*
14 de springlat
- *bar (crossbar)*
15 de Schotse sprong (met nastrekking)
- *Eastern roll*
16 de duikstraddle
- *Western roll*
17 de zijrol
- *roll*
18 de roltechniek
- *rotation*
19 de landing
- *landing*
20 de hoogteaanduiding
- *height scale*
21 de zijschaarsprong
- *Eastern cut-off*
22 de schaarsprong
- *scissors (scissor jump)*
23 de buikrol (straddle)
- *straddle (straddle jump)*
24 de buikroltechniek
- *turn*
25 het opzwaaibeen nagenoeg verticaal, terwijl het afzetbeen nog staat
- *vertical free leg*
26 de afzet
- *take-off*
27 het opzwaaibeen
- *free leg*
28-36 het polsstokhoogspringen (polsstokspringen)
- *pole vault*
28 de polsstok
- *pole (vaulting pole)*
29 de polsstokspringer in de opzwaaifase
- *pole vaulter (vaulter) in the pull-up phase*
30 de wegzwaaitechniek (de omgekeerde boogmethode of fly-away)
- *swing*
31 het passeren van de lat
- *crossing the bar*
32 de hoogspringinstallatie
- *high jump apparatus (high jump equipment)*
33 de springstandaard
- *upright*
34 de springlat
- *bar (crossbar)*
35 de insteekbak
- *box*
36 het landingsbed (landingskussen, de landingsmat)
- *landing area (landing pad)*
37-41 het verspringen
- *long jump*
37 de afzet
- *take-off*
38 de afzetbalk
- *take-off board*
39 de springbak
- *landing area*
40 de loopsprongtechniek
- *hitch-kick*
41 de hangtechniek
- *hang*
42-47 het kogelslingeren
- *hammer throw*
42 de slingerkogel
- *hammer*
43 de kogel
- *hammer head*
44 de slinger (verbindingsdraad)
- *handle*
45 het handvat
- *grip*
46 het vasthouden van het handvat
- *holding the grip*
47 de handschoen
- *glove*
48 het kogelstoten
- *shot put*
49 de kogel
- *shot (weight)*
50 de „O-Brien"-techniek
- *O'Brien technique*
51-53 het speerwerpen
- *javelin throw*
51 de Finse greep
- *grip with thumb and index finger*
52 de normaalgreep
- *grip with thumb and middle finger*
53 de vorkgreep (gezondheidsgreep)
- *horseshoe grip*
54 de omwikkeling
- *binding*

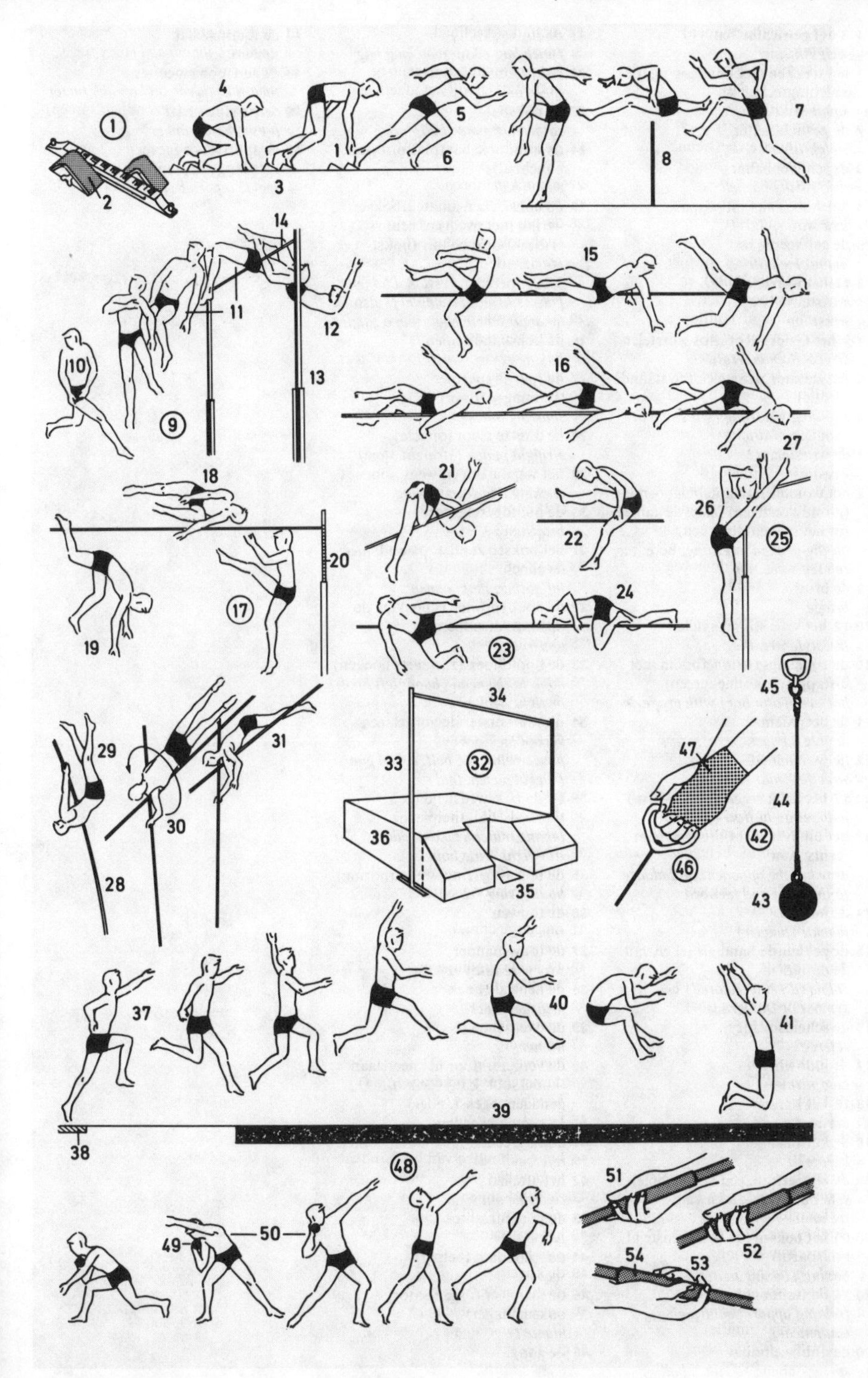
1
2
3
4
5
6
7
8
9
10
11
12
13
14
15
16
17
18
19
20
21
22
23
24
25
26
27
28
29
30
31
32
33
34
35
36
37
38
39
40
41
42
43
44
45
46
47
48
49
50
51
52
53
54

1-5 **het gewichtheffen**
- ***weightlifting***
1 het trekken met kniebuiging (de kniebuigtechniek)
- *squat-style snatch*
2 de gewichtheffer
- *weightlifter*
3 de schijvenhalter
- *disc (disk) barbell*
4 het stoten met uitvalspas
- *jerk with split*
5 de gefixeerde last
- *maintained lift*
6-12 **het worstelen** (de worstelwedstrijd)
- ***wrestling***
6-9 het Grieks-Romeins worstelen
- *Greco-Roman wrestling*
6 het staande worstelen (de staande positie)
- *standing wrestling (wrestling in standing position)*
7 de worstelaar
- *wrestler*
8 het worstelen in kniebuigpositie (grondworstelen) (*hier:* de aanzet tot het overeindtrekken)
- *on-the-ground wrestling;* here: *the referee's position*
9 de brug
- *bridge*
10-12 het vrije stijl worstelen
- *freestyle wrestling*
10 de zijdelingse armhefboom met instappen (okselnekgreep)
- *bar arm (arm bar) with grapevine*
11 de beenklem
- *double leg lock*
12 de worstelmat
- *wrestling mat (mat)*
13-17 **het judo;** *vergelijkb.*:jiu-jitsu)
- ***judo;*** sim.: *ju-jitsu (jiu-jitsu)*
13 het uit evenwicht brengen naar rechts voor
- *drawing the opponent off balance to the right and forward*
14 de judoka
- *judoka (judoist)*
15 de gekleurde band als teken van de dangraad
- *coloured (*Am. *colored) belt, as a symbol of Dan grade*
16 de scheidsrechter
- *referee*
17 de judoworp
- *judo throw*
18-19 **het karate**
- ***karate***
18 de karateka
- *karateka*
19 de zijvoettrap, een voettechniek
- *side thrust kick, a kicking technique*
20-50 **het boksen** (de bokswedstrijd, bokspartij)
- ***boxing*** *(boxing match)*
20-24 de trainingsapparaten
- *training apparatus (training equipment)*
20 de dubbeleindbal
- *spring-supported punch ball*
21 de stootzak
- *punch bag (*Am. *punching bag)*
22 de speedbal
- *speed ball*
23 de boksbal
- *suspended punch ball*
24 de wandboksbal (platformpeer, punchbal)
- *punch ball*
25 de bokser, een amateurbokser (strijdt met tricot) of een professionele bokser (bokst zonder tricot)
- *boxer;* here: *professional boxer [boxes without a singlet];* also: *amateur boxer [boxes in a singlet]*
26 de bokshandschoen
- *boxing glove*
27 de sparringpartner (trainingspartner)
- *sparring partner*
28 de directe stoot (directe)
- *straight punch (straight blow)*
29 het wegduiken en wegstappen
- *ducking and sidestepping*
30 de hoofdbeschermer
- *headguard*
31 het boksen zonder afstand; *hier:* de clinch
- *infighting;* here: *clinch*
32 de hoek (opwaarts hoeken, de opstoot, de uppercut)
- *uppercut*
33 de hoofdhoek (zijwaarts hoeken)
- *hook to the head (hook, left hook or right hook)*
34 de stoot onder de gordel, een verboden stoot
- *punch below the belt, a foul punch (illegal punch, foul)*
35-50 de bokswedstrijd (een titelwedstrijd, titelpartij)
- *boxing match (boxing contest), a title fight (title bout)*
35 de boksring (ring, wedstrijdring)
- *boxing ring (ring)*
36 de touwen
- *ropes*
37 de touwspanner
- *stay wire (stay rope)*
38 de neutrale hoek
- *neutral corner*
39 de overwinnaar
- *winner*
40 de verliezer door het neerslaan (knock-out, k.o.) (de k.o. geslagen tegenstander)
- *loser by a knockout*
41 de ringrechter
- *referee*
42 het aftellen
- *counting out*
43 de puntenrechter
- *judge*
44 de secondant (helper)
- *second*
45 de manager (organisator, boksmanager)
- *manager*
46 de gong
- *gong*
47 de tijdopnemer
- *timekeeper*
48 de ceremoniemeester
- *record keeper*
49 de persfotograaf
- *press photographer*
50 de sportverslaggever (verslaggever, reporter)
- *sports reporter (reporter)*

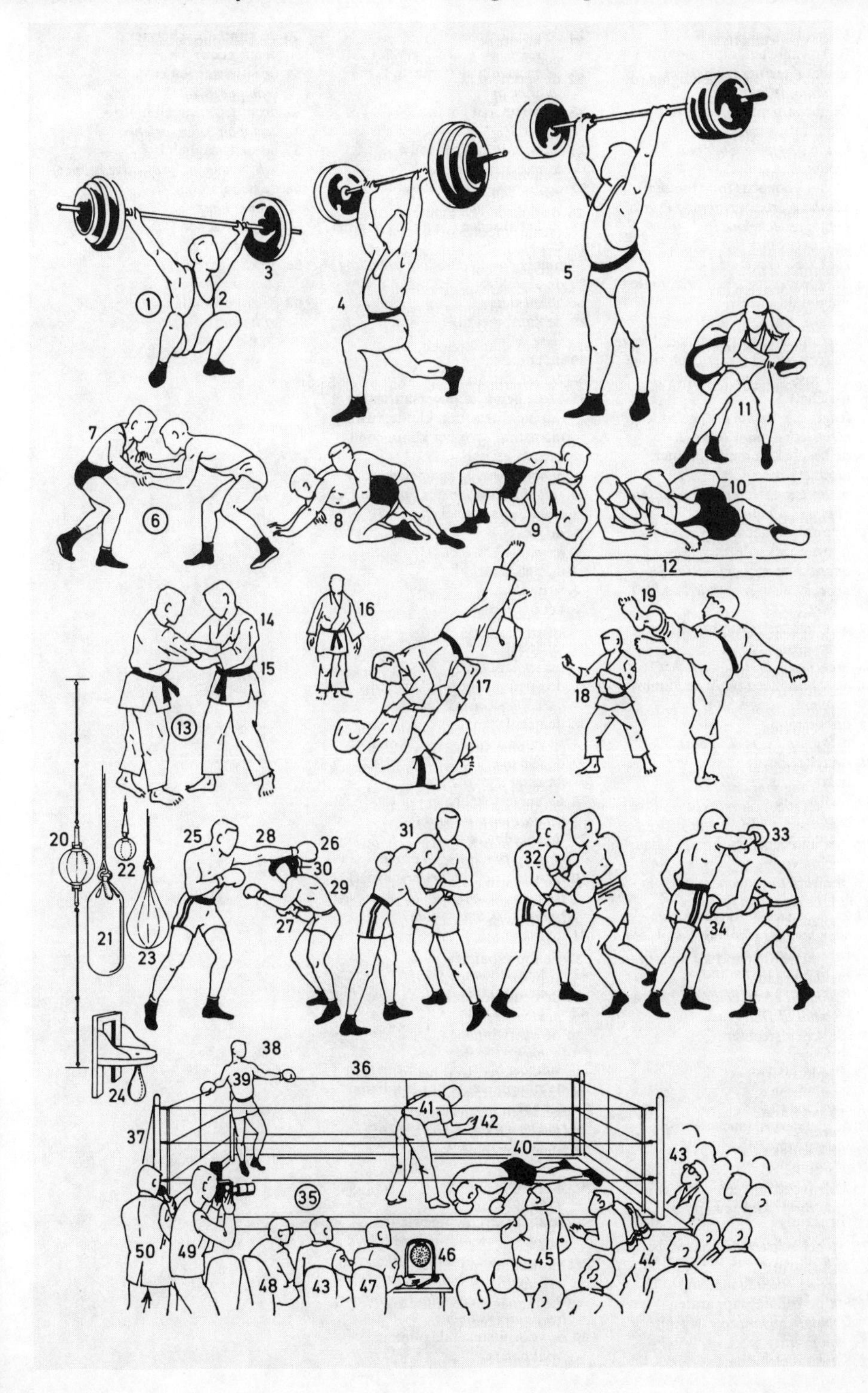
1
2
3
4
5
6
7
8
9
10
11
12
13
14
15
16
17
18
19
20
21
22
23
24
25
26
27
28
29
30
31
32
33
34
35
36
37
38
39
40
41
42
43
44
45
46
47
48
49
50

1-57 het bergbeklimmen (bergwandelen, alpinisme)
- ***mountaineering*** *(mountain climbing, Alpinism)*

1 de hut (alpenverenigingshut, schuilhut, berghut)
- *hut,* e.g. *Alpine Club hut, mountain hut*

2-13 het klimmen (rotsklimmen)
- ***climbing*** *(rock climbing) [rock climbing technique]*

2 de (rots)wand
- *rock face (rock wall)*

3 de spleet (verticale, horizontale of diagonale spleet)
- *fissure,* e.g. *vertical fissure, horizontal fissure, diagonal fissure*

4 de (rots)richel (grasrichel, richel met losse stenen, sneeuw- of ijsrichel)
- *ledge,* e.g. *rock ledge, grass ledge, scree ledge, snow ledge, ice ledge*

5 de bergbeklimmer (klimmer, alpinist)
- *mountaineer (climber, mountain climber, Alpinist)*

6 de anorak (het waterdichte jack, donzen jack)
- *anorak;* here: *a high-altitude anorak;* also: *snowshirt, padded jacket*

7 de kniebroek (klimbroek, knickerbocker)
- *breeches (climbing breeches)*

8 de schoorsteen (*ook:* de kamin)
- *chimney*

9 de rotspunt
- *belay (spike, rock spike)*

10 de zelfzekering
- *belay*

11 de touwlus
- *rope sling (sling)*

12 het bergtouw
- *rope*

13 de richel
- *spur*

14-21 het sneeuw- en ijsklimmen
- ***snow and ice climbing*** *[snow and ice climbing technique]*

14 de ijswand (firnwand)
- *ice slope;* also: *firn slope*

15 de ijsklimmer
- *snow and ice climber*

16 de pickel
- *ice axe (*Am. *ax)*

17 de (ijs)trede
- *step (ice step)*

18 de gletsjerbril (sneeuwbril)
- *snow goggles*

19 de capuchon
- *hood (anorak hood)*

20 de overhangende sneeuwrand (firnrand)
- *cornice (snow cornice)*

21 de graat (ijsgraat, firngraat)
- *ridge (ice ridge)*

22-27 de touwgroep
- ***rope*** *(roped party) [roped trek]*

22 de gletsjer
- *glacier*

23 de gletsjerspleet
- *crevasse*

24 de sneeuwbrug (firnbrug)
- *snow bridge*

25 de eerste aan het touw
- *leader*

26 de tweede aan het touw
- *second man (belayer)*

27 de derde aan het touw
- *third man (non-belayer)*

28-30 het abseilen (de daling aan het touw)
- ***roping down*** *(abseiling, rapelling)*

28 de abseillus
- *abseil sling*

29 de karabinerzit
- *sling seat*

30 de Dülferzit
- *Dülfer seat*

31-57 de bergbeklimmersuitrusting (alpine-uitrusting, klimuitrusting, uitrusting voor het klimmen in sneeuw en ijs)
- ***mountaineering equipment*** *(climbing equipment, snow and ice climbing equipment)*

31 de pickel
- *ice axe (*Am. *ax)*

32 de polsband
- *wrist sling*

33 het houweel
- *pick*

34 de dissel
- *adze (*Am. *adz)*

35 de opening voor de karabiner
- *karabiner hole*

36 de ijsbijl
- *short-shafted ice axe (*Am. *ax)*

37 de ijshamer
- *hammer axe (*Am. *ax)*

38 de universele haak
- *general-purpose piton*

39 de abseilhaak
- *abseil piton, a ringed piton*

40 de ijsschroef (halbrohrschroef)
- *ice piton, a semi-tubular screw ice piton (corkscrew piton)*

41 de ijsspiraal
- *drive-in ice piton*

42 de bergschoen
- *mountaineering boot*

43 de profielzool
- *corrugated sole*

44 de klimschoen
- *climbing boot*

45 de ruwgemaakte hardrubberen zijkant
- *roughened stiff rubber upper*

46 de karabiner
- *karabiner*

47 de schroefsluiting
- *screwgate*

48 de stijgijzers (lichtgewicht stijgijzers, twaalfpuntige stijgijzers, tienpuntige stijgijzers)
- *crampons,* e.g. *lightweight crampons, twelve-point crampons, ten-point crampons*

49 de vooruitstekende punten
- *front points*

50 de puntenbeschermer
- *point guards*

51 de stijgijzerriemen
- *crampon strap*

52 de stijgijzerkabelbinding
- *crampon cable fastener*

53 de steenslaghelm
- *safety helmet (protective helmet)*

54 de helmlamp
- *helmet lamp*

55 de gamaschen
- *snow gaiters*

56 de klimgordel
- *climbing harness*

57 de zitgordel (het broekje)
- *sit harness*

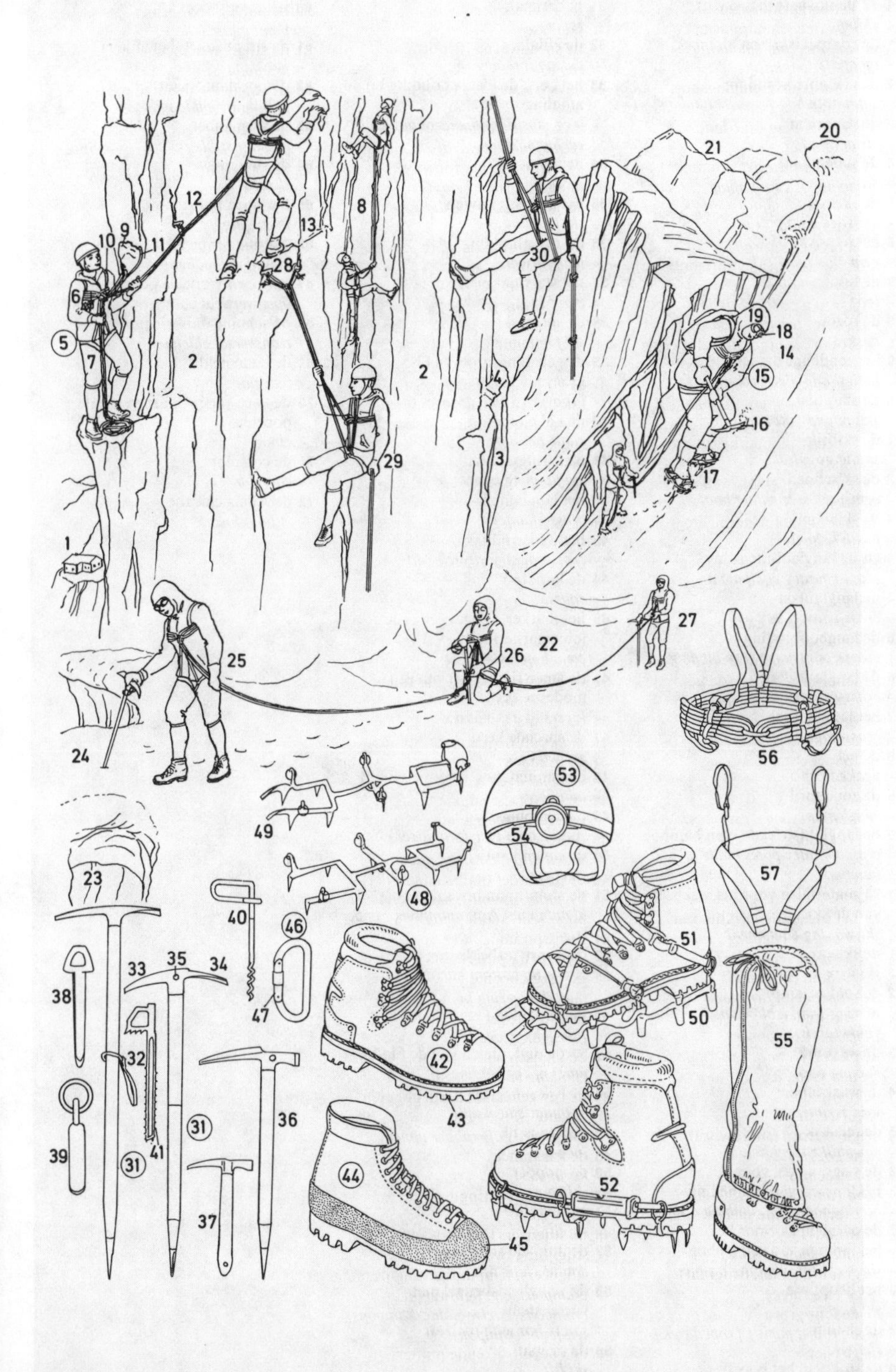
1
2
3
4
5
6
7
8
9
10
11
12
13
14
15
16
17
18
19
20
21
22
23
24
25
26
27
28
29
30
31
32
33
34
35
36
37
38
39
40
41
42
43
44
45
46
47
48
49
50
51
52
53
54
55
56
57

1-72 de skisport (het skiën)
- ***skiing***

1 de compactski, een alpineski
- *compact ski*

2 de veiligheidsbinding
- *safety binding (release binding)*

3 de vangriem
- *strap*

4 de stalen kant
- *steel edge*

5 de skistok
- *ski stick (ski pole)*

6 het handvat
- *grip*

7 de lus
- *loop*

8 de rozet
- *basket*

9 het eendelige damesskipak
- *ladies' one-piece ski suit*

10 de skimuts
- *skiing cap (ski cap)*

11 de skibril
- *skiing goggles*

12 de skischoen
- *cemented sole skiing boot*

13 de skihelm
- *crash helmet*

14-20 de langlaufuitrusting
- *cross-country equipment*

14 de langlaufski
- *cross-country ski*

15 de langlaufbinding
- *cross-country rat trap binding*

16 de langlaufschoen
- *cross-country boot*

17 het langlaufpak
- *cross-country gear*

18 de pet
- *peaked cap*

19 de zonnebril
- *sunglasses*

20 de langlaufstokken, van bamboe
- *cross-country poles made of bamboo*

21-24 materialen voor het wachsen van de ski's
- *ski-waxing equipment*

21 de skiwas
- *ski wax*

22 de soldeerlamp
- *waxing iron, a blowlamp (blowtorch)*

23 de waskurk
- *waxing cork*

24 de waskrabber
- *wax scraper*

25 de renstok
- *downhill racing pole*

26 de visgraatpas, voor het beklimmen van een helling
- *herringbone, for climbing a slope*

27 de parallelpas, voor het beklimmen van een helling
- *sidestep, for climbing a slope*

28 het heuptasje
- *ski bag*

29 de slalom
- *slalom*

30 de stok van het poortje
- *gate pole*

31 het renpak
- *racing suit*

32 de afdaling
- *downhill racing*

33 het „ei", de ideale houding bij de afdaling
- *'egg' position, the ideal downhill racing position*

34 de alpineski
- *downhill ski*

35 het schansspringen
- *ski jumping*

36 de zweefhouding
- *lean forward*

37 het startnummer
- *number*

38 de springski
- *ski jumping ski*

39 de geleidingsgroeven [3-5 groeven]
- *grooves (3 to 5 grooves)*

40 de kabelbinding
- *cable binding*

41 de springschoen
- *ski jumping boots*

42 het langlaufen
- *cross-country*

43 het wedstrijdpak
- *cross-country stretch-suit*

44 de loipe
- *course*

45 het markeringsvlaggetje (de loipemarkering)
- *course-marking flag*

46 de lagen (lamellen) van een moderne ski
- *layers of a modern ski*

47 de speciale kern
- *special core*

48 de laminaten
- *laminates*

49 de dempingslaag
- *stabilizing layer (stabilizer)*

50 de stalen kant
- *steel edge*

51 de aluminium bovenkant
- *aluminium (*Am.* aluminum) upper edge*

52 de kunststofbekleding
- *synthetic bottom (artificial bottom)*

53 het parablok
- *safety jet*

54-56 de onderdelen van de binding
- *parts of the binding*

54 de hakautomaat
- *automatic heel unit*

55 het teenstuk
- *toe unit*

56 de stopper
- *ski stop*

57-63 de skilift
- *ski lift*

57 de dubbele-stoeltjeslift
- *double chair lift*

58 de veiligheidsbeugel met voetensteun
- *safety bar with footrest*

59 de sleeplift
- *ski lift*

60 het sleepspoor
- *track*

61 de sleepbeugel (het anker)
- *hook*

62 de oprolautomaat
- *automatic cable pulley*

63 de sleepkabel
- *haulage cable*

64 de slalom
- *slalom*

65 het open poortje
- *open gate*

66 het blinde verticale poortje
- *closed vertical gate*

67 het open verticale poortje
- *open vertical gate*

68 de schuine dubbele poort
- *transversal chicane*

69 de haarspeld
- *hairpin*

70 de twee versprongen verticale poorten
- *elbow*

71 de corridor
- *corridor*

72 de Allais-chicane
- *Allais chicane*

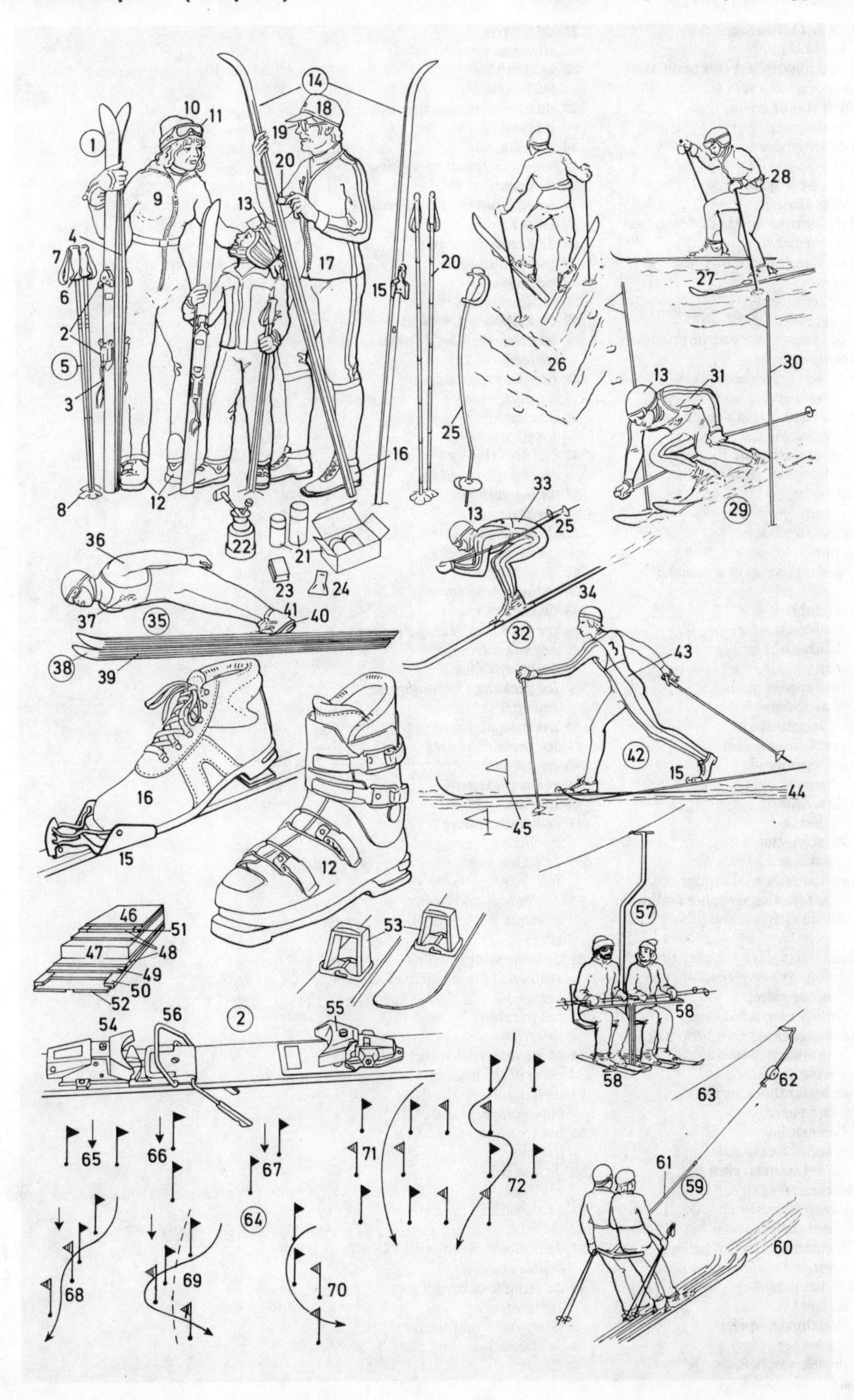
1
2
3
4
5
6
7
8
9
10
11
12
13
14
15
16
17
18
19
20
21
22
23
24
25
26
27
28
29
30
31
32
33
34
35
36
37
38
39
40
41
42
43
44
45
46
47
48
49
50
51
52
53
54
55
56
57
58
59
60
61
62
63
64
65
66
67
68
69
70
71
72

1-26 het schaatsen
- ***ice skating***
1 de kunstrijdster (kunstrijder)
- *ice skater, a solo skater*
2 het standbeen
- *tracing leg*
3 het vrije been
- *free leg*
4 het paarrijden
- *pair skaters*
5 de binnenwaartse dodenspiraal
- *death spiral*
6 de waage met molentje
- *pivot*
7 de reesprong
- *stag jump (stag leap)*
8 de ingesprongen zitpirouette
- *jump-sit-spin*
9 de waagepirouette
- *upright spin*
10 het vasthouden van de voet
- *holding the foot*
11-19 de verplichte figuren
- *compulsory figures*
11 de acht
- *curve eight*
12 de slangeboog
- *change*
13 de drie (een acht met een drie)
- *three*
14 de dubbele drie
- *double-three*
15 de lussen
- *loop*
16 de slangebooglus
- *change-loop*
17 de tegendrie
- *bracket*
18 de tegenwende
- *counter*
19 de wende
- *rocker*
20-25 schaatsen
- *ice skates*
20 de hardrijschaats (hoge noor)
- *speed skating set (speed skate)*
21 de schaatsijzerrand
- *edge*
22 het hol geslepen schaatsijzer
- *hollow grinding (hollow ridge, concave ridge)*
23 de ijshockeyschaats
- *ice hockey set (ice hockey skate)*
24 de kunstschaats
- *ice skating boot*
25 de schaatsbeschermer
- *skate guard*
26 de hardrijder
- *speed skater*
27-28 het schaatszeilen
- ***skate sailing***
27 de schaatszeiler
- *skate sailor*
28 het handzeil
- *hand sail*
29-37 het ijshockey
- ***ice hockey***
29 de ijshockeyspeler
- *ice hockey player*
30 de ijshockeystick
- *ice hockey stick*
31 de schacht
- *stick handle*
32 het blad
- *stick blade*
33 de scheenbeenbeschermer
- *shin pad*
34 de helm
- *headgear (protective helmet)*
35 de puck
- *puck, a vulcanized rubber disc (disk)*
36 de keeper (doelman)
- *goalkeeper*
37 het doel
- *goal*
38-40 het eisstockschieten
- ***ice-stick shooting** (Bavarian curling)*
38 de eisstockspeler
- *ice-stick shooter (Bavarian curler)*
39 de eisstock
- *ice stick*
40 het doel (blokje)
- *block*
41-43 het curling
- ***curling***
41 de curlingspeler
- *curler*
42 de curlingsteen
- *curling stone (granite)*
43 de curlingbezem
- *curling brush (curling broom, besom)*
44-46 het ijszeilen
- ***ice yachting** (iceboating, ice sailing)*
44 het ijsjacht
- *ice yacht (iceboat)*
45 het ijzer
- *steering runner*
46 de uitlegger
- *outrigged runner*

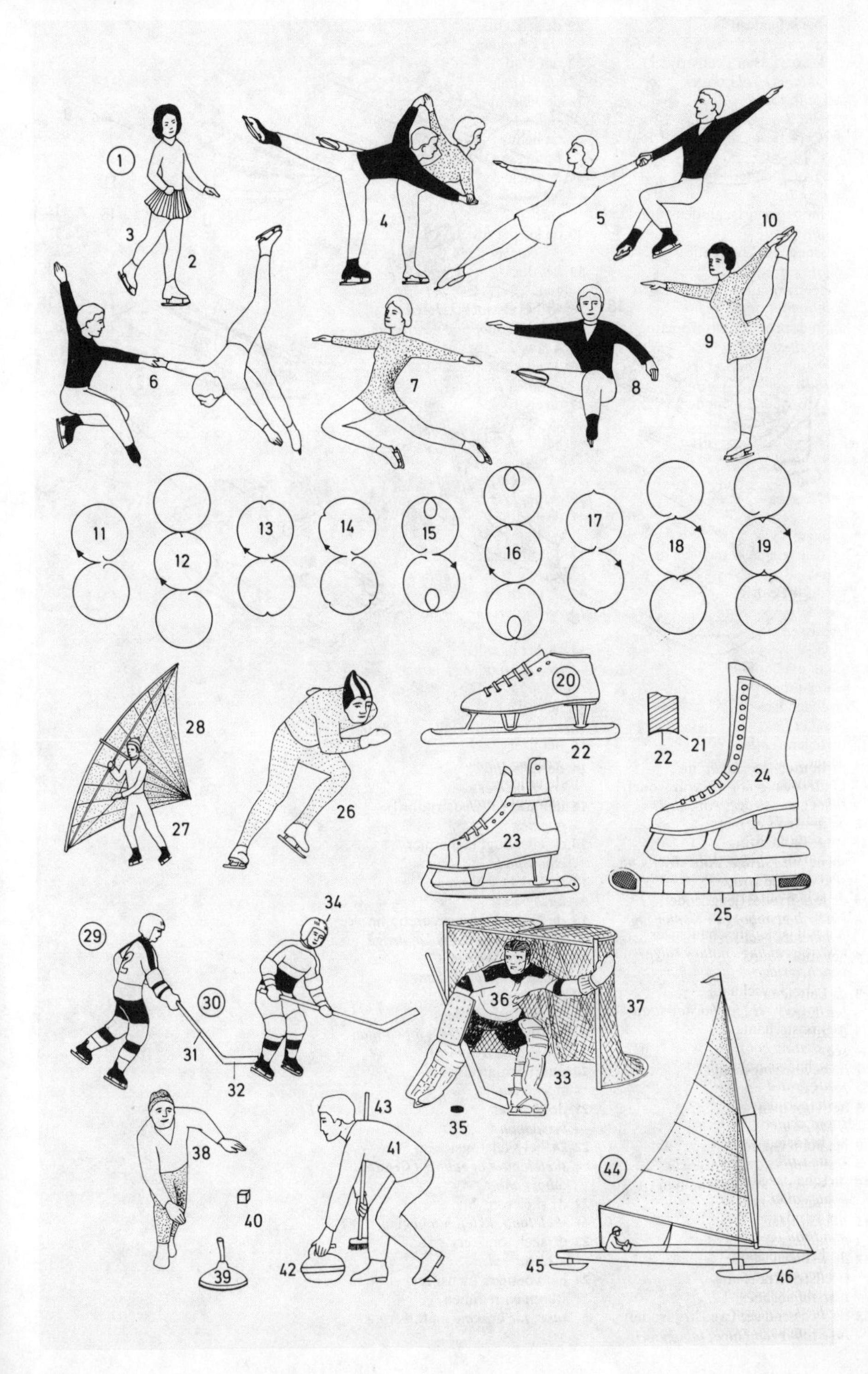
1
2
3
4
5
6
7
8
9
10
11
12
13
14
15
16
17
18
19
20
21
22
23
24
25
26
27
28
29
30
31
32
33
34
35
36
37
38
39
40
41
42
43
44
45
46

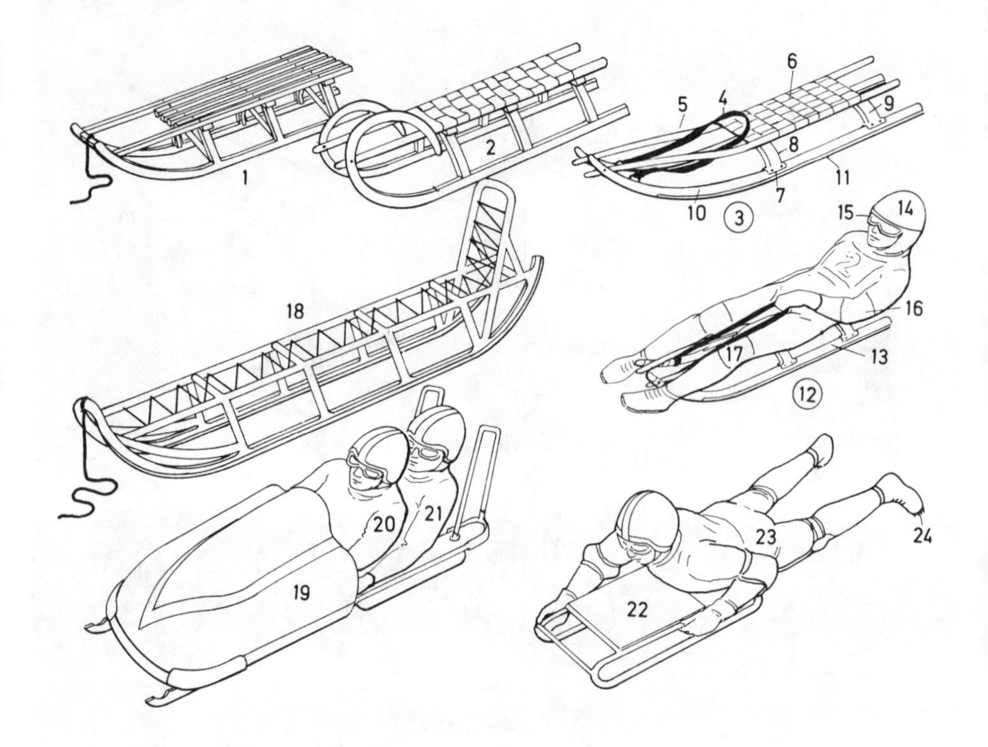

1 de houten slee; *klein:* de kinderslee; *groot:* de volksrodel
- *toboggan (sledge,* Am. *sled)*

2 de houten slee met singelbandzitting
- *toboggan (sledge,* Am. *sled) with seat of plaid straps*

3 de juniorrodel (jeugdrodel)
- *junior luge toboggan (junior luge, junior toboggan)*

4 het stuurkoord
- *rein*

5 de kuitsteun
- *bar (strut)*

6 de zitting
- *seat*

7 de bevestigingsbeugel
- *bracket*

8 het voorspant
- *front prop*

9 het achterspant
- *rear prop*

10 de beweegbare stuurkanten
- *movable runner*

11 het glij-ijzer
- *metal face*

12 de wedstrijdsleeër (wedstrijdrodelaar)
- *luge tobogganer*

13 de wedstrijdslee (wedstrijdrodel)
- *luge toboggan (luge, toboggan)*

14 de valhelm
- *crash helmet*

15 de racebril (wedstrijdbril)
- *goggles*

16 de elleboogbeschermer
- *elbow pad*

17 de kniebeschermer
- *knee pad*

18 de Nansenslee, een arctische slee
- *Nansen sledge, a polar sledge*

19-21 het bobsleeën
- *bobsleigh (bobsledding)*

19 de bob(slee), een tweemansbob(slee)
- *bobsleigh (bobsled), a two-man bobsleigh (a boblet)*

20 de stuurman
- *steersman*

21 de remmer
- *brakeman*

22-24 het skeletonsleeën
- *skeleton tobogganing (Cresta tobogganing)*

22 de skeleton
- *skeleton (skeleton toboggan)*

23 de skeletonsleeër
- *skeleton rider*

24 het voetijzer (neusijzer) voor sturen en remmen
- *rake, for braking and steering*

1 de sneeuwlawine; *soorten:* stuiflawine, stoflawine, grondlawine; *ook: ijslawine*
– *avalanche (snow avalanche,* Am. *snowslide);* kinds: *wind avalanche, ground avalanche*
2 de lawinemuur (lawinewering)
– *avalanche wall, a deflecting wall (diverting wall);* sim.: *avalanche wedge*
3 de lawinetunnel
– *avalanche gallery*
4 de sneeuwval
– *snowfall*
5 de opgewaaide sneeuw (het sneeuwduin)
– *snowdrift*
6 het sneeuwhek
– *snow fence*
7 het lawinewerende bos
– *avalanche forest [planted as protection against avalanches]*
8 de sneeuwploeg
– *street-cleaning lorry (street cleaner)*
9 het blad
– *snow plough* (Am. *snowplow) attachment*
10 de sneeuwketting
– *snow chain (skid chain, tyre chain,* Am. *tire chain)*
11 de radiatorhoes
– *radiator bonnet* (Am. *radiator hood)*
12 de opening in de radiatorhoes en de klep (jaloezie)
– *radiator shutter and shutter opening*
13 de sneeuwpop (sneeuwman)
– *snowman*
14 het sneeuwballengevecht
– *snowball fight*
15 de sneeuwbal
– *snowball*
16 de skibob
– *ski bob*
17 de glijbaan
– *slide*
18 de glijdende jongen
– *boy, sliding*
19 de verijsde sneeuw
– *icy surface (icy ground)*
20 de sneeuwlaag op het dak
– *covering of snow, on the roof*
21 de ijspegel
– *icicle*
22 de sneeuwruimer
– *man clearing snow*
23 de sneeuwschuiver
– *snow push (snow shovel)*
24 de sneeuwhoop
– *heap of snow*
25 de arreslee (ar)
– *horse-drawn sleigh (horse sleigh)*
26 de bellen
– *sleigh bells (bells, set of bells)*
27 de voetenzak
– *foot muff* (Am. *foot bag)*
28 de oorwarmers
– *earmuff*
29 de stoelslee
– *handsledge (tread sledge);* sim.: *push sledge*
30 de sneeuwsmurrie (papsneeuw)
– *slush*

1-13 het kegelen
– ***skittles***
1-11 de kegelopstelling
– *skittle frame*
1 de voorste kegel (de zweet)
– *front pin (front)*
2 de linker voorkegel, een duifje
– *left front second pin (left front second)*
3 het linkerpoortje
– *running three [left]*
4 de rechter voorkegel, een duifje
– *right front second pin (right front second)*
5 het rechterpoortje
– *running three [right]*
6 de linker hoekkegel, een boer
– *left corner pin (left corner), a corner (copper)*
7 de koning (lange)
– *landlord*
8 de rechter hoekkegel, een boer
– *right corner pin (right corner), a corner (copper)*
9 de linker achterkegel, een duifje
– *back left second pin (back left second)*
10 de rechter achterkegel, een duifje
– *back right second pin (back right second)*
11 de achterste kegel, een boer
– *back pin (back)*
12 de (gewone) kegel
– *pin*
13 de koning (lange)
– *landlord*
14-20 het bowlingspel
– ***tenpin bowling***
14 de bowlingopstelling
– *frame*
15 de bowlingbal
– *bowling ball (ball with finger holes)*
16 het vingergat
– *finger hole*
17-20 de manieren van gooien (werpen)
– *deliveries*
17 de straight ball
– *straight ball*
18 de hook ball
– *hook ball (hook)*
19 de curve ball
– *curve*
20 de back-up ball
– *back-up ball (back-up)*
21 het jeu de boules; *vergelijkb.:* pétanque, boccia (in Italië)
– ***boules;*** sim.: *Italian game of boccie, green bowls (bowls)*
22 de boulespeler
– *boules player*
23 de cochonnet (het doel); *lett.:* het varkentje
– *jack (target jack)*
24 de gegroefde bal
– *grooved boule*
25 de groep spelers
– *group of players*
26 het geweerschieten
– ***rifle shooting***
27-29 de schiethoudingen
– *shooting positions*
27 de staande schiethouding
– *standing position*
28 de geknielde schiethouding
– *kneeling position*
29 de liggende schiethouding
– *prone position*
30-33 de schietschijven (rozen)
– *targets*
30 de 50-mgeweerschijf
– *target for 50 m events (50 m target)*
31 het visueel
– *circle*
32 de 100-mgeweerschijf
– *target for 100 m events (100 m target)*
33 de lopend-varkenschijf
– *running-boar target*
34-39 de sportmunitie
– *ammunition*
34 de diabolo voor het luchtgeweer
– *air rifle cartridge*
35 de randvuurpatroon voor kamerschietoefeningen
– *rimfire cartridge for zimmerstutzen (indoor target rifle), a smallbore German single-shot rifle*
36 de patroonhuls
– *case head*
37 het projectiel met rand
– *caseless round*
38 de kaliber .22 Long-Rifle-patroon
– *.22 long rifle cartridge*
39 de kaliber .222 Remington-patroon
– *.222 Remington cartridge*
40-49 de sportgeweren
– *sporting rifles*
40 het luchtgeweer
– *air rifle*
41 het dioptervizier
– *optical sight*
42 de korrel
– *front sight (foresight)*
43 het standaardgeweer van klein kaliber
– *smallbore standard rifle*
44 het vrije geweer van klein kaliber
– *international smallbore free rifle*
45 de palmsteun voor de staande houding
– *palm rest for standing position*
46 de kolfplaat met schouderhaak
– *butt plate with hook*
47 de kolf met duimgat
– *butt with thumb hole*
48 het klein-kalibergeweer voor lopend varken
– *smallbore rifle for bobbing target (turning target)*
49 de richtkijker
– *telescopic sight (riflescope, telescope sight)*
50 het dioptervizier met ringkorrel
– *optical ring sight*
51 het dioptervizier met paalkorrel
– *optical ring and bead sight*
52-66 het handboogschieten
– ***archery*** *(target archery)*
52 het schot
– *shot*
53 de handboogschutter
– *archer*
54 de wedstrijdboog
– *competition bow*
55 de boogarm (limb, lat)
– *riser*
56 het vizier
– *point-of-aim mark*
57 de (hand)greep
– *grip (handle)*
58 de stabilisator
– *stabilizer*
59 de pees
– *bow string (string)*
60 de pijl
– *arrow*
61 de pijlpunt
– *pile (point) of the arrow*
62 de veren (fletchers)
– *fletching*
63 de nock (keep)
– *nock*
64 de schacht
– *shaft*
65 de schuttersnaam
– *cresting*
66 het blazoen; *met ondergrond samen:* de schijf
– *target*
67 het pelotespel (Baskisch)
– *Basque game of pelota (jai alai)*
68 de pelotespeler
– *pelota player*
69 het slaghout (de chistera)
– *wicker basket (cesta)*
70-78 skeet, een onderdeel van het kleiduivenschieten
– ***skeet*** *(skeet shooting), a kind of clay pigeon shooting*
70 het superposé-geweer voor skeet
– *skeet over-and-under shotgun*
71 de loopmonding met skeetboring
– *muzzle with skeet choke*
72 de gereedhouding
– *ready position on call*
73 de schiethouding
– *firing position*
74 de schietbaan voor skeet
– *shooting range*
75 de hoge toren
– *high house*
76 de lage toren
– *low house*
77 de werprichting
– *target's path*
78 de schietpost
– *shooting station (shooting box)*
79 het rhönrad
– ***aero wheel***
80 de handgreep
– *handle*
81 de voetsteun
– *footrest*
82 het karting
– ***go-karting*** *(karting)*
83 de kart (skelter, go-cart)
– *go-kart (kart)*
84 het startnummer
– *number plate (number)*
85 de pedalen
– *pedals*
86 de slick, een profielloze band; *ook:* de regenband
– *pneumatic tyre (*Am. *tire)*
87 de benzinetank
– *petrol tank (*Am. *gasoline tank)*
88 het frame
– *frame*
89 het stuur
– *steering wheel*
90 de kuipstoel
– *bucket seat*
91 het brandscherm
– *protective bulkhead*
92 de tweetaktmotor
– *two-stroke engine*
93 de knaldemper
– *silencer (*Am. *muffler)*

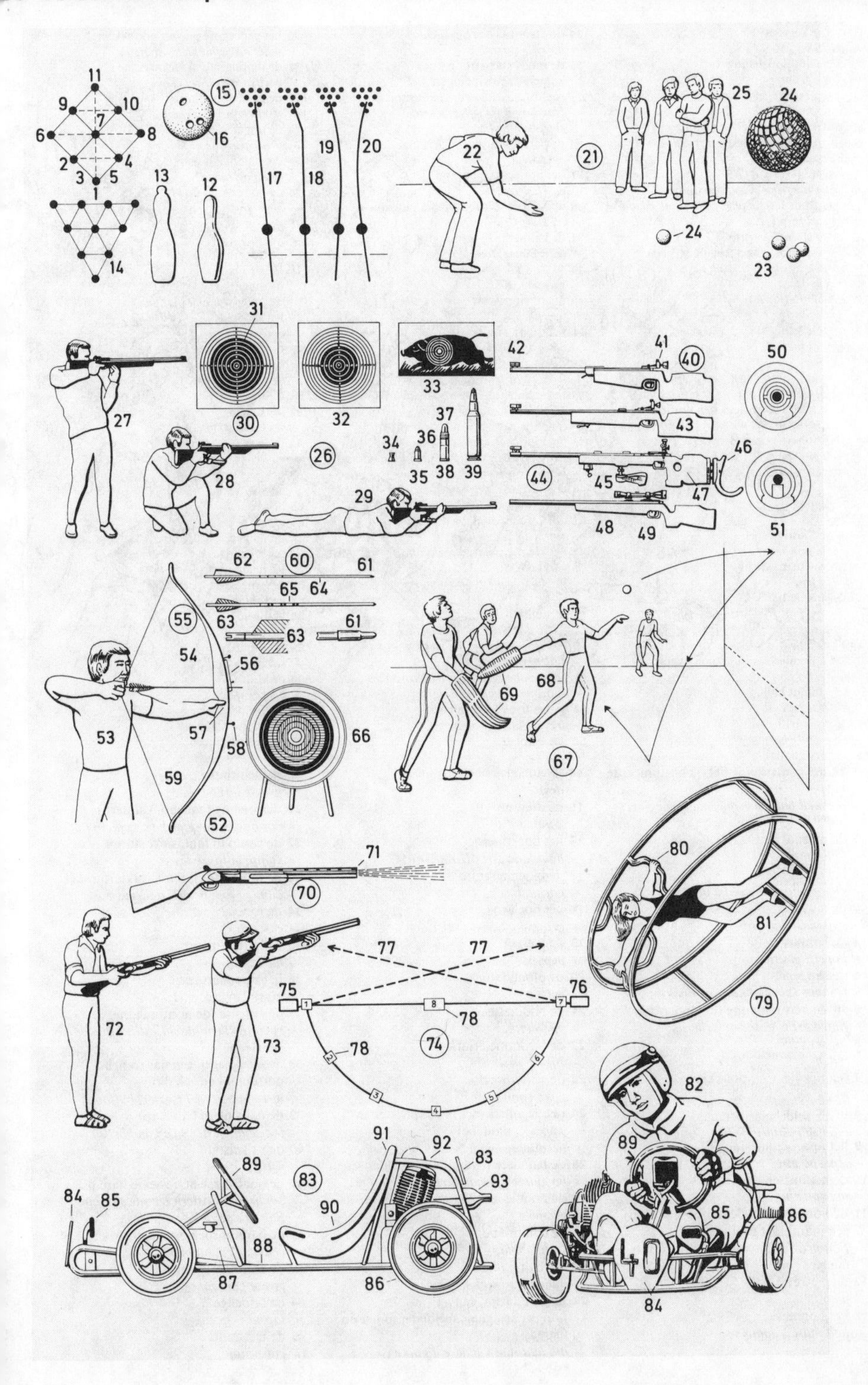
11
9
10
7
6
8
2
4
3
5
1
14
15
16
13
12
17
18
19
20
22
21
25
24
24
23
31
30
32
33
26
27
28
29
34
35
36
37
38
39
42
41
40
43
44
45
46
47
48
49
50
51
62
60
61
64
65
63
63
61
55
54
56
57
58
53
59
52
66
67
68
69
71
70
72
73
77
77
75
1
8
7
76
78
74
78
2
3
4
5
6
80
81
79
82
89
91
92
83
93
83
89
84
85
90
88
87
86
85
86
84

1-48 het gemaskerde bal (gekostumeerde bal)
- ***masked ball*** *(masquerade, fancy-dress ball)*

1 de balzaal (feestzaal)
- *ballroom*

2 het dansorkest
- *pop group, a dance band*

3 de musicus
- *pop musician*

4 de lampion
- *paper lantern*

5 de slinger
- *festoon (string of decorations)*

6-48 de vermomming (kostumering)
- *fancy dress at the masquerade*

6 de heks
- *witch*

7 het masker (mombakkes)
- *mask*

8 de pelsjager
- *fur trapper (trapper)*

9 het apachenmeisje
- *Apache girl*

10 de netkousen
- *net stocking*

11 de hoofdprijs in de tombola (loterij), een mand met geschenken
- *first prize in the tombola (raffle), a hamper*

12 de pierrette
- *pierette*

13 het oogmasker
- *half mask (domino)*

14 de duivel
- *devil*

15 de domino
- *domino*

16 het hoelameisje
- *hula-hula girl (Hawaii girl)*

17 de bloemenkrans
- *garland*

18 het hoelarokje
- *grass skirt (hula skirt)*

19 de pierrot
- *pierrot*

20 de plooikraag
- *ruff*

21 de midinette
- *midinette*

22 de biedermeierjurk
- *Biedermeier dress*

23 de schuithoed
- *poke bonnet*

24 het decolleté met pronkpleistertje (moesje, mouche)
- *décolletage with beauty spot*

25 de bajadère (Indische tempeldanseres)
- *bayadère (Hindu dancing girl)*

26 de grande, een Spaanse edelman
- *grandee*

27 de colombine
- *Columbine*

28 de maharadja
- *maharaja (maharajah)*

29 de mandarijn, een hoogwaardigheidsbekleder in het oude China
- *mandarin, a Chinese dignitary*

30 het exotische meisje
- *exotic girl (exotic)*

31 de cowboy (gaucho, vaquero)
- *cowboy;* sim.: *gaucho (vaquero)*

32 de vamp in fantasiekostuum
- *vamp, in fancy dress*

33 de fat (dandy), een karaktermasker
- *dandy (fop, beau), a disguise*

34 de rozet
- *rosette*

35 de harlekijn
- *harlequin*

36 het zigeunermeisje
- *gipsy (gypsy) girl*

37 de cocotte (demi-mondaine)
- *cocotte (demi-monde, demi-mondaine, demi-rep)*

38 de uilespiegel, een nar (schelm, potsenmaker, schalk)
- *owl-glass, a fool (jester, buffoon)*

39 de narrenkap (zotskap)
- *foolscap (jester's cap and bells)*

40 de rinkelstaf
- *rattle*

41 de odaliske, een oosterse haremslavin
- *odalisque, Eastern female slave in Sultan's seraglio*

42 de harembroek, een pofbroek
- *chalwar (pantaloons)*

43 de zeerover (piraat)
- *pirate (buccaneer)*

44 de tatoeage
- *tattoo*

45 de feestmuts
- *paper hat*

46 de feestneus
– *false nose*
47 de ratel
– *clapper (rattle)*
48 de marot (narrenkolf, zotskolf)
– *slapstick*
49-54 het vuurwerk
– ***fireworks***
49 het klappertje
– *percussion cap*
50 de knalbonbon
– *cracker*
51 de knalerwt
– *banger*
52 de voetzoeker
– *jumping jack*
53 de kanonslag (het rotje)
– *cannon cracker (maroon, marroon)*
54 de vuurpijl
– *rocket*
55 de papieren bal
– *paper ball*
56 het duveltje in een doosje, een schertsartikel
– *jack-in-the-box, a joke*
57-70 de carnavalsoptocht
– ***carnival procession***
57 de praalwagen, een carnavalswagen
– *carnival float (carnival truck)*
58 Prins Carnaval
– *King Carnival*
59 de narrenscepter
– *bauble (fool's sceptre,* Am. *scepter)*
60 de narrendecoratie
– *fool's badge*
61 de carnavalsprinses
– *Queen Carnival*
62 de confetti
– *confetti*
63 de reus, een schertsfiguur
– *giant figure, a satirical figure*
64 de schoonheidskoningin
– *beauty queen*
65 de sprookjesfiguur
– *fairy-tale figure*
66 de serpentine
– *paper streamer*
67 het dansmarieke (dansmarietje)
– *majorette*
68 de prinsengarde
– *king's guard*
69 de hansworst, een clown
– *buffoon, a clown*
70 de diepe trommel
– *lansquenet's drum*

1-63 het rondreizende circus
- *travelling (*Am. *traveling) circus*

1 de circustent, een viermaster
- *circus tent (big top), a four-pole tent*

2 de mast
- *tent pole*

3 de schijnwerper (spot)
- *spotlight*

4 de lichttechnicus (belichter)
- *lighting technician*

5 het platform voor de luchtacrobaten
- *trapeze platform*

6 de trapeze (schommel)
- *trapeze*

7 de luchtacrobaat („vliegende mens")
- *trapeze artist*

8 de touwladder
- *rope ladder*

9 de orkestbak
- *bandstand*

10 het circusorkest
- *circus band*

11 de piste-ingang
- *ring entrance (arena entrance)*

12 de artiesteningang (artiestenloop)
- *wings*

13 de steunpaal
- *tent prop (prop)*

14 het vangnet
- *safety net*

15 de toeschouwersruimte (zitplaatsen, banken)
- *seats for the spectators*

16 de loge
- *circus box*

17 de circusdirecteur
- *circus manager*

18 de impresario (theateragent)
- *artiste agent (agent)*

19 de in- en uitgang
- *entrance and exit*

20 de opgang
- *steps*

21 de manege (piste)
- *ring (arena)*

22 de pisterand
- *ring fence*

23 de muzikale clown
- *musical clown (clown)*

24 de clown (grappenmaker, pierrot)
- *clown*

25 het circusnummer
- *comic turn (clown act), a circus act*

26 de paardenacrobaten (kunstrijders)
- *circus riders (bareback riders)*

27 de pisteknecht
- *ring attendant, a circus attendant*

28 de piramide
- *pyramid*

29 de onderste man
- *support*

30-31 de vrije dressuur
- *performance by liberty horses*

30 het circuspaard in de levade
- *circus horse, performing the levade (pesade)*

31 de dresseur, een stalmeester
- *ringmaster, a trainer*

32 de voltigeur (voltigeerder)
- *vaulter*

33 de nooduitgang
- *emergency exit*

34 de circuswagen (woonwagen)
- *caravan (circus caravan,* Am. *trailer)*

35 de (springplank)acrobaat
- *springboard acrobat (springboard artist)*

36 de springplank
- *springboard*

37 de messenwerper
- *knife thrower*

38 de scherpschutter
- *circus marksman*

39 de assistente
- *assistant*

40 de koorddanseres
- *tightrope dancer*

41 het gespannen koord
- *tightrope*

42 de balanceerstok
- *balancing pole*

43 het acrobatische werpnummer
- *throwing act*

44 het balanceernummer
- *balancing act*

45 de onderste man
- *support*

46 de bamboestok
- *pole (bamboo pole)*

47 de acrobaat
- *acrobat*

48 de equilibrist (ekwilibrist)
- *equilibrist (balancer)*

49 de roofdierenkooi, een ronde kooi
- *wild animal cage, a round cage*

50 het traliewerk
- *bars of the cage*

51 de traliegang voor de roofdieren
- *passage (barred passage, passage for the wild animals)*

52 de dompteur (dierentemmer)
- *tamer (wild animal tamer)*

53 de zweep
- *whip*

54 de gaffel, een verdedigingswapen
- *fork*

55 de piëdestal (pedestal)
- *pedestal*

56 het roofdier (de tijger, leeuw)
- *wild animal,* e.g. *lion, tiger*

57 de staander (ton)
- *stand*

58 de hoepel
- *hoop (jumping hoop)*

59 de wip
- *seesaw*

60 de evenwichtsbal
- *ball*

61 het circusdorp
- *camp*

62 de kooiwagen
- *cage caravan*

63 het beestenspel (de menagerie)
- *menagerie*

1-69 de kermis
- *fair (annual fair)*

1 het kermisterrein
- *fairground*

2 de draaimolen (carrousel, mallemolen)
- *children's merry-go-round, (whirligig), a roundabout (*Am. *carousel)*

3 de consumptietent
- *refreshment stall (drinks stall)*

4 de zweefmolen
- *chairoplane*

5 de spookcarrousel
- *up-and-down roundabout, a ghost train*

6 het kijkspel
- *show booth (booth)*

7 de kassa
- *box (box office)*

8 de boniseur (klantenlokker)
- *barker*

9 het medium
- *medium*

10 de kermisreiziger
- *showman*

11 de kop van Jut, een krachtmachine
- *try-your-strength machine*

12 de venter
- *hawker*

13 de luchtballon
- *balloon*

14 de roltong
- *paper serpent*

15 het windmolentje
- *windmill*

16 de zakkenroller (dief)
- *pickpocket, a thief*

17 de verkoper
- *vendor*

18 de Turkse honing
- *Turkish delight*

19 het rariteitenkabinet
- *freak show*

20 de reus
- *giant*

21 de dikke dame
- *fat lady*

22 de lilliputter (dwerg)
- *dwarfs (midgets)*

23 de biertent
- *beer marquee*

24 de kermisattractie
- *sideshow*

25-28 de artiesten (rondtrekkende artiesten, kermisreizigers)
- *travelling (*Am. *traveling) artistes (travelling show people)*

25 de vuurvreter
- *fire eater*

26 de degenslikker
- *sword swallower*

27 de sterke man
- *strong man*

28 de boeienkoning
- *escapologist*

29 de toeschouwers
- *spectators*

30 de ijsverkoper (ijscoman)
- *ice-cream vendor (ice-cream man)*

31 de ijswafel (het ijshoorntje) met ijs (consumptie-ijs)
- *ice-cream cornet, with ice cream*

32 de worstjeskraam
- *sausage stand*

33 het (braad)rooster
- *grill (*Am. *broiler)*

34 de (braad)worst
- *bratwurst (grilled sausage,* Am. *broiled sausage)*

35 de worsttang
- *sausage tongs*

36 de kaartlegster, een waarzegster
- *fortune teller*

37 het reuzenrad
- *big wheel (Ferris wheel)*

38 het kermisorgel (automatische orgel), een muziekautomaat
- *orchestrion (automatic organ), an automatic musical instrument*

39 de achtbaan
- *scenic railway (switchback)*

40 de hellingbaan (glijbaan)
- *toboggan slide (chute)*

41 de (schommel)schuitjes (luchtschommels)
- *swing boats*

42 de overslagschommel
- *swing boat, turning full circle*

43 de overslag
- *full circle*

44 het loterijspel
- *lottery booth (tombola booth)*

45 het rad van avontuur
- *wheel of fortune*

46 de duivelsschijf (tyfoonschijf)
- *devil's wheel (typhoon wheel)*

47 de werpring
- *throwing ring (quoit)*

48 de prijzen
- *prizes*

49 de steltloper (sandwichman) op stelten
- *sandwich man on stilts*

50 het reclamebiljet
- *sandwich board (placard)*

51 de sigarettenverkoper, een marskramer
- *cigarette seller, an itinerant trader (a hawker)*

52 de mars
- *tray*

53 de fruitkraam
- *fruit stall*

54 de steile-wandrijder
- *wall-of-death rider*

55 de lachspiegels
- *hall of mirrors*

56 de holle spiegel
- *concave mirror*

57 de bolle spiegel
- *convex mirror*

58 de schiettent
- *shooting gallery*

59 de, het hippodroom (het paardenspel)
- *hippodrome*

60 de rommelmarkt
- *junk stalls (second-hand stalls)*

61 de eerstehulppost (E.H.B.O.), E.H.B.O.post
- *first aid tent (first aid post)*

62 de botsautootjes (autoscooters, het autodroom)
- *dodgems (bumper cars)*

63 de botsauto (autoscooter)
- *dodgem car (bumper car)*

64-66 de aardewerkmarkt
- *pottery stand*

64 de marktkoopman
- *barker*

65 de marktvrouw
- *market woman*

66 het aardewerk
- *pottery*

67 de kermisgangers
- *visitors to the fair*

68 het panopticum (wassenbeeldenspel)
- *waxworks*

69 het wassen beeld
- *wax figure*

1 de trapnaaimachine
- *treadle sewing machine*

2 de bloemenvaas
- *flower vase*

3 de wandspiegel
- *wall mirror*

4 de potkachel
- *cylindrical stove*

5 de kachelpijp
- *stovepipe*

6 de elleboog
- *stovepipe elbow*

7 het kacheldeurtje (de vulklep)
- *stove door*

8 het haardscherm
- *stove screen*

9 de kolenkit
- *coal scuttle*

10 de houtmand
- *firewood basket*

11 de pop
- *doll*

12 de teddybeer
- *teddy bear*

13 het draaiorgeltje
- *barrel organ*

14 het orkestrion (de muziekautomaat, het kabinetorgel)
- *orchestrion*

15 de geperforeerde muziekplaat
- *metal disc (disk)*

16 de radio-ontvanger (radio, het radiotoestel), een superheterodyne ontvanger
- *radio (radio set,* joc.: *'steam radio'), a superheterodyne (superhet)*

17 het klankbord
- *baffle board*

18 het „magische oog", een afstemmingsindicator
- *'magic eye', a tuning indicator valve*

19 de luidsprekeropening
- *loudspeaker aperture*

20 de stationstoetsen
- *station selector buttons (station preset buttons)*

21 de afstemknop
- *tuning knob*

22 de frequentieschalen
- *frequency bands*

23 de kristalontvanger (kristaldetector)
- *crystal detector (crystal set)*

24 de koptelefoon
- *headphones (headset)*

25 de balgcamera (klapcamera)
- *folding camera*

26 de balg
- *bellows*

27 het klapdeksel
- *hinged cover*

28 het uitklapmechanisme
- *spring extension*

29 de verkoper (handelaar)
- *salesman*

30 de boxcamera (box)
- *box camera*

31 de grammofoon
- *gramophone*

32 de grammofoonplaat
- *record (gramophone record)*

33 de toonopnemer met de naald
- *needle head with gramophone needle*

34 de (grammofoon)hoorn (grammofoon)
- *horn*

35 de (grammofoon)kast
- *gramophone box*

36 het platenrek
- *record rack*

37 de bandrecorder, een draagbare bandrecorder
- *tape recorder, a portable tape recorder*

38 het flitsapparaat (de flitser)
- *flashgun*

39 de flitslamp
- *flash bulb*

40-41 de elektronenflitser (elektronenbuisflitser)
- *electronic flash (electronic flashgun)*

40 de flitskop
- *flash head*

41 de accu
- *accumulator*

42 de diaprojector
- *slide projector*

43 de diaschuif
- *slide holder*

44 het lamphuis
- *lamphouse*

45 de kandelaar
- *candlestick*

46 de jacobsschelp (pelgrimsschelp)
- *scallop shell*

47 het bestek
- *cutlery*

48 het souvenirbord
- *souvenir plate*

49 het droogrek voor fotografische glasplaten
- *drying rack for photographic plates*

50 de fotografische (glas)plaat
- *photographic plate*

51 de zelfontspanner
- *delayed-action release*

52 de tinnen soldaatjes (*ook:* loden soldaatjes)
- *tin soldiers;* sim.: *lead soldiers*

53 de bierpul
- *beer mug (stein)*

54 de trompet
- *bugle*

55 de antiquarische boeken (tweedehands boeken)
- *second-hand books*

56 de regulateur, een staande klok
- *grandfather clock*

57 de klokkast
- *clock case*

58 de slinger met de slingerlens
- *pendulum*

59 het loopgewicht
- *time weight*

60 het slaggewicht
- *striking weight*

61 de schommelstoel
- *rocking chair*

62 het matrozenpak
- *sailor suit*

63 de matrozenmuts (matrozenpet)
- *sailor's hat*

64 het wasstel
- *washing set*

65 de waskom
- *washing basin*

66 de lampetkan
- *water jug*

67 de wasstander
- *washstand*

68 de wasstamper
- *dolly*

69 de wasteil
- *washtub*

70 het wasbord
- *washboard*

71 de bromtol
- *humming top*

72 de lei
- *slate*

73 de griffeldoos
- *pencil box*

74 de telmachine
- *adding and subtracting machine*

75 de papierrol
- *paper roll*

76 de cijfertoetsen
- *number keys*

77 het telraam
- *abacus*

78 de inktpot met deksel
- *inkwell, with lid*

79 de schrijfmachine
- *typewriter*

80 de mechanische rekenmachine
- *[hand-operated] calculating machine (calculator)*

81 de aandrijfzwengel
- *operating handle*

82 het totaaltelwerk
- *result register (product register)*

83 het telwerk
- *rotary counting mechanism (rotary counter)*

84 de keukenweegschaal
- *kitchen scales*

85 de pettycoat
- *waist slip (underskirt)*

86 de bolderkar (bolderwagen)
- *wooden handcart*

87 de wandklok
- *wall clock*

88 de warmwaterkruik
- *bed warmer*

89 de melkbus
- *milk churn*

1-13 de filmstad, een studiocomplex
- ***film studios*** *(studio complex,* Am. *movie studios)*

1 het studioterrein
- *lot (studio lot)*

2 de filmlaboratoria
- *processing laboratories (film laboratories, motion picture laboratories)*

3 de montagekamers
- *cutting rooms*

4 het produktiekantoor
- *administration building (office building, offices)*

5 het filmarchief
- *film (motion picture) storage vault (film library, motion picture library)*

6 de werkplaatsen
- *workshop*

7 de (film)set
- *film set (*Am. *movie set)*

8 het generatorhuis
- *power house*

9 de laboratoria voor techniek en onderzoek
- *technical and research laboratories*

10 de decorafdeling
- *groups of stages*

11 het bassin voor opnamen met water
- *concrete tank for marine sequences*

12 de filmhorizon (limbo)
- *cyclorama*

13 de horizonheuvel
- *hill*

14-60 de filmopnamen (het draaien)
- ***shooting*** *(filming)*

14 de muziekstudio
- *music recording studio (music recording theatre,* Am. *theater)*

15 de geluidswand
- *'acoustic' wall lining*

16 het projectiedoek
- *screen (projection screen)*

17 het orkest
- *film orchestra*

18 de buitenopname
- *exterior shooting (outdoor shooting, exterior filming, outdoor filming)*

19 de kwartsgestuurde synchrooncamera
- *camera with crystal-controlled drive*

20 de cameraman
- *cameraman*

21 de regieassistent(e)
- *assistant director*

22 de geluidsassistent(e)
- *boom operator (boom swinger)*

23 de geluidsman
- *recording engineer (sound recordist)*

24 de draagbare kwartsgestuurde recorder
- *portable sound recorder with crystal-controlled drive*

25 de microfoonhengel (boom)
- *microphone boom*

26-60 de binnenopname in een studio
- *shooting (filming) in the studio (on the sound stage)*

26 de produktieleider
- *production manager*

27 de hoofdrolspeelster
- *leading lady;* also: *film actress, film star, star*

28 de hoofdrolspeler
- *leading man;* also: *film actor, film star, star*

29 de figurant
- *film extra (extra)*

30 de microfoonopstelling voor stereo- en effectgeluid
- *arrangement of microphones for stereo and sound effects*

31 de studiomicrofoon
- *studio microphone*

32 de microfoonkabel
- *microphone cable*

33 het decor
- *side flats and background*

34 de clapper-loader
- *clapper boy*

35 het klapbord waarop vermeld: titel van de film, shotnummer, scènenummer, takenummer
- *clapper board (clapper) with slates (boards) for the film title, shot number (scene number), and take number*

36 de grimeur
- *make-up artist and hairstylist*

37 de belichter
- *lighting electrician (studio electrician, lighting man,* Am. *gaffer)*

38 het tray-scherm
- *diffusing screen*

39 de scriptgirl
- *continuity girl (script girl)*

40 de regisseur
- *film director (director)*

41 de cameraman
- *cameraman (first cameraman)*

42 de camera-assistent (grip)
- *camera operator, an assistant cameraman (camera assistant)*

43 de art-director
- *set designer (art director)*

44 de opnameleider
- *director of photography*

45 het draaiboek (scenario, script)
- *filmscript (script, shooting script,* Am. *movie script)*

46 de regieassistent
- *assistant director*

47 de geluiddichte camera, een cinemascoopcamera
- *soundproof film camera (soundproof motion picture camera), a wide screen camera (cinemascope camera)*

48 de blimp
- *soundproof housing (soundproof cover, blimp)*

49 de dolly
- *camera crane (dolly)*

50 het hydraulische statief
- *hydraulic stand*

51 de vlag (om lichtinval in de lens af te houden)
- *mask (screen) for protection from spill light (gobo, nigger)*

52 het invullicht
- *tripod spotlight (fill-in light, filler light, fill light, filler)*

53 het grit
- *spotlight catwalk*

54 de geluidsregiekamer
- *recording room*

55 de geluidsman
- *recording engineer (sound recordist)*

56 het mengpaneel
- *mixing console (mixing desk)*

57 de geluidsassistent
- *sound assistant (assistant sound engineer)*

58 de geluidsrecorders (magnetisch)
- *magnetic sound recording equipment (magnetic sound recorder)*

59 de versterkers en de effectpanelen, b.v. voor nagalm en geluidseffecten
- *amplifier and special effects equipment, e.g. for echo and sound effects*

60 de optische geluidsrecorder
- *sound recording camera (optical sound recorder)*

1-46 geluidsopnamen en kopiëren
- ***sound recording and re-recording (dubbing)***

1 de perfomachine
- *magnetic sound recording equipment (magnetic sound recorder)*

2 de perfo
- *magnetic film spool*

3 de koppendrager
- *magnetic head support assembly*

4 het bedieningspaneel
- *control panel*

5 de opname- en weergaveversterker voor de band
- *magnetic sound recording and playback amplifier*

6 de camera voor optisch geluid
- *optical sound recorder (sound recording camera, optical sound recording equipment)*

7 de daglichtfilmcassette
- *daylight film magazine*

8 het bedienings- en controlepaneel
- *control and monitoring panel*

9 de zoeker voor visuele controle van de optische geluidsopnamen
- *eyepiece for visual control of optical sound recording*

10 het loopwerk
- *deck*

11 de opnameversterker met de netvoeding
- *recording amplifier and mains power unit*

12 de regietafel
- *control desk (control console)*

13 de monitorluidspreker
- *monitoring loudspeaker (control loudspeaker)*

14 de niveaumeters
- *recording level indicators*

15 de VU-meters
- *monitoring instruments*

16 het patch panel
- *jack panel*

17 het controlepaneel
- *control panel*

18 de fader
- *sliding control*

19 de equalizer
- *equalizer*

20 de bandrecorder
- *magnetic sound deck*

21 de perfomachines voor geluidsmixage
- *mixer for magnetic film*

22 de filmprojector
- *film projector*

23 de opname- en weergavemachine
- *recording and playback equipment*

24 de filmspoel
- *film reel (film spool)*

25 de koppendrager voor de opname-, weergave- en wiskop
- *head support assembly for the recording head, playback head, and erasing head (erase head)*

26 het filmtransport
- *film transport mechanism*

27 de, het synchronisatiefilter
- *synchronizing filter*

28 de kopversterker
- *magnetic sound amplifier*

29 het bedieningspaneel
- *control panel*

30 de ontwikkelmachines in het kopieerlaboratorium
- *film-processing machines (film-developing machines) in the processing laboratory (film laboratory, motion picture laboratory)*

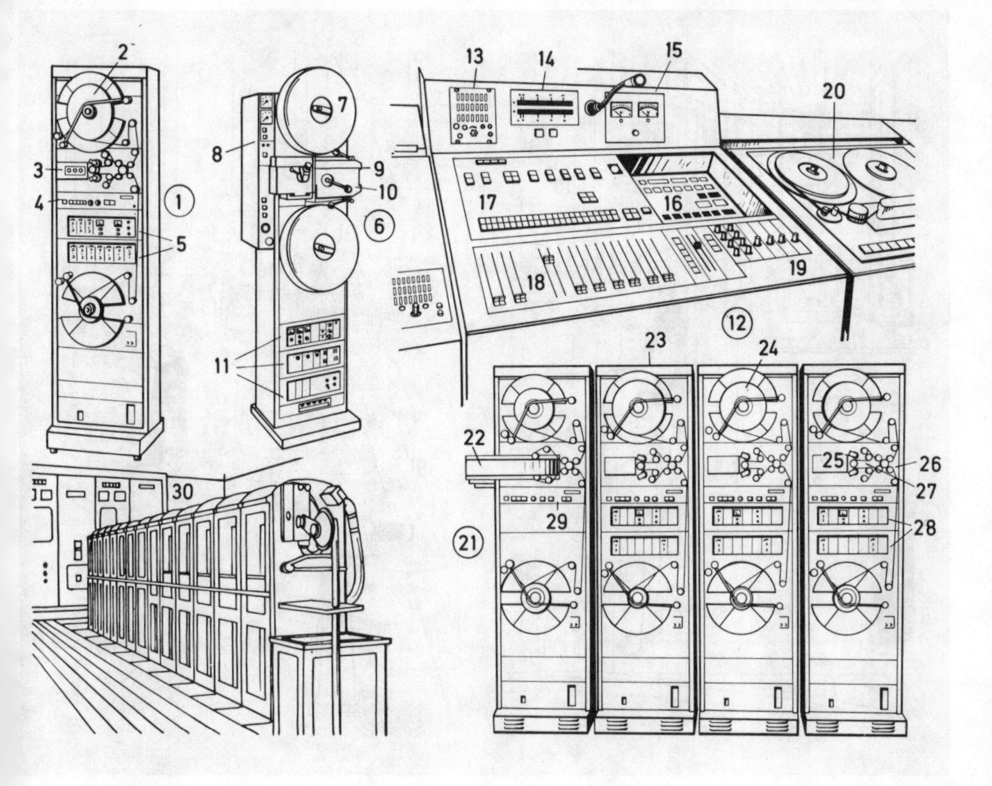

31 de galmkamer (echokelder)
- *echo chamber*

32 de luidspreker van de galmkamer
- *echo chamber loudspeaker*

33 de microfoon van de galmkamer
- *echo chamber microphone*

34-36 de geluidsmixage
- *sound mixing (sound dubbing, mixing of several sound tracks)*

34 de geluidsstudio (mixagestudio)
- *mixing room (dubbing room)*

35 het mengpaneel, voor mono of stereo
- *mixing console (mixing desk) for mono or stereo sound*

36 de mixagetechnicus
- *dubbing mixers (recording engineers, sound recordists) dubbing (mixing)*

37-41 de nasynchronisatie (dubbing)
- *synchronization (syncing, dubbing, post-synchronization, post-syncing)*

37 de nasynchronisatiestudio
- *dubbing studio (dubbing theatre,* Am. *theater)*

38 de nasynchronisatieregisseur
- *dubbing director*

39 de nasynchronisatiespreekster
- *dubbing speaker (dubbing actress)*

40 de hengelmicrofoon
- *boom microphone*

41 de microfoonkabel
- *microphone cable*

42-46 de montage
- *cutting (editing)*

42 de montagetafel
- *cutting table (editing table, cutting bench)*

43 de filmsnijder (cutter)
- *film editor (cutter)*

44 de schotels voor beeld en geluidssporen
- *film turntable, for picture and sound tracks*

45 de projectie van het beeld
- *projection of the picture*

46 de luidspreker
- *loudspeaker*

1-23 de filmprojectie
- ***film projection*** *(motion picture projection)*

1 de bioscoop (het theater, filmhuis)
- *cinema (picture house,* Am. *movie theater, movie house)*

2 de kassa
- *cinema box office (*Am. *movie theater box office)*

3 het toegangsbewijs (kaartje, plaatsbewijs)
- *cinema ticket (*Am. *movie theater ticket)*

4 de ouvreuse
- *usherette*

5 het bioscooppubliek (de bioscoopbezoekers)
- *cinemagoers (filmgoers, cinema audience,* Am. *moviegoers, movie audience)*

6 de noodverlichting
- *safety lighting (emergency lighting)*

7 de nooduitgang
- *emergency exit*

8 het podium (toneel)
- *stage*

9 de stoelen
- *rows of seats (rows)*

10 het gordijn
- *stage curtain (screen curtain)*

11 het projectiescherm (doek)
- *screen (projection screen)*

12 de projectiecabine (filmcabine)
- *projection room (projection booth)*

13 de eerste projector (links)
- *lefthand projector*

14 de tweede projector (rechts)
- *righthand projector*

15 de cabinewand met projectieraam (het cabinevenster)
- *projection room window with projection window and observation port*

16 de filmtrommel
- *reel drum (spool box)*

17 de dimmer (zaallichtregelaar)
- *house light dimmers (auditorium lighting control)*

18 de gelijkrichter, een selenium- of kwikdampgelijkrichter voor de projectielampen
- *rectifier, a selenium or mercury vapour rectifier for the projection lamps*

19 de versterker
- *amplifier*

20 de operateur
- *projectionist*

21 de omspoeltafel om films terug te spoelen
- *rewind bench for rewinding the film*

22 de filmkit
- *film cement (splicing cement)*

23 de diaprojector voor reclameboodschappen, reclamedia's
- *slide projector for advertisements*

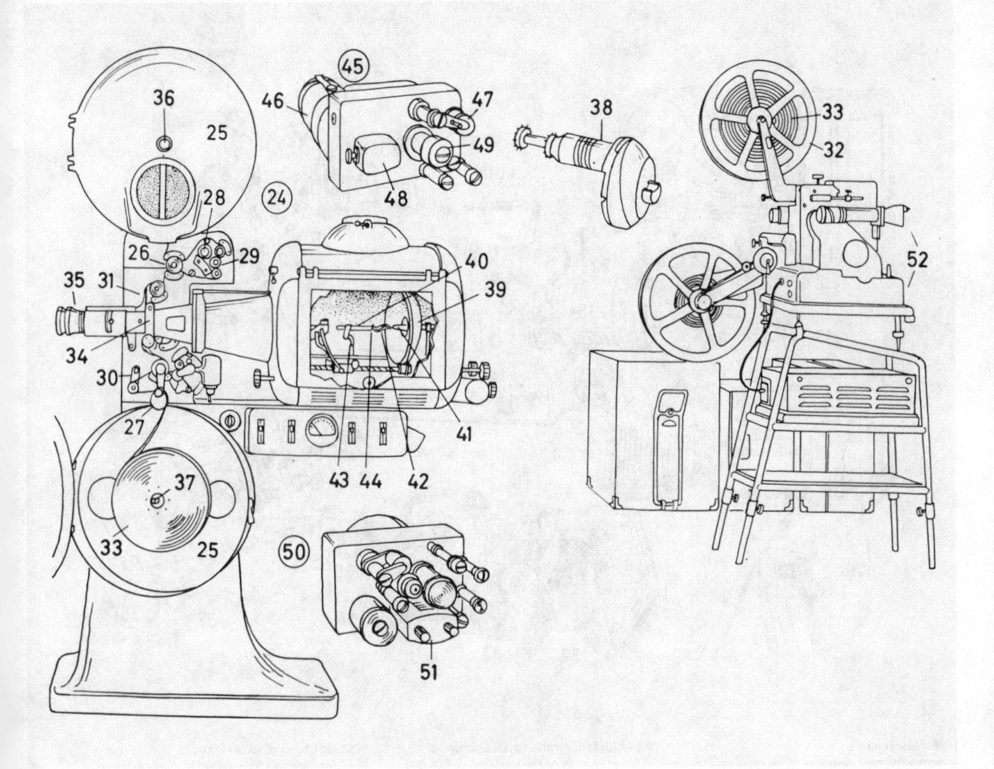

24-52 filmprojectoren
- ***film projectors***

24 de filmprojector voor 35 mm-filmmateriaal met geluid
- *sound projector, a film projector, a cinema projector (theatre projector,* Am. *movie projector)*

25-38 het projectormechanisme
- *projector mechanism*

25 de gekoelde trommels (brandtrommels)
- *fireproof reel drums (spool boxes) with circulating oil cooling system*

26 de aanvoersprockets
- *feed sprocket (supply sprocket)*

27 de wikkelsprockets
- *take-up sprocket*

28 de geluidskoppen
- *magnetic head cluster*

29 de tornknop
- *guide roller (guiding roller) with framing control*

30 de luscorrector (*ook:* het filmbreukcontact)
- *loop former for smoothing out the intermittent movement;* also: *film break detector*

31 de loop (filmbaan)
- *film path*

32 de spoel (haspel)
- *film reel (film spool)*

33 de filmrol
- *reel of film*

34 het beeldvenster, met koelventilator
- *film gate (picture gate, projector gate) with cooling fan*

35 de projectielens
- *projection lens (projector lens)*

36 de afrolas
- *feed spindle*

37 de opwikkelas met frictie
- *take-up spindle with friction drive*

38 het Maltezer kruis
- *maltese cross mechanism (maltese cross movement, Geneva movement)*

39-44 het lamphuis
- *lamphouse*

39 de spiegelbooglamp met parabolische holle spiegel en blaasmagneet voor lichtboogstabilisatie; *ook:* hogedrukxenonlamp
- *mirror arc lamp, with aspherical (non-spherical) concave mirror and blowout magnet for stabilizing the arc;* also: *high-pressure xenon arc lamp*

40 de anode (positieve koolspits)
- *positive carbon (positive carbon rod)*

41 de kathode (negatieve koolspits)
- *negative carbon (negative carbon rod)*

42 de lichtboog
- *arc*

43 de koolspitshouder
- *carbon rod holder*

44 de krater
- *crater (carbon crater)*

45 het gedeelte voor optisch geluid [ook voor veelsporig stereofonisch optisch geluid en voor balansspoor]
- *optical sound unit [also designed for multi-channel optical stereophonic sound and for push-pull sound tracks]*

46 de geluidsoptiek
- *sound optics*

47 de toonkop
- *sound head*

48 de toonlamp in het huis
- *exciter lamp in housing*

49 de fotocel (lichtcel) in de holle as
- *photocell in hollow drum*

50 de vierkanaalsmagneetbandaftaster
- *attachable four-track magnetic sound unit (penthouse head, magnetic sound head)*

51 de magnetische vierkanaalsgeluidskop
- *four-track magnetic head*

52 de portable 16 mm-projector
- *narrow-gauge (*Am. *narrow-gage) cinema projector for mobile cinema*

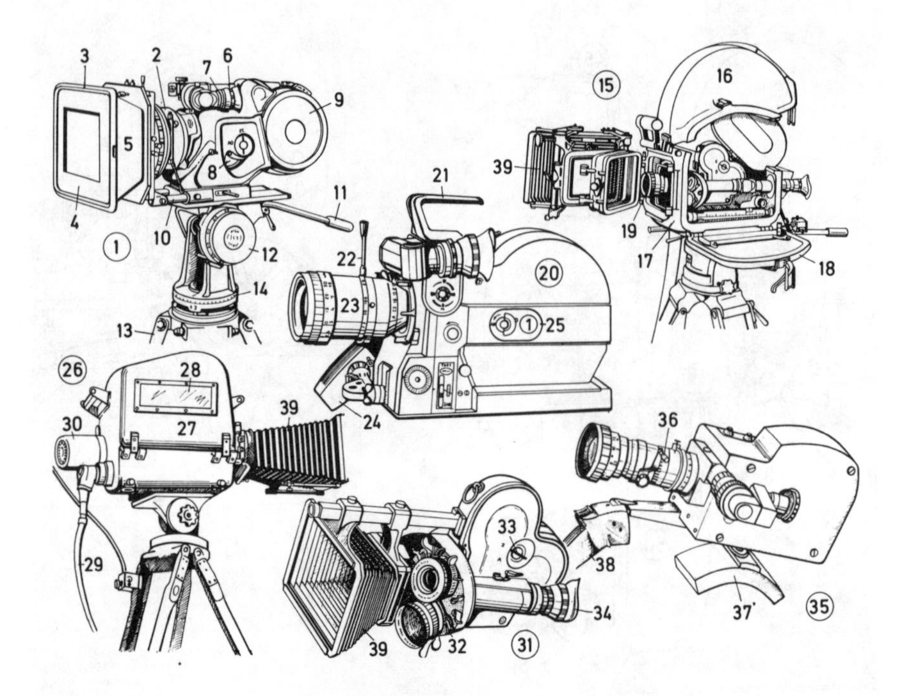

1-39 filmcamera's
- ***motion picture cameras** (film cameras)*

1 de normale camera (35 mm-filmcamera)
- *standard-gauge (*Am. *standard-gage) motion picture camera (standard-gauge,* Am. *standard-gage, 35 mm camera)*

2 de lens (opnameoptiek)
- *lens (object lens, taking lens)*

3 het compendium (de zonnekap) met filter en maskerhouder
- *lens hood (sunshade) with matte box*

4 het masker
- *matte (mask)*

5 de tegenlichttubus
- *lens hood barrel*

6 het zoekeroculair
- *viewfinder eyepiece*

7 de oculairinstelling (oogcorrectiering)
- *eyepiece control ring*

8 de sluiter voor de vlinderopening
- *opening control for the segment disc (disk) shutter*

9 het filmmagazijn
- *magazine housing*

10 de compendiumschuif
- *slide bar for the lens hood*

11 de bedieningsgreep
- *control arm (control lever)*

12 de kinoknop (panoramaknop)
- *pan and tilt head*

13 het houten statief
- *wooden tripod*

14 de graadindeling (360-gradenindeling)
- *degree scale*

15 de geluiddichte (geblimpte) filmcamera
- *soundproof (blimped) motion picture camera (film camera)*

16-18 het geluidwerende huis (de blimp)
- *soundproof housing (blimp)*

16 het bovengedeelte van de blimp
- *upper section of the soundproof housing*

17 het ondergedeelte van de blimp
- *lower section of the soundproof housing*

18 de opengeklapte zijkant van de blimp
- *open sidewall of the soundproof housing*

19 de (camera)lens
- *camera lens*

20 de lichtgewicht filmcamera
- *lightweight professional motion picture camera*

21 de draaggreep (handgreep)
- *grip (handgrip)*

22 de zoominstelhefboom (het de zoominstelhandel)
- *zooming lever*

23 de zoomlens (het vario-objectief) met traploos verstelbare brandpuntsafstand
- *zoom lens (variable focus lens, varifocal lens) with infinitely variable focus*

24 de handgreep met ontspanknop
- *handgrip with shutter release*

25 het cameradeksel
- *camera door*

26 de geluidsfilmcamera (reportagecamera) voor beeld- en geluidsopname
- *sound camera (newsreel camera) for recording sound and picture*

27 het geluidwerende huis (de blimp)
- *soundproof housing (blimp)*

28 het controlevenster voor de beeldteller en de gebruiksmeters
- *window for the frame counters and indicator scales*

29 de synchronisatiekabel (piloottoonkabel, pulskabel)
- *pilot tone cable (sync pulse cable)*

30 de piloottoongever (pulsgenerator)
- *pilot tone generator (signal generator, pulse generator)*

31 de smalfilmcamera, een 16 mm-camera
- *professional narrow-gauge (*Am. *narrow-gage) motion picture camera, a 16 mm camera*

32 de objectiefrevolverkop
- *lens turret (turret head)*

33 de camerasluiting
- *housing lock*

34 de oogschelp (oculairschelp)
- *eyecup*

35 de high-speedcamera (hoge-snelheidcamera), een smalfilmcamera voor speciale doeleinden
- *high-speed camera, a special narrow-gauge (*Am. *narrow-gage) camera*

36 het, de zoomhandel
- *zooming lever*

37 de schoudersteun
- *rifle grip*

38 de handgreep met ontspanknop
- *handgrip with shutter release*

39 de invouwbare compendiumbalg
- *lens hood bellows*

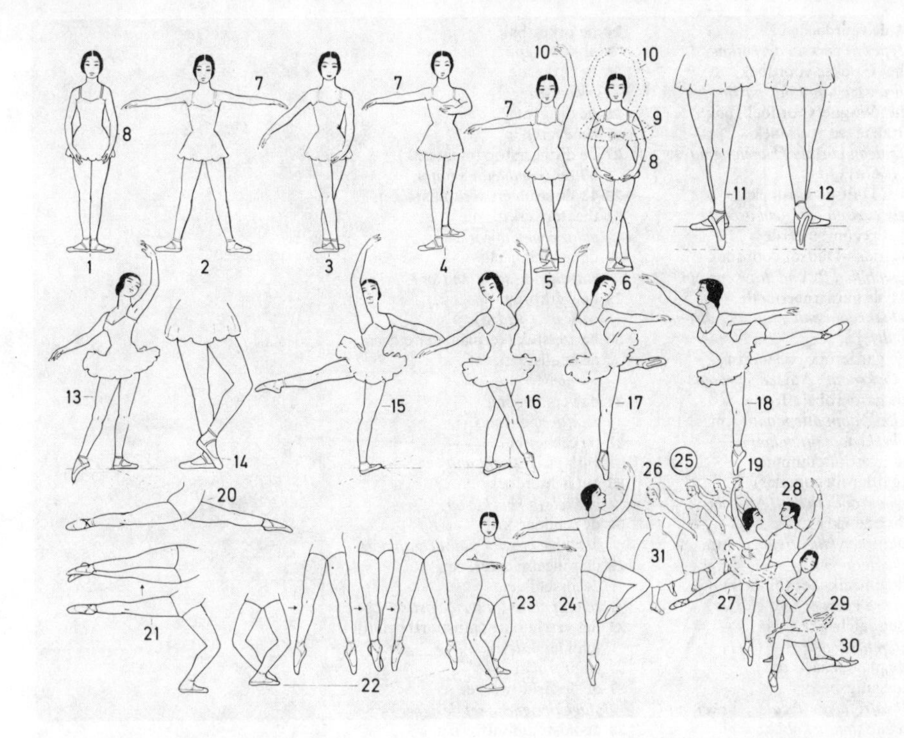

1-6 de vijf posities
- *the five positions (ballet positions)*

1 de eerste positie
- *first position*

2 de tweede positie
- *second position*

3 de derde positie
- *third position*

4 de vierde positie [open]
- *fourth position [open]*

5 de vierde positie [gekruist]
- *fourth position [crossed; extended fifth position]*

6 de vijfde positie
- *fifth position*

7-10 armbewegingen
- *ports de bras (arm positions)*

7 de port de bras à coté
- *port de bras à coté*

8 de port de bras en bras
- *port de bras en bas*

9 de port de bras en avant
- *port de bras en avant*

10 de port de bras en haut
- *port de bras en haut*

11 de dégagé à la quatrième devant
- *dégagé à la quatrième devant*

12 de dégagé à la quatrième derrière
- *dégagé à la quatrième derrière*

13 de effacé
- *effacé*

14 de sur le cou-de-pied
- *sur le cou-de-pied*

15 de écarté
- *écarté*

16 de croisé
- *croisé*

17 de attitude
- *attitude*

18 de arabesk
- *arabesque*

19 de teenspits
- *la pointe (on full point)*

20 de spreidzit (spagaat)
- *splits*

21 de capriool
- *cabriole (capriole)*

22 de entrechat (entrechat quatre)
- *entrechat (entrechat quatre)*

23 de voorbereiding, b.v. voor de pirouette
- *préparation [e.g. for a pirouette]*

24 de pirouette
- *pirouette*

25 het corps de ballet (de groep)
- *corps de ballet*

26 de balletdanseres (ballerina)
- *ballerina (ballet dancer)*

27-28 het pas de trois, een dans voor drie dansers
- *pas de trois*

27 de primaballerina
- *prima ballerina*

28 de eerste solodanser (solist)
- *principal male dancer (leading soloist)*

29 de tutu
- *tutu*

30 de spitze, een balletschoentje
- *point shoe, a ballet shoe (ballet slipper)*

31 de dansjapon (dansjurk)
- *ballet skirt*

1-4 de voordoeken
- ***types of curtain operation***

1 het Griekse voordoek
- *draw curtain [side parting]*

2 het Wagnervoordoek; *ook:* Italiaanse voordoek
- *tableau curtain [bunching up sideways]*

3 het Duitse voordoek
- *fly curtain [vertical ascent]*

4 het gecombineerde (Grieks-Duitse) voordoek
- *combined fly and draw curtain*

5-11 de garderoberuimte
- ***cloakroom hall*** *(*Am. *checkroom hall)*

5 de garderobe (vestiaire)
- *cloakroom (*Am. *checkroom)*

6 de garderobejuffrouw
- *cloakroom attendant (*Am. *checkroom attendant)*

7 het vestiairenummer (garderobenummer)
- *cloakroom ticket (*Am. *check)*

8 de bezoeker
- *playgoer (theatregoer,* Am. *theatergoer)*

9 de toneelkijker (binocle)
- *opera glass (opera glasses)*

10 de zaalchef
- *commissionaire*

11 de plaatskaart, een toegangsbewijs
- *theatre (*Am. *theater) ticket, an admission ticket*

12-13 de foyer
- ***foyer*** *(lobby, crush room)*

12 de plaatsaanwijzer
- *usher;* form.: *box attendant*

13 het programma(boekje)
- *programme (*Am. *program)*

14-27 de zaal met het toneel
- ***auditorium and stage***

14 het toneel (de scène)
- *stage*

15 het voortoneel (proscenium)
- *proscenium*

16-20 de zaal
- ***auditorium***

16 het derde balkon
- *gallery (balcony)*

17 het tweede balkon
- *upper circle*

18 het eerste balkon
- *dress circle (*Am. *balcony, mezzanine)*

19 de parterre (zaal)
- *front stalls*

20 de zitplaats (toeschouwersplaats, stoel)
- *seat (theatre seat,* Am. *theater seat)*

21-27 de generale repetitie
- ***rehearsal*** *(stage rehearsal)*

21 het koor
- *chorus*

22 de zanger (solist)
- *singer*

23 de zangeres (soliste)
- *singer*

24 de orkestbak
- *orchestra pit*

25 het orkest
- *orchestra*

26 de dirigent
- *conductor*

27 de dirigeerstok (maatstok)
- *baton (conductor's baton)*

28-42 de schilderswerkplaats, een theaterwerkruimte
- ***paint room,*** *a workshop*

28 de toneelknecht
- *stagehand (scene shifter)*

29 de werkbrug
- *catwalk (bridge)*

30 het zetstuk (verplaatsbare decor, de coulisse, poot)
- *set piece*

31 de versteviging
- *reinforcing struts*

32 de cachering
- *built piece (built unit)*

33 het achterdoek
- *backcloth (backdrop)*

34 de schilderskist
- *portable box for paint containers*

35 de toneelschilder, een decorschilder
- *scene painter, a scenic artist*

36 het verrijdbare transportbord (de schilderslorrie)
- *paint trolley*

37 de decorontwerper
- *stage designer (set designer)*

38 de kostuumontwerper
- *costume designer*

39 het ontwerp
- *design for a costume*

40 de figuurschets
- *sketch for a costume*

41 de toneelmaquette
- *model stage*

42 de decormaquette
- *model of the set*

43-52 de kleedkamer
- ***dressing room***

43 de schminkspiegel
- *dressing room mirror*

44 de, het schminkschort
- *make-up gown*

45 de schminktafel
- *make-up table*

46 de schminkstift (het pijpje schmink)
- *greasepaint stick*

47 de chef-grimeur
- *chief make-up artist (chief make-up man)*

48 de grimeur (toneelkapper)
- *make-up artist and hairstylist*

49 de pruik
- *wig*

50 de rekwisieten
- *props (properties)*

51 het (toneel)kostuum
- *theatrical costume*

52 de signaallamp (artiestenoproep, het inspeciëntensignaal)
- *call light*

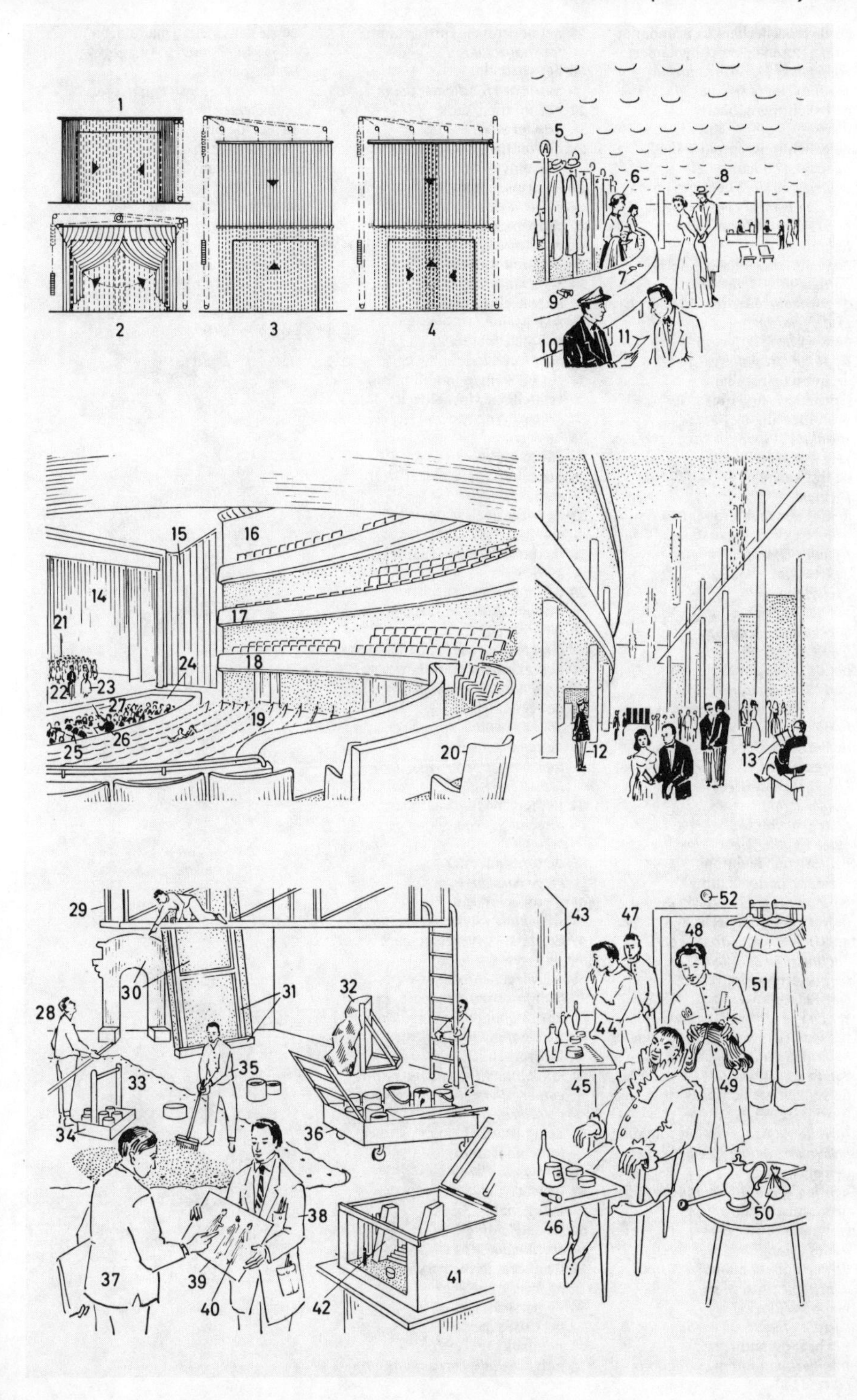
1
2
3
4
5
6
7
8
9
10
11
12
13
14
15
16
17
18
19
20
21
22
23
24
25
26
27
28
29
30
31
32
33
34
35
36
37
38
39
40
41
42
43
44
45
46
47
48
49
50
51
52

1-60 **de toneeltechnische installatie** (toneeltoren en machinekamer)
- ***stagehouse*** *[showing machinery in the flies and below stage]*

1 de belichtingscabine
- *control room*

2 de belichtingscomputer met geheugen en handtafel
- *control console (lighting console, lighting control console) with preset control for presetting lighting effects*

3 de lichtstandenlijst
- *lighting plot (light plot)*

4 de snoerenzolder (rollenzolder)
- *grid (gridiron)*

5 de werkbrug (zijbrug)
- *fly floor (fly gallery)*

6 de sprenkelinstallatie (sprinklerinstallatie), voor brandbeveiliging
- *sprinkler system for fire prevention (for fire protection)*

7 de trekkenbaas
- *fly man*

8 de trekken (achterdoektrekken, decortrekken, decorstangen)
- *fly lines (lines)*

9 de (rond)horizon
- *cyclorama*

10 het achterdoek
- *backcloth (backdrop, background)*

11 het kapchangement
- *arch, a drop cloth*

12 de, het fries (het afstopdoek)
- *border*

13 de herz
- *compartment (compartment-type, compartmentalized) batten (*Am. *border light)*

14 de tegenlichten
- *stage lighting units (stage lights)*

15 de horizonbelichting (achtergrondbelichting)
- *horizon lights (backdrop lights)*

16 de verstelbare toneelschijnwerper
- *adjustable acting area lights (acting area spotlights)*

17 de projectieschijnwerper (profielschijnwerper)
- *scenery projectors (projectors)*

18 het waterkanon, een brandblusser
- *monitor (water cannon), a piece of safety equipment*

19 de verstelbare lichtbrug (portaalbrug)
- *travelling (*Am. *traveling) lighting bridge (travelling lighting gallery)*

20 de belichter
- *lighting operator (lighting man)*

21 de manteauschijnwerper (torenschijnwerper)
- *portal spotlight (tower spotlight)*

22 de verrijdbare manteau (toren)
- *adjustable proscenium*

23 het (voor)doek
- *curtain (theatrical curtain)*

24 het brandscherm
- *iron curtain (safety curtain, fire curtain)*

25 het voortoneel (proscenium)
- *forestage (apron)*

26 het voetlicht
- *footlight (footlights, floats)*

27 het souffleurshok
- *prompt box*

28 de souffleuse (souffleur)
- *prompter*

29 de inspiciëntentafel
- *stage manager's desk*

30 de inspiciënt
- *stage director (stage manager)*

31 het draaitoneel
- *revolving stage*

32 de toneelliftopening
- *trap opening*

33 de toneellift
- *lift (*Am. *elevator)*

34 het verstelbare podium, een verstelbaar vloergedeelte
- *bridge (*Am. *elevator), a rostrum*

35 de decors
- *pieces of scenery*

36 het toneel (de scène)
- *scene*

37 de toneelspeler (acteur)
- *actor*

38 de toneelspeelster (actrice)
- *actress*

39 de figuranten
- *extras (supers, supernumeraries)*

40 de regisseur
- *director (producer)*

41 het tekstboek (script)
- *prompt book (prompt script)*

42 de regietafel
- *director's table (producer's table)*

43 de regie-assistent
- *assistant director (assistant producer)*

44 het regieboek (draaiboek)
- *director's script (producer's script)*

45 de toneelmeester
- *stage carpenter*

46 de toneelknecht
- *stagehand (scene shifter)*

47 het zetstuk (verplaatsbare decor)
- *set piece*

48 de spiegellensschijnwerper (schijnwerper met losse spiegel)
- *mirror spot (mirror spotlight)*

49 de kleurenwisselaar (met kleurenschijf)
- *automatic filter change [with colour filters (colour mediums, gelatines)]*

50 de hydraulische pompkamer (machinekamer)
- *hydraulic plant room*

51 de watertank
- *water tank*

52 de zuigleiding
- *suction pipe*

53 de hydraulische perspomp
- *hydraulic pump*

54 de persleiding
- *pressure pipe*

55 het drukvat
- *pressure tank (accumulator)*

56 de drukmeter (manometer)
- *pressure gauge (*Am. *gage)*

57 het peilglas
- *level indicator (liquid level indicator)*

58 het, de bedieningshandel
- *control lever*

59 de machinist
- *operator*

60 de perskolommen
- *rams*

8
4
6
5
3
2
7
1
9
10
11
12
13
15
16
17
18
13
20
19
14
24
8
21
22
23
36
39
37
35
30
29
25
31
27
28
26
38
33
34
32
44
43
47
40
41
47
42
45
50
55
33
51
56
46
58
60
17
52
57
53
59
54
49
48

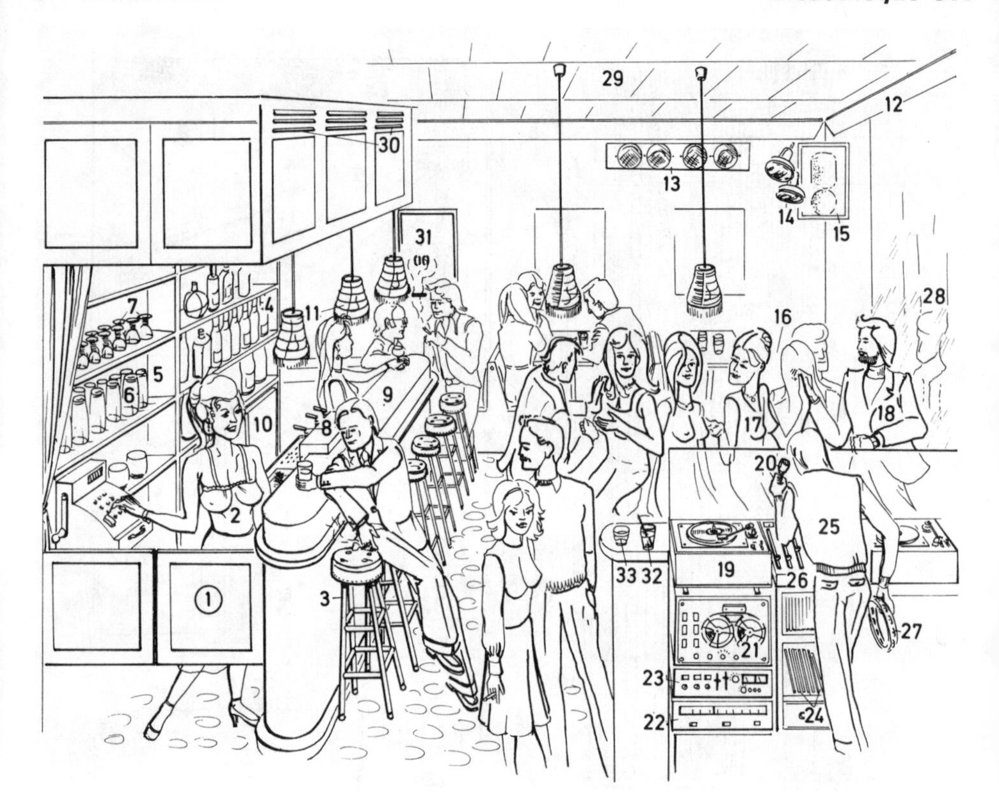

1 de bar
- *bar*

2 het barmeisje
- *barmaid*

3 de barkruk
- *bar stool*

4 het flessenrek
- *shelf for bottles*

5 het glazenrek
- *shelf for glasses*

6 het bierglas
- *beer glass*

7 wijn- en likeurglazen
- *wine and liqueur glasses*

8 de (bier)tap
- *beer tap (tap)*

9 de toog
- *bar*

10 de koelkast
- *refrigerator (fridge,* Am. *icebox)*

11 de lampen
- *bar lamps*

12 de indirecte verlichting
- *indirect lighting*

13 het lichtorgel
- *colour (*Am. *color) organ (clavilux)*

14 de spots
- *dance floor lighting*

15 de (luidspreker)box
- *speaker (loudspeaker)*

16 de dansvloer
- *dance floor*

17-18 het (dans)paar
- *dancing couple*

17 de dansende vrouw
- *dancer*

18 de dansende man
- *dancer*

19 de platenspeler
- *record player*

20 de microfoon
- *microphone*

21 de bandrecorder
- *tape recorder*

22-23 de stereo-installatie
- *stereo system (stereo equipment)*

22 de tuner (radio-ontvanger)
- *tuner*

23 de versterker
- *amplifier*

24 de grammofoonplaten
- *records (discs)*

25 de diskjockey
- *disc jockey*

26 het mengpaneel
- *mixing console (mixing desk, mixer)*

27 de tamboerijn
- *tambourine*

28 de spiegelwand
- *mirrored wall*

29 de plafondplaten
- *ceiling tiles*

30 de airconditioning
- *ventilators*

31 de toiletten
- *toilets (lavatories, WC)*

32 de longdrink
- *long drink*

33 de cocktail
- *cocktail (*Am. *highball)*

1-33 de nachtclub
- ***nightclub*** *(night spot)*

1 de garderobe
- *cloakroom (*Am. *checkroom)*

2 de garderobejuffrouw
- *cloakroom attendant (*Am. *checkroom attendant)*

3 de band (het combo, orkestje)
- *band*

4 de klarinet
- *clarinet*

5 de klarinettist
- *clarinettist (*Am. *clarinetist)*

6 de trompet
- *trumpet*

7 de trompettist
- *trumpeter*

8 de gitaar
- *guitar*

9 de gitarist
- *guitarist (guitar player)*

10 het slagwerk (de drums)
- *drums*

11 de drummer (slagwerker)
- *drummer*

12 de (luidspreker)box
- *speaker (loudspeaker)*

13 de bar
- *bar*

14 het barmeisje
- *barmaid*

15 de toog
- *bar*

16 de barkruk
- *bar stool*

17 de bandrecorder
- *tape recorder*

18 de tuner (radio-ontvanger zonder versterker)
- *receiver*

19 de sterke drank
- *spirits*

20 de smalfilmprojector voor pornofilms (seksfilms)
- *cine projector for porno films (sex films, blue movies)*

21 de kist met het witte doek
- *box containing screen*

22 het podium (toneel)
- *stage*

23 de podiumverlichting
- *stage lighting*

24 de schijnwerper (spot)
- *spotlight*

25 het voetlicht
- *festoon lighting*

26 de gloeilamp (peer)
- *festoon lamp (lamp, light bulb)*

27-32 de striptease
- *striptease act (striptease number)*

27 de stripteasedanseres (striptiseuse, stripster)
- *striptease artist (stripper)*

28 de jarretel(le)
- *suspender (*Am. *garter)*

29 de b.h.
- *brassière (bra)*

30 de (bont)stola
- *fur stole*

31 de lange handschoen
- *gloves*

32 de nylon(kous)
- *stocking*

33 het animeermeisje
- *hostess*

1-33 het stieregevecht
- ***bullfight*** *(corrida, corrida de toros)*

1 het oefengevecht
- *mock bullfight*

2 de leerling-torero (leerling-toreador)
- *novillero*

3 de namaakstier
- *mock bull (dummy bull)*

4 de leerling-banderillero
- *novice banderillero (apprentice banderillero)*

5 het amfitheater (de arena)
- *bullring (plaza de toros) [diagram]*

6 de hoofdingang
- *main entrance*

7 de loges
- *boxes*

8 de zitplaatsen
- *stands*

9 de arena
- *arena (ring)*

10 de ingang voor de stierenvechters
- *bullfighters' entrance*

11 de toegang voor de stieren
- *torril door*

12 het uitgangshek voor de gedode stier
- *exit gate for killed bulls*

13 het slachthuis
- *slaughterhouse*

14 de stallen
- *bull pens (corrals)*

15 de paardestal
- *paddock*

16 de picador
- *lancer on horseback (picador)*

17 de lans
- *lance (pike pole, javelin)*

18 het gepantserde paard
- *armoured (*Am.* armored) horse*

19 het stalen beenpantser
- *leg armour (*Am.* armor)*

20 de ronde picadorshoed
- *picador's round hat*

21 de banderillero, een torero (toreador)
- *banderillero, a torero*

22 de banderillas
- *banderillas (barbed darts)*

23 de sjerp
- *shirtwaist*

24 het stieregevecht
- *bullfight*

25 de matador, een toreador (torero)
- *matador (swordsman), a torero*

26 het vlechtje, een onderscheidingsteken van de matador
- *queue, a distinguishing mark of the matador*

27 de rode doek (capa)
- *red cloak (capa)*

28 de vechtstier
- *fighting bull*

29 de stierenvechtersmuts (montera)
- *montera [hat made of tiny black silk chenille balls]*

30 het doden van de stier (de estocada)
- *killing the bull (kill)*

31 de matador bij liefdadigheidsmanifestaties [niet in gala]
- *matador in charity performances [without professional uniform]*

32 de degen (espada, estoque)
- *estoque (sword)*

33 de muleta
- *muleta*

34 de rodeo
- ***rodeo***

35 de jonge stier
- *young bull*

36 de cowboy
- *cowboy*

37 de cowboyhoed (stetson)
- *stetson (stetson hat)*

38 de halsdoek
- *scarf (necktie)*

39 de rodeorijder
- *rodeo rider*

40 de lasso
- *lasso*

1
2
3
4
5
6
7
8
9
10
11
12
13
14
15
16
17
18
19
20
21
22
23
24
25
26
27
28
29
30
31
32
33
34
35
36
37
38
39
40

1-2 middeleeuwse noten
- ***medieval (mediaeval) notes***
1 de koraalnotatie
- *plainsong notation (neumes, neums, pneumes, square notation)*
2 de mensuurnotatie
- *mensural notation*
3-7 de muzieknoot (noot)
- ***musical note** (note)*
3 de kop
- *note head*
4 de stok (staart)
- *note stem (note tail)*
5 het vlaggetje
- *hook*
6 de waardestreep
- *stroke*
7 het verlengingsteken
- *dot indicating augmentation of note's value*
8-11 de sleutels
- ***clefs***
8 de G-sleutel (vioolsleutel)
- *treble clef (G-clef, violin clef)*
9 de F-sleutel (bassleutel)
- *bass clef (F-clef)*
10 de C-sleutel (altsleutel)
- *alto clef (C-clef)*
11 de C-sleutel (tenorsleutel)
- *tenor clef*
12-19 de notenwaarden
- ***note values***
12 de brevis
- *breve (brevis,* Am. *double-whole note)*
13 de hele noot (*vroeger:* semibrevis)
- *semibreve (*Am. *whole note)*
14 de halve noot (*vroeger:* minima)
- *minim (*Am. *half note)*
15 de kwartnoot (*vroeger:* semiminima)
- *crotchet (*Am. *quarter note)*
16 de achtste noot (*vroeger:* fusa)
- *quaver (*Am. *eighth note)*
17 de zestiende noot (*vroeger:* semifusa)
- *semiquaver (*Am. *sixteenth note)*
18 de tweeëndertigste noot
- *demisemiquaver (*Am. *thirty-second note)*
19 de vierenzestigste noot
- *hemidemisemiquaver (*Am. *sixty-fourth note)*
20-27 de rusten
- ***rests***
20 de brevisrust
- *breve rest*
21 de hele rust
- *semibreve rest (*Am. *whole rest)*
22 de halve rust
- *minim rest (*Am. *half rest)*
23 de kwartrust
- *crotchet rest (*Am. *quarter rest)*
24 de achtste rust
- *quaver rest (*Am. *eighth rest)*
25 de zestiende rust
- *semiquaver rest (*Am. *sixteenth rest)*
26 de tweeëndertigste rust
- *demisemiquaver rest (*Am. *thirty-second rest)*
27 de vierenzestigste rust
- *hemidemisemiquaver rest (*Am. *sixty-fourth rest)*
28-42 de maat
- ***time** (time signatures, measure,* Am. *meter)*
28 de twee achtste maat
- *two-eight time*
29 de tweekwartsmaat (twee vierde maat)
- *two-four time*
30 de twee tweede maat
- *two-two time*
31 de vier achtste maat
- *four-eight time*
32 de vierkwartsmaat (vier vierde maat)
- *four-four time (common time)*
33 de vier tweede maat
- *four-two time*
34 de zes achtste maat
- *six-eight time*
35 de zeskwartsmaat (zes vierde maat)
- *six-four time*
36 de drie achtste maat
- *three-eight time*
37 de driekwartsmaat (drie vierde maat)
- *three-four time*
38 de drie tweede maat
- *three-two time*
39 de negen achtste maat
- *nine-eight time*
40 de negenkwartsmaat (negen vierde maat)
- *nine-four time*
41 de vijfkwartsmaat (vijf vierde maat)
- *five-four time*
42 de maatstreep
- *bar (bar line, measure line)*
43-44 de notenbalk
- ***staff** (stave)*
43 de notenlijn
- *line of the staff*
44 de tussenruimte
- *space*
45-49 de toonladders
- ***scales***
45 de stamtonen van de C-grote-tertstoonladder: c, d, e, f, g, a, b, c
- *C major scale naturals: c, d, e, f, g, a, b, c*
46 de stamtonen van de a-kleine-tertstoonladder (de natuurlijke stamtonen): a, b, c, d, e, f, g, a
- *A minor scale [natural] naturals: a, b, c, d, e, f, g, a*
47 de harmonische a-kleine-tertstoonladder
- *A minor scale [harmonic]*
48 de melodische a-kleine-tertstoonladder
- *A minor scale [melodic]*
49 de chromatische toonladder
- *chromatic scale*
50-54 de chromatische tekens
- ***accidentals** (inflections);* also: *key signatures*
50-51 de chromatische tekens voor verhoging van een toon
- *signs indicating the raising of a note*
50 het kruis (verhoging met een halve toonsafstand)
- *sharp [raising the note a semitone or half-step]*
51 het dubbele kruis (verhoging met een hele toonsafstand)
- *double sharp [raising the note a tone or full-step]*
52-53 de chromatische tekens voor verlaging van een toon
- *signs indicating the lowering of a note*
52 de mol (verlaging met een halve toonsafstand)
- *flat [lowering the note a semitone or half-step]*
53 de dubbele mol (verlaging met een hele toonsafstand)
- *double flat [lowering the note a tone or full-step]*
54 het herstellingsteken
- *natural*
55-68 de toonsoorten
- ***keys** [major keys and the related minor keys having the same signature]*
55 C grote terts (C groot, C; a kleine terts, a klein, a)
- *C major (A minor)*
56 G grote terts (e kleine terts)
- *G major (E minor)*
57 D grote terts (b kleine terts)
- *D major (B minor)*
58 A grote terts (fis kleine terts)
- *A major (F sharp minor)*
59 E grote terts (cis kleine terts)
- *E major (C sharp minor)*
60 B grote terts (gis kleine terts)
- *B major (G sharp minor)*
61 Fis grote terts (dis kleine terts)
- *F sharp major (D sharp minor)*
62 C grote terts (a kleine terts)
- *C major (A minor)*
63 F grote terts (d kleine terts)
- *F major (D minor)*
64 Bes grote terts (g kleine terts)
- *B flat major (G minor)*
65 Es grote terts (c kleine terts)
- *E flat major (C minor)*
66 As grote terts (f kleine terts)
- *A flat major (F minor)*
67 Des grote terts (bes kleine terts)
- *D flat major (B flat minor)*
68 Ges grote terts (es kleine terts)
- *G flat major (E flat minor)*

Magni - fi-cat
Nu kom der heidē Heiland,
1
2
3 4 5 6 7
8 9 10 11 12 13 14 15 16 17 18 19 20 21 22 23 24 25 26 27
28 29 30 31 32 33 34 35 36 37 38 39 40 41 42 43 44
45 46 47
48
49
50 51 52 53 54
55 56 57 58 59 60 61
62 63 64 65 66 67 68

1-5 het akkoord
- ***chord***
1-4 drieklanken
- *triad*
1 de grote-tertsdrieklank
- *major triad*
2 de kleine-tertsdrieklank
- *minor triad*
3 de verminderde drieklank
- *diminished triad*
4 de vermeerderde drieklank
- *augmented triad*
5 de vierklank, een septimeakkoord
- *chord of four notes, a chord of the seventh (seventh chord, dominant seventh chord)*

6-13 de intervallen
- ***intervals***
6 de prime
- *unison (unison interval)*
7 de grote secunde
- *major second*
8 de grote terts
- *major third*
9 de quart
- *perfect fourth*
10 de quint
- *perfect fifth*
11 de grote sext
- *major sixth*
12 de grote septime
- *major seventh*
13 de octaaf
- *perfect octave*

14-22 de versieringen
- ***ornaments** (graces, grace notes)*
14 de lange voorslag
- *long appoggiatura*
15 de korte voorslag
- *acciaccatura (short appoggiatura)*
16 de schleifer
- *slide*
17 de triller zonder naslag
- *trill (shake) without turn*
18 de triller met naslag
- *trill (shake) with turn*
19 de halve triller (pralltriller)
- *upper mordent (inverted mordent, pralltriller)*
20 de mordent
- *lower mordent (mordent)*
21 de dubbelslag
- *turn*
22 de arpeggio
- *arpeggio*

23-26 andere tekens in de muzieknotatie
- *other signs in musical notation*
23 de triool; *ook:* duool, quartool, quintool, sextool, septool
- *triplet;* corresponding groupings: *duplet (couplet), quadruplet, quintuplet, sextolet (sextuplet), septolet (septuplet, septimole)*
24 het verbindingsboogje
- *tie (bind)*
25 de fermate, een rustteken
- *pause (pause sign)*
26 het herhalingsteken
- *repeat mark*

27-41 voordrachtsaanduidingen
- ***expression marks** (signs of relative intensity)*
27 marcato (met nadruk, met accent)
- *marcato (marcando, markiert, attack, strong accent)*
28 presto (snel)
- *presto (quick, fast)*
29 portato (gedragen)
- *portato (lourer, mezzo staccato, carried)*
30 tenuto (gehouden)
- *tenuto (held)*
31 crescendo (toenemen in toonsterkte)
- *crescendo (increasing gradually in power)*
32 decrescendo (afnemen in toonsterkte)
- *decrescendo (diminuendo, decreasing or diminishing gradually in power)*
33 legato (gebonden)
- *legato (bound)*
34 staccato (kort)
- *staccato (detached)*
35 piano (zacht)
- *piano (soft)*
36 pianissimo (zeer zacht)
- *pianissimo (very soft)*
37 pianissimo piano (zo zacht mogelijk)
- *pianissimo piano (as soft as possible)*
38 forte (sterk)
- *forte (loud)*
39 fortissimo (zeer sterk)
- *fortissimo (very loud)*
40 forte fortissimo (zo sterk mogelijk)
- *forte fortissimo (double fortissimo, as loud as possible)*
41 fortepiano (sterk en dadelijk daarna zacht)
- *forte piano (loud and immediately soft again)*

42-50 de indeling van het toongebied
- ***divisions of the compass***
42 het subcontraoctaaf
- *subcontra octave (double contra octave)*
43 het contraoctaaf
- *contra octave*
44 het grote octaaf
- *great octave*
45 het kleine octaaf
- *small octave*
46 het eenmaal gestreepte octaaf
- *one-line octave*
47 het tweemaal gestreepte octaaf
- *two-line octave*
48 het driemaal gestreepte octaaf
- *three-line octave*
49 het viermaal gestreepte octaaf
- *four-line octave*
50 het vijfmaal gestreepte octaaf
- *five-line octave*

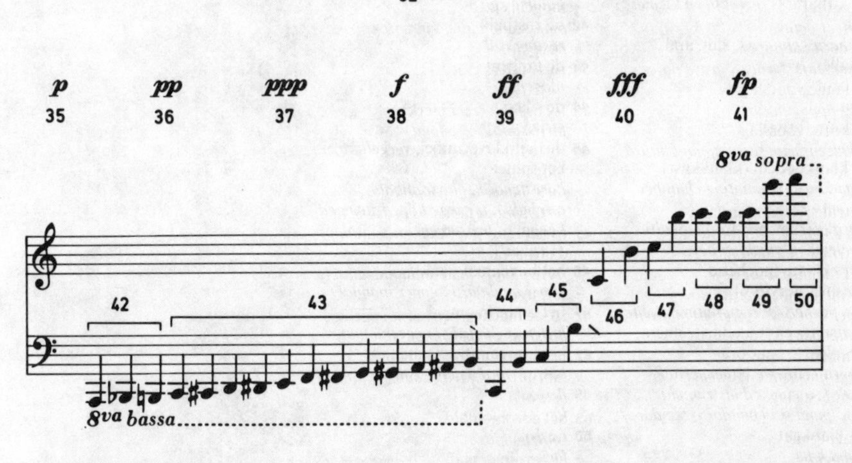

$_2A\ _2B\ _2H\ _1C$ usw

in Britain:

$A_2\ B\flat_2 B_2 C_1$ etc.

$_1H$ C H c h c^1 $h^1 c^2 h^2 c^3 h^3 c^4 h^4 c^5$

B_1 C B c b c′ b′ c″ b″ c‴ b‴ c'''' b'''' c'''''

en France:

la$_{02}$ si b$_{02}$ si$_{02}$ do$_{01}$ etc.

si$_{01}$ do$_1$ si$_1$ do$_2$ si$_2$ do$_3$ si$_3$ do$_4$ si$_4$ do$_5$ si$_5$ do$_6$ si$_6$ do$_7$

1 de lur, een bronzen hoorn
- *lur, a bronze trumpet*
2 de pan(s)fluit (syrinx)
- *panpipes (Pandean pipes, syrinx)*
3 de diaulos
- *aulos, a double shawm*
4 de aulos
- *aulos pipe*
5 de phorbeia
- *phorbeia (peristomion, capistrum, mouth band)*
6 de kromhoorn
- *crumhorn (crummhorn, cromorne, krumbhorn, krummhorn)*
7 de blokfluit
- *recorder (fipple flute)*
8 de doedelzak
- *bagpipe;* sim.: *musette*
9 de windzak
- *bag*
10 de melodiepijp
- *chanter (melody pipe)*
11 de bourdonpijp
- *drone (drone pipe)*
12 de (kromme) zink
- *curved cornett (zink)*
13 de serpent
- *serpent*
14 de schalmei; *groter:* bomhart (pommer)
- *shawm (schalmeyes);* larger: *bombard (bombarde, pommer)*
15 de kithara; *vergelijkb. en kleiner:* lier
- *cythara (cithara);* sim. and smaller: *lyre*
16 de arm
- *arm*
17 de kam (brug)
- *bridge*
18 de klankbodem (klankkast)
- *sound box (resonating chamber, resonator)*
19 het plectrum, een tokkelplaatje
- *plectrum, a plucking device*
20 de pochette (pochetta, dansmeesterviool)
- *kit (pochette), a miniature violin*
21 de cister, een tokkelinstrument; *vergelijkb.:* pandora
- *cittern (cithern, cither, cister, citole), a plucked instrument;* sim.: *pandora (bandora, bandore)*
22 het klankgat
- *sound hole*
23 de viola da gamba, een knievedel; *ook:* tenorgamba, basgamba, discantgamba
- *viol,* e.g. *descant viol, treble viol;* larger: *tenor viol, bass viol (viola da gamba, gamba)*
24 de strijkstok
- *viol bow*
25 de draailier
- *hurdy-gurdy (vielle à roue, symphonia, armonie, organistrum)*
26 het strijkwiel
- *friction wheel*
27 het deksel
- *wheel cover (wheel guard)*
28 de toetsen
- *keyboard (keys)*
29 de klankkast
- *resonating body (resonator, sound box)*
30 de melodiesnaren
- *melody strings*
31 de bourdonsnaren
- *drone strings (drones, bourdons)*
32 het hakkebord
- *dulcimer*
33 de zijband
- *rib (resonator wall)*
34 de klopper
- *beater for the Valasian dulcimer*
35 de hamer
- *hammer (stick) for the Appenzell dulcimer*
36 het clavichord; *soorten:* het gebonden, het ongebonden clavichord
- *clavichord;* kinds: *fretted or unfretted clavichord*
37 het clavichordmechaniek
- *clavichord mechanism*
38 de toets
- *key (key lever)*
39 het tegenwicht
- *balance rail*
40 het geleidingsplaatje
- *guiding blade*
41 de geleidingsgleuf
- *guiding slot*
42 de rustbalk
- *resting rail*
43 de tangent
- *tangent*
44 de snaar
- *string*
45 de, het klavecimbel; *vergelijkb.:* het spinet
- *harpsichord (clavicembalo, cembalo), a wing-shaped stringed keyboard instrument;* sim.: *spinet (virginal)*
46 het bovenmanuaal
- *upper keyboard (upper manual)*
47 het ondermanuaal
- *lower keyboard (lower manual)*
48 het klavecimbelmechaniek
- *harpsichord mechanism*
49 de toets
- *key (key lever)*
50 de dok
- *jack*
51 de dokkenlijst
- *slide (register)*
52 de tong
- *tongue*
53 de ravepen
- *quill plectrum*
54 de demper
- *damper*
55 de snaar
- *string*
56 het portatief; *groter:* positief
- *portative organ, a portable organ;* larger: *positive organ (positive)*
57 de pijp
- *pipe (flue pipe)*
58 de balg
- *bellows*

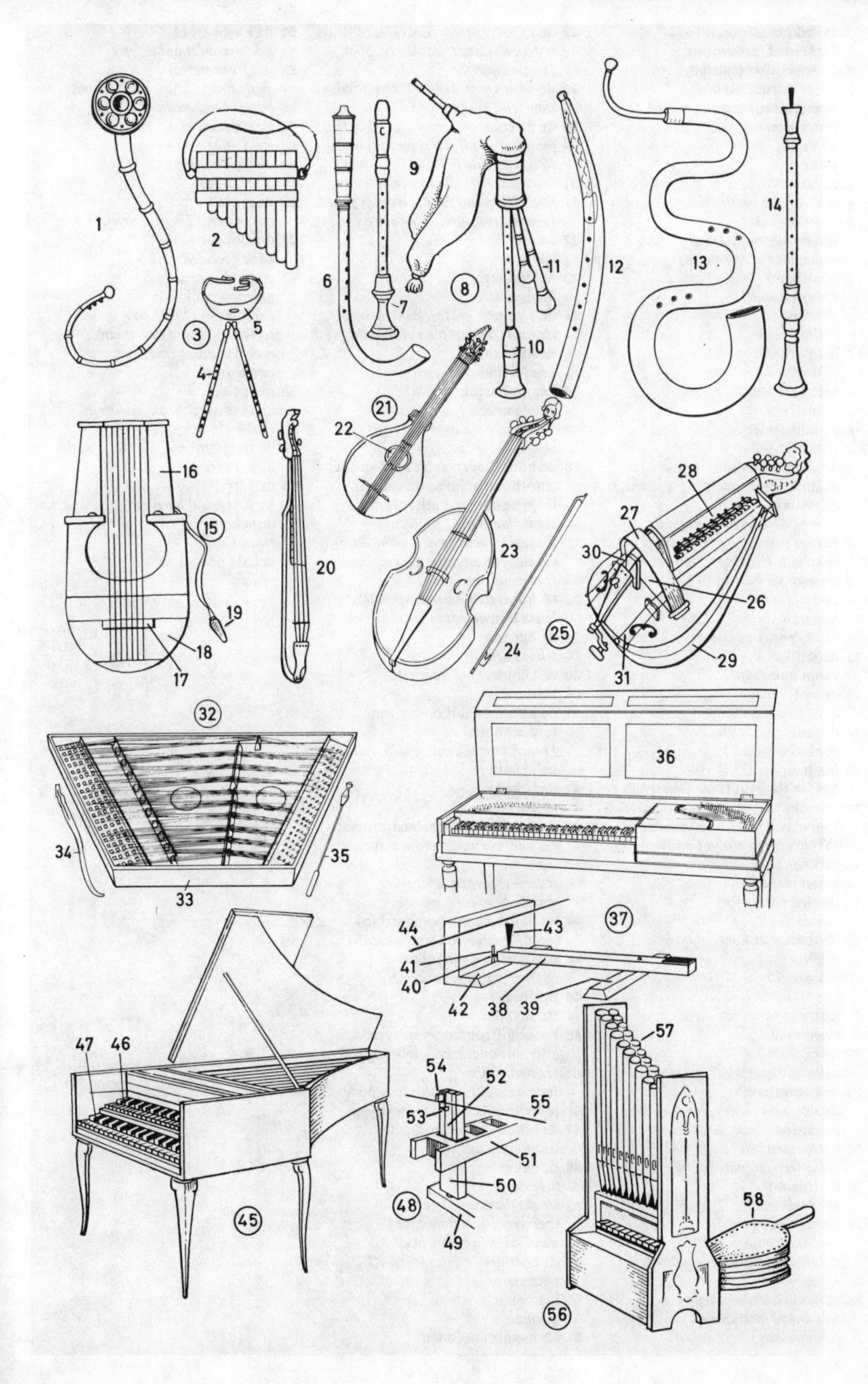
1
2
3
4
5
6
7
8
9
10
11
12
13
14
15
16
17
18
19
20
21
22
23
24
25
26
27
28
29
30
31
32
33
34
35
36
37
38
39
40
41
42
43
44
45
46
47
48
49
50
51
52
53
54
55
56
57
58

1-62 orkestinstrumenten
- ***orchestral instruments***

1-27 snaarinstrumenten, strijkinstrumenten
- ***stringed instruments, bowed instruments***

1 de viool
- *violin*

2 de hals
- *neck of the violin*

3 de klankkast
- *resonating body (violin body, sound box of the violin)*

4 de zijband
- *rib (side wall)*

5 de kam
- *violin bridge*

6 het f-gat
- *F-hole, a sound hole*

7 het staartstuk
- *tailpiece*

8 de kinhouder
- *chin rest*

9 de snaren (bespanning): de g-snaar, de d-snaar, de a-snaar, de e-snaar
- *strings (violin strings, fiddle strings): G-string, D-string, A-string, E-string*

10 de demper (sordino)
- *mute (sordino)*

11 het, de hars
- *resin (rosin, colophony)*

12 de strijkstok
- *violin bow (bow)*

13 de slof
- *nut (frog)*

14 de stok
- *stick (bow stick)*

15 het haar
- *hair of the violin bow (horsehair)*

16 de cello
- *violoncello (cello), a member of the da gamba violin family*

17 de krul
- *scroll*

18 de stemschroef
- *tuning peg (peg)*

19 de schroevenkast
- *pegbox*

20 het zadel
- *nut*

21 de toets
- *fingerboard*

22 de punt
- *spike (tailpin)*

23 de contrabas
- *double bass (contrabass, violone, double bass viol,* Am. *bass)*

24 het bovenblad
- *belly (top, sound- board)*

25 de zijband
- *rib (side wall)*

26 de versiering (inleg)
- *purfling (inlay)*

27 de altviool (viola)
- *viola*

28-38 houten blaasinstrumenten
- ***woodwind instruments** (woodwinds)*

28 de fagot; *groter:* contrafagot
- *bassoon;* larger: *double bassoon (contrabassoon)*

29 de s-buis met het dubbelrietblad
- *tube with double reed*

30 de piccolo
- *piccolo (small flute, piccolo flute, flauto piccolo)*

31 de dwarsfluit (Böhmfluit)
- *flute (German flute), a cross flute (transverse flute, side-blown flute)*

32 de klep
- *key*

33 het klankgat
- *fingerhole*

34 de klarinet; *groter:* basklarinet
- *clarinet;* larger: *bass clarinet*

35 de bril (klep)
- *key (brille)*

36 het mondstuk
- *mouthpiece*

37 de beker
- *bell*

38 de hobo; *soorten:* hobo d'amore; tenorhobo's: hobo da caccia, Engelse hoorn; baritonhobo
- *oboe (hautboy);* kinds: *oboe d'amore; tenor oboes: oboe da caccia, cor anglais; heckelphone (baritone oboe)*

39-48 koperen blaasinstrumenten
- ***brass instruments** (brass)*

39 de bariton
- *tenor horn*

40 de cilinder (het ventiel)
- *valve*

41 de hoorn (waldhoorn), een ventielhoorn
- *French horn (horn, waldhorn), a valve horn*

42 de beker
- *bell*

43 de trompet; *groter:* bastrompet; *kleiner:* cornet, piston, bugel, tuba
- *trumpet;* larger: *Bb cornet;* smaller: *cornet*

44 de bas (helicon, bombardon)
- *tuba (bombardon), a bass tuba;* sim.: *helicon (pellitone), contrabass tuba*

45 de duimring
- *thumb hold*

46 de schuiftrombone; *soorten:* alttrombone, bastrombone; *ook: ventieltrombone*
- *trombone;* kinds: *alto trombone, tenor trombone, bass trombone*

47 de schuif (schuiftrompet)
- *trombone slide (slide)*

48 de beker
- *bell*

49-59 slaginstrumenten (percussie-instrumenten)
- ***percussion instruments***

49 de triangel
- *triangle*

50 het bekken
- *cymbals*

51-59 membranofonen
- *membranophones*

51 de kleine trom
- *side drum (snare drum)*

52 het trommelvel
- *drum head (head, upper head, batter head, vellum)*

53 de stelschroef
- *tensioning screw*

54 de trommelstok
- *drumstick*

55 de grote trom
- *bass drum (Turkish drum)*

56 de klopper
- *stick (padded stick)*

57 de pauk; *vergelijkb.:* machinepauk
- *kettledrum (timpano), a screw-tensioned drum;* sim.: *machine drum (mechanically tuned drum)*

58 het paukevel
- *kettledrum skin (kettledrum vellum)*

59 de stemschroef
- *tuning screw*

60 de harp
- *harp, a pedal harp*

61 de snaren
- *strings*

62 het, de pedaal
- *pedal*

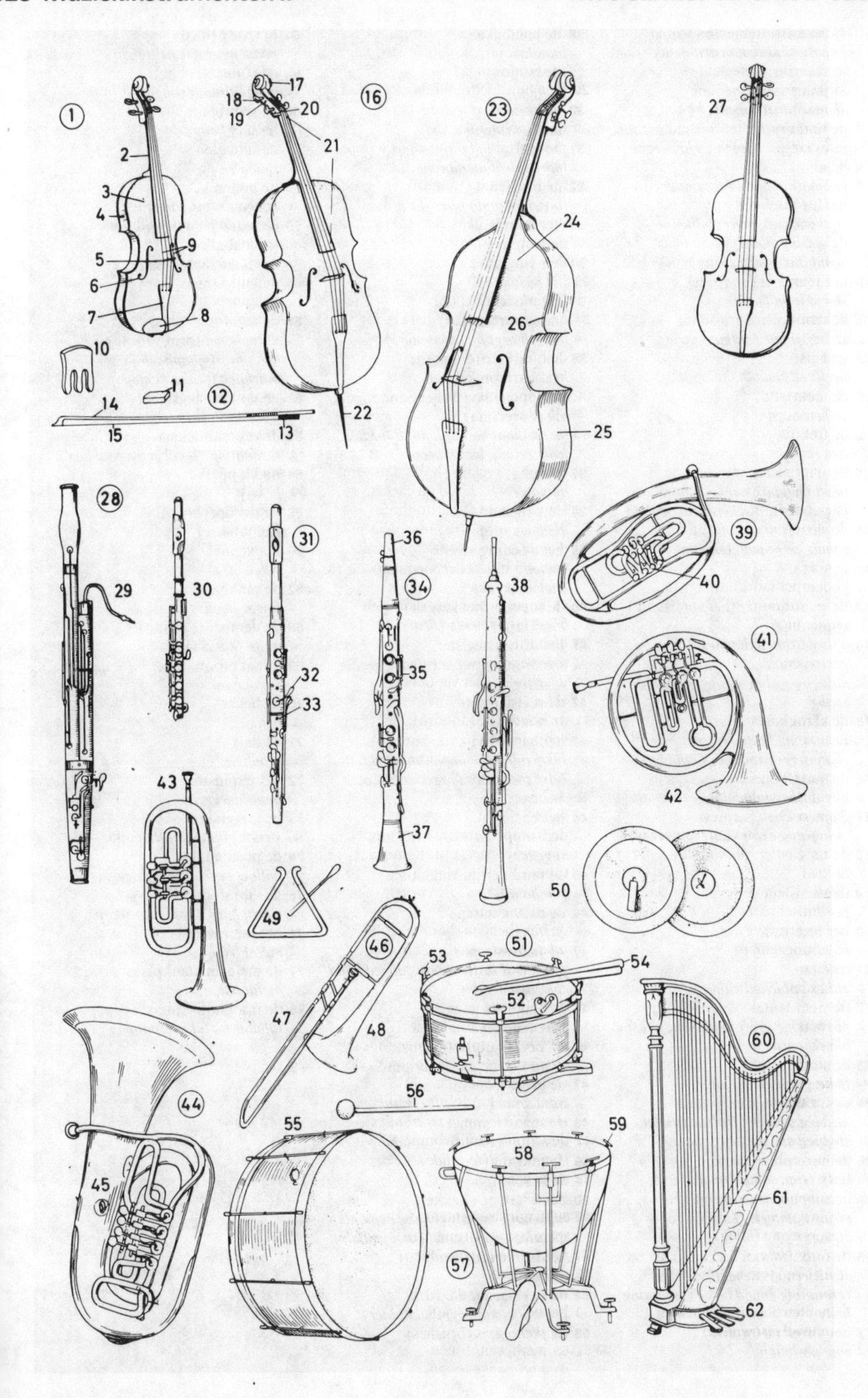
1
2
3
4
5
6
7
8
9
10
11
12
13
14
15
16
17
18
19
20
21
22
23
24
25
26
27
28
29
30
31
32
33
34
35
36
37
38
39
40
41
42
43
44
45
46
47
48
49
50
51
52
53
54
55
56
57
58
59
60
61
62

1-46 volksmuziekinstrumenten
- ***popular musical instruments*** *(folk instruments)*

1-31 snaarinstrumenten
- *stringed instruments*

1 de luit; *groter:* teorbe, chitarrone
- *lute;* larger: *theorbo, chitarrone*

2 de klankkast
- *resonating body (resonator)*

3 het bovenblad
- *soundboard (belly, table)*

4 de snaarhouder
- *string fastener (string holder)*

5 het klankgat (de rozet)
- *sound hole (rose)*

6 de snaar, een darmsnaar
- *string, a gut (catgut) string*

7 de hals
- *neck*

8 de toets
- *fingerboard*

9 de fret
- *fret*

10 de sleutelkast
- *head (pegbox), a bent-back pegbox;* sim.: *swan-head pegbox*

11 de sleutel
- *tuning peg (peg, lute pin)*

12 de gitaar
- *guitar*

13 de snaarhouder (het staartstuk)
- *string holder*

14 de snaar, een darm- of perlonsnaar
- *string, a gut (catgut) or nylon string*

15 de klankkast
- *resonating body (resonating chamber, resonator, sound box)*

16 de mandoline
- *mandolin (mandoline)*

17 de mouwbeschermer
- *sleeve protector (cuff protector)*

18 de hals
- *neck*

19 de stemsleutel
- *pegdisc*

20 het plectrum
- *plectrum*

21 de citer
- *zither (plucked zither)*

22 de stemsleutel
- *pin block (wrest pin block, wrest plank)*

23 de stempennen
- *tuning pin (wrest pin)*

24 de melodiesnaren
- *melody strings (fretted strings, stopped strings)*

25 de begeleidingssnaren; *soorten:* bassnaren, bourdonsnaren
- *accompaniment strings (bass strings, unfretted strings, open strings)*

26 de uitbouw van de klankkast
- *semicircular projection of the resonating sound box (resonating body)*

27 het vingerplectrum
- *ring plectrum*

28 de balalaika
- *balalaika*

29 de banjo
- *banjo*

30 de klankkast
- *tambourine-like body*

31 het vel
- *parchment membrane*

32 de ocarina
- *ocarina, a globular flute*

33 het mondstuk
- *mouthpiece*

34 het vingergat
- *fingerhole*

35 het mondorgel (de mondharmonika)
- *mouth organ (harmonica)*

36 het, de accordeon; (de trekharmonika, het schippersklavier, het bandoneon, de concertina)
- *accordion;* sim.: *piano accordion, concertina, bandoneon*

37 de balg
- *bellows*

38 de balgsluiting
- *bellows strap*

39 het discantgedeelte
- *melody side (keyboard side, melody keys)*

40 de toetsen (het klavier)
- *keyboard (keys)*

41 het discantregister
- *treble stop (treble coupler, treble register)*

42 de registertoets
- *stop lever*

43 het basgedeelte (de knoppen)
- *bass side (accompaniment side, bass studs, bass press-studs, bass buttons)*

44 het basregister
- *bass stop (bass coupler, bass register)*

45 de tamboerijn (rinkelbom)
- *tambourine*

46 de castagnetten
- *castanets*

47-78 jazzinstrumenten
- ***jazz band instruments*** *(dance band instruments)*

47-58 slaginstrumenten
- *percussion instruments*

47-54 het slagwerk (drumstel)
- *drum kit (drum set, drums)*

47 de grote trom
- *bass drum*

48 de snaartrommel
- *small tom-tom*

49 de tom-tom
- *large tom-tom*

50 de hi-hat, een bekken
- *high-hat cymbals (choke cymbals, Charleston cymbals, cup cymbals)*

51 het bekken (de cimbaal)
- *cymbal*

52 de bekkenstandaard
- *cymbal stand (cymbal holder)*

53 de jazzvegers (brushes)
- *wire brush*

54 het, de pedaal
- *pedal mechanism*

55 de conga
- *conga drum (conga)*

56 de spanband
- *tension hoop*

57 de timbalen
- *timbales*

58 de bongo's
- *bongo drums (bongos)*

59 de maracas; *vergelijkb.:* rumbaballen
- *maracas;* sim.: *shakers*

60 de guiro (rasp)
- *guiro*

61 de xylofoon
- *xylophone;* form.: *straw fiddle;* sim.: *marimbaphone (steel marimba), tubaphone*

62 de houten slagstaaf
- *wooden slab*

63 de resonantiekast
- *resonating chamber (sound box)*

64 de klopper
- *beater*

65 de trompet
- *jazz trumpet*

66 het ventiel
- *valve*

67 de pinkhaak
- *finger hook*

68 de demper (sordino)
- *mute (sordino)*

69 de saxofoon
- *saxophone*

70 de beker
- *bell*

71 de hals
- *crook*

72 het mondstuk
- *mouthpiece*

73 de jazzgitaar
- *struck guitar, a jazz guitar*

74 de positieholte
- *hollow to facilitate fingering*

75 de vibrafoon
- *vibraphone (*Am. *vibraharp)*

76 het raamwerk
- *metal frame*

77 de metalen klankplaat
- *metal bar*

78 de resonantiebuis
- *tubular metal resonator*

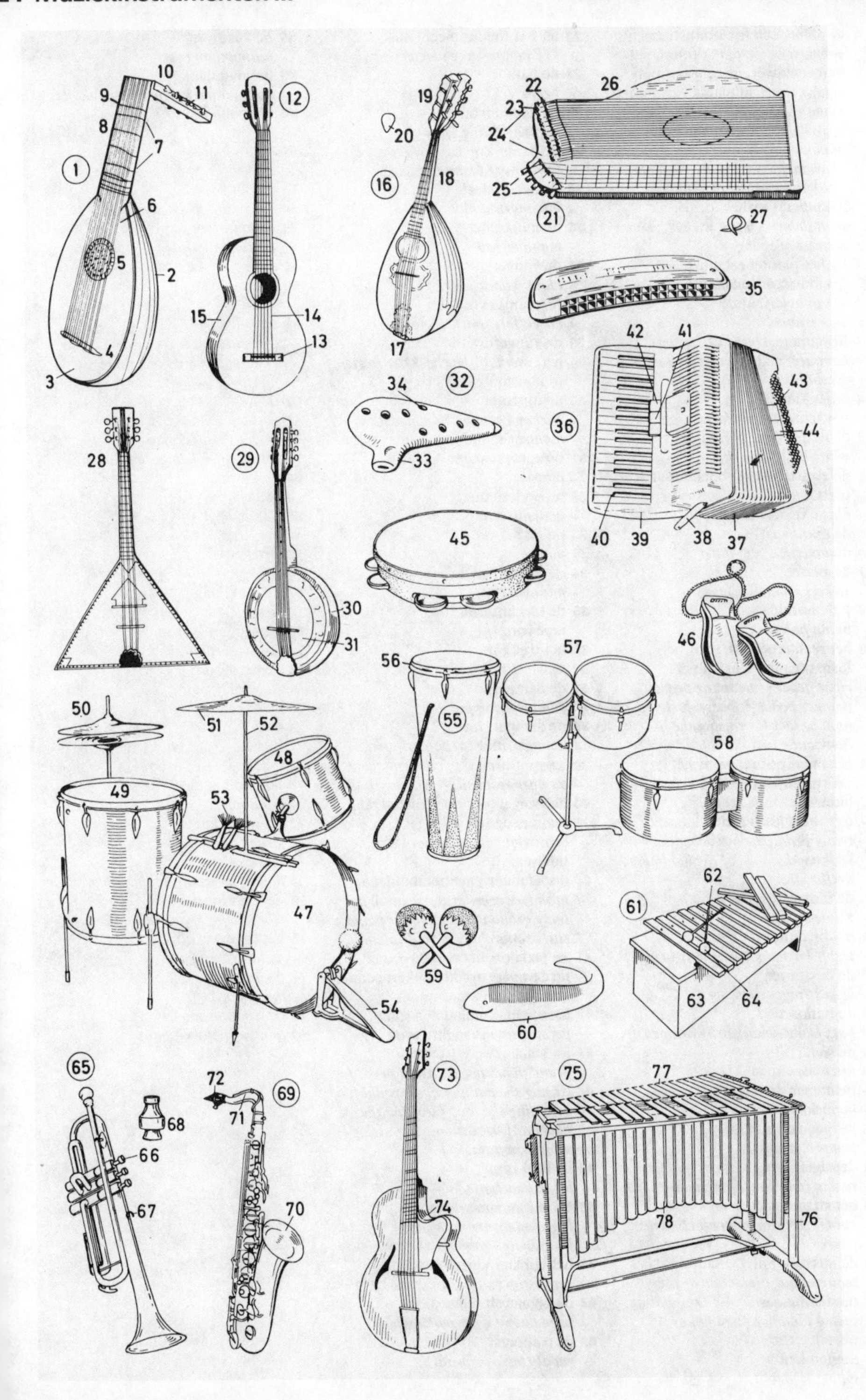
1
2
3
4
5
6
7
8
9
10
11
12
13
14
15
16
17
18
19
20
21
22
23
24
25
26
27
28
29
30
31
32
33
34
35
36
37
38
39
40
41
42
43
44
45
46
47
48
49
50
51
52
53
54
55
56
57
58
59
60
61
62
63
64
65
66
67
68
69
70
71
72
73
74
75
76
77
78

1 **de piano,** een toetseninstrument; *voorlopers:* de pantal(e)on, het hamerklavier, de celesta (met staalplaatjes in plaats van snaren)
- ***piano*** *(pianoforte, upright piano, upright, vertical piano, spinet piano, console piano), a keyboard instrument (keyed instrument);* smaller form: *cottage piano (pianino);* earlier forms: *pantaleon; celesta, with steel bars instead of strings*

2-18 het pianomechanisme
- *piano action (piano mechanism)*

2 het pantserraam
- *iron frame*

3 de hamer; *samen:* de hamers
- *hammer;* collectively: *striking mechanism*

4-5 het klavier
- *keyboard (piano keys)*

4 de witte toets (ivoren toets)
- *white key (ivory key)*

5 de zwarte toets (ebbehouten toets)
- *black key (ebony key)*

6 de pianokast
- *piano case*

7 de snaren
- *strings (piano strings)*

8-9 de pedalen
- *piano pedals*

8 het rechterpedaal, voor het losmaken van de dempers
- *right pedal (sustaining pedal, damper pedal;* loosely: *forte pedal, loud pedal) for raising the dampers*

9 het linkerpedaal, voor het verkorten van de slag van de hamers
- *left pedal (soft pedal;* loosely: *piano pedal) for reducing the striking distance of the hammers on the strings*

10 de discantsnaren
- *treble strings*

11 de discantkam
- *treble bridge (treble belly bridge)*

12 de bassnaren
- *bass strings*

13 de baskam
- *bass bridge (bass belly bridge)*

14 de snaarstift
- *hitch pin*

15 de hamerlijst
- *hammer rail*

16 de mechanieksteun
- *brace*

17 de stempen
- *tuning pin (wrest pin, tuning peg)*

18 het stemblok
- *pin block (wrest pin block, wrest plank)*

19 de metronoom
- *metronome*

20 de stemhamer
- *tuning hammer (tuning key, wrest)*

21 de stemkeil
- *tuning wedge*

22-39 het toetsenmechaniek
- *key action (key mechanism)*

22 de balk
- *beam*

23 de demperstang
- *damper-lifting lever*

24 de hamerkop
- *felt-covered hammer head*

25 de hamersteel
- *hammer shank*

26 de hamerlijst
- *hammer rail*

27 de vanger
- *check (back check)*

28 het vangervilt
- *check felt (back check felt)*

29 de vangerdraad
- *wire stem of the check (wire stem of the back check)*

30 de opstoter
- *sticker (hopper, hammer jack, hammer lever)*

31 de contravanger
- *button*

32 de onderhamer
- *action lever*

33 de piloot
- *pilot*

34 de pilootdraad
- *pilot wire*

35 de treklintdraad
- *tape wire*

36 het treklint
- *tape*

37 de dempernokkel
- *damper (damper block)*

38 de demperarm
- *damper lifter*

39 de stuitlijst
- *damper rest rail*

40 **de vleugel** (voor de concertzaal; *kleiner:* de babyvleugel, salonvleugel; *andere vorm:* tafelpiano)
- ***grand piano*** *(horizontal piano, grand, concert grand);* smaller: *baby grand piano, boudoir piano;* sim.: *square piano, table piano*

41 de pedalen; het rechterpedaal tilt de dempers op; het linkerpedaal verschuift het mechaniek: de hamer raakt maar één snaar waardoor een zachte toon ontstaat
- *grand piano pedals; right pedal for raising the dampers; left pedal for softening the tone [shifting the keyboard so that only one string is struck 'una corda']*

42 de lier
- *pedal bracket*

43 **het harmonium** (huisorgel)
- ***harmonium*** *(reed organ, melodium)*

44 het registerpaneel
- *draw stop (stop, stop knob)*

45 de kniezwel
- *knee lever (knee swell, swell)*

46 de trappers
- *pedal (bellows pedal)*

47 de kast
- *harmonium case*

48 het manuaal
- *harmonium keyboard (manual)*

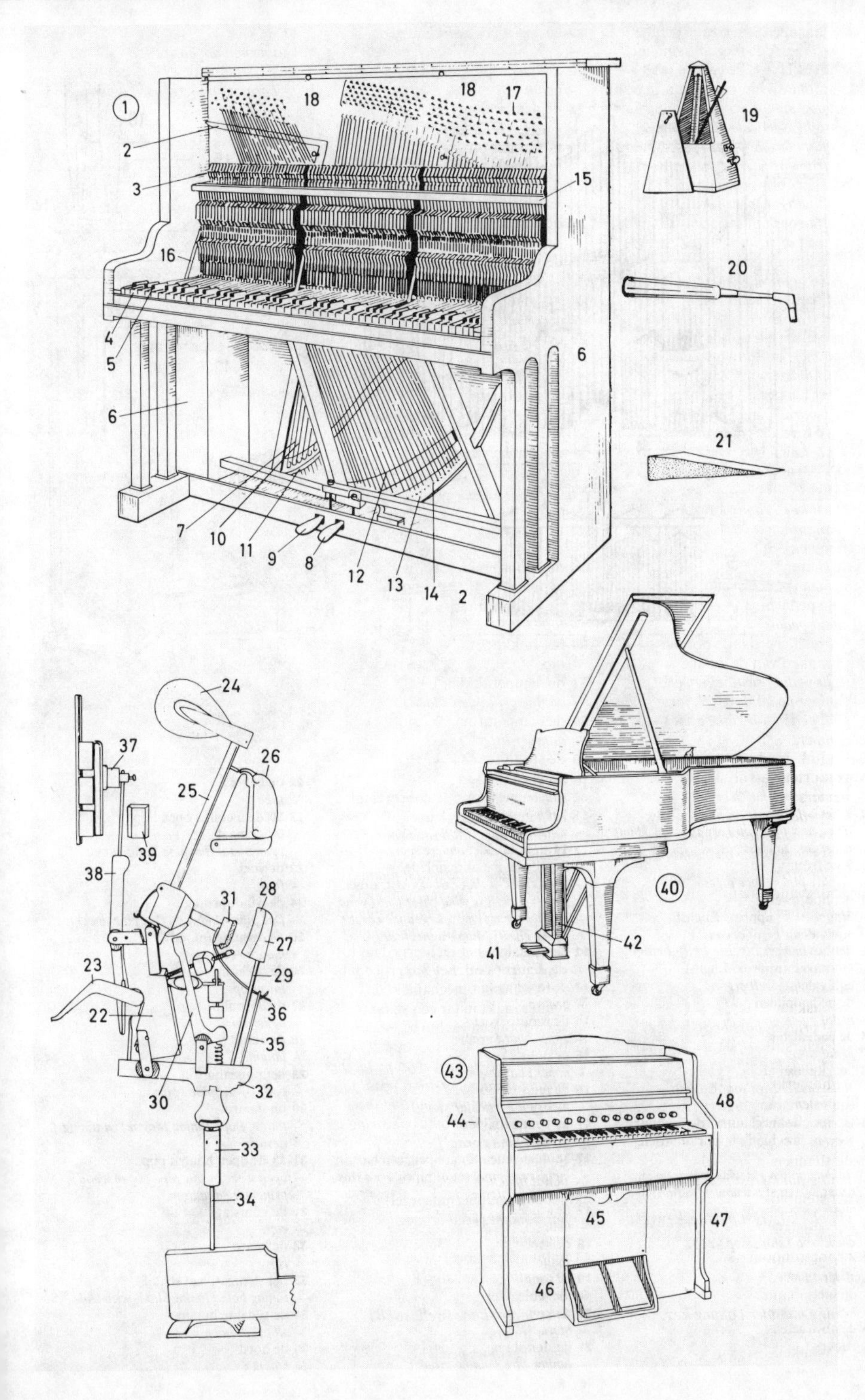
1
2
3
4
5
6
7
8
9
10
11
12
13
14
15
16
17
18
19
20
21
22
23
24
25
26
27
28
29
30
31
32
33
34
35
36
37
38
39
40
41
42
43
44
45
46
47
48

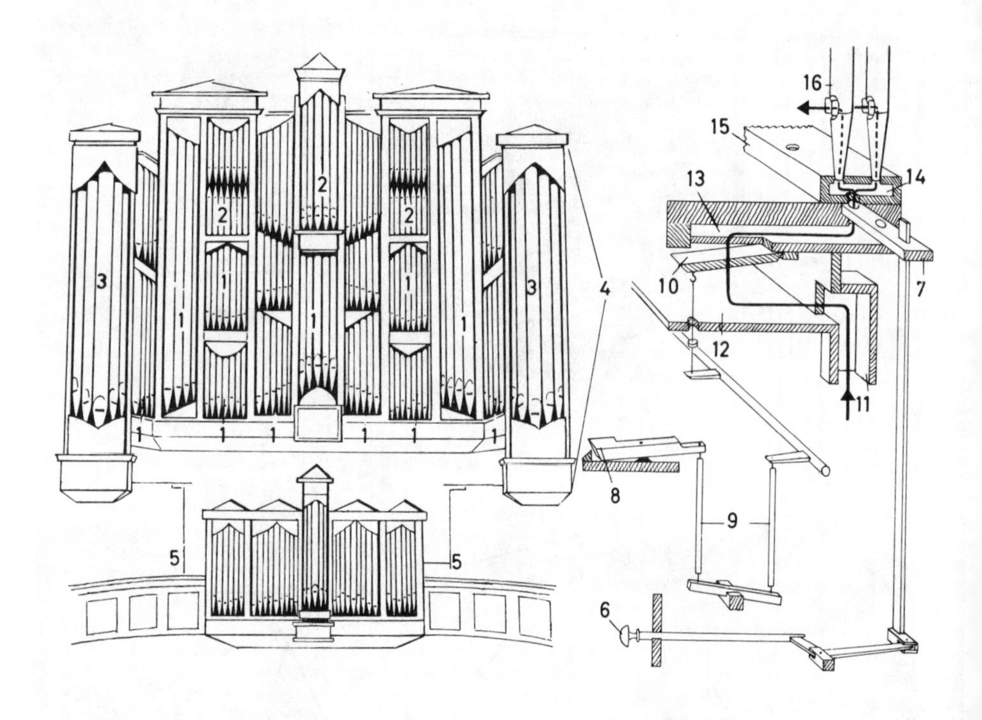

1-52 het kerkorgel
- ***organ;*** here: *church organ*

1-5 het orgelfront
- *front view of organ (organ case) [built according to classical principles]*

1-3 de frontpijpen
- *display pipes (face pipes)*

1 het hoofdwerk
- *Hauptwerk (*approx. English equivalent: *great organ)*

2 het bovenwerk
- *Oberwerk (*approx. English equivalent: *swell organ)*

3 de pedaalpijpen
- *pedal pipes*

4 de pedaalzuil
- *pedal tower*

5 het rugpositief
- *Rückpositiv (*approx. English equivalent: *choir organ)*

6-16 het speelmechaniek (de tractuur); *3 soorten:* mechanisch, pneumatisch, elektrisch
- *tracker action (mechanical action);* other systems: *pneumatic action, electric action*

6 de registerknop
- *draw stop (stop, stop knob)*

7 de registerstok
- *slider (slide)*

8 de toets
- *key (key lever)*

9 de abstracten
- *sticker*

10 het ventiel
- *pallet*

11 het windkanaal
- *wind trunk*

12-14 de windlade; *andere soorten:* kegellade, membraamlade
- *wind chest, a slider wind chest;* other types: *sliderless wind chest (unit wind chest), spring chest, kegellade chest (cone chest), diaphragm chest*

12 de windkamer
- *wind chest (wind chest box)*

13 de toonkansel
- *groove*

14 de windtoevoer
- *upper board groove*

15 de pijpstok
- *upper board*

16 de registerpijp
- *pipe of a particular stop*

17-35 de orgelpijpen
- *organ pipes (pipes)*

17-22 de metalen tongpijpen, een bazuin
- *metal reed pipe;* set of pipes: *reed stop, a posaune stop*

17 de schoen
- *boot*

18 de keel
- *shallot*

19 de tong
- *tongue*

20 de kop
- *block*

21 de stemstang
- *tuning wire (tuning crook)*

22 de beker
- *tube*

23-30 de metalen open lippijp, een salicionaal
- *open metal flue pipe, a salicional*

23 de voet
- *foot*

24 de windopening
- *flue pipe windway (flue pipe duct)*

25 de opening (mond)
- *mouth (cutup)*

26 de onderlip
- *lower lip*

27 de bovenlip
- *upper lip*

28 de kern
- *languid*

29 het pijpenhuis
- *body of the pipe (pipe)*

30 de stemrol
- *tuning flap (tuning tongue), a tuning device*

31-33 de open houten pijp
- *open wooden flue pipe (open wood), principal (diapason)*

31 de voorslag
- *cap*

32 de baard
- *ear*

33 het stemgat, met schuif
- *tuning hole (tuning slot), with slide*

34 de gedekte lippijp
- *stopped flue pipe*

35 de hoed
- *stopper*

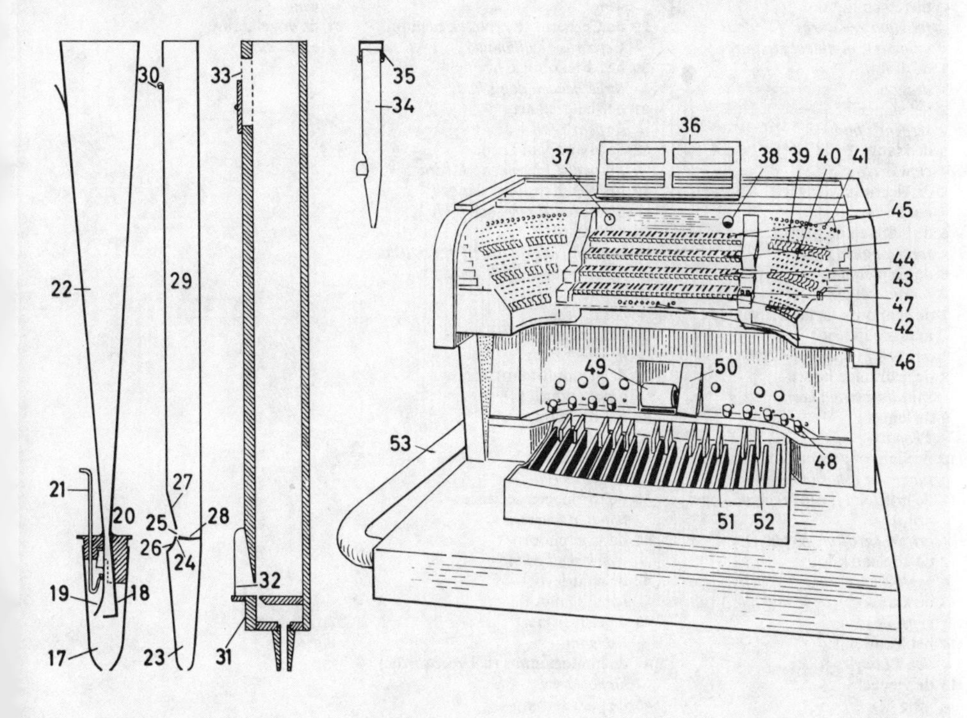

36-52 de speeltafel van een elektrisch aangedreven orgel
- *organ console (console) of an electric action organ*

36 de lessenaar
- *music rest (music stand)*

37 de drukmeter
- *crescendo roller indicator*

38 de voltmeter
- *voltmeter*

39 het register
- *stop tab (rocker)*

40 het combinatieregister
- *free combination stud (free combination knob)*

41 het mechaniekregister
- *cancel buttons for reeds, couplers etc.*

42 manuaal 1, voor het rugpositief
- *manual I, for the Rückpositiv (choir organ)*

43 manuaal 2, voor het hoofdwerk
- *manual II, for the Hauptwerk (great organ)*

44 manuaal 3, voor het bovenwerk
- *manual III, for the Oberwerk (swell organ)*

45 manuaal 4, voor het zwelwerk
- *manual IV, for the Schwellwerk (solo organ)*

46 de drukknoppen, voor vaste en vrije registercombinaties
- *thumb pistons controlling the manual stops (free or fixed combinations) and buttons for setting the combinations*

47 de aan- en uitschakelaar
- *switches for current to blower and action*

48 het pedaal voor de koppeling
- *toe piston, for the coupler*

49 de zwelkast
- *crescendo roller (general crescendo roller)*

50 de jaloeziezwel
- *balanced swell pedal*

51 het pedaal voor natuurlijke tonen
- *pedal key [natural]*

52 het pedaal voor mineur en majeur
- *pedal key [sharp or flat]*

53 de kabel
- *cable (transmission cable)*

1-61 fabeldieren, mythologische dieren en figuren
- ***fabulous creatures*** *(fabulous animals), mythical creatures*

1 de draak
- *dragon*

2 het slangelijf
- *serpent's body*

3 de klauw
- *claws (claw)*

4 de vleermuisvleugel
- *bat's wing*

5 de bek met de gespleten tong
- *fork-tongued mouth*

6 de gespleten tong
- *forked tongue*

7 de eenhoorn [symbool van de maagdelijkheid]
- *unicorn [symbol of virginity]*

8 de gedraaide hoorn
- *spirally twisted horn*

9 de feniks
- *Phoenix*

10 de vlam of as van de herrijzenis
- *flames or ashes of resurrection*

11 de griffioen (grijpvogel, de vogel grijp)
- *griffin (griffon, gryphon)*

12 de adelaarskop
- *eagle's head*

13 de klauw
- *griffin's claws*

14 het leeuwelijf
- *lion's body*

15 de vleugel
- *wing*

16 de chimaera, een monster
- *chimera (chimaera), a monster*

17 de leeuwekop
- *lion's head*

18 de geitekop
- *goat's head*

19 het drakelijf
- *dragon's body*

20 de sfinx, een symbolische figuur
- *sphinx, a symbolic figure*

21 het mensenhoofd
- *human head*

22 de leeuweromp
- *lion's body*

23 de zeemeermin (nixe, najade, waternimf) *ook: nereïde, oceanide (zeegodinnen); mannelijk:* de nixe (meerman)
- *mermaid (nix, nixie, water nixie, sea maid, sea maiden, naiad, water nymph, water elf, ocean nymph, sea nymph, river nymph);* sim.: *Nereids, Oceanids (sea divinities, sea deities, sea goddesses);* male: *nix (merman, seaman)*

24 het vrouwenlichaam
- *woman's trunk*

25 de vis(se)staart (dolfijnestaart)
- *fish's tail;* sim.: *dolphin's tail*

26 Pegasus
- *Pegasus (winged horse);* sim.: *hippogryph*

27 het paardelijf
- *horse's body*

28 de vleugels
- *wings*

29 de Cerberus (Kerberus, helhond)
- *Cerberus (hellhound)*

30 het driekoppige hondelijf
- *three-headed dog's body*

31 de slangestaart
- *serpent's tail*

32 de Hydra van Lerna
- *Lernaean (Lernean) Hydra*

33 het negenkoppige slangelijf
- *nine-headed serpent's body*

34 de basilisk
- *basilisk (cockatrice) [in English legend usually with two legs]*

35 de hanekop
- *cock's head*

36 het drakelijf
- *dragon's body*

37 de gigant (titaan), een reus
- *giant (titan)*

38 het rotsblok
- *rock*

39 de slangevoet
- *serpent's foot*

40 de triton, een zeewezen
- *triton, a merman*

41 de schelphoorn
- *conch shell trumpet*

42 de paardevoet
- *horse's hoof*

43 de vis(se)staart
- *fish's tail*

44 de hippocampus (het zeepaardje)
- *hippocampus*

45 de paarderomp
- *horse's trunk*

46 de vis(se)staart
- *fish's tail*

47 de zeestier, een zeemonster
- *sea ox, a sea monster*

48 het stierelijf
- *monster's body*

49 de vis(se)staart
- *fish's tail*

50 de zevenkoppige draak van de Openbaring (Apocalyps(e))
- *seven-headed dragon of St. John's Revelation (Revelations, Apocalypse)*

51 de vleugel
- *wing*

52 de centaur, half mens en half dier
- *centaur (hippocentaur), half man and half beast*

53 het mensenlichaam met pijl en boog
- *man's body with bow and arrow*

54 het paardelijf
- *horse's body*

55 de harpij, godin van de storm
- *harpy, a winged monster*

56 het vrouwenhoofd
- *woman's head*

57 het vogellijf
- *bird's body*

58 de sirene, een demon
- *siren, a daemon*

59 het vrouwenlichaam
- *woman's body*

60 de vleugel
- *wing*

61 de vogelklauw
- *bird's claw*

1
2
3
4
5
6
7
8
9
10
11
12
13
14
15
16
17
18
19
20
21
22
23
24
25
26
27
28
29
30
31
32
33
34
35
36
37
38
39
40
41
42
43
44
45
46
47
48
49
50
51
52
53
54
55
56
57
58
59
60
61

1-40 prehistorische vondsten
- *prehistoric finds*

1-9 **de oude steentijd** (het Paleolithicum) en **de middensteentijd (Mesolithicum)**
- ***Old Stone Age*** *(Palaeolithic, Paleolithic, period) and* ***Mesolithic period***

1 de vuistbijl, het stenen artefact
- *hand axe (*Am. *ax) (fist hatchet), a stone tool*

2 de benen pijlspits
- *head of throwing spear, made of bone*

3 de benen harpoen
- *bone harpoon*

4 de spits
- *head*

5 de speerwerper, gemaakt van rendiergewei
- *harpoon thrower, made of reindeer antler*

6 de beschilderde kiezelsteen
- *painted pebble*

7 de kop van een wild paard, een stuk houtsnijwerk
- *head of a wild horse, a carving*

8 het idool uit de steentijd, een ivoren beeldje
- *Stone Age idol, an ivory statuette*

9 de wisent, een rotstekening
- *bison, a cave painting (rock painting) [cave art, cave painting]*

10-20 **de jonge steentijd** (het Neolithicum)
- ***New Stone Age*** *(Neolithic period)*

10 de amfoor [een touwbeker]
- *amphora [corded ware]*

11 de kom [Hinkelsteingroep]
- *bowl [menhir group]*

12 de kraagfles [trechterbekercultuur]
- *collared flask [Funnel-Beaker culture]*

13 de pot met spiraalversiering [bandkeramiek]
- *vessel with spiral pattern [spiral design pottery]*

14 de klokbeker [klokbekercultuur]
- *bell beaker [beaker pottery]*

15 de paalwoning
- *pile dwelling (lake dwelling, lacustrine dwelling)*

16 het hunebed, een megalitisch graf; *andere soorten:* het ganggraf, galerijgraf; *met aarde, grind, stenen bedekt:* de tumulus (grafheuvel)
- *dolmen (cromlech), a megalithic tomb (*coll.: *giant's tomb);* other kinds: *passage grave, gallery grave (long cist);* when covered with earth: *tumulus (barrow, mound)*

17 de steenkist met skelet in hurkhouding
- *stone cist, a contracted burial*

18 de menhir, een monoliet
- *menhir (standing stone), a monolith*

19 de bootbijl, een stenen strijdbijl
- *boat axe (*Am. *ax), a stone battle axe*

20 de menselijke figuur van terracotta
- *clay figurine, an idol*

21-40 **de bronstijd en de ijzertijd;** *perioden:* de Hallstatt-tijd, de la-Tènetijd
- ***Bronze Age*** *and* ***Iron Age;*** epochs: *Hallstatt period, La Tène period*

21 de bronzen lanspunt
- *bronze spear head*

22 de bronzen dolk
- *hafted bronze dagger*

23 de geschachte bijl, een bronzen bijl met oogbevestiging
- *socketed axe (*Am. *ax) with haft fastened to rings, a bronze axe*

24 de riemversieringsschijf
- *girdle clasp*

25 de halsband
- *necklace (lunula)*

26 de gouden halsring
- *gold neck ring*

27 de vioolfibula, een fibula (mantelspeld)
- *violin-bow fibula (safety pin)*

28 de slangfibula; *andere soorten:* bootfibula, boogfibula
- *serpentine fibula;* other kinds: *boat fibula, arc fibula*

29 de knopnaald, een bronzen naald
- *bulb-head pin, a bronze pin*

30 de tweedelige spiraalfibula met dubbele spiraal; *ook:* plaatfibula
- *two-piece spiral fibula;* sim.: *disc (disk) fibula*

31 het bronzen mes met heft
- *hafted bronze knife*

32 de ijzeren sleutel
- *iron key*

33 de ploegschaar
- *ploughshare (*Am. *plowshare)*

34 de bronzen situla, een grafgift
- *sheet-bronze situla, a funerary vessel*

35 de kerfsnedekeramiek
- *pitcher [chip-carved pottery]*

36 de cultuswagen in miniatuur
- *miniature ritual cart (miniature ritual chariot)*

37 de Keltische zilveren munt
- *Celtic silver coin*

38 de gezichtsurn, een crematie-urn; *andere soorten:* de kookpot, noppenpot
- *face urn, a cinerary urn;* other kinds: *domestic urn, embossed urn*

39 de crematie-urn in een stenen kamer
- *urn grave in stone chamber*

40 de cilinderhalspot
- *urn with cylindrical neck*

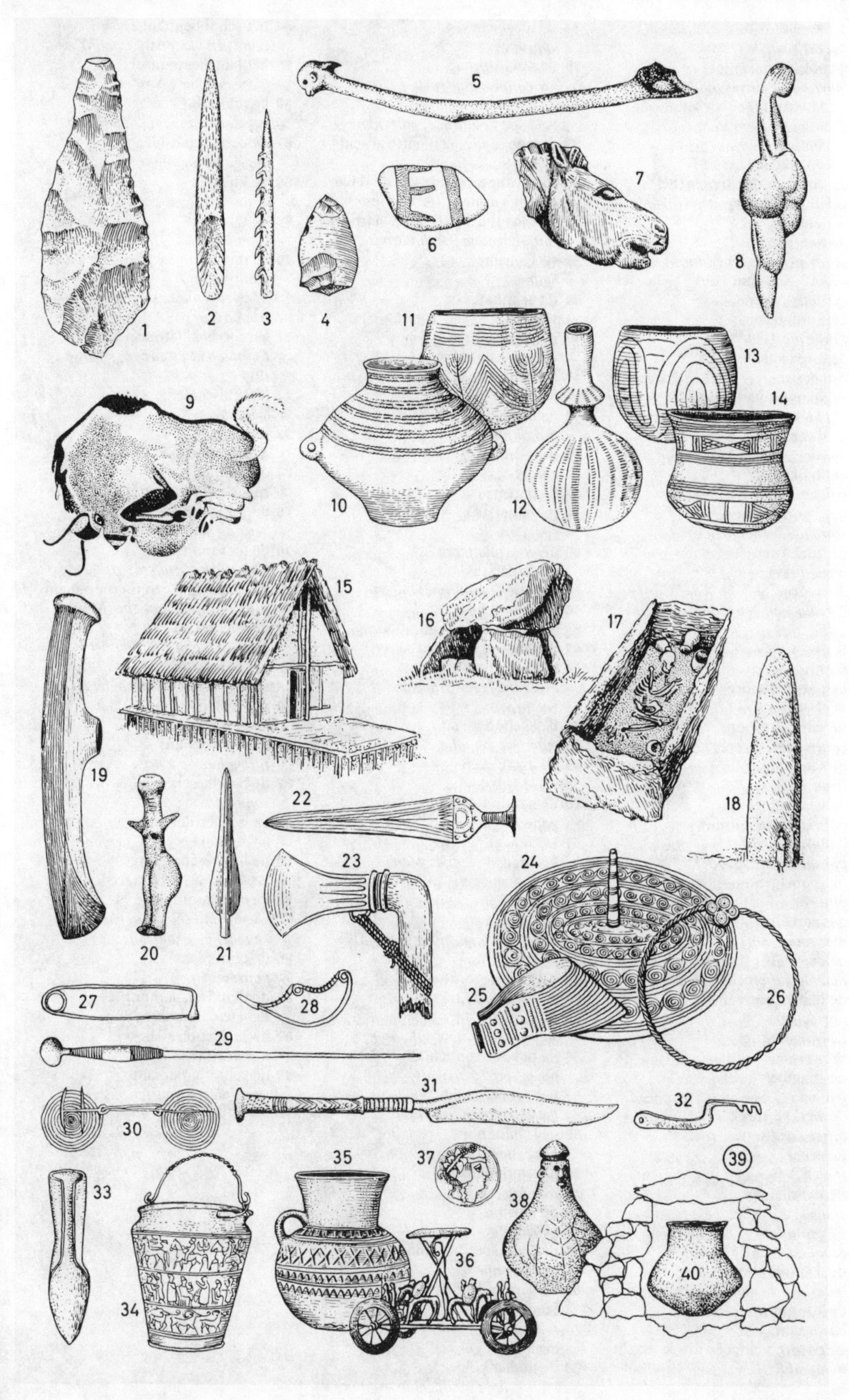
1
2
3
4
5
6
7
8
9
10
11
12
13
14
15
16
17
18
19
20
21
22
23
24
25
26
27
28
29
30
31
32
33
34
35
36
37
38
39
40

1 **de burcht**
- ***knight's castle*** *(castle)*
2 de hof
- *inner ward (inner bailey)*
3 de waterput
- *draw well*
4 de donjon
- *keep (donjon)*
5 de onderaardse kerker (het gevang, (burcht)verlies)
- *dungeon*
6 de weergang
- *battlements (crenellation)*
7 de kanteel (tinne, tin)
- *merlon*
8 het torenterras
- *tower platform*
9 de torenwachter
- *watchman*
10 de vrouwenvertrekken
- *ladies' apartments (bowers)*
11 de dakkapel (koekoek)
- *dormer window (dormer)*
12 het balkon
- *balcony*
13 het voorraadhuis
- *storehouse (magazine)*
14 de hoektoren
- *angle tower*
15 de weermuur
- *curtain wall (curtains, enclosure wall)*
16 het bastion
- *bastion*
17 de patrouilletoren
- *angle tower*
18 de schietopening
- *crenel (embrasure)*
19 de schildmuur
- *inner wall*
20 de weergang
- *battlemented parapet*
21 de borstwering
- *parapet (breastwork)*
22 het poortgebouw
- *gatehouse*
23 de mezekouw; *volksetymologie:* mezekooi; *oorspr. Frans: mâchicoulis*
- *machicolation (machicoulis)*
24 de hamei, een valhek
- *portcullis*
25 de ophaalbrug
- *drawbridge*
26 de steunbeer
- *buttress*
27 de werkvertrekken
- *offices and service rooms*
28 de arkel
- *turret*
29 de kapel
- *chapel*
30 de grote zaal
- *great hall*
31 de dwingel
- *outer ward (outer bailey)*
32 de voorpoort
- *castle gate*
33 de poortgracht, een droge gracht
- *moat (ditch)*
34 de toegangsweg
- *approach*
35 de wachttoren
- *watchtower (turret)*
36 de palissade
- *palisade (pallisade, palisading)*
37 de ringgracht, een natte gracht
- *moat (ditch, fosse)*
38-65 **de wapenrusting van de ridder**
- ***knight's armour*** *(*Am. *armor)*
38 het plaatharnas (blanke harnas)
- *suit of armour (*Am. *armor)*
39-42 de helm
- *helmet*
39 de helmkap
- *skull*
40 het opklapbare vizier
- *visor (vizor)*
41 het kinstuk
- *beaver*
42 de keelplaat
- *throat piece*
43 de halsberg
- *gorget*
44 de pareerplaat van het schouderstuk
- *epaulière*
45 de voorplaat van het schouderstuk
- *pallette (pauldron, besageur)*
46 het borstkuras
- *breastplate (cuirass)*
47 de armstukken (boven- en onderarmstuk)
- *brassard (rear brace and vambrace)*
48 de elleboogplaat
- *cubitière (coudière, couter)*
49 de dijstukken
- *tasse (tasset)*
50 de handschoen
- *gauntlet*
51 het lendenpantser
- *habergeon (haubergeon)*
52 het bovenbeenstuk
- *cuisse (cuish, cuissard, cuissart)*
53 de knieplaat
- *knee cap (knee piece, genouillère, poleyn)*
54 het onderbeenstuk
- *jambeau (greave)*
55 de schoen
- *solleret (sabaton, sabbaton)*
56 de pavese, een schild
- *pavis (pavise, pavais)*
57 het ronde schild
- *buckler (round shield)*
58 de schildknop
- *boss (umbo)*
59 de ijzerhoed
- *iron hat*
60 de morion
- *morion*
61 de Italiaanse barbuta-helm
- *light casque*
62 de verschillende typen bepantsering
- *types of mail and armour (*Am. *armor)*
63 de maliënkolder
- *mail (chain mail, chain armour,* Am. *armor)*
64 het schubbenpantser
- *scale armour (*Am. *armor)*
65 het lamellenpantser
- *plate armour (*Am. *armor)*
66 **de ridderslag**
- ***accolade*** *(dubbing, knighting)*
67 de heer, een ridder
- *liege lord, a knight*
68 de knaap
- *esquire*
69 de schenker
- *cup bearer*
70 de minnezanger (minstreel, troubadour)
- *minstrel (minnesinger, troubadour)*
71 **het toernooi (steekspel)**
- ***tournament*** *(tourney, joust, just, tilt)*
72 de kruisridder
- *crusader*
73 de tempelier
- *Knight Templar*
74 de sjabrak
- *caparison (trappings)*
75 de wapenkoning (heraut)
- *herald (marshal at tournament)*
76 de toernooirusting
- *tilting armour (*Am. *armor)*
77 de steekhelm, een toernooihelm
- *tilting helmet (jousting helmet)*
78 de helmpluim
- *panache (plume of feathers)*
79 het toernooischild
- *tilting target (tilting shield)*
80 de lanshaak
- *lance rest*
81 de toernooilans
- *tilting lance (lance)*
82 de handbeschermer
- *vamplate*
83-88 de paarderusting
- *horse armour (*Am. *armor)*
83 de halsbescherming
- *neck guard (neck piece)*
84 de voorhoofdplaat
- *chamfron (chaffron, chafron, chamfrain, chanfron)*
85 de borstplaat
- *poitrel*
86 de flankbescherming
- *flanchard (flancard)*
87 het toernooizadel
- *tournament saddle*
88 de achterhandplaat
- *rump piece (quarter piece)*

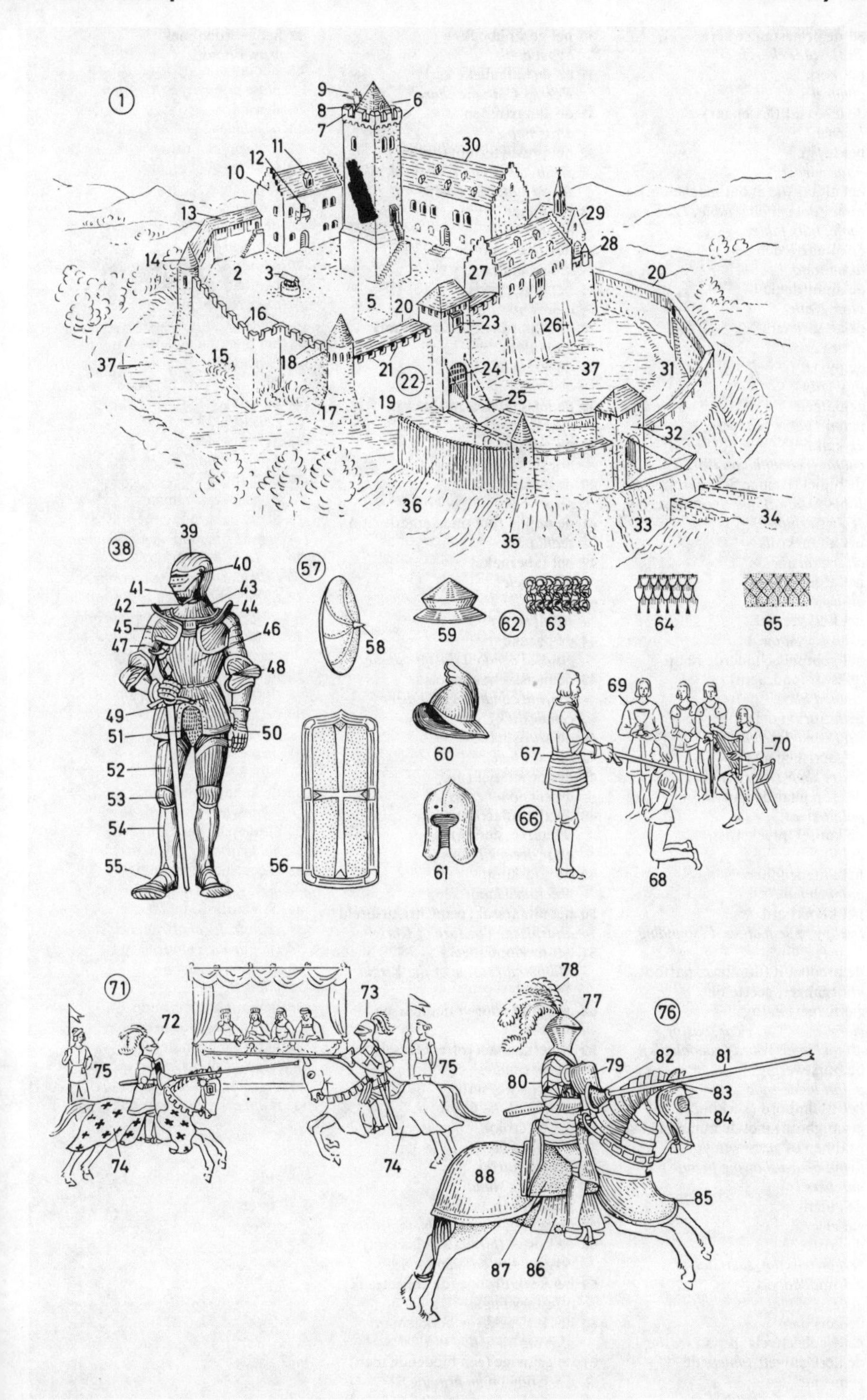
1
2
3
5
6
7
8
9
10
11
12
13
14
15
16
17
18
19
20
21
22
23
24
25
26
27
28
29
30
31
32
33
34
35
36
37
38
39
40
41
42
43
44
45
46
47
48
49
50
51
52
53
54
55
56
57
58
59
60
61
62
63
64
65
66
67
68
69
70
71
72
73
74
75
76
77
78
79
80
81
82
83
84
85
86
87
88

1-30 de protestantse kerk
- ***Protestant church***

1 het koor
- *chancel*

2 de lezenaar (lessenaar)
- *lectern*

3 het tapijt
- *altar carpet*

4 het altaar (de avondmaalstafel)
- *altar (communion table, Lord's table, holy table)*

5 de altaartreden
- *altar steps*

6 de altaardoek
- *altar cloth*

7 de altaarkaars
- *altar candle*

8 de pyxis
- *pyx (pix)*

9 de pateen
- *paten (patin, patine)*

10 de kelk
- *chalice (communion cup)*

11 de bijbel (Heilige Schrift)
- *Bible (Holy Bible, Scriptures, Holy Scripture)*

12 het altaarkruis
- *altar crucifix*

13 het altaarstuk
- *altarpiece*

14 het kerkvenster
- *church window*

15 het gebrandschilderde raam (glas-in-loodraam)
- *stained glass*

16 de muurkandelaar
- *wall candelabrum*

17 de sacristiedeur
- *vestry door (sacristy door)*

18 de trap naar de kansel
- *pulpit steps*

19 de kansel (preekstoel)
- *pulpit*

20 het antependium
- *antependium*

21 het klankbord
- *canopy, a soundboard (sounding board)*

22 de predikant (dominee, pastor, voorganger, geestelijke, zielzorger) in toga
- *clergyman,* e.g. *vicar, pastor, rector, in his robes (canonicals)*

23 de borstwering
- *pulpit balustrade*

24 het psalmbord (kerkbord, gezangbord) met de nummers van psalmen of gezangen
- *hymn board showing hymn numbers*

25 de galerij
- *gallery*

26 de koster
- *verger (sexton, sacristan)*

27 het middenpad
- *aisle*

28 de kerkbank
- *pew;* collectively: *pews (seating)*

29 de kerkganger; *samen:* de gemeente
- *churchgoer (worshipper);* collectively: *congregation*

30 het gezangboek
- *hymn book*

31-62 de katholieke kerk
- ***Roman Catholic church***

31 de altaartreden
- *altar steps*

32 het presbyterium (koor)
- *presbytery (choir, chancel, sacrarium, sanctuary)*

33 het altaar
- *altar*

34 de altaarkaarsen
- *altar candles*

35 het altaarkruis
- *altar cross*

36 de altaardoek (altaardwaal)
- *altar cloth*

37 de lezenaar
- *lectern*

38 de missaal (het misboek)
- *missal (mass book)*

39 de priester
- *priest*

40 de misdienaar
- *server*

41 de sedilia (het priestergestoelte)
- *sedilia*

42 het tabernakel
- *tabernacle*

43 de stele
- *stele (stela)*

44 de paaskaars
- *paschal candle (Easter candle)*

45 de paaskaarskandelaar
- *paschal candlestick (Easter candlestick)*

46 de sacristiebel
- *sanctus bell*

47 het processiekruis
- *processional cross*

48 de altaardecoratie (altaarversiering)
- *altar decoration*

49 de godslamp
- *sanctuary lamp*

50 het altaarstuk, een Christusbeeld
- *altarpiece, a picture of Christ*

51 het madonnabeeld
- *Madonna (statue of the Virgin Mary)*

52 een tafel voor votiefkaarsen
- *pricket*

53 votiefkaarsen (offerkaarsen)
- *votive candles*

54 de kruiswegstatie
- *station of the Cross*

55 het offerblok
- *offertory box*

56 het lectuurrek
- *literature stand*

57 publikaties, folders
- *literature,* e.g. *pamphlets, tracts*

58 de koster (*hier:* als collectant)
- *verger (sexton, sacristan)*

59 het kerk(e)zakje (de collectezak)
- *offertory bag*

60 het kerkgeld (de kerkcenten)
- *offering*

61 de gelovige (een biddende man)
- *Christian (man praying)*

62 het gebedenboek
- *prayer book*

123
1-4
26
1
2
3
4
5
6
7
8
9
10
11
12
13
14
15
16
17
18
19
20
21
22
23
24
25
26
27
28
29
30
31
32
33
34
35
36
37
38
39
40
41
42
43
44
45
46
47
48
49
50
51
52
53
54
55
56
57
58
59
60
61
62

1 **de kerk**
- ***church***
2 de kerktoren
- *steeple*
3 de weerhaan
- *weathercock*
4 de windwijzer (windvaan)
- *weather vane (wind vane)*
5 de bol op de torenspits
- *spire ball*
6 de torenspits
- *church spire (spire)*
7 de torenklok
- *church clock (tower clock)*
8 het galmgat
- *belfry window*
9 de elektrisch aangedreven luidklok
- *electrically operated bell*
10 het kruis op de nok
- *ridge cross*
11 het kerkdak
- *church roof*
12 de memoriekapel
- *memorial chapel*
13 de sacristie (*hier:* de apsis)
- *vestry (sacristy), an annexe (annex)*
14 de gedenksteen (gedenkplaat)
- *memorial tablet (memorial plate, wall memorial, wall stone)*
15 de zijingang
- *side entrance*
16 het kerkportaal
- *church door (main door, portal)*
17 de kerkganger
- *churchgoer*
18 de kerkhofmuur
- *graveyard wall (churchyard wall)*
19 de kerkhofpoort
- *graveyard gate (churchyard gate, lichgate, lychgate)*
20 de pastorie
- *vicarage (parsonage, rectory)*
21-41 **het kerkhof** (de begraafplaats, dodenakker)
- ***graveyard*** *(churchyard, God's acre,* Am. *burying ground)*
21 het lijkenhuisje (mortuarium)
- *mortuary*
22 de doodgraver (grafdelver)
- *grave digger*
23 het graf
- *grave (tomb)*
24 het verhoogde graf
- *grave mound*
25 het grafkruis
- *cross*
26 de grafsteen
- *gravestone (headstone, tombstone)*
27 het familiegraf
- *family grave (family tomb)*
28 de kerkhofkapel
- *graveyard chapel*
29 het kindergraf
- *child's grave*
30 het urnengraf
- *urn grave*
31 de urn
- *urn*
32 het soldatengraf
- *soldier's grave*
33-41 de begrafenis (teraardebestelling)
- *funeral (burial)*
33 de treurenden (rouwenden)
- *mourners*
34 de grafkuil (groeve)
- *grave*
35 de doodskist
- *coffin (*Am. *casket)*
36 het zandschepje
- *spade*
37 de geestelijke
- *clergyman*
38 de nabestaanden
- *the bereaved*
39 de rouwsluier
- *widow's veil, a mourning veil*
40 de dragers
- *pallbearers*
41 de lijkbaar
- *bier*
42-50 **de processie**
- ***procession*** *(religious procession)*
42 het processiekruis
- *processional crucifix*
43 de kruisdrager
- *cross bearer (crucifer)*
44 het processievaandel, een kerkvaandel
- *processional banner, a church banner*
45 de acoliet
- *acolyte*
46 de drager van het baldakijn
- *canopy bearer*
47 de priester
- *priest*
48 de monstrans met het Allerheiligste (de heilige hostie)
- *monstrance with the Blessed Sacrament (consecrated Host)*
49 het baldakijn
- *canopy (baldachin, baldaquin)*
50 de nonnen
- *nuns*
51 de processiegangers
- *participants in the procession*
52-58 **het klooster**
- ***monastery***
52 de kloostergang
- *cloister*
53 de kloostertuin (kloostergaarde)
- *monastery garden*
54 de monnik, een Benedictijn
- *monk, a Benedictine monk*
55 het habijt (de pij)
- *habit (monk's habit)*
56 de kap
- *cowl (hood)*
57 de tonsuur
- *tonsure*
58 het brevier
- *breviary*
59 **de catacombe,** een ondergrondse, vroegchristelijke begraafplaats
- ***catacomb,*** *an early Christian underground burial place*
60 de grafnis
- *niche (tomb recess, arcosolium)*
61 de stenen afdekplaat
- *stone slab*

1
2
3
4
5
6
7
8
9
10
11
12
13
14
15
15
16
17
18
19
20
21
22
23
24
25
26
27
28
29
30
31
32
33
34
35
36
37
38
39
40
41
42
43
44
45
46
47
48
49
50
51
52
53
54
55
56
57
58
59
60
61

1 de christelijke doop
- *Christian baptism (christening)*
2 de doopkapel (het baptisterium)
- *baptistery (baptistry)*
3 de protestantse (lutherse) geestelijke
- *Protestant clergyman*
4 de toga
- *robes (vestments, canonicals)*
5 de bef
- *bands*
6 het, de boord
- *collar*
7 de dopeling
- *child to be baptized (christened)*
8 de doopjurk
- *christening robe (christening dress)*
9 de doopsluier
- *christening shawl*
10 de doopvont
- *font*
11 het waterbekken
- *font basin*
12 het doopwater
- *baptismal water*
13 de doopgetuigen
- *godparents*
14 het kerkelijk huwelijk (de kerkelijke inzegening van het huwelijk)
- *church wedding (wedding ceremony, marriage ceremony)*
15-16 het bruidspaar
- *bridal couple*
15 de bruid
- *bride*
16 de bruidegom
- *bridegroom (groom)*
17 de trouwring
- *ring (wedding ring)*
18 het bruidsboeket
- *bride's bouquet (bridal bouquet)*
19 de bruidskrans
- *bridal wreath*
20 de bruidssluier
- *veil (bridal veil)*
21 de corsage
- *[myrtle] buttonhole*
22 de geestelijke
- *clergyman*
23 de getuigen
- *witnesses [to the marriage]*
24 het bruidsmeisje
- *bridesmaid*
25 de knielbank
- *kneeler*
26 het Avondmaal [prot.]; heilige communie (eucharistie) [R.-K.]
- *Holy Communion*
27 de avondmaalsgangers [prot.]; de communicanten [R.-K.]
- *communicants*
28 het brood [prot.]; de hostie [R.-K.]
- *Host (wafer)*
29 de avondmaalsbeker [prot.]; de kelk [R.-K.]
- *communion cup*
30 de rozenkrans
- *rosary*
31 de paternosterkraal
- *paternoster*
32 de Ave-Mariakraal; iedere reeks van tien weesgegroetjes: een tientje
- *Ave Maria;* set of 10: *decade*
33 het kruis
- *crucifix*
34-54 de liturgische voorwerpen
- *liturgical vessels (ecclesiastical vessels)*
34 de monstrans
- *monstrance*
35 de hostie (het Allerheiligste)
- *Host (consecrated Host, Blessed Sacrament)*
36 de lunula
- *lunula (lunule)*
37 de stralenkrans
- *rays*
38 het wierookvat, voor liturgische bewierokingen
- *censer (thurible), for offering incense (for incensing)*
39 de ketting van het wierookvat
- *thurible chain*
40 het, de deksel van het wierookvat
- *thurible cover*
41 de wierookbrander
- *thurible bowl*
42 het wierookscheepje
- *incense boat*
43 het wierookschepje
- *incense spoon*
44 het misgerei
- *cruet set*
45 de ampul voor water
- *water cruet*
46 de ampul voor wijn
- *wine cruet*
47 het wijwatervat
- *holy water basin*
48 het ciborium met kleine hosties
- *ciborium containing the sacred wafers*
49 de kelk
- *chalice*
50 de hostieschaal
- *dish for communion wafers*
51 de pateen
- *paten (patin, patine)*
52 de altaarschel
- *altar bells*
53 de pyxis (hostiedoos)
- *pyx (pix)*
54 de wijwaterkwast
- *aspergillum*
55-72 christelijke kruisen
- *forms of Christian crosses*
55 het Latijnse kruis
- *Latin cross (cross of the Passion)*
56 het Griekse kruis
- *Greek cross*
57 het Russische kruis
- *Russian cross*
58 het Petruskruis
- *St. Peter's cross*
59 het Antoniuskruis (crux commissa, taukruis)
- *St. Anthony's cross (tau cross)*
60 het Andreaskruis (Sint-Andrieskruis)
- *St. Andrew's cross (saltire cross)*
61 het gaffelkruis
- *Y-cross*
62 het patriarchale kruis (aartsbisschoppelijke kruis, Lotharingse kruis)
- *cross of Lorraine*
63 de crux ansata (het hengelkruis)
- *ansate cross*
64 de crux gemina (het dubbelkruis)
- *patriarchal cross*
65 het patriarchale kruis
- *cardinal's cross*
66 het pauselijke kruis
- *Papal cross*
67 het Constantijnskruis, een christusmonogram
- *Constantinian cross, a monogram of Christ (CHR)*
68 het herkruiste kruis
- *crosslet*
69 het ankerkruis
- *cross moline*
70 het Bourgondische kruis (krukkenkruis)
- *cross of Jerusalem*
71 het klaverbladkruis
- *cross botonnée (cross treflée)*
72 het Jeruzalemskruis
- *fivefold cross (quintuple cross)*

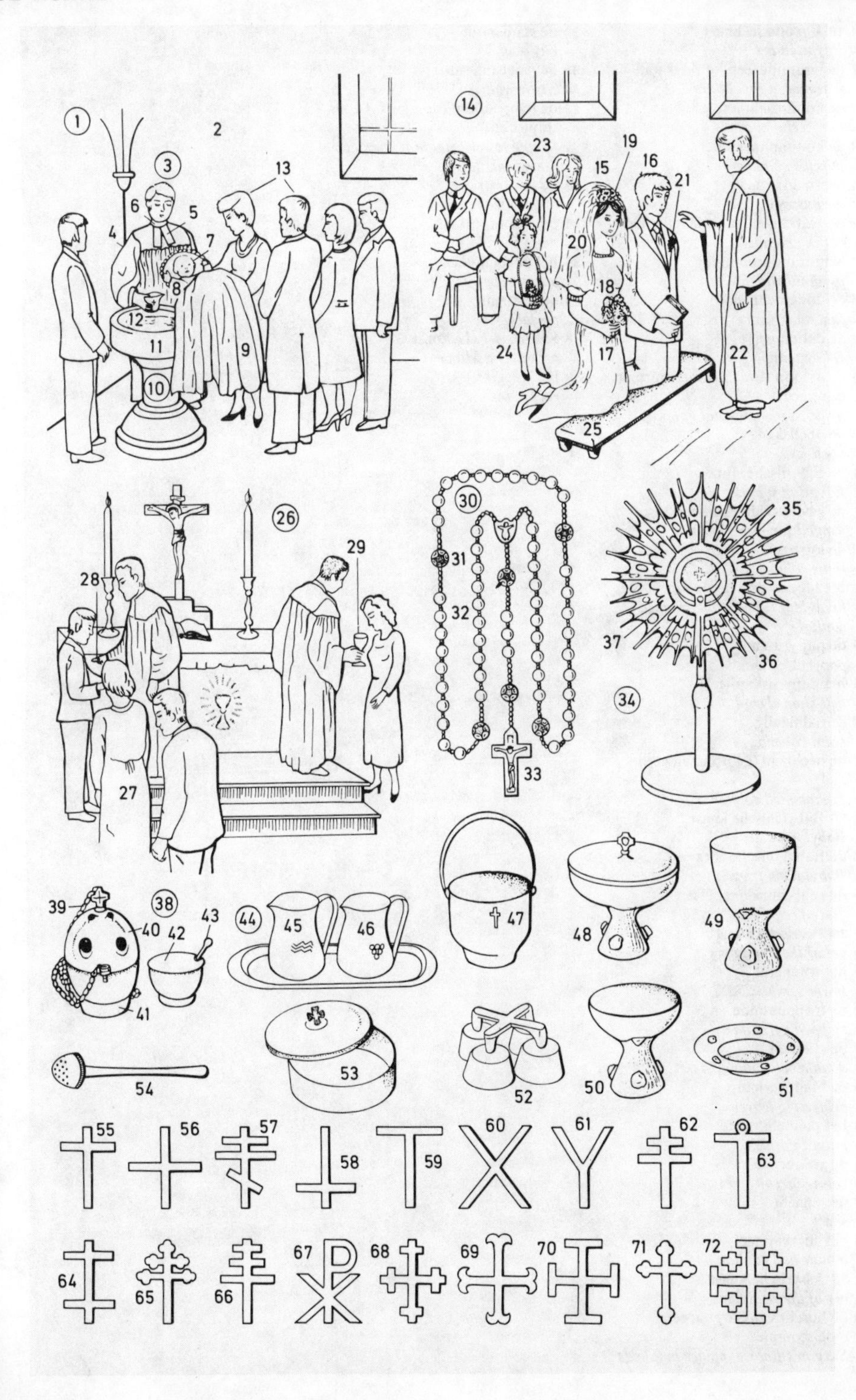
1
2
3
4
5
6
7
8
9
10
11
12
13
14
15
16
17
18
19
20
21
22
23
24
25
26
27
28
29
30
31
32
33
34
35
36
37
38
39
40
41
42
43
44
45
46
47
48
49
50
51
52
53
54
55
56
57
58
59
60
61
62
63
64
65
66
67
68
69
70
71
72

1-18 Egyptische kunst
- ***Egyptian art***
1 de piramide, een koningsgraf
- *pyramid, a royal tomb*
2 de koningskamer
- *king's chamber*
3 de koninginnekamer
- *queen's chamber*
4 het luchtkanaal
- *air passage*
5 de grafkamer (sarcofaagkamer)
- *coffin chamber*
6 het piramidecomplex
- *pyramid site*
7 de dodentempel
- *funerary temple*
8 de daltempel
- *valley temple*
9 de pyloon (twee pylonen vormen een poort)
- *pylon, a monumental gateway*
10 de obelisken
- *obelisks*
11 de Egyptische sfinx
- *Egyptian sphinx*
12 de gevleugelde zonneschijf
- *winged sun disc (sun disk)*
13 de lotuszuil
- *lotus column*
14 het bloemknopkapiteel
- *knob-leaf capital (bud-shaped capital)*
15 de papyruszuil
- *papyrus column*
16 het papyruskapiteel
- *bell-shaped capital*
17 de palmzuil
- *palm column*
18 de beeldzuil (geornamenteerde zuil)
- *ornamented column*
19-20 Babylonische kunst
- ***Babylonian art***
19 de Babylonische fries
- *Babylonian frieze*
20 de geglazuurde reliëfsteen
- *glazed relief tile*
21-28 Perzische kunst
- ***art of the Persians***
21 het torengraf
- *tower tomb*
22 de trappiramide
- *stepped pyramid*
23 de stierzuil
- *double bull column*
24 de bladoverhang
- *projecting leaves*
25 het palmetkapiteel
- *palm capital*
26 de voluut
- *volute (scroll)*
27 de schacht
- *shaft*
28 het stierkapiteel
- *double bull capital*
29-36 Assyrische kunst
- ***art of the Assyrians***
29 de burcht van Sargon, een paleiscomplex
- *Sargon's Palace, palace buildings*
30 de stadsmuur
- *city wall*
31 de paleisommuring
- *castle wall*
32 de tempeltoren (de zigurrat), een traptoren
- *temple tower (ziggurat), a stepped (terraced) tower*
33 de bordestrap
- *outside staircase*
34 het hoofdportaal
- *main portal*
35 het portaalreliëf
- *portal relief*
36 de portaalfiguur
- *portal figure*
37 Kleinaziatische kunst
- ***art of Asia Minor***
38 het rotsgraf
- *rock tomb*

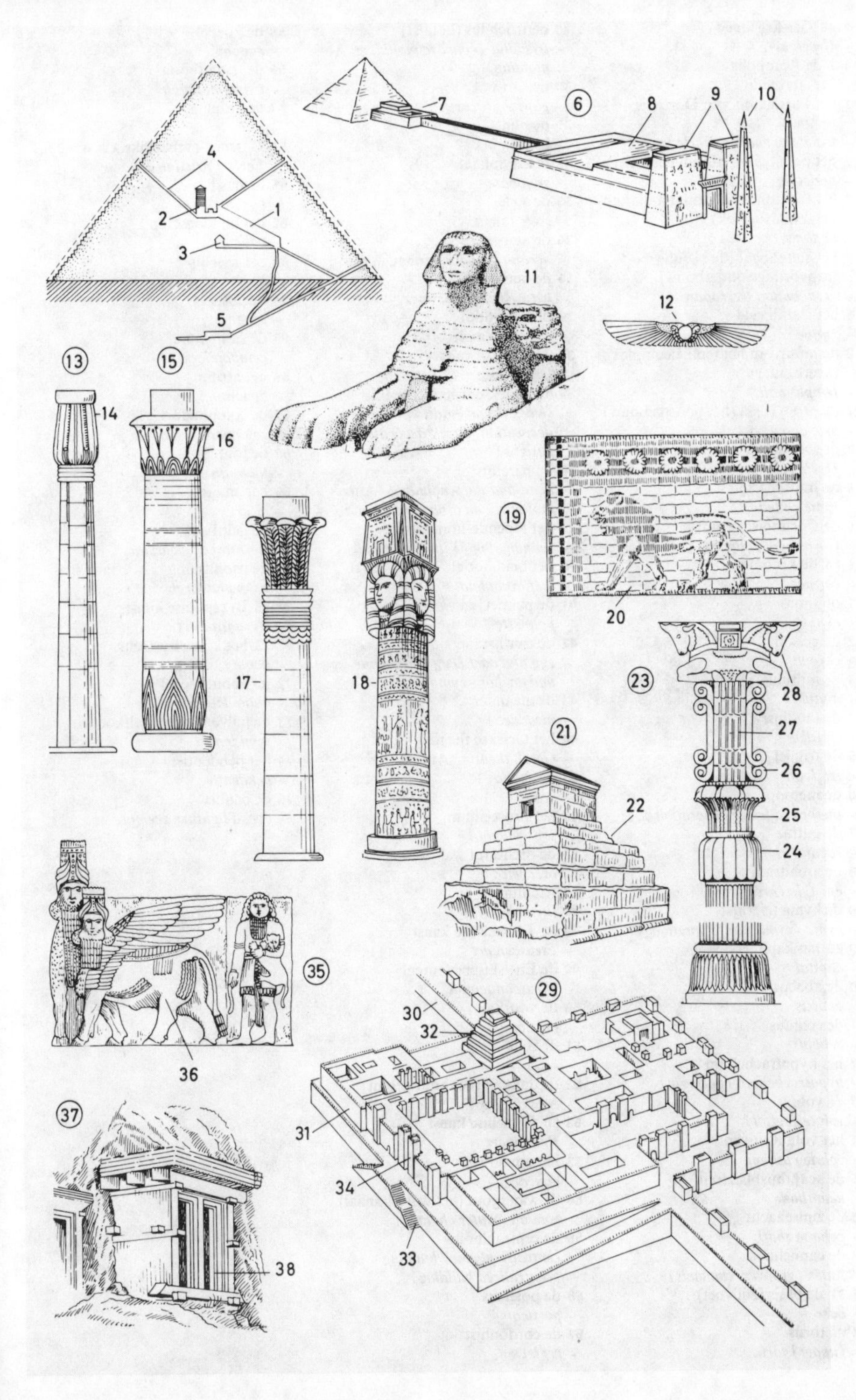
4
2
1
3
5
6
7
8
9
10
11
12
13
14
15
16
17
18
19
20
21
22
23
24
25
26
27
28
29
30
31
32
33
34
35
36
37
38

1-48 **Griekse kunst**
- ***Greek art***

1-7 de Acropolis
- *the Acropolis*

1 het Parthenon, een Dorische tempel
- *the Parthenon, a Doric temple*

2 het peristylium (de zuilenomgang)
- *peristyle*

3 het fronton (tympaan, tympanon, de geveldriehoek)
- *pediment*

4 het stereobaat (de alzijdig trapvormige onderbouw)
- *crepidoma (stereobate)*

5 het standbeeld
- *statue*

6 de muur van het tempelcomplex (keermuur)
- *temple wall*

7 de propylaeën (het poortgebouw)
- *propylaea*

8 de Dorische zuil
- *Doric column*

9 de Ionische zuil
- *Ionic column*

10 de Corinthische zuil
- *Corinthian column*

11-14 de kroonlijst
- *cornice*

11 de sima
- *cyma*

12 de geison
- *corona*

13 de mutulus
- *mutule*

14 de tandlijst
- *dentils*

15 de triglief
- *triglyph*

16 de metoop
- *metope, a frieze decoration*

17 de guttae
- *regula*

18 de architraaf
- *epistyle (architrave)*

19 de kyma (eierlijst)
- *cyma (cymatium, kymation)*

20-25 het kapiteel
- *capital*

20 de abacus
- *abacus*

21 de echinus
- *echinus*

22 het hypotrachelium
- *hypotrachelium (gorgerin)*

23 de voluut
- *volute (scroll)*

24 het voluutkussen
- *volute cushion*

25 de acanthusbladeren
- *acanthus*

26 de zuilschacht
- *column shaft*

27 de cannelures
- *flutes (grooves, channels)*

28-31 de basis (zuilvoet)
- *base*

28 de torus
- *[upper] torus*

29 de trochilus (hollijst)
- *trochilus (concave moulding,* Am. *molding)*

30 de torus
- *[lower] torus*

31 de plint
- *plinth*

32 het stylobaat
- *stylobate*

33 de stele
- *stele (stela)*

34 de acroterie
- *acroterion (acroterium, acroter)*

35 de herme
- *herm (herma, hermes)*

36 de kariatide
- *caryatid;* male: *Atlas*

37 de Griekse vaas
- *Greek vase*

38-43 Griekse ornamenten
- *Greek ornamentation (Greek decoration, Greek decorative designs)*

38 de parellijst
- *bead-and-dart moulding (*Am. *molding), an ornamental band*

39 het lopende-hondmotief
- *running dog (Vitruvian scroll)*

40 het bladmotief
- *leaf ornament*

41 de palmet
- *palmette*

42 de eierlijst
- *egg and dart (egg and tongue, egg and anchor) cyma*

43 de meander
- *meander*

44 het Griekse theater
- *Greek theatre (*Am. *theater)*

45 de skene
- *scene*

46 het proscenium
- *proscenium*

47 de orchestra
- *orchestra*

48 het altaar
- *thymele (altar)*

49-52 **Etruskische kunst**
- ***Etruscan art***

49 de Etruskische tempel
- *Etruscan temple*

50 de voorhal
- *portico*

51 de cella
- *cella*

52 de dakkap (het bint, gebint)
- *entablature*

53-60 **Romeinse kunst**
- ***Roman art***

53 het aquaduct
- *aqueduct*

54 de watergoot (het waterkanaal)
- *conduit (water channel)*

55 de centraalbouw
- *centrally-planned building (centralized building)*

56 de porticus
- *portico*

57 de cordonlijst
- *reglet*

58 de koepel
- *cupola*

59 de triomfboog
- *triumphal arch*

60 de attiek
- *attic*

61-71 **vroeg-christelijke kunst**
- ***Early Christian art***

61 de basilica
- *basilica*

62 het middenschip
- *nave*

63 het zijschip
- *aisle*

64 de absis
- *apse*

65 de campanile
- *campanile*

66 het atrium
- *atrium*

67 de colonnade
- *colonnade*

68 de fontein
- *fountain*

69 het altaar
- *altar*

70 de lichtbeuk
- *clerestory (clearstory)*

71 de triomfboog
- *triumphal arch*

72-75 **Byzantijnse kunst**
- ***Byzantine art***

72-73 het koepelsysteem
- *dome system*

72 de hoofdkoepel
- *main dome*

73 de halve koepel (halfkoepel)
- *semidome*

74 het pendentief
- *pendentive*

75 de oculus
- *eye, a lighting aperture*

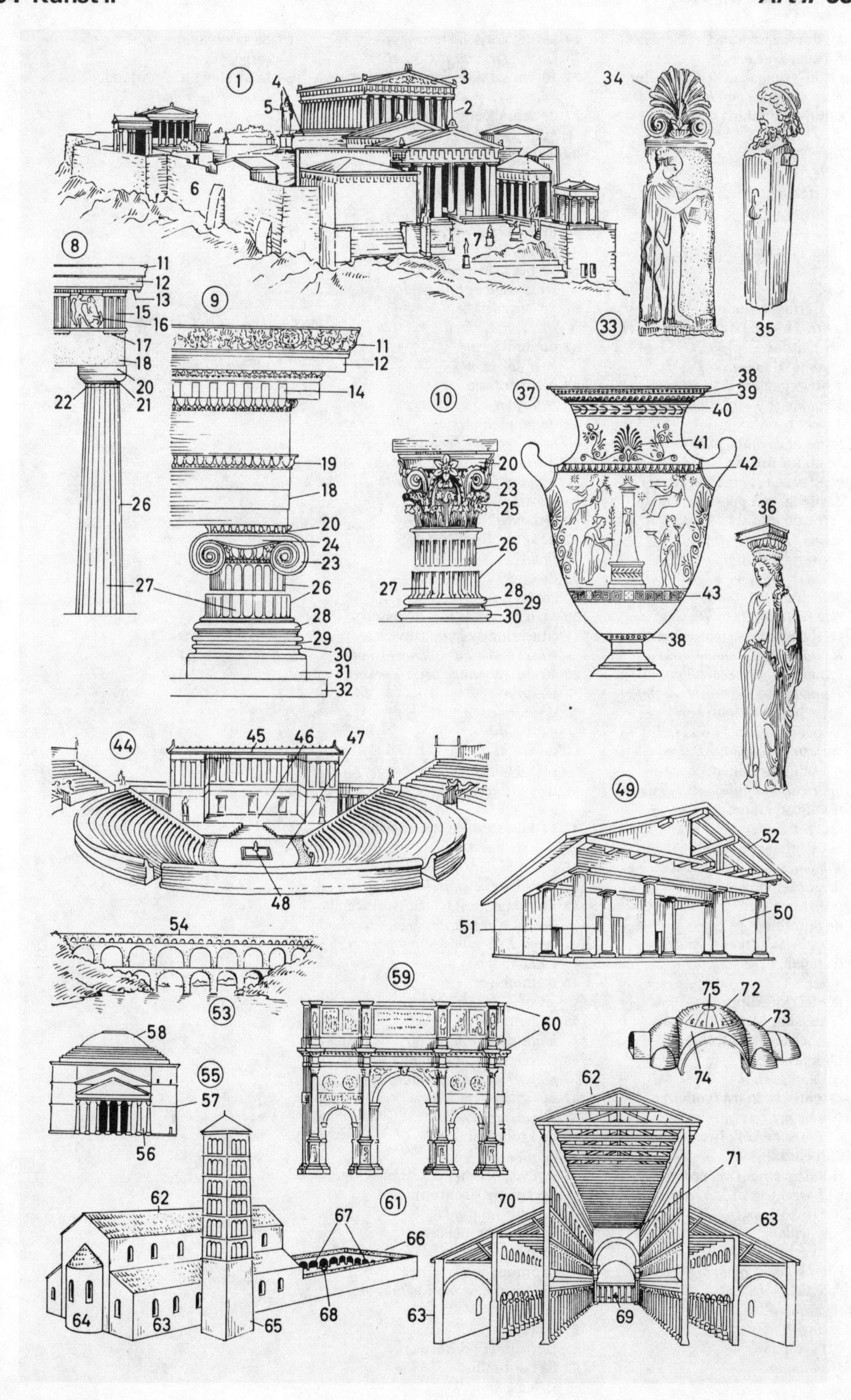

1-21 Romaanse kunst
- ***Romanesque art***
1-13 de Romaanse kerk, een dom
- *Romanesque church, a cathedral*
1 het middenschip (schip)
- *nave*
2 het zijschip
- *aisle*
3 het transept (dwarsschip)
- *transept*
4 het koor
- *choir (chancel)*
5 de apsis
- *apse*
6 de vieringstoren
- *central tower (*Am. *center tower)*
7 het tentdak
- *pyramidal tower roof*
8 de dwerggalerij
- *arcading*
9 de, het rondboogfries
- *frieze of round arcading*
10 de blinde arcade
- *blind arcade (blind arcading)*
11 de liseen, een pilastervormige verticale muurbekleding
- *lesene, a pilaster strip*
12 het ronde venster
- *circular window*
13 het zijportaal
- *side entrance*
14-16 Romaanse ornamenten
- *Romanesque ornamentation (Romanesque decoration, Romanesque decorative designs)*
14 het schaakbordpatroon
- *chequered (*Am. *checkered) pattern (chequered design)*
15 het schubornament
- *imbrication (imbricated design)*
16 het zigzagmotief
- *chevron design*
17 het Romaanse gewelfsysteem
- *Romanesque system of vaulting*
18 de gordelboog
- *transverse arch*
19 de muraalboog
- *barrel vault (tunnel vault)*
20 de pijler
- *pillar*
21 het teerlingkapiteel (kubuskapiteel, dobbelsteenkapiteel, blokkapiteel)
- *cushion capital*
22-41 gotische kunst (gotiek)
- ***Gothic art***
22 de gotische kerk [westfaçade], een kathedraal
- *Gothic church [westwork, west end, west façade], a cathedral*
23 het roosvenster
- *rose window*
24 het kerkportaal
- *church door (main door, portal), a recessed portal*
25 de archivolt
- *archivolt*
26 het tympaan
- *tympanum*
27-35 het gotische bouwsysteem
- *Gothic structural system*
27-28 het schoorsysteem
- *buttresses*
27 de steunbeer
- *buttress*
28 de luchtboog
- *flying buttress*
29 de pinakel (fioel)
- *pinnacle*
30 de waterspuwer
- *gargoyle*
31-32 het kruisgewelf
- *cross vault (groin vault)*
31 de gewelfribben
- *ribs (cross ribs)*
32 de sluitsteen
- *boss (pendant)*
33 het triforium
- *triforium*
34 de bundelpijler
- *clustered pier (compound pier)*
35 de schalk
- *respond (engaged pillar)*
36 de windberg (wimberg)
- *pediment*
37 de kruisbloem (finale)
- *finial*
38 de kogel
- *crocket*
39-41 het venster met maaswerk (tracering), een lancetvenster
- *tracery window, a lancet window*
39-40 de tracering (het maaswerk)
- *tracery*
39 de vierpas
- *quatrefoil*
40 de vijfpas
- *cinquefoil*
41 de vensterstijlen
- *mullions*
42-54 kunst van de Renaissance
- ***Renaissance art***
42 de renaissancekerk
- *Renaissance church*
43 de risaliet, een vooruitspringend deel van een gevel
- *projection, a projecting part of the building*
44 de tamboer
- *drum*
45 de lantaarn
- *lantern*
46 de pilaster (muurpijler)
- *pilaster (engaged pillar)*
47 het renaissancepaleis
- *Renaissance palace*
48 de kroonlijst
- *cornice*
49 een venster met een driehoekige bekroning (fronton)
- *pedimental window*
50 een venster met een segmentvormige bekroning (fronton)
- *pedimental window with round gable*
51 de rustica
- *rustication (rustic work)*
52 de cordonlijst
- *string course*
53 de sarcofaag
- *sarcophagus*
54 het festoen (de guirlande)
- *festoon (garland)*

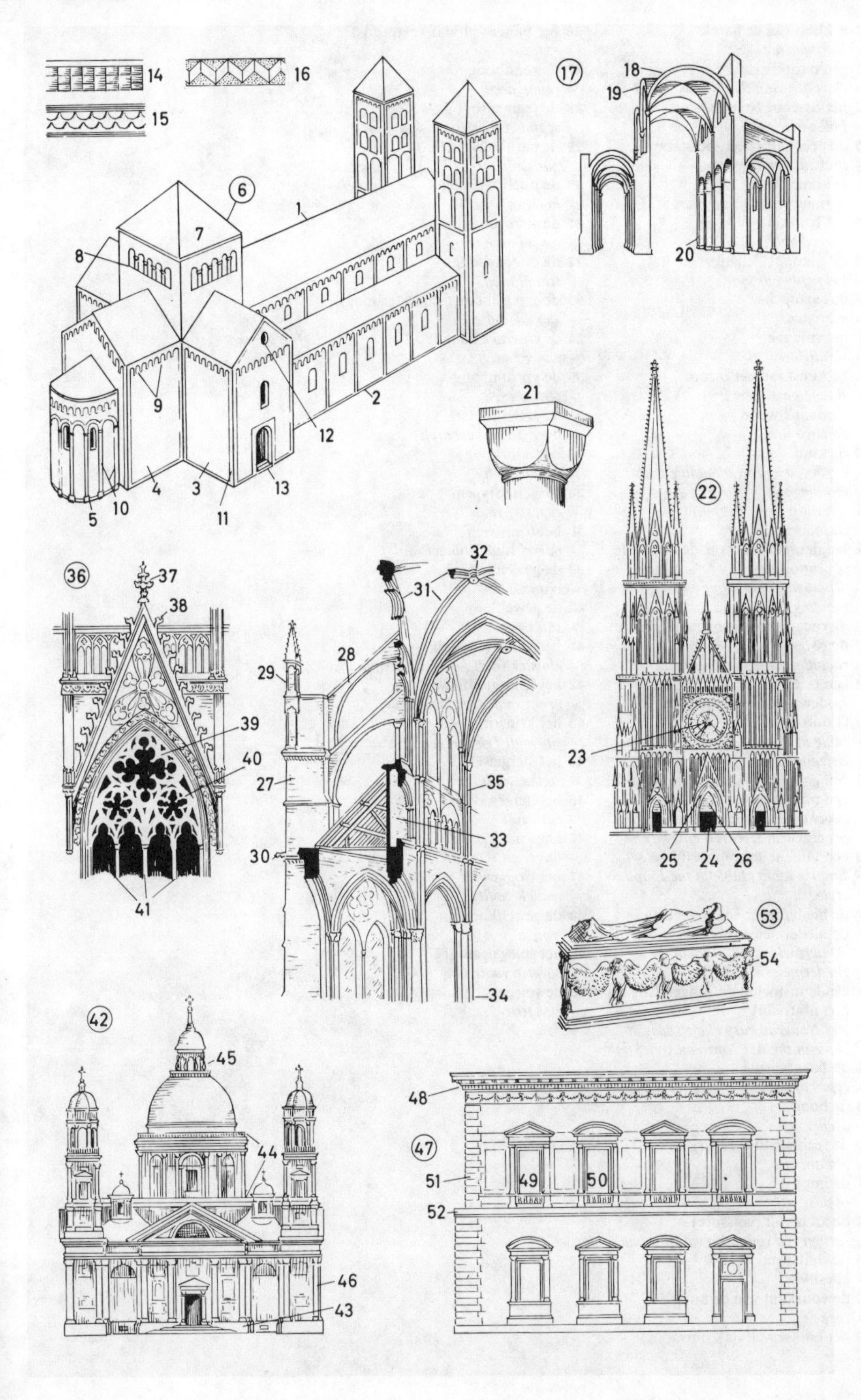
14
15
16
17
18
19
20
6
7
8
1
9
12
2
21
5
10
4
3
11
13
22
36
37
38
32
31
28
29
39
40
27
35
23
33
30
25
24
26
41
53
54
34
42
45
48
44
47
51
49
50
52
46
43

1-8 kunst van de barok
- ***Baroque art***

1 een barokkerk
- *Baroque church*

2 het osseoog (œil-de-bœuf)
- *bull's eye*

3 de peerspits (peer, bolspits)
- *bulbous cupola*

4 het dakvenster
- *dormer window (dormer)*

5 het fronton
- *curved gable*

6 de gekoppelde zuil
- *twin columns*

7 de cartouche
- *cartouche*

8 het rolwerk
- *scrollwork*

9-13 kunst van het rococo
- ***Rococo art***

9 de rococowand
- *Rococo wall*

10 de koof
- *coving, a hollow moulding (*Am. *molding)*

11 het raamwerk (frame)
- *framing*

12 het deurstuk (dessus-de-porte, de sopraporta)
- *ornamental moulding (*Am. *molding)*

13 de rocaille, een ornamentvorm uit de rococo
- *rocaille, a Rococo ornament*

14 een tafel in Lodewijk-de-zestiende-stijl (Louis-Seize-stijl)
- *table in Louis Seize style (Louis Seize table)*

15 een gebouw in classicistische stijl, een poortgebouw
- *neoclassical building (building in neoclassical style), a gateway*

16 een tafel in de empirestijl
- *Empire table (table in the Empire style)*

17 de biedermeier sofa (een sofa in de biedermeierstijl)
- *Biedermeier sofa (sofa in the Biedermeier style)*

18 een leunstoel in de Jungendstil (art nouveau)
- *Art Nouveau easy chair (easy chair in the Art Nouveau style)*

19-37 boogtypen
- ***types of arch***

19 de boog
- *arch*

20 de rechtstand (drager)
- *abutment*

21 de impost
- *impost*

22 de archivolt (voissure)
- *springer, a voussoir (wedge stone)*

23 de sluitsteen
- *keystone*

24 de voorkant van de boog
- *face*

25 het binnenwelfvlak (intrados)
- *pier*

26 het buitenwelfvlak (extrados)
- *extrados*

27 de rondboog
- *round arch*

28 de segmentboog
- *segmental arch (basket handle)*

29 de parabolische boog
- *parabolic arch*

30 de hoefijzerboog
- *horseshoe arch*

31 de spitsboog
- *lancet arch*

32 de driepasboog
- *trefoil arch*

33 de spiegelboog (schouderboog)
- *shouldered arch*

34 de convexe boog
- *convex arch*

35 de gordijnboog
- *tented arch*

36 de ezelsrugboog
- *ogee arch (keel arch)*

37 de tudorboog
- *Tudor arch*

38-50 gewelftypen
- ***types of vault***

38 het tongewelf
- *barrel vault (tunnel vault)*

39 de gewelfkap
- *crown*

40 de gewelfkap
- *side*

41 het kloostergewelf
- *cloister vault (cloistered vault)*

42 het kruisgraatgewelf
- *groin vault (groined vault)*

43 het kruisribgewelf
- *rib vault (ribbed vault)*

44 het stergewelf
- *stellar vault*

45 het netgewelf
- *net vault*

46 het waaiergewelf
- *fan vault*

47 het troggewelf
- *trough vault*

48 de gewelfkap
- *trough*

49 het spiegelgewelf
- *cavetto vault*

50 de spiegel
- *cavetto*

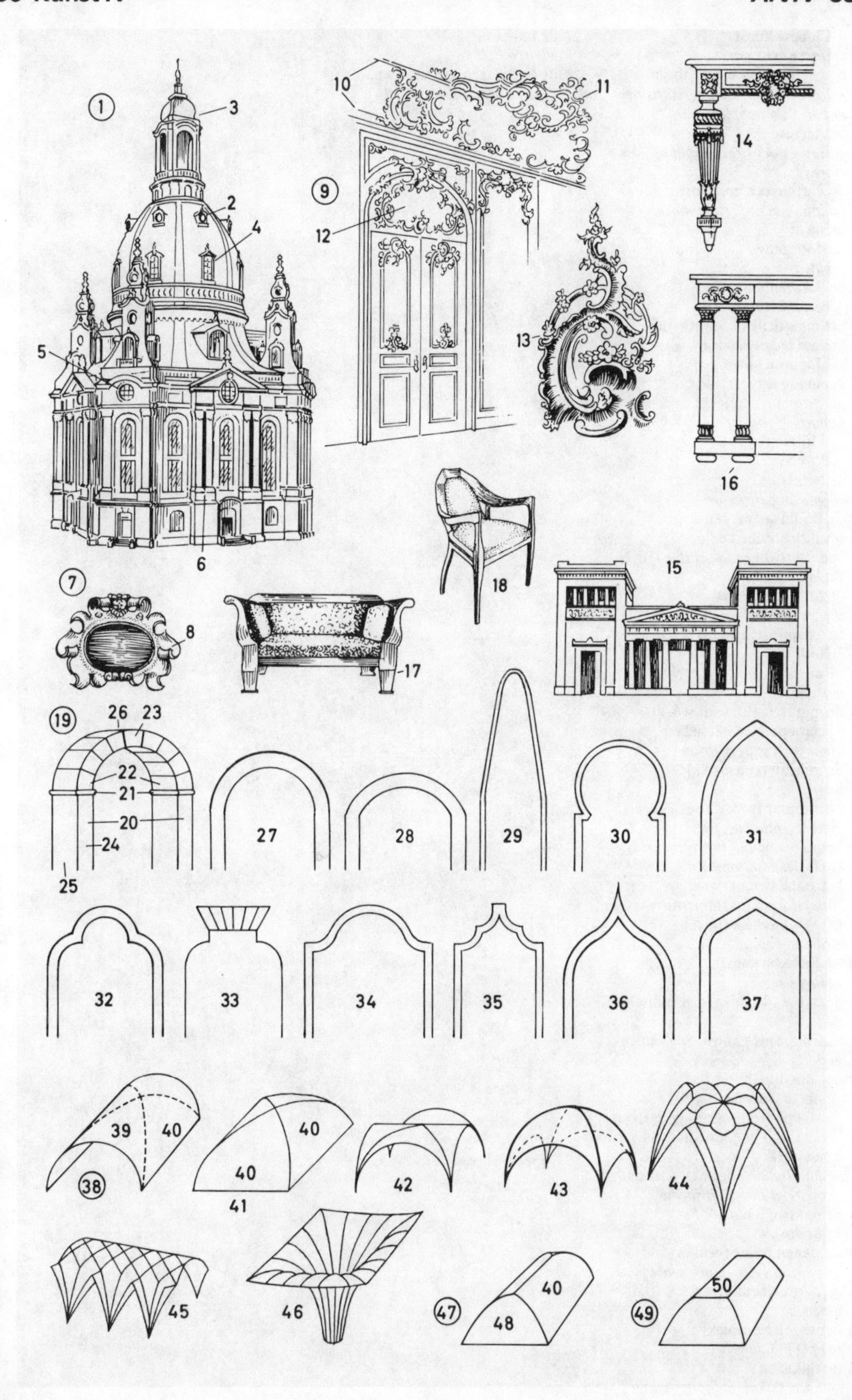
1
2
3
4
5
6
7
8
9
10
11
12
13
14
15
16
17
18
19
20
21
22
23
24
25
26
27
28
29
30
31
32
33
34
35
36
37
38
39
40
41
42
43
44
45
46
47
48
49
50

1-6 Chinese kunst
- ***Chinese art***

1 de pagode, een tempeltoren
- *pagoda (multi-storey, multistory, pagoda), a temple tower*

2 het terrasdak
- *storey (story) roof (roof of storey)*

3 de P'ai-lu, een erepoort
- *pailou (pailoo), a memorial archway*

4 de doorgang
- *archway*

5 de porseleinen vaas
- *porcelain vase*

6 het ingesneden lakwerkstuk
- *incised lacquered work*

7-11 Japanse kunst
- ***Japanese art***

7 de tempel
- *temple*

8 de klokketoren
- *bell tower*

9 de balklaag
- *supporting structure*

10 de Bodhisattva, een boeddhistische heilige
- *bodhisattva (boddhisattva), a Buddhist saint*

11 de torii, een poort
- *torii, a gateway*

12-18 Islamitische kunst
- ***Islamic art***

12 de moskee
- *mosque*

13 de minaret, vanwaar wordt opgeroepen tot het gebed
- *minaret, a prayer tower*

14 de mihrab (gebedsnis)
- *mihrab*

15 de mimbar (preekstoel, kansel)
- *minbar (mimbar, pulpit)*

16 het mausoleum, een praalgraf
- *mausoleum, a tomb*

17 het stalactietengewelf
- *stalactite vault (stalactitic vault)*

18 het Arabische kapiteel
- *Arabian capital*

19-28 Indische kunst
- ***Indian art***

19 de dansende shiva, een Indische god
- *dancing Siva (Shiva), an Indian god*

20 het Boeddhabeeld
- *statue of Buddha*

21 de stoepa (Indische pagode), een koepel, een boeddhistisch sacraal bouwwerk
- *stupa (Indian pagoda), a mound (dome), a Buddhist shrine*

22 de parasol (chatra)
- *umbrella*

23 de stenen muur (vedika)
- *stone wall (*Am.* stone fence)*

24 de poort (torana)
- *gate*

25 het tempelcomplex
- *temple buildings*

26 de shikara
- *shikara (sikar, sikhara, temple tower)*

27 de tjaitjahal
- *chaitya hall*

28 de tjaitja, een kleine stoepa
- *chaitya, a small stupa*

1
2
3
4
7
5
6
8
9
12
13
13
11
10
16
17
15
14
18
20
27
22
19
25
26
21
22
24
23
28

1-43 het atelier (de studio)
- ***studio***

1 het atelierraam
- *studio skylight*

2 de (kunst)schilder, een kunstenaar
- *painter, an artist*

3 de schildersezel
- *studio easel*

4 de schets met de compositie
- *chalk sketch, with the composition (rough draft)*

5 het krijt
- *crayon (piece of chalk)*

6-19 het schildersgereedschap
- *painting materials*

6 het platte penseel
- *flat brush*

7 het penseel van runderhaar
- *camel hair brush*

8 het ronde penseel
- *round brush*

9 het penseel voor grondering
- *priming brush*

10 de schilderskist
- *box of paints (paintbox)*

11 de tube olieverf
- *tube of oil paint*

12 het, de vernis
- *varnish*

13 de verdunner
- *thinner*

14 het paletmes
- *palette knife*

15 het steekmes
- *spatula*

16 de houtskool
- *charcoal pencil (charcoal, piece of charcoal)*

17 de tempera (gouache)
- *tempera (gouache)*

18 de waterverf
- *watercolour (*Am. *watercolor)*

19 het pastelkrijt
- *pastel crayon*

20 het spanraam
- *wedged stretcher (canvas stretcher)*

21 het linnen
- *canvas*

22 het hardboard met grondlaag
- *piece of hardboard, with painting surface*

23 het houten paneel
- *wooden board*

24 de spaanplaat
- *fibreboard (*Am. *fiberboard)*

25 het schilderstafeltje
- *painting table*

26 de veldezel
- *folding easel*

27 het stilleven
- *still life group, a motif*

28 het (schilders)palet
- *palette*

29 het oliebakje
- *palette dipper*

30 het podium
- *platform*

31 de ledenpop
- *lay figure (mannequin, manikin)*

32 het (naakt)model
- *nude model (model, nude)*

33 de draperie
- *drapery*

34 de tekentafel
- *drawing easel*

35 het schetsblok
- *sketch pad*

36 de olieverfstudie
- *study in oils*

37 het mozaïek
- *mosaic (tessellation)*

38 de, het mozaïekfiguur
- *mosaic figure*

39 de mozaïeksteentjes
- *tesserae*

40 de wandschildering (muurschildering, het fresco)
- *fresco (mural)*

41 het graffito
- *sgraffito*

42 de kalklaag
- *plaster*

43 het ontwerp
- *cartoon*

1-38 het atelier
- ***studio***

1 de beeldhouwer
- *sculptor*

2 de vergrootpasser
- *proportional dividers*

3 de steekpasser
- *calliper (caliper)*

4 het gipsmodel
- *plaster model, a plaster cast*

5 het steenblok (blok steen)
- *block of stone (stone block)*

6 de modelleur
- *modeller (*Am. *modeler)*

7 de, het kleifiguur, een torso
- *clay figure, a torso*

8 de kleirol, een materiaal voor modelleren
- *roll of clay, a modelling (*Am. *modeling) substance*

9 de modelleerbok
- *modelling (*Am. *modeling) stand*

10 het boetseerhout
- *wooden modelling (*Am. *modeling) tool*

11 de mirette
- *wire modelling (*Am. *modeling) tool*

12 het slaghout
- *beating wood*

13 het tandijzer (de tandbeitel)
- *claw chisel (toothed chisel, tooth chisel)*

14 de zeel
- *flat chisel*

15 de puntbeitel
- *point (punch)*

16 de moker
- *iron-headed hammer*

17 de guts
- *gouge (hollow chisel)*

18 de gekropte steekguts
- *spoon chisel*

19 de platte beitel
- *wood chisel, a bevelled-edge chisel*

20 de V-vormige guts (driekante guts)
- *V-shaped gouge*

21 de houten hamer
- *mallet*

22 de armatuur
- *framework*

23 de bodemplaat
- *baseboard*

24 de stang
- *armature support (metal rod)*

25 de armatuurkop
- *armature*

26 het wasmodel
- *wax model*

27 het blok hout
- *block of wood*

28 de houtsnijder
- *wood carver (wood sculptor)*

29 de zak met gips
- *sack of gypsum powder (gypsum)*

30 de kleikist
- *clay box*

31 de (boetseer)klei
- *modelling (*Am. *modeling) clay*

32 het beeld (de sculptuur, het plastiek)
- *statue, a sculpture*

33 het reliëf (bas-reliëf)
- *low relief (bas-relief)*

34 de reliëfplank
- *modelling (*Am. *modeling) board*

35 de draadconstructie
- *wire frame, wire netting*

36 het (ronde) medaillon
- *circular medallion (tondo)*

37 het masker
- *mask*

38 de plaquette
- *plaque*

1-13 de houtsnijkunst (xylografie, houtgravure), een hoogdrukprocédé
- ***wood engraving*** *(xylography), a relief printing method (a letterpress printing method)*

1 het kopshout voor de houtgravure
- *end-grain block for wood engravings, a wooden block*

2 het langshout voor de houtsnede
- *wooden plank for woodcutting, a relief image carrier*

3 het positief
- *positive cut*

4 de snede in het langshout
- *plank cut*

5 de burijn
- *burin (graver)*

6 de guts
- *U-shaped gouge*

7 de beitel
- *scorper (scauper, scalper)*

8 de guts
- *scoop*

9 de V-vormige guts (driekante guts)
- *V-shaped gouge*

10 het contourmes
- *contour knife*

11 de borstel
- *brush*

12 de specierol (compositierol)
- *roller (brayer)*

13 de wrijver
- *pad (wiper)*

14-24 de kopergravure (ets, chalkografie), een diepdrukprocédé
- ***copperplate engraving*** *(chalcography), an intaglio process;* kinds: *etching, mezzotint, aquatint, crayon engraving*

14 de repoussagehamer
- *hammer*

15 de pons
- *burin*

16 de graveernaald (etsnaald)
- *etching needle (engraver)*

17 het polijst- en schraapstaal
- *scraper and burnisher*

18 de puntroller
- *roulette*

19 het wiegijzer
- *rocking tool (rocker)*

20 de burijn
- *round-headed graver, a graver (burin)*

21 het oliesteentje
- *oilstone*

22 de tampon
- *dabber (inking ball, ink ball)*

23 de leren inktrol (lederrol)
- *leather roller*

24 het spritsraam
- *sieve*

25-26 de lithografie (litho), een vlakdrukprocédé
- ***lithography*** *(stone lithography), a planographic printing method*

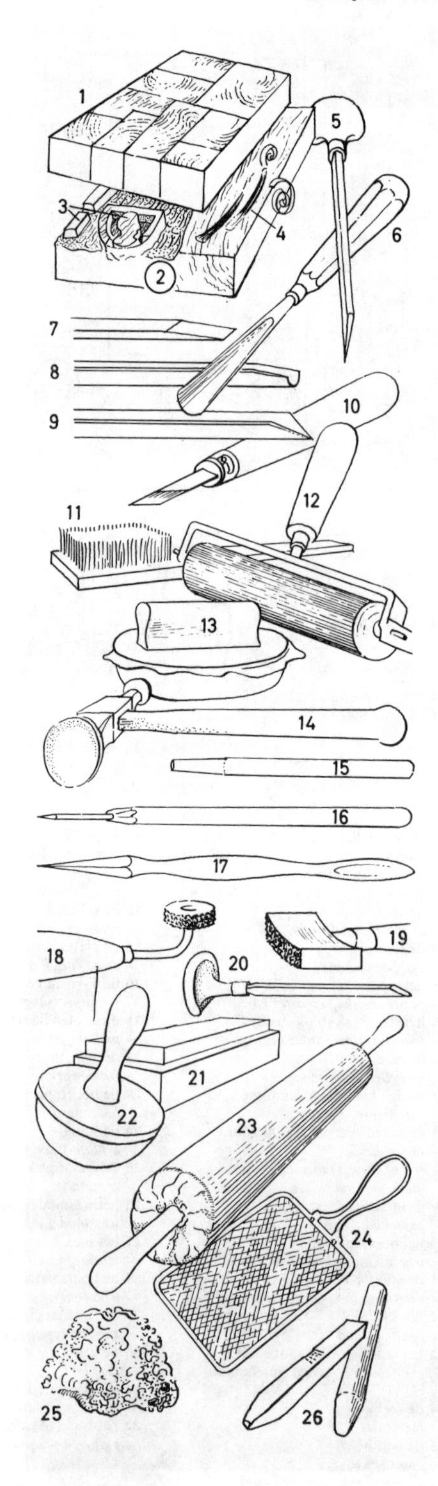

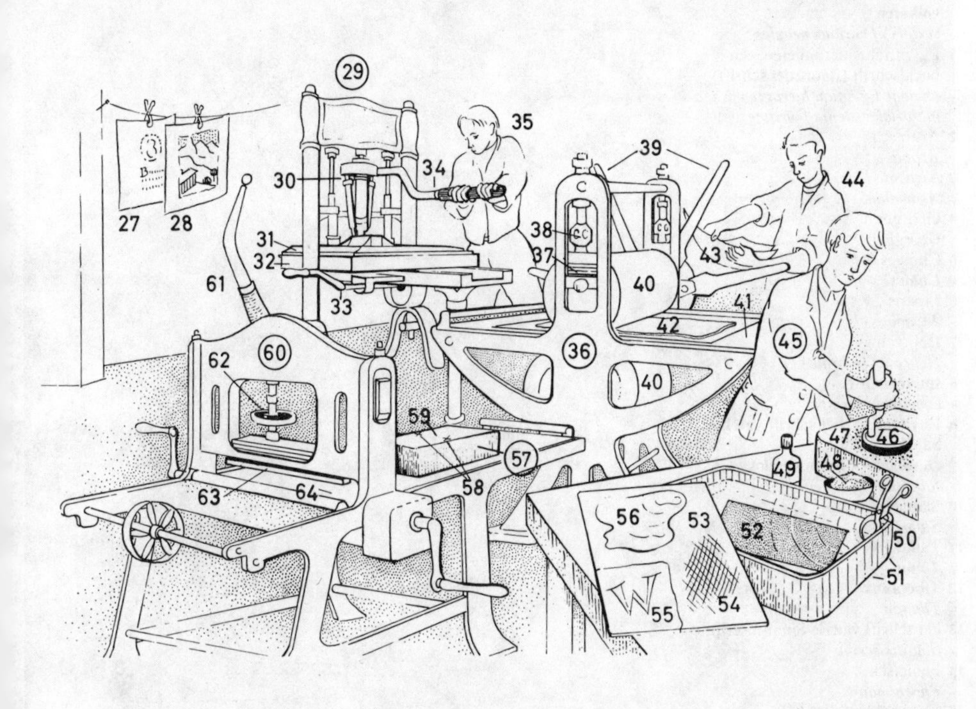

25 de spons, voor het bevochtigen van de lithosteen
– *sponge for moistening the lithographic stone*
26 het lithokrijt (vetkrijt)
– *lithographic crayons (greasy chalk)*
27-64 de grafische werkplaats
– ***graphic art studio,*** *a printing office (*Am. *printery)*
27 de plano
– *broadside (broadsheet, single sheet)*
28 de kleurendruk (chromolithografie)
– *full-colour (*Am. *full-color) print (colour print, chromolithograph)*
29 de degel(pers), een handpers
– *platen press, a hand press*
30 de knevel (het kniegewricht)
– *toggle*
31 de persplaat
– *platen*
32 de (druk)vorm
– *type forme (*Am. *form)*
33 het spanningsmechanisme
– *feed mechanism*
34 de zwengel
– *bar (devil's tail)*
35 de drukker
– *pressman*
36 de etspers
– *copperplate press*
37 de kartonnen tussenlaag
– *tympan*
38 de drukregelaar
– *pressure regulator*
39 het spaakwiel
– *star wheel*
40 de wals (rol)
– *cylinder*
41 de timpaan
– *bed*
42 het vilt
– *felt cloth*
43 de proefdruk
– *proof (pull)*
44 de kopergraveur
– *copperplate engraver*
45 de lithograaf, bij het greinen
– *lithographer (litho artist), grinding the stone*
46 de loper (greineersteen) (*vaak:* van glas)
– *grinding disc (disk)*
47 de korn
– *grain (granular texture)*
48 het amarilpoeder
– *pulverized glass*
49 de Arabische gom
– *rubber solution*
50 de tang
– *tongs*
51 het etsbad
– *etching bath for etching*
52 de zinkplaat
– *zinc plate*
53 de gepolijste koperplaat
– *polished copperplate*
54 de kruisarcering
– *cross hatch*
55 de etsgrond
– *etching ground*
56 de dekgrond
– *non-printing area*
57 de lithosteen
– *lithographic stone*
58 de pastekens (paskruisen, registermerken)
– *register marks*
59 de prent
– *printing surface (printing image carrier)*
60 de lithopers
– *lithographic press*
61 de hevel
– *lever*
62 de rijverinstelling
– *scraper adjustment*
63 de rijver
– *scraper*
64 het bed
– *bed*

1-20 schrifttekens van verschillende volkeren
- ***scripts of various peoples***

1 Egyptische hiërogliefen, een beeldschrift (figuratief schrift)
- *ancient Egyptian hieroglyphics, a pictorial system of writing*

2 Arabisch
- *Arabic*

3 Armeens
- *Armenian*

4 Georgisch
- *Georgian*

5 Chinees
- *Chinese*

6 Japans
- *Japanese*

7 Hebreeuws
- *Hebrew (Hebraic)*

8 spijkerschrift
- *cuneiform script*

9 Devanagari, het schrift van het Sanskriet
- *Devanagari, script employed in Sanskrit*

10 Siamees
- *Siamese*

11 Tamil
- *Tamil*

12 Tibetaans
- *Tibetan*

13 het schrift van de Sinaï-inscriptie
- *Sinaitic script*

14 Fenicisch
- *Phoenician*

15 Grieks
- *Greek*

16 Latijnse (Romaanse) hoofdletters
- *Roman capitals*

17 unciaal(schrift)
- *uncial (uncials, uncial script)*

18 Karolingische kleine letter (minuskel)
- *Carolingian (Carlovingian, Caroline) minuscule*

19 runen (het runenschrift, de runetekens)
- *runes*

20 Russisch (cyrillisch)
- *Russian*

21-26 oud schrijfgerei
- ***ancient writing implements***

21 Indische stalen stilus, een kraspen voor het schrijven op een palmblad
- *Indian steel stylus for writing on palm leaves*

22 oudegyptische schrijfstift, een rietstengel
- *ancient Egyptian reed pen*

23 rieten pen
- *writing cane*

24 schrijfpenseel
- *brush*

25 Romeinse stilus
- *Roman metal pen (stylus)*

26 ganzeveer (ganzepen, calamus)
- *quill (quill pen)*

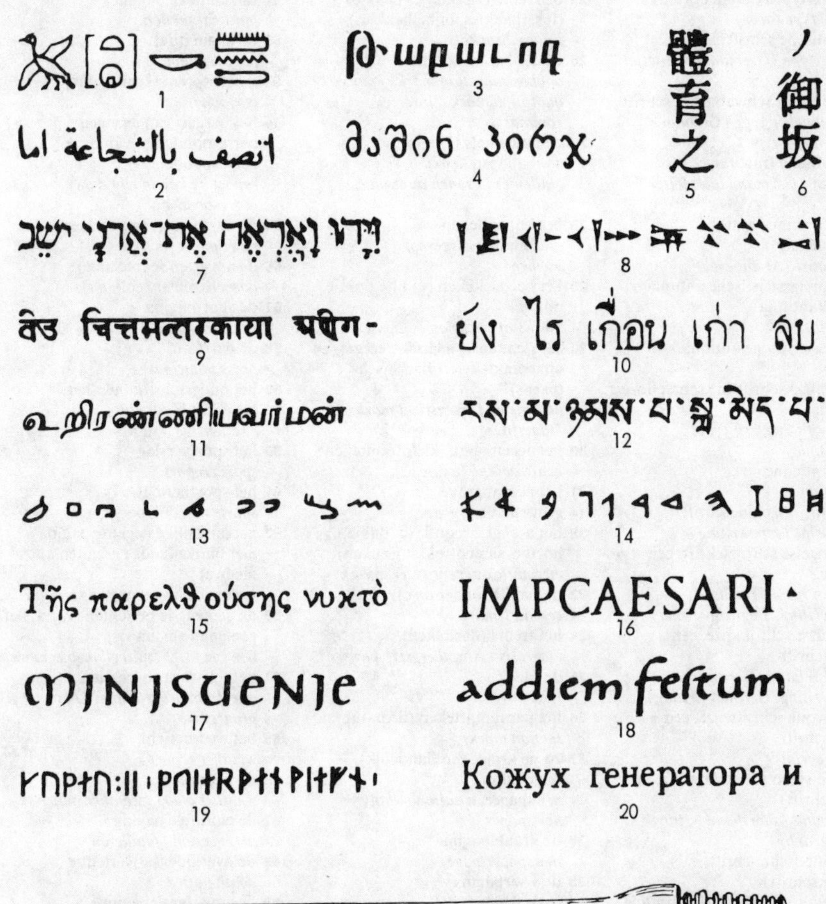
1
2
3
4
5
6
7
8
9
10
11
12
13
14
Τῆς παρελθούσης νυκτὸ
15
IMPCAESARI·
16
17
addiem feſtum
18
19
Кожух генератора и
20

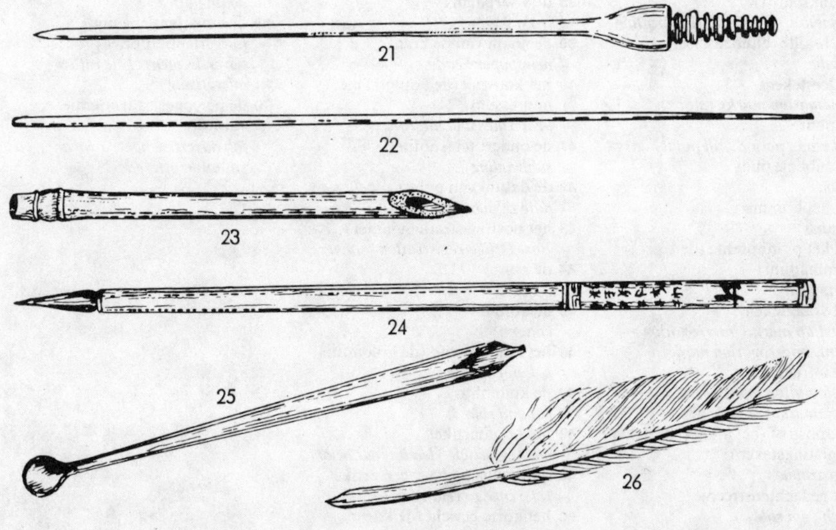
21
22
23
24
25
26

1-15 lettertypen (lettersoorten)
- ***types*** *(type faces)*
1 het gotische schrift
- *Gothic type (German black-letter type)*
2 het gotische Schwabacher schrift
- *Schwabacher type (German black-letter type)*
3 het gotische fractuurschrift
- *Fraktur (German black-letter type)*
4 de renaissance antiqua (mediaeval)
- *Humanist (Mediaeval)*
5 de voorclassicistische antiqua (barokantiqua)
- *Transitional*
6 de classicistische antiqua
- *Didone*
7 het groteskschrift (de schreefloze antiqua)
- *Sanserif (Sanserif type, Grotesque)*
8 de egyptienne
- *Egyptian*
9 het schrijfmachineschrift
- *typescript (typewriting)*
10 het Engelse schrijfschrift, een cursief
- *English hand (English handwriting, English writing)*
11 de Duitse schrijfwijze, een handschrift
- *German hand (German handwriting, German writing)*
12 de gewone schrijfwijze, een handschrift
- *Latin script*
13 het, de steno (de stenografie, het kortschrift)
- *shorthand (shorthand writing, stenography)*
14 het fonetische schrift (klankschrift)
- *phonetics (phonetic transcription)*
15 het braille (blindenschrift)
- *Braille*
16-29 leestekens
- ***punctuation marks*** *(stops)*
16 de punt
- *full stop (period, full point)*
17 de dubbele punt
- *colon*
18 de, het komma
- *comma*
19 de, het puntkomma (de kommapunt)
- *semicolon*
20 het vraagteken
- *question mark (interrogation point, interrogation mark)*
21 het uitroepteken
- *exclamation mark (*Am. *exclamation point)*
22 de apostrof (het afkappingsteken, weglatingsteken)
- *apostrophe*
23 het gedachtenstreepje
- *dash (em rule)*
24 de parenthesen (-ses), de ronde haakjes
- *parentheses (round brackets)*
25 de rechte (vierkante) haakjes (teksthaakjes, bijbelhaakjes)
- *square brackets*
26 de aanhalingstekens
- *double quotation marks (paired quotation marks, inverted commas)*
27 de guillemets (Franse aanhalingstekens)
- *guillemet (French quotation mark)*
28 het koppelteken (verbindingsstreepje)
- *hyphen*
29 het beletselteken (puntje puntje puntje)
- *marks of omission (ellipsis)*
30-35 klemtoon-, nadruk-, accent- en uitspraaktekens (diacritische tekens)
- ***accents and diacritical marks*** *(diacritics)*
30 het accent aigu (klemtoonteken)
- *acute accent (acute)*
31 het accent grave
- *grave accent (grave)*
32 het accent circonflexe (dakje, hoedje, samentrekkingsteken)
- *circumflex accent (circumflex)*
33 de cedille (onder de c)
- *cedilla [under c]*
34 het trema (deelteken)
- *diaeresis (*Am. *dieresis) [over e]*
35 de tilde
- *tilde [over n]*
36 het paragraafteken (de paragraaf)
- *section mark*
37-70 de krant, een (landelijk) dagblad
- ***newspaper,*** *a national daily newspaper*
37 de krantepagina
- *newspaper page*
38 de voorpagina
- *front page*
39 de naam van de krant
- *newspaper heading*
40 het kopstuk (de koplijst) met impressum
- *head rules and imprint*
41 de ondertitel (subtitel)
- *subheading*
42 de datum van publikatie
- *date of publication*
43 het postregistratienummer
- *Post Office registration number*
44 de kop
- *headline*
45 de kolom
- *column*
46 het kolomhoofd (de kolomtitel)
- *column heading*
47 de kolomlijn
- *column rule*
48 het hoofdartikel
- *leading article (leader, editorial)*
49 de verwijzing naar een artikel
- *reference to related article*
50 het korte bericht (de korte mededeling, het nieuws in 't kort)
- *brief news item*
51 de politieke pagina's
- *political section*
52 de paginatitel
- *page heading*
53 de spotprent (karikatuur)
- *cartoon*
54 het bericht van de eigen correspondent; „van onze correspondent"
- *report by newspaper's own correspondent*
55 de naam van een persagentschap
- *news agency's sign*
56 de advertentie (reclame)
- *advertisement (*coll. *ad)*
57 de sportpagina
- *sports section*
58 de persfoto
- *press photo*
59 het onderschrift; *ook:* het bijschrift bij de foto
- *caption*
60 het sportverslag
- *sports report*
61 het sportbericht
- *sports news item*
62 het landelijke deel (de pagina's met binnenlands en buitenlands nieuws)
- *home and overseas news section*
63 de gemengde berichten (varia, het gemengde nieuws)
- *news in brief (miscellaneous news)*
64 het televisieprogramma
- *television programmes (*Am. *programs)*
65 het weerbericht
- *weather report*
66 de weerkaart
- *weather chart (weather map)*
67 de culturele pagina
- *arts section (feuilleton)*
68 de overlijdensadvertentie
- *death notice*
69 de advertentiepagina (advertentierubriek)
- *advertisements (classified advertising)*
70 de personeelsadvertentie, een vacature
- *job advertisement, a vacancy (a situation offered)*

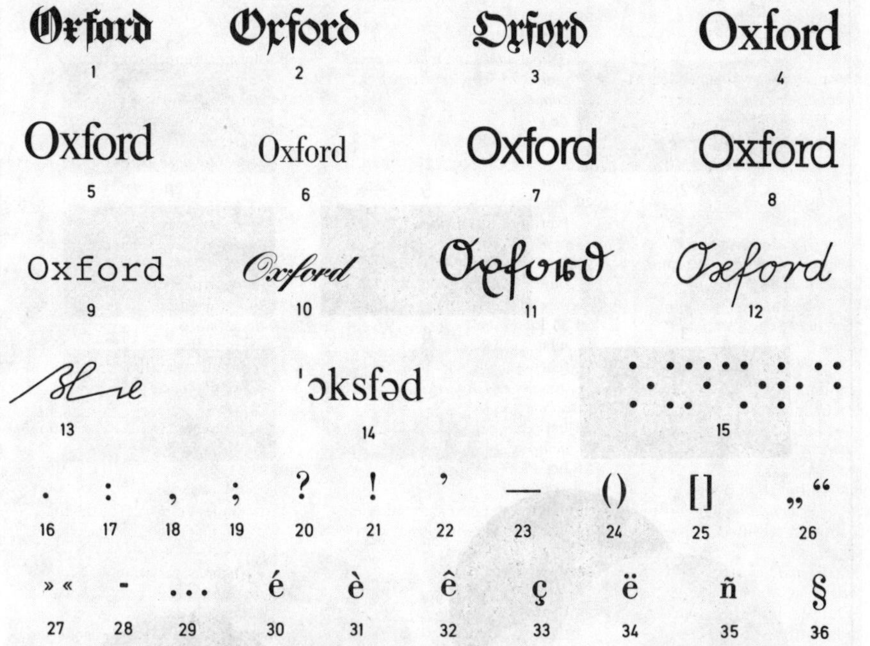

Oxford 1 | Oxford 2 | Oxford 3 | Oxford 4

Oxford 5 | Oxford 6 | Oxford 7 | Oxford 8

Oxford 9 | *Oxford* 10 | Oxford 11 | *Oxford* 12

13 | 'ɔksfəd 14 | 15

. 16 | : 17 | , 18 | ; 19 | ? 20 | ! 21 | ’ 22 | — 23 | () 24 | [] 25 | „“ 26

» « 27 | - 28 | ... 29 | é 30 | è 31 | ê 32 | ç 33 | ë 34 | ñ 35 | § 36

37 38 39 40 41 42 43 44 45 46 47 48 49 50 51 52 53 54 55 56 57 58 59 60 61 62 63 64 65 66 67 68 69 70

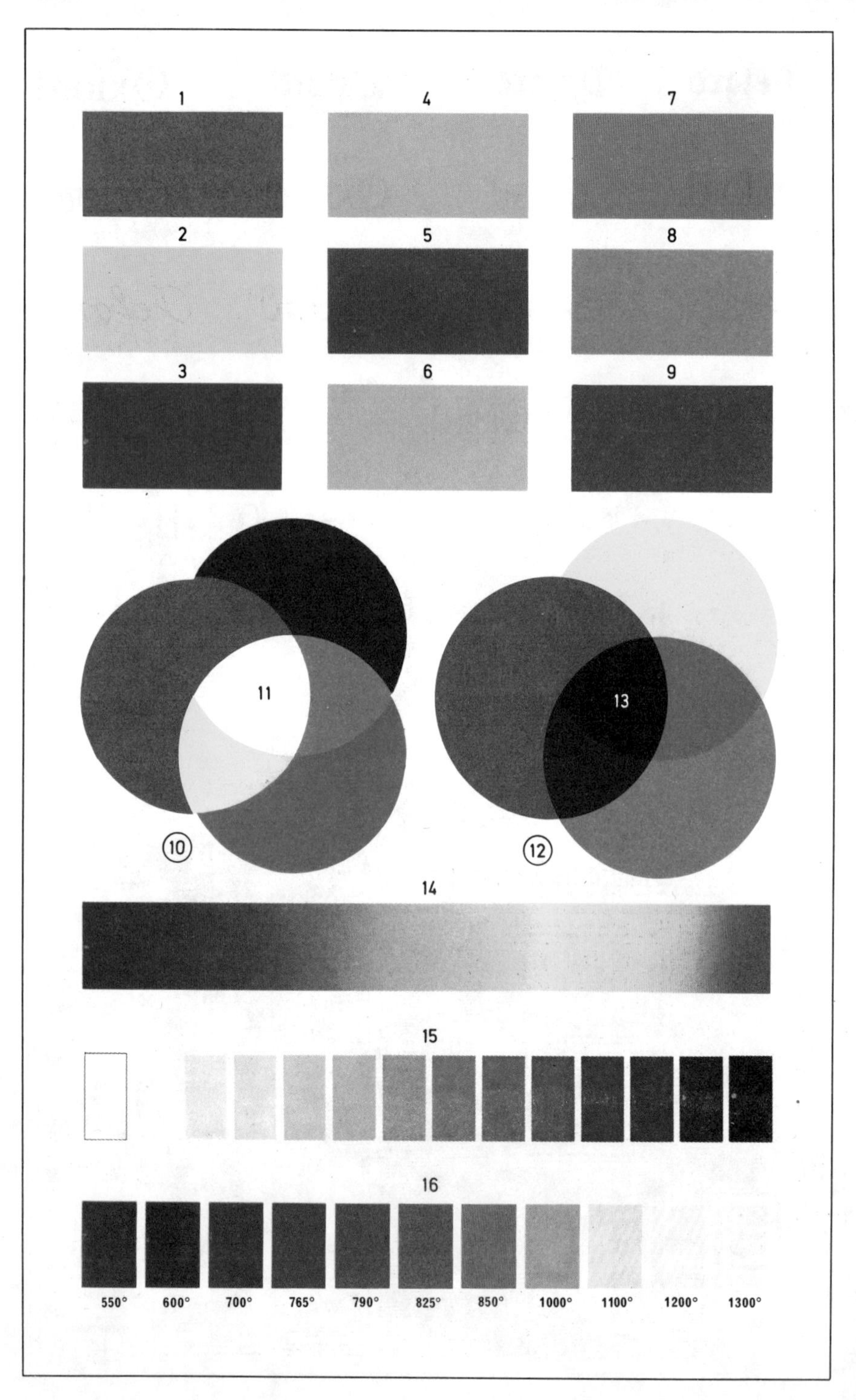
1
4
7
2
5
8
3
6
9
11
13
10
12
14
15
16
550°
600°
700°
765°
790°
825°
850°
1000°
1100°
1200°
1300°

1 rood
- *red*
2 geel
- *yellow*
3 blauw
- *blue*
4 roze
- *pink*
5 bruin
- *brown*
6 hemelsblauw
- *azure (sky blue)*
7 oranje
- *orange*
8 groen
- *green*
9 violet (paars)
- *violet*
10 de additieve kleurmenging
- *additive mixture of colours (*Am. *colors)*
11 wit
- *white*
12 de subtractieve kleurmenging
- *subtractive mixture of colours (*Am. *colors)*
13 zwart
- *black*
14 het spectrum van het zonlicht (de kleuren van de regenboog)
- *solar spectrum (colours,* Am. *colors, of the rainbow)*
15 de grijsschaal
- *grey (*Am. *gray) scale*
16 de gloeikleuren
- *heat colours (*Am. *colors)*

(1) I II III IV V VI VII VIII IX X
(2) 1 2 3 4 5 6 7 8 9 10

(1) XX XXX XL XLIX IL L LX LXX LXXX XC
(2) 20 30 40 49 50 60 70 80 90

(1) XCIX IC C CC CCC CD D DC DCC DCCC
(2) 99 100 200 300 400 500 600 700 800

(1) CM CMXC M
(2) 900 990 1000

(3) 9658 (4) 5 kg. (5) 2 (6) 2. (7) +5 (8) -5

en France: (6) 2ème in Britain: (6) 2nd

1-26 rekenkunde
- ***arithmetic***

1-22 het getal
- ***numbers***

1 de Romeinse cijfers
- *Roman numerals*

2 de Arabische cijfers
- *Arabic numerals*

3 het getal, een getal van vier cijfers [8: eenheden, 5: tientallen, 6: honderdtallen, 9: duizendtallen]
- *abstract number, a four-figure number [8: units; 5: tens; 6: hundreds; 9: thousands]*

4 het getal voorzien van een eenheid
- *concrete number*

5 het kardinaalgetal
- *cardinal number (cardinal)*

6 het ordinaalgetal
- *ordinal number (ordinal)*

7 het positieve getal [met het positieve teken (plusteken)]
- *positive number [with plus sign]*

8 het negatieve getal [met het negatieve teken (minteken)]
- *negative number [with minus sign]*

9 algebraïsche symbolen
- *algebraic symbols*

10 het gemengde getal [3: het hele getal, $\frac{1}{3}$: de breuk]
- *mixed number [3: whole number (integer); $\frac{1}{3}$ fraction]*

11 even getallen
- *even numbers*

12 oneven getallen
- *odd numbers*

13 priemgetallen
- *prime numbers*

14 het complexe getal [3: reële deel, $2\sqrt{-1}$: het imaginaire deel]
- *complex number [3: real part; $2\sqrt{-1}$: imaginary part]*

15-16 gewone breuken
- *vulgar fractions*

15 de echte breuk [2: de teller, de breukstreep, 3: de noemer]
- *proper fraction [2: numerator, horizontal line; 3: denominator]*

16 de onechte breuk [tevens het omgekeerde (de reciproke) van 15]
- *improper fraction, also the reciprocal of item 15*

17 de samengestelde breuk
- *compound fraction (complex fraction)*

18 de vereenvoudigbare breuk [geeft door wegstrepen een heel getal]
- *improper fraction [when cancelled down produces a whole number]*

19 ongelijknamige breuken [35: de gemeenschappelijke noemer]
- *fractions of different denominations [35: common denominator]*

20 de eindige decimale breuk met komma en decimalen [3: tienden, 5: honderdsten, 7: duizendsten]
- *proper decimal fraction with decimal point [*in German: *comma] and decimal places [3: tenths; 5: hundredths; 7: thousandths]*

21 de oneindige repeterende decimale breuk
- *recurring decimal*

22 de periode
- *recurring decimal*

23-26 het rekenen (eenvoudige rekenkundige bewerkingen)
- ***fundamental arithmetical operations***

23 het optellen [3 en 2: addenden, termen; +: het plusteken; =: het gelijkteken, 5: de som]
- *addition (adding) [3 and 2: the terms of the sum; +: plus sign; =: equals sign; 5: the sum]*

24 het aftrekken [3: het aftrektal; -: het minteken; 2: de aftrekker; 1: het verschil]
- *subtraction (subtracting); [3: the minuend; - : minus sign; 2: the subtrahend; 1: the remainder (difference)]*

(9) a, b, c... (10) $3\frac{1}{3}$ (11) 2, 4, 6, 8 (12) 1, 3, 5, 7

(13) 3, 5, 7, 11 (14) $3+2\sqrt{-1}$ (15) $\frac{2}{3}$ (16) $\frac{3}{2}$

(17) $\frac{\frac{5}{6}}{\frac{3}{4}}$ (18) $\frac{12}{4}$ (19) $\frac{4}{5}+\frac{2}{7}=\frac{38}{35}$ (20) 0,357

(21) $0{,}6666....=0{,}\overline{6}$ (22) (23) $3+2=5$

(24) $3-2=1$ (25) $3\cdot2=6$ $3\times2=6$ (26) $6:3=2$

in Britain:

(20) 0·357 (21) $0{\cdot}6666...=0{\cdot}\overline{6}$ (22) (26) $6\div2=3$

en France: (26) $6/2=3$

25 het vermenigvuldigen [3: de vermenigvuldiger; · : het maalteken; ×: het maalteken; 2: het vermenigvuldigtal; 2 en 3: de factoren; 6: het produkt]
- *multiplication (multiplying); [3: the multiplicand;* × (in German ·)*: multiplication sign; 2: the multiplier; 2 and 3: factors; 6: the product]*

26 het delen [6: het deeltal; : = het deelteken; 2: de deler; 3: het quotiënt]
- *division (dividing); [6: the dividend; :* (in German)*: division sign; 2: the divisor; 3: the quotient]*

(1) $3^2=9$ (2) $\sqrt[3]{8}=2$ (3) $\sqrt{4}=2$

in Britain:

(4) $3x+2=12$ (6) $\log_{10}3=0\cdot4771$

(5) $4a+6ab-2ac=2a(2+3b-c)$ (6) $\log_{10}3=0{,}4771$

oder $\lg 3=0{,}4771$

(7) $$\frac{k[1000\,DM]\cdot p[5\%]\cdot t[2\,Jahre]}{100}=z[100\,DM]$$

en France:

(6) $\log_{10}3=0{,}4771$

ou $\log 3=0{,}4771$

(7) $$\frac{k1000F\cdot p5\%\cdot t\,2\,ans}{100}=z100F$$

1-24 rekenkunde
- ***arithmetic***

1-10 geavanceerde rekenkundige bewerkingen
- ***advanced arithmetical operations***

1 het machtsverheffen [3 tot de macht 2: de macht; 3: het grondtal (de basis); 2: de exponent; 9: de waarde van de macht]
- *raising to a power [three squared (3^2): the power; 3: the base; 2: the exponent (index); 9: value of the power]*

2 het worteltrekken [derdemachtswortel uit 8: de kubische wortel; 8: de radicandus (het grondtal); 3: de wortelexponent; $\sqrt{\ }$: het wortelteken; 2: de waarde van de wortel]
- *evolution (extracting a root); [cube-root of 8: cube root; 8: the radical; 3: the index (degree) of the root; $\sqrt{\ }$: radical sign; 2: value of the root]*

3 het kwadraat
- *square root*

4-5 algebra
- *algebra*

4 de vergelijking [3, 2: de coëfficiënten; x: de onbekende]
- *simple equation [3, 2: the coefficients; x: the unknown quantity]*

5 de identieke vergelijking [a, b, c: algebraïsche symbolen]
- *identical equation; [a, b, c: algebraic symbols]*

6 de logaritmeneming [log: symbool voor de gewone logaritme; ln: symbool voor de natuurlijke logaritme; 3: de numerus; 10: het grondtal (de basis); 0: de wijzer (index); 4771: de mantisse; 0,4771: de logaritme]
- *logarithmic calculation (taking the logarithm, log); [log: logarithm sign; 3: number whose logarithm is required; 10: the base; 0: the characteristic; 4771: the mantissa; 0.4771: the logarithm]*

7 de renteberekening [k: het kapitaal; p: de rentevoet; t: de tijd; z: de rente; %: het procentteken]
- *simple interest formula; [P: the principal; R: rate of interest; T: time; I: interest (profit); %: percentage sign]*

8-10 de regel van drieën [≙: komt overeen met]
- *rule of three (rule-of-three sum, simple proportion)*

8 de regel met de onbekende x
- *statement with the unknown quantity x*

9 de vergelijking
- *equation (conditional equation)*

10 de oplossing
- *solution*

11-14 hogere wiskunde
- ***higher mathematics***

11 de rekenkundige reeks (rij) met de termen 2, 4, 6, 8
- *arithmetical series with the elements 2, 4, 6, 8*

12 de meetkundige reeks (rij)
- *geometrical series*

13-14 de infinitesimaalrekening
- ***infinitesimal calculus***

13 het differentiaalquotiënt [dx, dy: de differentialen; d: het differentiaalteken]
- *derivative [dx, dy: the differentials; d: differential sign]*

14 de integraal [x: de veranderlijke; C: de integratieconstante; $\int$: het integratieteken; dx: de differentiaal]
- *integral (integration); [x: the variable; C: constant of integration; $\int$: the integral sign; dx: the differential]*

(8) 2 Jahre = 50 DM
4 Jahre = x DM
(9) 2 : 50 = 4 : x
(10) x = 100 DM

(11) 2+4+6+8.....

(12) 2+4+8+16+32.....

(13) $\frac{dy}{dx}$

(14) $\int ax\,dx = a\int x\,dx = \frac{ax^2}{2} + C$

(15) ∞ (16) $\equiv$ (17) $\approx$ (18) $\neq$ (19) $>$

(20) $<$ (21) $\parallel$ (22) $\sim$ (23) $\measuredangle$ (24) $\triangle$

in Britain: (7) $\frac{P[£1000] \times R[5\%] \times T[2\,years]}{100} = I[£100]$

en France: (8) 2 ans ≙ 50F
4 ans ≙ xF
(9) 2/50 = 4/x
(10) x = 100 F

in Britain: (23) $\measuredangle$

15-24 wiskundige symbolen
- ***mathematical symbols***

15 oneindig
- *infinity*

16 identiek
- *identically equal to [the sign of identity]*

17 ongeveer gelijk aan
- *approximately equal to*

18 ongelijk aan
- *unequal to*

19 groter dan
- *greater than*

20 kleiner dan
- *less than*

21-24 meetkundige symbolen
- ***geometrical symbols***

21 evenwijdig
- *parallel [sign of parallelism]*

22 gelijkvormig
- *similar to [sign of similarity]*

23 het hoeksymbool
- *angle symbol*

24 het driehoeksymbool
- *triangle symbol*

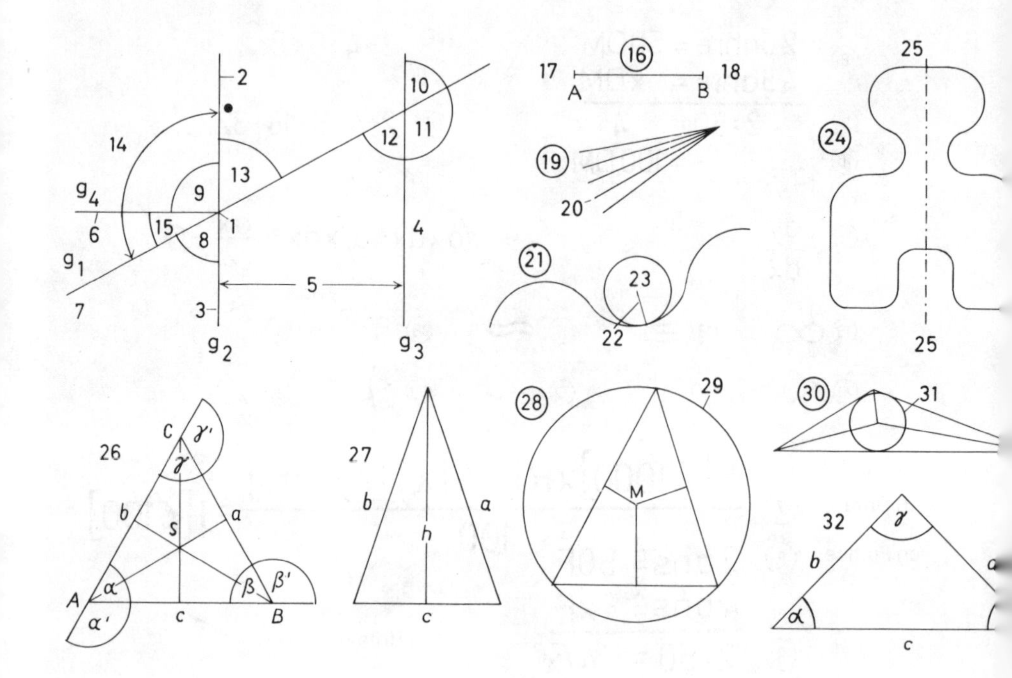

1-58 de vlakke meetkunde (planimetrie, elementaire euclidische meetkunde)
- ***plane geometry** (elementary geometry, Euclidian geometry)*

1-23 punt, lijn, hoek
- ***point, line, angle***

1 het punt [snijpunt van g_1 en g_2], het hoekpunt van 8
- *point [point of intersection of g_1 and g_2], the angular point of 8*

2, 3 de rechte g_2
- *straight line g_2*

4 de lijn evenwijdig aan g_2
- *the parallel to g_2*

5 de afstand tussen de lijnen g_2 en g_3
- *distance between the straight lines g_2 and g_3*

6 de loodlijn (g_4) op g_2
- *perpendicular (g_4) on g_2*

7, 3 de benen van 8
- *the arms of 8*

8, 13 overstaande hoeken
- *vertically opposite angles*

8 de hoek
- *angle*

9 de rechte hoek [90°]
- *right angle [90°]*

10, 11, 12 de inspringende hoek
- *reflex angle*

10 de scherpe hoek, tevens verwisselende hoek van 8
- *acute angle, also the alternate angle to 8*

11 de stompe hoek
- *obtuse angle*

12 de overeenkomstige hoek van 8
- *corresponding angle to 8*

13, 9, 15 de gestrekte hoek [180°]
- *straight angle [180°]*

14 de aanliggende hoek; *hier:* supplementaire hoek van 13
- *adjacent angle;* here: *supplementary angle to 13*

15 de complementaire hoek van 8
- *complementary angle to 8*

16 het lijnstuk AB
- *straight line AB*

17 het eindpunt A
- *end A*

18 het eindpunt B
- *end B*

19 de stralenbundel
- *pencil of rays*

20 de straal
- *ray*

21 de kromme lijn (kromme)
- *curved line*

22 een kromtestraal
- *radius of curvature*

23 een kromtemiddelpunt
- *centre (*Am. *center) of curvature*

24-58 de platte vlakken
- ***plane surfaces***

24 de symmetrische figuur
- *symmetrical figure*

25 de symmetrieas
- *axis of symmetry*

26-32 driehoeken
- ***plane triangles***

26 de gelijkzijdige driehoek; [A, B, C: de hoekpunten; a, b, c: de zijden; α (alfa), β (bèta), γ (gamma): de binnenhoeken; α', β', γ': de buitenhoeken; S: het zwaartepunt]
- *equilateral triangle; [A, B, C: the vertices; a, b, c: the sides; α (alpha), β (beta), γ (gamma): the interior angles; α', β', γ': the exterior angles; S: the centre (*Am. *center)]*

27 de gelijkbenige driehoek [a, b: de benen; c: de basis; h: de loodlijn, een hoogte]
- *isoceles triangle [a, b: the sides (legs); c: the base; h: the perpendicular, an altitude]*

28 de scherphoekige driehoek met de middelloodlijnen
- *acute-angled triangle with perpendicular bisectors of the sides*

29 de omgeschreven cirkel
- *circumcircle (circumscribed circle)*

30 de stomphoekige driehoek met de bissectrices
- *obtuse-angled triangle with bisectors of the angles*

31 de ingeschreven cirkel
- *inscribed circle*

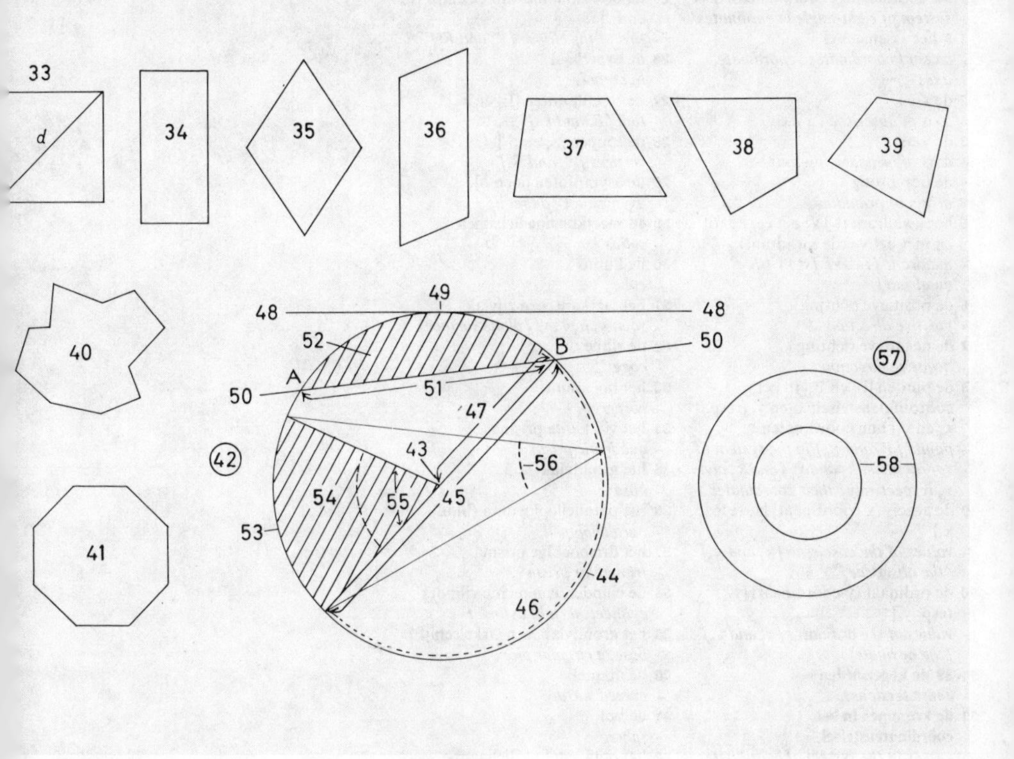

32 de rechthoekige driehoek met de trigonometrische functies [a, b: de rechthoekszijden; c: de hypotenusa; γ: de rechte hoek; $\frac{a}{c} = \sin \alpha$ (sinus); $\frac{b}{c} = \cos \alpha$ (cosinus); $\frac{a}{b} = \tan \alpha$ (tangens); $\frac{b}{a} = \cot \alpha$ (cotangens)]
– *right-angled triangle and the trigonometrical functions of angles; [a, b: the catheti; c: the hypotenuse;* γ: the right angle; $\frac{a}{c} = \sin \alpha$ *(sine)*; $\frac{b}{c} = \cos \alpha$ *(cosine)*; $\frac{a}{b} = \tan \alpha$ *(tangent)*; $\frac{b}{a} = \cot \alpha$ *(cotangent)*

33-39 vierhoeken
– ***quadrilaterals***

33-36 parallellogrammen
– ***parallelograms***

33 het vierkant [d: een diagonaal)
– *square [d: a diagonal]*

34 de rechthoek
– *rectangle*

35 de ruit
– *rhombus (rhomb, lozenge)*

36 de romboïde
– *rhomboid*

37 het trapezium
– *trapezium*

38 de vlieger
– *deltoid (kite)*

39 de onregelmatige vierhoek
– *irregular quadrilateral*

40 de veelhoek
– *polygon*

41 de regelmatige vierhoek
– *regular polygon*

42 de cirkel
– ***circle***

43 het middelpunt
– *centre (*Am. *center)*

44 de omtrek
– *circumference (periphery)*

45 de diameter
– *diameter*

46 de halve cirkel
– *semicircle*

47 de straal
– *radius (r)*

48 de raaklijn
– *tangent*

49 het raakpunt
– *point of contact (P)*

50 de snijlijn
– *secant*

51 de koorde AB
– *the chord AB*

52 het segment
– *segment*

53 de boog
– *arc*

54 de sector
– *sector*

55 de middelpuntshoek
– *angle subtended by the arc at the centre (*Am. *center) (centre,* Am. *center, angle)*

56 de omtrekshoek
– *circumferential angle*

57 de ring
– *ring (annulus)*

58 concentrische cirkels
– *concentric circles*

1 het rechthoekige coördinatenstelsel
- ***system of right-angled coordinates***

2-3 het assenstelsel
- *axes of coordinates (coordinate axes)*

2 de x-as
- *axis of abscissae (x-axis)*

3 de y-as
- *axis of ordinates (y-axis)*

4 de oorsprong
- *origin of ordinates*

5 het kwadrant [I-IV: het eerste tot en met het vierde kwadrant)
- *quadrant [I - IV: 1st to 4th quadrant]*

6 de positieve richting
- *positive direction*

7 de negatieve richting
- *negative direction*

8 de punten [P_1 en P_2] in het coördinatenstelsel; x_1 en y_1 [resp. x_2 en y_2] hun coördinaten
- *points [P_1 and P_2] in the system of coordinates; x_1 and y_1 [and x_2 and y_2 respectively] their coordinates*

9 de abscis (x-coördinaat) [x_1 resp. x_2]
- *values of the abscissae [x_1 and x_2] (the abscissae)*

10 de ordinaat (y-coördinaat) [y_1 resp. y_2]
- *values of the ordinates [y_1 and y_2] (the ordinates)*

11-29 de kegelsneden
- ***conic sections***

11 de krommen in het coördinatenstelsel
- ***curves in the system of coordinates***

12 rechte lijnen [a: de helling van de lijn; b: het snijpunt met de y-as; c: het snijpunt met de x-as]
- *plane curves [a: the gradient (slope) of the curve; b: the ordinates' intersection of the curve; c: the root of the curve]*

13 krommen
- *inflected curves*

14 de parabool, een tweedegraadskromme
- ***parabola,** a curve of the second degree*

15 de takken van de parabool
- *branches of the parabola*

16 de top van de parabool
- *vertex of the parabola*

17 de as van de parabool
- *axis of the parabola*

18 een derdegraadskromme
- ***a curve of the third degree***

19 het maximum van de kromme
- *maximum of the curve*

20 het minimum van de kromme
- *minimum of the curve*

21 het buigpunt
- *point of inflexion (of inflection)*

22 de ellips
- ***ellipse***

23 de grote as
- *transverse axis (major axis)*

24 de kleine as
- *conjugate axis (minor axis)*

25 de brandpunten van de ellips [F_1 en F_2]
- *foci of the ellipse [F_1 and F_2]*

26 de hyperbool
- ***hyperbola***

27 de brandpunten [F_1 en F_2]
- *foci [F_1 and F_2]*

28 de toppen [S_1 en S_2]
- *vertices [S_1 and S_2]*

29 de asymptoten [a en b]
- *asymptotes [a and b]*

30-46 meetkundige lichamen
- ***solids***

30 de kubus
- *cube*

31 het vierkant, een zijvlak
- *square, a plane (plane surface)*

32 de ribbe
- *edge*

33 het hoekpunt
- *corner*

34 het vierkante prisma
- *quadratic prism*

35 het grondvlak
- *base*

36 het parallellepipedum (blok)
- *parallelepiped*

37 het driehoekige prisma
- *triangular prism*

38 de cilinder, een rechte cilinder
- *cylinder, a right cylinder*

39 het grondvlak, een cirkelschijf
- *base, a circular plane*

40 de mantel
- *curved surface*

41 de bol
- *sphere*

42 het omwentelingslichaam
- *ellipsoid of revolution*

43 de kegel
- *cone*

44 de hoogte van de kegel
- *height of the cone (cone height)*

45 de afgeknotte kegel
- *truncated cone (frustum of a cone)*

46 de vierzijdige piramide
- *quadrilateral pyramid*

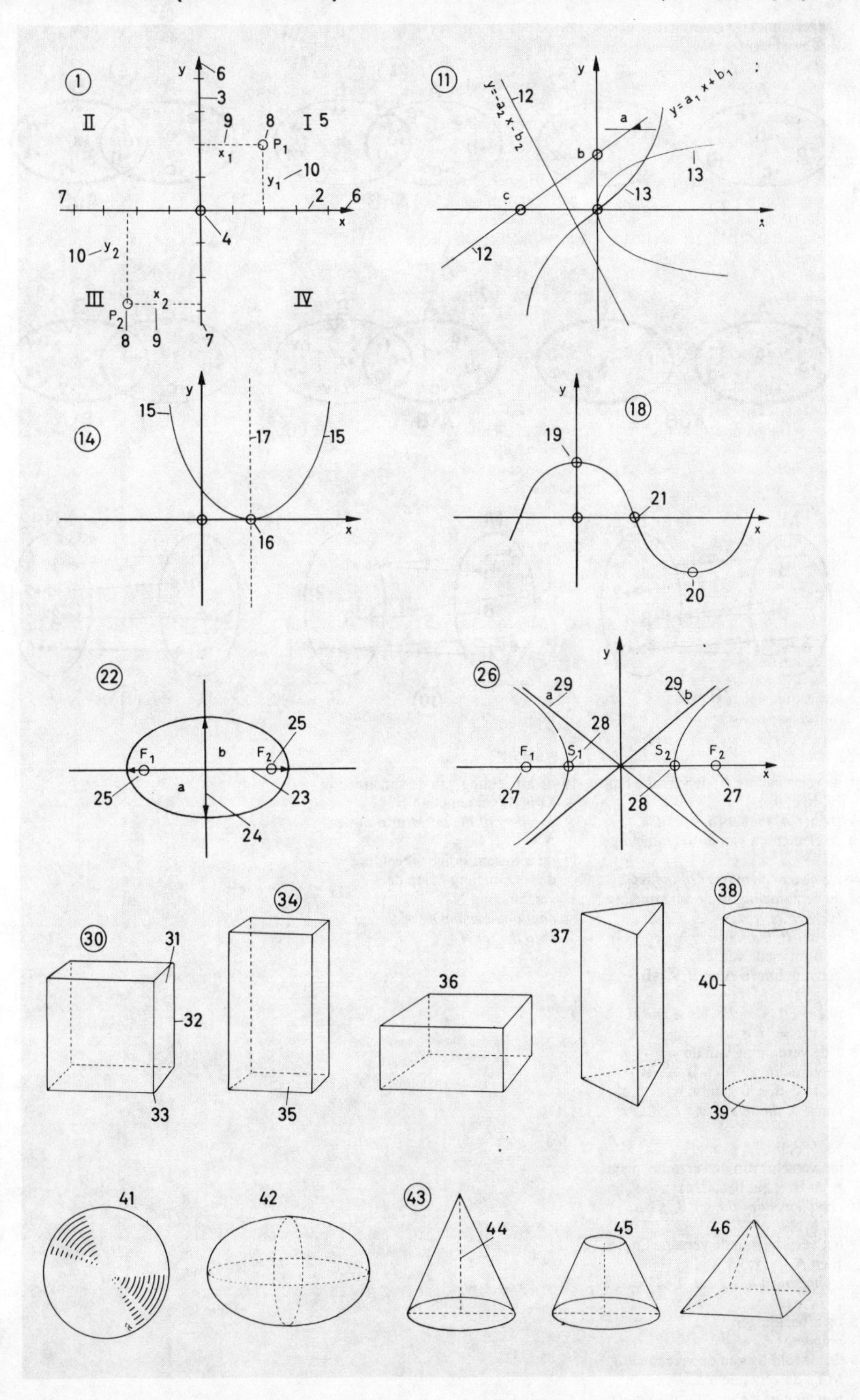
1
y
6
3
II
9
8
I 5
x_1
P_1
y_1
10
7
2
6
x
4
10
y_2
III
x_2
IV
P_2
8
9
7
11
$y=-a_2x-b_2$
12
y
$y=a_1x+b_1$
a
b
13
c
13
12
14
15
y
17
15
x
16
18
y
19
21
x
20
22
25
F_1
b
F_2
a
25
23
24
26
y
29
a
29
b
28
F_1
S_1
S_2
F_2
x
27
28
27
30
31
32
33
34
35
36
37
38
40
39
41
42
43
44
45
46

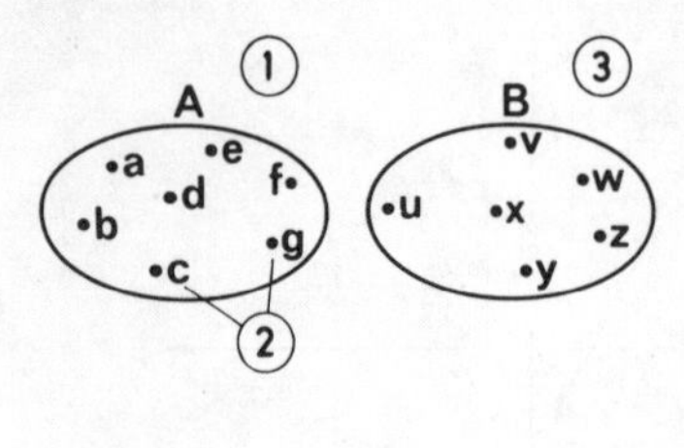

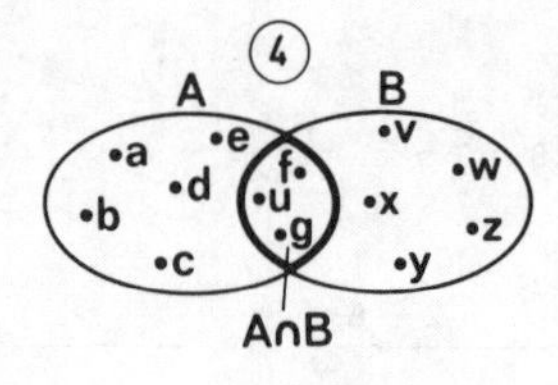

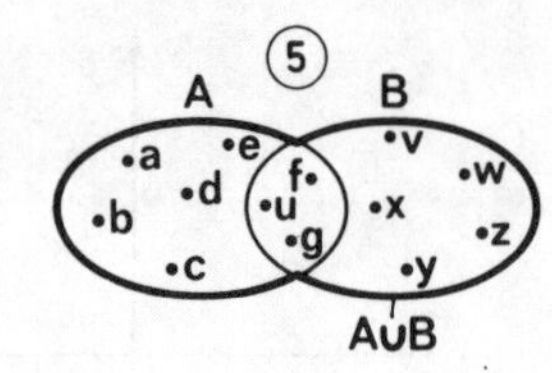

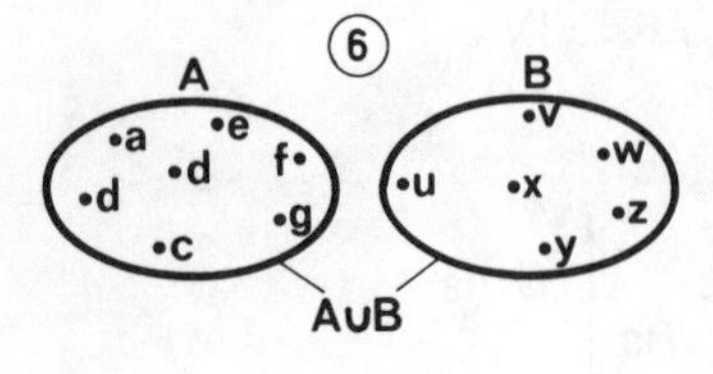

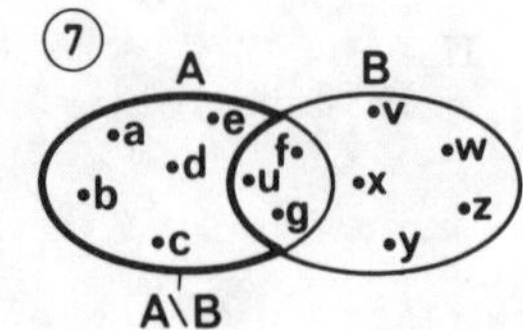

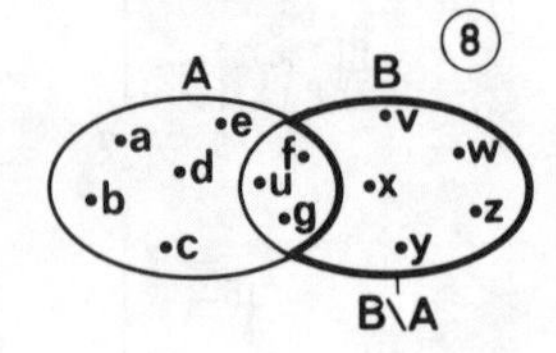

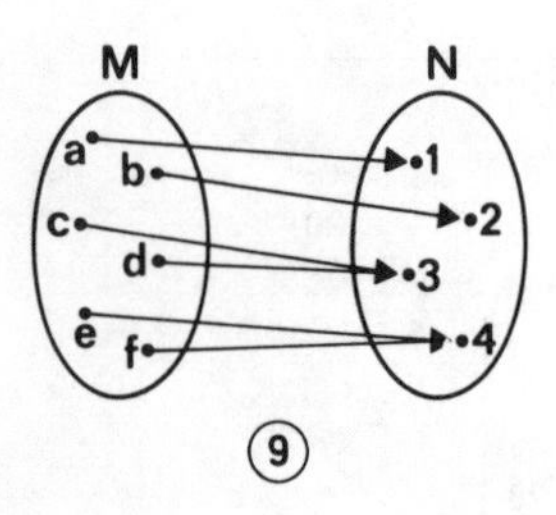

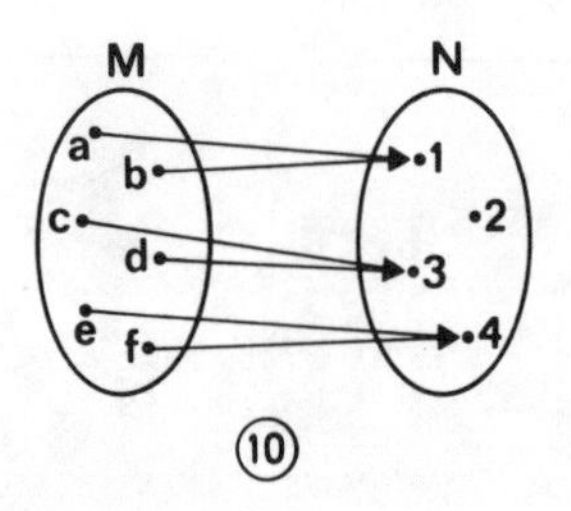

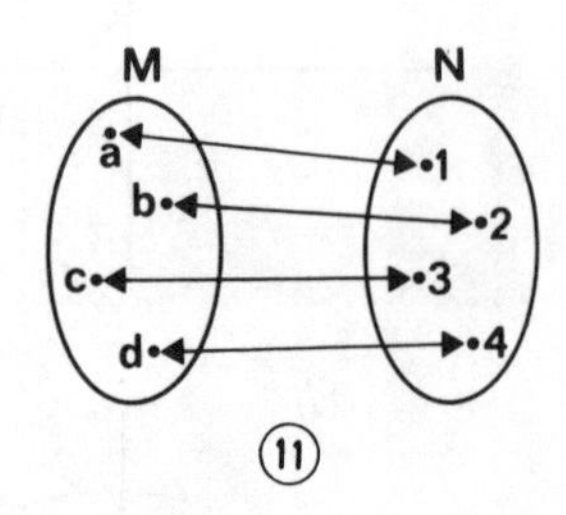

1 de verzameling A, de verzameling {a, b, c, d, e, f, g}
- *the set A, the set {a, b, c, d, e, f, g}*

2 de elementen van de verzameling A
- *elements (members) of the set A*

3 de verzameling B, de verzameling {u, v, w, x, y, z}
- *the set B, the set {u, v, w, x, y, z}*

4 de doorsnede van de verzamelingen A en B, A∩B = {f, g, u}
- *intersection of the sets A and B, A ∩ B = {f, g, u}*

5-6 de vereniging van de verzamelingen A en B, A∪B = {a, b, c, d, e, f, g, u, v, w, x, y, z}
- *union of the sets A and B, A ∪ B = {a, b, c, d, e, f, g, u, v, w, x, y, z}*

7 het verschil van de verzamelingen A en B = {a, b, c, d, e}
- *complement of the set B, B' = {a, b, c, d, e}*

8 het verschil van de verzamelingen B en A = {v, w, x, y, z}
- *complement of the set A, A' = {v, w, x, y, z}*

9-11 afbeeldingen
- *mappings*

9 de afbeelding van de verzameling M *op* de verzameling N
- *mapping of the set M* onto *the set N*

10 de afbeelding van de verzameling M *in* de verzameling N
- *mapping of the set M* into *the set N*

11 de een-eenduidige afbeelding van de verzameling M op de verzameling N
- *one-to-one mapping of the set M onto the set N*

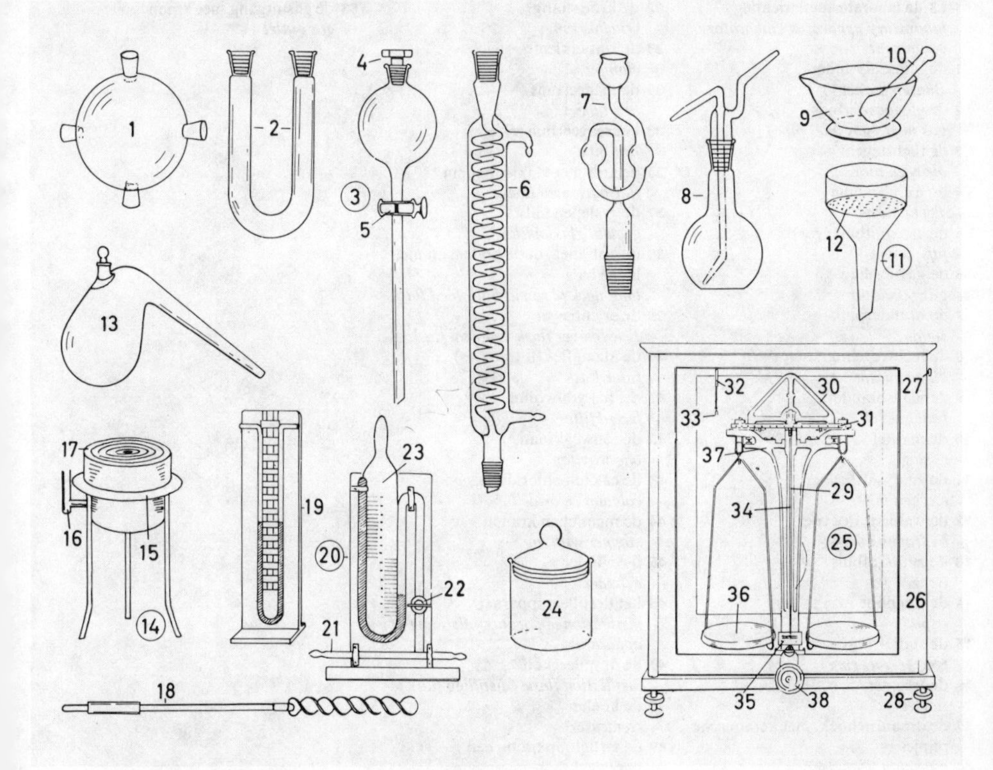

1-38 de laboratoriuminrichting
– ***laboratory apparatus*** *(laboratory equipment)*
1 de bol volgens Scheidt (Scheidtkolf)
– *Scheidt globe*
2 de U-buis
– *U-tube*
3 de scheitrechter (druppeltrechter)
– *separating funnel*
4 de achtkantige geslepen stop
– *octagonal ground-glass stopper*
5 de kraan
– *tap (*Am. *faucet)*
6 de spiraalkoeler
– *coiled condenser*
7 de veiligheidsbuis (het waterslot)
– *air lock*
8 de spuitfles
– *wash-bottle*
9 de, het mortier (de vijzel)
– *mortar*
10 de stamper
– *pestle*
11 de filtreertrechter (büchnertrechter)
– *filter funnel (Büchner funnel)*
12 de zeefplaat
– *filter (filter plate)*
13 de retort
– *retort*
14 het waterbad
– *water bath*
15 de driepoot
– *tripod*
16 het peilglas
– *water gauge (*Am. *gage)*
17 de inlegringen
– *insertion rings*
18 de roerder
– *stirrer*
19 de manometer voor onder- en overdruk
– *manometer for measuring positive and negative pressures*
20 de spiegelmanometer, voor lage drukken
– *mirror manometer for measuring small pressures*
21 de aanzuigbuis
– *inlet*
22 de kraan
– *tap (*Am. *faucet)*
23 de verschuifbare schaal
– *sliding scale*
24 het weegglas
– *weighing bottle*
25 de analytische balans
– *analytical balance*
26 de kast
– *case*
27 de opschuifbare voorwand
– *sliding front panel*
28 de driepuntsbasis, voor horizontaal opstellen
– *three-point support*
29 de standaard
– *column (balance column)*
30 het juk
– *balance beam (beam)*
31 de ruiterbalk
– *rider bar*
32 het ophanghaakje voor de ruiter
– *rider holder*
33 de ruiter
– *rider*
34 de wijzer
– *pointer*
35 de afleesschaal
– *scale*
36 de afweegschaal
– *scale pan*
37 de arrêteerinrichting
– *stop*
38 de arrêteerknop
– *stop knob*

1-63 de laboratoriuminrichting
- ***laboratory apparatus*** *(laboratory equipment)*
1 de bunsenbrander
- *Bunsen burner*
2 de gastoevoerbuis
- *gas inlet (gas inlet pipe)*
3 de luchtregeling
- *air regulator*
4 de teclubrander
- *Teclu burner*
5 de aansluitbuis (gas)
- *pipe union*
6 de gasregeling
- *gas regulator*
7 de branderpijp
- *stem*
8 de luchtregeling
- *air regulator*
9 de blaasbrander
- *bench torch*
10 de mantel
- *casing*
11 de zuurstoftoevoer
- *oxygen inlet*
12 de waterstoftoevoer
- *hydrogen inlet*
13 de zuurstofbuis
- *oxygen jet*
14 de driepoot
- *tripod*
15 de statiefring
- *ring (retort ring)*
16 de trechter
- *funnel*
17 de draaidriehoek, met keramische pijpjes
- *pipe clay triangle*
18 het metaalgaasje
- *wire gauze*
19 het metaalgaasje met asbestcentrum
- *wire gauze with asbestos centre (*Am. *center)*
20 het bekerglas
- *beaker*
21 de buret
- *burette (for measuring the volume of liquids)*
22 het burettenstatief
- *burette stand*
23 de buretteklem
- *burette clamp*
24 de meetpipet (verdeelpipet)
- *graduated pipette*
25 de volpipet
- *pipette*
26 de meetcilinder
- *measuring cylinder (measuring glass)*
27 de gesloten meetcilinder
- *measuring flask*
28 de maatkolf
- *volumetric flask*
29 de porseleinen indampschaal
- *evaporating dish (evaporating basin), made of porcelain*
30 de slangklem
- *tube clamp (tube clip, pinchcock)*
31 de poreuze filterkroes met deksel
- *clay crucible with lid*
32 de kroezetang
- *crucible tongs*
33 de statiefklem
- *clamp*
34 de reageerbuis
- *test tube*
35 het reageerbuisrekje
- *test tube rack*
36 de kolf met vlakke bodem
- *flat-bottomed flask*
37 de geslepen hals
- *ground glass neck*
38 de kolf met ronde bodem en met lange hals
- *long-necked round-bottomed flask*
39 de erlenmeyer
- *Erlenmeyer flask (conical flask)*
40 de afzuigfles (filtreerfles)
- *filter flask*
41 de, het vouwfilter
- *fluted filter*
42 de eenwegkraan
- *one-way tap*
43 de calciumchloridebuis
- *calcium chloride tube*
44 de ingeslepen kranen
- *stopper with tap*
45 de cilinder
- *cylinder*
46 het destilleerapparaat
- *distillation apparatus (distilling apparatus)*
47 de destilleerkolf
- *distillation flask (distilling flask)*
48 de koeler
- *condenser*
49 de terugloopkraan, een tweewegkraan
- *return tap, a two-way tap*
50 de destilleerkolf
- *distillation flask (distilling flask, Claisen flask)*
51 de exsiccator (vacuümexsiccator)
- *desiccator*
52 het deksel met uitgang
- *lid with fitted tube*
53 de afsluitkraan
- *tap*
54 de porseleinen bodemplaat
- *desiccator insert made of porcelain*
55 de kolf met drie halzen
- *three-necked flask*
56 het verbindingsstuk (de verdeelbuis)
- *connecting piece (Y-tube)*
57 de pot met drie halzen
- *three-necked bottle*
58 de gaswasfles
- *gas-washing bottle*
59 het gasontwikkelingsapparaat, volgens Kipp
- *gas generator (Kipp's apparatus,* Am. *Kipp generator)*
60 het voorraadvat voor het zuur, met overloop
- *overflow container*
61 het voorraadvat voor de vaste stof
- *container for the solid*
62 het reservoir voor het zuur
- *acid container*
63 de gasuitgang met kraan
- *gas outlet*

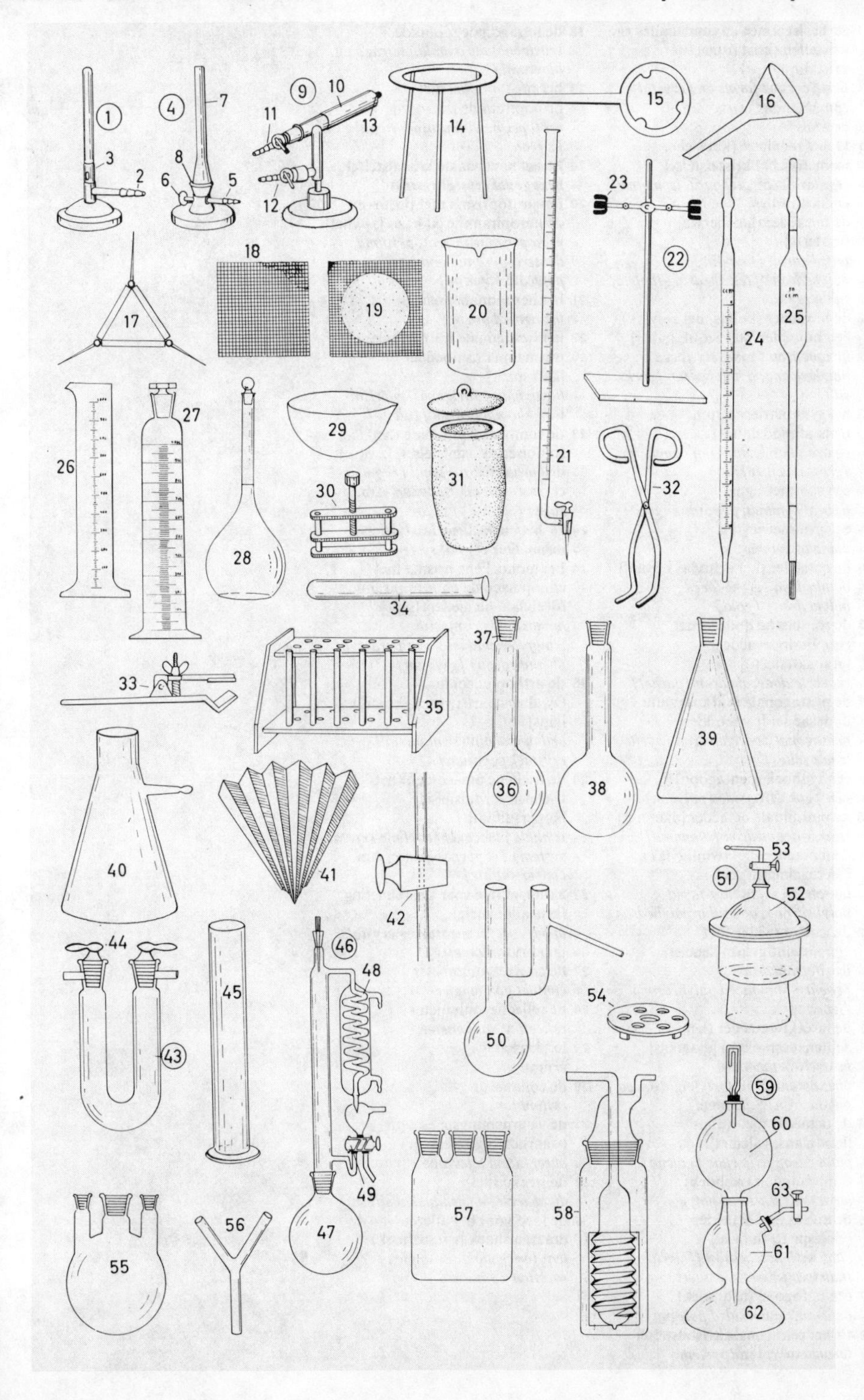
1
2
3
4
5
6
7
8
9
10
11
12
13
14
15
16
17
18
19
20
21
22
23
24
25
26
27
28
29
30
31
32
33
34
35
36
37
38
39
40
41
42
43
44
45
46
47
48
49
50
51
52
53
54
55
56
57
58
59
60
61
62
63

1-26 basisvormen en combinaties van kristallen (kristalstructuur, kristalopbouw)
- ***basic crystal forms and crystal combinations*** *[structure of crystals]*

1-17 het regulaire (kubische, isometrische) **kristalstelsel**
- ***regular*** *(cubic, tesseral, isometric) crystal system*

1 de tetraëder (het viervlak) [vaalerts]
- *tetrahedron (four-faced polyhedron) [tetrahedrite, fahlerz, fahl ore]*

2 de hexaëder (kubus, het zesvlak), een holoëder [steenzout, haliet]
- *hexahedron (cube, six-faced polyhedron), a holohedron [rock salt]*

3 het symmetriecentrum (kristalmiddelpunt)
- *centre (*Am. *center) of symmetry (crystal centre)*

4 een symmetrie-as
- *axis of symmetry (rotation axis)*

5 een symmetrievlak
- *plane of symmetry*

6 de octaëder (het achtvlak) [goud]
- *octahedron (eight-faced polyhedron) [gold]*

7 de rombische dodecaëder (rombododecaëder) [granaat(steen)]
- *rhombic dodecahedron [garnet]*

8 de pentagonale (vijfhoekige) dodecaëder [pyriet, kies]
- *pentagonal dodecahedron [pyrite, iron pyrites]*

9 een vijfhoek (pentagoon)
- *pentagon (five-sided polygon)*

10 de piramidale octaëder [diamant]
- *triakis-octahedron [diamond]*

11 de icosaëder (het twintigvlak), een regelmatig veelvlak
- *icosahedron (twenty-faced polyhedron), a regular polyhedron*

12 de icositetraëder (het vierentwintigvlak) [leuciet]
- *icositetrahedron (twenty-four-faced polyhedron) [leucite]*

13 de hexakisoctaëder (het achtenveertigvlak) [diamant]
- *hexakis-octahedron (hexoctahedron, forty-eight-faced polyhedron) [diamond]*

14 de octaëder met kubus [loodglans, galeniet]
- *octahedron with cube [galena]*

15 een hexagoon (zeshoek)
- *hexagon (six-sided polygon)*

16 de kubus met octaëder [vloeispaat, fluoriet]
- *cube with octahedron [fluorite, fluorspar]*

17 een octogoon (achthoek)
- *octagon (eight-sided polygon)*

18-19 het tetragonale kristalstelsel
- ***tetragonal crystal system***

18 de tetragonale piramide
- *tetragonal dipyramid (tetragonal bipyramid)*

19 het protoprisma met protopiramide [zirkoon]
- *protoprism with protopyramid [zircon]*

20-22 het hexagonale kristalstelsel
- ***hexagonal crystal system***

20 het protoprisma met proto- en deuteropiramide en basis [apatiet]
- *protoprism with protopyramid, deutero-pyramid and basal pinacoid [apatite]*

21 het hexagonale prisma
- *hexagonal prism*

22 het hexagonale (ditrigonale) prisma met romboëder [kalkspaat]
- *hexagonal (ditrigonal) biprism with rhombohedron [calcite]*

23 de rombische piramide (het rombische kristalstelsel) [zwavel]
- *orthorhombic pyramid (rhombic crystal system) [sulphur,* Am. *sulfur]*

24-25 het monocliene kristalstelsel
- ***monoclinic crystal system***

24 het monocliene prisma met clinopinacoïde en hemipiramide (deelvlak, hemiëder) [gips]
- *monoclinic prism with clinoprinacoid and hemipyramid (hemihedron) [gypsum]*

25 de orthopinacoïde (zwaluwstaart-tweelingkristal) [gips]
- *orthopinacoid (swallow-tail twin crystal) [gypsum]*

26 de tricliene pinacoïden (het tricliene kristalstelsel) [kopersulfaat]
- *triclinic pinacoids (triclinic crystal system) [copper sulphate,* Am. *copper sulfate]*

27-33 apparaten voor kristalmeting (kristallometrie)
- ***apparatus for measuring crystals*** *(for crystallometry)*

27 de contactgoniometer
- *contact goniometer*

28 de reflectiegoniometer
- *reflecting goniometer*

29 het kristal
- *crystal*

30 de collimator
- *collimator*

31 de waarnemingstelescoop (waarnemingsrefractor)
- *observation telescope*

32 de steekcirkel
- *divided circle (graduated circle)*

33 de loep voor het aflezen van de draaiingshoek (rotatiehoek)
- *lens for reading the angle of rotation*

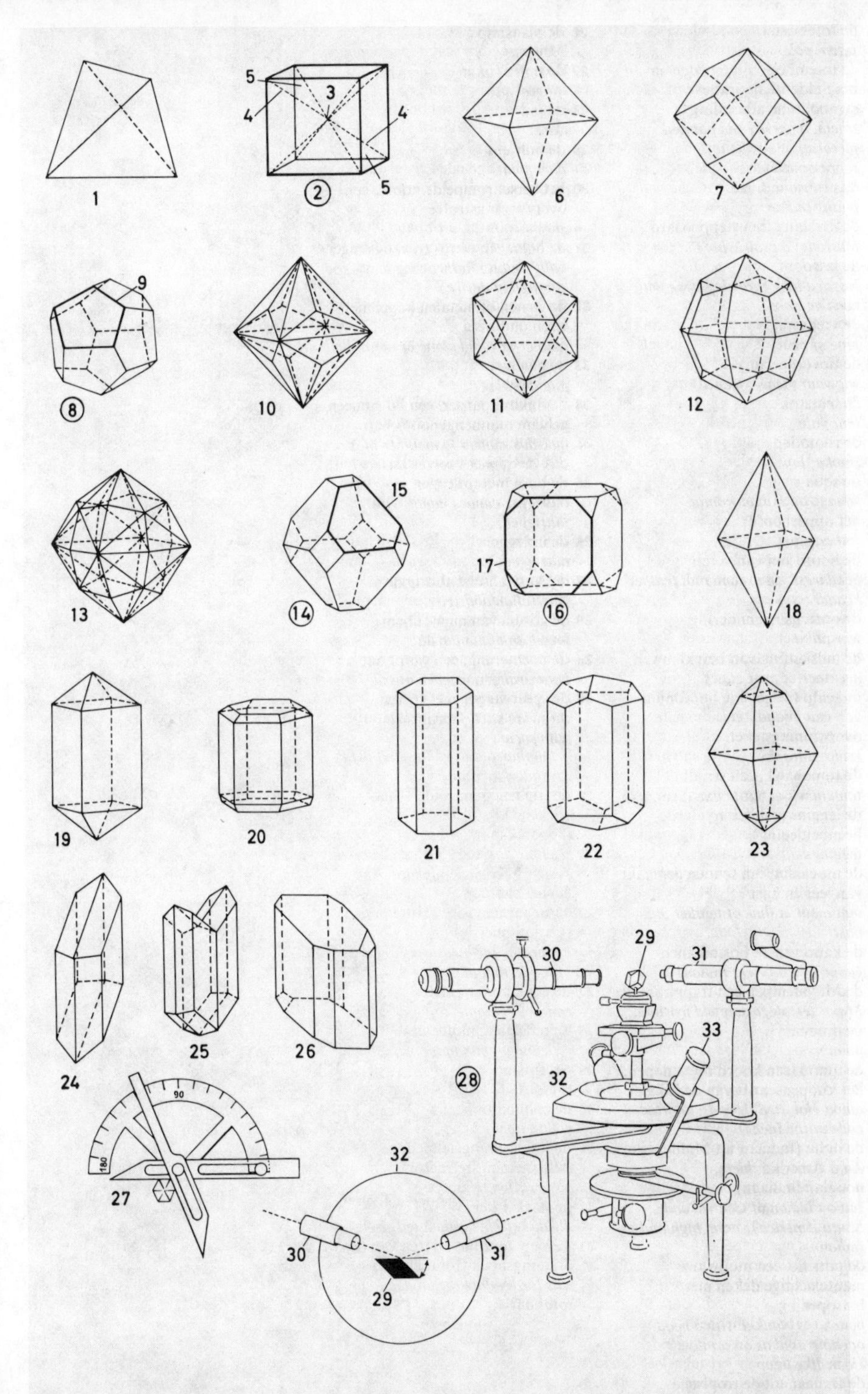
1
2
3
4
5
6
7
8
9
10
11
12
13
14
15
16
17
18
19
20
21
22
23
24
25
26
27
90
180
28
29
30
31
32
33

1 de totempaal
- *totem pole*
2 de totem, een uitgesneden en beschilderde figuratieve of symbolische afbeelding
- *totem, a carved and painted pictorial or symbolic representation*
3 de prairie-indiaan
- *plains Indian*
4 de mustang, een steppepaard
- *mustang, a prairie horse*
5 de lasso
- *lasso, a long throwing-rope with running noose*
6 de vredespijp
- *pipe of peace*
7 de tipi (wigwam)
- *wigwam (tepee, teepee)*
8 de tentstok
- *tent pole*
9 de rookklep
- *smoke flap*
10 de squaw
- *squaw, an Indian woman*
11 het opperhoofd
- *Indian chief*
12 de hoofdtooi van veren
- *headdress, an ornamental feather headdress*
13 de oorlogsbeschildering
- *war paint*
14 de halsketting van bereklauwen
- *necklace of bear claws*
15 de scalp (de gevilde hoofdhuid van een vijand), een overwinningsteken
- *scalp, a trophy*
16 de tomahawk, een strijdbijl
- *tomahawk, a battle axe (*Am. *ax)*
17 de leggins (wildleren beenbekleding)
- *leggings*
18 de mocassin, een schoen gemaakt van leer en bast
- *moccasin, a shoe of leather and bast*
19 de kano van de bosindianen
- *canoe of the forest Indians*
20 de Mayatempel, een trappiramide
- *Maya temple, a stepped pyramid*
21 de mummie
- *mummy*
22 de quipu (een koord met knopen, het knopenschrift van de Inka's)
- *quipa (knotted threads, knotted code of the Incas)*
23 de indio (Indiaan uit Midden- en Zuid Amerika; *hier:* hooglandindiaan)
- *Indio (Indian of Central and South America);* here: *highland Indian*
24 de poncho, een mouwloze mantelachtige deken met halsopening
- *poncho, a blanket with a head opening used as an armless cloak-like wrap*
25 de Indiaan uit de tropische woudgebieden
- *Indian of the tropical forest*
26 de blaaspijp
- *blowpipe*
27 de pijlenkoker
- *quiver*
28 de pijl
- *dart*
29 de pijlpunt
- *dart point*
30 het verschrompelde hoofd, een overwinningstrofee
- *shrunken head, a trophy*
31 de bola, een werp- en vangslinger
- *bola (bolas), a throwing and entangling device*
32 de stenen of metalen kogel met leren omhulsel
- *leather-covered stone or metal ball*
33 de paalhut
- *pile dwelling*
34 de dukdukdanser, een lid van een geheim mannengenootschap
- *duk-duk dancer, a member of a duk-duk (men's secret society)*
35 de boot met uitlegger
- *outrigger canoe (canoe with outrigger)*
36 de uitlegger
- *outrigger*
37 de Australische aborigine
- *Australian aborigine*
38 de gordel van mensenhaar
- *loincloth of human hair*
39 de boemerang, een werphout
- *boomerang, a wooden missile*
40 de speerwerper met speren
- *throwing stick (spear thrower) with spears*

1
2
3
4
5
6
7
8
9
10
11
12
13
14
15
16
17
18
19
20
21
22
23
24
25
26
27
28
29
30
31
32
33
34
35
36
37
38
39
40

1 de Eskimo
- *Eskimo*
2 de sledehond, een poolhond
- *sledge dog (sled dog), a husky*
3 de hondeslee
- *dog sledge (dog sled)*
4 de iglo, een koepelvormige sneeuwhut
- *igloo, a dome-shaped snow hut*
5 het sneeuwblok
- *block of snow*
6 de toegangstunnel
- *entrance tunnel*
7 de traanlamp
- *blubber-oil lamp*
8 de werpplank
- *wooden missile*
9 de stootspeer
- *lance*
10 de harpoen
- *harpoon*
11 de luchtzak
- *skin float*
12 de kajak, een lichte eenpersoonskano
- *kayak, a light one-man canoe*
13 het met huiden bespannen houten of benen geraamte
- *skin-covered wooden or bone frame*
14 de peddel
- *paddle*
15 het rendiertuig
- *reindeer harness*
16 het rendier
- *reindeer*
17 de Ostiak
- *Ostyak (Ostiak)*
18 de personenslee
- *passenger sledge*
19 de joert, een woontent van de West- en Centraalaziatische nomaden
- *yurt (yurta), a dwelling tent of the western and central Asiatic nomads*
20 de vilten dakbedekking
- *felt covering*
21 het rookkanaal
- *smoke outlet*
22 de Kirgies
- *Kirghiz*
23 de muts gemaakt van schapevacht
- *sheepskin cap*
24 de Sjamaan
- *shaman*
25 de hoofdtooi met franjes
- *decorative fringe*
26 de trommel met frame
- *frame drum*
27 de Tibetaan
- *Tibetan*
28 het vuursteengeweer
- *flintlock with bayonets*
29 de gebedsmolen
- *prayer wheel*
30 de vilten laars
- *felt boot*
31 de huisboot (sampan)
- *houseboat (sampan)*
32 de jonk
- *junk*
33 het mattenzeil
- *mat sail*
34 de riksja
- *rickshaw (ricksha)*
35 de riksjakoelie
- *rickshaw coolie (cooly)*
36 de lampion
- *Chinese lantern*
37 de samoerai
- *samurai*
38 het gewatteerde pantser
- *padded armour (*Am. *armor)*
39 de geisha
- *geisha*
40 de kimono
- *kimono*
41 de obi
- *obi*
42 de waaier
- *fan*
43 de koelie
- *coolie (cooly)*
44 de kris
- *kris (creese, crease), a Malayan dagger*
45 de slangenbezweerder
- *snake charmer*
46 de tulband
- *turban*
47 de fluit
- *flute*
48 de dansende slang
- *dancing snake*

1
2
3
4
5
6
7
8
9
10
11
12
13
14
15
16
17
18
19
20
21
22
23
24
25
26
27
28
29
30
31
32
33
34
35
36
37
38
39
40
41
42
43
44
45
46
47
48

1 de karavaan
- *camel caravan*
2 het rijdier
- *riding animal*
3 het lastdier
- *pack animal*
4 de oase
- *oasis*
5 de groep palmbomen
- *grove of palm trees*
6 de bedoeïen
- *bedouin (beduin)*
7 de boernoes
- *burnous*
8 de Massaikrijger
- *Masai warrior*
9 de haardracht
- *headdress (hairdress)*
10 het schild
- *shield*
11 de beschilderde runderhuid
- *painted ox hide*
12 de speer met lang blad
- *long-bladed spear*
13 de neger
- *negro*
14 de danstrommel
- *dance drum*
15 het werpmes
- *throwing knife*
16 het houten masker
- *wooden mask*
17 het voorouderbeeldje
- *figure of an ancestor*
18 de tamtam
- *slit gong*
19 de trommelstok
- *drumstick*
20 de boomstamkano
- *dugout, a boat hollowed out of a tree trunk*
21 de negerhut
- *negro hut*
22 de negerin
- *negress*
23 de lipschijf
- *lip plug (labret)*
24 de maalsteen
- *grinding stone*
25 de Hererovrouw
- *Herero woman*
26 de leren muts
- *leather cap*
27 de kalebas
- *calabash (gourd)*
28 de bijenkorfhut
- *beehive-shaped hut*
29 de Bosjesman
- *bushman*
30 de oorplug
- *earplug*
31 de lendendoek
- *loincloth*
32 de boog
- *bow*
33 de kirri, een knuppel met rond verdikt uiteinde
- *knobkerry (knobkerrie), a club with round, knobbed end*
34 de Bosjesmanvrouw bezig met het maken van vuur
- *bushman woman making a fire by twirling a stick*
35 het windscherm
- *windbreak*
36 de Zoeloe in danskostuum
- *Zulu in dance costume*
37 de dansstok
- *dancing stick*
38 de beenring
- *bangle*
39 de krijgshoorn, van ivoor
- *ivory war horn*
40 de ketting gemaakt van amuletten en beenderen
- *string of amulets and bones*
41 de Pygmee
- *pigmy*
42 de toverfluit voor het bezweren van geesten
- *magic pipe for exorcising evil spirits*
43 de fetisj
- *fetish*

1
2
3
4
5
6
7
8
9
10
11
12
13
14
15
16
17
18
19
20
21
22
23
24
25
26
27
28
29
30
31
32
33
34
35
36
37
38
39
40
41
42
43

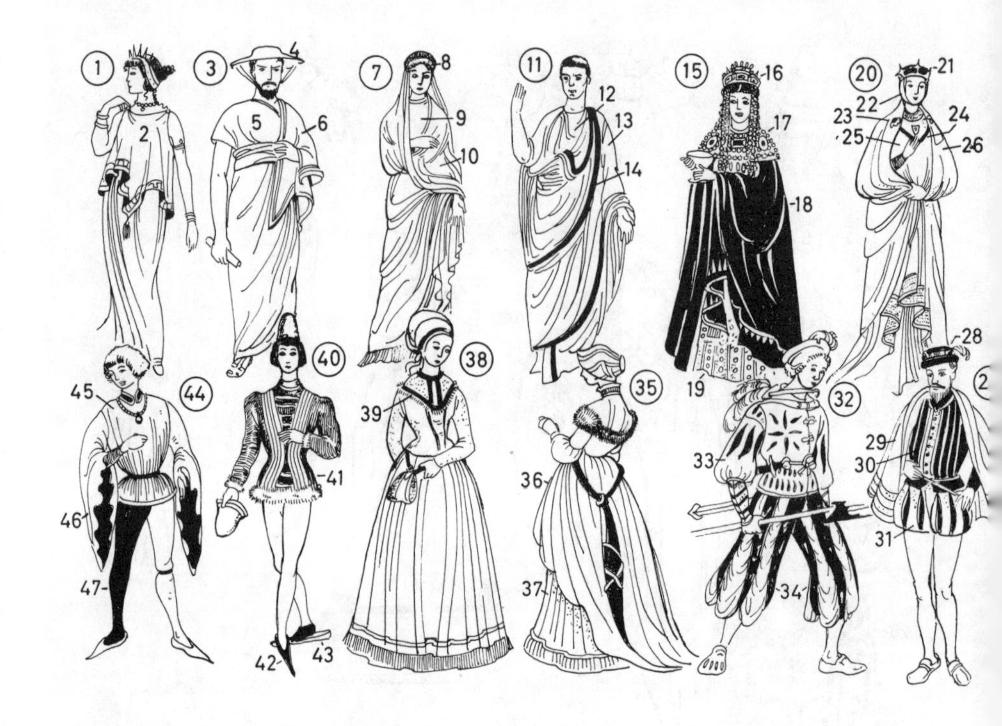

1 de Griekse vrouw
- *Greek woman*

2 de peplos
- *peplos*

3 de Griek
- *Greek*

4 de petatos (reis- of regenhoed uit Thessalië)
- *petasus (Thessalonian hat)*

5 de chiton, een linnen gewaad gedragen als onderkleed
- *chiton, a linen gown worn as a basic garment*

6 de himation, een wollen mantel (omslagdoek)
- *himation, woollen (*Am. *woolen) cloak*

7 de Romeinse vrouw
- *Roman woman*

8 het haarstuk
- *toupee wig (partial wig)*

9 de stola
- *stola*

10 de palla, een gekleurde omslagdoek
- *palla, a coloured (*Am. *colored) wrap*

11 de Romein
- *Roman*

12 de tunica
- *tunica (tunic)*

13 de toga
- *toga*

14 de purperen zoom
- *purple border (purple band)*

15 de Byzantijnse keizerin
- *Byzantine empress*

16 de, het paarlen diadeem
- *pearl diadem*

17 de juwelenkraag
- *jewels*

18 de purperen mantel
- *purple cloak*

19 de lange tunica
- *long tunic*

20 de Duitse vorstin [dertiende eeuw]
- *German princess [13th cent.]*

21 de, het diadeem, een hoofdband
- *crown (diadem)*

22 de kinband
- *chinband*

23 de kwast
- *tassel*

24 het koord
- *cloak cord*

25 de tunica gedragen met een gordel
- *girt-up gown (girt-up surcoat, girt-up tunic)*

26 de mantel
- *cloak*

27 de Duitse man gekleed naar de Spaanse mode [ca. 1575]
- *German dressed in the Spanish style [ca. 1575]*

28 de toque (bonnet met veren)
- *wide-brimmed cap*

29 de Spaanse mantel
- *short cloak (Spanish cloak, short cape)*

30 het wambuis (gewatteerde buis)
- *padded doublet (stuffed doublet, peasecod)*

31 de opgevulde pofbroek
- *stuffed trunk-hose*

32 de lan(d)sknecht [ca. 1530]
- *lansquenet (German mercenary soldier) [ca. 1530]*

33 het ingesneden wambuis
- *slashed doublet (paned doublet)*

34 de pluderhose, een lange Duitse pofbroek
- *Pluderhose (loose breeches, paned trunk-hose, slops)*

35 de vrouw uit Bazel [ca. 1525]
- *woman of Basle [ca. 1525]*

36 het bovenkleed
- *overgown (gown)*

37 de onderrok
- *undergown (petticoat)*

38 de vrouw uit Neurenberg [ca. 1500]
- *woman of Nuremberg [ca. 1500]*

39 de schouderkraag
- *shoulder cape*

40 de Bourgondiër [15de eeuw]
- *Burgundian [15th cent.]*

41 het korte wambuis
- *short doublet*

42 de tootschoenen
- *piked shoes (peaked shoes, copped shoes, crackowes, poulaines)*

43 de trippen (overschoenen)
- *pattens (clogs)*

44 de jonge edelman [ca. 1400]
- *young nobleman [ca. 1400]*

45 het korte overwambuis
- *short, padded doublet (short, quilted doublet, jerkin)*

46 de uitgehakkelde mouwen
- *dagged sleeves (petal-scalloped sleeves)*

47 de hozen
- *hose*

48 de patriciërsvrouw uit Augsburg [ca. 1575]
- *Augsburg patrician lady [ca. 1575]*

49 de pofmouw
- *puffed sleeve*

50 de vlieger, een overkleed
- *overgown (gown), a sleeveless open gown*

51 de Franse dame [ca. 1600]
- *French lady [ca. 1600]*

52 de molensteenkraag
- *millstone ruff (cartwheel ruff, ruff)*

53 de ingesnoerde taille
- *corseted waist (wasp waist)*

54 de heer [ca. 1650]
- *gentleman [ca. 1650]*

55 de vilten hoed met veren
- *wide-brimmed felt hat (cavalier hat)*

56 de brede linnen kraag
- *falling collar (wide-falling collar) of linen*

57 de witte contrasterende voering
- *white lining*

58 de laarzen met kappen
- *jack boots (bucket-top boots)*

59 de dame [ca. 1650]
- *lady [ca. 1650]*

60 de pofmouwen
- *full puffed sleeves (puffed sleeves)*

61 de heer [ca. 1700]
- *gentleman [ca. 1700]*

62 de driekante steek
- *three-cornered hat*

63 de degen
- *dress sword*

64 de dame [ca. 1700]
- *lady [ca. 1700]*

65 de fontange, een muts van kantstroken
- *lace fontange (high headdress of lace)*

66 het losse overgewaad (de négligé)
- *lace-trimmed loose-hanging gown (loose-fitting housecoat, robe de chambre, negligée, contouche)*

67 de geborduurde rand
- *band of embroidery*

68 de dame [ca. 1880]
- *lady [ca. 1880]*

69 de tournure (queue de Paris)
- *bustle*

70 de dame [ca. 1858]
- *lady [ca. 1858]*

71 de kaper
- *poke bonnet*

72 de hoepelrok (crinoline)hetoepelrok
- *crinoline*

73 de heer uit de Biedermeiertijd
- *gentleman of the Biedermeier period*

74 de hoge kraag (vadermoorder)
- *high collar (choker collar)*

75 het gebloemde vest
- *embroidered waistcoat (vest)*

76 de pandjesjas
- *frock coat*

77 de staartpruik
- *pigtail wig*

78 de strik om de haarzak
- *ribbon (bow)*

79 de dames in hofdracht [ca. 1780]
- *ladies in court dress [ca. 1780]*

80 de sleep
- *train*

81 het rococokapsel
- *upswept Rococo coiffure*

82 de haarversiering
- *hair decoration*

83 de bovenrok, gedragen over een heupverbreding (paniers)
- *panniered overskirt*

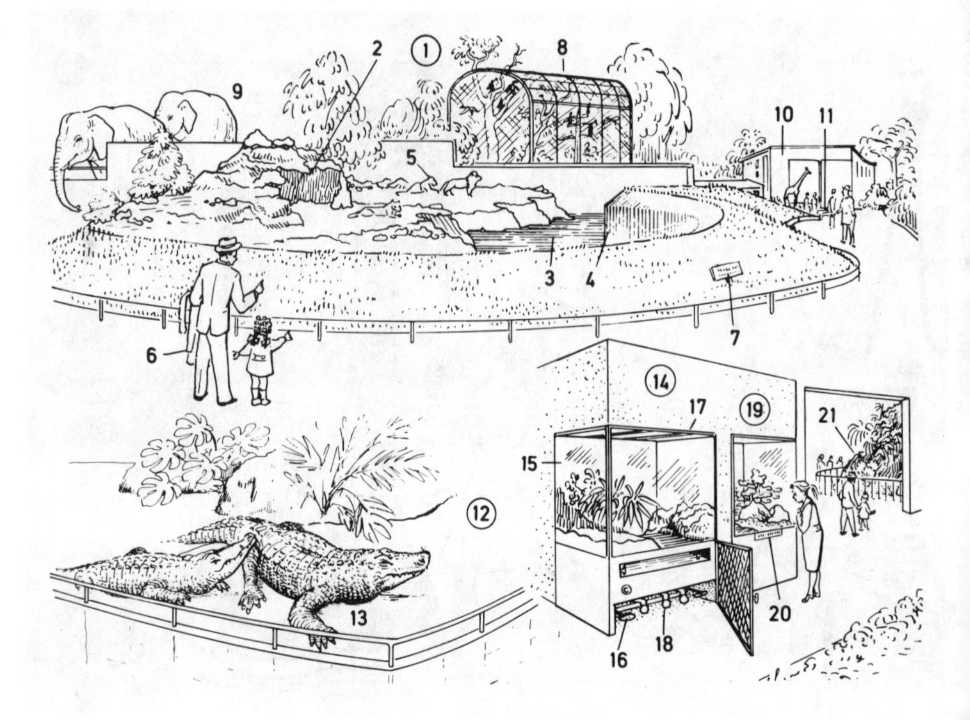

1 het buitenverblijf
- *outdoor enclosure*

2 de rots
- *rocks*

3 de gracht
- *moat*

4 de keermuur
- *enclosing wall*

5 de dieren; *hier:* een roedel leeuwen
- *animals on show;* here: *a pride of lions*

6 de bezoeker
- *visitor to the zoo*

7 het waarschuwingsbord
- *notice*

8 de volière (het vogelhuis)
- *aviary*

9 het olifantenverblijf
- *elephant enclosure*

10 het dierenhuis (b.v. roofdierenhuis, giraffenhuis, olifantenhuis, apenhuis), het hok
- *animal house,* e.g. *carnivore house, giraffe house, elephant house, monkey house*

11 het zomerverblijf (buitenhok, de kooi)
- *outside cage (summer quarters)*

12 het reptielenverblijf
- *reptile enclosure*

13 de krokodil (uit de Nijlstreek)
- *Nile crocodile*

14 het terrarium
- *terrarium and aquarium*

15 de vitrine
- *glass case*

16 de luchttoevoer
- *fresh-air inlet*

17 de luchtafvoer
- *ventilator*

18 de bodemverwarming
- *underfloor heating*

19 het aquarium
- *aquarium*

20 het informatieplaatje
- *information plate*

21 de tropische plantentuin
- *flora in artificially maintained climate*

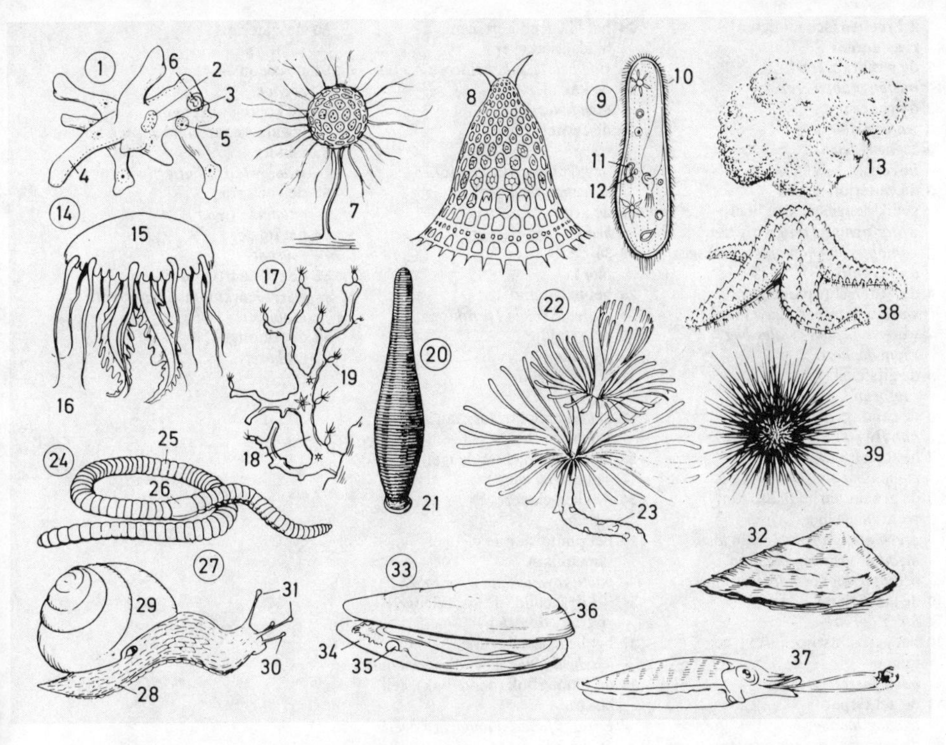

1-12 eencelligen (protozoën, oerdieren)
– ***unicellular (one-celled, single-celled) animals*** *(protozoans)*
1 de amoebe, een wortelpotige
– *amoeba, a rhizopod*
2 de celkern
– *cell nucleus*
3 het protoplasma
– *protoplasm*
4 het schijnvoetje
– *pseudopod*
5 de afscheidingsvacuole (kloppende vacuole)
– *excretory vacuole (contractile vacuole), an organelle*
6 de voedingsvacuole
– *food vacuole*
7 het zonnediertje
– *Actinophrys, a heliozoan*
8 het straaldiertje; *afgebeeld:* het kiezelzuurskelet
– *radiolarian;* here: *siliceous skeleton*
9 het pantoffeldiertje, een trilhaardrager (trilhaardiertje)
– *slipper animalcule, a Paramecium (ciliate infusorian)*
10 het trilhaar
– *cilium*
11 de macronucleus (grote kern)
– *macronucleus (meganucleus)*
12 de micronucleus (kleine kern)
– *micronucleus*
13-39 meercelligen (mesozoën)
– ***multicellular animals*** *(metazoans)*
13 de badspons, een spons
– *bath sponge, a porifer (sponge)*
14 de meduse, een schijfkwal (kwal), een holtedier
– *discomedusa, a medusa (jellyfish), a coelenterate*
15 het parapluscherm (de klok, het scherm)
– *umbrella*
16 de tentakel
– *tentacle*
17 de bloedkoraal, een koraaldier (bloemdier)
– *red coral (precious coral), a coral animal (anthozoan, reef-building animal)*
18 een kolonie koralen
– *coral colony*
19 de koraalpoliep
– *coral polyp*
20-26 wormen
– *worms (Vermes)*
20 de bloedzuiger, een ringworm (gelede worm)
– *leech, an annelid*
21 de zuignap
– *sucker*
22 de spirographis, een borstelworm
– *Spirographis, a bristle worm*
23 de koker
– *tube*
24 de regenworm (pier)
– *earthworm*
25 het segment
– *segment*
26 het clitellum [voortplantingsorgaan]
– *clitellum [accessory reproductive organ]*
27-36 weekdieren (mollusca)
– *molluscs (*Am. *mollusks)*
27 de wijngaardslak, een slak
– *edible snail, a snail*
28 de voet
– *creeping foot*
29 de schelp (het slakkehuis)
– *shell (snail shell)*
30 het gesteelde oog
– *stalked eye*
31 de voelhoorn
– *tentacle (horn, feeler)*
32 de oester
– *oyster*
33 de rivierparelmossel
– *freshwater pearl mussel*
34 het parelmoer
– *mother-of-pearl (nacre)*
35 de parel
– *pearl*
36 de mosselschelp
– *mussel shell*
37 de zeekat (inktvis), een koppotige
– *cuttlefish, a cephalopod*
38-39 stekelhuidigen
– *echinoderms*
38 de zeester
– *starfish (sea star)*
39 de zeeëgel
– *sea urchin (sea hedgehog)*

1-2 kreeften (schaaldieren)
- ***crustaceans***
1 de wolkrab, een krab
- *mitten crab, a crab*
2 de watermot
- *water slater*
3-23 insekten
- ***insects***
3 de waterjuffer, een gelijkvleugelige, een libel
- *water nymph (dragonfly), a homopteran (homopterous insect), a dragonfly*
4 de waterschorpioen, een waterwants, een snavelinsekt
- *water scorpion (water bug), a rhynchophore*
5 de gifstekel
- *raptorial leg*
6 de eendagsvlieg
- *mayfly (dayfly, ephemerid)*
7 het facet(ten)oog
- *compound eye*
8 de groene sprinkhaan, een rechtvleugelige
- *green grasshopper (green locust, meadow grasshopper), an orthopteron (orthopterous insect)*
9 de larve (larf)
- *larva (grub)*
10 het geslachtsrijpe insekt, een imago
- *adult insect, an imago*
11 de achterpoot
- *leaping hind leg*
12 de kokerjuffer (een schietmot, een netvleugelige)
- *caddis fly (spring fly, water moth), a neuropteran*
13 de bladluis, een plantenluis
- *aphid (greenfly), a plant louse*
14 de vleugelloze bladluis
- *wingless aphid*
15 de gevleugelde bladluis
- *winged aphid*
16-20 tweevleugeligen
- ***dipterous insects*** *(dipterans)*
16 de steekmug, een mug
- *gnat (mosquito, midge), a culicid*
17 het steek- en zuigorgaan
- *proboscis (sucking organ)*
18 de vleesvlieg (bromvlieg), een vlieg
- *bluebottle (blowfly), a fly*
19 de made (larve)
- *maggot (larva)*
20 de pop
- *chrysalis (pupa)*
21-23 vliesvleugeligen
- ***Hymenoptera***
21-22 de mier
- *ant*
21 het gevleugelde vrouwtje
- *winged female*
22 de werkster
- *worker*
23 de hommel
- *bumblebee (humblebee)*
24-39 kevers (schubvleugeligen)
- ***beetles*** *(Coleoptera)*
24 het vliegend hert, een bladsprietkever
- *stag beetle, a lamellicorn beetle*
25 de kaken
- *mandibles*
26 de eetwerktuigen
- *trophi*
27 de voelhoorn (antenne)
- *antenna (feeler)*
28 de kop
- *head*
29-30 de thorax
- *thorax*
29 het halsschild
- *thoracic shield (prothorax)*
30 het schildje
- *scutellum*
31 het achterlijf
- *tergites*
32 het ademhalingsorgaan
- *stigma*
33 de vleugel (achtervleugel)
- *wing (hind wing)*
34 de vleugelader
- *nervure*
35 het punt waar de vleugel samenklapt
- *point at which the wing folds*
36 het dekschild (de voorvleugel)
- *elytron (forewing)*
37 het lieveheersbeestje
- *ladybird (ladybug), a coccinellid*
38 de timmerbok (dennebok), een boktor
- *Ergates faber, a longicorn beetle (longicorn)*
39 de mestkever, een bladsprietkever
- *dung beetle, a lamellicorn beetle*
40-47 spinachtigen
- ***arachnids***
40 de geelstaartschorpioen, een schorpioen
- *Euscorpius flavicandus, a scorpion*
41 de poot met schaar
- *cheliped with chelicer*
42 de voelhoorns aan de kaak
- *maxillary antenna (maxillary feeler)*
43 de gifstekel
- *tail sting*
44-46 spinnen
- ***spiders***
44 de zaagbok, een mijt, een teek
- *wood tick (dog tick)*
45 de kruisspin, een wielspin
- *cross spider (garden spider), an orb spinner*
46 de spinklier
- *spinneret*
47 het spinneweb (het web)
- *spider's web (web)*
48-56 vlinders
- ***Lepidoptera*** *(butterflies and moths)*
48 de moerbeiboomspinner, een zijderupsvlinder
- *mulberry-feeding moth (silk moth), a bombycid moth*
49 de eitjes
- *eggs*
50 de zijderups
- *silkworm*
51 de cocon
- *cocoon*
52 de koninginnepage (zwaluwstaartvlinder), een hogere vlinder
- *swallowtail, a butterfly*
53 de voelspriet
- *antenna (feeler)*
54 het oog
- *eyespot*
55 de pijlstaartvlinder
- *privet hawkmoth, a hawkmoth (sphinx)*
56 de roltong
- *proboscis*

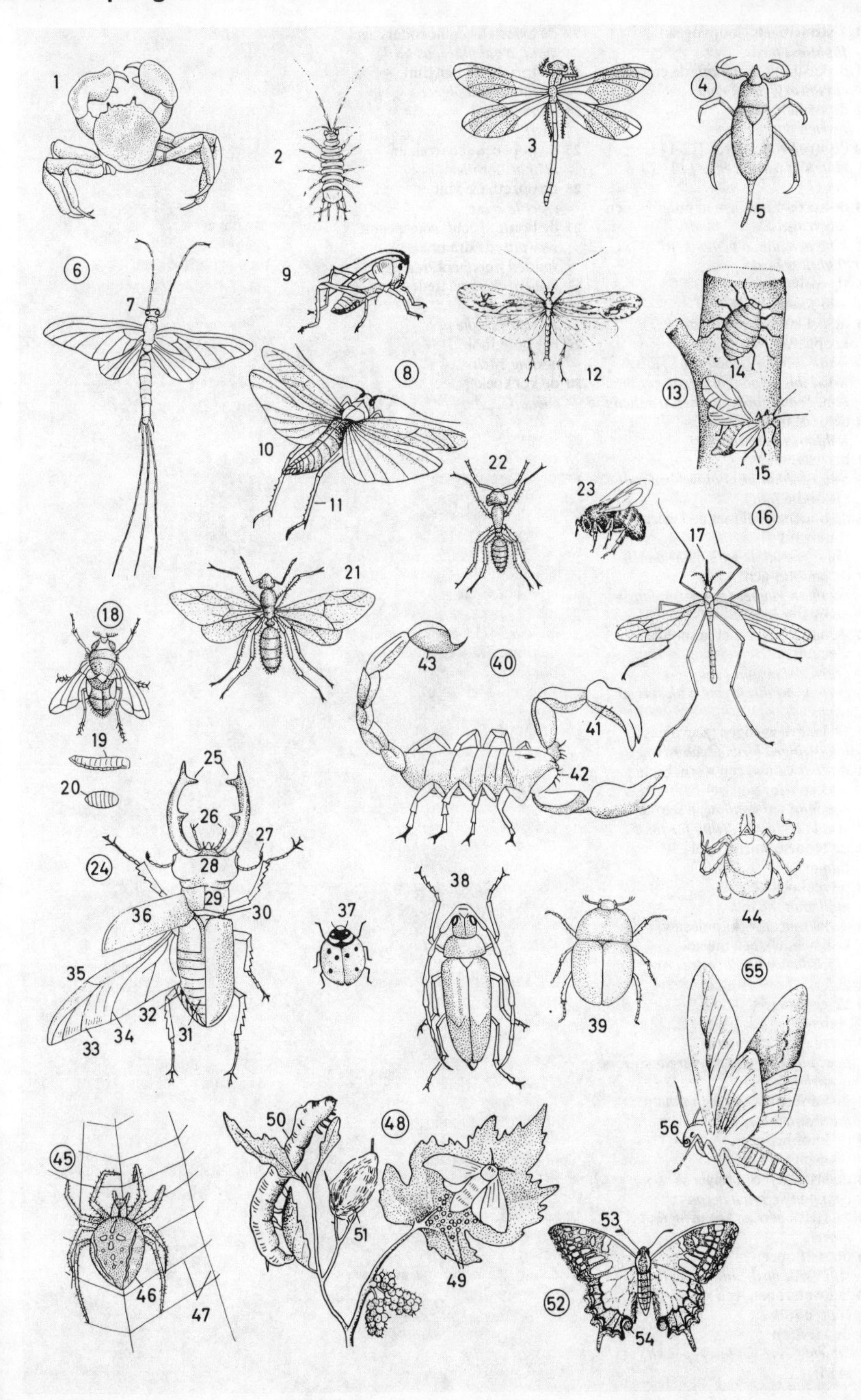
1
2
3
4
5
6
7
8
9
10
11
12
13
14
15
16
17
18
19
20
21
22
23
24
25
26
27
28
29
30
31
32
33
34
35
36
37
38
39
40
41
42
43
44
45
46
47
48
49
50
51
52
53
54
55
56

1-3 **struisvogels** (loopvogels)
- ***flightless birds***
1 de kasuaris; (*verwant:* de emoe)
- *cassowary;* sim.: *emu*
2 de struisvogel
- *ostrich*
3 de struisvogeleieren [12-14 eieren]
- *clutch of ostrich eggs [12 - 14 eggs]*
4 de keizerpinguïn, een pinguïn, een loopvogel
- *king penguin, a penguin, a flightless bird*
5-10 **roeipotigen**
- ***web-footed birds***
5 de pelikaan (nimmerzat, kropgans)
- *white pelican (wood stork, ibis, wood ibis, spoonbill, brent-goose,* Am. *brant-goose, brant), a pelican*
6 de poot met zwemvlies
- *webfoot (webbed foot)*
7 het zwemvlies
- *web (palmations) of webbed foot (palmate foot)*
8 de ondersnavel met de keelzak (huidzak)
- *lower mandible with gular pouch*
9 de jan-van-gent
- *northern gannet (gannet, solan goose), a gannet*
10 de aalscholver met gespreide vleugels
- *green cormorant (shag), a cormorant displaying with spread wings*
11-14 **langvleugeligen** (zeevogels)
- ***long-winged birds*** *(seabirds)*
11 de zeezwaluw, een stern, bij het duiken naar voedsel
- *common sea swallow, a sea swallow (tern), diving for food*
12 de Noorse stormvogel
- *fulmar*
13 de zeekoet, een alk
- *guillemot, an auk*
14 de lachmeeuw (kapmeeuw, kokmeeuw), een meeuw
- *black-headed gull (mire crow), a gull*
15-17 **eendvogels**
- ***Anseres***
15 de zaagbek, een gans
- *goosander (common merganser), a sawbill*
16 de knobbelzwaan, een zwaan
- *mute swan, a swan*
17 de knobbel
- *knob on the bill*
18 de visreiger, een reiger
- *common heron, a heron*
19-21 **steltlopers en kraanvogels**
- ***plovers***
19 de steltloper
- *stilt (stilt bird, stilt plover)*
20 het waterhoen, een ral
- *coot, a rail*
21 de kievi(e)t
- *lapwing (green plover, peewit, pewit)*
22 de kwartel, een hoendervogel
- *quail, a gallinaceous bird*
23 de tortelduif, een duif
- *turtle dove, a pigeon*
24 de zwaluw
- *swift*
25 de hop, een scharrelaar
- *hoopoe, a roller*
26 de opzetbare kuif
- *erectile crest*
27 de bonte specht, een specht; *verwant:* de draaihals
- *spotted woodpecker, a woodpecker;* related: *wryneck*
28 het nestgat
- *entrance to the nest*
29 het broedhol
- *nesting cavity*
30 de koekoek
- *cuckoo*

1
2
3
4
5
6
7
8
9
10
11
12
13
14
15
16
17
18
19
20
21
22
23
24
25
26
27
28
29
30

1, 3, 4, 5, 7, 9, 10 zangvogels
- *songbirds*
1 de distelvink (putter), een vink
- *goldfinch, a finch*
2 de bijeneter
- *bee eater*
3 het roodstaartje, een lijster
- *redstart (star finch), a thrush*
4 de pimpelmees, een mees, een standvogel
- *bluetit, a tit (titmouse), a resident bird (non-migratory bird)*
5 de goudvink
- *bullfinch*
6 de scharrelaar
- *common roller (roller)*
7 de wielewaal, een trekvogel
- *golden oriole, a migratory bird*
8 de ijsvogel
- *kingfisher*
9 het witte kwikstaartje
- *white wagtail, a wagtail*
10 de botvink
- *chaffinch*

1
2
3
4
5
6
7
8
9
10

1-20 zangvogels
- ***songbirds***

1-3 kraaien
- ***Corvidae*** *(corvine birds, crows)*

1 de meerkol (Vlaamse gaai)
- *jay (nutcracker)*

2 de roek, een kraai
- *rook, a crow*

3 de ekster
- *magpie*

4 de spreeuw
- *starling (pastor, shepherd bird)*

5 de huismus (mus)
- *house sparrow*

6-8 vinken
- ***finches***

6-7 gorsen
- *buntings*

6 de geelgors
- *yellowhammer (yellow bunting)*

7 de ortolaan
- *ortolan (ortolan bunting)*

8 het sijsje
- *siskin (aberdevine)*

9 de koolmees, een mees
- *great titmouse (great tit, ox eye), a titmouse (tit)*

10 het goudhaantje; *verwant:* het vuurgoudhaantje
- *golden-crested wren (goldcrest);* sim.: *firecrest, one of the Regulidae*

11 de boomklever
- *nuthatch*

12 het winterkoninkje
- *wren*

13-17 lijsters
- ***thrushes***

13 de merel
- *blackbird*

14 de nachtegaal (*poëtisch:* filomele)
- *nightingale (*poet.: *philomel, philomela)*

15 het roodborstje
- *robin (redbreast, robin redbreast)*

16 de zanglijster
- *song thrush (throstle, mavis)*

17 de grote nachtegaal
- *thrush nightingale*

18-19 leeuweriken
- *larks*

18 de veldleeuwerik
- *woodlark*

19 de kuifleeuwerik
- *crested lark (tufted lark)*

20 de boerenzwaluw, een zwaluw
- *common swallow (barn swallow, chimney swallow), a swallow*

1-13 roofvogels (dagroofvogels)
- ***diurnal birds of prey***

1-4 valken
- *falcons*

1 de dwergvalk
- *merlin*

2 de slechtvalk
- *peregrine falcon*

3 de veren aan de bovenpoten
- *leg feathers*

4 het loopbeen
- *tarsus*

5-9 adelaars
- *eagles*

5 de zeearend
- *white-tailed sea eagle (white-tailed eagle, grey sea eagle, erne)*

6 de gekromde snavel
- *hooked beak*

7 de klauw
- *claw (talon)*

8 de staart
- *tail*

9 de buizerd
- *common buzzard*

10-13 havikachtigen
- *accipiters*

10 dehavik
- *goshawk*

11 de rode wouw
- *common European kite (glede, kite)*

12 de sperwer
- *sparrow hawk (spar-hawk)*

13 de kiekendief
- *marsh harrier (moor buzzard, moor harrier, moor hawk)*

14-19 uilen
- ***owls** (nocturnal birds of prey)*

14 de ransuil
- *long-eared owl (horned owl)*

15 de arenduil (koningsoehoe)
- *eagle-owl (great horned owl)*

16 de kuif
- *plumicorn (feathered ear, ear tuft, ear, horn)*

17 de kerkuil
- *barn owl (white owl, silver owl, yellow owl, church owl, screech owl)*

18 de verenkring
- *facial disc (disk)*

19 de steenuil
- *little owl (sparrow owl)*

1 de geelkuifkaketoe, een papegaai
- *sulphur-crested cockatoo, a parrot*

2 de blauwgele ara
- *blue-and-yellow macaw*

3 de blauwe paradijsvogel
- *blue bird of paradise*

4 de sappho-kolibrie
- *sappho*

5 de kardinaal (kardinaalvogel)
- *cardinal (cardinal bird)*

6 de toekan, een specht
- *toucan (red-billed toucan), one of the Piciformes*

1
2
3
4
5
6

1-18 vissen
- ***fishes***
1 de mensenhaai (blauwe haai)
- *man-eater (blue shark, requin), a shark*
2 de neus
- *nose (snout)*
3 de kieuwspleet
- *gill slit (gill cleft)*
4 de spiegelkarper
- *carp, a mirror carp (carp)*
5 het kieuwdeksel
- *gill cover (operculum)*
6 de rugvin
- *dorsal fin*
7 de borstvin
- *pectoral fin*
8 de buikvin
- *pelvic fin (abdominal fin, ventral fin)*
9 de anaalvin
- *anal fin*
10 de staartvin
- *caudal fin (tail fin)*
11 de schub(be)
- *scale*
12 de meerval
- *catfish (sheatfish, sheathfish, wels)*
13 de baarddraad
- *barbel*
14 de haring
- *herring*
15 de beekforel
- *brown trout (German brown trout), a trout*
16 de snoek
- *pike (northern pike)*
17 de aal
- *freshwater eel (eel)*
18 het zeepaardje
- *sea horse (Hippocampus, horsefish)*
19 de kieuwborstels
- *tufted gills*
20-26 amfibieën
- ***Amphibia*** *(amphibians)*
20-22 salamanders
- *salamanders*
20 de grote watersalamander (kamsalamander), een watersalamander
- *greater water newt (crested newt), a water newt*
21 de rugkam
- *dorsal crest*
22 de vuursalamander, een landsalamander
- *fire salamander, a salamander*
23-26 kikkers
- *salientians (anurans, batrachians)*
23 de gewone pad
- *European toad, a toad*
24 de boomkikker
- *tree frog (tree toad)*
25 de kwaakblaas
- *vocal sac (vocal pouch, croaking sac)*
26 het hechtschijfje
- *adhesive disc (disk)*

27-41 reptielen (kruipende dieren)
- ***reptiles***
27, 30-37 hagedissen
- *lizards*
27 de zandhagedis
- *sand lizard*
28 de karetschildpad
- *hawksbill turtle (hawksbill)*
29 het rugschild
- *carapace (shell)*
30 de basilisk
- *basilisk*
31 de woestijnvaraan
- *desert monitor, a monitor lizard (monitor)*
32 de groene leguaan, een leguaan
- *common iguana, an iguana*
33 de, het kameleon
- *chameleon, one of the Chamaeleontidae (Rhiptoglossa)*
34 de grijppoot
- *prehensile foot*
35 de grijpstaart
- *prehensile tail*
36 de muurgekko, een gekko
- *wall gecko, a gecko*
37 de hazelworm, een pootloze hagedis
- *slowworm (blindworm), one of the Anguidae*
38-41 slangen
- ***snakes***
38 de ringslang, een niet-giftige waterslang
- *ringed snake (ring snake, water snake, grass snake), a colubrid*
39 de halvemaanvormige halsvlekken (ring)
- *collar*
40-41 adders
- *vipers (adders)*
40 de adder, een gifslang
- *common viper, a poisonous (venomous) snake*
41 de aspisadder
- *asp (asp viper)*

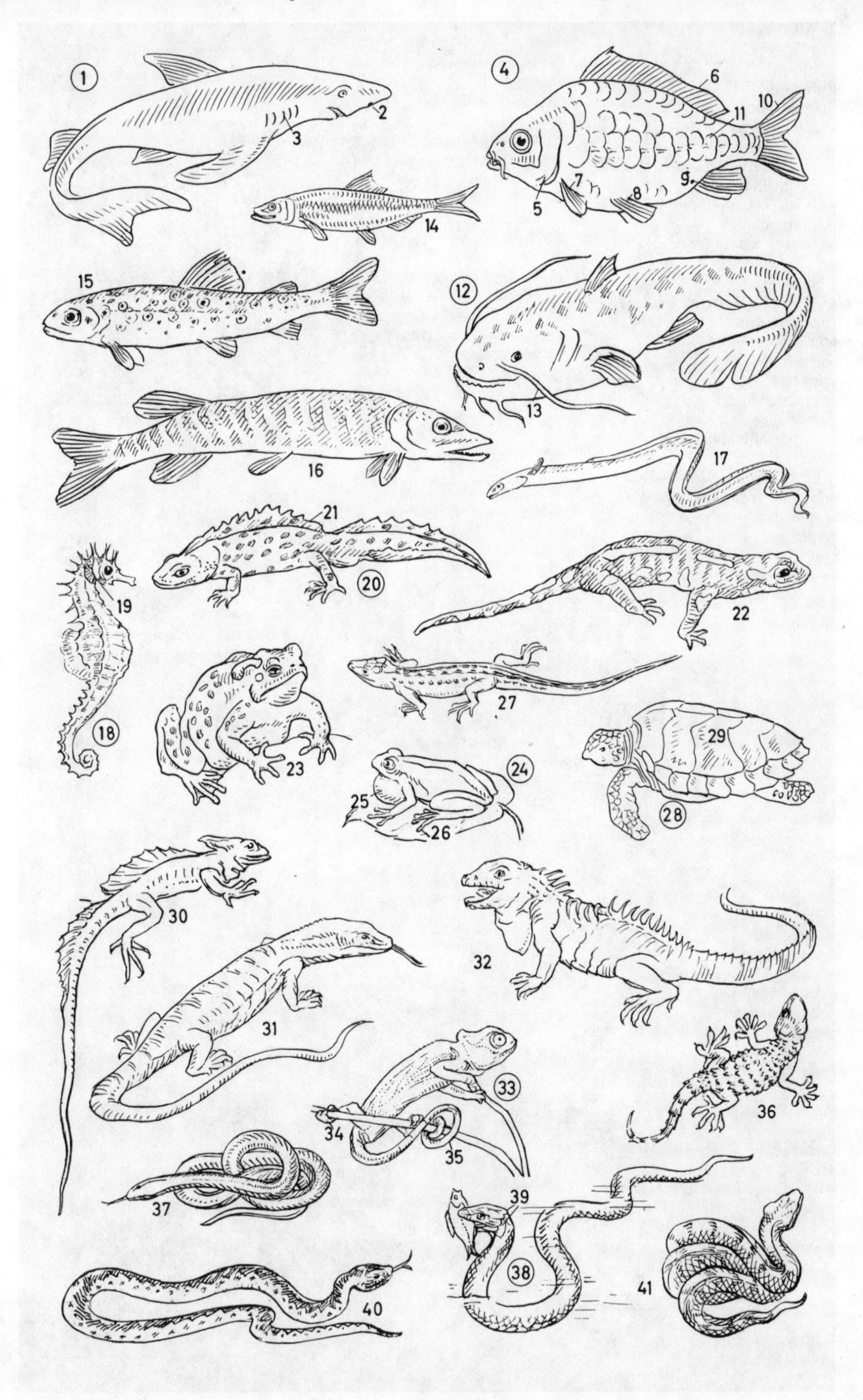
1
2
3
4
5
6
7
8
9
10
11
12
13
14
15
16
17
18
19
20
21
22
23
24
25
26
27
28
29
30
31
32
33
34
35
36
37
38
39
40
41

1-6 dagvlinders
- ***butterflies***
1 de admiraal
- *red admiral*
2 de dagpauwoog
- *peacock butterfly*
3 de aurelia
- *orange tip (orange tip butterfly)*
4 de citroenvlinder
- *brimstone (brimstone butterfly)*
5 de koningsmantel
- *Camberwell beauty (mourning cloak, mourning cloak butterfly)*
6 het blauwtje
- *blue (lycaenid butterfly, lycaenid)*
7-11 nachtvlinders
- ***moths*** *(Heterocera)*
7 de beervlinder
- *garden tiger*
8 de weeskindvlinder
- *red underwing*
9 de doodshoofdvlinder, een pijlstaartvlinder
- *death's-head moth (death's-head hawkmoth), a hawkmoth (sphinx)*
10 de rups
- *caterpillar*
11 de pop
- *chrysalis (pupa)*

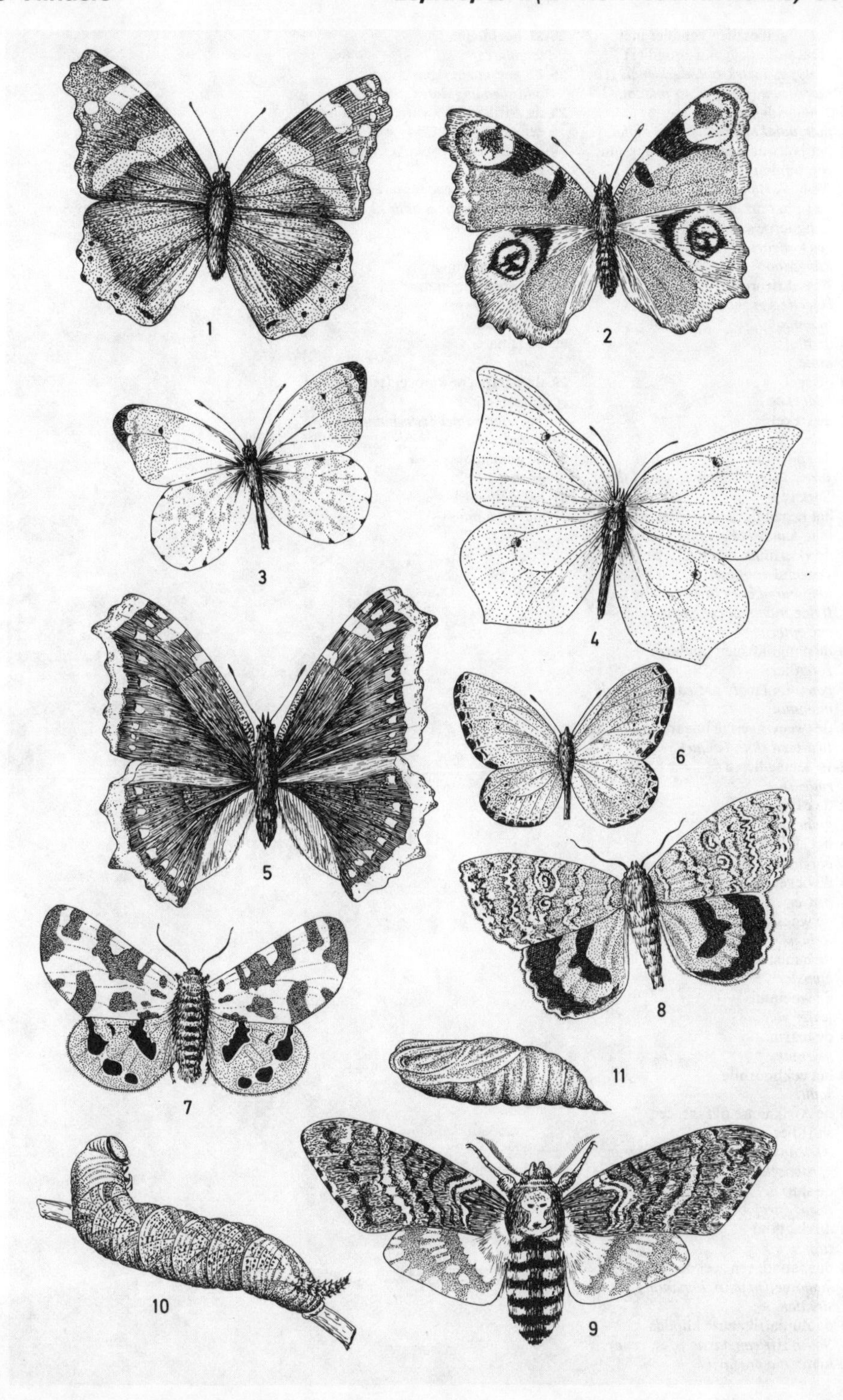
1
2
3
4
5
6
7
8
9
10
11

1 het vogelbekdier, een dier met cloaca (eierleggend zoogdier)
- *platypus (duck-bill, duck-mole), a monotreme (oviparous mammal)*
2-3 **buideldieren**
- ***marsupial mammals** (marsupials)*
2 het Noordamerikaanse opossum, een buidelrat
- *New World opossum, a didelphid*
3 de rode reuzenkangoeroe, een kangoeroe
- *red kangaroo (red flyer), a kangaroo*
4-7 **insektivoren**
- ***insectivores** (insect-eating mammals)*
4 de mol
- *mole*
5 de egel
- *hedgehog*
6 de stekel
- *spine*
7 de spitsmuis
- *shrew (shrew mouse), one of the Soricidae*
8 het negengordelig gordeldier
- *nine-banded armadillo (peba)*
9 de vleermuis, een handvleugelig vliegend zoogdier
- *long-eared bat (flitter-mouse), a flying mammal (chiropter, chiropteran)*
10 de pangolin, een tandarm zoogdier
- *pangolin (scaly ant-eater), a scaly mammal*
11 de tweevingerige luiaard
- *two-toed sloth (unau)*
12-19 **knaagdieren**
- ***rodents***
12 de cavia
- *guinea pig (cavy)*
13 het stekelvarken
- *porcupine*
14 de bever
- *beaver*
15 de woestijnspringmuis
- *jerboa*
16 de hamster
- *hamster*
17 de woelmuis
- *water vole*
18 de marmot
- *marmot*
19 het eekhoorntje
- *squirrel*
20 de Afrikaanse olifant, een slurfdier
- *African elephant, a proboscidean (proboscidian)*
21 de slurf
- *trunk (proboscis)*
22 de slagtand
- *tusk*
23 de manati, een zeekoe
- *manatee (manati, lamantin), a sirenian*
24 de Zuidafrikaanse klipdas
- *South African dassie (das, coney, hyrax), a procaviid*
25-31 **hoefdieren**
-, ***ungulates***
25-27 **onevenhoevigen**
- ***odd-toed ungulates***
25 de Afrikaanse zwarte neushoorn, een neushoorn
- *African black rhino, a rhinoceros (nasicorn)*
26 de Amerikaanse tapir, een tapir
- *Brazilian tapir, a tapir*
27 de zebra
- *zebra*
28-31 **evenhoevigen**
- ***even-toed ungulates***
28-30 **herkauwers**
- ***ruminants***
28 de lama
- *llama*
29 de Bactrische kameel (tweebultige kameel)
- *Bactrian camel (two-humped camel)*
30 de guanaco
- *guanaco*
31 het nijlpaard
- *hippopotamus*

1
2
3
4
5
6
7
8
9
10
11
12
13
14
15
16
17
18
19
20
21
22
23
24
25
26
27
28
29
30
31

1-10 hoefdieren, herkauwers
- ***ungulates, ruminants***
1 de eland
- *elk (moose)*
2 de wapiti
- *wapiti (*Am. *elk)*
3 de gems (klipgeit)
- *chamois*
4 de giraf
- *giraffe*
5 de zwarte antilope, een antilope
- *black buck, an antelope*
6 de moeflon
- *mouflon (moufflon)*
7 de steenbok
- *ibex (rock goat, bouquetin, steinbock)*
8 de Indische buffel
- *water buffalo (Indian buffalo, water ox)*
9 de bison
- *bison*
10 de muskusos
- *musk ox*
11-22 roofdieren
- ***carnivores*** *(beasts of prey)*
11-13 hondachtigen
- ***Canidae***
11 dejakhals
- *black-backed jackal (jackal)*
12 de vos
- *red fox*
13 de wolf
- *wolf*
14-17 marters
- ***martens***
14 de steenmarter
- *stone marten (beach marten)*
15 de sabelmarter
- *sable*
16 de wezel
- *weasel*
17 de zeeotter, een otter
- *sea otter, an otter*
18-22 robben (vinpotigen)
- ***seals*** *(pinnipeds)*
18 de zeebeer (pelsrob)
- *fur seal (sea bear, ursine seal)*
19 de zeehond
- *common seal (sea calf, sea dog)*
20 de walrus
- *walrus (morse)*
21 het snorhaar
- *whiskers*
22 de slagtand
- *tusk*
23-29 walvissen
- ***whales***
23 de spitsdolfijn
- *bottle-nosed dolphin (bottle-nose dolphin)*
24 de gewone dolfijn
- *common dolphin*
25 de potvis
- *sperm whale (cachalot)*
26 het neusgat
- *blowhole (spout hole)*
27 de rugvin
- *dorsal fin*
28 de borstvin („arm")
- *flipper*
29 de staartvin
- *tail flukes (tail)*

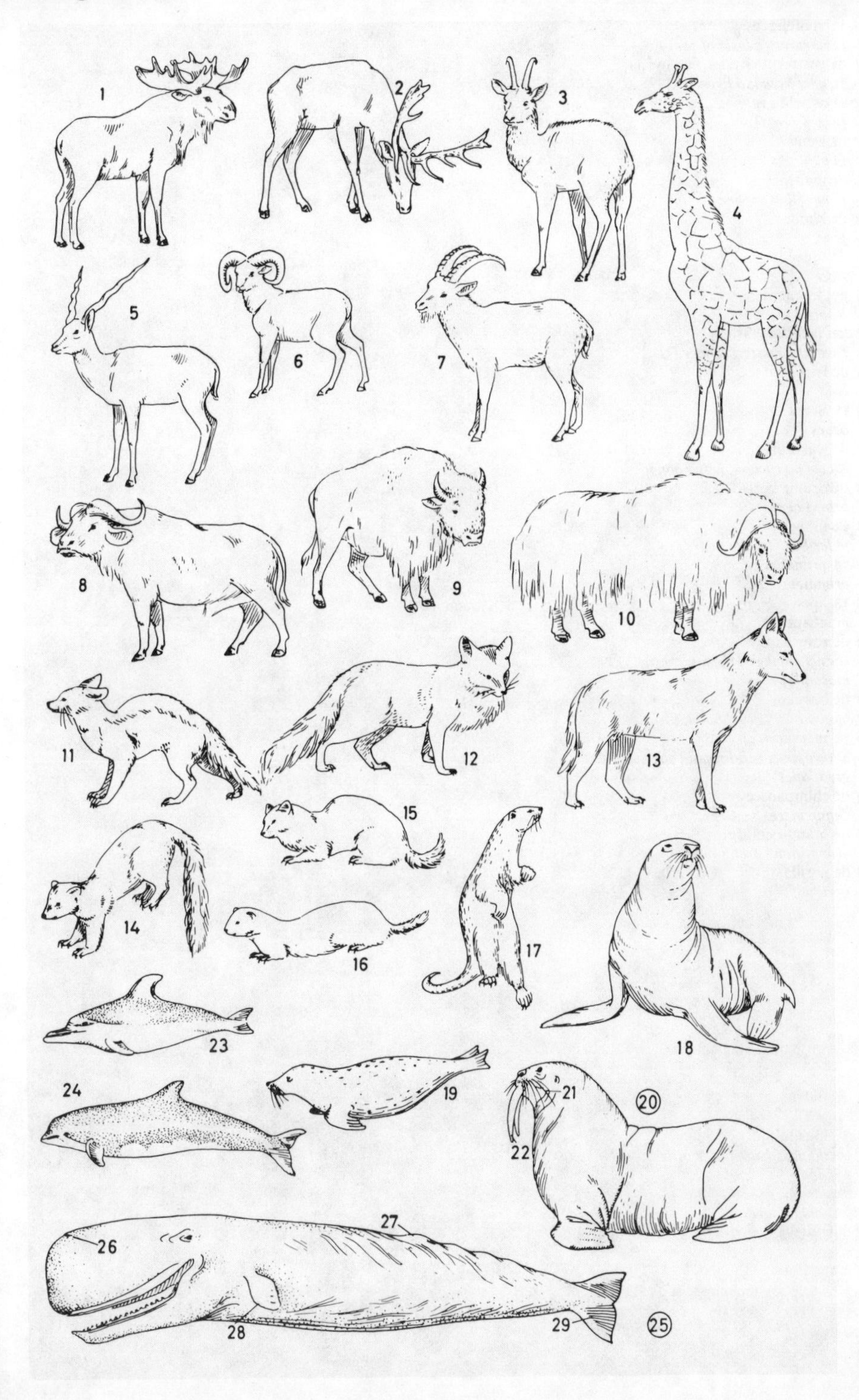
1
2
3
4
5
6
7
8
9
10
11
12
13
14
15
16
17
18
19
20
21
22
23
24
25
26
27
28
29

1-11 roofdieren
- ***carnivores*** *(beasts of prey)*
1 de gestreepte hyena, een hyena
- *striped hyena, a hyena*
2-8 katachtigen
- ***felines*** *(cats)*
2 de leeuw
- *lion*
3 de manen
- *mane (lion's mane)*
4 de klauw
- *paw*
5 de tijger
- *tiger*
6 het luipaard
- *leopard*
7 het jachtluipaard
- *cheetah (hunting leopard)*
8 de lynx
- *lynx*
9-11 beren
- ***bears***
9 de wasbeer
- *raccoon (racoon,* Am. *coon)*
10 de bruine beer
- *brown bear*
11 de ijsbeer
- *polar bear (white bear)*
12-16 primaten
- ***primates***
12-13 apen
- *monkeys*
12 de resusaap
- *rhesus monkey (rhesus, rhesus macaque)*
13 de baviaan
- *baboon*
14-16 mensapen
- ***anthropoids*** *(anthropoid apes, great apes)*
14 de chimpansee
- *chimpanzee*
15 de orang-oetan(g)
- *orang-utan (orang-outan)*
16 de gorilla
- *gorilla*

1
2
3
4
5
6
7
8
9
10
11
12
13
14
15
16

1 Gigantocypris agassizi, een schaaldier
- *Gigantocypris agassizi*
2 Macropharynx longicaudatus (pelikaanaal)
- *Macropharynx longicaudatus (pelican eel)*
3 Pentacrinus (de haarster), een stekelhuidige
- *Pentacrinus (feather star), a sea lily, an echinoderm*
4 Thaumatolampas diadema, een inktvis [lichtgevend]
- *Thaumatolampas diadema, a cuttlefish [luminescent]*
5 Atolla, een diepzeemeduse (kwal), een holtedier
- *Atolla, a deep-sea medusa, a coelenterate*
6 Melanocetes, een armvinnige [lichtgevend]
- *Melanocetes, a pediculate [luminescent]*
7 Lophocalyx philippensis, een glasspons
- *Lophocalyx philippensis, a glass sponge*
8 Mopsea, een hoornkoraal [kolonie]
- *Mopsea, a sea fan [colony]*
9 Hydrallmania, een hydroïde poliep, een poliep, een holtedier [kolonie]
- *Hydrallmania, a hydroid polyp, a coelenterate [colony]*
10 Malacosteus indicus [lichtgevend]
- *Malacosteus indicus, a stomiatid [luminescent]*
11 Brisinga endecacnemos, een stekelhuidige [lichtgevend na prikkeling]
- *Brisinga endecacnemos, a sand star (brittle star), an echinoderm [luminescent only when stimulated]*
12 Pasiphaea, een garnaal, een kreeft
- *Pasiphaea, a shrimp, a crustacean*
13 Echiostoma, een vis [lichtgevend]
- *Echiostoma, a stomiatid, a fish [luminescent]*
14 Umbellula encrinus, een zeeveer, een holtedier [kolonie, lichtgevend]
- *Umbellula encrinus, a sea pen (sea feather), a coelenterate [colony, luminescent]*
15 Polycheles, een kreeft
- *Polycheles, a crustacean*
16 Lithodes, een kreeft, een krab
- *Lithodes, a crustacean, a crab*
17 Archaster, een zeester, een stekelhuidige
- *Archaster, a starfish (sea star), an echinoderm*
18 Oneirophanta, een zeekomkommer, een stekelhuidige
- *Oneirophanta, a sea cucumber, an echinoderm*
19 Palaeopneustes niasicus, een zeeegel, een stekelhuidige
- *Palaeopneustes niasicus, a sea urchin (sea hedgehog), an echinoderm*
20 Chitonactis, een zeeanemoon, een holtedier
- *Chitonactis, a sea anemone (actinia), a coelenterate*

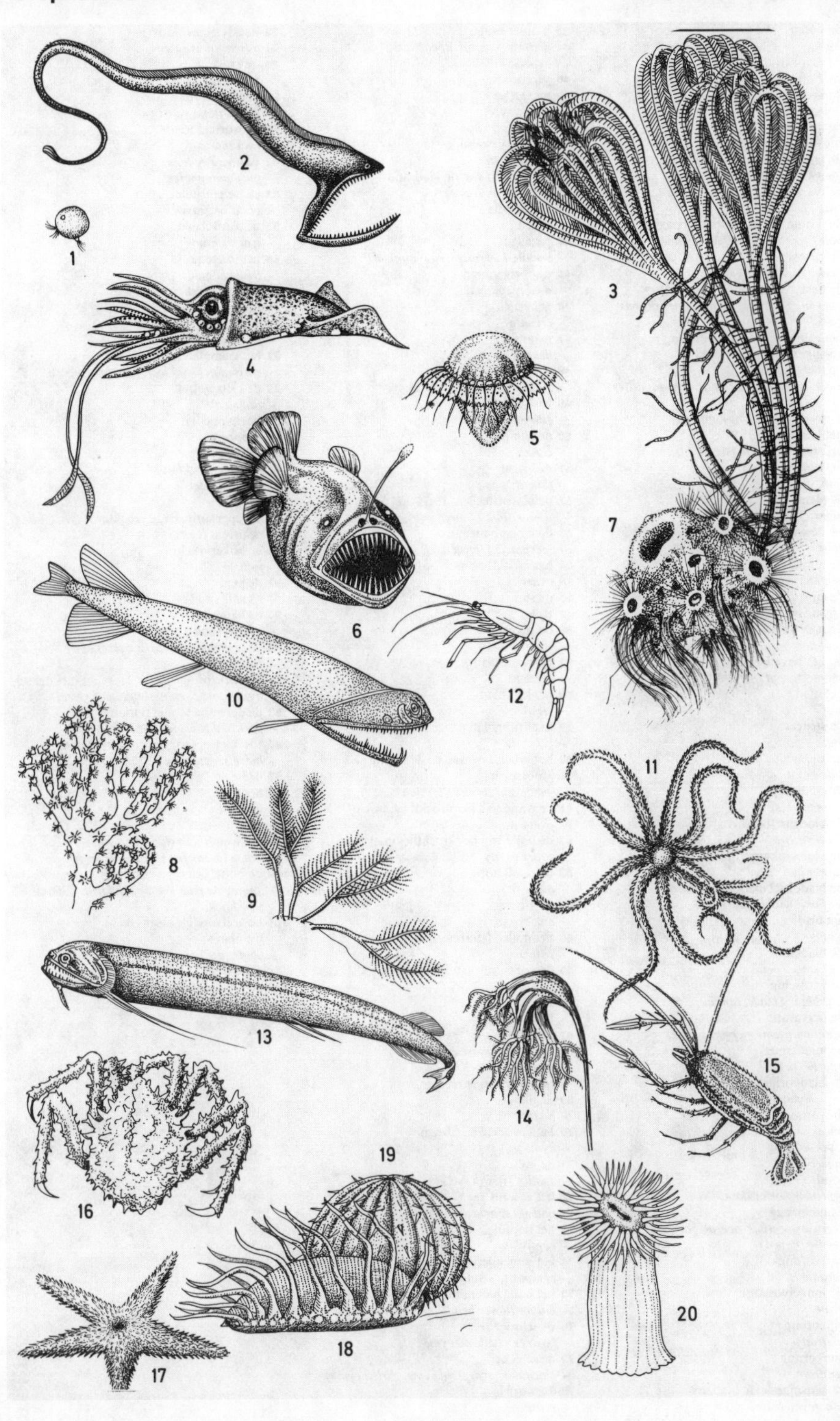
1
2
3
4
5
6
7
8
9
10
11
12
13
14
15
16
17
18
19
20

1 de boom
- *tree*

2 de (boom)stam
- *bole (tree trunk, trunk, stem)*

3 de kroon
- *crown of tree (crown)*

4 de top
- *top of tree (treetop)*

5 de tak
- *bough (limb, branch)*

6 de twijg
- *twig (branch)*

7 de (boom)stam [dwarsdoorsnede]
- *bole (tree trunk) [cross section]*

8 de schors
- *bark (rind)*

9 de bast
- *phloem (bast sieve tissue, inner fibrous bark)*

10 het cambium (de cambiumring)
- *cambium (cambium ring)*

11 de mergstralen
- *medullary rays (vascular rays, pith rays)*

12 het sp(l)inthout
- *sapwood (sap, alburnum)*

13 het kernhout
- *heartwood (duramen)*

14 het merg
- *pith*

15 de plant
- ***plant***

16-18 de wortel
- *root*

16 de hoofdwortel
- *primary root*

17 de zijwortel
- *secondary root*

18 de haarwortel
- *root hair*

19-25 het bovengrondse deel van de plant
- *shoot (sprout)*

19 het blad
- *leaf*

20 de stengel
- *stalk*

21 de zijscheut
- *side shoot (offshoot)*

22 de eindknop
- *terminal bud*

23 de bloesem (bloem)
- *flower*

24 de bloesemknop (bloemknop)
- *flower bud*

25 de bladoksel met de okselknop
- *leaf axil with axillary bud*

26 het blad
- ***leaf***

27 de bladsteel
- *leaf stalk (petiole)*

28 de bladschijf
- *leaf blade (blade, lamina)*

29 de nervatuur
- *venation (veins, nervures, ribs)*

30 de middennerf
- *midrib (nerve)*

31-38 bladvormen
- *leaf shapes*

31 lijnvormig
- *linear*

32 lancetvormig
- *lanceolate*

33 rond
- *orbicular (orbiculate)*

34 naaldvormig
- *acerose (acerous, acerate, acicular, needle-shaped)*

35 hartvormig
- *cordate*

36 eirond (eivormig)
- *ovate*

37 pijlvormig
- *sagittate*

38 niervormig
- *reniform*

39-42 samengestelde bladeren
- *compound leaves*

39 handvormig
- *digitate (digitated, palmate, quinquefoliolate)*

40 veerdelig
- *pinnatifid*

41 even geveerd
- *abruptly pinnate*

42 oneven geveerd
- *odd-pinnate*

43-50 vormen van de bladrand
- *leaf margin shapes*

43 gaafrandig
- *entire*

44 gezaagd
- *serrate (serrulate, saw-toothed)*

45 dubbelgezaagd
- *doubly toothed*

46 gekarteld
- *crenate*

47 getand
- *dentate*

48 gegolfd
- *sinuate*

49 gewimperd
- *ciliate (ciliated)*

50 de wimper
- *cilium*

51 de bloem
- ***flower***

52 de bloemsteel
- *flower stalk (flower stem, scape)*

53 de bloembodem
- *receptacle (floral axis, thalamus, torus)*

54 het vruchtbeginsel
- *ovary*

55 de stijl
- *style*

56 de stempel
- *stigma*

57 de meeldraad
- *stamen*

58 het kelkblad
- *sepal*

59 het kroonblad
- *petal*

60 het vruchtbeginsel en de meeldraad [doorsnede]
- *ovary and stamen [section]*

61 de wand van het vruchtbeginsel
- *ovary wall*

62 de holte van het vruchtbeginsel
- *ovary cavity*

63 de zaadknop
- *ovule*

64 de kiemzak
- *embryo sac*

65 het pollen (stuifmeel)
- *pollen*

66 de pollenbuis (stuifmeelbuis)
- *pollen tube*

67-77 bloeiwijzen
- *inflorescences*

67 deaar
- *spike (racemose spike)*

68 de tros
- *raceme (simple raceme)*

69 de pluim
- *panicle*

70 het gevorkte bijscherm
- *cyme*

71 de kolf
- *spadix (fleshy spike)*

72 het scherm
- *umbel (simple umbel)*

73 het hoofdje
- *capitulum*

74 het samengestelde schermhoofdje
- *composite head (discoid flower head)*

75 het holle bloemhoofdje
- *hollow flower head*

76 de schroef
- *bostryx (helicoid cyme)*

77 de schicht
- *cincinnus (scorpioid cyme, curled cyme)*

78-82 wortels
- *roots*

78 de adventieve wortels
- *adventitious roots*

79 de knol
- *tuber (tuberous root, swollen taproot)*

80 de klimwortels
- *adventitious roots (aerial roots)*

81 de worteldorens
- *root thorns*

82 de ademwortels
- *pneumatophores*

83-85 de grashalm
- *blade of grass*

83 de bladschede
- *leaf sheath*

84 het tongetje
- *ligule (ligula)*

85 de bladschijf
- *leaf blade (lamina)*

86 de kiem
- *embryo (seed, germ)*

87 het kiemblad (de zaadlob)
- *cotyledon (seed leaf, seed lobe)*

88 de kiemwortel
- *radicle*

89 het hypocotyl
- *hypocotyl*

90 de bladknop
- *plumule (leaf bud)*

91-102 vruchten
- *fruits*

91-96 openspringende vruchten
- *dehiscent fruits*

91 de kokervrucht
- *follicle*

92 de peul
- *legume (pod)*

93 de hauw
- *siliqua (pod)*

94 de openspringende doosvrucht
- *schizocarp*

95 de openspringende doosvrucht met deksel
- *pyxidium (circumscissile seed vessel)*

96 de doosvrucht met poriën
- *poricidal capsule (porose capsule)*

97-102 niet-openspringende vruchten
- *indehiscent fruits*

97 de bes
- *berry*

98 de noot
- *nut*

99 de steenvrucht (*hier:* kers)
- *drupe (stone fruit);* here: *cherry*

100 de bottel (*hier:* rozebottel)
- *aggregate fruit (compound fruit);* here: *rose hip*

101 de veelvoudige steenvrucht (*hier:* framboos)
- *aggregate fruit (compound fruit);* here: *raspberry*

102 de pitvrucht (*hier:* appel)
- *pome;* here: *apple*

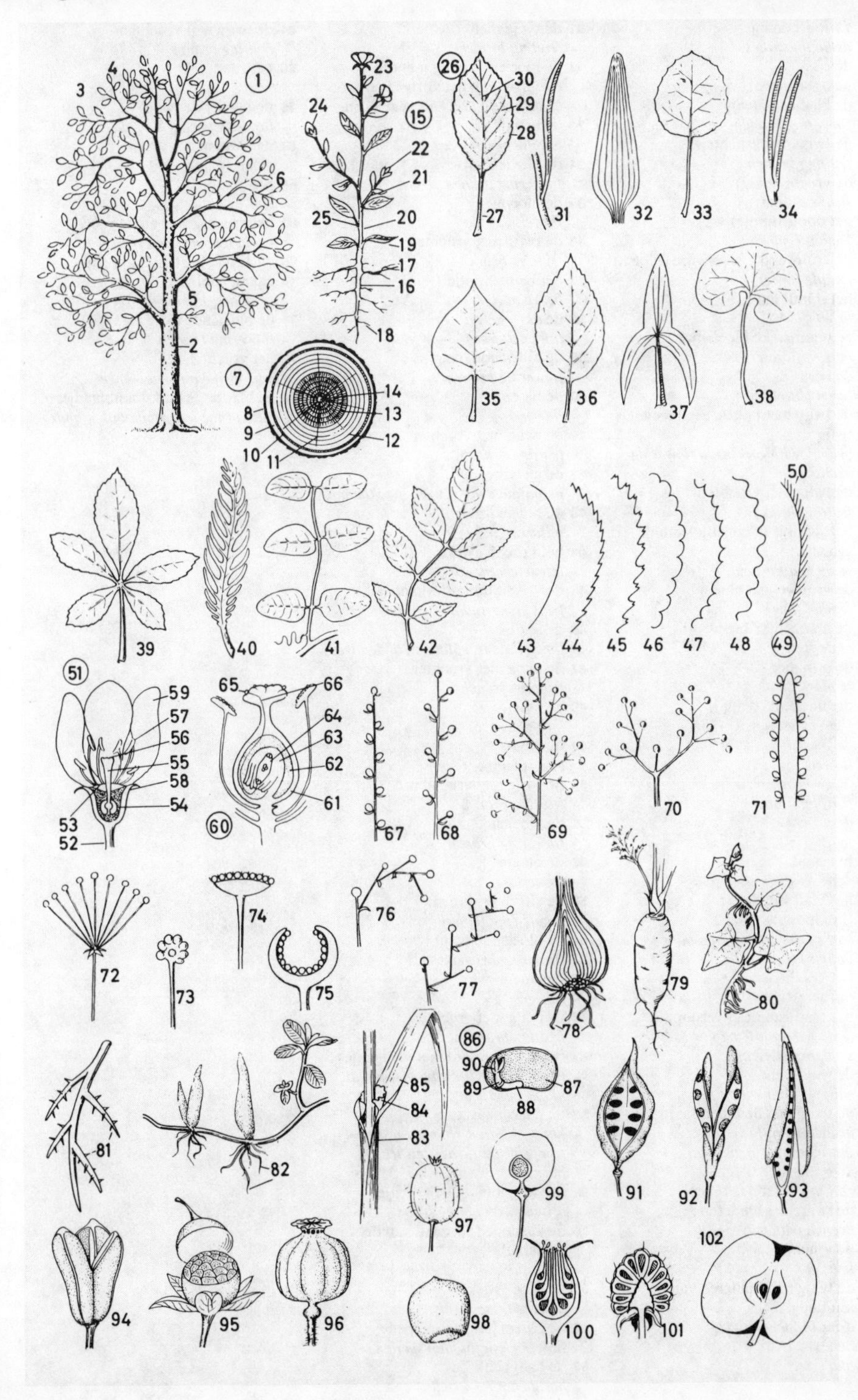
1
2
3
4
5
6
7
8
9
10
11
12
13
14
15
16
17
18
19
20
21
22
23
24
25
26
27
28
29
30
31
32
33
34
35
36
37
38
39
40
41
42
43
44
45
46
47
48
49
50
51
52
53
54
55
56
57
58
59
60
61
62
63
64
65
66
67
68
69
70
71
72
73
74
75
76
77
78
79
80
81
82
83
84
85
86
87
88
89
90
91
92
93
94
95
96
97
98
99
100
101
102

1-73 loofbomen
- *deciduous trees*
1 de eik
- *oak (oak tree)*
2 de bloeiende twijg
- *flowering branch*
3 de twijg met vruchten
- *fruiting branch*
4 de vrucht (eikel)
- *fruit (acorn)*
5 het dopje (napje)
- *cupule (cup)*
6 de vrouwelijke bloeiwijze (bloem)
- *female flower*
7 het schutblad
- *bract*
8 de mannelijke bloeiwijze
- *male inflorescence*
9 de berk
- *birch (birch tree)*
10 de twijg met katjes, een bloeiende twijg
- *branch with catkins, a flowering branch*
11 de twijg met vruchten
- *fruiting branch*
12 het schubje (vleugeltje) van de vrucht
- *scale (catkin scale)*
13 de vrouwelijke bloem
- *female flower*
14 de mannelijke bloem
- *male flower*
15 de populier
- *poplar*
16 de bloeiende twijg
- *flowering branch*
17 de bloem
- *flower*
18 de twijg met vruchten
- *fruiting branch*
19 de vrucht
- *fruit*
20 het zaad
- *seed*
21 het blad van de esp (ratelpopulier)
- *leaf of the aspen (trembling poplar)*
22 het vruchtgestel
- *infructescence*
23 het blad van de zilverpopulier
- *leaf of the white poplar (silver poplar, silverleaf)*
24 de waterwilg
- *sallow (goat willow)*
25 de twijg met de bloemknoppen
- *branch with flower buds*
26 het bloemkatje met een afzonderlijke bloem
- *catkin with single flower*
27 de twijg met bladeren
- *branch with leaves*
28 de vrucht
- *fruit*
29 de twijg met bladeren van de knotwilg
- *osier branch with leaves*
30 de els
- *alder*
31 de twijg met vruchten
- *fruiting branch*
32 de bloeiende twijg met een elzeprop van het vorige jaar
- *branch with previous year's cone*
33 de beuk
- *beech (beech tree)*
34 de bloeiende twijg
- *flowering branch*
35 de bloem
- *flower*
36 de twijg met vruchten
- *fruiting branch*
37 het beukenootje
- *beech nut*
38 de es
- *ash (ash tree)*
39 de bloeiende twijg
- *flowering branch*
40 de bloem
- *flower*
41 de twijg met vruchten
- *fruiting branch*
42 de lijsterbes
- *mountain ash (rowan, quickbeam)*
43 de bloeiwijze
- *inflorescence*
44 het vruchtgestel
- *infructescence*
45 de vrucht [langsdoorsnede]
- *fruit [longitudinal section]*
46 de linde
- *lime (lime tree, linden, linden tree)*
47 de twijg met vruchten
- *fruiting branch*
48 de bloeiwijze
- *inflorescence*
49 de olm
- *elm (elm tree)*
50 de twijg met vruchten
- *fruiting branch*
51 de bloeiende twijg
- *flowering branch*
52 de bloem
- *flower*
53 de ahorn (esdoorn)
- *maple (maple tree)*
54 de bloeiende twijg
- *flowering branch*
55 de bloem
- *flower*
56 de twijg met vruchten
- *fruiting branch*
57 het esdoornzaad met vleugeltjes
- *maple seed with wings (winged maple seed)*
58 de paardekastanje
- *horse chestnut (horse chestnut tree, chestnut, chestnut tree, buckeye)*
59 de twijg met jonge vruchten
- *branch with young fruits*
60 de kastanje (het zaad van de kastanje)
- *chestnut (horse chestnut)*
61 de rijpe vrucht
- *mature (ripe) fruit*
62 de bloem [langsdoorsnede]
- *flower [longitudinal section]*
63 de haagbeuk
- *hornbeam (yoke elm)*
64 de twijg met vruchten
- *fruiting branch*
65 het zaad
- *seed*
66 de bloeiende twijg
- *flowering branch*
67 de plataan
- *plane (plane tree)*
68 het blad
- *leaf*
69 het vruchtgestel en de vrucht
- *infructescence and fruit*
70 de acacia [wetenschappelijke naam: robinia]
- *false acacia (locust tree)*
71 de bloeiende twijg
- *flowering branch*
72 het vruchtgestel
- *part of the infructescence*
73 de bladbasis met steunblaadjes
- *base of the leaf stalk with stipules*

1
2
3
4
5
6
7
8
9
10
11
12
13
14
15
16
17
18
19
20
21
22
23
24
25
26
27
28
29
30
31
32
33
34
35
36
37
38
39
40
41
42
43
44
45
46
47
48
49
50
51
52
53
54
55
56
57
58
59
60
61
62
63
64
65
66
67
68
69
70
71
72
73
♀
♂

1-71 naaldbomen (coniferen)
- *coniferous trees (conifers)*
1 de zilverden
- *silver fir (European silver fir, common silver fir)*
2 de dennekegel, een vruchtkegel
- *fir cone, a fruit cone*
3 de spil van de kegel
- *cone axis*
4 de vrouwelijke bloemkegel
- *female flower cone*
5 de dekschub
- *bract scale (bract)*
6 de scheut met mannelijke bloem
- *male flower shoot*
7 de meeldraad
- *stamen*
8 de zaadschub
- *cone scale*
9 het zaad met vleugels
- *seed with wing (winged seed)*
10 het zaad [langsdoorsnede]
- *seed [longitudinal section]*
11 de dennenaald
- *fir needle (needle)*
12 de fijnspar
- *spruce (spruce fir)*
13 de sparrekegel (sparappel)
- *spruce cone*
14 de zaadschub
- *cone scale*
15 het zaad
- *seed*
16 de vrouwelijke bloemkegel
- *female flower cone*
17 de mannelijke bloeiwijze
- *male inflorescence*
18 de meeldraad
- *stamen*
19 de naald van de spar
- *spruce needle*
20 de pijnboom
- *pine (Scots pine)*
21 de Bankspijn
- *dwarf pine*
22 de vrouwelijke bloemkegel
- *female flower cone*
23 de korte scheut met twee naalden
- *short shoot with bundle of two leaves*
24 de mannelijke bloeiwijze
- *male inflorescences*
25 de jaarlijkse groei
- *annual growth*
26 de dennekegel (denneappel)
- *pine cone*
27 de zaadschub
- *cone scale*
28 het zaad
- *seed*
29 de vruchtkegel van de alpenden
- *fruit cone of the arolla pine (Swiss stone pine)*
30 de vruchtkegel van de Weymouthpijn (strobus)
- *fruit cone of the Weymouth pine (white pine)*
31 de korte scheut [dwarsdoorsnede]
- *short shoot [cross section]*
32 de larix (lork)
- *larch*
33 de bloeiende twijg
- *flowering branch*
34 de schub van de vrouwelijke bloemkegel
- *scale of the female flower cone*
35 de helmknop
- *anther*
36 de twijg met de larixkegels
- *branch with larch cones (fruit cones)*
37 het zaad
- *seed*
38 de zaadschub
- *cone scale*
39 de nootka cypres
- *arbor vitae (tree of life, thuja)*
40 de twijg met vruchten
- *fruiting branch*
41 de vruchtkegel
- *fruit cone*
42 de schub
- *scale*
43 de twijg met mannelijke en vrouwelijke bloemen
- *branch with male and female flowers*
44 de mannelijke scheut
- *male shoot*
45 de schub met stuifmeelzakjes
- *scale with pollen sacs*
46 de vrouwelijke spruit
- *female shoot*
47 de jeneverbes
- *juniper (juniper tree)*
48 de vrouwelijke scheut [langsdoorsnede]
- *female shoot [longitudinal section]*
49 de mannelijke scheut
- *male shoot*
50 de schub met stuifmeelzakjes
- *scale with pollen sacs*
51 de twijg met vruchten
- *fruiting branch*
52 de jeneverbes
- *juniper berry*
53 de vrucht [dwarsdoorsnede]
- *fruit [cross section]*
54 het zaad
- *seed*
55 de parasolpijn
- *stone pine*
56 de mannelijke scheut
- *male shoot*
57 de vruchtkegel met zaden [langsdoorsnede]
- *fruit cone with seeds [longitudinal section]*
58 de cypres
- *cypress*
59 de twijg met vruchten
- *fruiting branch*
60 het zaad
- *seed*
61 de taxus
- *yew (yew tree)*
62 de mannelijke bloemscheut en de vrouwelijke bloemkegel
- *male flower shoot and female flower cone*
63 de tak met vruchten
- *fruiting branch*
64 de vrucht
- *fruit*
65 de ceder
- *cedar (cedar tree)*
66 de twijg met vruchten
- *fruiting branch*
67 de zaadschub
- *fruit scale*
68 de mannelijke bloemscheut en de vrouwelijke bloemkegel
- *male flower shoot and female flower cone*
69 de reuzensequoia (mammoetboom)
- *mammoth tree (Wellingtonia, sequoia)*
70 de twijg met vruchten
- *fruiting branch*
71 het zaad
- *seed*

1
2
3
4
5
8
9
10
6
11
7
6
12
13
19
14
15
16
17
18
31
25
23
24
26
30
20
27
28
22
29
21
33
♀
♂
35
34
36
32
38
37
37
55
57
56
47
60
42
41
40
51
52
53
58
59
54
52
50
45
48
49
44
39
♂
♀
43
46
64
61
70
66
67
69
63
64
♂
65
70
62
♀
♀
♂
68
71

1 de forsythia
- *forsythia*
2 het vruchtbeginsel en de meeldraad
- *ovary and stamen*
3 het blad
- *leaf*
4 de geelbloeiende jasmijn
- *yellow-flowered jasmine (jasmin, jessamine)*
5 de bloem [langsdoorsnede] met stijl, vruchtbeginsel en meeldraden
- *flower [longitudinal section] with styles, ovaries, and stamens*
6 de liguster
- *privet (common privet)*
7 de bloem
- *flower*
8 het vruchtgestel
- *infructescence*
9 de boerenjasmijn
- *mock orange (sweet syringa)*
10 de Gelderse roos (sneeuwbal)
- *snowball (snowball bush, guelder rose)*
11 de bloem
- *flower*
12 de vruchten
- *fruits*
13 de oleander
- *oleander (rosebay, rose laurel)*
14 de bloem [langsdoorsnede]
- *flower [longitudinal section]*
15 de rode magnolia
- *red magnolia*
16 het blad
- *leaf*
17 de Japanse kwee
- *japonica (japanese quince)*
18 de vrucht
- *fruit*
19 de buksboom (het palmboompje)
- *common box (box, box tree)*
20 de vrouwelijke bloem
- *female flower*
21 de mannelijke bloem
- *male flower*
22 de vrucht [langsdoorsnede]
- *fruit [longitudinal section]*
23 de weigelia
- *weigela (weigelia)*
24 de yucca
- *yucca [part of the inflorescence]*
25 het blad
- *leaf*
26 de hondsroos (wilde roos)
- *dog rose (briar rose, wild briar)*
27 de vrucht
- *fruit*
28 de kerria
- *kerria*
29 de vrucht
- *fruit*
30 de gele kornoelje
- *cornelian cherry*
31 de bloem
- *flower*
32 de vrucht (kornoeljebes)
- *fruit (cornelian cherry)*
33 de echte gagel
- *sweet gale (gale)*

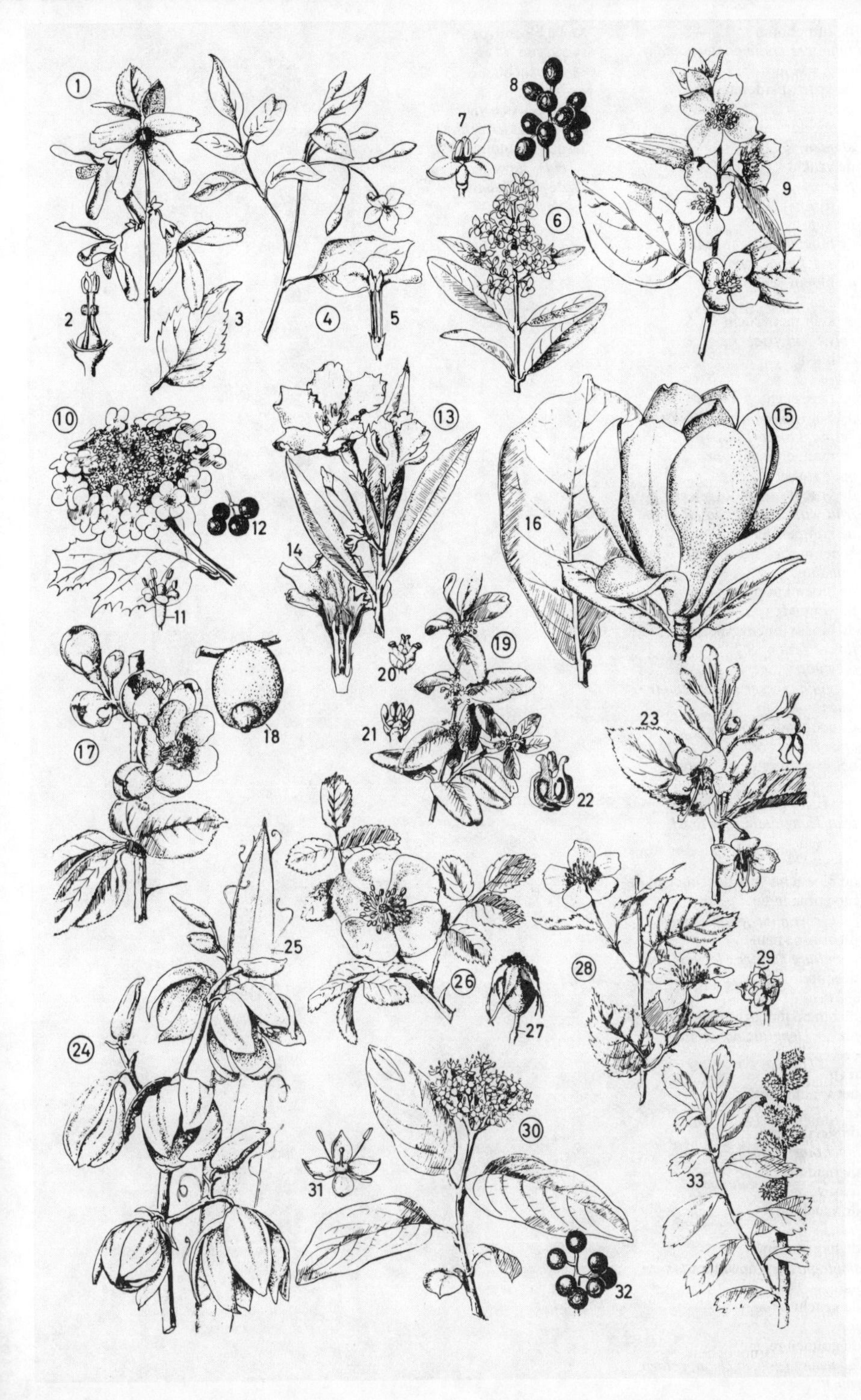

1
2
3
4
5
6
7
8
9
10
11
12
13
14
15
16
17
18
19
20
21
22
23
24
25
26
27
28
29
30
31
32
33

1 de tulpeboom
- *tulip tree (tulip poplar, saddle tree, whitewood)*

2 de vruchtbladeren
- *carpels*

3 de meeldraad
- *stamen*

4 de vrucht
- *fruit*

5 de hysop
- *hyssop*

6 de bloem [vooraanzicht]
- *flower [front view]*

7 de bloem
- *flower*

8 de kelk met vrucht
- *calyx with fruit*

9 de hulst
- *holly*

10 de tweeslachtige bloem
- *androgynous (hermaphroditic, hermaphrodite) flower*

11 de mannelijke bloem
- *male flower*

12 de vrucht met blootgelegde pitten
- *fruit with stones exposed*

13 de kamperfoelie
- *honeysuckle (woodbine, woodbind)*

14 de bloemknoppen
- *flower buds*

15 de bloem [opengesneden]
- *flower [cut open]*

16 de wilde wingerd
- *Virginia creeper (American ivy, woodbine)*

17 de geopende bloem
- *open flower*

18 het vruchtgestel
- *infructescence*

19 de vrucht [langsdoorsnede]
- *fruit [longitudinal section]*

20 de brem
- *broom*

21 de bloem na verwijdering van de bloembladeren
- *flower with the petals removed*

22 de onrijpe peul
- *immature (unripe) legume (pod)*

23 de spirea
- *spiraea*

24 de bloem [langsdoorsnede]
- *flower [longitudinal section]*

25 de vrucht
- *fruit*

26 het vruchtblad
- *carpel*

27 de sleedoorn
- *blackthorn (sloe)*

28 de bladeren
- *leaves*

29 de vruchten
- *fruits*

30 de hagedoorn
- *single-pistilled hawthorn (thorn, may)*

31 de vrucht
- *fruit*

32 de gouden regen
- *laburnum (golden chain, golden rain)*

33 de bloemtros
- *raceme*

34 de vruchten
- *fruits*

35 de gewone vlier
- *black elder (elder)*

36 de vlierbloesem
- *elder flowers*

37 de vlierbessen
- *elderberries*

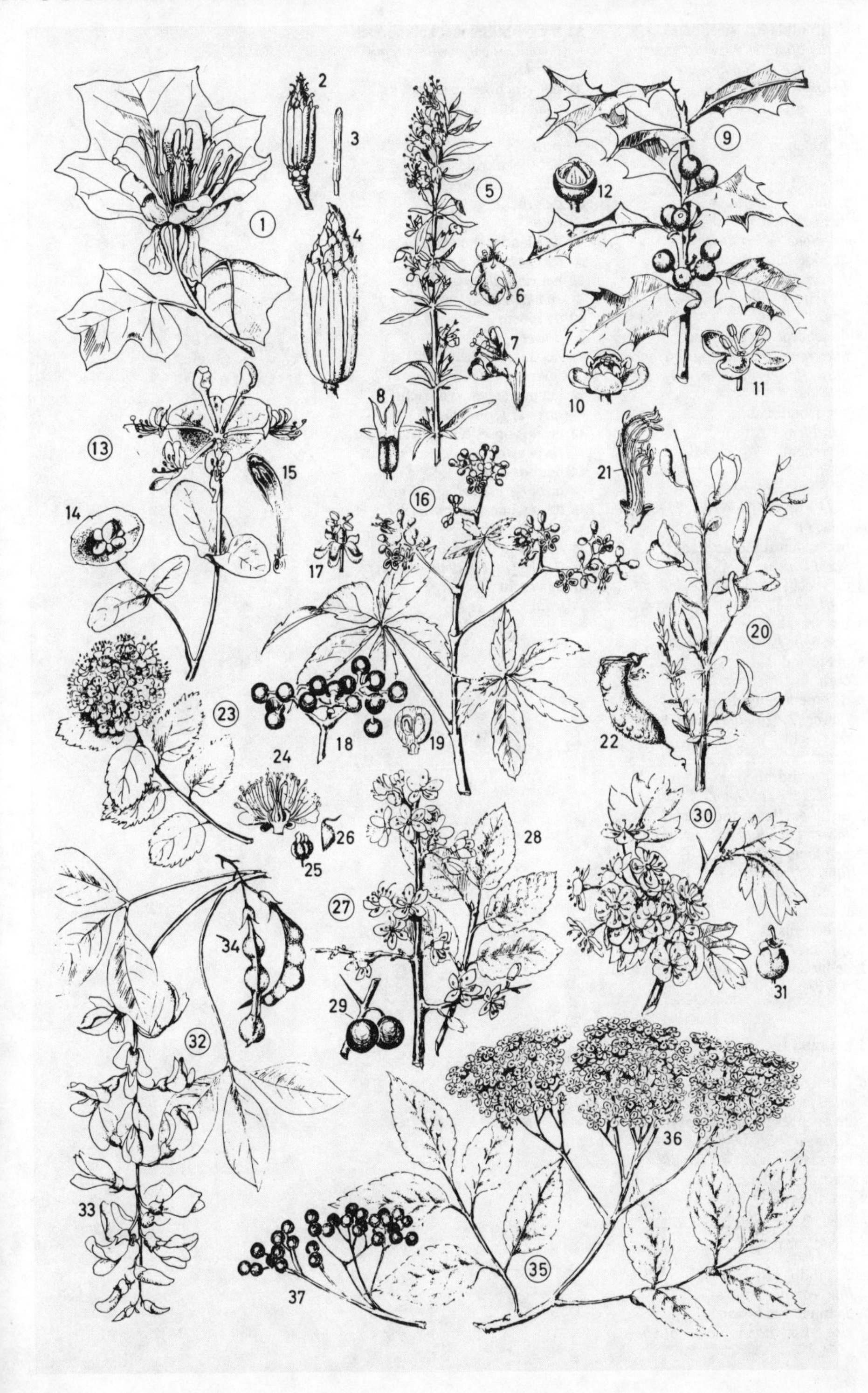
1
2
3
4
5
6
7
8
9
10
11
12
13
14
15
16
17
18
19
20
21
22
23
24
25
26
27
28
29
30
31
32
33
34
35
36
37

375 Weidebloemen en bermplanten I

1 de rondbladige steenbreek
- *rotundifoliate (rotundifolious) saxifrage (rotundifoliate breakstone)*
2 het blad
- *leaf*
3 de bloem
- *flower*
4 de vrucht
- *fruit*
5 de anemoon
- *anemone (windflower)*
6 de bloem [langsdoorsnede]
- *flower [longitudinal section]*
7 de vrucht
- *fruit*
8 de scherpe boterbloem
- *buttercup (meadow buttercup, butterflower, goldcup, king cup, crowfoot)*
9 het grondblad
- *basal leaf*
10 de vrucht
- *fruit*
11 de pinksterbloem
- *lady's smock (ladysmock, cuckoo flower)*
12 het bodemstandige blad
- *basal leaf*
13 de vrucht
- *fruit*
14 het grasklokje
- *harebell (hairbell, bluebell)*
15 het grondblad
- *basal leaf*
16 de bloem [langsdoorsnede]
- *flower [longitudinal section]*
17 de vrucht
- *fruit*
18 de hondsdraf
- *ground ivy (ale hoof)*
19 de bloem [langsdoorsnede]
- *flower [longitudinal section]*
20 de bloem [vooraanzicht]
- *flower [front view]*
21 de muurpeper
- *stonecrop*
22 de ereprijs
- *speedwell*
23 de bloem
- *flower*
24 de vrucht
- *fruit*
25 het zaad
- *seed*
26 het penningkruid
- *moneywort*
27 de opengesprongen doosvrucht
- *dehisced fruit*
28 het zaad
- *seed*
29 het duifkruid
- *small scabious*
30 het grondblad
- *basal leaf*
31 de randbloem
- *flower of outer series*
32 de binnenste bloem
- *disc (disk) floret (flower of inner series)*
33 het omhulsel met kelkborstels
- *involucral calyx with pappus bristles*
34 het vruchtbeginsel met kelk
- *ovary with pappus*
35 de vrucht
- *fruit*
36 het speenkruid
- *lesser celandine*
37 de vrucht
- *fruit*
38 de bladoksel met de okselknol
- *leaf axil with bulbil*
39 het eenjarige straatgras
- *annual meadow grass*
40 de bloem
- *flower*
41 het aartje [zijaanzicht]
- *spikelet [side view]*
42 het aartje [vooraanzicht]
- *spikelet [front view]*
43 de caryopse, een nootvrucht
- *caryopsis, an indehiscent fruit*
44 het bosje gras
- *tuft of grass (clump of grass)*
45 de gewone smeerwortel
- *comfrey*
46 de bloem [langsdoorsnede]
- *flower [longitudinal section]*
47 de vrucht
- *fruit*

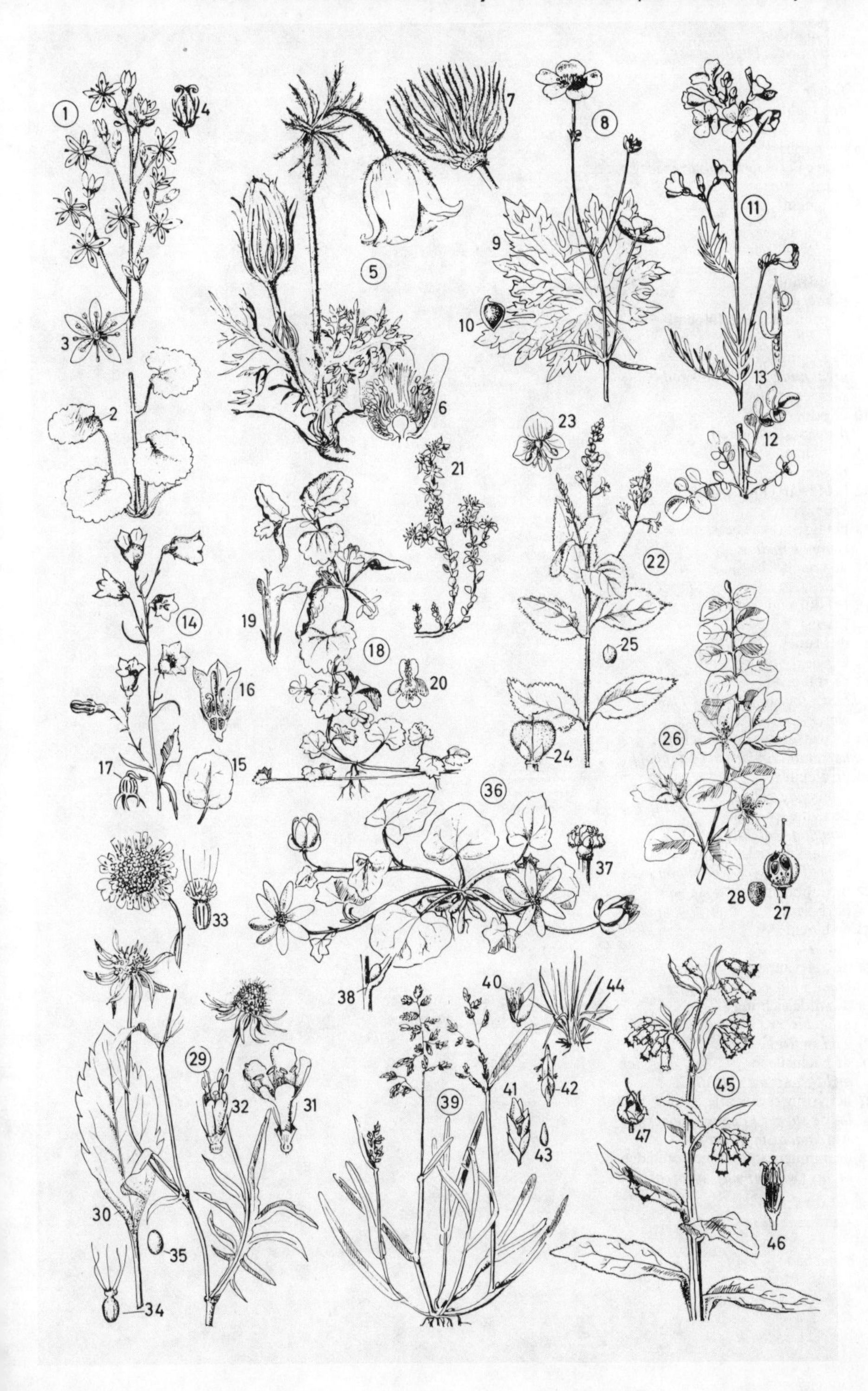
1
2
3
4
5
6
7
8
9
10
11
12
13
14
15
16
17
18
19
20
21
22
23
24
25
26
27
28
29
30
31
32
33
34
35
36
37
38
39
40
41
42
43
44
45
46
47

376 Weidebloemen en bermplanten II

1 het madeliefje
- *daisy (*Am. *English daisy)*
2 de bloem
- *flower*
3 de vrucht
- *fruit*
4 de margriet
- *oxeye daisy (white oxeye daisy, marguerite)*
5 de bloem
- *flower*
6 de vrucht
- *fruit*
7 de astrantia
- *masterwort*
8 de primula (sleutelbloem)
- *cowslip*
9 de koningskaars
- *great mullein (Aaron's rod, shepherd's club)*
10 de adderwortel
- *bistort (snakeweed)*
11 de bloem
- *flower*
12 het (zwart) knoopkruid
- *knapweed*
13 het (groot) kaasjeskruid
- *common mallow*
14 de vrucht
- *fruit*
15 het duizendblad
- *yarrow*
16 de brunel
- *self-heal*
17 de rolklaver
- *bird's foot trefoil (bird's foot clover)*
18 de paardestaart (een scheut)
- *horsetail (equisetum) [a shoot]*
19 de bloem
- *flower, a strobile*
20 de silene (pekanjer)
- *campion (catchfly)*
21 de dagkoekoeksbloem
- *ragged robin (cuckoo flower)*
22 de pijpbloem
- *birth-wort*
23 de bloem
- *flower*
24 de ooievaarsbek
- *crane's bill*
25 de wilde cichorei
- *wild chicory (witloof, succory, wild endive)*
26 de nachtsilene
- *night-flowering catchfly*
27 het vrouweschoentje
- *lady's slipper (Venus's slipper,* Am. *moccasin flower)*
28 de mannetjesorchis, een orchidee
- *orchis (wild orchid), an orchid*

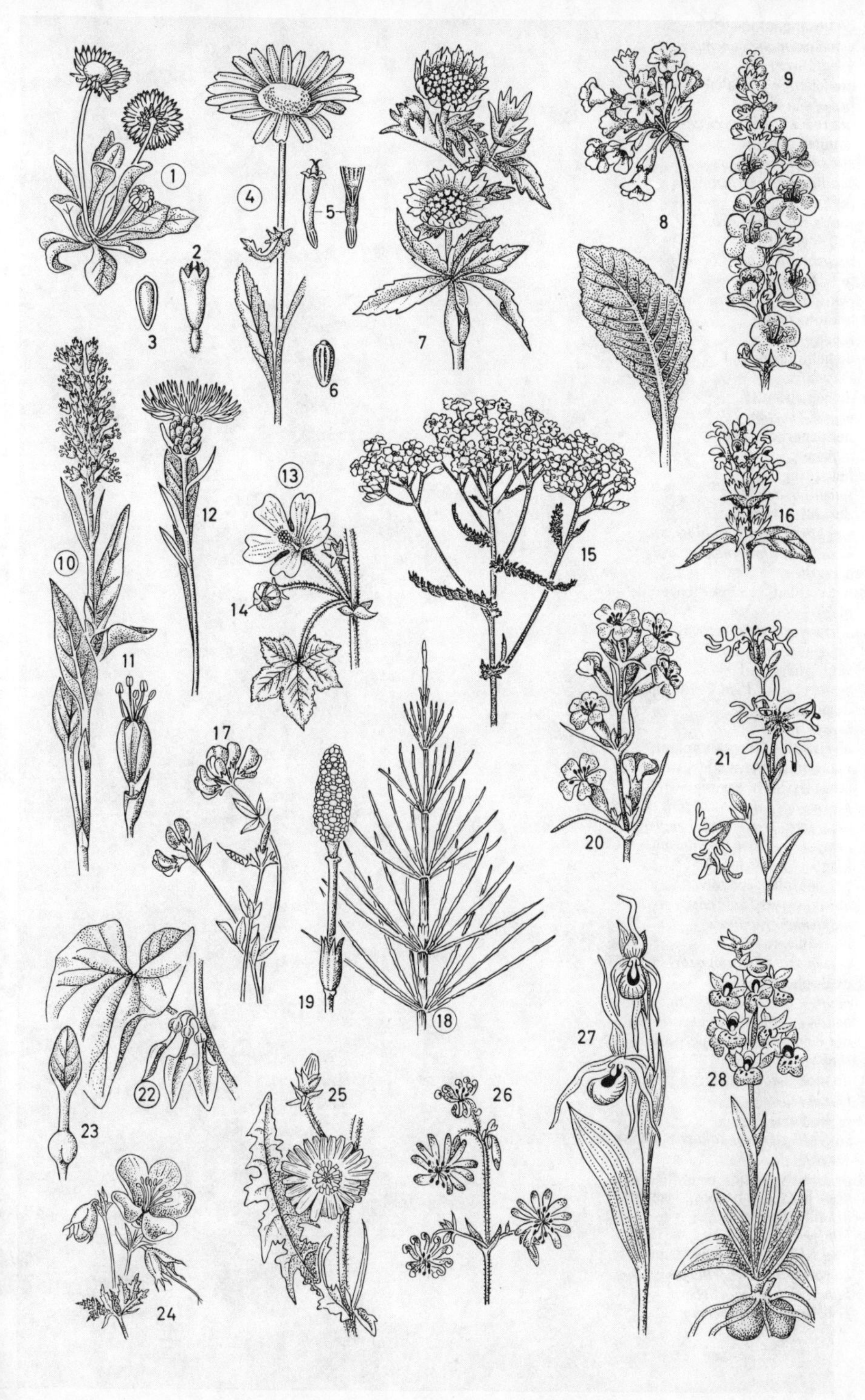
1
2
3
4
5
6
7
8
9
10
11
12
13
14
15
16
17
18
19
20
21
22
23
24
25
26
27
28

377 Bos-, veen- en heideplanten

1 de bosanemoon
- *wood anemone (anemone, windflower)*
2 het lelietje-van-dalen
- *lily of the valley*
3 het rozekransje; *verwant:* de zandstrobloem
- *cat's foot (milkwort);* sim.: *sandflower (everlasting)*
4 de Turkse lelie
- *turk's cap (turk's cap lily)*
5 de geitebaard
- *goatsbeard (goat's beard)*
6 het daslook
- *ramson*
7 het longkruid
- *lungwort*
8 de helmbloem
- *corydalis*
9 de hemelsleutel
- *orpine (livelong)*
10 het peperboompje
- *daphne*
11 het springzaad
- *touch-me-not*
12 de wolfsklauw
- *staghorn (stag horn moss, stag's horn, stag's horn moss, coral evergreen)*
13 het vetblad, een insektenetende plant
- *butterwort, an insectivorous plant*
14 de zonnedauw; *verwant:* venusvliegenval
- *sundew;* sim.: *Venus's flytrap*
15 de beredruif
- *bearberry*
16 de eikvaren, een varenplant; *verwant:* de mannetjesvaren, adelaarsvaren, koningsvaren
- *polypody (polypod), a fern;* sim.: *male fern, brake (bracken, eagle fern), royal fern (royal osmund, king's fern, ditch fern)*
17 het haarmos, een mos
- *haircap moss (hair moss, golden maidenhair), a moss*
18 het wollegras
- *cotton grass (cotton rush)*
19 de dopheide (erica)
- *heather (heath, ling);* sim.: *bell heather (cross-leaved heather)*
20 het heideroosje (zonneroosje)
- *rock rose (sun rose)*
21 de moerasrozemarijn
- *marsh tea*
22 de kalmoes
- *sweet flag (sweet calamus, sweet sedge)*
23 de blauwe bosbes; *verwant:* vossebes (rode bosbes), veenbes, kraaiheide
- *bilberry (whortleberry, huckleberry, blueberry);* sim.: *cowberry (red whortleberry), bog bilberry (bog whortleberry), crowberry (crakeberry)*

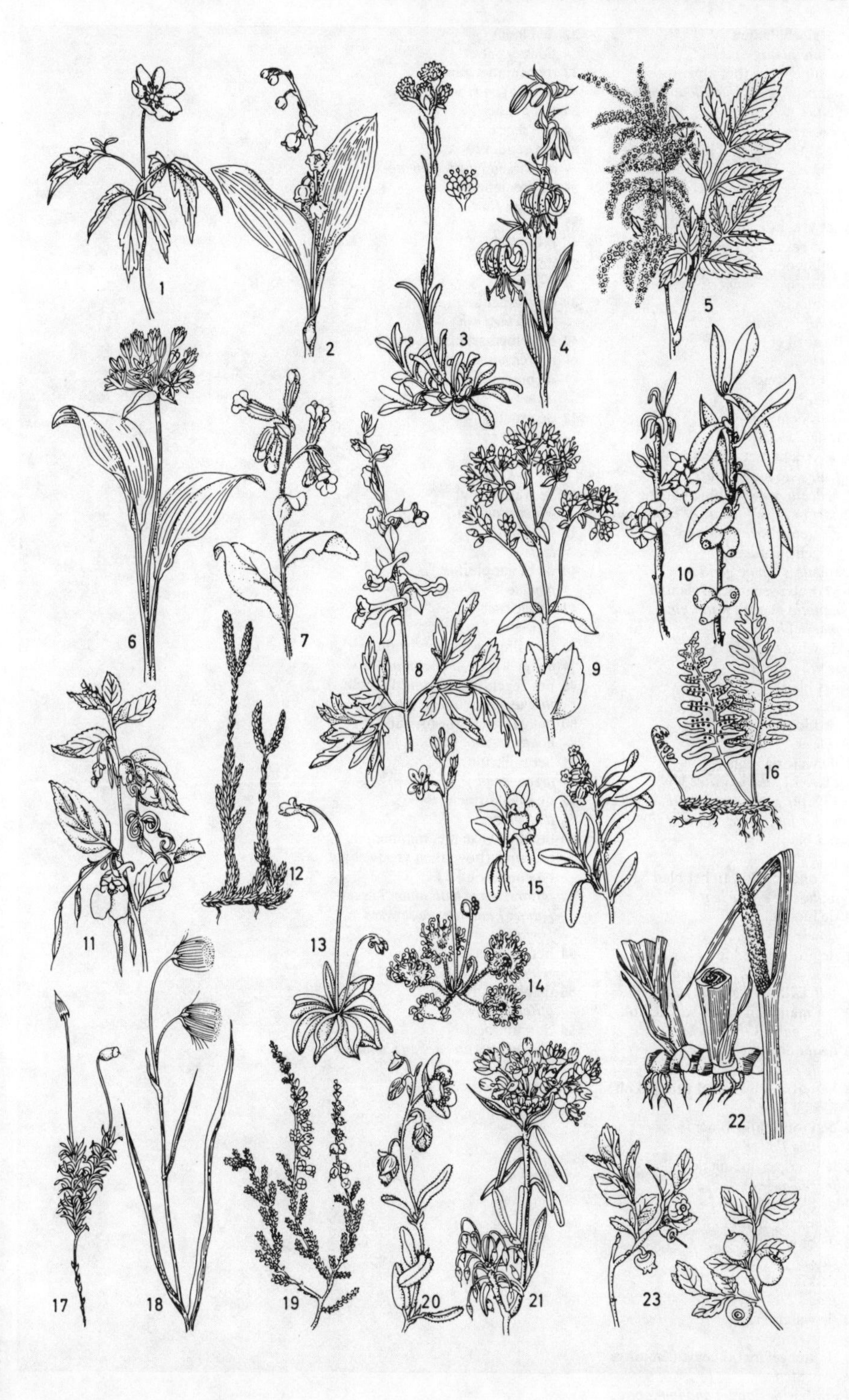
1
2
3
4
5
6
7
8
9
10
11
12
13
14
15
16
17
18
19
20
21
22
23

1-13 alpenplanten
- ***alpine plants***

1 de alpenroos (het alpenroosje)
- *alpine rose (alpine rhododendron)*

2 de tak met bloemen
- *flowering shoot*

3 de alpenkwastjesbloem
- *alpine soldanella (soldanella)*

4 de geopende bloemkroon
- *corolla opened out*

5 het vruchtbeginsel met de stijl
- *seed vessel with the style*

6 de bijvoet
- *alpine wormwood*

7 de bloeiwijze
- *inflorescence*

8 de aurikel
- *auricula*

9 het edelweiss
- *edelweiss*

10 de bloemvormen
- *flower shapes*

11 de vrucht met de haarkelk
- *fruit with pappus tuft*

12 gedeelte van het bloemkorfje
- *part of flower head (of capitulum)*

13 de stengelloze gentiaan (Kochsgentiaan)
- *stemless alpine gentian*

14-57 water- en moerasplanten
- ***aquatic plants** (water plants) **and marsh plants***

14 de witte waterlelie
- *white water lily*

15 het blad
- *leaf*

16 de bloem
- *flower*

17 de victoria regia
- *Queen Victoria water lily (Victoria regia water lily, royal water lily, Amazon water lily)*

18 het blad
- *leaf*

19 de onderzijde van het blad
- *underside of the leaf*

20 de bloem
- *flower*

21 de grote lisdodde
- *reed mace bulrush (cattail, cat's tail, cattail flag, club rush)*

22 het mannelijke deel van de kolf
- *male part of the spadix*

23 de mannelijke bloem
- *male flower*

24 het vrouwelijke deel van de kolf
- *female part*

25 de vrouwelijke bloem
- *female flower*

26 het vergeet-me-nietje
- *forget-me-not*

27 de bloeiende twijg
- *flowering shoot*

28 de bloem
- *flower [section]*

29 de kikkerbeet
- *frog's bit*

30 de waterkers
- *watercress*

31 de stengel met bloemen en jonge vruchten
- *stalk with flowers and immature (unripe) fruits*

32 de bloem
- *flower*

33 de peul met zaad
- *siliqua (pod) with seeds*

34 twee zaden
- *two seeds*

35 het eendekroos
- *duckweed (duck's meat)*

36 de bloeiende plant
- *plant in flower*

37 de bloem
- *flower*

38 de vrucht
- *fruit*

39 de zwanebloem
- *flowering rush*

40 het bloemscherm
- *flower umbel*

41 de bladeren
- *leaves*

42 de vrucht
- *fruit*

43 de groene alg
- *green alga*

44 de waterweegbree
- *water plantain*

45 het blad
- *leaf*

46 de bloempluim
- *panicle*

47 de bloem
- *flower*

48 het slingerwier, een bruinwier
- *honey wrack, a brown alga*

49 het vegetatielichaam (de thallus)
- *thallus (plant body, frond)*

50 het aanhechtingsorgaan
- *holdfast*

51 het pijlkruid
- *arrow head*

52 de bladvormen
- *leaf shapes*

53 de bloeiwijze met mannelijke bloemen (boven) en vrouwelijke bloemen (onder)
- *inflorescence with male flowers [above] and female flowers [below]*

54 het zeegras
- *sea grass*

55 de bloeiwijze
- *inflorescence*

56 de waterpest
- *Canadian waterweed (Canadian pondweed)*

57 de bloem
- *flower*

1
2
3
4
5
6
7
8
9
10
11
12
13
14
15
16
17
18
19
20
21
22
23
24
25
26
27
28
29
30
31
32
33
34
35
36
37
38
39
40
41
42
43
44
45
46
47
48
49
50
51
52
53
54
55
56
57

1 de monnikskap
- *aconite (monkshood, wolfsbane, helmet flower)*

2 het vingerhoedskruid (digitalis)
- *foxglove (Digitalis)*

3 de herfsttijloos
- *meadow saffron (naked lady, naked boys)*

4 de gevlekte scheerling
- *hemlock (Conium)*

5 de zwarte nachtschade
- *black nightshade (common nightshade, petty morel)*

6 het bilzekruid
- *henbane*

7 de wolfskers
- *deadly nightshade (belladonna, banewort, dwale), a solanaceous herb*

8 de doornappel
- *thorn apple (stramonium, stramony,* Am. *jimson weed, jimpson weed, Jamestown weed, stinkweed)*

9 de aronskelk
- *cuckoo pint (lords-and-ladies, wild arum, wake-robin)*

10-13 giftige paddestoelen
- *poisonous fungi (poisonous mushrooms, toadstools)*

10 de vliegezwam, een plaatjeszwam
- *fly agaric (fly amanita, fly fungus), an agaric*

11 de amaniet
- *amanita*

12 de satansboleet
- *Satan's mushroom*

13 de baardige melkzwam
- *woolly milk cap*

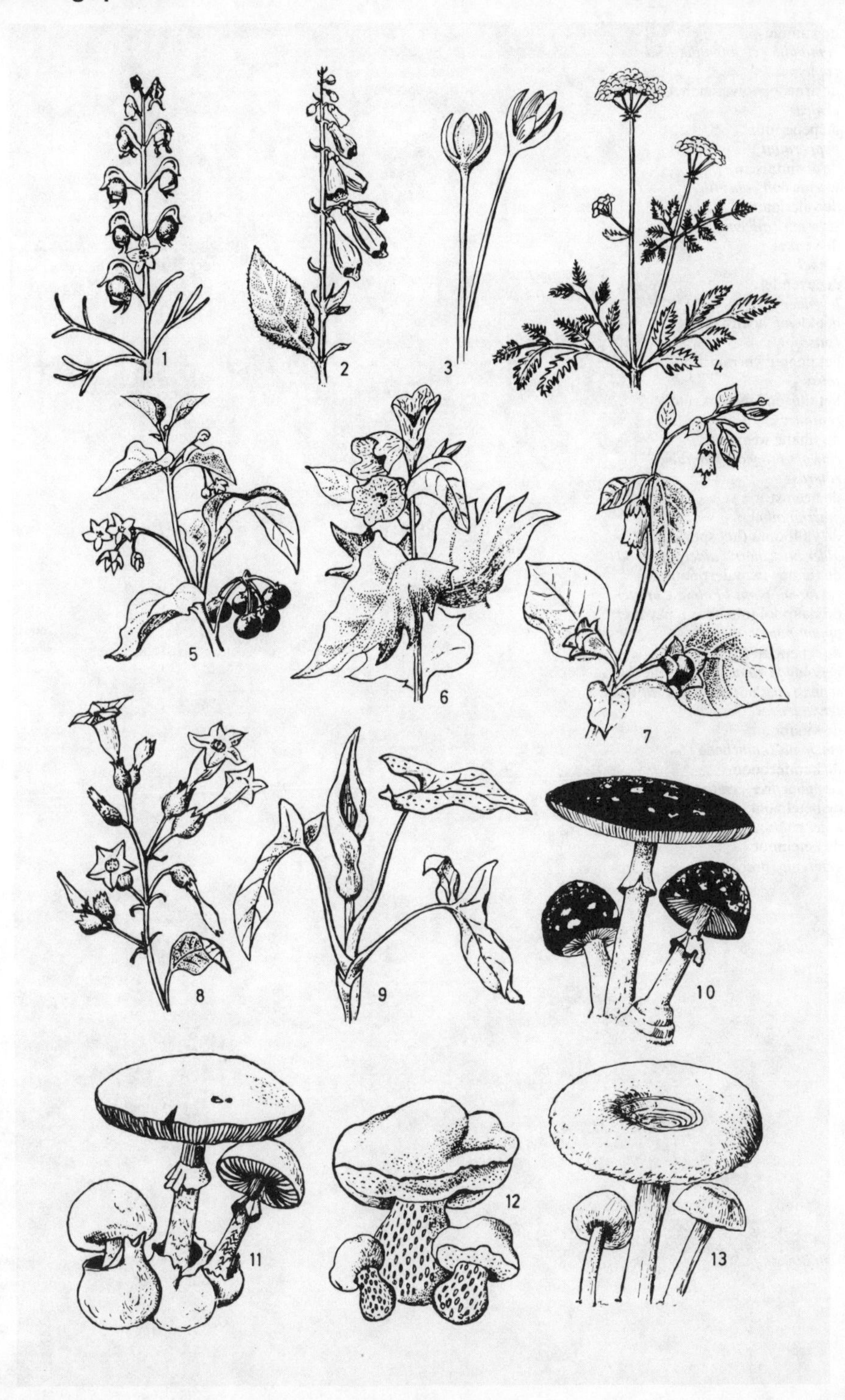
1
2
3
4
5
6
7
8
9
10
11
12
13

1 de kamille
- *camomile (chamomile, wild camomile)*

2 de arnica (wolverlei, het valkruid)
- *arnica*

3 de pepermunt
- *peppermint*

4 de absintalsem
- *wormwood (absinth)*

5 de valeriaan
- *valerian (allheal)*

6 de venkel
- *fennel*

7 de lavendel
- *lavender*

8 het kleine hoefblad
- *coltsfoot*

9 het boerenwormkruid
- *tansy*

10 het duizendguldenkruid
- *centaury*

11 de smalle weegbree
- *ribwort (ribwort plantain, ribgrass)*

12 de heemst
- *marshmallow*

13 de vuilboom (het sporkehout)
- *alder buckthorn (alder dogwood)*

14 de ricinus (wonderboom)
- *castor-oil plant (Palma Christi)*

15 de slaapbol (maankop, papaver)
- *opium poppy*

16 de seneplant (cassia); *de gedroogde blaadjes:* het seneblad
- *senna (cassia);* the dried leaflets: *senna leaves*

17 de kinaboom
- *cinchona (chinchona)*

18 de kamferboom
- *camphor tree (camphor laurel)*

19 de betelpalm
- *betel palm (areca, areca palm)*

20 de betelnoot
- *betel nut (areca nut)*

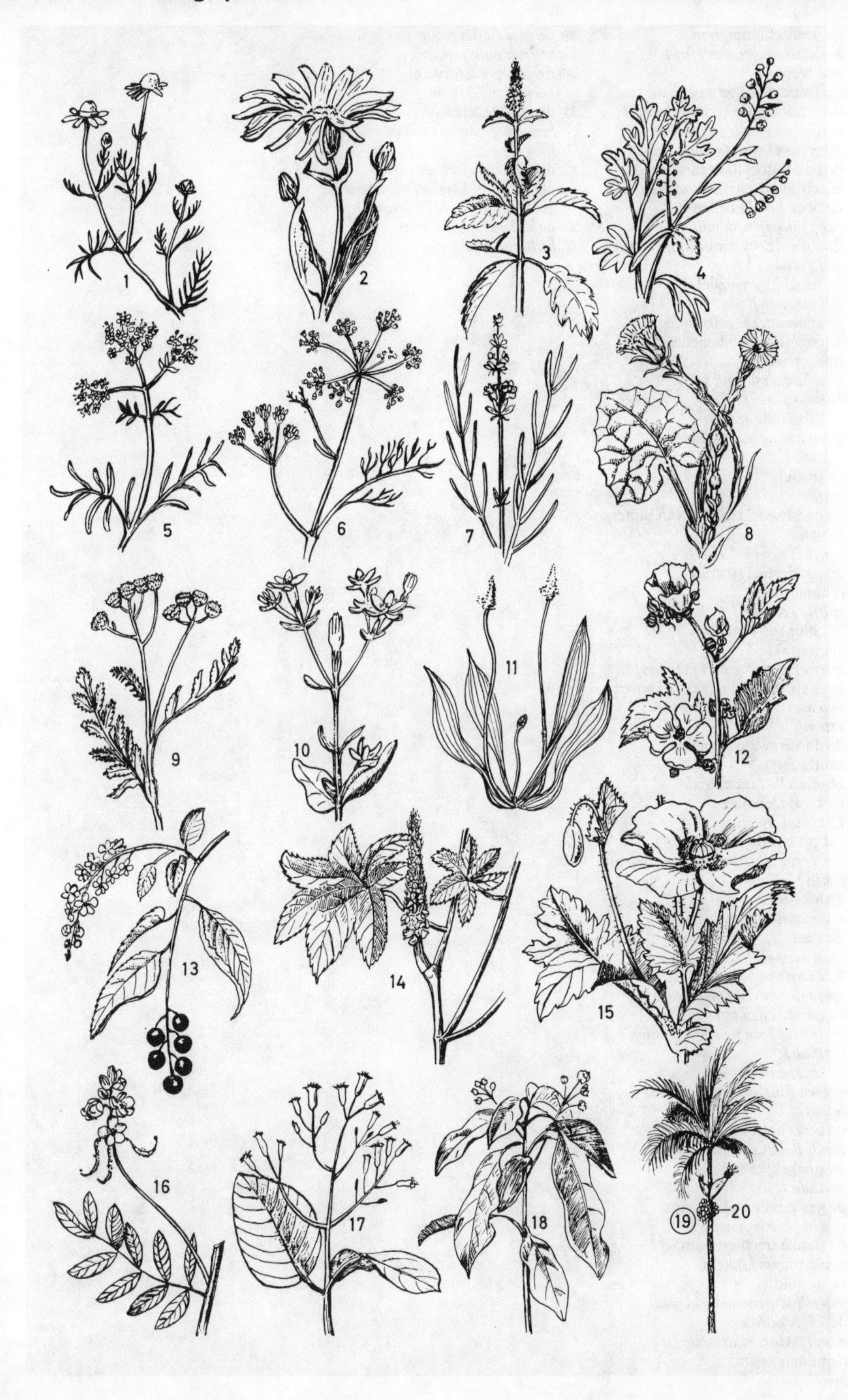
1
2
3
4
5
6
7
8
9
10
11
12
13
14
15
16
17
18
19
20

1 de weidechampignon
- *meadow mushroom (field mushroom)*
2 de zwamvlok (het mycelium) met vruchtlichamen (paddestoelen)
- *mycelial threads (hyphae, mycelium) with fruiting bodies*
3 de paddestoel [langsdoorsnede]
- *mushroom [longitudinal section]*
4 de hoed met lamellen
- *cap (pileus) with gills*
5 de sluier (het membraan, velum)
- *veil (velum)*
6 de lamel [doorsnede]
- *gill [section]*
7 de sporendragers (basidia, knotsjes) van de lamellenrand (met sporen)
- *basidia [on the gill with basidiospores]*
8 de kiemende sporen
- *germinating basidiospores (spores)*
9 de truffel
- *truffle*
10 de paddestoel (truffel) van buiten gezien
- *truffle [external view]*
11 de paddestoel (truffel) [doorsnede]
- *truffle [section]*
12 het binnenste met de sporenzakjes
- *interior showing asci [section]*
13 twee sporenzakjes met de sporen
- *two asci with the ascospores (spores)*
14 de dooierzwam (hanekam, cantharel)
- *chanterelle (chantarelle)*
15 de kastanjeboleet
- *Chestnut Boletus*
16 het eekhoorntjesbrood
- *cep (cepe, squirrel's bread, Boletus edulis)*
17 de buisjeslaag
- *layer of tubes (hymenium)*
18 de steel
- *stem (stipe)*
19 de zwartwordende bovist
- *puffball (Bovista nigrescens)*
20 de parelstuifzwam
- *devil's tobacco pouch (common puffball)*
21 de bruine ringboleet
- *Brown Ring Boletus (Boletus luteus)*
22 de berkeboleet
- *Birch Boletus (Boletus scaber)*
23 de smakelijke russula
- *Russula vesca*
24 de geschubde stekelzwam
- *scaled prickle fungus*
25 de slanke trechterzwam
- *slender funnel fungus*
26 de morille
- *morel (Morchella esculenta)*
27 de kegelmorille
- *morel (Morchella conica)*
28 de honingzwam
- *honey fungus*
29 de gele ridderzwam
- *saffron milk cap*
30 de gele parasolzwam
- *parasol mushroom*
31 de gele stekelzwam
- *hedgehog fungus (yellow prickle fungus)*
32 de gele koraalzwam
- *yellow coral fungus (goatsbeard, goat's beard, coral Clavaria)*
33 de kleine bundelzwam
- *little cluster fungus*

1
2
3
4
5
6
7
8
9
10
11
12
13
14
15
16
17
18
19
20
21
22
23
24
25
26
27
28
29
30
31
32
33

382 Tropische planten voor genotmiddelen en specerijen

1 de koffiestruik
- *coffee tree (coffee plant)*
2 de twijg met vruchten
- *fruiting branch*
3 de bloeiende twijg
- *flowering branch*
4 de bloem
- *flower*
5 de vrucht met de beide bonen [langsdoorsnede]
- *fruit with two beans [longitudinal section]*
6 de koffieboon; *na verwerking:* koffie
- *coffee bean;* when processed: *coffee*
7 de theestruik
- *tea plant (tea tree)*
8 de bloeiende twijg
- *flowering branch*
9 het theeblad; *na verwerking:* de thee
- *tea leaf;* when processed: *tea*
10 de vrucht
- *fruit*
11 de matéstruik
- *maté shrub (maté, yerba maté, Paraguay tea)*
12 de twijg met de tweeslachtige bloemen
- *flowering branch with androgynous (hermaphroditic, hermaphrodite) flowers*
13 de mannelijke bloem
- *male flower*
14 de tweeslachtige bloem
- *androgynous (hermaphroditic, hermaphrodite) flower*
15 de vrucht
- *fruit*
16 de cacaoboom
- *cacao tree (cacao)*
17 de twijg met bloemen en vruchten
- *branch with flowers and fruits*
18 de bloem [langsdoorsnede]
- *flower [longitudinal section]*
19 de cacaobonen; *na verwerking:* de cacao, het cacaopoeder
- *cacao beans (cocoa beans);* when processed: *cocoa, cocoa powder*
20 het zaad [langsdoorsnede]
- *seed [longitudinal section]*
21 het embryo (de kiem)
- *embryo*
22 de kaneelboom
- *cinnamon tree (cinnamon)*
23 de bloeiende twijg
- *flowering branch*
24 de vrucht
- *fruit*
25 de kaneelbast; *gestampt:* de kaneel
- *cinnamon bark;* when crushed: *cinnamon*
26 de kruidnagelboom
- *clove tree*
27 de bloeiende twijg
- *flowering branch*
28 de knop; *gedroogd:* de kruidnagel
- *flower bud;* when dried: *clove*
29 de bloem
- *flower*
30 de nootmuskaatboom (notemuskaatboom)
- *nutmeg tree*
31 de bloeiende twijg
- *flowering branch*
32 de vrouwelijke bloem [langsdoorsnede]
- *female flower [longitudinal section]*
33 de rijpe vrucht
- *mature (ripe) fruit*
34 de muskaatnoot, een zaad met een gespleten zaadmantel; *zaadmantel in gedroogde toestand:* foelie
- *nutmeg with mace, a seed with laciniate aril*
35 het zaad [dwarsdoorsnede]; *gedroogd:* de muskaatnoot, nootmuskaat, notemuskaat
- *seed [cross section];* when dried: *nutmeg*
36 de peperstruik
- *pepper plant*
37 de twijg met vruchten
- *fruiting branch*
38 de bloeiwijze
- *inflorescence*
39 de vrucht [langsdoorsnede] met zaad (peperkorrel); *gemalen:* de peper
- *fruit [longitudinal section] with seed, a peppercorn;* when ground: *pepper*
40 de virginiatabaksplant
- *Virginia tobacco plant*
41 de bloeiende twijg
- *flowering shoot*
42 de bloem
- *flower*
43 het tabaksblad; *verwerkt:* de tabak
- *tobacco leaf;* when cured: *tobacco*
44 de rijpe doosvrucht
- *mature (ripe) fruit capsule*
45 het zaad
- *seed*
46 de vanilleplant
- *vanilla plant*
47 de bloeiende twijg
- *flowering shoot*
48 de vanillepeul; *na verwerking:* het vanillestokje
- *vanilla pod;* when cured: *stick of vanilla*
49 de groene-amandelboom (pistacheboom)
- *pistachio tree*
50 de twijg met de vrouwelijke bloemen
- *flowering branch with female flowers*
51 de steenvrucht (pistache)
- *drupe;* here: *pistachio (pistachio nut)*
52 het suikerriet
- *sugar cane*
53 de plant (habitus), gedurende de bloei
- *plant (habit) in bloom*
54 de bloempluim
- *panicle*
55 de bloem
- *flower*

1
2
3
4
5
6
7
8
9
10
11
12
13
14
15
16
17
18
19
20
21
22
23
24
25
26
27
28
29
30
31
32
33
34
35
36
37
38
39
40
41
42
43
44
45
46
47
48
49
50
51
52
53
54
55

1 het koolzaad
- *rape (cole, coleseed)*

2 het grondblad
- *basal leaf*

3 de bloem [langsdoorsnede]
- *flower [longitudinal section]*

4 de rijpe hauw
- *mature (ripe) siliqua (pod)*

5 het oliehoudende zaad
- *oleiferous seed*

6 het vlas (de lijnzaadplant)
- *flax*

7 de stengel met bloem
- *peduncle (pedicel, flower stalk)*

8 de doosvrucht
- *seed vessel (boll)*

9 de hennep
- *hemp*

10 de vruchtdragende vrouwelijke plant
- *fruiting female (pistillate) plant*

11 de vrouwelijke bloeiwijze
- *female inflorescence*

12 de bloem
- *flower*

13 de mannelijke bloeiwijze
- *male inflorescence*

14 de vrucht
- *fruit*

15 het zaad
- *seed*

16 de katoen
- *cotton*

17 de bloem
- *flower*

18 de vrucht
- *fruit*

19 het zaadpluis
- *lint [cotton wool]*

20 de kapokboom
- *silk-cotton tree (kapok tree, capoc tree, ceiba tree)*

21 de vrucht
- *fruit*

22 de bloeiende twijg
- *flowering branch*

23 het zaad
- *seed*

24 het zaad [langsdoorsnede]
- *seed [longitudinal section]*

25 de juteplant
- *jute*

26 de bloeiende twijg
- *flowering branch*

27 de bloem
- *flower*

28 de vrucht
- *fruit*

29 de olijfboom
- *olive tree (olive)*

30 de bloeiende twijg
- *flowering branch*

31 de bloem
- *flower*

32 de vrucht
- *fruit*

33 de rubberboom
- *rubber tree (rubber plant)*

34 de bloeiende twijg
- *fruiting branch*

35 de vijg
- *fig*

36 de bloem
- *flower*

37 de guttaperchaboom
- *gutta-percha tree*

38 de bloeiende twijg
- *flowering branch*

39 de bloem
- *flower*

40 de vrucht
- *fruit*

41 de aardnoot (pinda)
- *peanut (ground nut, monkey nut)*

42 de bloeiende twijg
- *flowering shoot*

43 de wortel met noten
- *root with fruits*

44 de noot [langsdoorsnede]
- *nut (kernel) [longitudinal section]*

45 de sesamplant
- *sesame plant (simsim, benniseed)*

46 de twijg met bloemen en vruchten
- *flowers and fruiting branch*

47 de bloem [langsdoorsnede]
- *flower [longitudinal section]*

48 de kokospalm
- *coconut palm (coconut tree, coco palm, cocoa palm)*

49 de bloeiwijze
- *inflorescence*

50 de vrouwelijke bloem
- *female flower*

51 de mannelijke bloem [langsdoorsnede]
- *male flower [longitudinal section]*

52 de vrucht [langsdoorsnede]
- *fruit [longitudinal section]*

53 de kokosnoot
- *coconut (cokernut)*

54 de oliepalm
- *oil palm*

55 de mannelijke bloemkolf met de bloemen
- *male spadix*

56 het vruchtgestel met de vrucht
- *infructescence with fruit*

57 het zaad met de kiemgaten
- *seed with micropyles (foramina) (foraminate seed)*

58 de sagopalm
- *sago palm*

59 de vrucht
- *fruit*

60 de bamboestengel
- *bamboo stem (bamboo culm)*

61 de twijg met bladeren
- *branch with leaves*

62 de bloeiende aar
- *spike*

63 het stuk van de stengel met de knopen
- *part of bamboo stem with joints*

64 de papyrusplant
- *papyrus plant (paper reed, paper rush)*

65 het bloemscherm
- *umbel*

66 de bloeiende aar
- *spike*

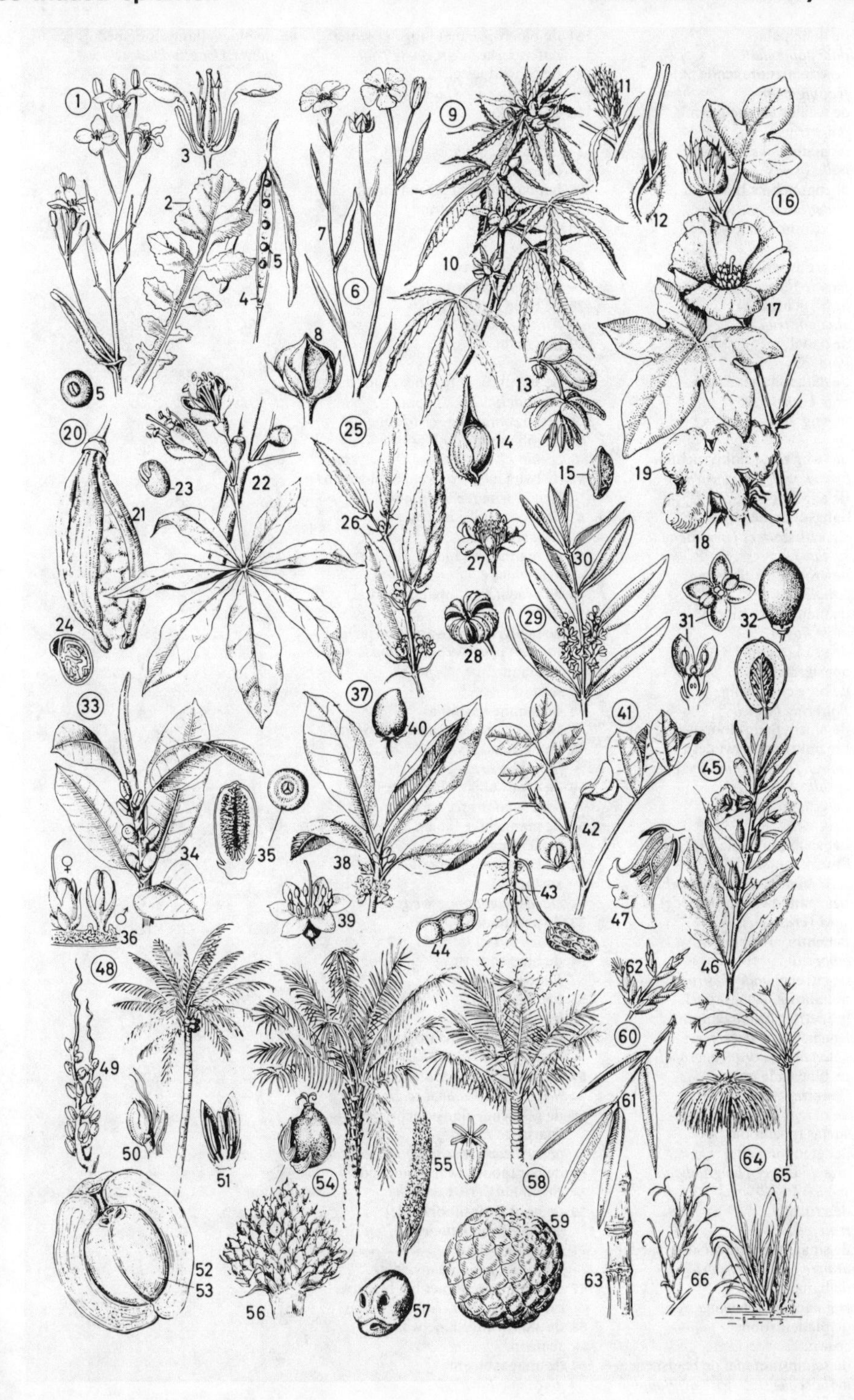
1
2
3
4
5
5
6
7
8
9
10
11
12
13
14
15
16
17
18
19
20
21
22
23
24
25
26
27
28
29
30
31
32
33
34
35
36
37
38
39
40
41
42
43
44
45
46
47
48
49
50
51
52
53
54
55
56
57
58
59
60
61
62
63
64
65
66

1 de dadelpalm
- *date palm (date)*
2 de vruchtendragende palm
- *fruiting palm*
3 de waaier van de palm
- *palm frond*
4 de mannelijke bloeikolf
- *male spadix*
5 de mannelijke bloem
- *male flower*
6 de vrouwelijke bloeikolf
- *female spadix*
7 de vrouwelijke bloem
- *female flower*
8 het vruchtgestel
- *stand of fruit*
9 de dadel
- *date*
10 de dadelpit (het zaad)
- *date kernel*
11 de vijg
- *fig*
12 de twijg met schijnvruchten
- *branch with pseudocarps*
13 de vijg met bloemen [langsdoorsnede]
- *fig with flowers [longitudinal section]*
14 de vrouwelijke bloem
- *female flower*
15 de mannelijke bloem
- *male flower*
16 de granaatappel
- *pomegranate*
17 de bloeiende twijg
- *flowering branch*
18 de bloem [langsdoorsnede], bloemkroon verwijderd
- *flower [longitudinal section, corolla removed]*
19 de vrucht
- *fruit*
20 het zaad (de granaatpit) [dwarsdoorsnede]
- *seed [longitudinal section]*
21 het zaad [dwarsdoorsnede]
- *seed [cross section]*
22 het embryo (de kiem)
- *embryo*
23 de citroen; *andere citrusvruchten:* mandarijn, sinaasappel, grapefruit (pompelmoes)
- *lemon;* sim.: *tangerine (mandarin), orange, grapefruit*
24 de bloeiende twijg
- *flowering branch*
25 de bloem van de sinaasappelboom [lengtedoorsnede]
- *orange flower [longitudinal section]*
26 de vrucht
- *fruit*
27 de sinaasappel [dwarsdoorsnede]
- *orange [cross section]*
28 de bananeplant
- *banana plant (banana tree)*
29 de bladerkroon
- *crown*
30 de schijnstam met de bladsneden
- *herbaceous stalk with overlapping leaf sheaths*
31 de bloeiwijze met jonge vruchten
- *inflorescence with young fruits*
32 het vruchtgestel
- *infructescence (bunch of fruit)*
33 de banaan
- *banana*
34 de bananebloem
- *banana flower*
35 het bananeblad [grondvorm]
- *banana leaf [diagram]*
36 de amandel
- *almond*
37 de bloeiende twijg
- *flowering branch*
38 de twijg met vruchten
- *fruiting branch*
39 de vrucht
- *fruit*
40 de steenvrucht met het zaad (de amandel)
- *drupe containing seed [almond]*
41 de johannesbroodboom
- *carob*
42 de twijg met vrouwelijke bloemen
- *branch with female flowers*
43 de vrouwelijke bloem
- *female flower*
44 de mannelijke bloem
- *male flower*
45 de vrucht (het johannesbrood)
- *fruit*
46 de peulvrucht [dwarsdoorsnede]
- *siliqua (pod) [cross section]*
47 het zaad
- *seed*
48 de tamme kastanje
- *sweet chestnut (Spanish chestnut)*
49 de bloeiende twijg
- *flowering branch*
50 de vrouwelijke bloeiwijze
- *female inflorescence*
51 de mannelijke bloem
- *male flower*
52 de bolster met de zaden (de kastanjes)
- *cupule, containing seeds*
53 de paranoot
- *Brazil nut*
54 de bloeiende twijg
- *flowering branch*
55 het blad
- *leaf*
56 de bloem [bovenaanzicht]
- *flower [from above]*
57 de bloem [langsdoorsnede]
- *flower [longitudinal section]*
58 de geopende doosvrucht met daarin de zaden
- *opened capsule, containing seeds*
59 de paranoot [dwarsdoorsnede]
- *Brazil nut [cross section]*
60 de noot [langsdoorsnede]
- *nut [longitudinal section]*
61 de ananasplant
- *pineapple plant (pineapple)*
62 de schijnvrucht met het bladrozet
- *pseudocarp with crown of leaves*
63 de aarvormige bloeiwijze
- *syncarp*
64 de ananasbloem
- *pineapple flower*
65 de bloem [langsdoorsnede]
- *flower [longitudinal section]*

1
2
3
4
5
6
7
8
9
10
11
12
13
14
15
16
17
18
19
20
21
22
23
24
25
26
27
28
29
30
31
32
33
34
35
36
37
38
39
40
41
42
43
44
45
46
47
48
49
50
51
52
53
54
55
56
57
58
59
60
61
62
63
64
65

Voor hun vriendelijke medewerking danken wij:

ADB GmbH, Bestwig; AEG-Telefunken, Abteilung Werbung, Wolfenbüttel; Agfa-Gevaert AG, Presse-Abteilung, Leverkusen; Eduard Ahlborn GmbH, Hildesheim; AID, Land- und Hauswirtschaftlicher Auswertungs- und Informationsdienst e. V., Bonn-Bad Godesberg; Arbeitsausschuß der Waldarbeitsschulen beim Kuratorium für Waldarbeit und Forsttechnik, Bad Segeberg; Arnold & Richter KG, München; Atema AB, Härnösand (Schweden); Audi NSU Auto-Union AG, Presseabteilung, Ingolstadt; Bêché & Grohs GmbH, Hückeswagen/Rhld.; Big Dutchman (Deutschland) GmbH, Bad Mergentheim und Calveslage über Vechta; Biologische Bundesanstalt für Land- und Forstwirtschaft, Braunschweig; Black & Decker, Idstein/Ts.; Braun AG, Frankfurt am Main; Bolex GmbH, Ismaning; Maschinenfabrik zum Bruderhaus GmbH, Reutlingen; Bund Deutscher Radfahrer e. V., Gießen; Bundesanstalt für Arbeit, Nürnberg; Bundesanstalt für Wasserbau, Karlsruhe; Bundesbahndirektion Karlsruhe, Presse- u. Informationsdienst, Karlsruhe; Bundesinnungsverband des Deutschen Schuhmacher-Handwerks, Düsseldorf; Bundeslotsenkammer, Hamburg; Bundesverband Bekleidungsindustrie e. V., Köln; Bundesverband der Deutschen Gas- und Wasserwirtschaft e. V., Frankfurt am Main; Bundesverband der Deutschen Zementindustrie e. V., Köln; Bundesverband Glasindustrie e. V., Düsseldorf; Bundesverband Metall, Essen-Kray und Berlin; Burkhardt + Weber KG, Reutlingen; Busatis-Werke KG, Remscheid; Claas GmbH, Harsewinkel; Copygraph GmbH, Hannover; Dr. Irmgard Correll, Mannheim; Daimler-Benz AG, Presse-Abteilung, Stuttgart; Dalex-Werke Niepenberg & Co. GmbH, Wissen; Elisabeth Daub, Mannheim; John Deere Vertrieb Deutschland, Mannheim; Deutsche Bank AG, Filiale Mannheim, Mannheim; Deutsche Gesellschaft für das Badewesen e. V., Essen; Deutsche Gesellschaft für Schädlingsbekämpfung mbH, Frankfurt am Main; Deutsche Gesellschaft zur Rettung Schiffbrüchiger, Bremen; Deutsche Milchwirtschaft, Molkerei- und Käserei-Zeitung (Verlag Th. Mann), Gelsenkirchen-Buer; Deutsche Eislauf-Union e. V., München; Deutscher Amateur-Box-Verband e. V., Essen; Deutscher Bob- und Schlittensportverband e. V., Berchtesgaden; Deutscher Eissport-Verband e. V., München; Deutsche Reiterliche Vereinigung e. V., Abteilung Sport, Warendorf; Deutscher Fechter-Bund e. V., Bonn; Deutscher Fußball-Bund, Frankfurt am Main; Deutscher Handball-Bund, Dortmund; Deutscher Hockey-Bund e. V., Köln; Deutscher Leichtathletik Verband, Darmstadt; Deutscher Motorsport Verband e. V., Frankfurt am Main; Deutscher Schwimm-Verband e. V., München; Deutscher Turner-Bund, Würzburg; Deutscher Verein von Gas- und Wasserfachmännern e. V., Eschborn; Deutscher Wetterdienst, Zentralamt, Offenbach; DIN Deutsches Institut für Normung e. V., Köln; Deutsches Institut für Normung e. V., Fachnormenausschuß Theatertechnik, Frankfurt am Main; Deutsche Versuchs- und Prüf-Anstalt für Jagd- und Sportwaffen e. V., Altenbeken-Buke; Friedrich Dick GmbH, Esslingen; Dr. Maria Dose, Mannheim; Dual Gebrüder Steidinger, St. Georgen/Schwarzwald; Durst AG, Bozen (Italien); Gebrüder Eberhard, Pflug- und Landmaschinenfabrik, Ulm; Gabriele Echtermann, Hemsbach; Dipl.-Ing. W. Ehret GmbH, Emmendingen-Kollmarsreute; Eichbaum-Brauereien AG, Worms/Mannheim; ER-WE-PA, Maschinenfabrik und Eisengießerei GmbH, Erkrath bei Düsseldorf; Escher Wyss GmbH, Ravensburg; Eumuco Aktiengesellschaft für Maschinenbau, Leverkusen; Euro-Photo GmbH, Willich; European Honda Motor Trading GmbH, Offenbach; Fachgemeinschaft Feuerwehrfahrzeuge und -geräte, Verein Deutscher Maschinenbau-Anstalten e. V., Frankfurt am Main; Fachnormenausschuß Maschinenbau im Deutschen Normenausschuß DNA, Frankfurt am Main; Fachnormenausschuß Schmiedetechnik in DIN Deutsches Institut für Normung e. V., Hagen; Fachverband des Deutschen Tapetenhandels e. V., Köln; Fachverband der Polstermöbelindustrie e. V., Herford; Fachverband Rundfunk und Fernsehen im Zentralverband der Elektrotechnischen Industrie e. V., Frankfurt am Main; Fahr AG Maschinenfabrik, Gottmadingen; Fendt & Co., Agrartechnik, Marktoberndorf; Fichtel & Sachs AG, Schweinfurt; Karl Fischer, Pforzheim; Heinrich Gerd Fladt, Ludwigshafen am Rhein; Forschungsanstalt für Weinbau, Gartenbau, Getränketechnologie und Landespflege, Geisenheim am Rhein; Förderungsgemeinschaft des Deutschen Bäckerhandwerks e. V., Bad Honnef; Forschungsinstitut der Zementindustrie, Düsseldorf; Johanna Förster, Mannheim; Stadtverwaltung Frankfurt am Main, Straßen- und Brückenbauamt, Frankfurt am Main; Freier Verband Deutscher Zahnärzte e. V., Bonn-Bad Godesberg; Fuji Photo Film (Europa) GmbH, Düsseldorf; Gesamtverband der Deutschen Maschen-Industrie e. V., Gesamtmasche, Stuttgart; Gesamtverband des Deutschen Steinkohlenbergbaus, Essen; Gesamtverband der Textilindustrie in der BRD, Gesamttextil, e. V., Frankfurt am Main; Geschwister-Scholl-Gesamtschule, Mannheim-Vogelstang; Eduardo Gomez, Mannheim; Gossen GmbH, Erlangen; Rainer Götz, Hemsbach; Grapha GmbH, Ostfildern; Ines Groh, Mannheim; Heinrich Groos, Geflügelzuchtbedarf, Bad Mergentheim; A. Gruse, Fabrik für Landmaschinen, Großberkel; Hafen Hamburg, Informationsbüro, Hamburg; Hagedorn Landmaschinen GmbH, Warendorf/Westf.; kino-hähnel GmbH, Erftstadt Liblar; Dr. Adolf Hanle, Mannheim; Hauptverband Deutscher Filmtheater e. V., Hamburg; Dr.-Ing. Rudolf Hell GmbH, Kiel; W. Helwig Söhne KG, Ziegenhain; Geflügelfarm Hipp, Mannheim; Gebrüder Holder, Maschinenfabrik, Metzingen; Horten Aktiengesellschaft, Düsseldorf; IBM Deutschland GmbH, Zentrale Bildstelle, Stuttgart; Innenministerium Baden-Württemberg, Pressestelle, Stuttgart; Industrieverband Gewebe, Frankfurt am Main; Industrievereinigung Chemiefaser e. V., Frankfurt am Main; Instrumentation Marketing Corporation, Burbank (Calif.); ITT Schaub-Lorenz Vertriebsgesellschaft mbH, Pforzheim; M. Jakoby KG, Maschinenfabrik, Hetzerath/Mosel; Jenoptik Jena GmbH, Jena (DDR); Brigitte Karnath, Wiesbaden; Wilhelm Kaßbaum, Hockenheim; Van Katwijk's Industrieën N. V., Staalkat Div., Aalten (Holland); Kernforschungszentrum Karlsruhe; Leo Keskari, Offenbach; Dr. Rolf Kiesewetter, Mannheim; Ev. Kindergarten, Hohensachsen; Klambt-Druck GmbH, Offset-Abteilung, Speyer; Maschinenfabrik Franz Klein, Salzkotten; Dr. Klaus-Friedrich Klein, Mannheim; Klimsch + Co., Frankfurt am Main; Kodak AG, Stuttgart; Alfons Kordecki, Eckernförde; Heinrich Kordecki, Mannheim; Krefelder Milchhof GmbH, Krefeld; Dr. Dieter Krickeberg, Musikinstrumenten-Museum, Berlin; Bernard Krone GmbH, Spelle; Pelz-Kunze, Mannheim; Kuratorium für Technik und Bauwesen in der Landwirtschaft, Darmstein-Kranichstein; Landesanstalt für Pflanzenschutz, Stuttgart; Landesinnungsverband des Schuhmacherhandwerks Baden-Württemberg, Stuttgart; Landespolizeidirektion Karlsruhe, Karlsruhe; Landwirtschaftskammer, Hannover; Metzgerei Lebold, Mannheim; Ernst Leitz Wetzlar GmbH, Wetzlar; Louis Leitz, Stuttgart; Christa Leverkinck, Mannheim; Franziska Liebisch, Mannheim; Linhof GmbH, München; Franz-Karl Frhr. von Linden, Mannheim; Loewe Opta GmbH, Kronach; Beate Lüdicke, Mannheim; MAN AG, Werk Augsburg, Augsburg; Mannheimer Verkehrs-Aktiengesellschaft (MVG), Mannheim; Milchzentrale Mannheim-Heidelberg AG, Mannheim; Ing. W. Möhlenkamp, Melle; Adolf Mohr Maschinenfabrik, Hofheim; Mörtl Schleppergerätebau KG, Gemünden/Main; Hans-Heinrich Müller, Mannheim; Müller Martini AG, Zofingen; Gebr. Nubert KG, Spezialeinrichtungen, Schwäbisch Gmünd; Nürnberger Hercules-Werke GmbH, Nürnberg; Olympia Werke AG, Wilhelmshaven; Ludwig Pani Lichttechnik und Projektion, Wien (Österreich); Ulrich Papin, Mannheim; Pfalzmilch Nord GmbH, Ludwigshafen/Albisheim; Adolf Pfeiffer GmbH, Ludwigshafen am Rhein; Philips Pressestelle, Hamburg; Carl Platz GmbH Maschinenfabrik, Frankenthal/Pfalz; Posttechnisches Zentralamt, Darmstadt; Rabe-Werk Heinrich Clausing, Bad Essen; Rahdener Maschinenfabrik August Kolbus, Rahden; Rank Strand Electric, Wolfenbüttel; Stephan Reinhardt, Worms; Nic. Reisinger, Graphische Maschinen, Frankfurt-Rödelheim; Rena Büromaschinenfabrik GmbH & Co., Deisenhofen bei München; Werner Ring, Speyer; Ritter Filmgeräte GmbH, Mannheim; Röber Saatreiniger KG, Minden; Rollei Werke, Braunschweig; Margarete Rossner, Mannheim; Roto-Werke GmbH, Königslutter; Ruhrkohle Aktiengesellschaft, Essen; Papierfabrik Salach GmbH, Salach/Württ.; Dr. Karl Schaifers, Heidelberg; Oberarzt Dr. med. Hans-Jost Schaumann, Städt. Krankenanstalten, Mannheim; Schlachthof, Mannheim; Dr. Schmitz + Apelt, Industrieofenbau GmbH, Wuppertal; Maschinenfabrik Schmotzer GmbH, Bad Windsheim; Mälzerei Schragmalz, Berghausen b. Speyer; Schutzgemeinschaft Deutscher Wald, Bonn; Siemens AG, Bereich Meß- und Prozeßtechnik, Bild- und Tontechnik, Karlsruhe; Siemens AG, Dental-Depot, Mannheim; Siemens-Reiniger-Werke, Erlangen; Sinar AG Schaffhausen, Feuerthalen (Schweiz); Spitzenorganisation der Filmwirtschaft e. V., Wiesbaden; Stadtwerke–Verkehrsbetriebe, Mannheim; W. Steenbeck & Co., Hamburg; Streitkräfteamt, Dezernat Werbemittel, Bonn-Duisdorf; Bau- und Möbelschreinerei Fritz Ströbel, Mannheim; Gebrüder Sucker GmbH & Co. KG, Mönchengladbach; Gebrüder Sulzer AG, Winterthur (Schweiz); Dr. med. Alexander Tafel, Weinheim; Klaus Thome, Mannheim; Prof. Dr. med. Michael Trede, Städt. Krankenanstalten, Mannheim; Trepel AG, Wiesbaden; Verband der Deutschen Hochseefischereien e. V., Bremerhaven; Verband der Deutschen Schiffbauindustrie e. V., Hamburg; Verband der Korbwaren-, Korbmöbel- und Kinderwagenindustrie e. V., Coburg; Verband des Deutschen Drechslerhandwerks e. V., Nürnberg; Verband des Deutschen Faß- und Weinküfer-Handwerks, München; Verband Deutscher Papierfabriken e. V., Bonn; Verband Kommunaler Städtereinigungsbetriebe, Köln-Marienburg; Verband technischer Betriebe für Film und Fernsehen e. V., Berlin; Verein Deutscher Eisenhüttenleute, Düsseldorf; Verein Deutscher Zementwerke, Düsseldorf; Vereinigung Deutscher Elektrizitätswerke, VDEW, e. V., Frankfurt am Main; Verkehrsverein, Weinheim/Bergstr.; J. M. Voith GmbH, Heidenheim; Helmut Volland, Erlangen; Dr. med. Dieter Walter, Weinheim; W. E. G. Wirtschaftsverband Erdöl- und Erdgasgewinnung e. V., Hannover; Einrichtungshaus für die Gastronomie Jürgen Weiss & Co., Düsseldorf; Wella Aktiengesellschaft, Darmstadt; Optik-Welzer, Mannheim; Werbe & Graphik Team, Schriesheim; Wiegand Karlsruhe GmbH, Ettlingen; Dr. Klaus Wiemann, Gevelsburg; Wirtschaftsvereinigung Bergbau, Bonn; Wirtschaftsvereinigung Eisen- und Stahlindustrie, Düsseldorf; Wolf-Dietrich Wyrwas, Mannheim; Yashica Europe GmbH, Hamburg; Zechnersche Buchdruckerei, Speyer; Carl Zeiss, Oberkochen; Zentralverband der Deutschen Elektrohandwerke, ZVEH, Frankfurt am Main; Zentralverband der deutschen Seehafenbetriebe e. V., Hamburg; Zentralverband der elektrotechnischen Industrie e. V., Fachverband Phonotechnik, Hamburg; Zentralverband des Deutschen Bäckerhandwerks e. V., Bad Honnef; Zentralverband des Deutschen Friseurhandwerks, Köln; Zentralverband des Deutschen Handwerks ZDH, Pressestelle, Bonn; Zentralverband des Kürschnerhandwerks, Bad Homburg; Zentralverband für das Juwelier-, Gold- und Silberschmiedehandwerk der BRD, Ahlen; Zentralverband für Uhren, Schmuck und Zeitmeßtechnik, Bundesinnungsverband des Uhrmacherhandwerks, Königstein; Zentralverband Sanitär-, Heizungs- und Klimatechnik, Bonn; Erika Zöller, Edingen; Zündapp-Werke GmbH, München.

Register

De halfvette cijfers achter de trefwoorden zijn de nummers van de tekeningen, de magere cijfers zijn de op die tekeningen voorkomende cijfertjes. Woorden die twee betekenissen hebben, worden onderscheiden door een cursief gezette aanduiding van het vakgebied.

A

bijen, kasten **77** 1, 4,
bijen, klassen **77** 1, 4,
bijen|cel **77** 26-30
~eter **360** 2
~houder **77** 57
~huis **77** 56
~kap **77** 58
~kast **77** 45-50
~korf **77** 52
bijenkorfhut **354** 28
bijen|raat **77** 31-43
~sluier **77** 58
~stal, verouderde **77** 51
~volk **77** 53
~was **77** 67
~zwerm **77** 53
bijgebouw **62** 14
bijl *Bosbouw* **85** 1
~ *Timmerman* **120** 73
~ *Prehistorie* **328** 23, 23
~, brede **120** 70
bijnier **20** 29
bijouterieafdeling **271** 62
bij|produkt **170** 13
~schaduw **4** 34
~scherm **370** 70
~schrift **342** 59
~stopper **227** 14
bijtring **28** 12
bijvoet **378** 6
bikhamer **137** 38
bikini **280** 26
bikinislipje **280** 27
bil *Mens* **16** 40
~ *Paard* **72** 35
~ *Wild* **88** 21, 37
~, platte **95** 34
biljart **277** 14
biljart, Franse, Duitse, Engelse **277** 7
biljartbal **277** 1
biljarten **277**
~ *Biljarten* **277** 1-19
biljarter **277** 8
biljart|klok **277** 17
~spel **277** 1-19
~speler **277** 8
~stoten **277** 2-6
~tafel **277** 14
~zaal **277** 7-19
bil|naad **20** 64
~plooi **16** 42
~spier **18** 60
bilzekruid **379** 6
bimsschijf **100** 7
bindceintuur **31** 19
binden, garenloos **249** 61
binding, onderdelen **301** 54-56
~, platte **171** 24
bindmachine, garenloze **184** 1
bindmiddelinjector **200** 53
bind|touw **206** 12
~werk **221** 119
binnen|balhoofdbuis **187** 14
~band **187** 30
~beplanking **285** 57
~boom **123** 45
binnenboordmotor **286** 2
binnen|draad **126** 47, 49
~dwarsstand **296** 27
~goed **107** 7
~greep **296** 44, 46
~hoek **346** 26
binnenhoekbeitel **149** 51
binnen|kluiver **219** 21
~loopring **143** 72
~oor **17** 62-64
~opname **310** 26-60
~passer **135** 23
~pot **132** 13
~ritssluiting **101** 6
~schip **226** 35
~stad **268**
~trommel, roterende **168** 17
~vertanding **143** 95
~welfvlak **336** 25
~welfvlak (intrados) **336** 25
~zeskant **143** 27
~zool **291** 27
binocle **315** 9
binoculair **23** 6
bint **334** 52
biopsietang **23** 17
bioscoop **312** 1
bioscoop|bezoeker **312** 5
~publiek **312** 5
~reclame **268** 57
bisambont **35** 33
bison **367** 9
bissectrice **346** 30
bit **71** 13
bitketting **71** 12
bitumen **145** 64
~dak **122** 90-103
~ketel **200** 47
~roerketel **200** 46
blaas *Mens* **20** 33, 78
~ *Zeevisserij* **90** 29
~balg **278** 49
blaas-blaas-proces **162** 22
blaas|brander **350** 9
~instrument, houten **323** 28-38
~instrument, koperen **323** 39-48
~lucht **181** 5, 35
~magneet **312** 39
~pijp *Glasfabrikage* **162** 39
~pijp *Spoorwegmaterieel* **210** 25
~pijp *Volkenkunde* **352** 26
~proces **162** 22-37
~proces, dubbele **162** 22
~stand **147** 57
~vorm **162** 26, 34
blad *Zacht fruit* **58** 3
~ *Pitvruchten* **58** 53
~ *Steenvruchten* **59** 17
~ *Landbouwwerkt.* **66** 13
~ *Veldgewassen* **68** 8
~ *Wild* **88** 17, 38
~ *Meubelmaker* **132** 34
~ *Boekbinderij* **185** 43
~ *Kantoor* **246** 3
~ *Roeien & Kanoën* **283** 38
~ *Wintersport* **302** 32
~ *Winterlandschap* **304** 9
~ *Algem. Plantk.* **370** 19, 26
~ *Loofbomen* **371** 27, 29, 68
~ *Sierstruiken & -bomen* **373** 3, 16, 25
~ *Weidebloemen* **375** 2
~ *Waterplanten* **378** 15, 18, 19, 45
~ *Zuidvruchten* **384** 55
~, beweegbare **133** 35
~, bodemstandige **375** 12
~, driedelige **58** 19
~, geveerde **57** 3
~, hoogteverstelling **133** 21
~, jonge **59** 29
~, oneven geveerde **59** 40
~, samengesteld **370** 39-42
~, verstelbare **133** 17
~basis **371** 73
bladerdeegpasteitje **97** 18
bladeren *Bord- & gezelsch.sp.* **276** 43
~ *Sierstruiken & -bomen* **374** 28
~ *Waterplanten* **378** 41
bladerkroon **384** 29
blad|goud *Schilder* **129** 45
~goud *Boekbinderij* **183** 5
~goud, aansluiten **129** 52
~groenten **57** 28-34
~hark *Siertuin* **51** 3
~hark *Tuingereedschap* **56** 3
~hoogte, stabiliseren **133** 23
~huid **68** 22
~knop *Noten* **59** 47
~knop *Algem. Plantk.* **370** 90
~kool **57** 34
~luis *Insekten, tuin* **80** 32
~luis *Ongedierte (bos)* **82** 39
~luis *Geleedpotigen* **358** 13
~luis, gevleugelde **358** 15
~luis, vleugelloze **358** 14
~motief **334** 40
~nummer **251** 14
~oksel *Algem. Plantk.* **370** 25
~oksel *Weidebloemen* **375** 38
~overhang **333** 24
~plant **39** 37
~rand **370** 43-50
~rank **57** 4
~reuzel **95** 45
~rozet **384** 62
~schede *Veldgewassen* **68** 9, 21
~schede *Algem. Plantk.* **370** 83
~schijf *Veldgewassen* **68** 20
~schijf *Algem. Plantk.* **370** 28, 85
~schot **86** 17
~snede **384** 30
bladspriet|kever *Ongedierte (bos)* **82** 1
~kever *Geleedpotigen* **358** 24
bladsteel **370** 27
bladstrijkmachine **173** 29-35
blad|vorm *Algem. Plantk.* **370** 31-38
~vorm *Waterplanten* **378** 52
~wijzer, losse **185** 71
bladzijde **185** 53
bladzijdenummer **185** 63
blauw *Heraldiek* **254** 28
~ *Kleur* **343** 3
Blauwe Peter **253** 26
blauwgroenfilter **116** 45
blauwspar **51** 10
blauwtje **365** 6
blauwzuurbehandeling **83**
blazen **162** 28, 36
blazer **33** 54
blazoen **305** 66
bleek|aarde **199** 38
~fixeerbad **116** 10
bleken **169** 21
blik *Huish. apparaten* **50** 52
~ *Supermarkt* **99** 91
~ *Schilder* **129** 16
~ *School* **260** 60
blikje **99** 73
blikschaar **125** 1
bliksem **9** 39
~afleider **38** 30
blimp **310** 48; **313** 16-18; **313** 27
blimp, bovengedeelte **313** 16
blimp, ondergedeelte **313** 17
blimp, zijkant **313** 18
blind **37** 30
blindenschrift **342** 15
blindschema **92** 25
blinker **89** 73
Blitzventiel **187** 31
bloed, aderlijk **18** 11
bloed, slagaderlijk **18** 12
bloeddruk|meter *Arts* **23** 33
~meter *Ziekenhuis* **25** 15
~meting **23** 32
bloedkoraal **357** 17
bloedsomloop **18** 1-21
bloed|stelping **21** 14-17
~vat **19** 33
~worst **99** 56
~zuiger **357** 20
bloei|kolf, mannelijke **384** 4
~kolf, vrouwelijke **384** 6
~wijze *Groenten* **57** 2
~wijze *Algem. Plantk.* **370** 67-77
~wijze *Loofbomen* **371** 43, 48
~wijze *Alpenplanten* **378** 7
~wijze *Waterplanten* **378** 53, 55
~wijze *Trop. planten* **382** 38
~wijze *Industrieplant.* **383** 49
~wijze, aarvormige **384** 63
~wijze, mannelijke *Loofbomen* **371** 8
~wijze, mannelijke *Naaldbomen* **372** 17, 24
~wijze,mannelijke *Industrieplant.* **383** 13
~wijze, met jonge vruchten **384** 31
~wijze, vrouwelijke *Loofbomen* **371** 6
~wijze, vrouwelijke *Industrieplant.* **383** 11
~wijze,vrouwelijke *Zuidvruchten* **384** 50
bloem *Tuinderij* **55** 24
~ *Groenten* **57** 9
~ *Zacht fruit* **58** 6, 26
~ *Onkruid* **61** 4, 10, 14, 19, 22

C

D

~zuiger **190** 68
Draak *Astronomie* **3** 32
~ *Zeilen* **284** 57
draak **327** 1
draak, zevenkoppige **327** 50
drachme **252** 39
Draco **3** 32
dradenteller, inklapbare **177** 23
draf **72** 41
draf, verzamelde **71** 2
drager *Kerk* **331** 40
~ *Kunst* **336** 20
drain **26** 47
drainagepakket **200** 61
drainlaag **199** 25
draisine **213** 32
drake|kop **218** 16
~lijf **327** 19, 36
Drakenklasse **284** 57
drakeschip **218** 13-17
dralmachine **164** 19
drank **99** 71
~, sterke *Kruidenier* **98** 56-59
~, sterke *Nachtclub* **318** 19
drankenvitrine **266** 59
draperie **338** 33
drasland **15** 20
draver **289** 28
draverij **289** 23-40
draverijkleding **289** 26
dreg **89** 85
drenkeling **21** 35
drenkelingen, redding **21** 34-38
dresseur **307** 31
dressoir *Eetkamer* **44** 20
~ *Tafelgerei* **45** 44
dressuur, vrije **307** 30-31
~paard **289** 3
~rijden **289** 1-7
drevel **134** 32
dribbelen **291** 52
drie **302** 13
drie, dubbele **302** 14
~dekker *Hist. scheepst.* **218** 51-60
~dekker *Vliegtuigen* **229** 6
~hoek *Constr. bureau* **151** 7, 8
~hoek *School* **260** 37
~hoek *Wiskunde* **346** 26-32
~hoek, gelijkbenige **346** 27
~hoek, gelijkzijdige **346** 26
~hoek, scherphoekige **346** 28
~hoek, stomphoekige **346** 30
driehoeksschakeling **153** 21
driehoeksymbool **345** 24
driekantschraapstaal **140** 63
drie|klank **321** 1-4, 3, 4
~klauw **149** 37
driekwartjas **271** 21
driekwartsmaat **320** 37
driekwartvet **175** 2
drieling **87** 23
driemaster **220** 18-27
driemasts|gaffelschoener **220** 18
~topschoener **220** 19
driemeterplank **282** 9
driepasboog **336** 32
drie|poot *Schoenmaker* **100** 34
~poot *Papierverv.* **173** 6
~poot *Chemisch lab.* **349** 15; **350** 14
driepoot|kraan **222** 6
~vakwerkmast **258** 41
driepunts|basis **349** 28
~bevestiging **64** 45
~boot **286** 42
driespan **186** 45
driestoksruiter **63** 30
drietand **135** 11
drietandhaak, dichte **89** 85
drieweg|box **241** 14
~klepkast **92** 34
driewielwals **200** 36
drijf|as *Landbouw* **63** 20
~as *Spoorwegmaterieel* **210** 37
~as *Waterbouw* **217** 49
drijfasoverbrenging **64** 30
drijf|jacht **86** 34-39
~kop **187** 75
~lichaam *Navigatie* **224** 71
~lichaam *Motorboten* **286** 27
~middel **282** 18
~net, ringvormig **90** 25
drijfnetvisserij **90** 1-10
drijf|pijler **144** 36
~stang *Landbouw* **63** 20
~stang *Verbrand.mot.* **190** 21
drijfstanglager **192** 25
drijf|touw **90** 4
~werk, getrapte **64** 71
~wiel *Landbouwmach.* **65** 80
~wiel *Schoenmaker* **100** 8
~wiel *Spoorwegmaterieel* **209** 3
~wiel, trekwals **168** 4
drijfwielband **64** 31
drijfzand **227** 3
drijver *Jacht* **86** 37
~ *Zeevisserij* **90** 19
~ *Waterbouw* **217** 34
~ *Scheepstypen* **221** 65
~ *Vliegtuigen* **232** 3, 6
~ *Oorlogsschepen* **258** 87
~ *Motorboten* **286** 44
~ *Balspelen* **293** 91
~schacht **217** 35
~vliegtuig **232** 5
dril|boor *Ivoordraaier* **135** 22
~boor *Steengroeve* **158** 11
drink|automaat, ronde **74** 16
~fles **290** 10
~goot **74** 6
drinkwater|reservoir **269** 13
~tank **146** 16
~tankauto **233** 22
~voorziening **269** 1-66
~zak **278** 32
drive **293** 83
driver **293** 91
drogen **169** 24
droger **170** 38
droog|cilinder **173** 22
~cilinder, verwarmde **173** 33
~compartiment **168** 28
~doek **173** 23
~dok **225** 17
~eenheid **180** 14, 27
~- en natzuiger **50** 80
~glansapparaat **116** 57
~horde **92** 16, 29
~houding **144** 46
~kamer *Steenfabriek* **159** 17
~kamer *Kunstvezels* **169** 24
~kap **105** 25
~koeltoren **154** 39
~ontsmetting **83** 52
~pers **116** 57
~rek *Huish. apparaten* **50** 32
~rek *School* **261** 31
~rek *Vlooienmarkt* **309** 49
~rek, scharende **50** 34
~sectie **168** 28
droogtegordel **9** 54
droog|trommel **50** 28
~verdeelveld **165** 54
~zeef **173** 23
~zwemmen **282** 20
druif *Insekten, tuin* **80** 21
~ *Supermarkt* **99** 89
~luis **80** 26
druip|kant **121** 4
~ring **283** 40
~steen **13** 80-81
druipsteen|grot **13** 79
~zuil **13** 82
druiveblad **78** 4
druivebladroller **80** 22
druiven|pers **78** 17
~plukster **78** 11
~schaar **78** 12
~tros **78** 5
druivestam **78** 6
druk|apparaat **204** 41
~balk **200** 32; **201** 2
~cilinder *Fotogr. reprod.* **177** 67
~cilinder *Offsetdruk* **180** 53
~cilinder *Boekdruk* **181** 2, 51, 59
~eenheid, omkeerbare **182** 26
~element **178** 39
~fundament **180** 78
drukgasontzwaveling **156** 28
drukhoogte-instelling **249** 53
druk|indicator **25** 55
~inkt **260** 83
drukker **340** 35
drukketel **83** 44
drukknoopinzetmachine **100** 53
druk|knop *Elektricien* **127** 20
~knop *Garage* **195** 11, 12
~knop *Tram* **197** 32
~knop *Spoorweg* **203** 66, 67
~knop *Muziekinstr.* **326** 46
~lager **223** 67
~leiding *Waterbouw* **217** 41
~leiding *Ruimtevaart* **235** 54
~leiding *Brandweer* **270** 31
~lichaam **258** 66; **259** 55; **259** 76
~mechanisme **245** 32
~meter *Ziekenhuis* **25** 53; **26** 29
~meter *Offsetdruk* **180** 74
~meter *Duiken* **279** 13
~meter *Theater* **316** 56
~meter *Muziekinstr.* **326** 37
drukmetereenheid **27** 32
druk|plaat **2** 25
~plaat, inkten **249** 50
~pomp, hydraulische **178** 11
~punt **87** 11
~raam **181** 36
~regelaar *Katoenspinnerij* **163** 16
~regelaar *Grafische kunst* **340** 38
~rol **64** 64
~schakelaar **269** 47
~schot **231** 32
~sjabloon **168** 62
druksmeer|nippel **143** 81
~systeem, pomp **65** 45
druk|smering **192** 16-27
~snelheid, instelling **249** 55
~spant **235** 19
~spil **148** 62
~spoeler **126** 37
~stang **133** 47, 52
~tafel **168** 63
~toestel **237** 20
~toets *Geluidsapp.* **241** 3
~toets *Kantoor* **246** 14
druktoetsenbord **245** 14
druktoetstoestel **237** 20
druk|vat *Schilder* **129** 31
~vat *Kunstvezels* **170** 33
~vat *Watervoorziening* **269** 17, 50
~vat *Theater* **316** 55
~vel **180** 17
~verband **21** 17
~voet *Schoenmaker* **100** 23
~voet *Meubelmaker* **133** 10
~vorm *Boekdruk* **181** 17
~vorm *Grafische kunst* **340** 32
~vulopening **257** 33
~wals **165** 32
~wals, houten **163** 32
~werk, bovenste **180** 6, 8,
~werk, onderste **180** 7, 9,
drummer **318** 11
drums **318** 10
drumstel **324** 47-54
druppel|trechter **349** 3
~vorm, gladde **36** 85
dryas **51** 7
d-snaar **323** 9
D-treinwagen **207** 1-21
dubbel **293** 2
dubbel, gemengd **293** 2, 49
~asmenger **159** 10
dubbelbandsysteem **117** 7
dubbel|buispoot **114** 44
~dekker *Vrachtw. & bussen* **194** 36
~dekker *Vliegtuigen* **229** 10
~dekwagen **213** 35
~eindbal **299** 20
dubbele-stoeltjeslift **301** 57
dubbele-T-staal **143** 6
dubbelgezaagd **370** 45
dubbel|grenskaliber **149** 56
~kruis **332** 64
dubbelloops|lanceerinstallatie **259** 25
~luchtdoelgeschut **259** 30
dubbel|parelvang, rechts-links **171** 48
~rietblad **323** 29
~romp **284** 65
~slag **321** 21
~spel **293** 2
~ster **3** 29
~vang, rechts-links **171** 47
~zes **276** 35
~zit **188** 42
dubbing **311** 37-41
duffel **271** 21
duif *Huisdieren* **73** 33
~ *Vogels* **359** 23

E

G

~toevoer **155** 2
grond|werker **118** 76
~worstelen **299** 8
grootbarkzeil **220** 12
grootbeeld|camera **112** 25
~camera, aansluiting **112** 36
groot|bovenbramra **219** 42
~bovenbramstagzeil **219** 26
~bovenbramzeil **219** 66
~bovenmarsra **219** 40
~bovenmarszeil **219** 63
~brammars **219** 53
~bramstagzeil **219** 25
~bramsteng **219** 7
~bramzeil **218** 53
groothoek|lens *Fotografie* **115** 45
~lens *Smalfilm* **117** 48
groot|mars **219** 52
~marssteng **219** 6
~middenbramzeil **219** 65
~onderbramra **219** 41
~onderbramzeil **219** 64
~ondermarsra **219** 39
~ondermarszeil **219** 62
~ra *Hist. scheepst.* **218** 37
~ra *Zeilschip* **219** 38
~royalra **219** 43
~schoot **284** 28
~stengestagzeil **219** 24
grootte, eerste **3**
grootvee **73** 1-2
grootveld|metaalmicroscoop **112** 23
~microscoop, universele **112** 54
~stereomicroscoop **112** 40, 61
groot|zeil *Hist. scheepst.* **218** 33
~zeil *Zeilschip* **219** 61; **220** 13
~zeil *Zeilen* **284** 46; **285** 2
grot *Landkaart* **15** 85
~ *Park* **272** 1
groter dan **345** 19
groteskschrift **342** 7
grote-tertsdrieklank **321** 1
grottenstelsel **13** 76
ground, teeing **293** 79
groupage|goederen **206** 4
~ladingen **206** 4
~verkeer **206** 4
grup **75** 20
G-sleutel **320** 8
g-snaar **323** 9
G.T.-wagen **193** 32
guanaco **366** 30
guichel|heil **61** 27
~heil, rode **61** 27
guillemet **342** 27
guilloches **252** 38
guimpe|haakwerk **102** 28
~vork **102** 29
guiro **324** 60
gulden **252** 19
gulp **33** 48
gum **151** 42
gummilager **192** 67
guts *Meubelmaker* **132** 9
~ *Ivoordraaier* **135** 17
~ *Beeldh. atelier* **339** 17, 20
~ *Grafische kunst* **340** 6, 8, 9
guttae **334** 17
guttaperchaboom **383** 37
gymkhana **290** 32
gymnasium **261** 1-45
gymnastiek **297** 33-50
gymnastiek|bal **297** 34
~hoepel **297** 46
~kleding **297** 51-52
~knots **297** 38
~lint **297** 49
~pak **297** 51
~schoen **296** 63; **297** 52
~stok **297** 41
gyro|dyne **232** 29
~kompas *Navigatie* **224** 31, 51-53
~kompas *Vliegtuigen* **230** 13
gyrokompasstelsel **224** 51-53

H

haag *Landkaart* **15** 98
~ *Siertuin* **51** 9
~ *Moestuin* **52** 32
~ *Boerderij* **62** 35
~beuk **371** 63
haai **364** 1
haak *Hal* **41** 2
~ *Dak & dakdekker* **122** 23
~ *Aardolie* **145** 9
~ *Post* **237** 13
~, dubbele **89** 83
~, universele **300** 38
~, verstopte **89** 75
~boog **89** 81
~bout **202** 10
~contact **237** 13
haakje *Schoeisel* **101** 21
~ *Schrift* **342** 24, 25
~, rechte **342** 25
haakjesinzetmachine **100** 53
haak|ladder **270** 16
~las **121** 87, 88
~top **89** 80
haalijzer **38** 33
haan *Boerderij* **62** 37
~ *Huisdieren* **73** 21
~ *Bankwerker* **140** 43
~ *Strijdkrachten* **255** 4
~kalkoense **73** 28
haantje, half **266** 56
haar *Mens* **16** 3
~ *Huish. apparaten* **50** 47
~ *Muziekinstr.* **323** 15
~, kortgeknipt **34** 34
~, loshangend **34** 1
~, opgestoken **34** 28
~clip **105** 11
haard, diepte **11** 34
~, open **267** 23
haar|dracht *Kapsels & baarden* **34** , 1-25
~dracht *Volkenkunde* **354** 9
haard|scherm **309** 8
~vuur **267** 25
haar|hamer **66** 9
~harp **10** 9
~kant **131** 12, 17
~kelk **378** 11
~lak **105** 24
~liniaal **140** 56
~mos **377** 17
~speld **301** 69
~spit **66** 11
~ster **369** 3
~stuk **355** 8
~styliste **105** 35
~versiering **355** 82
~versteviger **106** 23
~wasbekken **106** 11
~water **106** 10
~wild **86** 35
~wortel **370** 18
~zak **355** 78
haas *Jacht* **86** 35
~ *Wild* **88** 59
habijt **331** 55
habitus **382** 53
hagedis **364** 27, 30
hagedis, pootloze **364** 37
hagedoorn **374** 30
hagel **9** 35, 36
~lading **87** 51
~loop **87** 27
~patroon **87** 49
~snoeren **74** 63
hak *Mens* **19** 63
~ *Landbouwwerkt.* **66** 1
~ *Paard* **72** 37
~ *Schoenmaker* **100** 67
~, doorlopende **101** 24
~, hoge **101** 27, 28, 33
~, kleine **101** 11
~, zware **66** 24
~automaat **301** 54
~bank **96** 57
~beitel **120** 71
haken **89** 79-87
hakensteker **89** 40
hakkebord **322** 32
hakkelbout **143** 43
hakkenschuurder **100** 4
hak|mes **94** 18
~schoffel **56** 5
hakseltrommel **64** 34
hak|stuk **291** 23
~vrucht **68** 38-45
hal **41**
~ *Hal* **41** 1-29
halbrohrschroef **300** 40
halfagras **136** 26
half|bewolkt **9** 22
~dek **259** 11
~fabrikaat **148** 66-68, 66
~koepel **334** 73
halfrond, noordelijk **3** 1-35
halfschaduw **4** 34
halfsteensverband **118** 59
halfvet **175** 3
haliet **351** 2
Hallstatt-tijd **328** 21-40
halm **68** 6
halma **276** 26-28
halma|bord **276** 26
~pion **276** 28
~spel **276** 26-28
halm|knoop **68** 7
~verdeler **64** 1
halogeenlamp **177** 31
halothanehouder **26** 26
halothanhouder **26** 26
hals *Mens* **16** 19-21; **19** 1-13
~ *Paard* **72** 15
~ *Wild* **88** 3
~ *Slachtvee* **95** 6
~ *Machine-ond.* **143** 64
~ *Schermen* **294** 53
~ *Muziekinstr.* **323** 2; **324** 7; **324** 18; **324** 71
~ *Chemisch lab.* **350** 37, 55, 57
~ader **18** 2
~band *Honderassen* **70** 13
~band *Prehistorie* **328** 25
~berg **329** 43
~bescherming **329** 83
~doek *Zeilen* **284** 37
~doek *Rodeo* **319** 38
~doekje **31** 57
~karbonade **95** 47
~ketting *Sieraden* **36** 2
~ketting *Volkenkunde* **352** 14
~kuiltje **16** 20
~riem **71** 30
~ring **328** 26
~schild *Ongedierte (bos)* **82** 4
~schild *Geleedpotigen* **358** 29
~slagader **18** 1
~spier **19** 12
~spier, schuine **18** 34; **19** 1
~uitsnijding **30** 34
~vlek **364** 39
~wervel **17** 2
halte *Landkaart* **15** 27
~ *Tram* **197** 35
~bord *Tram* **197** 36
~bord *Stad* **268** 26
~paal **197** 36
haltertopje **31** 64
Halve Maan **253** 19
ham *Slachtvee* **95** 38
~ *Supermarkt* **99** 52
~met been **96** 1
hamei **329** 24
hamel **73** 13
hamer *Mens* **17** 61
~ *Doe-het-zelf* **134** 7
~ *Kamperen* **278** 25
~ *Muziekinstr.* **322** 35; **325** 3
~ *Beeldh. atelier* **339** 21
~houten *Timmerman* **120** 67
~houten *Loodgieter* **125** 18
~houten *Meubelmaker* **132** 5
~pneumatische **139** 24
Hamer en Sikkel **253** 21
hamer|klavier **325** 1
~kop **325** 24
hamerkopbout **143** 41
hamer|lijst **325** 15, 26
~molen **160** 2
~onderdelen **137** 26
~slag **293** 78
~steel **325** 25
hammerless **87** 23
hamster **366** 16
hand *Mens* **16** 47; **17** 15-17; **19** 64-83
~ *Balspelen* **293** 56-57
~bagage **194** 19
handbal **292** 1
handbalspeler **292** 2
hand|bediening **115** 52
~belichtingsmeter **114** 56
~beschermer *Slachthuis* **94** 10
~beschermer *Ridderschap* **329** 82
~beveiliging **83** 20
~bezem **38** 36
~bibliotheek **262** 17
~blazen **162** 38-47
~boek **262** 17
~boekbinderij **183** 1-35
~boekerij **262** 17
~boogschieten **305** 52-66
~boogschutter **305** 53

J

K

~rek *Universiteit* **262** 16
~rek *Café* **265** 8
~uitleg **182** 29
~verkoper *Perron* **205** 17
~verkoper *Stad* **268** 75
~zetsel **176** 29
krantepagina **342** 37
kras **163** 34
kras|machine **163** 34
~pen **341** 21
krat *Zuivelbedrijf* **76** 30
~ *Supermarkt* **99** 72
~ *Goederenstation* **206** 5
krater *Fys. geogr.* **11** 16
~ *Film* **312** 44
~pijp **11** 17, 28
krediet, persoonlijk **250** 4
~bureau **271** 24
Kreeft **4** 56
kreeft *Geleedpotigen* **358** 1-2
~ *Diepzeefauna* **369** 12, 15, 16
kreeftevork **45** 79
kreeftskeerkring **3** 4
krent **98** 9
kretsmotor **108** 46
kreupelhout **15** 15
krib **13** 37
kribbe **216** 19, 20
~hoofd **13** 38
kriek **59**
krielkip **74** 56
krijgshoorn **354** 39
krijt **338** 5
~bakje **260** 31
~poeder **129** 49
krimpfolie|tunnel **76** 24
~verpakkingsmachine **226** 12
krimp|kous **283** 36
~ring **130** 24
kring|flanken **296** 54; **297** 31
~loop,primaire **154** 2, 42
~loop, secundaire **154** 7, 45
~loop, tertiaire **154** 10
~spier **19** 5, 8
~wering **294** 49
kristal **351**
~ *Kristallen* **351** 29
~basisvormen **351** 1-26
~combinaties **351** 1-26
~detector **309** 23
~glas **124** 5
~kegel **77** 21
~kunde **351**
kristallen, vloeibare **110** 2
kristallometrie **351** 27-33
~meting **351** 27-33
~middelpunt **351** 3
~ontvanger **309** 23
~opbouw **351** 1-26
~stelsel **351** 1-26
~structuur **351** 1-26
~suiker **98** 55
KR-klasse **284** 63
krodde **61** 18
kroeze|tang *Goud- en zilversmid* **108** 11
~tang *Chemisch lab.* **350** 32
kroezing **170** 59
krokodil **356** 13
kromhoorn **322** 6
kromme **346** 21; **347** 11; **347** 13
kromme, maximum **347** 19
kromme, minimum **347** 20
kromte|middelpunt **346** 23
~straal **346** 22
kronkel|berg **13** 12
~darm **20** 16
kroon *Mens* **19** 37
~ *Tandarts* **24** 28
~ *Wild* **88** 9
~ *Uurwerken* **110** 42
~ **254**
~ *Heraldiek* **254** 37, 38, 42-46
~ *Algem. Plantk.* **370** 3
~Deense **252** 24
~gouden **24** 28
~Noorse **252** 26
~Tsjechoslowaakse **252** 27
~Zweedse **252** 25
~blad *Steenvruchten* **59** 11
~blad *Algem. Plantk.* **370** 59
~blok **145** 4
~kurk **93** 27
kroonkurkopener **45** 47
kroon|lijst **334** 11-14; **335** 48
~luchter **267** 21
~moer **143** 24, 77
~steentje **127** 29
~wiel *Molens* **91** 7
~wiel *Machine-ond.* **143** 93
krop *Tafelgerei* **45** 53, 55
~ *Huisdieren* **73** 20
~ *Molens* **91** 19
~aar **69** 25
~gans **359** 5
~gat **91** 19
~sla **57** 36
Krügerklep **229** 55
kruiden **99** 67
kruidenier **98**
~ *Kruidenier* **98** 1-87
kruidenierswinkel **98** 1-87
kruiden|potje **39** 32
~rek *Keuken* **39** 31
~rek *Kinderkamer* **47** 29
kruidnagel **382** 28
kruidnagelboom **382** 26
kruier **205** 31
kruim **97** 3
kruimel|cake **97** 43
~gebak **97** 35
kruin *Mens* **16** 1
~ *Bruggen* **215** 31
~ *Waterbouw* **217** 59
~kale **34** 21
kruipertje **61** 28
kruip|pak **29** 23
~pakje **29** 11
kruis *Paard* **72** 31
~ *Geld* **252** 8
~ *School* **260** 28
~ *Muzieknotatie* **320** 50
~ *Kerk* **331** 10; **332** 33
~aartsbisschoppelijke **332** 62
~Bourgondische **332** 70
~christelijk **332** 55-72
~dubbele **320** 51
~Griekse **332** 56
~herkruiste **332** 68
~Latijnse **332** 55
~Lotharingse **332** 62
~Maltezer **312** 38
~patriarchale **332** 62, 65
~pauselijke **332** 66
~Russische **332** 57
~arcering **340** 54
~bes **58** 1
kruisbessentaart **97** 22
kruisbessestruik **52** 19
kruisbestak, bloeiende **58** 2
kruis|bloem **335** 37
~bolder **217** 13, 14
~bramzeil **218** 54
~drager **331** 43
kruisen **285** 25-28
kruis|gewelf **335** 31-32
~graatgewelf **336** 42
~greep *Eerste hulp* **21** 21
~greep *Toestelturnen* **296** 43
~hoofd **210** 27
kruising, ongelijkvloerse **15** 22
kruiskop|schroef **143** 26
~schroevedraaier **134** 5
kruis|kruid, gewone **61** 12
~mast **220** 24, 30
~net **89** 29
~rak **285** 22
~ribgewelf **336** 43
~ridder **329** 72
~roede **37** 35
~schoor **118** 30, 88
kruissledegeleiding **174** 48
kruis|spin **358** 45
~spoel *Weverij* **165** 8, 13, 24
~spoel *Kunstvezels* **170** 51
~spoel, verzendklare **170** 52
kruisspoeldiameter, aanwijzer **165** 7
kruis|spoelen **170** 50
~spoelen, conische **169** 27
kruisspoel|houder **165** 9
~machine **165** 1
~rek **165** 25
kruis|sprong **297** 44
~staart **229** 28
~steek **102** 5
~-T **126** 50
kruistafel *Optische instr.* **112** 10
~ *Gereedsch. werkt.* **150** 28
~draaibare **112** 29
~inrichting **115** 98
kruis|verband **118** 65
~vouwmes **185** 12
kruiswegstatie **330** 54
kruiswissel, dubbele **203** 49-52
kruit, rookloze **87** 53
kruit, zwart **87** 53
kruit|lading **87** 57
~vlag **253** 38
krui|wagen *Tuingereedschap* **56** 47
~wagen *Bouwplaats* **118** 37; **119** 42
kruk *Gas- & waterfitter* **126** 32
~ *Wegenbouw* **201** 18
~ *Spoorweg* **203** 57
~ *School* **260** 58
~as *Verbrand.mot.* **190** 23
~as *Auto* **192** 29
~as *Leermiddelen* **242** 50
krukas|carter **242** 51
~lager **192** 23
~lager, kap **190** 22
kruk|kast **242** 51
~kast, spoeling **242** 59
~kenkruis **332** 70
~tapboring **192** 26
krul *Kapsels & baarden* **34** 3
~ *Rokersartikelen* **107** 25
~ *Muziekinstr.* **323** 17
~haar **34** 18, 33
~pruik **34**
~staartje **73** 12
~tang *Dameskapper* **105** 5
~tang *Herenkapper* **106** 31
KTV-ontvanger **240** 1
kubel **201** 24
kubus *Kleuterschool* **48** 21
~ *Wiskunde* **347** 30
~ *Kristallen* **351** 2, 14, 16
~kapiteel **335** 21
kuif **362** 16
kuif, opzetbare **359** 26
kuifleeuwerik **361** 19
kuiken **74** 2
kuil, verlengde **90** 22
~wijdte **143** 84
kuip *Tuinderij* **55** 48
~ *Viskwekerij* **89** 4
~ *Molens* **91** 20
~ *Papierverv.* **172** 25
~ *Motorfiets* **189** 44
~ *Zwembad* **281** 26
~ *Zeilen* **285** 38
kuiper **130**
~ *Reservoirbouwer* **130** 11
~werkplaats **130** 1-33
kuiperij **130** 1-33
kuip|plant **55** 47
~stoel **305** 90
~stuk **123** 49
kuit *Mens* **16** 53
~ *Viskwekerij* **89** 12
kuitbeen **17** 24
kuitbeen|knobbel **19** 59
~spier, lange **18** 64
kuiter **89** 13
kuit|snoek, afstrijken **89** 11
~spier **18** 62
~steun **303** 5
~vis **89** 13
~zenuw **18** 33
kulas **255** 54
kunst **333** ; **334** ; **335** ; **336** ; **337**
~Assyrische **333** 29-36
~Babylonische **333** 19-20
~Byzantijnse **334** 72-75
~Chinese **337** 1-6
~Egyptische **333** 1-18
~Etruskische **334** 49-52
~gotische **335** 22-41
~grafische **340**
~Griekse **334** 1-48
~Indische **337** 19-28
~Islamitische **337** 12-18
~Japanse **337** 7-11
~Kleinaziatische **333** 37
~Perzische **333** 21-28
~Romaanse **335** 1-21
~Romeinse **334** 53-60
~vroeg-christelijke **334** 61-71
kunstenaar **338** 2
kunst|gebit **24** 25
~hars, glasvezelversterkte **130** 26
kunstmest **63** 14

L

multiplicatorbuis **112** 51
multi-purpose|-terminal **226** 16
~-vaartuig **221** 57
multi-shot-camera **115** 77
multi-unit|-filmspoel **116** 4
~-ontwikkeltank **116** 3
mummie **352** 21
munitie **87** 19
munt *Geld* **252** 9
~ *Prehistorie* **328** 37
~aluminium **252** 1-28
~gouden *Sieraden* **36** 37
~gouden *Geld* **252** 1-28
~koperen **252** 1-28
~nikkelen **252** 1-28
~zilveren **252** 1-28
~armband **36** 36
~automaat **237** 1
~biljetten **252** 29-39
munten, slaan **252** 40-44
muntmeestersteken **252** 10
munt|plaatje **252** 43
~rand **36** 38
~ring **252** 42
~slag **252** 40-44
~stempel **252** 12
~stempels **252** 40-41
~tafel **252** 44
~telefoontoestel **237** 3
~zijde **252** 9
muraalboog **335** 19
mus **361** 5
musachtige **361**
musculatuur **18** 34-64
musculatuur, mimische **19** 6
musicus **306** 3
muskaatnoot **382** 34, 35
muskusos **367** 10
mustang **352** 4
muts *Kinderkleding* **29** 57
~ *Hoofddeksels* **35** 9, 10, 19, 26, 31, 33
~ *Volkenkunde* **353** 23; **354** 26
~ *Hist. kostuums* **355** 65
mutsje *Babyverz. & uitzet* **28** 26
~ *Kinderkleding* **29** 2
mutulus **334** 13
muur *Landkaart* **15** 95
~ *Bouwplaats* **118** 15
~ *School* **260** 45
~ *Paardesport* **289** 8
~ *Balspelen* **291** 44
~ *Kunst* **334** 6
~stenen **337** 23
~fontein **272** 15
~gekko **364** 36
~kandelaar **330** 16
~kroon **254** 46
~peper *Siertuin* **51** 7
~peper *Weidebloemen* **375** 21
~pijler **335** 46
~plaat *Dak* **121** 44
~plaat *Dak & dakdekker* **122** 40
~plaat *Gas- & waterfitter* **126** 48
~schildering **338** 40
~tegel **49** 19
muurtje **291** 44
muziek|automaat *Kermis* **308** 38
~automaat *Vlooienmarkt* **309** 14
~instrument **322** ; **323** ; **324** ; **325** ; **326**
~noot **320** 3-7
~notatie **320** ; **321**
~notatie *Muzieknotatie* **321** 23-26
~plaat, geperforeerde **309** 15
~studio **310** 14
mycelium *Veldgewassen* **68** 4
~ *Eetb. paddest.* **381** 2
myrtus **53** 11

N

naad, gestoten **128** 20
~band *Dameskleermaker* **103** 14
~band *Herenkleermaker* **104** 19
~lat **285** 55
~spantenbouw **285** 54
naaf *Fiets* **187** 26, 59
~ *Auto* **191** 57
~huis **187** 69
naaibank **183** 9
naaien **183** 8
naai|garen *Herenkleermaker* **104** 9
~garen *Boekbinderij* **183** 10
naaimachine|garen **103** 12
~lade **104** 18
~tafel **104** 17
naai|mechanisme **133** 5
~steken **183** 34
~werk, open **102** 14, 27
~zijde **104** 10
naaktmodel **338** 32
naald *Fotografie* **115** 57
~ *Machine-ond.* **143** 76
~ *Constr. bureau* **151** 56
~ *Tricotage* **167** 53, 63
~ *Vlooienmarkt* **309** 33
~ *Prehistorie* **328** 29
~ *Naaldbomen* **372** 19, 23
~, chirurgische **22** 57
~, gebogen **151** 67
~balk **163** 25
~boom **372**
~boom *Naaldbomen* **372** 1-71
naalddrukinstelling **241** 24
naalden|balk **167** 28
~bed **167** 51, 55
~ketting **168** 24
~rij **167** 27, 46, 47
naald|groef **167** 15
~houder **151** 54
~hout **15** 1
~kant **102** 30
~kooi **143** 75
~lager **143** 75-76
~voerder **22** 59
~vormig **370** 34
naam|bordje **54** 4
~kaartje **45** 13
~plaat **285** 46
nabestaande **331** 38
naborst **95** 25
nacht|club **318**
~club *Nachtclub* **318** 1-33
~crème **99** 27
nachtegaal **361** 14
nachtegaal, grote **361** 17
nacht|goed **32**
~hemd **32** 16
~japon **32** 16
nachtschade **379** 5
~achtige **53** 6
nacht|schoot **140** 39
~silene **376** 26
~teken, verlichte **203** 38
~vlinder *Ongedierte (bos)* **82** 14
~vlinder *Vlinders* **365** 7-11
~wolk, lichtende **7** 22
nadenrol **128** 36
nadir **4** 13
nadrukteken **342** 30-35
nagel **19** 57, 80
~, gesmede **121** 94
~lak **99** 32
~steek **143** 60
najade **327** 23
namaakstier **319** 3
namen **293** 36
Nansenslee **303** 18
napje **371** 5
nar **306** 38
narcis **60** 3
narcis, witte **60** 4
~achtige **53** 8
narcoseapparatuur **26** 1, 24
nargileh **107** 42
narijping **169** 11
narren|decoratie **306** 60
~kap **306** 39
~kolf **306** 48
~scepter **306** 59
na|sorteerder **172** 58
~strekking **298** 15
nasynchronisatie **311** 37-41
nasynchronisatie|regisseur **311** 38
~spreekster **311** 39
~studio *Omroep* **238** 27-53, 28
~studio *Film* **311** 37
nat|filter, eerste **173** 17
~filter, tweede **173** 18
natievlag, stok **223** 31
nat|nip **173** 19
~pers, eerste **173** 19
~pers, tweede **173** 20
natrium|atoom, elektronenschil **1** 8
~ion **1** 11
~kringloop, primaire **154** 2
~kringloop, secundaire **154** 7
natron|cellulose, omzetten **169** 9
~cellulose, rijpen **169** 7
natronkalkabsorbeerder **27** 39
natron|loog **169** 3, 10; **170** 10; **170** 11
~loog, overtollige **169** 5
nattébinding **171** 11
natte-olietank **145** 30
naturist **281** 16
natuursteen **158** 30
natwijnen **170** 47
navel **16** 34
navigatie **224**
~licht *Navigatie* **224** 29
~licht *Vliegtuigen* **230** 44, 50
~licht *Luchtmacht* **257** 36
~licht *Oorlogsschepen* **258** 56
~licht *Vliegsport* **288** 31
~mast **221** 37
~officier **224** 37
navigator **224** 37
Neanderthaler **261** 19
nectariën **59** 18
neer|slag **8** 9, 10
~slag, gelijkmatige **8** 18
~slag, ongelijkmatige **8** 19
neerslag|gebied **9** 30
~meter **10** 44
~vormen **8** 18-19
negatief|geleider **116** 30
~houder **116** 30
negenkwartsmaat **320** 40
neger **354** 13
negerhut **354** 21
negerin **354** 22
negge *Bouwplaats* **118** 10
~ *Timmerman* **120** 32
~ *Waterbouw* **217** 70
~kant *Bouwplaats* **118** 10
~kant *Timmerman* **120** 32
néglige **355** 66
nek *Mens* **16** 21
~ *Paard* **72** 12
~ *Wild* **88** 3
~ *Slachtvee* **95** 20, 47
~, spalkspier **18** 51
~bescherming **270** 38
~kwast *Dameskapper* **105** 10
~kwast *Herenkapper* **106** 27
Neolithicum **328** 10-20
Neptunus **4** 51
nereiide **327** 23
nerts **30** 60
~hoed **35** 18
~jasje **30** 1
~mantel **131** 24
~muts **35** 20
~pet **35** 17
~vel **131** 11, 19, 20
nervatuur **370** 29
nestgat **359** 28
Net **3** 48
net *Zeevisserij* **90** 8
~ *Balspelen* **293** 13
netel **61** 33
net|gewelf **336** 45
~hemd **32** 22
~houder **293** 14
netje **86** 27
netknoopwerk **102** 22
netkousen **306** 10
netlijn|aansluiting **237** 24
~toets **237** 18
net|paal **293** 15
~rechter **293** 23
~slip **32** 23
netsonde **90** 17
netsondekabel **90** 14
net|speler **293** 63
~vleugelige **358** 12
~vlies **19** 49
~voeding **311** 11
neus *Mens* **16** 10
~ *Honderassen* **70** 4
~ *Paard* **72** 6
~ *Machine-ond.* **143** 29
~ *Ruimtevaart* **235** 20
~ *Vissen* **364** 2
~, dichte **101** 53
~, opgestikte **100** 58
~, verstelbare **231** 16
~been **17** 41
~gat *Paard* **72** 7
~gat *Zoogdieren* **367** 26
~holte **17** 53
~hoorn **366** 25

O

S

~klem *Chemisch lab.* **350** 30
~koppeling **270** 29
~kraan **196** 3
~nippel **56** 45
sla|olie **98** 24
~planten **57** 36-40
slaven|galei **218** 44-50
~opzichter **218** 47
slavork **45** 68
slechtvalk **362** 2
slede *Tricotage* **167** 39, 41
~ *Fotogr. reprod.* **177** 59
~ *Vliegtuigen* **232** 15
~ *Luchtmacht* **256** 21
~geleiding **167** 45
~hond **353** 2
slee, arctische **303** 18
slee, houten **303** 1, 2
~doorn **374** 27
~hak **101** 24
~hakzool **101** 24
sleep *Rivier* **216** 22
~ *Hist. kostuums* **355** 80
~beting **227** 10
~beugel **301** 61
~boot *Rivier* **216** 23
~boot *Scheepsbouw* **222** 42
~boot *Bergen & slepen* **227** 5, 16
~haak **227** 27
~helling **221** 88
~kabel *Bergen & slepen* **227** 8
~kabel *Zweefvliegen* **287** 4
~kabel *Wintersport* **301** 63
sleepkopzuiger **216** 59
sleep|lier **227** 7
~lift **301** 59
~lijn *Zeevisserij* **90** 12
~lijn *Waterskiën* **286** 48
~materiaal **227** 6-15
sleepnetvisserij **90** 11-23
sleep|schipper **216** 26
~spoor **301** 60
~start **287** 1
~stuk **197** 24
~touw **288** 69
~tros **216** 24
~vliegtuig **287** 2
slenk **12** 11
slepen *Scheepsbouw* **222** 42
~ **227**
sleuf *Machine-ond.* **143** 36, 38, 49
~ *Verkiezingen* **263** 30
sleutel *Jachtwapens* **87** 25
~ *Bankwerker* **140** 33-35
~ *Machine-ond.* **143** 21
~ *Bruggen* **215** 31
~ *Muzieknotatie* **320** 8-11
~ *Muziekinstr.* **324** 11
~ *Prehistorie* **328** 32
~, verstelbare *Gas- & waterfitter* **126** 66
~, verstelbare *Garage* **195** 44
~been **17** 6
sleutelbloem **376** 8
~achtige **53**
sleutel|bord **267** 3
~gat **140** 40
~kast **324** 10
slib|silo **160** 5
~vanger **210** 28
slick **305** 86
sliding **283** 41-50
slijkvanger **210** 28
slijpautomaat **111** 24
slijpen **129** 28
slijp|kop, handel **157** 46
~lager **163** 41
~machine *Smid* **138** 7
~machine *Bankwerker* **140** 18
~machine *IJzergieterij* **148** 44
~mal **111** 25
~mal, ingezette **111** 26
~schijf *Doe-het-zelf* **134** 23
~schijf *Smid* **137** 19; **138** 8
~schijf *Bankwerker* **140** 19
~schijf *Gereedsch. werkt.* **150** 4
slijpschijvenset **111** 28, 35
slijpsel **36** 42-86
slijpsel, normaal gefacetteerde **36** 48, 49
slijp|steen *Houtzagerij* **157** 43
~steen *Papierverv.* **172** 71
~support **150** 3
~vorm *Sieraden* **36** 42-86
~vorm *Opticien* **111** 35
slijtlaag **198** 5
slingback **101** 53
slinger *Waterbouw* **217** 53
~ *Atletiek* **298** 44
~ *Carnaval* **306** 5
~ *Vlooienmarkt* **309** 58
~apparaat **179** 1
slingerdempingsinstallatie **224** 26
slinger|honing **77** 62-63
~inrichting **2** 35
~kiel **222** 47
~kogel **298** 42
~lens *Uurwerken* **110** 27
~lens *Vlooienmarkt* **309** 58
~molen **172** 5
~sproeileiding **67** 1
~wier **378** 48
slip *Ondergoed* **32** 15
~ *Nachtgoed* **32** 26
~ *Paardesport* **289** 48, 49
~jacht **289** 41-49
slipje **32** 15
slipper **101** 49
slipper, houten **101** 44
slob|broek *Babyverz. & uitzet* **28** 24
~broek *Kinderkleding* **29** 45
sloep *Scheepstypen* **221** 78, 107
~ *Motorschip* **223** 19
~ *Oorlogsschepen* **258** 12, 61; **259** 35
~davit **258** 13, 83
sloependek **223** 19-21
slof **323** 13
~, houten **119** 16
slok|darm *Mens* **17** 49; **20** 23; **20** 40
~darm *Bijen & imkerij* **77** 19
sloot *Beregening* **67** 13
~ *Waterbouw* **216** 37
slot *Hal* **41** 27
~ *Tricotage* **167** 6, 40, 57
~ *Kantoor* **246** 23
~bout **121** 98
slotenmaker **140** 1
slothoeksprong **297** 40
slotje **36** 10
slotje, witgouden **36** 10
slot|mantel **167** 13
~plaat **149** 16
slow motion-regelaar **243** 49
sluier **381** 5
~wolk **8** 7
sluis **15** 58
~bodem **217** 79
~deur **217** 18, 19
~kolk **217** 20
sluitertijdenknop **115** 19
sluithaak **67** 30
sluiting **32** 24
sluit|inrichting **90** 27
~klem **117** 62
~klep **217** 53-56
~kool **57** 32
~kop **143** 59
~pan **122** 4
~ponton **222** 32
~ring **143** 17
~spier *Mens* **20** 63
~spier *Bijen & imkerij* **77** 17
~steen **335** 32; **336** 23
~stuk **181** 39
sluizencomplex **217** 17-25
slurf *Luchthaven* **233** 14
~ *Zoogdieren* **366** 21
~dier **366** 20
smaldier **88** 1, 34
smalfilm **117**
~camera *Smalfilm* **117** 1
~camera *Film* **313** 31, 35
~projector *Smalfilm* **117** 78
~projector *Nachtclub* **318** 20
smal|spoor *Bouwplaats* **119** 27
~spoor *Steenfabriek* **159** 4
~spoor *Wegenbouw* **200** 23, 24, 25
smalspoortrekker **78** 21
smal vet **175** 10
smash **293** 17
smashbal **293** 17
smeed|blok, bovenste **139** 38
~blok, onderste **139** 39
~gereedschap **137** 22-39
~hamer, dubbele **139** 5
~hamer, pneumatische **137** 9
~oven, gasgestookte **139** 47
~pers, hydraulische **139** 35
smeedstukmanipulator **139** 32
smeed|tang **137** 24
~zadel *Smid* **137** 17
~zadel *Bankwerker* **140** 14
smeer|nippel *Machine-ond.* **143** 81
~nippel *Fiets* **187** 65
smeerolie **145** 62
smeerolieraffinaderij **145** 67
smeer|pomp, automatische **210** 42
~wortel *Groenvoeder* **69** 13
~wortel *Weidebloemen* **375** 45
smelt **162** 50
smelt|bad **162** 14
~draad **127** 36, 68
smelter **148** 7
smelterij **148** 1-12
smelt|ketel **170** 30
~oven *Goud- en zilversmid* **108** 8
~oven *IJzergieterij* **148** 1
~oven *Glasfabrikage* **162** 3
~oven *Clichéverv.* **178** 19
~patroon **127** 36
~spinkop **170** 41
~veiligheid **127** 36
~wan **162** 1, 3, 14
smetlijn **122** 81
smid **137** ; **138**
smidse **137** 1; **138** 34
smids|haard **137** 1-8; **138** 34
~vuur **137** 1-8; **138** 34
smoeltje **283** 21
smoking **33** 7
~hemd **32** 43
smoor|klep *Ziekenhuis* **27** 43
~klep *Auto* **192** 9
smoutzetter **174** 5
snaar **322** 44, 55; **323** 9; **323** 61; **324** 6; **324** 14; **325** 7
snaar|houder **324** 4, 13
~instrument **323** 1-27; **324** 1-31
~stift **325** 14
~trommel **324** 48
snavel **362** 6
~insekt **358** 4
snede *Tafelgerei* **45** 57
~ *Bosbouw* **85** 2
~ *Grafische kunst* **340** 4
sneeuw **9** 34
~, opgewaaide **304** 5
~, verijsde **304** 19
~bal *Winterlandschap* **304** 15
~bal *Sierstruiken & -bomen* **373** 10
sneeuwballengevecht **304** 14
sneeuw|blok **353** 5
~bril **300** 18
~brug **300** 24
~centrifuge **213** 17
~duin **304** 5
~haak **122** 16
~hek **304** 6
~hoop **304** 24
~hut **353** 4
~ketting **304** 10
~klimmen **300** 14-21
~klokje **60** 1
~kruis **10** 48
~laag **304** 20
~lawine **304** 1
~man **304** 13
sneeuwploeg **304** 8
~borden **203** 34-35
sneeuw|pop **304** 13
~rand, overhangende **300** 20
~richel **300** 4
~rooster **38** 8
~ruimer **304** 22

~loper **46** 35
~piano **325** 40
~poot **44** 2
~statief **115** 99
~tennis **293** 45-55
tafeltennis|bal *Speeltuin* **273** 5
~bal *Balspelen* **293** 48
~bat *Speeltuin* **273** 4
~bat *Balspelen* **293** 45
~net *Speeltuin* **273** 3
~net *Balspelen* **293** 53
tafeltennisser **293** 49
tafeltennis|spel *Speeltuin* **273** 1
~spel *Balspelen* **293** 45-55
~speler **293** 49
~tafel **293** 52
tafel|toestel, standaardmodel **237** 6
~versiering **45** 19
tagetes **60** 20
taille **16** 31
~, ingesnoerde **355** 53
~band **31** 41
~slip **32** 8
tail slide **288** 5
tak *Steenvruchten* **59** 19
~ *Noten* **59** 48
~ *Wild* **88** 10
~ *Algem. Plantk.* **370** 5
~ *Alpenplanten* **378** 2
~, bloeiende *Zacht fruit* **58** 14
~, bloeiende *Steenvruchten* **59** 1, 33
~, bloeiende *Noten* **59** 37
~, met vruchten **372** 63
~broche, ivoren **36** 30
takel **137** 20
takeling *Hist. scheepst.* **218** 32
~ *Zeilschip* **219** 1-72
takenummer **310** 35
talenpracticum **261** 35
talon **251** 19
talud *Bouwplaats* **118** 72
~ *Waterbouw* **216** 38; **217** 28
tamboer *Katoenspinnerij* **163** 43, 55
~ *Kunst* **335** 44
tamboerijn *Discotheek* **317** 27
~ *Muziekinstr.* **324** 45
Tamil **341** 11
tampon **340** 22
tamponneerborstel **129** 18
tamtam **354** 18
tand *Mens* **19** 28-37
~ *Tafelgerei* **45** 60
~ *Landbouwmach.* **64** 54
~ *Landbouwwerkt.* **66** 4
~ *Machine-ond.* **143** 83
~ *Tricotage* **167** 52
~, houten **91** 9
~, porseleinen **24** 29
~, staande **118** 64
~, vallende **118** 61
~, verende **65** 57
tandarts **24**
~ *Tandarts* **24** 1
~gereedschap **24** 4
~kruk **24** 14
~stoeltje **24** 14
tand|been **19** 31
~beitel **339** 13
tandem **186** 50
~opstelling **232** 22
tanden|borstel, elektrische **49** 29
~eg, driedelige **65** 88
tandenstokerhouder **266** 23
tand|glazuur **19** 30
~hak **66** 8
~heugel **214** 9
~ijzer **339** 13
tanding **236** 62
tand|krans **143** 90
~lijst **334** 14
~merg **19** 32
tand-met-schuine-borstverbinding **121** 90
tandpasta **99** 31
tandrad|baan **214** 4-5
~locomotief **214** 4
~pomp **169** 13
tandreep **214** 11
tandreepspoor **214** 7-11
tand|reinigingsinstrumenten **24** 45
~schaaf **132** 17
~segment **249** 31
~stang **64** 53
~stomp, geprepareerde **24** 27
~vlees **19** 15
~vulling **24** 30
~wiel *Machine-ond.* **143** 82-96
~wiel *Fiets* **187** 35
~wiel *Auto* **192** 34, 36, 39, 43
tandwiel, getrapt **143** 82
~kast *Ivoordraaier* **135** 4
~kast *Katoenspinnerij* **163** 29; **164** 2; **164** 33; **164** 39
~kast *Papierverv.* **172** 69
~kast *Spoorwegmaterieel* **211** 50
~reductiekast **259** 61
~vertraging **149** 3
tang *Vrij- & matrijssmeden* **139** 33
~ *Glasfabrikage* **162** 44
~ *Grafische kunst* **340** 50
tangens **346** 32
tangent **322** 43
tank *Maanlanding* **6** 6
~ *Reservoirbouwer* **130** 1
~ *Smid* **137** 37
~ *Off-shore boren* **146** 18
~ *Cokesfabriek* **156** 32, 42
~ *Papierverv.* **172** 41, 45, 46
~ *Vrachtw. & bussen* **194** 28, 30
~ *Scheepstypen* **221** 36
~ *Ruimtevaart* **234** 12, 24, 26, 39, 41; **235** 57
~ *Strijdkrachten* **255** 79-95
~, roestvrijstalen **79** 4
~, ronde **145** 73
~, verbindingsstuk **234** 16
tankautospuit **270** 51
tankbodemventiel **38** 49
tankdeksel **38** 48
tanker *Scheepstypen* **221** 35
~ *Haven* **225** 73
tank|oplegger **194** 30-33
~park **225** 61
~schip *Scheepstypen* **221** 35
~schip *Haven* **225** 73
~top **222** 54
~ventiel **234** 44
~wagen **233** 22
tap *Bankwerker* **140** 60
~ *Machine-ond.* **143** 31, 63
~ *Kuuroord* **274** 17
~ *Discotheek* **317** 8
~bout **143** 22
tape *Gas- & waterfitter* **126** 75
~ *Omroep* **238** 5
tapeind **143** 22
tapijt *Hal* **41** 18
~ *Slaapkamer* **43** 23
~ *Kerk* **330** 3
~, Perzische **46** 36
~borstel **50** 45
~reiniger **50** 76
tapir **366** 26
tap|kraan *Verwarm. kelder* **38** 65
~kraan *Gas- & waterfitter* **126** 34
tappenvijl **109** 9
tarwe **68** 23
, tarwe, Turkse **68** 31
~bloem **99** 63
~kiemolie **98** 24
~meel *Bakkerij* **97** 52
~meel *Supermarkt* **99** 63
tarwe-roggebrood **97** 8
tarzetnarcis **60** 4
tas *Bosbouw* **84** 30
~ *Loodgieter* **125** 23
tasjeskruid **61** 9
tassen|haak **188** 54
~vouwmachine **185** 8
tast|bal **19** 78
~steunwiel **64** 88
~wiel **64** 86
tatoeage **306** 44
taukruis **332** 59
Taurus **3** 25; **4** 54
taxi *Luchthaven* **233** 32
~ *Stad* **268** 64
~baan **233** 2
~standplaats **268** 63, 66
~teken **268** 65
~telefoon **268** 67
taxus **372** 61
"T"-camera, standaard **177** 24
tearoom **265** 1-26
teclubrander **350** 4
TED-beeldplatensysteem **243** 37-45
teddy|beer *Babyverz. & uitzet* **28** 46
~beer *Speeltuin* **273** 26
~beer *Vlooienmarkt* **309** 12
TEE **209** 1-22
tee **293** 79, 90
teef *Huisdieren* **73**
~ *Wild* **88** 42
teek **358** 44
teen **19** 52, 53, 54, 55, 56
, teen, grote **18** 49
teen|kootje **17** 29
~slipper **101** 48
teenslipsandaal **101** 48
teen|spits **314** 19
~stuk **301** 55
teer **156** 32
~, destillatie **170** 4
~, extractie **170** 3
~afscheiding **156** 18
teerlingkapiteel **335** 21
teerpapier **122** 62
TEE-trein, elektrische **205** 34
tegel **51** 17
~pad **37** 45
~vloer **123** 26
tegen|binding **171** 28
~drie **302** 17
tegendruk|cilinder *Offsetdruk* **180** 35, 64
~cilinder *Boekdruk* **181** 44
tegen|effectstoot **277** 6
~gewicht **217** 76
~kabel **214** 46
~licht **316** 14
tegenlichttubus **313** 5
tegen|stander **293** 18, 50
~stander, k.o. geslagen **299** 40
~stroom, Equatoriale **14** 33
~wende **302** 18
~wicht **322** 39
teken **268** 33
~chromatische **320** 50-54
~, diacritische **342** 30-35
~, negatieve **344** 8
~, positieve **344** 7
~topografisch **15** 1-114
~atelier **338**
tekenbord **151** 1
tekenbordverstelling **151** 5
tekenhaak **151** 9
tekening, opgerolde **151** 10
~, schematische **260** 34
~, technische **151** 16
~stempel **151** 31
teken|inkt **151** 36
~kop, verstelbare **151** 3
~machine **151** 2
~potlood **260** 5
~rol **151** 10
~tafel *Constr. bureau* **151** 6
~tafel *Schilderatelier* **338** 34
~vulpen **151** 38
~vulpen, houder **151** 37
tekenvulpeninzetstuk **151** 68
tekkel, kortharige **70** 39
tekslichter **100** 47
tekst|boek **316** 41
~haakje **342** 25
telbuis **2** 21
telbuis, houder **2** 20
telefax **245** 1
telefoniste **237** 35
telefoon *Arts* **22** 18
~ *Hal* **41** 7
~ **237**
~ *Post* **237** 8
~ *Omroep* **239** 13
~ *Kantoor* **246** 13; **248** 9
~ *Hotel* **267** 34
~, aansluitbus **249** 67
~, vloercontactdoos **127** 23
~abonnee **237** 2
~apparaat **237** 6-26
~automaat **236** 9
~bankje **41** 10
~beeldscherm **242** 26
~boek **236** 12; **237** 5
telefoonboekenrek **236** 10
telefoonboekhouder **236** 11

~narcis **60** 4
~vrucht **58** 28
trotteur, hoge **101** 29
trottoir *Woningtypen* **37** 60
~ *Straat* **198** 9
~band **198** 7
~plaveisel **198** 8
~rand **198** 6
troubadour **329** 70
trouw|ring *Sieraden* **36** 5
~ring *Kerk* **332** 17
trouwringvergroot- en verkleinmachine **10** 24
trucage|knop **117** 84
~schakelknop **117** 87
truffel **381** 9, 10, 11
trui **30** 7; **31** 51
tsetsevlieg **81** 43
T|-shirt *Kinderkleding* **29** 27
~-shirt *Dameskleding* **31** 38
~-shirt *Nachtgoed* **32** 28
~-shirtje **29** 7
tsjiboek **107** 32
T|-staal **143** 3
~-staart *Vliegtuigen* **229** 29
~-staart *Luchtmacht* **256** 31-32
~-staart *Zweefvliegen* **287** 10
~-stuk **126** 44, 47
tsunami **11** 53
tuba **323** 43
tube *Arts* **22** 47
~ *Wielrennen* **290** 19
~ *Schilderatelier* **338** 11
tubenhouder **22** 46
tuberoos **60** 9
tubus **113** 8, 9
tubus, binoculaire **112** 12
tudorboog **336** 37
tui *Wijnbouw* **78** 8
~ *Bruggen* **215** 47
~brug **215** 46
tuile **122** 59
tuimelaar *Bankwerker* **140** 38
~ *Spoorweg* **202** 18
~veer **140** 42
tuimelcelwals **64** 75
tuimel|rooster **210** 5
~rooster, slinger **210** 40
~schakelaar **127** 4
tuin **37** 57
~, Engelse **272** 41-72
~, Franse **272** 1-40
~aardbei **58** 16
~aarde **55** 15
~anjelier **60** 7
~anjer **60** 7
~bank **272** 42
~bloem **60**
~boon **69** 15
tuinbouwbedrijf **55** 1-51
tuin|broek *Kinderkleding* **29** 40
~broek *Dameskleding* **30** 21
tuinder **55** 20
tuinderij **55**
~ *Tuinderij* **55** 1-51
tuinders|hulp **55** 46
~knecht **55** 45
tuin|gereedschap **56**
~huisje **52** 14
tuinier **52** 24
tuin|lamp **37** 38
~man **272** 66
~pad *Siertuin* **51** 14
~pad *Moestuin* **52** 23
~slang *Woningtypen* **37** 42
~slang *Tuingereedschap* **56** 27
~sproeier **37** 43
~spuit **56** 24
~stoel *Woningtypen* **37** 49
~stoel *Siertuin* **51** 2
~tafel **37** 50
~trap **37** 39
tuisysteem **215** 51
tuit **147** 43
tui|touw **78** 8
~verankering **215** 48
tul|band *Bakkerij* **97** 33
~band *Supermarkt* **99** 22
~band *Volkenkunde* **353** 46
tulbandvorm **40** 29
tule **102** 16
tule-borduurwerk **102** 15
tulpeboom **374** 1
tumulus **328** 16
tuner *Geluidsapp.* **241** 37, 52
~ *Discotheek* **317** 22
~ *Nachtclub* **318** 18
tunica **355** 12, 19, 25
tuniek *Dameskleding* **30** 29, 50
~ *Scheepstypen* **221** 115
~blouse *Kinderkleding* **29** 48
~blouse *Dameskleding* **30** 45
~trui **31** 65
tunnel *Landkaart* **15** 70
~ *Stationshal* **204** 23
~ *Bergtreinen* **214** 6
~ *Luchthaven* **233** 6
~ceintuur **31** 66
~koord **29** 67
~oven **161** 5
turbine *Beregening* **67** 20
~ *Spoorwegmaterieel* **209** 24
~ *Vliegtuigen* **232** 47
~, omkeerbare **155** 39
~aggregaat **154** 33
~huis **217** 43
~-inlaat **155** 40, 41
~-installatie **146** 5
~motor **232** 17, 24
~transmissie **209** 10
~zaal **152** 22
turbo|compressor **212** 51
~generator *Elektr. centr.* **153** 23-30
~generator *Kernenergie* **154** 15, 34
turboprop|motor *Vliegtuigen* **231** 5; **232** 30; **232** 51
~motor *Luchtmacht* **256** 16
~vliegtuig **231** 4
turbostraalmotor **231** 26; **232** 33-50
turf, baal **206** 10
~molm **55** 31
turn|broek **296** 62
~hemd **296** 61
~kleding **296** 61-63; **297** 51-52
~mat **296** 13
~pak **297** 51
~riem, leren **296** 47
~schoen **296** 63; **297** 52
~toestel, dames **297** 1-6
~toestel, heren **296** 1-11
turrethead **117** 46
tussen|as **190** 57
~balk **121** 54
~beeld, venster **113** 37
~dek **223** 76
~deur **207** 18
~flens **190** 39
~flyer **164** 27
~gang **222** 45
~laag **198** 3, 4
~laag, kartonnen **340** 37
~motorrijtuig **211** 62
~regel **120** 26, 55
~ring, bovenste **234** 45
~ring, onderste **234** 49
~ruimte **320** 44
~schot *Mens* **20** 52
~schot *Bouwplaats* **119** 25
~schot *Kantoor* **248** 1
~spoor **121** 56
~spoorstaaf **202** 26
~station **236** 34
~titel **185** 67
~tubus **115** 81
~vloer *Timmerman* **120** 43
~vloer *Vloer, plafond, trapconstr.* **123** 68-69
tutu **314** 29
t.v. **42** 8
~-camera *Kernenergie* **154** 78
~-camera *Scheepstypen* **221** 37
~-camera, aansluiting **112** 36
twaalfloopsraketwerper **259** 24
twee, zonder **283** 15
twee, zonder stuurman **283** 15
tweecilindermotor **189** 47
tweede **300** 26
tweedegraadskromme **347** 14
tweedeklasafdeling **207** 10
tweede-kleurinrichting **181** 52
tweedeurskastje **46** 6
tweefasenetsmachine **178** 30
tweekwartsmaat **320** 29
Tweelingen **3** 28; **4** 55
tweemans|bob **303** 19
~bobslee **303** 19
tweemasters **220** 11-17
tweepersoons|bed *Slaapkamer* **43** 4-13
~bed *Hotel* **267** 38
~hut **223** 29
~kamer **267** 27-38
~ledikant **43** 4-13
~stoeltje **214** 17
~zeilkano **283** 61
tweepijpssysteem **126** 22
tweepoot **255** 42
tweesporen|apparaat **241** 56
~bandrecorder **242** 12
tweetakt|-eencilindermotor **188** 26
~motor *Tuingereedschap* **56** 30
~motor *Tweewielers* **188** 7
~motor *Verschill. sport.* **305** 92
~motor, demonstratiemodel **242** 55
~olie, blik **84** 35
~ottomotor **190** 6
~pomp **196** 13
tweeter **241** 15
tweetoerenpers **181** 1
tweevleugelige **358** 16-20
tweewegkraan **350** 49
tweewieler **188**
tweezitsbank **246** 36
twee|zitter *Auto* **193** 26, 28
~zitter *Vliegsport* **288** 18
twijg *Algem. Plantk.* **370** 6
~ *Naaldbomen* **372** 36
~, bloeiende *Loofbomen* **371** 2, 10, 16, 32, 34, 39, 51, 54, 66, 71
~, bloeiende *Naaldbomen* **372** 33
~, bloeiende *Waterplanten* **378** 27
~, bloeiende *Trop. planten* **382** 3, 8, 12, 23, 27, 31, 41, 47, 50
~, bloeiende *Industrieplant.* **383** 22, 26, 30, 34, 38, 42
~, bloeiende *Zuidvruchten* **384** 17, 24, 37, 42, 49, 54
~, met bladeren *Loofbomen* **371** 27, 29
~, met bladeren *Industrieplant.* **383** 61
~, met bloemen **372** 43
~, met bloemen en vruchten *Trop. planten* **382** 17
~, met bloemen en vruchten *Industrieplant.* **383** 46
~, met bloemknoppen **371** 25
~, met schijnvruchten **384** 12
~, met vruchten *Loofbomen* **371** 3, 11, 18, 31, 36, 41, 47, 50, 56, 59, 64
~, met vruchten *Naaldbomen* **372** 40, 51, 59, 66, 70
~, met vruchten *Trop. planten* **382** 2, 37
~, met vruchten *Zuidvruchten* **384** 38
twijn|huls **164** 60
~machine **164** 57
twinset **31** 49
twintigvlak **351** 11
twisten **169** 17
tyfoonschijf **308** 46
tympaan **334** 3; **335** 26
tympanon **334** 3
type|bureau **248** 26
~stoel **248** 25
~tafel **245** 25
typiste **248** 21

W

Index

Ordering In this index the entries are ordered as follows:

1. Entries consisting of single words, e.g.: 'hair'.
2. Entries consisting of noun + adjective. Within this category the adjectives are entered alphabetically, e.g. 'hair, bobbed' is followed by 'hair, closely-cropped'.
   Where adjective and noun are regarded as elements of a single lexical item, they are not inverted, e.g.: 'blue spruce', not 'spruce, blue'.
3. Entries consisting of other phrases, e.g. 'hair curler', 'ham on the bone', are alphabetized as headwords.

Where a whole phrase makes the meaning or use of a headword highly specific, the whole phrase is entered alphabetically. For example 'ham on the bone' follows 'hammock'.

References The numbers in bold type refer to the sections in which the word may be found, and those in normal type refer to the items named in the pictures. Homonyms, and in some cases uses of the same word in different fields, are distinguished by section headings (in italics), some of which are abbreviated, to help to identify at a glance the field required. In most cases the full form referred to by the abbreviations will be obvious. Those which are not are explained in the following list:

Agr.	Agriculture/Agricultural	*Hydr. Eng.*	Hydraulic Engineering
Alp. Plants	Alpine Plants	*Impl.*	Implements
Art. Studio	Artist's Studio	*Inf. Tech.*	Information Technology
Bldg.	Building	*Intern. Combust. Eng.*	Internal Combustion Engine
Carp.	Carpenter	*Moon L.*	Moon Landing
Cement Wks.	Cement Works	*Music. Not.*	Musical Notation
Cost.	Costumes	*Overh. Irrign.*	Overhead Irrigation
Cyc.	Cycle	*Platem.*	Platemaking
Decid.	Deciduous	*Plant Propagn.*	Propagation of Plants
D.I.Y.	Do-it-yourself	*Rm.*	Room
Dom.Anim.	Domestic Animals	*Sp.*	Sports
Equest.	Equestrian Sport	*Text.*	Textile[s]
Gdn.	Garden	*Veg.*	Vegetable[s]

A

Aaron's rod **376** 9
abacus **309** 77
abacus *Art* **334** 20
abattoir **94**
abdomen *Man* **16** 35-37, 36
abdomen *Bees* **77** 10-19
abdomen *Forest Pests* **82** 9
abdomen, lower~ **16** 37
abdomen, upper~ **16** 35
abductor hallucis **18** 49
abductor of the hallux **18** 49
aberdevine **361** 8
aborigine, Australian~ **352** 37
abrasion platform **13** 31
abrasive wheel combination **111** 28, 35
abscissa **347** 9
abseiling **300** 28-30
abseil piton **300** 39
abseil sling **300** 28
absinth **380** 4
absorber attachment **27** 44
absorption dynamometer **143** 97-107
absorption muffler **190** 16
absorption silencer **190** 16
abutment *Bridges* **215** 27, 29, 45
abutment *Art* **336** 20
abutment pier **215** 29
acanthus **334** 25
acceleration lane **15** 16
acceleration rocket **234** 22, 48
accelerator **191** 46
accelerator lock **85** 17
accelerator pedal **191** 46, 94
accelerometer **230** 10
accent, acute~ **342** 30
accent, circumflex~ **342** 32
accent, grave~ **342** 31
accent, strong~ **321** 27
accents **342** 30-35
acceptance **250** 12, 23
access balcony **37** 72-76
access flap **6** 21, 25
accessories **115** 43-105
accessory shoe **114** 4; **115** 20
accessory shop **196** 24
access ramp **199** 15
acciaccatura **321** 15
accipiters **362** 10-13
accolade **329** 66
accommodation **146** 33
accommodation bureau **204** 28
accommodation ladder **221** 98
accommodation module **146** 33
accompaniment side **324** 43
accompaniment string **324** 25
accordion **324** 36
account, private~ **250** 4
accounting machine **236** 26
accumulator **309** 41
accumulator *Theatre* **316** 55
accumulator railcar **211** 55
accuracy jump **288** 55
acerate **370** 34
acerose **370** 34
acerous **370** 34
acetylene connection **141** 31
acetylene control **141** 32
acetylene cylinder **141** 2, 22
achene **58** 23
achievement **254** 1-6
achievement, marital~ **254** 10-13
achievement of arms **254** 1-6
Achilles' tendon **18** 48
acicular **370** 34
acid container **350** 62
Ackermann steering system **85** 31, 37
acolyte **331** 45
aconite **379** 1
acorn **371** 4
acorns **276** 42
acrobat **307** 47
Acropolis **334** 1-7
acroter **334** 34
acroterion **334** 34
acroterium **334** 34
acting area light **316** 16
acting area spotlight **316** 16
actinia **369** 20
Actinophrys **357** 7
action **326** 6-16
action lever **325** 32
activated blade attachment **84** 33
actor **316** 37
actress **316** 38
actuating transistor **195** 19
acuity projector **111** 47
acute **342** 30
ad **342** 56
Adam's apple **19** 13
adapter **112** 55
adapter, four-socket~ **127** 8
adapter, four-way~ **127** 8
adapter ring **115** 82
adapter unit **242** 34
adders **364** 40-41
adding **344** 23
adding and subtracting machine **309** 74
adding mechanism **271** 9
addition **344** 23
address **236** 42
address display **236** 41
addressing machine, transfer-type~ **245** 7
address label **236** 4
address system, ship's~ **224** 30
A-deck **223** 28-30
adhesion railcar **214** 1
adhesive, hot~ **249** 61
adhesive binder *Bookbind.* **184** 1
adhesive binder *Office* **249** 61
adhesive tape dispenser **247** 27
adhesive tape dispenser, roller-type~ **247** 28
adhesive tape holder **247** 28
adjusting cone **187** 58

C

chaffron **329** 84
chafron **329** 84
chain **74** 14; **75 15; 99** 95; **118** 30
chain *Bicycle* **187** 36
chain *Cyc. Racing* **290** 20
chain armour **329** 63
chain cable **222** 77; **223** 50; **227** 12
chain compressor **223** 51
chain curtain **139** 50
chain cutter **120** 17
chain delivery **180** 43
chain feeder **74** 25
chain ferry **216** 1
chain grinder, continuous ~ **172** 53, 66
chain gripper **180** 56
chain guard **187** 37; **188** 46
chain guide **120** 15
chain mail **329** 63
chain mortiser **132** 49
chain mortising machine **132** 49
chain reaction **1** 41, 48
chain saw **120** 14
chain sling *Forging* **139** 44
chain sling *Docks* **226** 26
chain stay **187** 20
chain stitch **102** 2
chain-tensioning device **157** 41
chain transmission **187** 35-39
chain wheel **187** 35
chair **42** 34; **271** 35
chair, adjustable ~ **105** 17; **106** 16
chair, barber's ~ **106** 16
chair, cane ~ **43** 3
chair, dentist's ~ **24** 3
chair, double ~ **214** 18
chair, folding ~ **28** 33
chair, gaffer's ~ **162** 45
chair, glassmaker's ~ **162** 45
chair, hairdresser's ~ **105** 17; **106** 16
chair, single ~ **214** 16
chair, steel ~ **67** 2
chair, tubular steel ~ **41** 21
chair, two-seater ~ **214** 17, 18
chair, umpire's ~ **293** 20
chair, visitor's ~ **246** 21
chair grip **21** 21
chair lift **214** 16-18
chair lift, double ~ **301** 57
chairman **263** 1
chairman of board of directors **251** 16
chairman of board of governors **251** 15
chairoplane **308** 4
chaise **186** 34
chaise, closed ~ **186** 54
chaise, covered ~ **186** 54
chaise, one-horse ~ **186** 29
chaitya **337** 28
chaitya hall **337** 27
chalaza **74** 63
chalcography **340** 14-24
chalet **278** 7
chalice **330** 10; **332** 49
chalk **48 15; 260** 32; **338** 5
chalk, French ~ **104** 24
chalk, tailor's ~ **104** 24
chalk ledge **260** 31
chalk sketch **338** 4
chalwar **306** 42
Chamaeleontidae **364** 33
chamber *Atom* **1** 66
chamber *Forest Pests* **82** 36
chamber *Hunt.* **87** 20
chamber *Water* **269** 24
chamber, king's ~ **333** 2
chamber, photographic ~ **113** 40
chamber, queen's ~ **333** 3
chamber, stone ~ **328** 39
chamber wall **269** 25
chameleon **364** 33
chamfer **143** 62
chamfering hammer **125** 14
chamfrain **329** 84
chamfron **329** 84
chamois **367** 3
chamomile **61** 8; **380** 1
chamotte slab **141** 16
champagne bottle **99** 78
champagne bucket **267** 59
champagne cooler **267** 59
champagne cork **267** 58
champagne glass **45** 86
champagne glasses **45** 85-86
chancel **330** 1, 32; **335** 4
chandelier **267** 21
chanfron **329** 84
change *Airport* **233** 51
change *Winter Sp.* **302** 12
change-gear box **149** 7
change-gear handle **132** 56
change gears **10** 14
change-loop **302** 16
change machine **197** 33; **204** 22; **236** 28
changemaker **236** 28
changeover switch **50** 59; **243** 15
change points, electric ~ **197** 37
change rack **236** 23
change-speed gear **163** 29; **211** 50
change wheel **164** 40
changing booth **271** 32
changing cubicle **282** 1
changing room **282** 3
changing top **28** 4
changing unit **28** 11
channel *Overh. Irrign.* **67** 13
channel *Railw.* **202** 32
channel *Swim.* **281** 9
channel *Rowing* **283** 60
channel *Art* **334** 27
channel, distributary ~ **13** 2
channel, navigable ~ **224** 92, 93
channel iron **143** 7
channel markings **224** 84-102
channel marks **224** 68-83
chantarelle **381** 14
chanter **322** 10
chanterelle **381** 14
chapel *Map* **15** 61, 107
chapel *Airport* **233** 49
chapel *Chivalry* **329** 29
chaplet **34** 32
chaplet hairstyle **34** 31
chaps **70** 26
chapter heading **185** 60
char-a-banc, covered ~ **186** 33
character **174** 7, 44; **175** 38
characteristic **345** 6
characteristic light **221** 48; **224** 105
character storage **242** 37
charcoal **278** 48
charcoal, activated ~ **270** 58
charcoal grill **278** 47
charcoal pencil **338** 16
chard **57** 28
charge postmark **236** 58
charger **25** 51
charging car **144** 8; **156** 6
charging chamber **154** 79
charging conveyor **144** 42
charging door **38** 61; **139** 4
charging machine **147** 25
charging opening **139** 49
charging platform **147** 4
charging position **147** 55, 56
Charioteer **3** 27
charity performance **319** 31
Charles's Wain **3** 29
Charleston cymbals **324** 50
charlock **61** 18
charm **36** 35
chart **22** 32; **76** 8; **260** 30
chart, illustrated ~ **22** 16
chase **181** 38
chasing **87** 28
chasing hammer **108** 41
chassis *Overh. Irrign.* **67** 14
chassis *Blacksm.* **138** 28
chassis *Car* **191** 2
check *Roulette* **275** 12
check *Theatre* **315** 7
check *Music. Instr.* **325** 27
check brake **143** 97
checker **276** 18, 19
checkerboard **276** 17
checkerman **276** 18, 19
checkers **276** 17-19
check felt **325** 28
check light **195** 21, 22
checkmate **276** 15
checkout **99** 92
check rail **202** 23
checkroom **315** 5; **318** 1
checkroom attendant **315** 6; **318** 2
checkroom hall **315** 5-11
check side **277** 6
cheek *Man* **16** 9
cheek *Hunt.* **87** 4
cheekbone **16** 8; **17** 37
cheek piece **71** 8
cheek rest **255** 30
cheek strap **71** 8
cheese **98** 5; **266** 52
cheese, cross-wound ~ **164** 58
cheese, round ~ **99** 42
cheese, whole ~ **99** 40
cheeseboard **45** 35
cheese box **99** 49
cheesecake **97** 23
cheese counter **99** 39
cheese dish **40** 7
cheesefly **81** 15
cheese knife **45** 72
cheese machine **76** 47
cheetah **368** 7
chef **207** 34
chelicer **358** 41
cheliped **358** 41
chemical bottle **116** 10; **261** 23
chemist **233** 45
chemistry **261** 1-13
chemistry laboratory **261** 1; **349; 350**
chemistry teacher **261** 2
chequer-board cut **36** 66
cheroot **107** 4
cherry *Drupes & Nuts* **59** 5, 6-8
cherry *Goldsm. etc.* **108** 7
cherry *Bot.* **370** 99
cherry blossom **59** 3
cherry flan **97** 22
cherry flower **59** 3
cherry fruit **59** 6-8
cherry fruit fly **80** 18
cherry leaf **59** 2
cherry stone **59** 7
cherry tree **59** 1, 11-18
cherub **272** 20
chess **26517; 276** 1-16
chessboard **47** 20; **276** 1
chessboard square **276** 2
chess championship **276** 16
chess clock **276** 16
chessman **276** 1, 4, 5, 7
chess match **276** 16
chess move **276** 6
chess player **265** 17
chess problem **276** 6
chess square **276** 6
chest *Man* **16** 28-30; **17** 8-11
chest *Paperm.* **172** 25
chest grip **21** 37
chestnut *Horse* **72** 27
chestnut *Decid. Trees* **371** 60
Chestnut Boletus **381** 15
chestnut tree **371** 58
chest of drawers **41** 8
chevron design **335** 16
chew **107** 19
chewing tobacco **107** 19
chianti **98** 61
chianti bottle **99** 77
chibonk **107** 32
chibonque **107** 32
chick **74** 2
chicken **62** 36; **73** 19-26; **96** 24
chicken run **74** 11
chick-pea **69** 19
chick unit **74** 1
chicory **57** 40
chief **254** 18-19
chignon **34** 29
child **260** 3
child, small ~ **28** 42
child carrier seat **187** 21
children's room **47**
chilling roll **180** 28
chill roller **180** 28
chimera **327** 16
chimney *Map* **15** 38
chimney *Dwellings* **37 10**
chimney *Roof & Boilerr.* **38** 5
chimney *Bldg. Site* **118** 21
chimney *Carp.* **120** 47
chimney *Roof* **122** 13
chimney *Blacksm.* **137** 7
chimney *Power Plant* **152** 15
chimney *Energy Sources* **155** 12
chimney *Railw.* **210** 22
chimney *Mountain.* **300** 8
chimney bond **118** 66
chimney brick **159** 28
chimney flashing **122** 14
chimney swallow **361** 20
chimney sweep **38** 31
chimney sweeper **38** 31
chimpanzee **368** 14
chin **16** 15
china, broken ~ **260** 61
china cabinet **44** 26
china manufacture **161**
china painter **161** 17
China reed **136** 28
chinband **355** 22
chinch **81** 39
chinchona **380** 17
Chinese lantern **52** 15
chine strake **258** 8
chin rest **323** 8
chintuft **34** 10
chip *Basketm.* **136** 12
chip *Roulette* **275 12**
chip basket **136** 11
chip container **170** 40
chip crusher **172** 5
chip distributor **172** 3
chip extractor **157** 51
chip-extractor opening **132** 48
chip packer **172** 3

crests **254** 1, 11, 30-36
crevasse **12** 50; **300** 23
crew compartment **6** 41; **235** 16
crew cut **34** 11
crew entry tunnel **235** 71
cricket **292** 70-76
cricket bat **292** 75
crimping **170** 59
crimping iron **106** 26
crimson clover **69** 4
crinoline **355** 72
crispbread **97** 50
criss-cross skip **297** 44
cristobalite **1** 12
croaking sac **364** 25
crocket **335** 38
croisé **314** 16
croissant **97** 32; **99** 13
crojack **220** 26
crojack yard **220** 25
cromlech **328** 16
crook **324** 71
crook of the arm **16** 44
crop **73** 20
crops,arable ~ **68**
croquant **98** 85
croquet **292** 77-82
croquet ball **292** 82
croquet mallet **292** 81
croquet player **292** 80
Cross *Astron.* **3** 44
cross *Plumb. etc.* **126** 50
cross *School* **260** 28
cross *Church* **331** 25
cross, ansate ~ **332** 63
cross, cardinal's ~ **332** 65
cross, Constantinian ~ **332** 67
cross, fivefold ~ **332** 72
cross, Greek ~ **332** 56
cross, Latin ~ **332** 55
cross, Papal ~ **332** 66
cross, patriarchal ~ **332** 64
cross, processional ~ **330** 47
cross, quintuple ~ **332** 72
cross, Russian ~ **332** 57
cross, saltire ~ **332** 60
cross, St. Andrew's ~ **332** 60
cross, St. Anthony's ~ **332** 59
cross, St. Peter's ~ **332** 58
cross arm **152** 37
cross arms **10 30**
crossbar *Goldsm. etc.* **108** 5
crossbar *Bicycle* **187** 16
crossbar *Ball Games* **291** 36
crossbar *Athletics* **298 14, 34**
cross beam **119** 57
cross bearer **331** 43
cross bond, English ~ **118** 65
cross botonnée **332** 71
crossbrace **215** 35
cross bracing wire **229** 12
crossbuck **202** 41
cross chain conveyor **157** 22
cross conveyor **157** 20
cross-country *Equest.* **289** 17
cross-country *Winter Sp.* **301** 42
cross-country binding **301** 15
cross-country boot **301** 16
cross-country equipment **301** 14-20
cross-country gear **301** 17
cross-country lorry **194** 1
cross-country motorcycle **189** 16
cross-country pole **301** 20
cross-country race **290** 33
cross-country ski **301** 14
cross-country stretch-suit **301** 43
cross-country tyre **194** 4
cross-cut **144** 31
cross-cut, octagonal ~ **36** 53
cross-cut, oval hexagonal ~ **36** 63
cross-cut, round hexagonal ~ **36** 65
cross-cut, trapezium ~ **36** 58
cross-cut chain saw **157** 38
cross-cut chisel **140** 25
cross-cut saw **120** 14
crosses, Christian ~ **332** 55-72
crossfall **200** 57
cross fold knife **185** 12
cross fold unit, third ~ **185** 14
cross grasp **296** 43
cross hairs **87** 32
cross hairs, double ~ **115** 66
cross hatch **340** 54
cross head *Forging* **139** 37
cross head *Railw.* **210** 27
crossing **205** 15
crossing, intercom-controlled ~ **202** 47
crossing, telephone-controlled ~ **202** 47
crossing keeper **202** 42
crossing the bar **298** 31
crossjack **220** 26
crossjack yard **220** 25
cross joint **151** 50
cross lacing **29** 37
crosslet **332** 68
cross moline **332** 69
cross of Jerusalem **332** 70
cross of Lorraine **332** 62
cross of the Passion **332** 55
crossover **241** 14
crossover, double ~ **203** 49-52
crossover network **241** 14
cross piece *Bldg. Site* **119** 61
cross piece *Shipbuild.* **222** 15
cross piece *Fencing* **294** 42
cross rib **335** 31
cross slide **149** 23, 39; **150** 12
cross-slide guide **174** 48
cross spider **358** 45
cross stitch **102** 5
cross stitch, Russian ~ **102** 9
cross strut **119** 67
cross tie **Roof 121** 30
crosstie *Station* **205** 60
crosstie, concrete ~ **202** 37
crosstie, coupled ~ **202** 14, 38
crosstie, steel ~ **202** 36
cross total counter **242** 3
crosstrees **223** 37; **284** 13
crosstrees, starboard ~ **286** 9
cross treflée **332** 71
cross vault **335** 31-32
crosswalk **198** 11; **268** 24, 51
cross-winding the threads **165** 11
cross wire, overhead ~ **197** 42
cross wires **87** 32
crotchet **320** 15
crotchet rest **320** 23
crouch **295** 6, 23
crouch start **298** 4
croup **72** 31
croupier **275** 4
croupier, head ~ **275** 6
crow **86** 50; **51** ; **361** 2
crowbar **158** 32
crowberry **377** 23
crowfoot **375** 8
crown *Man* **16** 1; **19** 37
crown *Dent.* **24** 28
crown *Forging* **139** 36
crown *Bridges* **215** 31
crown *Park* **272** 60
crown *Art* **336** 39
crown *Hist. Cost.* **355** 21
crown *South. Fruits* **384** 29
crown, gold ~ **24** 28
crown, mural ~ **254** 46
crown block **145** 4
crown cork **93** 27
crown cork bottle-opener **45** 47
crown cork closure **93** 27
crown cork opener **45** 47
crown of hooks **81** 38
crown-of-the-field **61** 6
crown of tree **370** 3
crownpiece **71** 10
crowns **254** 37, 38, 42-46
crown safety platform **145** 3
crown wheel *Clocks* **110** 41
crown wheel *Mach. Parts etc.* **143** 93
crows **361** 1-3
crow'snest **223** 38
crucible, clay ~ **350** 31
crucible, graphite ~ **108** 10
crucible tongs **108** 11; **350** 32
crucifer **331** 43
crucifix *Gymn.* **296** 50
crucifix *Church* **332** 33
crucifix, processional ~ **331** 42
crude benzene, production of ~ **156** 41
crude benzene tank **156** 42
crude benzol, production of ~ **156** 41
crude benzol tank **156** 42
crude oil production **145** 22-27
crude phenol tank **156** 40
crude tar tank **156** 32
cruet set **332** 44
cruet stand **266** 22
cruiser **286** 5
cruiser keelboat **285** 29-34
cruiser stern **285** 45
cruising yacht **284** 60
crumb **97** 3
crumhorn **322** 6
crupper **71** 34; **72** 31
crupper-strap **71** 34
crusader **329** 72
crushed grape transporter **78** 16
crusher **172** 5
crusher, coarse ~ **158** 19
crusher, fine ~ **158** 19
crusher, gyratory ~ **158** 19
crusher, primary ~ **158** 17
crusher, rotary ~ **158** 19
crush hat **35** 36
crush room **315** 12-13
crust **97** 4, 5
crust, earth's ~ **11** 1
crust, outer ~ **11** 1
crustacean **369** 12, 15, 16
crustaceans **358** 1-2
crusta petrosa **19** 29
crutch **148** 15
Crux **3** 44
cryosurgery **22** 63
Cryptolestes **81** 27
crystal **351** 29
crystal centre **351** 3
crystal combinations **351** 1-26
crystal cone **77** 21
crystal detector **309** 23
crystal forms **351** 1-26
crystallography **351**
crystallometry **351** 27-33
crystal plate glass **124** 5
crystals **351** 1-26
crystal set **309** 23
crystal system **351** 1-17
cub **88** 42
cube *Kindergart.* **48** 21
cube *Maths.* **347** 30
cube *Cristals* **351** 2, 14, 16
cube root **345** 2
cube sugar **98** 53
cubic crystal system **351** 1-7
cubitière **329** 48
cuckoo **359** 30
cuckoo clock **109** 31
cuckoo flower **375** 11; **376** 21
cuckoo pint **379** 9
cucumber **57** 13; **99** 83
cue **277** 9
cue ball, white ~ **277** 11
cue rack **277** 19
cue tip, leather ~ **277** 10
cuff **25** 16; **30** 14; **32** 45
cuff, fur ~ **30** 62
cuff, fur-trimmed ~ **30** 62
cuff, inflatable ~ **23** 34
cuff, ribbed ~ **30** 30
cuff link **32** 46; **36** 21
cuff protector **324** 17
cuff slit **30** 48
cuirass **329** 46
cuish **329** 52
cuissard **329** 52
cuisse **329** 52
culicid **358** 16
culm *Arable Crops* **68** 6
culm *Coking* **156** 14
culotte **31** 48; **29** 59
cultivator *Market Gdn.* **55** 21
cultivator *Agr. Mach.* **65** 55
cultivator, three-pronged ~ **56** 13
cultivator attachment **56** 21
culture, bacteriological ~ **261** 29
cumulonimbus **8** 17; **287** 26
cumulonimbus cloud **287** 26
cumulus **8** 1; **287** 22
cumulus cloud **287** 22
cumulus congestus **8** 2
cumulus humilis **8** 1
cup *Bicycle* **187** 79
cup *Decid. Trees* **371** 5
cup, baby's ~ **28** 27
cup, hemispherical ~ **10** 30
cup, rust-proof ~ **122** 102
cup, zinc ~ **122** 102
cup bearer **329** 69
cupboard **246** 5
cupboard, children's ~ **47** 21
cupboard, sliding-door ~ **248** 38
cupboard base unit **42** 6
cupboard unit **42** 7
cupboard unit, two-door ~ **46** 6
cup cymbals **324** 50
cupid **272** 20
cupola *Iron Foundry etc.* **148** 1
cupola **Art 334** 58
cupola, bulbous ~ **336** 3
cupola furnace **148** 1
cupule **59** 42; **371** 5; **384** 52
curb **198** 6; **272** 25
curb bit **71** 13, 52
curb chain **71** 12
curbstone **198** 7
curbstone broker **251** 5
curbstoner **251** 5
curd cheese **76** 38, 45
curd cheese machine **76** 38
curd cheese packet **76** 45
curd cheese packing machine **76** 44
curd cheese pump **76** 39
curds separator **76** 41
curettage **26** 52
curette **22** 50; **26** 52
curing floor **92** 18
curing kiln **92** 30
curl **34** 3
curl brush **105** 13
curl clip **105** 14

D

E

F

fresh milk tank **76** 15
fresh oil tank **65** 46
freshwater eel **364** 17
freshwater pearl mussel **357** 33
fresh water tank **221** 70; **223** 79
Fresnel lens **115** 64
fret *Roulette* **275** 30
fret *Music. Instr.* **324** 9
fretsaw **135** 12; **260** 53
fretsaw blade **135** 13; **260** 54
friction drive **116** 33; **312** 37
friction pad **192** 49
friction tape **127** 34
friction wheel **322** 26
fridge *Kitch.* **39** 2
fridge *Flat* **46** 33
fridge *Disco* **317** 10
frieze **335** 9
frieze, Babylonian~ **333** 19
frieze decoration **334** 16
frigate **258** 53
frill **31** 34; **32** 44
frill collar **31** 46
frill front **32** 44
fringe **34** 36
fringe, decorative~ **353** 25
fringe region **7** 34
frit **162** 2
fritfeeder **162** 13
frit funnel **162** 13
frock coat **355** 76
frog *Agr. Mach.* **65** 8
frog *Road Constr.* **200** 26
frog *Railw.* **202** 24
frog *Music. Instr.* **323** 13
frog position **288** 61
frog's bit **378** 29
frond **378** 49
front **305** 1
front, cold~ **8** 13; **9** 27
front, extended~ **200** 10
front, hinged~ **213** 10
front, occluded~ **9** 25
front, warm~ **8** 5; **9** 26
frontalis **19** 4
front axle pivot pin **65** 48
front axle suspension **65** 49
front band **71** 9
front element mount **115** 6
front fan-jet **232** 33
front-line player **293** 63
front panel, sliding~ **349** 27
front roller underclearer **164** 44
fronts **9** 25-29
fronts, cold~ **8** 13-17
fronts, warm~ **8** 5-12
front seat headrest **193** 7
front seat head restraint **193** 7
front sight block **255** 23, 37
front support *Free Exerc.* **295** 21, 23
front support *Gymn.* **296** 28
front wheel drive **191** 52
front wheel drum brake **188** 36
froth **266** 4
fruit *Weeds* **61** 11, 20, 23
fruit *Restaurant* **266** 57
fruit *Decid. Trees* **371** 4, 19, 28, 45, 69
fruit *Conifers* **372** 53, 64
fruit *Shrubs etc.* **373** 12, 18, 22, 27, 29, 32; **374** 4, 8, 12 19, 25, 29, 31, 34
fruit *Flowers etc.* **375** 4, 7, 10, 13, 17, 24, 35, 37, 47; **376** 3, 6, 14
fruit *Trop. Plants* **382** 3, 5, 10, 15, 17, 24, 39
fruit *Industr. Plants* **383** 14, 18, 21, 28, 32, 40, 43, 52, 56, 59
fruit *South. Fruits* **384** 19, 26 39, 45
fruit, aggregate~ *Soft Fruit* **58** 28
fruit, aggregate~ *Bot.* **370** 100, 101
fruit, canned~ **98** 16
fruit, compound~ *Soft Fruit* **58** 28
fruit, compound~ *Bot.* **370** 100, 101
fruit, dehisced~ **375** 27
fruit, immature~ **378** 31
fruit, indehiscent~ **375** 43
fruit, mature~ *Decid. Trees* **371** 61
fruit, mature~ *Trop. Plants* **382** 33
fruit, ripe~ *Decid. Trees* **371** 61
fruit, ripe~ *Trop. Plants* **382** 33
fruit, soft~ **58** 1-30
fruit, stewed~ **45** 30
fruit, unripe~ **378** 31
fruit, young~ *Decid. Trees* **371** 59
fruit, young~ *South. Fruits* **384** 31
fruit and vegetable counter **99** 80
fruit and vegetable garden **52** 1-32
fruit bowl **45** 29, 40
fruit capsule, mature~ **382** 44
fruit capsule, ripe~ **382** 44
fruit cone **372** 2, 29, 30, 36, 41, 57
fruit dish **45** 28
fruit flan **97** 22; **99** 20
fruit garden **52**
fruiting body **381** 2
fruiting branch *Decid. Trees* **371** 3, 11, 18, 31, 36, 41, 47, 50, 56, 64
fruiting branch *Conifers* **372** 40, 51, 59, 63, 66, 70
fruiting branch *Trop. Plants* **382** 2, 37
fruiting branch *Industr. Plants* **383** 34, 46
fruiting branch *South. Fruits* **384** 38
fruiting palm **384** 2
fruit juice **98** 18; **266** 58
fruit juice bottle **99** 74
fruit juice can **99** 75
fruit knife **45** 71
fruit pests **80** 1-19
fruit picker **56** 22
fruit pip **58** 37, 60
fruit preserver **40** 23
fruits **370** 91-102
fruits, dehiscent~ **370** 91-96
fruits, indehiscent~ **370** 97-102
fruits, Mediterranean~ **384**
fruits, southern~ **384**
fruits, subtropical~ **384**
fruits, tropical~ **384**
fruit scale **372** 67
fruit spoon **45** 66
fruit stall **308** 53
fruit storage shed **225** 52
fruit tree, standard~ **52** 30
fruit trees, dwarf~ **52** 1, 2, 16, 17, 29
fruit warehouse **225** 52
frustum of a cone **347** 45
frying pan **40** 4
fry pond **89** 6
F sharp major **320** 61
F sharp minor **320** 58
fuchsia **53** 3
fuel cell **234** 62
fuel gas **145** 52
fuel gauge **191** 38, 65
fuel-handling hoist **154** 27
fuel hand pump **190** 64
fuel-injection engine **190** 1
fuel injector **190** 32
fuel inlet **192** 13
fuel leak line **190** 53
fuel level sensor **234** 27
fuel line **190** 31
fuel line duct **234** 40
fuel oil **38** 50
fuel oil, heavy~ **145** 59
fuel oil, light~ **145** 58
fuel oil tank **212** 75
fuel pin **154** 4
fuel pipe **286** 25
fuel pressure gauge **230** 19
fuel pressure line **190** 52
fuel pressure pipe **190** 52
fuel pressure regulator **190** 17
fuel rod **154** 4
fuel storage **154** 28
fuel supply pipe **190** 31
fuel tank *Moon L.* **6** 7, 29, 37
fuel tank *Agr. Mach.* **65** 42
fuel tank *Motorcycles etc.* **188** 10, 28
fuel tank *Motorcycle* **189** 2
fuel tank *Railw.* **209** 20; **212**
fuel tank *Ship* **221** 71; **223** 80
fuel tank *Aircraft* **230** 48
fuel tank *Space* **234** 58
fuel tank, forward~ **235** 21
fuel tank, jettisonable~ **235** 46
fuel tank, main~ **212** 4
fuel tanker **258** 97
fuel tender **210** 67
fuel warning light **191** 71
full circle **308** 43
full-colour print **340** 28
full-cone indicator **165** 7
fuller's earth **199** 38
fulling machine, rotary~ **168** 1
fulling roller, bottom~ **168** 6
fulling roller, top~ **168** 3
full point **342** 16
full spread position **288** 60
full-step **320** 51, 53
full stop **342** 16
full title **185** 46
fulmar **359** 12
fume extraction equipment **142** 13
fume extractor **255** 59, 89
fumigation chamber, mobile~ **83** 15
fumigation plant, vacuum~ **83** 11
fumigator, vacuum~ **83** 11
function, trigonometrical~ **346** 32
function key **247** 17
funeral **331** 33-41
fungi, edible~ **381**
fungi, esculent~ **381**
fungi, poisonous~ **379** 10-13
funicular **214** 12
funicular railway car **214** 13
funnel *Photog.* **116** 12
funnel *Ship* **221** 8, 40, 75, 84; **223** 1
funnel *Warships* **258** 58; **259** 32
funnel *Chem.* **350** 16
funnel,aft~ **258** 20
funnel, forward~ **258** 19
Funnel-Beaker culture **328** 12
funnel marking **223** 2
fur marker **131** 22
furnace **199** 29
furnace, continuous~ **139** 1
furnace, electric~ **147** 51-54
furnace, gas~ **139** 47
furnace, gas-fired~ **139** 47; **140** 11
furnace, low-shaft~ **147** 51-54
furnace, stationary~ **147** 23
furnace bed **38** 66
furnace incline **147** 2
furnace lift **147** 2
furnace thermometer **38** 64
furniture **174** 8; **181** 40
furniture lorry **268** 47
furniture truck **268** 47
furrier **131** 1
furrow *Agr.* **63** 8
furrow *Mills* **91** 17
furrow, gluteal~ **16** 42
furrow wheel **65** 16
fur seal **367** 18
fur-sewing machine **131** 9
fur side **131** 12, 17
furskin **131** 5
furskin, cut~ **131** 14
furskin, uncut~ **131** 6
furskins **131** 11-21
fur trapper **306** 8
fur worker **131** 8, 23
fuse *Electr.* **127** 19, 36
fuse *Quarry* **158** 28
fuse box *Hall* **41** 19
fuse box *Weaving* **166** 23
fuse carrier **127** 68
fuse cartridge **127** 36
fuse holder **127** 35
fuselage **230** 54; **288** 26
fuselage attachment **235** 4
fuselage tank **257** 31
fuse wire **127** 68

G

gable **37** 15; **121** 5; **122** 25
gable, curved~ **336** 5
gable, round~ **335** 50
gable end **37** 15; **122** 25
gable roof **37** 5; **121** 1
gable slate **122** 80
gaffer **310** 37
gaffsail **220** 1
gaff topsail **219** 31
gag *Horse* **71** 53
gag *Fish Farm.* **89** 42
gag bit **71** 53
gage *see* gauge
gaillardia **60** 19
gait **289** 7
gaiter, leather~ **191** 92
gaits of the horse **72** 39-44
Galaxy **3** 35
gale **373** 33
galena **351** 14
galingale **53** 17
gall *Gdn. Pests* **80** 33
gall *Forest Pests* **82** 34
gallant soldier **61** 31
gall bladder **20** 11, 36
galleries under bark **82** 23-24
gallery *Forest Pests* **82** 24
gallery *Coal* **144** 29
gallery *Theatre* **315** 16
gallery *Church* **330** 25
gallery, drilled~ **192** 21
gallery grave **328** 16
galley *Composing Rm.* **174** 12 44
galley *Ship* **218** 44-50; **223** 42
galley *Aircraft* **231** 20
galley loader **233** 22
galley slave **218** 48
gall gnat **80** 40
gall midge **80** 40
gallop, full~ **72** 43-44, 43, 44
gallows **221** 87
gall wasp **82** 33

H

habergeon **329** 51
habit **382** 53
habit, monk's~ **331** 55
hack **186** 26
hacking knife **128** 37
hackney carriage **186** 26
hackney coach **186** 26
hacksaw **134** 3, 17; **136** 40; **138** 23; **140** 9; **150** 14
hacksaw frame **126** 71
haematite **108** 48
haft **137** 30
hail **9** 36
hail,soft~ **9** 35
hair **16** 3
hair, bobbed~ **34** 34
hair, closely-cropped~ **34** 11
hair, curled~ **34** 33
hair, curly~ **34** 18
hair, long~ **34** 1
hair, pinned-up~ **34** 28
hair, shingled~ **34** 34
hair, swept-back~ **34** 28
hair, swept-up~ **34** 28
hairbell **375** 14
hairbrush **28** 7; **105** 10
haircap moss **377** 17
hair clip **105** 11
hair curler **106** 31
haircut **106** 3
haircuts **34** 1-25
haircutting scissors **105** 7; **106** 34
hair decoration **355** 82
hairdress **354** 9
hairdresser **105** 35; **106** 1
hairdresser *Airport* **233** 53
hairdresser, ladies'~ **105**
hairdresser, men's~ **106**
hairdresser's tools **105** 1-16
hairdressing salon, ladies'~ **105** 1-39
hairdressing salon, men's~ **106** 1-42
hair drier, hand-held~ **105** 33; **106** 22
hair element **10** 9
hair-fixing spray **105** 24
hair moss **377** 17
hairpin *Needlewk.* **102** 29
hairpin *Winter Sp.* **301** 69
hairpin work **102** 28
hair sieve **260** 66
hair spray **105** 24
hairstyle **106** 3
hairstyles **34** 1-25
hairstyles, girls'~ **34** 27-38
hairstyles, ladies'~ **34** 27-38
hairstylist **310** 36; **315** 48
hair tonic **106** 10
hair trigger **87** 12
hairworm **80** 51
hake **65** 19
hake chain **65** 17
half-barrier crossing **202** 45
half chicken **266** 56
half mask **306** 13
half-moon **4** 4, 6
half nonpareil **175** 20
half note **320** 14
half nut **149** 19
half rest **320** 22
half-step **320** 50, 52
half-title **185** 43, 44
halftone dot **178** 39
half-way line **291** 3
hall **41** 1-29
hall, main~ **236** 1-30; **250** 1-11
halliard **253** 2
hall manager **275** 7
hall mirror **41** 6
hall of mirrors **308** 55
Hallstatt period **328** 21-40
hallux **19** 52
halma **276** 26-28
halma board **276** 26
halma man **276** 28
halma piece **276** 28
halogen lamp **177** 31
halothane container **26** 26
halt **15** 27
halter **71** 7-11
halter top **31** 64
halved joint **121** 86
halving joint **121** 86
halyard **253** 2
ham **95** 51
hame **71** 14
hammer **85** 5; **126** 78; **134** 7; **137** 26; **139** 26
hammer *Army* **255** 4
hammer *Athletics* **298** 42
hammer *Music. Instr.* **322** 35; **325** 3
hammer *Graphic Art* **340** 14
hammer, anvil and stirrup **17** 61
hammer, bricklayer's~ **118** 53
hammer, brickmason's~ **118** 53
hammer, carpenter's~ **120** 74
hammer, flat-face~ **137** 35
hammer, glazier's~ **124** 18
hammer, iron-headed~ **339** 16
hammer, machinist's~ *D.I.Y.* **134** 40
hammer, machinist's~ *Metalwkr.* **140** 23
hammer, shoemaker's~ **100** 37
hammer, stonemason's~ **158** 35
Hammer and Sickle **253** 21
hammer axe **300** 37
hammer blow **293** 78
hammer crusher *Quarry* **158** 20
hammer crusher *Cement Wks.* **160** 2
hammer cylinder **139** 30
hammer drill **158** 11
hammer drill, electric~ **134** 43
hammer forging **139**
hammer guide **139** 29
hammer head *Airsports* **288** 4
hammer head *Athletics* **298** 43
hammer head, felt-covered~ **325** 24
hammer jack **325** 30
hammer lever **325** 30
hammer mill **160** 2
hammer rail **325** 15, 26
hammer shank **325** 25
hammer throw **298** 42-47
hammock **278** 4
ham on the bone **96** 1; **99** 52
hamper **306** 11
hamster **366** 16
hand **16** 47, 48; **17** 15-17; **19** 64-83
hand apparatus **297** 33-50
hand axe **328** 1
handball **292** 1
handball player **292** 2
hand bindery **183** 1-38
handbook **262** 17
hand bookbindery **183** 1-38
hand brace **140** 13
hand brake **187** 5; **191** 72; **212** 33
hand brake lever **188** 33; **191** 93
hand brake wheel **212** 64, 80
hand camera, large-format~ **114** 36
handcart **120** 6
handcart, wooden~ **309** 86
hand circle **297** 47
hand circling **297** 37
handclap **117** 69
hand-composing room **174** 1
hand compositor **174** 5
hand control **195** 8
hand cream **99** 27
hand cultivator **55** 21
hand die **126** 85
hand die, electric~ **125** 12
hand drill **140** 13
hand flat knitting machine **167** 35
hand gallop **72** 42
hand glass *Hairdresser* **105** 23; **106** 7
hand glass *Opticn.* **111** 16
handgrip *Photog.* **114** 37
handgrip *Cine Film* **117** 5, 61
handgrip *Bicycle* **187** 3
handgrip *Navig.* **224** 9
handgrip *Films* **313** 21, 24, 38
hand guard **94** 10
hand hair drier **105** 33; **106** 22
hand hammer, blacksmith's **137** 23
hand harpoon **280** 40
handicraft **48** 3
hand-ironing pad **104** 30
hand-iron press **103** 18
handkerchief **33** 10
hand ladle **148** 23
hand lamp **270** 42
hand lance **83** 46
handle *Atom* **2** 39
handle *Hosp.* **26** 12
handle *Infant Care etc.* **28** 50
handle *Tablew. etc.* **45** 51, 59, 62
handle *Household* **50** 9, 63
handle *Market Gdn.* **55** 27
handle *Agr. Mach.* **65** 2
handle *Agr. Impl.* **66** 17
handle *Pest Contr.* **83** 19
handle *Forestry* **85** 3
handle *Hairdresser* **106** 37
handle *Joiner* **132** 10, 18
handle *D.I.Y.* **134** 47
handle *Metalwkr.* **140** 5
handle *Carriages* **186** 12
handle *School* **260** 8
handle *Motorboats etc.* **286** 48
handle *Fencing* **294** 41
handle *Athletics* **298** 44
handle *Sports* **305** 57, 80
handle, bound~ **89** 55
handle, cork~ **89** 50
handle, double~ **148** 15
handle, fixed~ **129** 7
handle, insulated~ **127** 54
handle, tubular~ **50** 64
hand lead **224** 58
handlebar **187** 2; **188** 45
handlebar, adjustable~ **188** 3
handlebar, semi-rise~ **188** 11
handlebar fittings **188** 30-35
handlebar grip **187** 3
handlebar moustache **34** 8
handlebars **34** 8
handlebar stem **187** 10
hand lever *Joiner* **132** 55
hand lever *Bookbind.* **183** 31
hand-lever press **183** 26
hand luggage **194** 19
hand mirror *Hairdresser* **105** 23; **106** 7
hand mirror *Opticn.* **111** 16
hand net **89** 2
handpiece **24** 6
hand press **340** 29
hand pump **83** 26; **269** 66
hand puppet **260** 74
handrail *Roof & Boilerr.* **38** 28
handrail *Hall* **41** 23
handrail *Floor etc. Constr.* **123** 53, 79
handrail *Ship* **221** 122
handrailing **215** 70
hand rammer **148** 32
hand-removing tool **109** 10
handrest **112** 58
hand sail **302** 28
hand saw **120** 60; **126** 72; **134** 27
handscrew **132** 14
handset **237** 7; **245** 15
handset cord **237** 14
handset cradle **237** 13
hand-setting room **174** 1
hand shank **148** 14
hand shears *Tailor* **104** 11
hand shears *Bldg. Site* **119** 87
hand signal **268** 33
handsledge **304** 29
hand spray *Pest Contr.* **83** 24
hand spray *Hairdresser* **105** 30; **106** 13
hand spray *Painter* **129** 35
hand spray *Offset Platem.* **179** 7
handspring **297** 22
handstamp **236** 45
handstand **295** 27; **296** 52
handstand dive **282** 45
hand steel shears **119** 22
handstrap, leather~ **296** 47
hand-to-hand throw **297** 33
hand towel **28** 9; **49** 23; **106** 24
hand vice **140** 24
hand weapons **255** 1-39
handwheel *Shoem.* **100** 24
handwheel *Cooper* **130** 19
handwheel *Cotton Spin.* **163** 18
handwheel *Knitting* **167** 7,30
handwheel *Paperm.* **172** 74
handwheel *Bookbind.* **183** 23
handwheel *RoadConstr.* **201** 9
handwriting, English~ **342** 10
handwriting, German~ **342** 11
hang **296** 33, 35; **298** 41
hangar **287** 14
hanger **215** 41
hang glider **287** 44
hang glider pilot **287** 45
hang gliding **287** 43
Hansa cog **218** 18-26
Hansa ship **218** 18-26
hansom **186** 29
hansom cab **186** 29
harbour **216** 14; **225; 226**
harbour ferry **225** 11
harbour tunnel **225** 55
hardboard **338** 22
hardcore **123** 12
hardener **130** 33
hardie **137** 32
hard-rock drill **158** 11
hard-top **193** 26
hardwood cutting **54** 25
hardy **137** 32
hare **86** 35; **88** 59
hare-and-hounds **289** 41-49
harebell **375** 14
hare call **87** 44
hare hunting **86** 34-39
harlequin **306** 35
harmonica **324** 35
harmonium **325** 43
harmonium case **325** 47
harmonium keyboard **325** 48
harness *Horse* **71** 7-25
harness *Airsports* **288** 43
harness horse racing **289** 23-40
harness of diving apparatus **279** 12

leaf, young ~ **59** 29
leaf axil **370** 25; **375** 38
leaf blade **68** 20; **370** 28, 85
leaf bud **59** 47; **370** 90
leaf cluster, rooted ~ **54** 17
leaf drop **80** 20
leaf fat **95** 45
leaflet **263** 9
leaf margin shapes **370** 43-50
leaf ornament **334** 40
leaf roller **82** 43
leaf shapes **370** 31-38
leaf sheath **68** 9, 21; **370** 83; **384** 30
leaf stalk **370** 27; **371** 73
leaf tendril **57** 4
leaf vegetables **57** 28-34
leakage steam path **153** 28
lean forward **301** 36
lean-to roof **37** 78; **121** 7
leaping hind leg **358** 11
learner-swimmer **282** 17
learning programme, audio visual ~ **242** 7
lease rod **166** 38
leash **70** 30
leather beetle **81** 22
leathers **290** 26
leather side **131** 13, 18
leaves **276** 43
leaves, compound ~ **370** 39-42
lebkuchen **97** 51
lectern **262** 4; **330** 2, 37
lecture **262** 1
lecture notes **262** 5
lecturer **262** 3
lecture room **262** 2
lecture theatre **262** 2
lederhosen **29** 32
ledge *Photograv.* **182** 23
ledge *Mountain.* **300** 4
ledge, cushioned ~ **277** 16
ledger **118** 26
ledger tube **119** 48
leeboard **220** 7; **283** 63
leech *Sailing* **284** 45
leech *Invertebr.* **357** 20
leech pocket **284** 43
leek **57** 21
lee waves **287** 17
left **254** 19, 21, 23
left corner pin **305** 6
left front second pin **305** 2
left hook **299** 33
left luggage locker **204** 21
left luggage office **204** 27
left tank fuel gauge **230** 16
leg *Man* **16** 49-54; **17** 22-25
leg *Game* **88** 21, 37, 81
leg *Meat* **95** 1, 38
leg *Mach. Parts etc.* **143** 2
leg *Maths.* **346** 27
leg, back ~ **82** 8
leg, broken ~ **21** 11
leg, downwind ~ **285** 23
leg, first ~ **285** 19
leg, fractured ~ **21** 11
leg, front ~ **82** 6
leg, hind ~ *Dog* **70** 7
leg, hind ~ *Horse* **72** 33-37
leg, hind ~ *Bees* **77** 3, 6-9
leg, hind ~ *Game* **88** 22, 63
leg, middle ~ **82** 7
leg, second ~ **285** 20
leg, third ~ **285** 21
leg, tubular ~ **114** 44
leg, vertical ~ **143** 4
leg, windward ~ **285** 22
leg armour **319** 19
legato **321** 33
leg boot, high ~ **101** 7, 13
leg boot, men's ~ **101** 7, 13
legend **252** 11
leg feather **362** 3
leggings **28** 24; **29** 45; **352** 17
leg holder **23** 11
leg of mutton piece **95** 22, 29
leg ring **74** 54
legs **82** 6-8
leg space ventilation **191** 81
leg support **23** 10, 11
legume **57** 6; **370** 92
legume, immature ~ **374** 22
legume, unripe ~ **374** 22
Leguminosae **57** 1-11
leg vice **140** 10
Leine rock salt **154** 64
leisure centre **281**
lemon **384** 23
lemonade **265** 15
lemonade glass **265** 16
lemon peel, candied ~ **98** 10
lemon squeezer **40** 9
lending library **262** 18
length adjustment **100** 20
lengthening arm **151** 57
lengths of material **104** 2
length stop **157** 68
lens *Man* **19** 48
lens *Photog.* **115** 32, 84; **116** 32
lens *Composing Rm.* **176** 23
lens *Audiovis.* **243** 2, 52
lens *Films* **313** 2
lens *Crystals* **351** 33
lens, bifocal ~ **111** 15
lens, concave and convex ~ **111** 41
lens, convex and concave ~ **111** 42
lens, fisheye ~ **115** 44
lens, flat ~ **111** 38
lens, flush ~ **114** 5
lens, interchangeable ~ **112** 62; **115** 43
lens, long focal length ~ **115** 48
lens, long-focus ~ **115** 49
lens, medium focal length ~ **115** 47
lens, negative ~ **111** 37
lens, normal ~ **115** 3-8, 46; **117** 49
lens, plano-concave ~ **111** 39, 40
lens, positive ~ **111** 37
lens, short focal length ~ **115** 45
lens, special ~ **111** 38
lens, standard ~ **115** 3-8, 46; **117** 49
lens, telephoto ~ **115** 48
lens, variable focus ~ **117** 2
lens, varifocal ~ **117** 2
lens, wide-angle ~ **115** 45; **117** 48
lens barrel **115** 3
lens carrier **177** 27
lens case **115** 104
lens head **117** 46-49
lens hood **313** 3, 10
lens hood barrel **313** 5
lens hood bellows **313** 39
lens panel **112** 18
lens pouch, soft-leather ~ **115** 105
lens standard **114** 52
lens surface **111** 37
lens system **242** 83
lens turret **117** 46; **313** 32
lenticular **287** 19
Lent lily **60** 3, 12
Leo **3** 17; **4** 57
Leonberger **73** 16
leopard **368** 6
leotard **297** 51
Lepidoptera **358** 48-56; **365**
lepton **252** 39
lesene **335** 11
Lesser Bear **3** 34
lesser celandine **375** 36
Lesser Dog **3** 15
lesser housefly **81** 1
less-than-carload freight **206** 4
let-off motion **166** 59
let-off weight lever **166** 62
let-out section **131** 7
let-out strip **131** 7
letter **174** 44
letter, capital ~ **175** 11
letter, double ~ **175** 6
letter, initial ~ **175** 1
letter, lower case ~ **175** 12
letter, small ~ **175** 12
letter, upper case ~ **175** 11
letter carrier **236** 53
letter container **236** 32
letter feed **236** 31
letter flags **253** 22-28
letter-folding machine **249** 44
lettering **129** 40
lettering brush **129** 41
lettering stencil **151** 69
letter matrix **174** 47; **176** 16
letterpress machine, rotary ~ **181** 41
letterpress machine, web-fed ~ **181** 41
letterpress press, rotary ~ **181** 41
letterpress printing **181**
letterpress printing machines **181** 1-65
letterpress printing method **340** 1-13
letter rack **267** 2
letter-rate item **236** 55
letters, illuminated ~ **268** 45
letter scales **236** 24
letter-sorting installation **236** 31-44
letter spacing **175** 13
letter tray **245** 30; **248** 41
lettuce **57** 36
lettuce leaf **57** 37
leucite **351** 12
levade *Horse* **71** 4
levade *Circus* **307** 30
levee **13** 9; **216** 49
level **14** 48
level, lower ~ **217** 17
level, motor-driven ~ **112** 69
level, upper ~ **217** 25
level crossing **15** 26
level crossing, protected ~ **202** 39
level crossing, unprotected ~ **202** 49
level crossings **202** 39-50
level indicator **316** 57
leveling **see** levelling
levelling **14** 46
levelling and support shovel **255** 94
levelling beam **201** 3, 4
levelling blade **200** 18
levelling staff **14** 47
lever *Plumb. etc.* **126** 19
lever *Sawmill* **157** 46
lever *Cotton Spin.* **164** 42
lever *Office* **249** 50
lever *Graphic Art* **340** 61
lever for normal and coarse threads **149** 4
lever hang **296** 56
lever mechanism **203** 54
liberty horses **307** 30-31
Libra **3** 19; **4** 59
librarian **262** 14, 19
library, municipal ~ **262** 11-25
library, national ~ **262** 11-25
library, regional ~ **262** 11-25
library, scientific ~ **262** 11-25
library, ship's ~ **223** 25
library ticket **262** 25
library user **262** 24
license plate **189** 8
lichgate **331** 19
licker-in **163** 53
licker-in roller **163** 53
licker-in undercasing **163** 54
lid *Kitch. Utensils* **40** 13
lid *Electrotyp. etc.* **178** 37
lid *Chem.* **350** 52
lid, glass ~ **269** 56
lid, hinged ~ **127** 24
lid, sliding ~ **179** 2
lid clip **50** 83
lido deck **223** 22
Lieberkühn reflector **115** 97
liege lord **329** 67
lifebelt **221** 124; **222** 24; **280** 3; **281** 6
lifebelt light **221** 125
lifeboat *Offshore Drill.* **146** 19
lifeboat **221** 78, 107; **223** 19
lifeboat launching gear **221** 101-106
lifebuoy *Ship* **221** 124
lifebuoy *Shipbuild.* **222** 24
lifebuoy *Bathing* **280** 3
lifebuoy light **221** 125
lifeguard **280** 1
lifeguard station **280** 46
life jacket **286** 20
life jacket, cork ~ **228** 9
life jacket, inflatable ~ **228** 8
life line **19** 72
lifeline **221** 103; **228** 12; **280** 2
life preserver, cork ~ **228** 9
life raft **228** 19; **258** 11; **286** 19
life rocket **228** 2
lifesaver **21** 36; **280** 1
life saving **228**
life support pack **6** 20
life support system **6** 20
lift *Ship* **219** 47
lift *Store* **271** 45
lift *Theatre* **316** 33
lift, hydraulic ~ **195** 25, 26
lift, vertical ~ **170** 36
liftback **193** 29
lift bridge **225** 70
lift cage **271** 46
lift car **271** 46
lift chair **214** 16
lift chair, double ~ **214** 17
lift controls **271** 48
lift device **103** 24
lift dump **229** 42
lifter *Agr. Mach.* **64** 59
lifter *Sawmill* **157** 46
lifter rail **164** 30
lifter roller **181** 63
lifting arm **255** 76
lifting bolt **164** 37
lifting crane **270** 48
lifting device **255** 76
lifting gear **206** 56
lifting hook **85** 6
lifting motor **150** 22
lifting platform **232** 19
lifting rod **65** 29
lifting rod adjustment **65** 25
lifting spindle **217** 36
lifting undercarriage **232** 18
lift-off hinge **140** 49
lift operator **271** 47
lift platform **173** 40
lift shaft **271** 51
ligament, falciform ~ **20** 34
ligature *First Aid* **21** 14-17
ligature *Composing Rm.* **175** 6

M

N

O

P

propeller, three-blade ~ **223** 62
propeller, variable-pitch ~ **224** 19
propeller bracket **223** 61
propeller guard **258** 40
propeller guard boss **258** 63
propeller guard moulding **258** 74
propeller mixer **79** 6
propeller pitch indicator **224** 20
propeller post **222** 71
propeller pump **217** 47-52
propeller shaft *Car* **192** 30, 65
propeller shaft *Ship* **223** 65
propeller shaft *Aircraft* **232** 60
propeller shaft *Warships* **259** 59
propeller strut **223** 61
propeller-turbine engine **256** 16
propeller-turbine plane **231** 4
propelling nozzle **232** 39, 45, 49, 55
property **315** 50
proportion, simple ~ **345** 8-10
proportional dividers **339** 2
proprietor **248** 29; **266** 71
prop stand **187** 34; **188** 51
propulsion nozzle **232** 39, 45, 49, 55
propylaea **334** 7
proscenium **315** 15; **334** 46
proscenium, adjustable ~ **316** 22
prostate **20** 76
protection device **255** 81, 90
prothorax **82** 4; **358** 29
proton **1** 2, 16, 31
protoplasm **357** 3
protoprism **351** 19, 20
protopyramid **351** 19, 20
prototype **290** 38
protozoans **357** 1-12
protractor **260** 38
protrusion, massive ~ **11** 29
protuberance, frontal ~ **16** 4
pruner **56** 11
pruningknife **56** 9
pruning saw **56** 16
pruning shears **56** 50
prussic acid **83** 15
pseudocarp **58** 21; **384** 12, 62
pseudopod **357** 4
psychrometer **10** 52
pubis **17** 20
public conveniences **268** 62
publicity calendar **22** 10
puck **302** 35
pudding fender **227** 17
pudenda **16** 39
puffball **381** 19
puff paste **97** 18
puff pastry **97** 18
pug **70** 9; **123** 69
pug dog **70** 9
pull **340** 43
pull-down table **207** 53
pullet **74** 9
pullet fold unit **74** 5
pulley *Cotton Spin.* **164** 48
pulley *Bicycle* **187** 9
pulley, glass ~ **169** 16
pulley cradle **214** 36, 53
pulley cradle, main ~ **214** 67
pullover, heavy ~ **33** 52
pullover, men's ~ **33** 51
pullover, short-sleeved ~ **33** 32
pull rod *Mach. Parts etc.* **143** 101
pull rod *Railw.* **202** 20
pull-switch **127** 16
pull-through **87** 64
pull-up phase **298** 29
pulmonary function test **27** 36
pulp **58** 24, 35, 58; **59** 6
pulp, chemical ~ **172** 77, 78
pulp, dental ~ **19** 32
pulp, mechanical ~ **172** 77, 78
pulp-drying machine **172** 61
pulper **172** 80
pulpit **330** 19; **337** 15
pulpit balustrade **330** 23
pulpit steps **330** 18
pulp machine **172** 61
pulpstone **172** 71
pulp water pump **172** 55, 63
pulsator **75** 32
pulse cable **117** 72
pulse-generating camera **117** 71
pulse generator **313** 30
pulse generator socket **117** 7
pulse rate **23** 27
pulse shape **23** 37
pump *Agr. Mach.* **65** 45
pump Shoes **101** 29
pump *Oil, Petr.* **145** 22
pump *Synth. Fibres* **170** 31
pump, centrifugal ~ *Wine Cell.* **79** 7
pump, centrifugal ~ *Rivers* **216** 60
pump, centrifugal ~ *Water* **269** 44
pump, centrifugal ~ *Fire Brig.* **270** 8
pump, direct-connected ~ **83** 41
pump, hydraulic ~ *Agr. Mach.* **64** 29, 91
pump, hydraulic ~ *Theatre* **316** 53
pump, main ~ **269** 15
pump, motor-driven ~ **83** 41
pump, portable ~ **270** 52
pump, power take-off-driven ~ **67** 14, 15
pump compass **151** 59
pump compression spring **174** 41
pump connection **67** 8
pumpernickel **97** 49
pumping plant **217** 39-46
pumping rod **145** 25
pumping station *Offshore Drill.* **146** 22
pumping station *Hydr. Eng.* **217** 43
pumping station *Shipbuild.* **222** 33
pumping station *Spa* **274** 4
pumping unit **145** 22
pumpkin **57** 23
pump pressure spring **174** 41
pump room *Brew.* **92** 11
pump room *Spa* **274** 8, 15
pumps **2** 52
pump shaft **199** 19
pump strainer **269** 6, 14, 43
punch *Shoem.* **100** 45, 46
punch *Goldsm. etc.* **108** 19, 30, 31
punch *Office* **247** 3
punch *Sculpt. Studio* **339** 15
punch, foul ~ **299** 34
punch, hollow ~ **125** 13
punch, illegal ~ **299** 34
punch, revolving ~ **100** 44
punch, rotary ~ **100** 44
punch, round ~ **137** 36; **140** 65
punch, steel ~ **175** 36
punch, straight ~ **299** 28
punch bag **299** 21
punch ball **299** 24
punch ball, spring-supported ~ **299** 20
punch ball, suspended ~ **299** 23
punch blank **175** 35
punch card **237** 64
punch card reader **244** 12
punch cutter **175** 32
punched card **237** 64
punched card reader **244** 12
punched tape **176** 6, 8, 12; **237** 62, 68
punched tape input **176** 30
punched tape reader **176** 13, 15
punching bag **299** 21
punchtape **176** 6, 8, 12; **237** 62, 68
punch tape input **176** 30
punch tape reader **176** 13, 15
punctuation marks **342** 16-29
punt **216** 15; **283** 1
punt pole **89** 30; **216** 16
pup **73** 16
pupa **77** 30, 32; **80** 4, 25, 43; **81** 21, 24; **82** 13, 21, 32; **358** 20; **365** 11
pupa, coarctate ~ **81** 3
pupil *Man.* **19** 43
pupil *School* **260** 3
puppy **73** 16
pure culture plant **93** 6
purfling **323** 26
purge valve **6** 25
purified water tank **269** 13
purlin **119** 55; **121** 39, 51, 76
purlin, concrete ~ **119** 4
purlin, inferior ~ **119** 3; **121** 44; **122** 40
purlin roof **121** 46
purlin roof structure **121** 52, 60
purple clover **69** 1
purple medick **69** 9
purse wig **34** 4
push button **203** 67; **237** 18, 19; **241** 3
push-button keyboard **237** 10; **245** 14; **246** 14
push-button telephone **237** 20
pushchair **28** 37
pushchair, doll's ~ **48** 31
pusher ram **156** 7
pushing frame **200** 30
push sledge **304** 29
push tow **225** 60
push tug **221** 93
putlock **118** 27
putlog **118** 27
putter **293** 93
putting **293** 86
putting green **293** 82
putty **124** 17
putty knife **124** 27; **129** 24
puzzle **48** 9
pyelogram **27** 6
pyelogram cassettes **27** 14
pyelography **27** 4
pygmy poodle **70** 36
pyjamas **32** 17, 36
pyjama top **32** 18
pyjama trousers **32** 19
pylon *Railw.* **214** 31, 77
pylon *Art* **333** 9
pylon, tubular steel ~ **214** 78
pylorus **20** 42
pyramid *Fruit & Veg. Gdn* **52** 16
pyramid *Circus* **307** 28
pyramid **Art 333** 1
pyramid, glass ~ **5** 19
pyramid, orthorhombic ~ **351** 23
pyramid, quadrilateral ~ **347** 46
pyramid, stepped ~ **333** 22; **352** 20
pyramid site **333** 6
pyramid tree **52** 16; **272** 19
pyrheliometer **10** 23
pyrite **351** 8
pyrometer **178** 16
pyx **330** 8; **332** 53
pyxidium **370** 95

Q

quack grass **61** 30
quadrant **347** 5
quadra/stereo converter **241** 46
quadrilateral, irregular ~ **346** 39
quadrilaterals **346** 33-39
quadrophonic system **241** 13-48
quadruplet **321** 23
quail **359** 22
quail call **87** 45
quake, tectonic ~ **11** 32-38
quake, volcanic ~ **11** 32-38
quantity, unknown ~ **345** 4, 8
quant pole **89** 30; **216** 16
quantum jump **1** 15
quantum jumps **1** 20-25
quantum transitions **1** 20-25
quarantine wing **225** 27
quarrier **158** 5
quarry Map **158** 7
quarry *Quarry* **158** 1
quarryman **158** 5
quarry worker **158** 5
quarte engagement **294** 47
quarter *Shoem.* **100** 61
quarter *Carp.* **120** 25
quarter, first ~ **4** 4
quarter, last ~ **4** 6
quarter, third ~ **4** 6
quarter baulk **120** 90
quarter gallery **218** 57
quarterings **254** 18-23
quartering wind **285** 13
quarter light **191** 23
quarter note **320** 15
quarter of beef **94** 22
quarter piece **329** 88
quarter rest **320** 23
quarters, firemen's ~ **270** 2
quarter vent **191** 23
quarter wind **285** 13
quartz **110** 15
quartz-halogen lamp **179** 21; **182** 3
quartz watch, electronic ~ **110** 14
quatrefoil **335** 39
quaver **320** 16
quaver rest **320** 24
quay **222** 5; **225** 64
quayside crane **225** 24
quayside railway **225** 21
quayside road **225** 38
quayside roadway **225** 38
quayside steps **283** 22
quay wall **217** 1-14
queen *Bees* **77** 4,38
queen *Games* **276** 9

R

S

scale louse **80** 35
scale pan *Kitch. Utensils* **40** 37
scale pan *Chem.* **349** 36
scales *Astron.* **3** 19; **4** 59
scales *Doc.* **22** 66
scales *Kitch. Utensils* **40** 35
scales *Child. Rm.* **47** 33
scales *Supermkt.* **99** 88
scales *Photog.* **114** 58
scales *Music. Not.* **320** 45-49
scaling hammer **137** 38
scallop shell **309** 46
scalp **352** 15
scalpel **26** 43
scalper **340** 7
scaly ant-eater **366** 10
scanner **177** 39
scanner film **177** 72
scanning drum **177** 45
scanning head **177** 46, 63
scanning zone **243** 47
scantling **120** 10
scape **370** 52
scapula **16** 23; **17** 7
scar **11** 48
scarecrow **52** 27
scarf *Ladies' Wear* **31** 57
scarf *Men's Wear* **33** 65
scarf *Headgear* **35** 16
scarf *Bullfight etc.* **319** 38
scarf joint, oblique~ **121** 88
scarf joint, simple~ **121** 87
scarifier **200** 20
scarlet pimpernel **61** 27
scarlet runner **52** 28; **57** 8
scarlet runner bean **57** 8
scarp **13** 57
scatter cushion **42** 27; **46** 17
scauper **340** 7
scaur **11** 48
scaw **11** 48
scene *Theatre* **316** 36
scene **Art 334** 45
scene number **310** 35
scene painter **315** 35
scene-repeat key **243** 42
scenery **316** 35
scenery projector **316** 17
scene shifter **315** 28; **316** 46
scenic artist **315** 35
scenic railway **308** 39
scent, artificial~ **289** 49
sceptre, fool's~ **306** 59
schalmeyes **322** 14
schedule **204** 16
schedule, engineer's~ **210** 52
Scheidt globe **349** 1
schilling **252** 13
schizocarp **370** 94
schnapps **98** 56
schnauzer **70** 35
schnecke **97** 38
schnorkel *Warships* **259** 72, 90
schnorkel *Swim.* **279** 11
schnorkel *Bathing* **280** 39
school **260; 261**
school bag **260** 7
school book **47** 25
school children's wear **29** 31-47
school figure **289** 7
school horse **289** 3
school satchel **260** 9
schooner, four-masted~ **220** 28
schooner, three-masted~ **220** 18
schooner, topsail~ **220** 11-13
Schottel propeller **227** 20
Schwellwerk **326** 45
scion **54** 37
scion bud **54** 23, 34
scissor-blade **106** 35
scissor jump **295** 39; **298** 22
scissors *Shoem.* **100** 43
scissors *School* **260** 49
scissors *Gymn.* **296** 51
scissors *Athletics* **298** 22
scissors, angled~ **22** 51
scissors, bull-nosed~ **128** 34
scissors, curved~ **26** 42
scissors movement **296** 51
scoop *Doc.* **22** 50
scoop *Hosp.* **26** 52
scoop *Graphic Art* **340** 8
scoop thermometer **92** 53
scooter **188** 47
scooters **188**
scoreboard **293** 34, 70
scorer **293** 71
scoring equipment, electrical~ **294** 25-33
scoring equipment, electronic~ **294** 32
scoring light **294** 28
scorper **340** 7
Scorpio **3** 38; **4** 60
Scorpion *Astron.* **3** 38; **4** 60
scorpion *Articulates* **358** 40
scorzonera **57** 35
Scots pine **372** 20
Scottish terrier **70** 17
scouring machine, open width~ **168** 8
scouring nozzle **216** 62
scouring tunnel **217** 62
scouring wheel **100** 6
scout **278** 11
scout camp **278** 8-11
scrag **95** 6
scrag end **95** 6
scramble racing **290** 24-28
scrambling motorcycle **189** 16
scrap box **141** 15
scraper *Butch.* **96** 42
scraper *Paperhanger* **128** 10
scraper *Painter* **129** 23
scraper *Graphic* **Art 340** 63
scraper, pointed~ **140** 63
scraper, triangle~ **140** 63
scraper adjustment **340** 62
scraper and burnisher **340** 17
scraper blade **200** 17
scraper floor, movable~ **62** 24
scrap iron charging box **147** 26
scrap iron feed **147** 65
scray entry, curved~ **168** 47
scree **11** 47; **12** 45; **13** 29
screech owl **362** 17
screed **123** 41
screeding beam **201** 14
screeding board **201** 14
scree ledge **300** 4
screen *Hunt.* **86** 9
screen *Fish Farm.* **89** 10
screen *Bldg. Site* **118** 85
screen *Paperm.* **172** 57
screen *Refuse Coll.* **199** 11
screen *Post* **236** 40
screen *Inf. Tech* **242** 84
screen *Swim.* **281** 17
screen **Films 310** 16, 51; **312** 11
screen *Market Gdn.* **55** 13
screen, all-matt~ **115** 58, 59, 60, 65
screen, centrifugal~ **172** 22, 56
screen, crystal glass~ **179** 24
screen, fluorescent~ **74** 40
screen, ground glass~ **112** 24; **115** 58, 59, 60, 61, 65, 66; **177** 2, 34
screen, illuminated~ **177** 20; **264** 30
screen, inner~ **240** 20
screen, lead~ **259** 70
screen, magnetic~ **240** 20
screen, matt~ *Optic. Instr.* **112** 24
screen, matt~ *Photog.* **115** 61, 66
screen, protective~ **154** 74
screen, rotary~ **172** 2
screen, secondary~ **172** 58
screen, vibrating~ **158** 21
screen curtain **312** 10
screen frame, mobile~ **168** 60
screen holder, hinged~ **177** 3
screening **156** 14
screening, inner~ **240** 20
screening, magnetic~ **240** 20
screenings **158** 22
screen magazine **177** 9
screen printing **168** 59
screen printing operator **168** 65
screen table **168** 63
screen work **136** 4
screw *First Aid* **21** 16
screw *Metalwkr.* **140** 4
screw *Weaving* **165** 36
screw *Life-Sav.* **228** 26
screw, cheese-head~ **143** 36
screw, cross-head~ **143** 26
screw, feathering~ **224** 19
screw, hexagonal socket head~ **143** 27
screw, main~ **148** 62
screw, self-tapping~ **143** 26
screw, ship's~ **221** 44; **222** 72; **223** 62
screw, slotted~ **143** 36
screw, three-blade~ **223** 62
screw-back **277** 4
screw base **127** 59
screw block **136** 8
screw clamp **120** 66
screw conveyor **92** 26
screw-cutting machine **125** 27; **126** 86
screw die **140** 61
screw dive **282** 44
screwdriver **109** 6; 126 69, **127** 46; **134** 4; **140** 62
screwdriver, cross-point~ **134** 5
screwgate **300** 47
screw groove **143** 38
screw joint **126** 42
screw log **224** 54
screw post **222** 71
screws **143** 13-50
screw slit **143** 38
screws lot **143** 38
screw tap **140** 60
screw thread **50** 50
screw wrench **126** 67
scrim **183** 33; **185** 20
scrim roll holder **185** 19
script *Films* **310** 45
script *Script* **341; 342**
script, cuneiform~ **341** 8
script, director's~ **316** 44
script, Latin~ **342** 12
script, producer's~ **316** 44
script, Sinaitic~ **341** 13
script, uncial~ **341** 17
scriptgirl **310** 39
scripts **341** 1-20
Scriptures **330** 11
scroll *Music. Instr.* **323** 17
scroll *Art* **333** 26; **334** 23
scroll, Vitruvian~ **334** 39
scroll-opening roller **168** 13
scrollwork **336** 8
scrotum **20** 71
scrubber **156** 22, 23, 24
scrubbing agent **156** 37
scrubbing brush **50** 56
scrubbing oil tank **156** 43
scrub board **123** 21, 63
scrum **292** 20
scrummage **292** 20
scuba **279** 19
scull **283** 17, 35-38
sculptor **339** 1
sculpture **339** 32
sculpture, modern~ **272** 64
scut **88** 19, 62
scutcher, double~ **163** 14
scutcher lap **163** 47
scutcher lap holder **163** 48
scutch grass **61** 30
scutellum **82** 5; **358** 30
scythe **66** 12
scythe blade **66** 13
scythe sheath **66** 18
scythestone **66** 19
sea **13** 26; **14** 19-26
sea, epeiric~ **14** 26
sea, epicontinental~ **14** 26
sea, marginal~ **14** 26
sea, open~ **227** 4
sea anemone **369** 20
sea bear **367** 18
seabirds **359** 11-14
sea calf **367** 19
sea couch grass **61** 30
sea cucumber **369** 18
sea deity **327** 23
sea divinity **327** 23
sea dog **367** 19
sea fan **369** 8
sea feather **369** 14
sea fishing **90**
Sea Goat **3** 36; **4** 62
sea goddess **327** 23
sea grass **378** 54
sea hedgebog **357** 39; **369** 19
sea horse **364** 18
seakale beet **57** 28
seal **190** 69
seal, clay~ **269** 39
seal, loam~ **269** 39
sealadder **221** 91
sea lead **89** 92
sealevel **11** 11
sea lily **369** 3
sealing tape **126** 75
seals **367** 18-22
seam **144** 29
seamaid **327** 23
seamaiden **327** 23
seaman **327** 23
seamarks **224** 68-108
seam binding **103** 14; **104** 19
seamless engraving adjustment **177** 53
sea monster **327** 47
seam roller **128** 36
sea nymph **327** 23
sea otter **367** 17
sea ox **327** 47
sea pen **369** 14
seaplane **232** 1, 5
seaquake **11** 53
search **264** 31
searchlight **258** 28
Sea Serpent **3** 16
seaside pleasure boat **221** 15
sea star **357** 38; **369** 17
sea strait **14** 24
seat *Man* **16** 40
seat **24** 24; **41** 10; **44** 11; **65** 22; **71** 45; **212** 63; **271** 35; **273** 58; **283** 28; **303** 6; **307** 15; **312** 9; **315** 20
seat *Mach. Parts etc.* **143** 65
seat, back~ **193** 22
seat, captain's~ **235** 17
seat, child's~ **187** 21
seat, circular~ **281** 38

Stuttgart Planetarium **5** 17-28
sty **62** 8
style **58** 42; **59** 15; **68** 34; **370** 55; **373** 5; **378** 5
style jump **288** 50-5 1
styling scissors **106** 34
stylobate **334** 32
stylus **341** 25
stylus, conical~ **241** 26
stylus, elliptical~ **241** 26
stylus, steel~ **341** 21
stylus force control **241** 24
stylus pressure control **241** 24
sub-base course, bituminous~ **198** 2
sub-base course, gravel~ **200** 60
sub-base course, hardcore~ **200** 60
subcontra octave **321** 42
sub-drainage **200** 61
subfloor **123** 38, 73
subgrade grader **201** 1
subheading **342** 41
sub-machine gun **255** 8
submarine **258** 64
substation, outdoor~ **152** 29-35
substitute **291** 54; **292** 39
substitute flags **253** 30-32
substitute signal **203 6**
substructure *Oil, Petr.* **145** 2
substructure *Offshore Drill.* **146** 38
subtitle **185** 47
subtracting **344** 24
subtraction **344** 24
subtrahend **344** 24
succory **57** 40; **376** 25
sucker *House Insects etc.* **81** 37
sucker *Opticn.* **111** 23
sucker *Invertebr.* **357** 21
sucker rod **145** 25
sucking organ **358** 17
suction **162** 25
suction apparatus *Dent.* **24** 11
suction apparatus *Poultry Farm* **74** 41
suction box *Poultry Farm* **74** 41
suction box *Cotton Spin.* **164** 44
suction box *Paperm.* **173** 15
suction control **50** 72
suction control, fingertip~ **50** 74
suction control, sliding~ **50** 74
suction dredger **216** 59

T

U

V

W

yoke elm **371** 63
yoke mount, English-type ~ **113** 23
yoke mounting, English-type ~ **113** 23
yolk **74** 68
yolk sac **74** 64
Y-tube **350** 56
yucca **373** 24
yurt **353** 19
yurta **353** 19

Z

zap flap **229** 50
Z-drive motorboat **286** 2
zebra **366** 27
zebra crossing **198** 11; **268** 24
Zechstein, leached ~ **154** 62
Zechstein, lixiviated ~ **154** 62
Zechstein shale **154** 68
zenith *Astron.* **4** 11
zenith *Hunt* **87** 77
zero **275** 18
zero adjustment **2** 7
zero isotherm **9** 41
zero level **7** 6, 20
ziggurat **333** 32
zimmerstutzen **305** 35
zinc plate **179** 9; **180** 53; **340** 52
zinc plate, etched ~ **178** 40
zinc plate, photoprinted ~ **178** 32
zink **322** 12
zinnia **60** 22
zip **31** 55; **33** 28; **260** 13
zip, front ~ **29** 18
zip, inside ~ **101** 6
zip code **236** 43
zircon **351** 19
zither **324** 21
zone, arid ~ **9** 54
zone, paved ~ **268** 58
zone, tropical ~ **9** 53
zoo **356**
zoological gardens **356**
zooming lever **117** 54; **313** 22, 36
zoom lens **112** 41; **240** 34; **313** 23
zoom lens, interchangeable ~ **117** 2
zoom stereomicroscope **112** 40
Zulu **354** 36